Rosella Bozzone Costa

Viaggio nell'italiano

Corso di lingua e cultura italiana per stranieri

Seconda edizione

*e bello doppo
il morire, vivere.
anchora...*

LOESCHER EDITORE

Ristampe

6	5	4	3	2
2009	2008	2007		

Loescher Editore S.r.l. opera con sistema qualità
certificato CERMET n° 1679-A
secondo la norma UNI EN ISO 9001-2000

Coordinamento editoriale: Laura Cavaleri

Redazione: Chiara Versino

Ricerca iconografica: Emanuela Mazzucchetti, Giorgio Evangelisti

Disegni: Benedetta Giaufret, Enrica Rusinà

Progetto grafico e videoimpaginazione: Softdesign - Torino

Fotolito: Graphic Center - Torino

Stampa: Sograte - Città di Castello (PG)

Indice[1]

TITOLO UNITÀ	FUNZIONI E COMPITI	TESTUALITÀ c. = connettivo s. disc.= segnale discorsivo	LESSICO p.=parole	GRAMMATICA
UNITÀ 1 **Parliamo d'infanzia** p. 1	– raccontare azioni passate abituali – esprimere paura, rabbia – descrivere aspetto e carattere delle persone – confrontare e descrivere cambiamenti – scrivere una favola, un racconto – inserire la punteggiatura	– s. disc.: *guarda, ma dai!* – c. correlativo: *né ... né* – c. consecutivo: *tanto che* – c. dichiarativo: *infatti*	– verbi che descrivono posizioni corporee: *si è rannicchiato* – numerali collettivi: *decina* – metafore: *è un agnello, un pallone gonfiato* – aggettivi di carattere	– usi imperfetto o passato prossimo – *bello, buono, bravo, bene* – aggettivi possessivi con nomi di parentela – nomi con doppio plurale: *i muri/le mura* – uso del congiuntivo con *prima che* – preposizioni temporali: *da, per, tra, in*
UNITÀ 2 **La famiglia italiana: nuovi scenari** p. 35	– esprimere opinioni, giudizi, fatti non certi – chiedere e dare consigli, fare ipotesi – commentare dati statistici – rispondere a una lettera al giornale	– c. vari: *infatti, comunque, cioè, per cui, insomma* – c. avversativi: *anzi, eppure...* – s. disc.: *allora, ecco*	– p. per parlare di statistiche: *è aumentato del 3%* – colloquialismi: *non mi dà retta* – verbi pronominali: *cavarsela* – diminutivi: *-ino, -etto, -ello* – metafore: *dare una mano, caschi il mondo*	– congiuntivo presente con *penso che, non sono convinto che...* – congiuntivo presente con c. concessivi: *sebbene, nonostante...* – pronomi combinati – preposizioni: *di/a* + infinito

[1] L'indice ad apertura di ogni unità riporta anche l'indicazione delle strategie di sudio e degli argomenti di ripasso trattati.

Unità introduttiva

Come si impara una lingua straniera?

Riflettere su come si fa ad apprendere una lingua straniera può aiutarti ad **imparare meglio ad imparare**. Rispondi alle domande basandoti sulle tue esperienze di apprendimento e poi "fai tesoro" della discussione con l'insegnante e il resto della classe.
Migliorare la propria abilità di studio è sempre possibile e auspicabile!

Commentate queste affermazioni con l'intera classe:

▶ "Per imparare una lingua straniera è sufficiente immergersi nella lingua nel paese in cui si parla."

▶ "Non si può imparare una lingua se non si studia la sua grammatica."

▶ "Nell'apprendimento di una lingua è inevitabile fare errori: se non si fanno errori non si possono fare progressi."

Rispondi a queste domande e poi confrontati con il resto della classe.

1 Quali di queste <u>quattro abilità</u> è più importante esercitare per imparare una lingua?

☐ a. ascoltare ☐ c. parlare
☐ b. leggere ☐ d. scrivere

2 Nel tuo attuale livello di conoscenza dell'italiano, quale di queste abilità pensi di avere bisogno di migliorare?

☐ a. ascoltare ☐ c. parlare
☐ b. leggere ☐ d. scrivere

3 Che cosa pensi sarebbe utile fare per migliorarle?

a. Ascoltare: es. *ascoltare lezioni accademiche*
....

b. Parlare: ....
....

c. Leggere: ....
....

d. Scrivere: ....
....

4 Serve studiare e praticare la <u>grammatica</u>? Se sì, che cosa aiuta a migliorare?
....
....

5 Indica che cosa, secondo te, rende più efficace lo studio della grammatica.

☐ 1. L'insegnante spiega la regola attraverso degli esempi e poi gli studenti fanno esercizi.

☐ 2. Attraverso l'esplorazione di testi gli studenti cercano la regola e poi fanno esercizi.

☐ 3. Leggere la sintesi grammaticale che c'è sul libro e poi fare esercizi.

☐ 4. Lavorare su testi orali e scritti.

☐ 5. Lavorare su frasi costruite a tavolino.

6   Che tecniche hai usato finora per imparare le parole, il <u>lessico</u> dell'italiano?

ESEMPIO

> Annoto le parole nuove su un quaderno e le rileggo più volte.
> Appendo liste di parole nelle stanze della casa, per averle sempre sott'occhio.

....

....

> Quali di quelle suggerite dai tuoi compagni vorresti sperimentare? (da completare dopo aver discusso con la classe)

....

....

Quando incontri in un testo una parola che non conosci, che cosa fai?

- ☐ 1. La cerco sempre sul dizionario.
- ☐ 2. Cerco di ricostruirne il significato dal contesto in cui si trova.
- ☐ 3. La salto se non è una parola importante per la comprensione del testo.
- ☐ 4. Interrompo la lettura e chiedo il significato all'insegnante.

Quando incontri una parola che non conosci, preferisci:

- ☐ 1. che l'insegnante ti spieghi il significato in italiano;
- ☐ 2. che l'insegnante te ne spieghi il significato attraverso degli esempi;
- ☐ 3. che l'insegnante te la traduca nella tua lingua materna;
- ☐ 4. cercarla da solo sul dizionario bilingue.

7   Come valuti la tua <u>pronuncia</u>?

- ☐ 1. **Ottima:** mi capiscono sempre e mi dicono che ho un buon accento.
- ☐ 2. **Discreta:** quando parlo mi capiscono quasi sempre.
- ☐ 3. **Così così:** spesso quando parlo mi chiedono di ripetere.

- ☐ 4. **Pessima:** ho grosse difficoltà a pronunciare l'italiano e anche se parlo abbastanza bene faccio molta fatica a farmi capire.

Che cosa pensi sia utile per migliorarla?

- ☐ 1. Leggere ad alta voce.
- ☐ 2. Fare esercizi nel laboratorio linguistico.
- ☐ 3. Conoscere il modo e il punto di articolazione dei fonemi per te difficili ed esercitarti a casa a pronunciarli.
- ☐ 4. Altro ....

....

8   Quando e come vorresti <u>essere corretto</u> quando fai errori?

- ☐ 1. Sempre, dall'insegnante, appena faccio l'errore.
- ☐ 2. Quando scrivo un testo.
- ☐ 3. Quando faccio esercizi grammaticali.
- ☐ 4. Non mentre parlo, ma solo dopo aver finito l'attività di produzione orale.
- ☐ 5. Quando parlo e scrivo, con una segnalazione esplicita seguita da una correzione diretta dell'errore da parte dell'insegnante.
- ☐ 6. Quando parlo, con una correzione indiretta attraverso una riformulazione corretta da parte dell'insegnante.
- ☐ 7. Quando scrivo, con una segnalazione degli errori da parte dell'insegnante seguita da una mia correzione.

Se, quando parli, l'insegnante ti corregge, ripeti subito dopo la versione corretta della frase/parola?

- ☐ 1. sempre   ☐ 2. qualche volta
- ☐ 3. mai, perché non mi accorgo neanche di essere corretto/a

Ti rendi conto, mentre parli, degli errori che fai?

- ☐ 1. Sempre e mi correggo / ma non mi correggo.
- ☐ 2. Qualche volta e mi correggo / ma non mi correggo.
- ☐ 3. Quasi mai perché mi interessa soprattutto comunicare.
- ☐ 4. Mai perché non controllo ciò che dico.

9 Ti interessa approfondire attraverso lo studio dell'italiano anche la tua conoscenza della <u>cultura italiana</u> e del modo di vivere degli italiani?

☐ 1. molto   ☐ 3. abbastanza

☐ 2. poco   ☐ 4. per niente

Quale di questi temi di cultura e di attualità ti piacerebbe esplorare durante il corso? Scegline 6 e numerali in ordine di preferenza (1= più interessante, 6 = meno interessante)

☐ la famiglia italiana

☐ il tempo libero degli italiani

☐ il sistema scolastico italiano

☐ il mondo del lavoro

☐ dove scelgono di vivere gli italiani e iniziative ambientali

☐ la lingua italiana: sue varietà e dialetti

☐ letteratura italiana contemporanea

☐ il cinema italiano contemporaneo

☐ l'arte italiana ed itinerari turistici

☐ la questione meridionale/settentrionale

☐ la canzone d'autore italiana

10 In classe ti <u>annoi</u> quando... e ti <u>diverti</u> quando

....

....

....

....

11 In che <u>modo</u> preferisci lavorare in classe?

☐ 1. da solo/a

☐ 2. in coppia

☐ 3. a piccoli gruppi

☐ 4. con l'intera classe

☐ 5. da solo/a con l'insegnante

Quali sono i vantaggi e gli svantaggi di ciascuna modalità? ....

....

12 Qual è, secondo te, il ruolo principale dell' <u>insegnante</u> in classe?

☐ 1. Parlare, spiegare e correggere sempre lui/lei.

☐ 2. Valutare la competenza degli studenti.

☐ 3. Tenere la regia della classe (dare istruzioni, scandire i tempi delle attività...).

☐ 4. Fornire aiuto linguistico quando gli studenti lo richiedono.

☐ 5. Gestire le dinamiche relazionali della classe.

Definisci con 2/3 aggettivi il tuo insegnante ideale.

....

....

....

13 Cosa deve fare lo <u>studente ideale</u> in classe?

☐ 1. Parlare sempre.

☐ 2. Parlare il più possibile lasciando però spazio anche agli altri compagni.

☐ 3. Saper rispettare i ritmi degli altri compagni, soprattutto quando ce ne sono di molto lenti.

☐ 4. Partecipare attivamente alle attività proposte, mettersi in gioco senza paura di "perdere la faccia".

☐ 5. Chiedere spiegazioni quando non ha capito qualcosa.

☐ 6. Dire che cosa preferirebbe fare e se c'è qualcosa che non va o non gli piace.

14 Come dovrebbero essere i tuoi <u>compagni ideali</u>?

....

....

....

....

....

Griglia di autovalutazione

Completa con cura questa griglia, all'inizio del corso.

Ti serve come promemoria per fare il punto sulle tue attuali difficoltà e sugli obiettivi che ti prefiggi di raggiungere per migliorare il tuo italiano.

NOME, COGNOME .... LIVELLO .... su			
	IL MIO PUNTO DI PARTENZA Livello: Basico A1 Elementare A2 Autosufficiente B1 Indipendente B2 Competente C1 Quasi nativo C2	LE MIE DIFFICOLTÀ	I MIEI OBIETTIVI
ASCOLTARE			
PARLARE (INTERAGIRE)			
PARLARE (MONOLOGARE)			
LEGGERE			
SCRIVERE			
LESSICO			
GRAMMATICA			
PRONUNCIA			

Che cosa pensi sia utile fare per raggiungere gli obiettivi che ti sei prefisso?

Per migliorare..... vorrei:

....

....

Consultati con il/la tuo/a insegnante.

Oltre alle ore di lezione in classe, quanto tempo pensi di poter dedicare allo studio dell'italiano per raggiungere gli obiettivi che ti sei prefisso?

Parliamo d'infanzia

■ **Unità tematica**	– ricordi d'infanzia
■ **Funzioni e compiti**	– raccontare fatti passati
	– raccontare azioni passate abituali
	– esprimere paura, rabbia
	– descrivere aspetto e carattere delle persone
	– confrontare e descrivere cambiamenti
	– raccontare una favola, scrivere un racconto
	– inserire la punteggiatura
■ **Testualità**	– segnali discorsivi del parlato (*guarda, ma dai!*)
	– connettivo correlativo (*né ... né*)
	– connettivo consecutivo (*tanto che*)
	– connettivo dichiarativo (*infatti*)
■ **Lessico**	– verbi che descrivono posizioni corporee (*si è rannicchiato*)
	– numerali collettivi (*decina*)
	– metafore con nomi di animali e altre metafore per descrivere il carattere (*è un agnello, un pallone gonfiato*)
	– aggettivi di carattere
■ **Grammatica**	– passato prossimo o imperfetto
	– *bello, buono, bravo, bene*
	– aggettivi possessivi con nomi di parentela (*mio fratello, il mio fratello maggiore*)
	– nomi con doppia forma di plurale (*il muro – i muri/le mura*)
	– uso del congiuntivo con *prima che*
	– preposizioni temporali: *da, per, tra, in*
■ **Strategie**	– lettura orientativa ed esplorativa
	– lettura intensiva
■ **Ripasso**	– pronomi diretti e indiretti

↗ **Entrare nel tema**

Discutete in classe.

▶ Infanzia, adolescenza, età adulta e vecchiaia: qual è l'età più bella nella vita di una persona e perché?

▶ Condividete questa affermazione tratta dal libro *Va' dove ti porta il cuore* di Susanna Tamaro?

> "L'infanzia e la vecchiaia si assomigliano. In entrambi i casi, per motivi diversi, si è piuttosto inermi, non si è ancora – o non si è più – partecipi della vita attiva e questo permette di vivere con una sensibilità senza schemi, aperta".
>
> (S. Tamaro, *Va' dove ti porta il cuore*, Baldini & Castoldi, Milano 1994)

▶ Perché abbiamo poca memoria dell'infanzia? A che età risalgono i primi ricordi della vostra infanzia?

Lavorate in gruppo. Concentratevi per 5 minuti sui ricordi della vostra infanzia e raccogliete qualche annotazione negli spazi che trovate sotto. Poi a piccoli gruppi raccontate a turno i ricordi più salienti.

Luoghi e spazi	Odori

Oggetti/Giocattoli	Persone

1 Leggere

Lettura orientativa ed esplorativa

A Prima di leggere questo frammento tratto dal racconto *Infanzia* formula delle ipotesi sul suo contenuto, basandoti sul titolo. Chi è il protagonista e di che cosa parla?

Susanna Tamaro
Per voce sola

Baldini&Castoldi
Tascabili

sasso
stone

A sette anni ne avevo già più di cento

Lei aveva quel lavoro fin da poco ch'ero nato. Era un lavoro ma anche una passione. Per Natale ha sempre ricevuto decine e decine di biglietti d'auguri. Con i suoi pazienti ci metteva il cuore. A casa, però, era sempre stanca, così molto presto ho capito che era meglio non disturbarla con le mie domande. Me le facevo da solo e da solo mi rispondevo. Poi, per fortuna ho cominciato ad andare a scuola. A scuola ho imparato a leggere. Solo allora il mio ordine ha preso una vera forma. Stavo con i libri sulle ginocchia, leggevo ad alta voce per ore. Leggevo piano, sillabando una parola dietro l'altra. C'era una figura e vicino un nome. Così ho imparato che quell'uccello con la pancia rossa era il pettirosso, quel sasso quasi trasparente il quarzo. Era un'emozione ogni volta. In tutto il disordine intorno qualcosa prendeva il suo posto. Se non lo facevo io non c'era nessun altro a farlo. Dovevo farlo.

La prima passione furono i sassi. Erano la cosa più facile da catalogare. Stanno lì fermi, basta chinarsi per raccoglierli. A sette anni ne avevo già più di cento. Alla mamma non l'avevo detto, no. Un po' avevo paura, un po' volevo farle una sorpresa. Un giorno sarei stato un grande scienziato, uno scienziato grandissimo. Lei l'avrebbe saputo dalla stampa. Un mattino avrebbe aperto un giornale e avrebbe visto la foto di suo figlio. Allora mi avrebbe perdonato tutto. Mi avrebbe abbracciato come abbracciava i suoi pazienti quand'erano guariti.

A quel tempo dormivamo spesso insieme. Non mi invitava lei, ero io che la raggiungevo quando già dormiva. Le lenzuola erano fredde e lei stava con il corpo tutto rannicchiato da una parte. Pareva un alpinista sull'orlo di un burrone. Anche a me piaceva far finta di cadere, così mi aggrappavo dietro di lei, sulla sua schiena, e cadevamo insieme fino quasi al mattino. Tornavo nel mio letto un po' prima che comparisse il sole.

Per una cosa si arrabbiava, sì: perché non la guardavo mai negli occhi. In effetti tenevo gli occhi sempre per terra. L'abitudine dei sassi, credo. Non so, non guardavo mai negli occhi neanche la maestra, né lei, né la maestra, né nessun'altra. Lei diceva guardami! E io diventavo rosso. Diceva guardami! Ancora e il mio collo si piegava avanti ad angolo retto con il corpo. Allora mi prendeva per il mento e tirava indietro.

(S. Tamaro, *Per voce sola*, Baldini & Castoldi, Milano 1991)

B Fai una prima lettura orientativa per avere un'impressione generale del testo. Procedi per capoversi. Indica tra le seguenti coppie di frasi quella che riassume meglio l'informazione centrale di ciascun paragrafo del testo. Associala poi al paragrafo corrispondente.

1. Il paragrafo __3__ parla:
   - ☒ a. dell'abitudine del bambino di dormire aggrappato alla madre.
   - ☐ b. dell'abitudine della madre di dormire sul bordo del letto.

2. Il paragrafo __1__ parla:
   - ☒ a. del bisogno di ordine del protagonista, che si esprime nel desiderio di conoscere il nome e classificare tutte le cose che lo circondano.
   - ☐ b. della madre che si comportava in maniera diversa sul lavoro e a casa.

3. Il paragrafo __2__ parla:
   - ☐ a. del desiderio del bambino, di cui la madre era orgogliosa, di diventare da grande uno scienziato.
   - ☒ b. della sua passione nascosta di collezionare i sassi e della sua paura di raccontarla alla madre.

4. Il paragrafo __4__ parla:
   - ☒ a. della reazione della madre al fatto che il bambino non guardava mai nessuno negli occhi.
   - ☐ b. dell'abitudine del bambino di guardare sempre per terra dovuta al fatto che raccoglieva tanti sassi.

C Fai una seconda lettura esplorativa rileggendo le parti del testo utili per trovare le seguenti informazioni.

1. Trova i due punti del testo in cui il protagonista parla del lavoro della madre e fai delle ipotesi sulla sua professione.

2. Definisci con alcuni aggettivi i tratti della personalità del bambino e della mamma che emergono dal testo.
   Bambino: _Timido e studioso, sensibile, isolato_
   Mamma: _è duro lavoro, impaziente, non è attento._

3. Nel testo si parla dei sentimenti della paura e della rabbia. Dove e a proposito di che cosa?
   Il bambino era paura ad il maestro.

2 Lessico

A Collega le parole evidenziate nel testo di p. 3 con i loro sinonimi.

_b_ 1. pazienti	a. dirupo
_c_ 2. sillabando	b. ammalati
_d_ 3. orlo	c. pronunciando una sillaba dopo l'altra
_a_ 4. burrone	d. margine

B Associa i seguenti verbi (presenti nel testo di p. 3) che indicano movimenti e posizioni cor-
poree alle foto.

> mi aggrappavo   abbracciava   chinarsi / si piegava   rannicchiato

1. _rannicchiato_ 2. _abbracciava_ 3. _mi aggrappavo_ 4. _chinarsi_

C Trova un sinonimo di:

1. (riga 3) Con i suoi pazienti <u>ci metteva il cuore</u>

lo faceva amore / ci metteva passione

2. (riga 25) Anche a me piaceva <u>far finta</u> di cadere...

fingere (to feign)

D (righe 2-3) "Per Natale ha sempre ricevuto <u>decine</u> e <u>decine</u>
di biglietti d'auguri". Scrivi come si dice:

1. più o meno dodici: _una dozzina_
2. più o meno cento: _un centinaio_
3. più o meno mille: _un migliaio_

> **UNA DECINA =**
> circa dieci,
> più o meno dieci
>
> ▶ p. 31

3 Esplorare la grammatica

Passato prossimo o imperfetto

A Trova nel testo di p. 3 un verbo al:

1. passato prossimo   _ho capito, ho cominciato, ho imparato._
2. imperfetto   _leggevo, dormivamo, diceva._
3. trapassato prossimo   _avevo detto_
4. passato remoto
5. condizionale passato   _sarei stato, avrebbe saputo, avrebbe chiesto_

B Lavorate in coppia sul testo di p. 3 per riflettere sulle differenze d'uso tra il passato prossimo e l'imperfetto. Associate le funzioni d'uso che trovate sotto agli esempi tratti dal testo.

> a. azione ripetuta nel passato
> b. azione vista nella sua durata
>
> c. azione conclusa
> d. stati, condizioni fisiche e psicologiche

Passato prossimo

1. ☑ c (riga 7) A scuola ho imparato a leggere.
2. ☑ c (righe 6-7) Poi [...] ho cominciato ad andare a scuola...
3. ☑ a (righe 10-11) Così ho imparato che...

Imperfetto

1. ☑ b (riga 9) Leggevo ad alta voce per ore...
2. ☑ a (riga 22) Dormivamo spesso insieme... / (riga 29) Tenevo gli occhi sempre per terra.
3. ☑ d (riga 4) Era sempre stanca... / (riga 17) Un po' avevo paura...

C Nel secondo paragrafo del testo di p. 3 vengono usati 6 casi di condizionale passato (cfr. Unità 8, p. 294). Perché? Con quale funzione? Il bambino parla di azioni future. Perché non viene usato il tempo futuro semplice?

....

.... *Non il futuro reale.* ....

►E 1, 2, 3, 4 **D** Coniuga i verbi tra parentesi scegliendo tra passato prossimo e imperfetto.

La cosa curiosa di mio padre

Grande fotografo, occhio di lince, la cosa curiosa di mio padre è che, pur avendo tante capacità, non ha mai voluto insegnarmi niente. O forse sì, quando (*essere*) (1) .... proprio una bambina di quattro o cinque anni, un giorno mi fece capire il principio della moltiplicazione e della somma.

Ma quando si è trattato di imparare a nuotare mi (*buttare*) (2) .... semplicemente in mare dicendo: "Nuota". E in montagna mi (*dire*) (3) .... : "Cammina" e sulla neve, che pure lui (*conoscere*) (4) .... così bene, mi ha detto: "Vai, scendi". Solo che per sciare occorre un poco di conoscenza tecnica, e quella la (*imparare*) (5) .... da grande, per conto mio, pagando un maestro.

C'era fra noi un pudore curioso, qualcosa di mai detto che (*improntare*) (6) .... i nostri rapporti da "compagni". Così lui li aveva impostati. Come se non ci fossero differenze di età fra di noi, come se insieme decidessimo il sabato mattina di andare a fare una gita in montagna di sei ore, una vogata in mare, sotto il sole, di quattro ore, una nuotata nelle acque gelide del fiume, di un'ora.

L'esempio (*dovere*) (7) .... bastare. E a volte bastava, anche se presumevo delle mie forze. Mi (*buttare*) (8) .... e (*fare*) (9) .... del mio meglio per stare a galla. Una volta mia madre gli diede uno schiaffo che lui non ri-

4 **Reimpiego**

Raccontare fatti passati

A Lavorate in coppia. Scegliete un compagno al quale fareste volentieri delle confidenze e raccontategli:

– quali sono state le figure importanti nella vostra infanzia e più in generale nella vostra vita (mamma, papà, nonni, fratelli, amici, zii);
– com'è/era il rapporto con i vostri genitori e com'è cambiato nel tempo;
– le passioni che avevate da piccoli, come per esempio quella di raccogliere i sassi di cui si parla nel racconto di p. 3, oppure come quella di fantasticare:

> "La sera nel letto, coprendo il lume con uno straccio, leggevo libri di avventura fino a ore piccole. Mi piaceva molto fantasticare. Per un periodo ho sognato di fare la piratessa, vivevo nel mare della Cina ed ero una piratessa molto particolare, perché rubavo non per me stessa ma per dare tutto ai poveri".
>
> (Tamaro, *Va' dove ti porta il cuore* cit.)

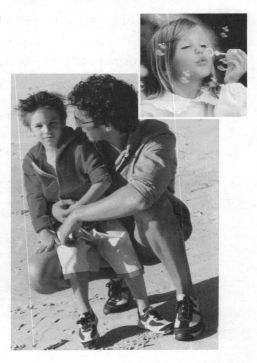

cambiò, quando mi riportò a casa da una gita in montagna che era durata sette ore, nel gelo e io (*avere*) (10) .... la febbre alta e le labbra violette, i piedi quasi congelati.

Un'altra volta, invece, gli (*salvare, io*) (11) .... la vita. Lui (*dovere*) (12) .... partire la mattina presto per una gita in montagna con degli amici. Ma io (*stare*) (13) .... male, (*sembrare*) (14) .... in delirio. Lui disse ai suoi amici di andare avanti che lui li avrebbe raggiunti un giorno dopo. Gli amici (*partire*) (15) .... , sono stati travolti da una slavina e sono morti tutti.

Fra noi (*dovere*) (16) .... esserci solidarietà prima di tutto. Un che di cameratesco e spavaldo. Una esaltante fronda alle regole del buon senso familiare. Come due compagni di viaggio, due sportivi, due amici per la pelle, dovevamo intenderci con un solo sguardo. Le parole (*essere*) (17) .... troppo e infatti (*parlare, noi*) (18) .... pochissimo.

Con me (*ridere*) (19) .... , (*correre*) (20) .... , (*giocare*) (21) .... , (*fare*) (22) .... gli esploratori, ma sul serio, aprendoci la strada in mezzo alle foreste, risalendo i fiumi, affrontando il mare rischioso. Ma non parlava. Come se nelle parole ci fosse qualcosa di limitativo e di volgare. O per lo meno nel pronunciarle ad alta voce. Perché il pensiero era considerato "nobile". E la scrittura nobilissima. Infatti lui (*scrivere*) (23) .... , come aveva scritto sua madre, mia nonna, la bellissima Yoi, mezza inglese e mezza polacca che aveva fatto innamorare di sé tanti uomini del suo tempo.

(D. Maraini, *Bagheria*, Rizzoli, Milano 1993)

5 Reimpiego

Raccontare azioni passate abituali

A Lavorate in coppia e, a turno, raccontate:

- che giochi facevate di solito con vostro padre o vostra madre da piccoli;
- come trascorrevate di solito le festività (Natale, Pasqua o altre feste religiose, compleanni) quando eravate bambini;
- come (dove, con chi) trascorrevate di solito l'estate quando era finita la scuola.

6 Ascoltare

›1 "I pianti, non ti dico!!!"

CD1
Giusy e Luisa, ricordando l'infanzia, si raccontano alcune paure avute da piccole.

A Lavorate in coppia. Ascoltate il racconto dei ricordi di Giusy e Luisa. Dopo il primo ascolto scambiate le informazioni che avete raccolto e che ricordate.

B Lavorate in coppia. Dopo il secondo ascolto provate a completare la tabella.

	Età	Situazione (luogo, tempo, con chi)	Ricordo
Giusy			1ª paura:
			2ª paura:
			3ª paura:
			4ª paura:
Luisa			1ª paura:
			2º ricordo:

C Nel racconto le due amiche nominano 5 animali, quali?

....

D Durante l'ascolto del brano cerca di capire come si chiama:

1. . Il verso delle mucche ....

2. Il luogo chiuso dove vivono ....

3. L'azione del prendere il latte dalle mucche ....

E Riascolta ancora una volta la conversazione tra Giusy e Luisa e scrivi con che funzione vengono usati i segnali discorsivi caratteristici del parlato dialogico.

> **Segnali discorsivi**
> ▶ Guarda...
> ▶ Ma pensa!
> ▶ Ma dai!
> ▶ p. 34

"Ma, **guarda**, c'è da ridere a pensarci..."
"**Guarda**, ti assicuro ho preso un colpo..."
"... perché la stessa cosa, **guarda**, mi è capitata con le capre..."

GUARDA serve a ....

| LUISA | Ma anche adesso, quando vado in montagna e vedo una mucca mi allontano. |
| GIUSY | **Ma dai!** |

| LUISA | Mi sono spaventata da morire! |
| GIUSY | **Ma pensa!** |

| LUISA | Piangevo come una disperata... |
| GIUSY | **Ma dai!** |

MA DAI! MA PENSA! significano ....

7 Reimpiego

Esprimere paura, rabbia

A Lavorate in coppia. Provate a ricordare un avvenimento della vostra infanzia che vi ha provocato paura e uno che vi ha procurato rabbia. Poi scegliete un compagno e raccontate la situazione e le emozioni che avete provato allora.

> Potete usare le seguenti espressioni:
> • avere paura, avere timore, avere il terrore, morire dalla paura
> • arrabbiarsi, irritarsi, provare una grande rabbia

ESEMPI

▶ Ho avuto paura/timore *di non farcela* a uscire. (*di* + INFINITO, se i soggetti sono uguali: *io - io*)

▶ Avevo paura che mia madre *mi picchiasse*. (+ CONGIUNTIVO, se i soggetti sono diversi: *io - mia madre*)

▶ Avevo paura *dei* ragni. (*di* + NOME)

8 | Leggere

A Leggi una volta questo brano tratto da *Bagheria* di Dacia Maraini, in cui l'autrice parla di sua nonna, e cerca le seguenti informazioni:

1. Che tipo di testo è? Una narrazione, una descrizione, un testo argomentativo?

....

2. La nazionalità della nonna: ....

3. Il carattere della nonna: ....

4. I talenti della nonna: ....

In un'altra fotografia c'è mia nonna Sonia giovane

In un'altra fotografia c'è mia nonna Sonia giovane: una grande faccia dagli zigomi sporgenti. Era bruna lei, bianchissima di pelle con sopracciglia e capelli neri che venivano dal suo paese di origine, il Cile. Aveva del sangue indio nelle vene, così diceva lei. Gli occhi erano enormi, di seta, il sorriso invece duro, strafottente ...

Non l'ho mai vista piangere mia nonna Sonia. Nemmeno alla morte del nonno. Gli è soprav- 5
vissuta di quasi trent'anni, la bella cilena che a ottant'anni non sapeva ancora parlare l'italiano come si deve. Le sue frasi erano costruite secondo il ritmo e la logica di un'altra lingua, la spagnola. Diceva "el uomo", non distingueva tra *cappello* e *capello*, diceva: "Esci così, en cuerpo?" per dire che uno non portava il cappotto.

Venuta dal Cile alla fine del secolo scorso col padre ambasciatore, aveva studiato pianoforte e 10
canto a Parigi. Aveva una bella voce di soprano e un temperamento teatrale. Tanto che tutti i maestri l'avevano incoraggiata a farne il suo mestiere. Ma non era una professione per ragazze di buona famiglia. E il padre glielo aveva proibito. Proponendole invece subito un buon matrimonio con un proprietario di terre argentino.

Ma lei aveva resistito. E, a diciotto anni, era scappata di casa per andare a "fare la lirica" come 15
diceva lei...

Mia madre dice ora che la nonna è stata una donna "frustrata". La Sicilia non le era mai piaciuta, non era mai stata contenta del suo matrimonio, per quanto il nonno fosse docile e gentile. Ha rimpianto per tutta la vita il palcoscenico che non ha potuto frequentare e la musica che non ha potuto coltivare come avrebbe voluto... 20

Quando l'ho conosciuta io, aveva ancora una faccia liscia e tonda, ma di corpo era grassa e sfatta. Eppure si vestiva con cura. Una cura un poco pacchiana: grandi gonne di organza, corpetti attillati, scarpe in tinta con la camicetta di seta, e di sera faceva molto uso di paillettes e di frange. Era un'eleganza vagamente da palcoscenico, qualche volta persino da circo.

Due o tre volte mi è anche capitato di dormire con lei nel grande letto laccato di bianco e di oro al 25
piano di sopra di villa Valguarnera a Bagheria. Avevo una specie di terrore di poterla anche solo sfiorare con un piede. Dal suo corpo emanava un calore che si propagava fra le lenzuola come una stufa, e non so perché quel calore mi era odioso. Come se fosse lì, con quel corpo-stufa a rammentarmi le leggi feroci dell'ereditarietà. Avevo orrore di assomigliarle. Per fortuna non ho preso niente da lei salvo una certa pesantezza delle braccia e una buona intonazione della voce. 30

(Maraini, *Bagheria* cit.)

B Leggi il brano una seconda volta allo scopo di analizzare le parti descrittive del testo. Che tempo verbale viene usato? Per ogni punto indicato, elenca i verbi usati nella descrizione.

1. descrizione fisica: *era bruna, aveva del sangue indio...*

2. conoscenza dell'italiano: ....

3. abbigliamento: ....

4. sensazioni della scrittrice verso la nonna: ....

....

C Cerca nel testo il tempo verbale del passato usato con i seguenti avverbi e locuzioni temporali e trascrivi le frasi qui sotto:

1. (righe 5, 18) mai: *Non l'ho mai vista piangere.*

2. (righe 6, 21) ancora: ....

3. (riga 19) per tutta la vita: ....

4. (riga 25) due o tre volte: ....

D Osserva queste espressioni tratte dalla lettura, e completa le frasi scegliendo tra le diverse forme di *bello, buono, bravo, bene.*

(riga 6) la <u>bella</u> cilena   (righe 12-13) per ragazze di <u>buona</u> famiglia

(riga 11) una <u>bella</u> voce di soprano   (riga 13) un <u>buon</u> matrimonio

aggettivi	avverbio
bello, buono, bravo	bene

1. Io lo trovo un *buon* film, anche se ha delle *belle* scene crude e realiste.

2. Luigi è già tornato in ufficio, tutto soddisfatto delle *belle* ferie che ha trascorso con la sua nuova fidanzata.

3. Le marmellate che faceva mia nonna erano sempre molto *buone*.

4. Te lo consiglio, è un *bel* libro, un po' difficile da leggere per come è scritto, ma dal quale imparerai molte cose nuove sui Romani.

5. È abbastanza vicino, a piedi saranno cinque minuti *buoni*.

6. Il tuo insegnante di matematica diceva sempre che eri un *bravo* ragazzo anche se un po' troppo vivace.

7. Tuo figlio è un *bel* chiacchierone, mi ha raccontato per filo e per segno cosa avete fatto nel fine settimana!

8. Mi sono dimenticata di augurargli *buon* viaggio.

9. È stato un *bello* spettacolo, anche se non l'ho visto *bene* perché proprio davanti a me era seduto un signore molto alto.

10. Allora, se non ti vedo più, *buone* vacanze! Divertiti e mandami una cartolina!

9 Lessico

A   Collega le parole evidenziate nel testo di p. 10 con i loro sinonimi.

☑	1.	zigomi	14	a. assomiglio a
☐	2.	strafottente	4	b. insoddisfatta
☐	3.	come si deve	7	c. esercitare con impegno
b	4.	frustrata	8	d. senza rughe
n	5.	docile	13	e. ricordarmi
h	6.	ha rimpianto	11	f. aderenti
c	7.	coltivare	12	g. toccare leggermente
d	8.	liscia	6	h. ha ripensato con nostalgia
p	9.	sfatta	3	i. bene
m	10.	pacchiana	2	l. arrogante
f	11.	attillati	10	m. di gusto grossolano
g	12.	sfiorare	5	n. mite
e	13.	rammentarmi	1	o. zone rialzate della faccia, sotto gli occhi
a	14.	ho preso da	9	p. rammollita

B   Gli animali sono spesso usati per descrivere qualità e difetti delle persone. Scegli tra le alternative proposte quella che corrisponde al nome dell'animale sottolineato.

ESEMPIO

▶   È un agnello. = *È di carattere mite e indifeso.*

1. La mia vicina di casa è <u>una vipera</u>. (☑ a. cattiva   ☐ b. noiosa   ☐ c. furba)

2. Il nostro datore di lavoro è <u>una volpe</u>. (☐ a. simpatico   ☑ b. furbo   ☐ c. intelligente)

3. Mio marito è <u>un ghiro</u>: la domenica non si alza mai prima delle 11. (☐ a. lento.   ☐ b. pigro   ☑ c. dormiglione)

4. Mio padre è <u>un orso</u>. (☐ a. coraggioso   ☐ b. goloso   ☑ c. poco socievole)

5. Mi dispiace dirlo, ma il fidanzato di Silvia è davvero <u>un rospo</u>. (☐ a. vanitoso   ☑ b. brutto   ☐ c. antipatico)

6. Sbrigati! Sei davvero <u>una lumaca</u>. (☐ a. testardo   ☑ b. lento   ☐ c. avaro)

7. Mia sorella è <u>una</u> vera <u>formichina</u>. (☐ a. parsimoniosa   ☑ b. servizievole   ☐ c. amichevole)

Conosci altre metafore con nomi di animali?

Sbrigati, sei davvero una lumaca!

Mio marito è un ghiro.

C Altre metafore vengono usate per descrivere gli aspetti del carattere e gli stati d'animo delle persone. Associa ogni espressione metaforica della prima colonna all'aggettivo appropriato della seconda colonna.

d 1. Sergio ha *una testa dura*.
c 2. Chiara ha *un cuore d'oro*.
a 3. Mia moglie ha *le mani bucate*.
b 4. Luisa non è *una cima* ma ha molta volontà.
g 5. Leo deve sempre *mettere i puntini sulle "i"*.
f 6. È una persona *con i piedi per terra*.
e 7. La mia collega è *un pallone gonfiato*.

a. spendaccione
b. molto intelligente
c. generoso
d. testardo
e. vanitoso/pieno di sé
f. concreto/affidabile
g. preciso/pignolo

Ne conosci delle altre? _____

D Scrivi il contrario dell'aggettivo sottolineato.

1. Sandra è una persona davvero *gentile*.   _____

2. Carletto è un bambino molto *egoista*.   _____

3. Mio cugino è una persona *seria*.   _____

4. La mia terza figlia è stata la più *ubbidiente* di tutti i miei figli.   _____

5. È una persona *comune*.   _____

E Scegli il sinonimo corretto.

1. Un genitore che è *severo* è:
   ☐ a. ansioso
   ☐ b. inflessibile
   ☐ c. protettivo

2. Una persona *sollecita* è:
   ☐ a. premurosa
   ☐ b. fiduciosa
   ☐ c. noiosa

10 Reimpiego

Descrivere persone

A Lavorate in coppia. Descrivete a chi assomigliate e da chi avete preso tratti fisici e caratteriali.

> Potete usare:
> • assomiglio a, ho preso da, sono uguale/simile a

Se potete, portate in classe una fotografia delle persone che descriverete.

B Lavorate in coppia e fate al compagno una descrizione fisica e psicologica, il più dettagliata possibile, dei vostri nonni.

11 Reimpiego

Confrontare e descrivere

A   Lavorate in coppia. Osservate i disegni e descrivete come si viveva al tempo della nonna di Anna e come si vive adesso. Pensate anche ad altri momenti e attività della giornata: a tavola, il lavoro, il cucito, come ci si lavava, come si curavano le malattie, come si andava a scuola, che cosa si faceva di domenica...

ESEMPIO

▶ Ai tempi della nonna di Anna al piano di sopra c'era il fienile perché la maggior parte della casa era riservata agli animali. Ora...

12 Coesione testuale

A Nel testo di p. 3 hai trovato questa frase che ha una costruzione negativa complessa. Sottolinea gli elementi di negazione.

(righe 29-31) Non so, non guardavo mai negli occhi neanche la maestra, né lei, né la maestra, né nessun'altra.

Trasforma le frasi come nell'esempio.

ESEMPIO

▶ Non sa leggere e non sa scrivere.
Non sa *né* leggere *né* scrivere.

Né ... né
▶ p. 34

1. All'asilo nido non ha imparato a socializzare e non ha imparato a condividere i giochi.
2. Marco, il mio cugino più piccolo, non aveva il coraggio e non aveva il desiderio di seguirci nelle nostre avventure.
3. Quando piangevo mia madre non mi consolava e non mi abbracciava.
4. Mia sorella Laura non era generosa e non era affettuosa verso di me.
5. Mio padre diceva sempre che non faceva preferenze e torti nei confronti dei suoi quattro figli.
6. I miei genitori purtroppo non mi hanno mai lasciato tenere un gatto o un cane.
7. A scuola non mi erano simpatici i compagni e la maestra.

B Riprendi il testo di p. 10. Analizza la frase riportata qui sotto: che funzione ha il connettivo *tanto che*, che cosa indica?

(righe 11-12) Aveva una bella voce di soprano e un temperamento teatrale. <u>Tanto che</u> tutti i maestri l'avevano incoraggiata a farne il suo mestiere.

Tanto che
▶ p. 34

TANTO CHE esprime ....

Costruisci delle frasi collegando logicamente gli elementi delle due colonne con il connettivo *tanto che*:

ESEMPI

▶ Da bambino ero *tanto* sognatore *che*, ogni giorno, mi inventavo di essere un personaggio diverso.
▶ Da bambino ero sognatore *tanto che*, ogni giorno, mi inventavo di essere un personaggio diverso.

Da bambino/bambina ero:

1. disubbidiente   a. abbracciavo e salutavo tutti.
2. bugiardo   b. la sera, mentre mangiavo, mi addormentavo dalla stanchezza.
3. timido   c. picchiavo tutti gli altri bambini.
4. vivace   d. se mi facevano dei complimenti.
5. aggressivo   e. mi castigavano sempre.
6. affettuoso   f. non mi credevano più anche quando raccontavo la verità.

C Prova a leggere i frammenti che seguono – tratti dai testi di questa unità – e a dedurre il significato del connettivo *infatti*.

> Infatti
> ► p. 34

1. Tutte le mattine prima di avviarsi all'ufficio dei telefoni la zia Nerina prendeva il battipanni e picchiava il cugino Venanzio. <u>Infatti</u> ella spiegava che il cugino Venanzio ne faceva tante durante la giornata e tutti i giorni ne faceva tante che si era sicuri di non sbagliare picchiandolo tutte le mattine appena sveglio.

2. Come due compagni di viaggio, due sportivi, due amici per la pelle, dovevamo intenderci con un solo sguardo. Le parole erano troppo e <u>infatti</u> parlavamo pochissimo.

3. Ma non parlava. Come se nelle parole ci fosse qualcosa di limitativo e di volgare. O per lo meno nel pronunciarle ad alta voce. Perché il pensiero era considerato "nobile". E la scrittura nobilissima. <u>Infatti</u> lui scriveva, come aveva scritto sua madre.

4. Poi Dorrie deve aver trovato il coraggio di domandargli di firmare il permesso. Jeff, <u>infatti</u>, ha iniziato a modulare allegramente le note di un valzer.

INFATTI serve a ....

13 Ascoltare

›2 **"Avevo una bambola che era più o meno grande come me..."**

CD1

Maria Pia, di origine toscana, racconta un ricordo che risale ai tempi della scuola materna.

A Lavorate in coppia. Prima di ascoltare il brano fate delle ipotesi sul rapporto che poteva avere con la sua bambola e su che cosa può esserle successo.

B Ascolta il brano e prendi appunti. Poi confrontati con un compagno e con il resto della classe.

1. Le caratteristiche della bambola: ....

....

2. Che cosa è successo: ....

....

3. Le reazioni di Maria Pia: ....

C Lavorate in coppia. A turno, raccontate se avete avuto anche voi un giocattolo al quale eravate particolarmente affezionati.

14 **Parlare**

A **Scambiarsi informazioni.** Formate dei piccoli gruppi: raccontatevi quali animali avete avuto nella vostra vita e la loro storia.

- quando li avete conosciuti
- com'erano
- che rapporto avevate
- che fine hanno fatto

B **Discutere per risolvere un problema. PICCOLI DIVI? PRO E CONTRO.** Lavorate in coppia. Formate delle coppie con uno studente favorevole e uno contrario all'uso dei bambini nei media. Immaginate di essere i genitori di un bel bambino. Vi arriva a casa una cartolina che dice: "Stiamo selezionando bambini e bambine per il mondo dello spettacolo, TV e cinema. Appuntamento all'hotel...". Discutete per prendere una decisione sostenendo ognuno la propria opinione.

C **Discutere.** L'ONU ha scritto la carta dei diritti dei bambini. Lavorate in gruppo e discutete su quali siano questi diritti. Poi allargate la discussione all'intera classe.

I NUMERI

Grossi guai per i piccoli

250 milioni i bambini tra i 5 e i 14 anni che lavorano nei paesi in via di sviluppo

2 milioni i bambini uccisi negli ultimi 10 anni nei conflitti armati

300 mila i bambini reclutati e resi schiavi dai signori della guerra nell'ultimo anno

30% la percentuale di bambini sotto i 5 anni che soffrono di malnutrizione

7000 i bambini che ogni giorno contraggono il virus dell'Aids

1 milione i minori avviati ogni anno al commercio sessuale

Fonte Eurispes

Il 20 novembre si celebra la Giornata mondiale dell'infanzia

15 Scrivere

Il testo narrativo

TESTO NARRATIVO
Raccontare fatti passati

Sono esempi di testi narrativi che parlano di fatti passati il racconto e la fiaba per bambini. Un testo narrativo è caratterizzato da eventi e dalle loro relazioni temporali. Sono elementi essenziali una **storia** e un **narratore** che racconta (in I o III persona). La struttura generale della storia è:

- situazione iniziale
- complicazione
- evoluzione della vicenda
- conclusione della vicenda

Per scrivere una buona narrazione che racconta fatti passati è bene prestare particolare attenzione:

- agli indicatori temporali (*alle otto e mezza, per tre giorni di seguito, il terzo giorno*);
- alla scelta dei tempi verbali (passato prossimo, imperfetto, trapassato prossimo, passato remoto, presente storico).

In un testo narrativo si trovano:

- **sequenze dinamiche** con il **passato prossimo**, che esprime **azioni puntuali e successe una sola volta**, e serve a fare andare avanti l'azione (*ti ho rassicurata, siamo tornate, lo abbiamo incontrato*);
- **sequenze statiche** con l'**imperfetto**, che oltre ad essere usato per **azioni ripetute** nel passato (*ti fermavi davanti ad ogni gabbia*), serve a dare le **informazioni di sfondo** (*background*) (*eravamo davanti all'ingresso, era ancora chiuso*) e a descrivere **stati d'animo** e psicologici (*c'era una grande ansia*). Lo svolgimento del racconto non procede, si ferma per dare spazio a riflessioni e descrizioni.

►E 1, 2, 4

Buck lo abbiamo incontrato il terzo giorno di quella via crucis

Alle otto e mezza eravamo davanti all'ingresso del canile, era ancora chiuso. Tu guardando tra le grate hai detto: "Come saprò qual è proprio il mio?" C'era una grande ansia nella tua voce. Io ti ho rassicurata, non preoccuparti, ho detto, ricorda come il Piccolo Principe ha addomesticato la volpe. Siamo tornate al canile per tre giorni di seguito. C'erano più di duecento cani là dentro e tu volevi vederli tutti. Ti fermavi davanti ad ogni gabbia. I cani intanto si buttavano tutti contro la rete, abbaiavano, facevano salti con le zampe. Assieme a noi c'era l'addetta del canile.

Credendoti una ragazzina come tutte le altre, per invogliarti ti mostrava gli esemplari più belli: "Guarda quel cocker", ti diceva. Oppure: "Che te ne pare di quel lassie?" Per tutta risposta emettevi una specie di grugnito e procedevi senza ascoltarla. Buck lo abbiamo incontrato il terzo giorno di quella via crucis. Stava in uno dei box del retro, quelli dove venivano alloggiati i cani convalescenti. Quando siamo arrivate davanti alla grata è rimasto seduto al suo posto senza neanche alzare la testa. "Quello", hai esclamato tu indicandolo con un dito. "Voglio quel cane lì".

(adattato da Tamaro, *Va' dove ti porta il cuore* cit.)

A Guarda questi disegni che riassumono le vicende principali di una nota fiaba italiana per bambini. Sapresti dire di che fiaba si tratta? Prova a riordinarli.

1. *E vuoi raddoppiare le tue monete d'oro?*

2. ....

3. ....

4. ....

5. ....

6. ....

7. ....

8. ....

Associa ogni frase a un disegno.

a. Ti manderò a scuola, diventerai bravo e intelligente e ti darò anche un nome: Pinocchio.

b. Rido delle tue bugie che sono di quelle che hanno il naso lungo.

c. Ohimè mi sono cresciuti gli orecchi da asino!

d. O babbino mio finalmente vi ho trovato! Ora non vi lascio più, mai più!

e. Com'ero buffo quand'ero un burattino!

f. Dai retta a me Pinocchio, ritorna indietro.

g. Pinocchio, perché sei venuto a mettere scompiglio nel mio teatro?

E 3 **B** Scrivi questa storia, altrimenti scegline un'altra che ti raccontavano da piccolo e che ti ricordi bene. Inizia così:

"C'era una volta…"

C Metti la punteggiatura (, « » :) e le maiuscole a questo frammento di un racconto letterario.

Il cugino Venanzio

Tutte le mattine prima di avviarsi all'ufficio dei telefoni la zia Nerina prendeva il battipanni e picchiava il cugino Venanzio. Infatti ella spiegava il cugino Venanzio ne faceva tante durante la giornata e tutti i giorni ne faceva tante che si era sicuri di non sbagliare picchiandolo tutte le mattine appena sveglio. Così per tutto il resto della giornata non ci si pensava più. Dunque la zia Nerina prendeva il battipanni e si accostava al letto del cugino Venanzio; e il cugino Venanzio faceva il suo sorriso e inghiottiva Venanzio diceva allora la zia Nerina Tirati su la camicia da notte perché devo picchiarti. E poi se ne andava all'ufficio dei telefoni dopo avere scartocciato i suoi boccoli s'intende.
E il papà andava in giro a cercare assicurazioni per gli incendi e il fratello maggiore in tipografia e il secondo all'allenamento, e il terzo a scuola in casa restava solo il cugino Venanzio.

(E. Morante, *Lo scialle andaluso*, Einaudi, Torino 1963)

D Immagina di partecipare a un concorso letterario per il quale devi scrivere un breve racconto intitolato *Il ricordo d'infanzia che è rimasto più impresso nel mio cuore*; il ricordo può essere vero o inventato. Il racconto più bello (di max. 200 parole) verrà letto alla classe e premiato.

16 Navigando

A Vuoi sapere che cos'è l'associazione IL TELEFONO AZZURRO. Vai sul sito **www.azzurro.it** e informati sui suoi scopi e progetti.

B Se vuoi consultare la *Convenzione internazionale sui diritti per l'infanzia* approvata nel 1989 dall'ONU e ratificata da 140 paesi (tra i quali l'Italia) vai su: **www.onuitalia. it** (clicca sulla voce "diritti" e poi su "infanzia"). Fai una sintesi dei punti che ritieni centrali per la tutela dei minori e poi confrontati con la classe.

C Visita il sito dell'UNICEF (**www.unicef.it**) e scopri i progetti del Comitato italiano, come per esempio "Ospedali amici dei bambini" e "Città a misura di bambino". Confrontali con le iniziative dell'UNICEF del tuo paese d'origine.

D Lavorate a gruppi. Fate una ricerca sul tema dell'"Adozione" dei bambini in Italia. Esplorate la sezione "Rubriche" del sito **www.infanzia.it** oppure usate la parola-chiave "Adozioni" con il vostro motore di ricerca preferito e raccogliete le informazioni utili per fare una presentazione alla classe.

Esercizi

1 Coniuga i verbi tra parentesi scegliendo tra il passato prossimo e l'imperfetto. Aiutati con gli indicatori temporali in neretto.

1. C'è stato un periodo della mia vita in cui non (*bere*) .... latte **per sei mesi**.

2. Mio figlio, quando era piccolo, (*giocare*) .... **tutti i giorni** dalle due alle quattro con due suoi amichetti del nostro palazzo.

3. Mio nonno, **mentre** (*farsi la barba*) ...., (*ascoltare*) .... le notizie alla radio.

4. In luglio (*andare, noi*) .... **sempre** al mare.

5. **Fino a quando** mia nonna (*vivere*) .... a casa mia si (*mangiare*) .... il pesce **ogni venerdì**.

6. **Nel 1983**, quando io (*nascere*) ...., i miei genitori (*vivere*) .... in campagna già **da 4 anni**.

7. **Una volta** mio padre (*prendermi*) .... e (*mettermi*) .... su un cavallo.

8. Stavo bevendo a una fontana quando **improvvisamente** (*alzare*) .... gli occhi e (*vedersi*) .... addosso decine di mucche.

9. Ti sbagli, nostro cugino (*rimanere*) .... in Canada **dal '48 al '60**.

10. Mio nonno, che era un raffinato pittore, non mi (*insegnare*) .... **mai** a dipingere.

11. **Nel 1975** (*abitare, io*) .... ancora nella città in cui sono nata.

12. Mia sorella (*studiare*) .... l'arabo **per dieci anni**.

2 Completa queste coppie di frasi che hanno lo stesso verbo, scegliendo tra il passato prossimo e l'imperfetto.

1a. Io e mia moglie (*conoscersi*) .... in Francia mentre stavamo frequentando tutti e due un corso di lingua straniera.

1b. Nel 1978 non (*conoscere*) .... ancora il mio attuale marito, l'ho poi incontrato due anni dopo durante una vacanza nel suo paese, il Brasile.

2a. Non (*sapere, noi*) .... che eri stata operata al cuore. Quando è successo?

2b. (*Sapere, io*) .... del tuo arrivo da Paola e sono subito venuta a trovarti.

3a. Da piccola (*avere paura, io*) .... degli animali.

3b. Quando il capitano ha annunciato di mantenere la calma perché c'era un guasto al motore, (*avere paura, io*) ....

4a. (*Potere, tu*) .... chiamarmi sul cellulare che venivo a prenderti io all'aeroporto!

4b. Non (*potere, io*) .... venire a prenderti alla stazione perché ho perso le chiavi della macchina.

5a. La piccola Marta è caduta dalle scale, (*dovere, io*) .... portarla subito al pronto soccorso e così non (*potere*) .... andare a lavorare.

5b. (*Dovere, noi*) .... lago, ma il nostro figlio più piccolo bene durante la notte così abbiamo rimanere a casa.

3 Completa questo breve testo tratto dalla famosa fiaba *Pinocchio* in cui si racconta dell'incontro del burattino con il burattinaio Mangiafuoco. Coniuga i verbi tra parentesi al passato prossimo (anche se nel testo originale viene usato il passato remoto) e l'imperfetto.

Mangiafuoco

E così Pinocchio, il giorno dopo, con il nuovo abbecedario sotto il braccio, (*prendere*) (1) .... la strada che (*portare*) (2) .... alla scuola. (*Avere*) (3) .... per la testa tanti buoni propositi, quando all'improvviso (*sentire*) (4) .... lontana una musica di pifferi e grancasse. Sulla spiaggia c'era un gran baraccone di legno tutto colorato, con un'insegna: GRAN TEATRO DEI BURATTINI. Ma per entrarci bisognava pagare il biglietto che (*costare*) (5) .... quattro soldi. Detto fatto, con un attimo soltanto di esitazione, Pinocchio (*vendere*) (6) .... il suo nuovo abbecedario che tanti sacrifici era costato a Geppetto, e (*varcare*) (7) .... la soglia del teatrino. Dentro (*esserci*) (8) .... un gran chiasso, risate e grida. Sul palcoscenico con il sipario alzato (*recitare*) (9) .... Arlecchino e Pulcinella; quando all'improvviso Arlecchino, smesso di colpo di declamare, (*gridare*) (10) ....: – Guardate, sogno o sono desto, ma quello non è Pinocchio? – È Pinocchio, nostro fratello Pinocchio – (*urlare*) (11) .... in coro tutti i burattini, uscendo a salti fuori dalle quinte. – Vieni tra le braccia dei tuoi fratelli di legno! – A questo invito il nostro eroe (*salire*) (12) .... sulla scena, mentre il pubblico (*spazientirsi*) (13) .... perché voleva vedere lo spettacolo. Ma all'improvviso un gran silenzio (*cadere*) (14) .... in platea. Arcigno, con una barbaccia nera, due occhi di brace e un gran vocione, era comparso Mangiafuoco, il burattinaio.

4 Leggi questo testo in cui il protagonista racconta un fatto accadutogli a scuola quando aveva otto anni. Alla richiesta della maestra di scrivere un tema dal titolo "Il mio papà" il bambino, che non aveva mai conosciuto il padre di persona, s'inventa che è un agente segreto e conclude la composizione con la seguente frase: "Questo compito è meglio bruciarlo dopo che è stato letto". Trasforma ora il testo, che è scritto al presente storico per rendere la vivezza del ricordo, al passato (passato prossimo e imperfetto).

Certo, le maestre dovrebbero istruirle un poco meglio...

Ho messo quella riga perché avevo fiducia nella maestra, altrimenti non avrei scritto niente di quelle cose. Invece il giorno dopo lei cosa fa? Entra in classe con tutti i compiti in mano, si siede e

dice: – Le bugie hanno le gambe corte – e comincia a leggere il mio tema a voce alta. Io non so dove guardare e tutti gli altri ridono. Poi me lo ridà indietro e dice forte, faresti meglio a studiare invece di inventare bugie. Così da quel giorno tutti cominciano a prendermi in giro. Quando usciamo si spingono forte e gridano: – È quello tuo padre?! O quell'altro?! Oh, no, eccolo, guarda, eccolo, lì, vicino all'albero! È un agente così segreto che non si vede!

(Tamaro, *Per voce sola* cit.)

5 Completa questa lettera con gli aggettivi possessivi facendo attenzione all'uso degli articoli.

Caro papà,
questo fine settimana ho incontrato la famiglia di Sandra. I suoi genitori sono delle persone simpaticissime ancora piuttosto giovanili. (1) *Suo* padre avrà una settantina d'anni, faceva l'ingegnere.
(2) *Sua* madre ha (3) *la sua* età. È molto dolce e con uno spiccato talento artistico: pensa che mi ha regalato due (4) *suoi* vasi dipinti a mano. (5) *I suoi* nonni paterni sono morti quando era piccola, mentre è ancora viva (6) *la sua* nonna materna che assomiglia molto per i modi di fare alla zia Odi.
Sandra è la secondogenita: (7) .... sorellina più piccola, Luisa, di 16 anni, vive ancora con i genitori, mentre (8) .... fratello

maggiore, Luigi, lavora in Argentina e si sposerà tra poco. Hanno invitato anche me a (9) .... matrimonio! Luigi non c'era ma mi hanno fatto vedere (10) .... fotografia di qualche anno fa.
Con i genitori di Sandra vive anche (11) .... cugina. Alla riunione familiare c'era anche (12) .... ragazzo, un tipo taciturno, ma gentile.
È proprio una bella famiglia unita come (13) .... (= di noi)! Spero che questa (14) .... lettera ti trovi in buona salute. Mandami (15) .... notizie al più presto, un caro saluto e abbraccio
(16) .... figlio Mario

6 Nei testi di questa unità hai trovato dei nomi che hanno una doppia forma di plurale, come:

Singolare	Plurale	
il braccio	i bracci (di una poltrona)	Senso figurato
	le braccia (del corpo umano)	Senso proprio

Completa queste frasi scegliendo tra il plurale maschile in *-i* o quello femminile in *-a* dei nomi messi tra parentesi (metti anche gli articoli, quando necessario).

1. Lungo (*ciglio*) .... della strada sono stati piantati cespugli e alberi bassi.
2. Il bambino di Mauro ha (*ciglio*) .... molto lunghe.
3. Luca è nato solo con quattro (*dito*) ....
4. Nel mazzo di fiori che mi ha raccolto c'erano anche (*filo*) .... d'erba.
5. A causa della caduta dalla bicicletta aveva (*labbro*) .... sporche di sangue.
6. Mamma mi aveva comprato un paio di (*lenzuolo*) .... con disegnati degli orsacchiotti.

7. A mia nonna facevano male (*osso*) .... delle braccia.

7 Nel testo di p. 3 hai trovato la frase "Tornavo nel mio letto un po' prima che comparisse il sole" in cui viene usato il congiuntivo dopo la congiunzione temporale *prima che*. Completa queste frasi scegliendo tra i seguenti verbi:

piova   portassi   arrivi   nascesse
ritornassi   chiudano

1. Devo andare a fare la spesa prima che .... i negozi.
2. La mia bambina piangeva sempre prima che io la .... all'asilo.
3. Devo pulire la casa prima che .... mia madre.
4. Per favore, ritira la biancheria che ho steso sul terrazzo prima che ....
5. Prima che .... a vivere in campagna ero sempre nervosa e stressata.
6. Prima che .... Luca eravamo molto più liberi.

8 Completa questa lettera con le preposizioni temporali mancanti (semplici e articolate): *a*, *da*, *in*, *per*, *tra*, *entro*.

Cara Sara,
spero tu stia bene. Mi chiedo perché non mi hai più scritto (1) *in* queste cinque settimane. Spero che non ti sia successo qualcosa. Forse sarai solo molto impegnata ad ambientarti nella nuova città e nella nuova casa. (2) *Da* quando ti ho sentita l'ultima volta, è successa una grossa novità: tuo fratello Martino è stato in ferie (3) *a* giugno in Sicilia (4) *per* un mese e ha incontrato la donna della sua vita! – o almeno così dice –. Hanno già deciso, secondo me un po' affrettatamente, che si sposeranno (5) .... seconda metà di febbraio. Lei, non l'ho ancora conosciuta, ma per telefono mi è sembrata molto educata e simpatica. Martino mi ha promesso di farmela conoscere (6) *in* autunno. Sei partita (7) .... soli due mesi ma devo confessarti che sento già molto la tua mancanza. Lo so che leggendomi penserai che la tua mamma è troppo possessiva e legata ai suoi figli; hai ragione, lo so anch'io, tuttavia è un sentimento che non riesco a controllare. (8) *tra* il 20 e il 30 di novembre mi piacerebbe venire a trovarti, questo periodo sarebbe ideale per me perché tuo fratello Martino va in vacanza dalla sua fidanzata e così non dovrei lasciarlo a casa da solo. Fammi sapere la tua disponibilità (9) *entro* la fine di settembre perché devo chiedere le ferie in ufficio con un po' di anticipo e organizzare la partenza. Non vedo l'ora di stringerti tra le mie braccia! Con il cuore colmo d'affetto, (10) .... questa volta chiudo, dandoti appuntamento (11) *a* novembre.

la Tua mammina

Ripasso

1 Completa questo testo con i pronomi diretti e indiretti.

Caro diario, di nuovo lunedì!

Questa mattina sono andata a sbattere dritta contro la mensola accanto al frigo, contro lo spigolo della mensola, naturalmente. Un taglio sulla tempia piuttosto cruento. Ho cercato di tamponar (1) .... con del ghiaccio prima che si svegliasse Dorrie. Jeff si era già alzato ed era in bagno. Quando Dorrie è venuta in cucina (2) .... ho ricordato il permesso della scuola di danza. Ha detto: – Dopo colazione – ma anche dopo colazione non voleva andare dal padre. Ho dovuto accompagnar (3) .... io davanti alla porta del bagno, posare le sue piccole nocche contro il legno. Jeff non (4) .... ha sentita subito: radendosi cantava a squarciagola. Quando finalmente ha aperto la porta, (5) .... ha fatto con un impeto tale che per poco Dorrie non è ruzzolata ai suoi piedi. (6) .... ho lasciati soli e sono andata a vestirmi. Mentre chiudevo la cerniera della gonna ho sentito Jeff ripetere forte: – Ce (7) .... hai o non ce (8) .... hai la voce! Poi Dorrie deve aver trovato il coraggio di domandar (9) .... di firmare il permesso. Jeff, infatti, ha iniziato a modulare allegramente le note di un valzer. Passando davanti al bagno ho sbirciato dentro e ho visto che stavano ballando. Lui (10) .... aveva sollevata con le braccia forti, (11) .... faceva piroettare in aria, quando cadeva (12) .... raccoglieva a terra e (13) .... lanciava in aria un'altra volta.

(Tamaro, *Per voce sola* cit.)

Test

1 Completa questa descrizione scegliendo i verbi e coniugandoli all'imperfetto.

> dormire   bastare   essere (2)
> portare   rifiutarsi   avere   arrivare

Il cugino Venanzio

Egli (1) .... una camiciola senza bottoni, e un paio di calzoni che (2) .... a lui dopo aver appartenuto successivamente ai fratelli più grandi: il tutto tenuto su con spilli da balia. I suoi piedi (3) .... nudi e, a furia di camminare scalzo, (4) .... i ditini piatti e a ventaglio, come le zampette di un anatroccolo. Ma non (5) .... : il cugino Venanzio (6) .... sonnambulo. Per questa ragione i suoi fratelli, dopo avergli dato molti calci, (7) .... di dormire nella stessa camera con lui; e dunque lui (8) .... sopra un lettuccio pieghevole in corridoio.

→ /8 punti

2 Completa questo racconto coniugando i verbi al passato prossimo o all'imperfetto.

Venerdì, caro diario!

Questa mattina Dorrie (*svegliarsi*) (1) .... dell'umore sbagliato. Non (*volere*) (2) .... alzarsi, fare colazione e mettersi la sciarpa e i guanti. Una volta arrivati in strada ha detto che le (*fare*) (3) .... male una gamba. Naturalmente (*trattarsi*) (4) .... di una scusa per non andare a scuola. Allora con pazienza le

(*raccontare*) (5) .... la storia di "al lupo, al lupo". Non bisogna fingere mali che non si hanno altrimenti si rischia di ammalarsi davvero. Pensa a tutti i bambini che non (*avere*) (6) .... la fortuna di nascere come te , con le braccia e le gambe! Il mio discorso deve averla toccata nel profondo: (*avviarsi*) (7) .... verso scuola camminando svelta davanti a me, con la testa bassa. Al momento di baciarla all'ingresso della scuola (*accorgersi*) (8) .... che aveva pianto. È una bambina così sensibile!

(Tamaro, *Per voce sola* cit.)

→ /8 punti

3 Completa questa breve descrizione che una nonna fa dei propri nipotini mettendo l'aggettivo *bello* nella forma corretta.

Marco, che ha 9 anni, è il più (1) .... di tutti. Ha dei (2) .... capelli ricci e biondi e due (3) .... occhioni azzurri color cielo. Marta, che è la seconda, ha una (4) .... faccina con un (5) .... nasino all'insù.

→ /5 punti

4 Completa questa breve lettera con gli aggettivi possessivi facendo attenzione a mettere l'articolo (o la preposizione articolata) quando necessario.

Cara Viola,
non ci siamo più sentite dal tuo viaggio in Argentina dove so che hai conosciuto tutta la famiglia di (1) .... marito

Marco. Come sono (2) ....
suoceri? Sono veramente giovanili e simpatici
come te li aveva descritti Marco?

E (3) .... fratelli come ti sono
sembrati? Mi pare di ricordare che doveste
alloggiare da (4) .... sorella
maggiore. Com'è andata? È stata ospitale?
Avrei ancora mille domande da farti, ma devo
lasciarti perché è ritornato Giulio dal lavoro.
Prima di chiudere volevo dirti che
(5) .... cugina Paola, quella
con cui ho fatto le ferie l'anno scorso, ha avuto un
bel maschietto due giorni fa. Sono felicissima per
lei. Ora devo proprio chiudere.
Scrivimi presto perché non vedo l'ora di avere tue
notizie. Un caro abbraccio a te e Marco.
(6) .... Caterina

→   /6 punti

5 Completa scegliendo tra le seguenti preposizioni temporali: *per, tra, da, entro*.

1. Vengo alla tua festa di compleanno ma non
   potrò restarci a lungo perché .... le
   quattro devo andare a prendere mia figlia a
   scuola.
2. Ci possiamo incontrare in Piazza San Carlo
   .... le nove e le nove e mezza.
3. Carolina è ospite da noi .... tre giorni e
   poi andrà dai suoi suoceri .... il fine
   settimana.
4. Aleida, che è in Italia .... pochi mesi, si
   è già adattata molto bene allo stile di vita
   italiano.

→   /5 punti

6 Trasforma queste frasi usando il connettivo *né ... né*.

1. Laura quando mi ha vista arrivare non era
   contenta e non era triste.

   ....
   ....
   ....

2. Quando avevo tre anni ricordo bene che non
   volevo rimanere con i nonni e non volevo
   andare all'asilo: desideravo solo restare con
   mia madre.

   ....
   ....
   ....

3. L'adolescenza è un'età molto problematica
   perché i ragazzi non sono più bambini e non
   sono ancora adulti.

   ....
   ....
   ....
   ....

→   /3 punti

7 Completa queste frasi con le espressioni metaforiche più adatte per descrivere il carattere delle persone.

1. Mia suocera è una .... : parla sempre
   male di me e mi fa mille dispetti.
2. Il collega di mio figlio si crede il più bello e il
   più capace: è un vero ....
   ....
3. Da quando la fidanzata l'ha lasciato, Marco
   non esce più di casa, è diventato un
   ....
4. Mio marito mi ha tolto la carta di credito
   perché sostiene che ho le ....
   ....
5. Livio è molto distratto: ha sempre la
   ....

→   /5 punti

→punteggio totale   /40 punti

Sintesi grammaticale

Imperfetto

Forma

	Cantare	Prendere	Sentire	Capire
(io)	cant-**a**-**vo**	prend-**e**-**vo**	sent-**i**-**vo**	cap-**i**-**vo**
(tu)	cant-**a**-**vi**	prend-**e**-**vi**	sent-**i**-**vi**	cap-**i**-**vi**
(lui/lei/Lei)	cant-**a**-**va**	prend-**e**-**va**	sent-**i**-**va**	cap-**i**-**va**
(noi)	cant-**a**-**vamo**	prend-**e**-**vamo**	sent-**i**-**vamo**	cap-**i**-**vamo**
(voi)	cant-**a**-**vate**	prend-**e**-**vate**	sent-**i**-**vate**	cap-**i**-**vate**
(loro)	cant-**a**-**vano**	prend-**e**-**vano**	sent-**i**-**vano**	cap-**i**-**vano**

Verbi irregolari

essere   ero, eri, era, eravamo, eravate, erano
avere   avevo, avevi, aveva, avevamo, avevate, avevano
fare   (la radice è) **fac**-evo, facevi, faceva, facevamo, facevate, facevano
dire   (la radice è) **dic**-evo, dicevi, diceva, dicevamo, dicevate, dicevano
bere   (la radice è) **bev**-evo, bevevi, beveva, bevevamo, bevevate, bevevano

Verbi in -*rre*

tradurre   (la radice è) **traduc**-evo, traducevi, traduceva, traducevamo, traducevate, traducevano

trarre   (la radice è) **tra**-evo, traevi, traeva, traevamo, traevate, traevano

Uso

L'imperfetto indica **azioni** del passato **incompiute** (imperfettive), il cui momento di inizio e di fine è inespresso, vago, indeterminato. Si contrappone al passato prossimo e al passato remoto (cfr. Unità 10, p. 372) che esprimono invece azioni del passato compiute (perfettive). Per questo suo aspetto imperfettivo si usa:

▶ per esprimere la durata di un fatto presentato nel suo svolgersi

> Mentre *giocava*, *guardava* la televisione.
> (due azioni contemporanee imperfettive)
>
> Mentre *guardava* la televisione *è suonato* il campanello.
> (incontro di due azioni, di cui quella con l'imperfetto è iniziata prima, era già in corso)

> NB: con espressioni temporali di durata riferita al passato si usano il passato prossimo o il passato remoto.
>
> > *Ha studiato* in Inghilterra dal 1987 al 1992.
> > *Studiò* russo per cinque anni.
> > *Ha succhiato* il dito fino ai cinque anni.

▶ per esprimere al passato fatti compiuti, ma ripetuti con il carattere dell'abitudine (di solito segnalato da avverbi)

> Ogni giorno *andavamo* al mare.
> *Uscivo* sempre alla sera.

▶ per descrivere condizioni, stati psicologici/fisici (solitamente con verbi stativi, che indicano cioè uno stato)

Faceva freddo.
Avevo sonno.
Era triste.

> NB: alcuni verbi, se usati stativamente, vanno all'imperfetto.
>
> Non *sapevo* che eri ammalato.
> Non *capiva* l'inglese.
> *Conoscevo* sua sorella dai tempi dell'università.
>
> Se invece si riferiscono a singoli eventi vanno al passato prossimo/remoto.
>
> *Ho saputo* solo ieri, da Rita, che eri ammalato.
> *Ho capito* solo in parte che cosa mi hai detto.
> Lo *conobbi* un giorno in mensa.

Usi modali | Per il suo carattere di imperfettività l'imperfetto tende a essere sempre più usato nel parlato colloquiale per esprimere desideri, intenzionalità, ovvero fatti non situati nella realtà:

▶ per richieste cortesi o per esprimere opinioni in modo garbato, attenuato (al posto del presente o del condizionale semplice)

Desiderava? *Volevo* un chilo di pane.
Pronto, ciao sono Lino, *volevo* dirti che stasera non vengo.

▶ per esprimere una potenzialità nel passato (al posto del condizionale passato, in particolare con *volere, dovere, potere*)

Dovevi avvertirlo. (e invece non l'hai avvertito)
Potevi dirmelo, che venivo a prenderti. (e invece non me l'hai detto)

▶ per esprimere il "futuro nel passato" e un'intenzionalità impedita nel futuro reale (al posto del condizionale passato, cfr. Unità 8, p. 294)

Ha detto che *scriveva*.
Venivo anch'io, ma ho già un impegno.

▶ nel periodo ipotetico della irrealtà (cfr. Unità 12, p. 470)

Se mi *chiamavi* prima venivo.

▶ imperfetto ludico usato dai bambini nei giochi e onirico per narrare i sogni

Tu *facevi* la guardia e io il ladro.
Ero una farfalla, *volavo*...

Bello, buono, bravo, bene

Bello

Forma Se si trova prima del nome, ha le forme dell'articolo determinativo:

bel ricordo	**bello** spavento	**bell'**orologio
bei ricordi	**begli** spaventi	**begli** orologi
bella nonna	**bell'**amica	**belle** amiche

Se si trova dopo il nome è regolare (*bello, bella, belli, belle*):

Il ricordo è **bello**.   I ricordi sono **belli**.

Uso È un aggettivo di giudizio positivo riguardante di solito l'aspetto formale, estetico:

È un *bell'*uomo.   È un *bello* spettacolo.
È un *bel* film.   C'era *bel* tempo.

Può essere usato anche per intensificare un concetto:

Ti preparo una *bella* minestra.

Buono

Forma Se precede il nome, al singolare prende le forme dell'articolo indeterminativo; al plurale è regolare:

buon ricordo	**buono** studente	**buona** amica
buoni ricordi	**buoni** studenti	**buone** amiche

Se si trova dopo il nome è regolare (*buono, buona, buoni, buone*):

Il ragazzo è **buono**.

Uso È un aggettivo di giudizio positivo riguardante di solito l'aspetto del contenuto, della qualità:

È un uomo *buono*. (di animo)
È un *buon* film. (ha trattato bene un certo tema)
La pizza è *buona*. (di sapore)

Si usa inoltre per fare gli auguri:

Buon viaggio!
Buone vacanze, allora!

Può essere usato anche per intensificare, di solito con numerali:

C'è da aspettare dieci minuti *buoni*/un *buon* dieci minuti.

Bravo

Uso Si usa solo in riferimento a esseri animati per esprimere qualità positive:

È un ragazzo *bravo*. (si comporta bene, è educato, lavora)

Uso

Bene

È un avverbio di giudizio positivo:

> Canta *bene*.   Sta *bene*.

Può servire per intensificare:

> Tuo figlio è *ben* timido. (molto)

In particolari espressioni è usato anche come aggettivo:

> Appartiene alla società *bene*.

Aggettivi possessivi (con nomi di parentela)

Uso

Con i nomi di parentela i possessivi si usano:
- ▶ **senza articolo**
  - al singolare, con l'eccezione di *loro*

    > *mio* padre, *tua* zia, *il loro* fratello

- ▶ **con articolo**
  - al plurale

    > *le tue* zie, *i suoi* fratelli

  - al singolare (se la parola è qualificata da altri aggettivi o suffissi/prefissi)

    > *il tuo* cugino preferito, *il mio* nonno paterno, *la vostra* sorellina, *la nostra* bisnonna; *un suo* zio

Mamma, papà, nonno, nonna si possono usare con o senza articolo:

> *La mia* mamma   *Mia* mamma

Nomi con doppia forma di plurale

Alcuni nomi terminanti in *-o* hanno un doppio plurale:
- ▶ *il braccio*
  - *i bracci* della poltrona (maschile in *-i*, di solito senso figurato)
  - *le braccia* del corpo umano (femminile in *-a*, di solito senso proprio)

Ecco i più comuni:

– cervello	i cervelli (le menti)	le cervella (materia cerebrale)
– ciglio	i cigli (di una strada, un fosso)	le ciglia (degli occhi)
– corno	i corni (strumenti musicali)	le corna (degli animali)
– dito	i diti (forma popolare)	le dita (delle mani)
– filo	i fili (d'erba)	le fila (della trama, di una congiura)
– fondamento	i fondamenti (principi)	le fondamenta (di una casa)
– gesto	i gesti (movimenti)	le gesta (imprese eroiche)

– labbro	i labbri (di un vaso)	le labbra (della bocca)
– lenzuolo	i lenzuoli (presi uno per uno)	le lenzuola (un paio)
– membro	i membri (della famiglia, di una giuria)	le membra (parti del corpo)
– muro	i muri (della casa)	le mura (della città, di una fortezza)

In alcuni casi non c'è differenza di significato:

– ginocchio	i ginocchi	le ginocchia

Numerali collettivi

Indicano un insieme numerico di persone o cose. Sono in maggioranza NOMI (possono cioè prendere l'articolo): *paio, decina, dozzina, ventina, trentina, centinaio, migliaio.* Alcuni hanno valore approssimativo:

> Avrà *una cinquantina* d'anni. (circa, più o meno)
> È un libro di *un centinaio* di pagine.

Preposizioni temporali

Per | Esprime:

▶ la durata di un evento o il termine di tempo entro cui si svolge (***per quanto tempo?***)

> Andiamo in ferie *per un mese.*
> Chiuso *per 24 ore.*

▶ un termine di tempo futuro (***per quando?***)

> L'appuntamento è *per il 20 luglio.*

Tra / Fra | Esprimono:

▶ l'intervallo di tempo compreso tra due momenti (***quando?***)

> Chiudiamo *fra il 7 e il 13 giugno.*
> Vengo da te *tra le due e le tre.*

▶ il termine di tempo futuro entro cui un evento si verifica (***quando?***)

> Ci vediamo *fra un'ora.*
> Mia sorella si sposa *tra un anno.*

In | Indica lo spazio di tempo entro il quale si svolge un evento (***per quanto?***):

> Mi chiedo perché non mi hai più scritto *in queste tre settimane.*

Da	Indica il momento in cui ha inizio un'azione, la durata dell'azione (***da quanto tempo?***):

        Miwa è in Italia *da aprile.*
        Miwa è in Italia *da tre mesi.*
        Sono arrivata *da un mese.*
        Dormivo *da un'ora* quando è rientrato.

Punteggiatura

Virgola **,**	Indica la più piccola interruzione del discorso; l'uso della virgola è molto soggettivo ed è suggerito da motivi di leggibilità e comprensibilità del testo. All'interno di una proposizione non deve mai separare il soggetto dal verbo e il verbo dall'oggetto:

        * I miei amici delle vacanze in montagna, erano tutti milanesi.
        * Ho incontrato l'altro ieri per il centro, i miei amici.

Serve a dividere le frasi di un periodo:
        Mauro mangiava, ascoltava la musica, ballava.

o gli elementi di un'enumerazione all'interno di una frase:
        Mario, Silvia, Elio sono fratelli.

Punto **e virgola** **;**	Indica un'interruzione maggiore di quella segnalata dalla virgola e minore di quella data dal punto. Serve per separare i termini di un elenco quando sono lunghi e complessi:

        Dopo la settima giornata di andata, la classifica è la seguente: Roma, punti 10;
        Milan, punti 8; Napoli...

Serve per separare proposizioni complesse, quando la virgola non è sufficiente, o per separare proposizioni semplici, se si vuole dare peso alla separazione:
        Non l'abbiamo incontrato; perciò non so come stia.

Due punti **:**	Introduce una spiegazione di quanto precede, un elenco, il discorso diretto:

        La sua intenzione era chiara: voleva punire i genitori.
        Le fiabe che preferivo erano: *Cappuccetto Rosso, Cenerentola, Pollicino, Barbablù.*
        Mi ha detto: "Ti odio, ti ho sempre odiata, vattene".

Punto **.**	Segna la conclusione di un periodo dichiarativo o imperativo; la parola dopo il punto, che inizia un nuovo periodo, va con la lettera maiuscola:

        Torno subito. Aspettami.

Lineette **— —**	Le lineette (o trattini) delimitano un inciso:

        Io – disse Anna – se fossi in te ci proverei.

Virgolette doppie « »	Con le virgolette doppie si indica il discorso diretto.
Virgolette semplici ' '	Una parola messa tra virgolette semplici indica che viene usata in un senso particolare, diverso da quello abituale: 　　Con quel gesto di abbandono è come se avesse voluto 'punire' sua madre.
Punto di domanda ?	Il punto di domanda è obbligatorio con le frasi interrogative: 　　Vieni al cinema con noi?
Punto esclamativo !	Il punto esclamativo si usa con imperativi e costruzioni esclamative: 　　Vattene! 　　Che figura!
Maiuscola	È obbligatoria con i nomi propri (Carlo, Cina); nelle parole che derivano da Stati, nazioni, città, a volte si usano le maiuscole per i nomi (gli Italiani), ma non per gli aggettivi (il popolo italiano), per la lingua (studiare l'italiano) o per i singoli individui (ho incontrato due cinesi). Anche i nomi dei giorni della settimana o dei mesi non si usano con la maiuscola (*È nato mercoledì 15 settembre*).

Coesione testuale (cfr. Tavole grammaticali, pp. 491-497)

Connettivi

Né … né	È un connettivo correlativo, ovvero che mette in relazione due o più elementi, con significato negativo: Non voglio andare *né* al mare *né* in montagna. È molto chiuso: *né* parla *né* lascia parlare.
Infatti	È un connettivo dichiarativo che serve a dare una prova, a motivare quanto detto precedentemente: Si assomigliano molto! *Infatti* sono gemelli.
Tanto che (Così … che)	È un connettivo consecutivo che indica la conseguenza, l'effetto del fatto contenuto nella principale (per approfondimenti, cfr. Unità 10, p. 382): Mio figlio gioca *tanto che* la sera è stanco morto. Mio figlio è *così* timido *che* non parla.
Prima che	Con il connettivo temporale *prima che* è obbligatorio l'uso del congiuntivo. (Per approfondimenti sulle forme e gli usi del congiuntivo cfr. Tavole grammaticali, pp. 475-483, per i connettivi che vogliono il congiuntivo cfr. Unità 8, pp. 298-299): Devo andare in centro *prima che* chiudano i negozi.

Segnali discorsivi del parlato
(cfr. Tavole grammaticali, pp. 498-500)

Richiesta di attenzione

Guarda	Ha la funzione di richiesta di attenzione che il parlante chiede all'interlocutore. Altri segnali con funzione analoga sono: *senti/a, senti un po', mi segui, dimmi, di', dica, di' un po', vedi/a*: Ma *guarda*, ho avuto veramente paura. *Senta*, posso fare una domanda?

Esprimere sorpresa

Ma dai! / Ma pensa!	Significano *"veramente! / davvero!? / non posso crederci!"*, sono cioè dei modi per empatizzare con l'interlocutore, mostrando sorpresa: … e non ho più bevuto latte per qualche mese. – *Ma dai!*

La famiglia italiana: nuovi scenari

Unità tematica	– cambiamenti all'interno della famiglia italiana
Funzioni e compiti	– esprimere opinioni, giudizi, fatti non certi
	– chiedere e dare consigli, fare ipotesi
	– commentare dati statistici
	– rispondere a una lettera al giornale
Testualità	– connettivi (*infatti, comunque, cioè, per cui, insomma*)
	– connettivi avversativi (*anzi, eppure*)
	– segnali discorsivi del parlato (*allora, ecco*)
Lessico	– per parlare di statistiche (*è aumentato del 3%*)
	– colloquialismi (*non mi dà retta*)
	– verbi pronominali (*cavarsela*)
	– formazione di parola: i diminutivi (*-ino, -etto, -ello*)
	– metafore con parti del corpo (*dare una mano*)
	– altre espressioni metaforiche (*caschi il mondo*)
Grammatica	– congiuntivo presente per esprimere giudizi, opinioni, fatti non certi (*penso che, non sono convinto che*)
	– preposizioni verbali: *di, a* + infinito
	– congiuntivo presente con connettivi concessivi (*sebbene, nonostante*)
	– pronomi combinati
Strategie	– fare previsioni e trovare informazioni specifiche
	– lettura intensiva per comprendere le opinioni espresse sul tema di cui si parla
Ripasso	– passato prossimo o imperfetto
	– condizionale

Entrare nel tema

Discutete in classe.

- ▶ Che idea avete della famiglia italiana? Provate a definirla con due aggettivi.
- ▶ Osservate queste foto. Che tipi di famiglia ritraggono?
- ▶ Secondo voi quale foto riflette meglio la famiglia italiana del nuovo millennio?

1 Leggere

Fare previsioni e trovare informazioni specifiche

A L'articolo di p. 37 riporta alcuni dati del rapporto *Eurostat* sulla famiglia, che confronta la situazione italiana con quella del resto d'Europa. Scorri i titoli dei paragrafi e fai previsioni sul contenuto dell'articolo. Poi leggilo allo scopo di reperire i dati statistici presenti nel testo.

Rapporto UE: come nella cattolica Irlanda la famiglia tiene ma siamo maglia nera per numero di nascite
Pochi divorzi, pochi figli. Italia Paese immobile

BRUXELLES – Divorzi e separazioni sono in aumento, ma non abbastanza da evitare l'ultimo posto nella classifica europea. In compenso l'Italia è ai primi posti tra i Paesi con il minor numero di nascite. Tiene la famiglia classica (anche se il rapporto annuale Istat ha segnalato che separazioni e divorzi aumentano di anno in anno), come del resto avviene in un altro Paese profondamente cattolico come l'Irlanda. Ma mentre quest'ultima è in testa alla classifica per le nascite, noi siamo agli ultimi posti. Da quanto emerge nel rapporto *Eurostat* si può dire che la famiglia è un'istituzione solida (per esempio in Italia si fanno pochissimi figli al di fuori del matrimonio). Ma entriamo nei dettagli.

Pochi divorzi. Sebbene nel 2000 siano saliti a circa 37 600, il tasso di divorzi in Italia è dello 0,7 ogni mille abitanti, inferiore solo a quello di un altro Paese a maggioranza cattolica, l'Irlanda. Nel 1980 la quota era dello 0,2 per mille. L'ufficio statistico dell'UE stima che la media europea dei divorzi nel 2001 sia dell'1,9 per mille. Il Paese dove ci si separa di più è il Belgio (2,9) e sopra la soglia del 2 per mille si trovano grandi stati come Germania, Francia, Gran Bretagna. Tuttavia, se guardiamo solo al dato nostro, in Italia si divorzia e ci si separa sempre di più. Secondo gli ultimi dati dell'Istat, nel 2000 si è registrato un incremento di circa il 10% dei divorzi e delle separazioni (gli anni decisivi sono stati quelli dal 1995 al 2000 con variazioni del 40%). Si conferma inoltre un notevole divario tra l'Italia settentrionale e il Mezzogiorno, dove il fenomeno è molto meno frequente. C'è anche un identikit anagrafico dei partner in crisi: quando si separano i mariti hanno mediamente 42 anni, le mogli 38, quando divorziano gli uomini hanno 45 anni, le donne 41. E l'affidamento dei figli alla madre è il caso predominante (86% dopo il divorzio).

Pochi figli. Con una media di 1,24 nati per ogni donna nel 2001, le italiane (e i loro compagni) si confermano i meno prolifici dell'UE, dove la media è di 1,47 con un picco di nascite in Irlanda (1,98). Basso anche il rapporto tra nascite e donne in Spagna (1,25). Nel 1980 l'Italia era sulla stessa linea di altri Paesi come Danimarca, Germania, Olanda, Austria, Finlandia, all'epoca tutte con un tasso dell'1,6, e addirittura nel 1960 il numero medio di figli per donna era di 2,41.

Pochi figli fuori dal matrimonio. In Italia, nel 2000, i bambini nati fuori dal matrimonio sono stati il 9,6% del totale. Fra i paesi dell'UE, solo in Grecia questa quota è risultata inferiore (4,1%), a fronte di un fenomeno che riguarda in media il 28,4% dei piccoli nati nell'Unione. La tendenza ad avere figli senza vincoli matrimoniali è molto spiccata in paesi nordici come la Svezia (55,3%), ma sopra la soglia del 40% è anche la Francia. Da notare che nel 1980 quattro Paesi (Belgio, Grecia, Spagna, Olanda) avevano percentuali più basse di quella italiana (4,3%).

Matrimoni, coppie di fatto e longevità. In Italia i matrimoni sono in calo: il tasso di nuzialità è passato dal 4,9 per mille abitanti nel 2000 al 4,5 per mille del 2001. Sono invece in aumento le coppie di fatto (6%, più o meno come in Spagna), cioè quegli italiani che hanno (o hanno avuto) un'esperienza di convivenza, sebbene si sia lontani dalla dimensione che il fenomeno ha in Danimarca (72%), Francia (48%), Germania e Inghilterra (oltre il 40%).

Continua invece ad allungarsi la vita media. *Eurostat* attribuisce all'Italia il secondo posto nella classifica UE della longevità dietro a Francia e Svezia. Nel 2001 l'aspettativa di vita delle donne italiane è salita a 82,9 anni; gli uomini si stima che possano contare di vivere 76,7 anni.

(adattato da «La Repubblica», 7 agosto 2002)

B Prima di completare le tabelle che trovi sotto, cerca di spiegare con l'aiuto dell'insegnante il significato di queste parole:

1. natalità   *insieme delle nascite in un luogo*

2. longevità   ....

3. tasso   ....

4. mortalità   ....

5. nuzialità   ....

6. coppia di fatto   ....

C Per avere un quadro sintetico della situazione della famiglia in Italia completa ora le seguenti tabelle, andando a rileggere con cura alcune parti del testo.

DIVORZI E SEPARAZIONI

ITALIA	MEDIA EUROPEA ....
2000 incremento del	Italia ....
Nord .... divorzi che al Sud	Germania, Francia, Gran Bretagna ....
Età media di chi divorzia	Belgio ....
Affidamento dei figli alla madre	

TASSO DI NATALITÀ

Europa	....
Italia	....
Irlanda	....
Spagna	....

FIGLI FUORI DAL MATRIMONIO

Europa	....
Grecia	....
Italia	....
Francia	....
Svezia	....

TASSO DI NUZIALITÀ in Italia

2000	....
2001	....

LONGEVITÀ in Italia

donne	....
uomini	....

COPPIE DI FATTO

Italia (Spagna)	....
Germania, Inghilterra	....
Francia	....
Danimarca	....

Secondo voi, è vero che l'Italia è un Paese immobile?

....

2 Lessico

Per parlare di statistiche

Ecco alcune espressioni utili per poter riferire e commentare dati statistici con appropriatezza lessicale.

+
I divorzi <u>sono aumentati</u> / sono <u>in aumento/crescita</u>
C'è stato un <u>incremento</u> (aumento) dei divorzi.
La popolazione è aumentata / è in aumento <u>di</u> 110 000 unità / <u>del</u> 2 per cento (2%).

−
Le nascite <u>sono diminuite</u> / sono <u>in calo</u> / c'è stato un <u>calo</u> delle nascite.
I matrimoni sono diminuiti / sono in calo <u>di</u> 350 unioni / <u>dello</u> 0,4 per cento (0,4%).

↑
L'Italia è <u>al primo</u> posto nella classifica <u>per</u> numero di separazioni /
è <u>in testa alla</u> classifica <u>per</u> ...

↓
L'Italia è <u>all'ultimo</u> posto nella classifica <u>per</u> numero di coppie di fatto /
è <u>in coda alla</u> classifica <u>per</u> ...

<u>Il tasso di</u> divorzi è dello 0,7 ogni mille abitanti.
<u>La media</u> europea <u>dei</u> divorzi è dell'1,9 per mille.
Il tasso di nuzialità <u>è passato dal</u> 4,9 per mille abitanti nel 2000 <u>al</u> 4,5 per mille del 2001.
L'Italia <u>ha/registra</u> percentuali <u>più alte/basse rispetto</u> all'Olanda.

A Completa questo breve articolo inserendo le parole elencate sotto.

> in pareggio   si attesta   in aumento   diminuita   pari allo   medio
> rispetto all'   record   contro   aumentato

ROMA – Ci si sposa di meno, eppure il numero dei bambini nati nel 2001 (1) .... anno precedente, anche se di pochissimo, è (2) .... È invece (3) .... la mortalità e la vita media continua ad allungarsi. L'Italia, dunque, (4) .... a crescita zero: con 544 mila nati e 544 094 morti, il bilancio demografico del paese è tornato (5) .... , dopo sette anni in negativo. Considerando anche gli immigrati, il numero delle persone che vivono in Italia è (6) .... E il (7) .... delle nascite, in dispetto ai vecchi luoghi comuni, non spetta al Sud ma addirittura a Bolzano. Lo scorso anno, secondo lo studio dell'Istituto di statistica, sono nati 544,5 mila bambini, (8) .... 0,3% in più, per un numero (9) .... di figli per donna in età feconda, di 1,25 (10) .... l'1,24 del 2000.

(da «La Repubblica», 21 maggio 2002)

3 Esplorare la grammatica

Congiuntivo presente

A In queste due frasi tratte dall'articolo di p. 37 viene usato il congiuntivo. Sapresti dire perché?

(righe 21–23)   L'ufficio statistico dell'UE stima che la media europea dei divorzi nel 2001 <u>sia</u> dell'1,9 per mille.

(righe 80–83)   Nel 2001 l'aspettativa di vita delle donne italiane è salita a 82,9 anni; gli uomini si stima che <u>possano</u> contare di vivere 76,7 anni.

Perché il verbo STIMARE ....

B Quando si usa il congiuntivo il soggetto della frase principale e quello della frase secondaria sono diversi o uguali?

....

▶E 5, 6   **C** Elenca con l'aiuto dell'insegnante altri verbi che servono a esprimere opinioni, giudizi, fatti non certi:

penso che, credo che, ...

....

D Trasforma le frasi seguenti, cominciando le affermazioni con l'espressione o il verbo tra parentesi, che indica un'opinione, un giudizio, un fatto non certo.

ESEMPIO

▶ Lo Stato non può ignorare le nuove realtà familiari di oggi. (*penso che*)
Penso che lo Stato non *possa* ignorare le nuove realtà familiari di oggi.

1. Il governo ha il dovere di aiutare anche una madre che deve allevare un figlio da sola. (*credo che*)
2. Le convivenze sono un matrimonio non ancora perfezionato che non ha diritto alla stessa tutela sociale delle famiglie. (*non sono convinto che*)
3. Alle donne italiane spetta un'astensione obbligatoria di cinque mesi prima e dopo la nascita; poi possono usufruire di sei mesi di astensione facoltativa. (*mi pare che*)
4. A ogni mamma e a ogni papà è consentito chiedere un periodo di astensione dal lavoro fino a un massimo di sei mesi. (*mi sembra che*)
5. Il nido in ufficio è una soluzione adatta alle grandi imprese. (*ho idea che*)
6. In Francia le coppie omosessuali possono sottoscrivere un patto di solidarietà civile che estende alcune norme del diritto di famiglia alle coppie di fatto. (*credo che*)
7. Il governo ha deciso di dare incentivi solo alle giovani coppie sposate con matrimonio religioso o civile. (*non sono convinto che*)
8. Non è giusto valutare la famiglia solo in base a un vincolo legale. (*non sono sicuro che*)
9. Una famiglia si può dire costituita quando c'è un figlio. (*ritengo che*)
10. Una vita prolungata tra genitori e figli non può che diventare conflittuale. (*mi pare che*)

4 Reimpiego

Esprimere opinioni, giudizi, fatti non certi

A Lavorate in coppia. Motivate queste affermazioni e/o commentate questi pareri sui cambiamenti della famiglia italiana, usando verbi di opinione e di giudizio. Cercate di usare il congiuntivo presente.

> **ESEMPI**

▶ *Credo che* la vita delle donne *sia* più lunga di quella degli uomini perché le donne sanno trovare un migliore equilibrio tra il lavoro, la famiglia e il tempo libero.

▶ *Mi sembra* che la media europea dei divorzi non *sia* così alta.

> Potete usare:
> • penso che, credo che, ritengo che, mi pare che, mi sembra che, ho idea che
> • non sono sicuro che, non sono convinto che

1. Con una media di 1,24 nati per ogni donna nel 2001, le italiane (e i loro compagni) si confermano i meno prolifici dell'UE, dove la media è di 1,47 con un picco di nascite in Irlanda (1,98).

2. In Italia ci si separa e si divorzia ogni anno di più.

3. Crescono le coppie senza figli e i *single*.

4. I nuclei familiari d'origine (i nonni) rimangono una risorsa per i figli sia dal punto di vista pratico che economico.

5. Le mamme italiane sono le più protettive d'Europa e i figli italiani sono i più mammoni tra i coetanei dei paesi mediterranei.

6. La famiglia italiana è ancora molto bigotta in fatto di convivenza.

5 Ascoltare

›3 **"Ma, tuo marito non potrebbe aiutarti a fare qualcosa?"**

CD1

Chiara ed Elisa, due amiche, parlano del marito di Elisa.

A Lavorate in coppia. Ascoltate più volte questo dialogo e dopo ogni ascolto scambiatevi le informazioni che avete raccolto e che ricordate. Dal secondo ascolto potete rispondere alle domande che trovate qui di seguito.

1. Di che cosa si lamenta la donna sposata (Elisa)?

....

....

2. L'amica (Chiara) le dà 4 consigli. Quali? Annotate anche come ribatte Elisa a ogni consiglio.

CONSIGLI DI CHIARA   COME RIBATTE ELISA

I. ....

2. ....

3. ....

4. ....

3. Elisa riferisce un episodio come esempio della sua insostenibile gestione familiare. Quale?

....

4. E tu, che consigli daresti a Elisa? Come sono distribuiti i compiti nella tua famiglia?

....

►E 7   **B** **Completa queste frasi con le preposizioni *di* e *a* (attenzione: in alcuni casi sono articolate).**
Alcune frasi sono tratte dalla conversazione di Chiara ed Elisa.

I. Io mi occupo _della_ spesa, mi occupo .... pulizia della casa.

2. Ma tuo marito non potrebbe aiutarti .... fare qualcosa?

3. Mio figlio non si è mai preoccupato .... rifarsi il letto.

4. Figurati che sono costretta .... andare .... fare la spesa al supermercato, io ed Ele-na, quindi devo badare .... cose da acquistare ed Elena che mi fa diventare matta.

5. Un genitore autoritario non permette mai al proprio figlio .... contestare una sua de-cisione.

6. Non pensi che sarebbe opportuno continuare .... insistere, continuare .... dialoga-re, continuare .... fargli presente che tu così non puoi andare avanti?

6 Lessico

A **Scegli un sinonimo delle espressioni sottolineate, tratte dall'ascolto di p. 41.**

> a. ascolta b. quanti anni ha c. avrebbe la forza d. potrebbe e. ho il coraggio f. far(si) un'idea

I. Senti, <u>quanto tempo ha</u> ☐ adesso Elena?

2. ... infatti è quello che anche io vorrei, ma a quanto pare non la capisce, non mi <u>dà retta</u> ☐.

3. Ma il problema è che mia madre ormai non è proprio in forma, l'età insomma comincia a farsi sentire... già faceva fatica allora, adesso veramente, non so proprio, non <u>ce la farebbe</u> ☐ secondo me, penso proprio che non <u>sarebbe</u> più <u>in grado</u> ☐, l'età ormai è quella che è.

4. E io non <u>me la sento</u> ☐ di lasciare la piccola Elena in mano a quelle persone.

5. ... lascerei completamente la bambina a Francesco così si potrebbe <u>rendere conto</u> ☐ di che cosa vuol dire l'impegno di una giornata intera a guardare la bambina.

Quali di queste espressioni sono tipiche del parlato colloquiale? ....

B In italiano si usano nel parlato alcuni verbi idiomatici con il doppio pronome fisso, come *farcela* (cfr. la frase 3 dell'es. A). Completa queste frasi scegliendo tra i seguenti verbi pronominali:

> farcela (2)   cavarsela   prendersela   sentirsela   mettercela tutta

1. Era in crisi con il marito da diversi anni, e ieri, quando è venuta a trovarmi, mi ha confidato che non .... proprio più e che ha finalmente deciso di separarsi.

2. Ieri Giulio ha fatto l'esame per la patente. Poverino, ha studiato un casino, ... , ma non .... Dovrà ripeterlo.

3. E dai, non .... se non hai passato l'esame, lo rifarai tra un mese, che problema c'è?

4. Non .... di lasciarlo perché sono certa che nostra figlia ne soffrirebbe terribilmente!

5. Considerando che è la prima volta che è rimasto a casa da solo con la bambina di tre mesi, ... proprio bene.

C Rispondi alle domande.

1. La parola sottolineata è composta da due suffissi diminutivi, quali?
   (Dice Elisa): "gioca un pochettino con Elena" ....

2. Nel dialogo che cosa dice Elisa per:
   piccolo riposo .... piccolo nipote ....

Trasforma le parole sottolineate in diminutivi, scegliendo tra -ino e -etto (in alcuni casi vanno bene tutti e due). Attenzione: in due parole la base lessicale cambia un po'.

1. È un ragazzo un po' pallido. ....

2. È una ragazza abbastanza magra. ....

3. Ho regalato al mio nipotino un piccolo letto. ....

4. Si sono comprati una bella piccola casa. ....

5. Mia figlia ha sempre desiderato un piccolo cane. ....

6. Viola mi chiama piccola mamma. ....

7. Nonna Maria ha avuto in tutto sei piccoli nipoti. ....

8. Mia madre va pazza per il nostro ultimo piccolo figlio. ....

D Trasforma le parole con il doppio suffisso -ett/-ino/a.

1. una scarpa ....   4. una borsa ....

2. una scala ....   5. un pezzo (di torta) ....

3. un orso ....   6. un viaggio ....

E Trova un sinonimo delle espressioni metaforiche sottolineate, contenenti parti del corpo.

1. per qualche giorno <u>mi dà una mano</u> ....

2. e tutto il resto <u>è sulle mie spalle</u> ....

Adesso lavorate in gruppo. Cercate di trovare altre espressioni metaforiche con parti del corpo. Poi confrontatevi con la classe, chiedendo conferma all'insegnante.

ESEMPI

▶ Ha sempre la *testa* fra le nuvole!

▶ La nuova direttrice ha la puzza sotto il *naso*.

▶ Quando ho visto la sua casa sono rimasto a *bocca* aperta.

7 Coesione testuale

A Questi enunciati sono presi dalla conversazione tra Chiara ed Elisa dell'attività di ascolto di p. 41. Trova per ogni connettivo sottolineato la funzione che ha nel testo, scegliendo tra quelle elencate qui di seguito:

☐ a. riformulare, ripetere con altre parole, con esempi concreti

☐ b. riformulare riassumendo

☐ c. iniziare un discorso

☐ d. giungere a conclusioni

☐ e. "in ogni caso"

☐ f. confermare quello che è già stato detto prima

1. CHIARA   ... ma tuo marito non potrebbe aiutarti a fare qualcosa?
   ELISA   <u>Infatti</u> è quello che anch'io vorrei, ma a quanto pare non la capisce.

2. CHIARA   E quando hai in programma di ricominciare a lavorare?
   ELISA   Fra sei mesi.
   CHIARA   Fra sei mesi, ho capito.
   ELISA   E <u>comunque</u> rimangono questi sei mesi in cui io vorrei anche che le cose cambiassero perché sono veramente stanca.

3. CHIARA   Senti, ma tu hai provato a discuterci con tuo marito?
   ELISA   Oh figurati guarda, ne abbiamo discusso tantissimo, ne discutevamo già prima che nascesse Elena, <u>per cui</u> immaginati, non è una cosa nuova.

4. ELISA   Ho già messo un annuncio sul giornale qualche tempo fa e mi hanno risposto in parecchie, però erano tutte persone giovanissime, diciottenni, senza nessuna esperienza con i bambini, <u>insomma</u> persone inaffidabili.

5. CHIARA   <u>Allora</u>, dimmi un po', come va la tua storia con Francesco?

6. CHIARA   Ma senti, tu comunque non pensi che sarebbe comunque opportuno continuare a insistere, <u>cioè</u>, nel senso continuare a dialogare, continuare a fargli assolutamente presente che tu così non puoi andare avanti.

B **Analizza questi enunciati tratti dal testo di p. 37 e rispondi alle domande.**

(righe 16-20) Pochi divorzi. <u>Sebbene</u> nel 2000 siano saliti a circa 37 600, il tasso di divorzi in Italia è dello 0,7 ogni mille abitanti, inferiore solo a quello di un altro Paese a maggioranza cattolica, l'Irlanda.

(righe 69-76) Sono invece in aumento le coppie di fatto (6%, più o meno come in Spagna), cioè quegli italiani che hanno (o hanno avuto) un'esperienza di convivenza, <u>sebbene</u> si sia lontani dalla dimensione che il fenomeno ha in Danimarca (72%), Francia (48%), Germania e Inghilterra (oltre il 40%).

1. Che significato ha il connettivo *sebbene*? Indica:

    ☐ a. una conseguenza   ☐ b. uno scopo   ☐ c. il contrario di quanto ci aspettiamo

2. Con che modo verbale viene usato? ....

3. Conosci altri connettivi concessivi? Elencali con l'aiuto dell'insegnante e verifica se richiedono l'indicativo o il congiuntivo. ....

    ....

    ....

C **Trasforma queste affermazioni usando un connettivo concessivo (*nonostante, sebbene, benché*) che richiede il congiuntivo, al posto di *anche se*.**

ESEMPIO

► Dalla ricerca emergono dati significativi di nuovi scenari, anche se la maggioranza delle persone vive ancora in nuclei tradizionali.

Dalla ricerca emergono dati significativi di nuovi scenari, *sebbene* la maggioranza delle persone *viva* ancora in nuclei tradizionali.

1. <u>Anche se</u> la maggioranza delle coppie si sposa ancora in chiesa o civilmente, ci sono tre milioni di italiani che convivono. ....

2. <u>Anche se</u> già lavorano, i figli difficilmente si staccano dalla famiglia d'origine prima dei trent'anni. ....

3. <u>Anche se</u> esiste la legge sui congedi parentali, attualmente sono pochi i genitori che ne beneficiano. ....

4. <u>Anche se</u> i nidi aziendali a oggi sono pochi in Italia, sarebbero un'ottima soluzione per molte lavoratrici. ....

5. <u>Anche se</u> i giovani italiani desiderano uscire di casa, hanno difficoltà perché il mercato degli affitti è carissimo. ....

6. <u>Anche se</u> la convivenza è abbastanza pacifica, di solito i genitori non autorizzano i figli a portare il partner in casa. ....

8 Leggere

Lettura intensiva

A Prima di leggere l'articolo fate ipotesi sul significato del titolo. Cosa pensate siano le "famiglie modello Lilliput"?
Lavorate in gruppo e confrontatevi su:

— com'è/era organizzata la vostra vita familiare
— quanto tempo passate/passavate con i vostri genitori/figli
— cosa fate/facevate con loro
— chi vi accudiva quando i vostri genitori non c'erano

B Fai una lettura accurata di questo testo per comprendere l'argomento di cui si parla.

Famiglie modello Lilliput senza tempo per incontrarsi
Il pranzo? Scomparso. E ai figli non resta che la cena

Maria Novella De Luca

ROMA – Vite quotidiane di famiglie piccole piccole. Mamma-papà più uno, mamma-papà più due. Storie di tribù-Lilliput del mondo senza bambini, di microcosmi metropolitani dove il tempo è **scandito** dai secondi del microonde, di case spesso vuote perché il pranzo è un panino ma la cena, al contrario, un evento, la colazione un rito che si comincia a chiamare *breakfast* e la festa di compleanno del ragazzino o ragazzina, spesso unici e singoli in una selva d'adulti, un appuntamento degno della festa del Santo **Patrono**. Leggiamola così, sul filo del gioco, la giornata tipo della famiglia italiana ai tempi della natalità sottozero, delle mamme che lavorano ma la sera – caschi il mondo – mettono tutti attorno al tavolo, e spesso a cena e magari anche a dormire c'è il compagno di scuola, perché, spiega Donata Francescato, psicologa di comunità, "oggi le famiglie con pochi figli tendono a ricreare con altre famiglie simili una rete alternativa a quella dei parenti e il tramite di tutto questo è la scuola". Eccola, attraverso l'orologio della quoti-

dianità e gli occhi dei bambini, la famiglia polverizzata. Sempre più identica nei ritmi di ogni giorno ai modelli europei, per ritrovarsi italianissima il sabato, la domenica e nelle feste, con i parenti riuniti e la torta che cuoce nel forno.

Le case. Scatole troppo silenziose e senza voci. Che si **animano** quando inizia il pomeriggio, perché, lo racconta l'ultima indagine dell'Istat sulle abitudini degli italiani, "sono sempre di più le famiglie che considerano la cena e non il pranzo il pasto principale della giornata" e il record tocca proprio ai bambini, con un 39,2% di piccoli che mangiano nelle **mense** scolastiche. "Il dato certo – spiega la sociologa Chiara Saraceno – è che il numero degli incontri quotidiani tra genitori e figli è **nettamente** diminuito. Soprattutto nelle città medio-grandi. Con il risultato che i bambini passano un'infinità di tempo da soli, o con i nonni e le baby sitter, una situazione ancora più pesante per chi non ha fratelli e sorelle. D'altro canto però molti genitori attenti tendono a compensare questi vuoti enfatizzando invece i momenti comuni come la cena, inventandone di nuovi, come la prima colazione, i sabati e le domeniche, e ogni altri rito piccolo o grande da celebrare insieme. Con estremizzazioni che hanno portato a un ruolo sempre più dominante dei piccoli nella scelta dei consumi quotidiani, dalla spesa alle feste da Mc Donald's. Devo dire comunque che vedo ancora molte madri fare i salti mortali per correre a casa e non lasciare i figli soli all'ora dei pasti". Con profonde differenze però. Da una indagine realizzata da una équipe di medici-dietologi romani su un campione di scuole elementari emerge che nel Centro Nord il 40% dei bambini mangia alla mensa, il 60% a casa. Di questo 60% il 45% ha la compagnia di un genitore a tavola, il 30% di un parente, e il 25% di altri, baby sitter probabilmente. Situazione opposta al Sud, dove quasi l'80% consuma il pranzo in famiglia, a riprova che nonostante le distanze si accorcino i modelli di vita restano profondamente diversi tra Nord e Sud.

Eppure nella filigrana di questa vita quotidiana nell'Italia dell'1,24 nascite per donna, si scopre che nel tempo che c'è genitori e figli fanno un bel po' di cose insieme. E anzi i senza-fratelli **"fruiscono"** più dei loro **coetanei** dell'attenzione di mamma e papà. L'Istat racconta che circa l'80% dei ragazzini tra i 3 e i 5 anni ogni giorno guarda un cartone, ascolta una storia o va al parco con i genitori (sempre più forte la presenza delle mamme). E se la mamma è in ufficio c'è la mamma del compagno di scuola, ultima, nuovissima sostituta di zie e nonne. Un modello sociale che Donata Francescato ha ben delineato nel libro *Amore e potere*. "Per allevare un bambino ci vuole un villaggio. Il nuovo villaggio dei bimbi dove i genitori creano una rete di solidarietà, è la scuola. Tra un accompagnare in piscina o a basket, nell'incontrarsi dei bambini a casa di uno o a casa dell'altro, accade sempre più spesso che i genitori dei compagni diventino amici tra di loro. Ricreando quel villaggio che assicura anche ai figli unici un collettivo dove crescere senza sentirsi troppo soli".

(adattato da «La Repubblica», 15 maggio 2002)

C **Rispondi alle domande.**

1. Che cos'è la "famiglia modello Lilliput"?

....

2. In che cosa la vita della famiglia italiana è uguale ai modelli europei e in che cosa resta invece tipicamente italiana? ....

....

3. Ci sono delle differenze nello stile di vita tra le famiglie del Nord e del Sud Italia?

....

4. Nelle città da chi è formata la rete sociale alternativa ai parenti (nonni, zii)?

....

D Rileggi l'articolo. Trova le parti del testo in cui 2 esperte esprimono il loro punto di vista sul nuovo modello sociale delle famiglie con pochi figli e riassumilo in poche righe.

Psicologa	Sociologa
Donata Francescato	**Chiara Saraceno**
da riga .... a riga	da riga .... a riga ....
....	....
....	....
....	....
....	....

9 Lessico

A Unisci ogni parola evidenziata nel testo di pp. 46-47 al sinonimo appropriato.

☐ 1. scandito   a. beneficiano

☐ 2. patrono   b. di molto

☐ 3. animano   c. onorato con riti/feste particolari da una determinata città o paese

☐ 4. mense   d. servizi pasti per la collettività

☐ 5. nettamente   e. bambini della stessa età

☐ 6. fruiscono   f. riempiono di vita

☐ 7. coetanei   g. ritmato

B Scegli il significato delle seguenti espressioni metaforiche presenti nell'articolo di pp. 46-47.

1. (righe 11-12) **una selva d'adulti**

☐ a. molti adulti che fanno confusione ☐ b. pochi adulti ☐ c. pochi adulti, tranquilli

2. (riga 17) **caschi il mondo**

☐ a. a proprie spese ☐ b. ad ogni costo ☐ c. a costo di farsi male

3. (righe 26-27) **la famiglia polverizzata**

☐ a. unita ☐ b. disunita ☐ c. distrutta

4. (riga 60) **fare i salti mortali**

☐ a. fare le corse ☐ b. rischiare la vita ☐ c. fare l'impossibile per raggiungere uno scopo

5. (righe 72-73) **le distanze si accorcino**

☐ a. le differenze diminuiscano ☐ b. le differenze aumentino ☐ c. le somiglianze diminuiscano

10 Coesione testuale

A Analizza questi frammenti tratti dall'articolo di pp. 46-47 e di' che significato/funzione comune hanno i connettivi sottolineati. Scegli tra i seguenti significati:

☐ a. indicano una causa

☐ b. indicano una conseguenza

☐ c. indicano una contrapposizione

1. Storie di tribù-Lilliput del mondo senza bambini, di microcosmi metropolitani dove il tempo è scandito dai secondi del microonde, di case spesso vuote perché il pranzo è un panino ma la cena, <u>al contrario</u>, un evento, la colazione un rito...

2. Il dato certo – spiega la sociologa Chiara Saraceno – è che il numero degli incontri quotidiani tra genitori e figli è nettamente diminuito. Soprattutto nelle città medio-grandi. Con il risultato che i bambini passano un'infinità di tempo da soli, o con i nonni e le baby sitter [...]. D'altro canto però molti genitori attenti tendono a compensare questi vuoti enfatizzando <u>invece</u> i momenti comuni come la cena...

3. Devo dire <u>comunque</u> che vedo ancora molte madri fare i salti mortali per correre a casa e non lasciare i figli soli all'ora dei pasti.

4. <u>Eppure</u> nella filigrana di questa vita quotidiana nell'Italia dell'1,24 nascite per donna, si scopre che nel tempo che c'è genitori e figli fanno un bel po' di cose insieme.

5. E <u>anzi</u> i senza-fratelli "fruiscono" più dei loro coetanei dell'attenzione di mamma e papà.

B Completa i racconti di due bambini che parlano della loro giornata-tipo con i connettivi avversativi che seguono.

> invece   eppure   però (più volte)   anzi   al contrario   ma (più volte)

Napoli: Susanna, 10 anni

"A pranzo c'è sempre mia madre, (1) .... due o tre giorni alla settimana c'è anche mio padre. È bello, mi piace questo momento, anche se dopo dobbiamo fare i turni per sparecchiare, (2) .... se ho un problema a scuola ne parliamo e poi mi sento meglio.

Mia madre (3) .... non lavora sempre, per fortuna. Io sono più contenta quando lei non ha i turni.

Mia madre cucina ogni giorno: dice che non dobbiamo mangiare le schifezze surgelate, io penso (4) .... che i sofficini sono buonissimi".

(adattato da «La Repubblica», 15 maggio 2002)

Roma: Piero, 11 anni

Con un padre funzionario, una mamma impiegata alla Telecom, entrambi dagli orari 9-17, che con il ritorno a casa nei flussi di punta diventano 9-18, le giornate di Piero sono scandite da un buon numero di "figure sostitutive". **(5)** "...................." dice lui, ironico, "io sono un sacco contento di mangiare ogni giorno con una persona diversa...

Chi preferisco? Mia nonna perché mi lascia vedere la TV mentre mangiamo. **(6)** .... la sera è più bello, sto con mamma e papà **(7)** .... la TV è spenta".

Sembra sereno Piero mentre racconta la sua condizione di figlio unico in una casa "vuota" di genitori e piena, **(8)** .... , di amici, nonne e baby sitter.

"No, mia madre non mi manca, **(9)** .... , mi piacerebbe vivere con la nonna che mi lascia fare più cose dei miei genitori. Loro li posso chiamare sul cellulare".

(adattato da «La Repubblica», 15 maggio 2002)

11 Leggere

Riconoscere le idee principali

A Leggi l'articolo e concentrati sui modelli di famiglia di cui si parla. Associa i 6 tipi di genitori alle definizioni che trovi sotto e per ogni tipo scrivi quali sono le conseguenze per i figli.

- ☐ 1. iperprotettivo
- ☐ 2. democratico-permissivo
- ☐ 3. sacrificante
- ☐ 4. intermittente
- ☐ 5. delegante
- ☐ 6. autoritario

a. I genitori viziano e soffocano i figli dando loro il massimo. Per sé non vogliono nulla ma si aspettano molta gratitudine.

b. Vecchio modello: c'è un padre-padrone, le regole non si discutono, la madre in genere cerca di mediare.

c. Nessuna gerarchia in famiglia: genitori e figli sono "amici", discutono di tutto alla pari.

d. I genitori oscillano da un modello all'altro: ora severi, ora permissivi.

e. I genitori affidano ai nonni il loro ruolo, restando essi stessi nella dimensione di figli.

f. I genitori facilitano i figli in ogni cosa, prevenendo i loro desideri e bisogni.

Famiglia: per la felicità non bastano le coccole
I genitori sbagliano a concedere troppo, ma anche troppo poco
Uno studio spiega perché

Giorgio Nardone, docente di psicoterapia all'Università di Siena, insieme a 32 ricercatori della Scuola di Arezzo ha individuato, in cinque anni di interventi sulle famiglie, sei modelli patogeni della famiglia italiana attuale. Una fotografia tratteggiata con due collaboratrici in un libro, *Modelli di famiglia* (Ponte alle Grazie), di agevole consultazione, molto chiaro.

Modello numero uno: **iperprotettivo**. Riassumibile in una frase: "caro figlio nostro, dicci che cosa ti manca e te lo procureremo noi". È la famiglia che dà di tutto e di più, che risparmia ogni difficoltà all'adorato figlio il quale mai si metterà alla prova, se ha talenti non li coltiverà e maturerà l'idea che tutto gli spetta senza impegno alcuno.

A ruota segue il modello **democratico-permissivo**, nato negli anni settanta: siamo tutti amici, siamo tutti "pari" in famiglia. Ma anche la parità senza gerarchie non funziona, dicono gli psicologi, perché i ragazzi la leggono come "mancanza di palle". Con conseguente ricerca di un eroe forte cui ispirarsi tra gli amici trasgressivi.

Numero tre, il modello **sacrificante**. Antico e dato per estinto in realtà è ancora riscontrabile. In queste famiglie vige un "altruismo insano" nei confronti dei figli anch'essi viziati e iperprotetti e iperdotati di ogni optional (motorini, telefoni, abiti griffati), ma da genitori che per se stessi hanno sposato il sacrificio e il dovere. Non si sacrificano però in silenzio, parlano di fatiche e non nascondono di aspettarsi tanto in cambio: "Se vuoi gli occhiali nuovi te li compro, ma devi volermi bene perché dovrò fare delle ore di straordinario". In casa l'atmosfera può diventare soffocante e spingere i figli alla chiusura psicologica e sociale o al voler evadere a tutti i costi unendosi magari a gruppi di ultras o naziskin.

C'è poi chi è indotto a una costante ambivalenza: a volte permissivo a volte severo. Atteggiamento genitoriale a cui corrisponde, da parte dei figli, l'altalena collaborativi-ribelli. È questo il modello **intermittente**, che semina dubbi, instabilità.

Ci sono poi genitori che se la cavano lasciando fare ad altri (modello **delegante**), in genere i nonni: tutti uniti in una grande famiglia dove padre e madre sostanzialmente restano "figli" e ai figli-nipoti arrivano messaggi educativi confusi da due coppie di adulti di diversa età e mentalità.

L'ultimo modello, non tanto tempo fa il più diffuso, quello **autoritario**. C'è un padre-padrone e la moglie è altrettanto rigida o, più spesso, si spende per mediare tra marito e figli ("Su dai, la macchina gliela possiamo dare, ma solo per stasera") oppure si appella a questi ultimi per aiuto e compensazioni dato il suo ruolo di vittima. Per i ragazzi lo spazio è poco: o adeguarsi e reprimersi o vivere fughe clandestine.

È chiaro che da ogni famiglia dei sei tipi non è detto che esca necessariamente un adolescente problematico poiché "la realtà non è mai categorica", come ripete più volte Nardone. Il rimedio principe, secondo lo studioso, sta nel pretendere da loro che si guadagnino tutto quello che avranno, con sforzi concreti e fatiche. Anche il sano schiaffo sembra produrre figli più stabili e sicuri di quelli iperprotetti. Crescere solo a coccole fa male.

(adattato da «Corriere della Sera», 23 marzo 2002)

B Lavorate in coppia. Dopo aver letto l'articolo, discutete su come potreste etichettare i vostri genitori e il loro modello educativo.

12 Esplorare la grammatica

Pronomi combinati

A Leggi l'articolo di p. 51 una seconda volta e cerca i pronomi combinati (3 casi). Trascrivili e per ogni pronome combinato di' esattamente che cosa riprende nel testo.

ESEMPIO

▶ (righe 11-13) "caro figlio nostro, dicci che cosa ti manca e **te lo** procureremo noi" (te = a te; lo = cosa ti manca)

1. ....

2. ....

3. ....

▶E 1, 2, 3, 4

B Completa queste brevi battute tra genitori e/o figli usando i pronomi combinati:

ESEMPIO

▶ Marco vuole l'ultimo cd di Alex Britti.
– Eh, va bene, *glielo* compriamo.

1. • Sabina ha perso il portafoglio.
   – Pazienza, ... prendiamo uno nuovo subito!

2. • Carla, perché hai preso una nota a scuola?
   – .... ho già detto, mi hanno trovata mentre fumavo nei bagni!

3. • Se Viola desidera un nuovo motorino, ... deve guadagnare facendo qualche lavoretto quest'estate.
   – Ma noo, i soldi non ci mancano, ... compriamo noi!

4. • Hai già parlato a Franca della nostra idea di andare in vacanza in campeggio?
   – No, perché non .... parli tu?

5. • Papà, usi la macchina oggi?
   – Sì, ma se proprio insisti mi sacrifico e .... presto.

6. • Giulio, fammi il bollino blu che non ho tempo di andare dal meccanico!
   – No, non .... faccio perché anch'io non ho tempo, chiedilo al papà.

13 Reimpiego

Dare consigli

A Lavorate in coppia. Date almeno un paio di consigli a ciascun modello di genitore di cui si parla nell'articolo di p. 51. Potete usare espressioni come quelle elencate sotto.

> • **Secondo me** i genitori democratici dovrebbero imporre maggiormente alcune decisioni.
> • **Se fossi in** loro imporrei maggiormente alcune decisioni.
> • **A mio parere** è opportuno che impongano maggiormente alcune decisioni.

14 Ascoltare

›4 **"In Italia, pensate, un bambino su dieci nasce in coppie di fatto"**

In questo brano tratto dalla radio (RTL, 19 novembre 2002) intervengono un avvocato matrimonialista, Cesare Rimini, e l'ex Presidente della Camera, l'Onorevole Irene Pivetti, sulla tendenza sempre più diffusa in Italia delle coppie di fatto, ovvero delle persone che convivono senza essersi sposate con matrimonio religioso o civile.

CD1

A **Ascolta il brano e scegli la risposta più appropriata.**

1. Quali diritti hanno le coppie di fatto?
   - ☐ a. in caso di separazione devono mantenere economicamente l'altro compagno
   - ☐ b. in caso di separazione, la casa coniugale viene assegnata al coniuge abbandonato
   - ☐ c. il mantenimento dei figli nati fuori dal matrimonio è parificato a quello dei figli nati nel matrimonio
   - ☐ d. nessun diritto

2. Che cosa pensa Irene Pivetti del fenomeno in aumento delle coppie di fatto?
   - ☐ a. è favorevole perché il matrimonio civile è un atto puramente burocratico
   - ☐ b. è una scelta che non condivide perché solo il matrimonio religioso sancisce un'unione
   - ☐ c. è una scelta comprensibile dovuta a diversi fattori sociali
   - ☐ d. è contraria alla convivenza perché non è un'unione stabile

B **Rispondi alle domande.**

1. Irene Pivetti è sposata?

   ....

2. Come giustifica/spiega l'aumento delle coppie di fatto?

   ....

C **Riascolta la registrazione ancora una volta e concentrati sui segnali discorsivi tipici del parlato. Con che funzione vengono usate le espressioni sottolineate?**

> **Segnali discorsivi**
> ► Allora
> ► Ecco
> ► **p. 68**

1. <u>Allora</u>, abbiamo parlato delle coppie di fatto. Spieghiamo bene quali diritti hanno le coppie di fatto in Italia.

   ALLORA serve a ....

2. <u>Ecco, ecco</u>, infatti è proprio questo che volevo dire. Ci sorprende, in un certo senso, questa sua posizione.

   ECCO serve a ....

15 Parlare

A **Conversazione.** Lavorate in gruppo. Confrontatevi sulle politiche adottate nei vostri Paesi a sostegno della famiglia. Secondo voi che cosa dovrebbe prevedere una buona legge per incentivare le nascite e il benessere socio-economico della famiglia? Per esempio: aiuti economici per comprare casa, incentivi per la nascita dei figli, assegni familiari...

B **Discutere per risolvere un problema.** Immaginate di essere l'amministratore del quartiere in cui vivete. Che politica dell'infanzia adottereste? Che cosa fareste di concreto per i vostri "piccoli cittadini"? Lavorate in gruppi di 4-5 persone e poi confrontate le diverse proposte.

C **Discutere i pro e i contro.** Leggete il titolo sotto e la scheda sulla situazione all'estero. Che cosa ne pensate? Siete favorevoli o contrari alle unioni omosessuali? Discutete e riferite anche com'è la mentalità nel vostro Paese rispetto a questo tema.

Roma, il primo "sì" tra gay

Matrimonio-provocazione utilizzando la legge francese

ALL'ESTERO

▶**Olanda**

Dal 1° aprile 2001 la legge consente i matrimoni tra omosessuali con possibilità di adottare bambini

▶**Svezia, Norvegia, Danimarca**

La legge regolarizza le unioni tra omosessuali con gli stessi diritti delle coppie eterosessuali sposate

▶**Germania**

La Corte Costituzionale a luglio ha stabilito che i matrimoni tra gay sono compatibili con la Costituzione

▶**Francia**

Il Pacs è in vigore dal 1999 e regola le unioni di fatto etero e omosessuali. Regola anche la fine del rapporto

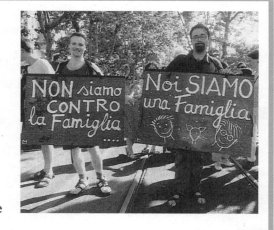

(da «La Repubblica», 22 ottobre 2002)

D **Ricerca di classe.** Se vivete in Italia, potrebbe essere interessante fare una ricerca di classe su come viene ritratta la famiglia italiana tipica nella pubblicità.

ESEMPIO

▶ La moglie regina dei fornelli, però vestita come se dovesse uscire subito; la famiglia al momento della sveglia: capelli a postissimo, pigiami come se fossero appena stirati.

16 Scrivere

A **Commento statistico.** Osserva con attenzione queste tabelle. Scrivi un commento sintetico dei dati statistici in esse riportati. Cerca di usare il lessico per parlare di statistiche introdotto a p. 39.

In questa indagine condotta dall'Istat

B **La posta del cuore.** Rispondi alla lettera seguente, esprimendo le tue opinioni sulla crisi familiare che Teresa sta vivendo. Cerca anche di darle dei consigli su come potrebbe comportarsi.

Questioni di cuore
Un matrimonio strappato non si ricuce

A 19 anni, finiti gli studi di ragioneria ma ancora senza lavoro, sono rimasta incinta. E lui, il mio attuale marito, ha ritenuto di propormi l'aborto, allora clandestino, non prendendo in considerazione l'idea di sposarci. Su quel lettino a Firenze ho lasciato parte di me. Ci siamo sposati tre anni dopo. Dopo 18 mesi ho avuto un figlio ed è stato il giorno più bello della mia vita, dopo 5 anni il secondo, con meno entusiasmo. Ho ripreso i rapporti sessuali dopo tre mesi. Senza felicità, tra l'altro lui ha problemi, mai affrontati, di eiaculazione precoce. Sembriamo una coppia perfetta, e non è mai stato vero. Mi sono buttata nel lavoro e oggi a 34 anni dirigo una agenzia di banca. Un anno fa, il colpo di fulmine, con un commercialista bravo e stimato. Lui, sposato e padre, incontrandomi, si è innamorato per la prima volta. Mio marito si è accorto che ero cambiata e io non me la sono sentita di prenderlo in giro e gli ho detto tutto: ma non ce l'ho fatta a lasciare l'altro. Mio marito ha comunicato ai nostri figli in termini scioccanti che io andavo a letto con un altro mentre lui lavorava, me presente.

Adesso la situazione la conoscono tutti, io e il mio innamorato sappiamo che non possiamo rinunciare alla nostra gioia, neppure per i figli. Ho paura, ma voglio andare fino in fondo anche se mi farà male: con lui ho provato sensazioni meravigliose, mai provate prima.

TERESA – Pisa

(da «Il Venerdì di Repubblica», 2 aprile 1993)

17 Navigando

A Vai sul sito che si occupa di questioni sociali come le politiche familiari (**www.affarisociali.it**) e informati sui contenuti della Legge n. 53 dell'8 marzo 2000, nota come legge sui "Congedi dei genitori". Qui sotto puoi vedere un'immagine di un opuscolo informativo mandato a tutte le famiglie italiane, realizzato dalla Presidenza del Consiglio dei Ministri (Ufficio del Ministero per la Solidarietà Sociale).

B Se vuoi avere dati più aggiornati su natalità, nuzialità, divorzi, coppie di fatto e altri fenomeni, e sull'evoluzione della famiglia italiana, visita i seguenti siti: **www.istat.it** (Istituto nazionale di statistica); **www.cisf.it** (Centro internazionale Studi Famiglia). Se vuoi informazioni di ordine legale e normativo sulle tematiche inerenti alla famiglia vai su **www.familex.com**.

C Lavorate a piccoli gruppi. Entrate nel portale delle donne, **www.italiadonna.it** e fate una ricerca da presentare alla classe su "Donne e lavoro".

Congedi dei genitori

Legge n. 53 dell' 8 marzo 2000

Disposizioni per il sostegno della maternità e della paternità, per il diritto alla cura e alla formazione e per il coordinamento dei tempi delle città

Presidenza del Consiglio dei Ministri
Ufficio del Ministro per la Solidarietà Sociale

" E' stata una varicella bellissima! "

Esercizi

1 **Sostituisci le parole in neretto con i pronomi combinati corrispondenti.**

ESEMPIO

► Lo stato potrebbe pagare **uno stipendio alle casalinghe**.

Lo Stato potrebbe pagar*glielo*. / Lo Stato *glielo* potrebbe pagare.

1. Lo Stato paga **la pensione agli anziani**.

2. **Signora Rossi**, domani vengo a pagare **l'affitto**.

3. Il papà dovrà imparare a cambiare **il pannolino ai figli**.

4. L'azienda **ti** deve dare **il permesso di maternità**.

5. **Vi** porto un po' **di mele** perché **mi** hanno dato troppe **mele**.   ✳

6. La leggè dà **ai padri lavoratori il diritto di stare a casa**.

7. **Ci** hanno promesso **un aumento di stipendio** al più presto.

2 **Completa le seguenti frasi con i pronomi combinati.**

ESEMPIO

► Sei senza macchina?
Se vuoi *te la* presto io.

1. Signora, se ha finito il caffè, ... do ancora un po'.

2. Avete dimenticato le chiavi, ... portiamo stasera.

3. Ada non è venuta perché suo padre non .... ha permesso.

4. Ci sarà anche Ugo alla festa! Se vieni .... presento.

5. Signor Carli, se non ha capito la strada .... rispiego.

6. Ho notizie fresche di Rita, ... ha date suo fratello.

7. Gianni era stanco e .... è andato presto.

3 **Completa questo racconto inserendo i pronomi combinati corretti.**

Ambrogio Ma dov'è? Dov'è che l'avete cacciato?

Adelaide Si può sapere cosa cerchi?

Ambrogio Il giornale di oggi, cerco.

Ercole Papà, è questo il giornale che cerchi?

Adelaide Lascia stare quella roba, Ercole!

Ambrogio No, no... Un momento! Fammi vedere!

Adelaide Ma cosa vuoi vedere? È il modello del davanti della camicetta che sto facendo per la Caterina.

Ambrogio Il davanti della camicetta?

Adelaide Dammi qua, non (1) .... sciupare.

Ambrogio Ma guarda se è il modo di conciare il giornale che non ho ancora letto!

Adelaide Io l'ho preso dal mucchio dei giornali vecchi.

Ambrogio Ma ci sono tanti giornali vecchi in casa, perché devi prendere proprio quello di oggi?

Adelaide Non c'è bisogno di farne una tragedia. Non l'ho mica fatto apposta. Dovevo tagliare il modello e... cosa fai? Non tirare via lo spillo! Lì c'è la piega.

Ambrogio Ma sì... Dopo (2) .... rimetto. Lasciami almeno vedere i risultati delle elezioni...

Adelaide Non ti agitare, Ambrogio. Saranno sulla manica. Ecco la manica.

Ambrogio Va bene, leggiamo la manica... No... la manica è tutta cronaca nera. E questo cosa sarebbe?

Adelaide Il davanti.

Ambrogio Porca miseria, ma il davanti è tutto sport.

Adelaide Sta' attento, questo è il colletto, non (3) .... sciupare.

Ambrogio Ma guarda se è possibile leggere un giornale in questo stato!

Caterina   Mamma... e il vestito per capodanno, quando (4) .... fai?

Adelaide   Appena ho finito la camicetta (5) .... taglio.

Ambrogio   Dim (6) .... prima così vado a comprarti il giornale con le ultime notizie.

(adattato da C. Manzoni, *Pronti per l'appollaggio*, Rizzoli, Milano 1968)

4   **Volgi al passato le seguenti frasi facendo attenzione ad accordare i pronomi con il participio passato e ad alcuni cambiamenti necessari.**

ESEMPIO

▶ Legge il giornale e me ne parla.
   Lo ha letto e me ne *ha parlato*.

1. Mi presta 500 euro e glieli devo restituire fra un mese.
2. Compriamo i dischi perché non ce li regala nessuno.
3. Renata compra una cravatta per papà e gliela darà a Natale.
4. Non compriamo i biglietti perché ce li danno in omaggio.
5. Scelgono una pianta e me la mandano per il mio compleanno.
6. Prendo il pacco e glielo porto.
7. Fotocopio i fogli e ve li spedisco.

5   **Analizza queste frasi tratte dai testi presenti in questa unità. Cerchia i verbi al congiuntivo e in coppia con un compagno cerca di fare ipotesi sul perché viene usato questo modo. Poi verificale con il resto della classe e con l'insegnante.**

1. È chiaro che da ogni famiglia dei sei tipi non è detto che esca necessariamente un adolescente problematico poiché "la realtà non è mai categorica", come ripete più volte Nardone. Il rimedio principe, secondo lo studioso, sta nel pretendere da loro che si guadagnino tutto quello che avranno, con sforzi concreti e fatiche.
2. Tra un accompagnare in piscina o a basket, nell'incontrarsi dei bambini a casa di uno o a casa dell'altro, accade sempre più spesso che i genitori dei compagni diventino amici tra di loro.
3. Situazione opposta al Sud, dove quasi l'80%

consuma il pranzo in famiglia, a riprova che nonostante le distanze si accorcino i modelli di vita restano profondamente diversi tra Nord e Sud.

4. Sebbene nel 2000 siano saliti a circa 37 600, il tasso di divorzi in Italia è dello 0,7 ogni mille abitanti, inferiore solo a quello di un altro paese a maggioranza cattolica, l'Irlanda.
5. Sono invece in aumento le coppie di fatto (6%, più o meno come in Spagna), cioè quegli italiani che hanno (o hanno avuto) un'esperienza di convivenza, sebbene si sia lontani dalla dimensione del fenomeno in Danimarca (72%), Francia (48%), Germania e Inghilterra (oltre il 40%).

6   **Osserva questa coppia di frasi. Nella prima si usa il congiuntivo perché il soggetto della frase principale e quello della secondaria sono DIVERSI. Nella seconda frase, invece, non si può usare il congiuntivo ma si deve usare la costruzione *di* + infinito perché i soggetti sono UGUALI. Trasforma come nell'esempio.**

• Penso che Maria abbia ragione. (IO penso, MARIA ha ragione)
• Penso di avere ragione. (IO penso, IO ho ragione)

ESEMPIO

▶ Penso di sposarmi l'anno prossimo. (Luisa)
   Penso che Luisa si sposi l'anno prossimo.

1. Credo di sapere perché mio fratello si è separato dalla moglie. (mia madre)
2. Non sono convinto di avere ragione. (loro)
3. Penso di adottare un bambino peruviano. (Silvia)
4. Non sono sicura di voler partire. (Sandra)
5. Ritengo di collaborare molto alla gestione della famiglia. (Mario)
6. Mi pare di dover portare la bambina dallo psicologo lunedì. (mia sorella)
7. Credo di non riuscire più a sopportare Luigi. (Susanna)
8. Non sono sicuro di voler rimanere in quel posto di lavoro. (voi)
9. Ritiene di comportarsi male con i nonni. (loro)
10. Credono di fare un grave errore continuando a frequentare quella donna. (Marco)

7 Completa le seguenti frasi, in parte tratte dalla conversazione di p. 41, con le preposizioni *di* e *a* (eventualmente articolate).

1. Una mamma che lavora ha bisogno .... poter contare su un nido all'interno della propria azienda.

2. Non è facile riuscire .... convincere mio marito .... occuparsi dei bambini.

3. Quando torna a casa dal lavoro mio marito anzitutto si mette .... leggere il giornale.

4. Se non vai d'accordo con i tuoi genitori ti suggerisco .... trovarti una casa e .... andare a vivere per conto tuo.

5. Quando hai in programma *di* ricominciare a lavorare?

6. Neanche una mano *a* fare la spesa, mi dà.

Ripasso

1 Coniuga i verbi al passato prossimo o all'imperfetto.

Ristoranti: bambini off-limits
di Luca Goldoni

Cenone di Capodanno senza posacenere sul tavolo. Però ai tavoli vicini ci osservavano perché, per antico automatismo, avevamo posato sulla tovaglia pacchetto e accendino. Le giovani coppie che ci guardavano erano chiaramente non fumatrici e salutiste perché (*mangiare*) (1) .... molto radicchio e (*brindare*) (2) .... con la minerale. In compenso (*avere*) (3) .... molti bambini.

Il cenone si svolgeva dunque con civile accettazione dei diritti altrui, l'unico fumo (*essere*) (4) .... quello delle candele. Improvvisamente i pargoli delle coppie salutiste decisero che si stavano scocciando. Qualcuno (*cominciare*) (5) .... a frignare , uno (*alzarsi*) (6) .... in piedi sulla sedia, uno (*fare*) (7) .... un salto, altri lo (*imitare*) (8) .... per vedere chi (*andare*) (9) .... più in alto. Quindi (*catapultarsi*) (10) .... per il ristorante passandosi un tovagliolo come al rugby. Un infante (*inciampare*) (11) .... sulla mia sedia mentre (*bere*) (12) .... Gutturnio, che mi sono ro-

vesciato sulla camicia. (*Avere*) (13) .... un cenno di reazione, ma (*incrociare*) (14) .... lo sguardo di mia moglie, la quale sostiene che mi accendo come un fiammifero e allora mi fa gli occhi e si spegne.

Osservai nei tavoli vicini le coppie non fumatrici, astemie e vegetariane: (*sorridersi*) (15) .... tra marito e moglie, non un richiamo né un'occhiata a quei piccoli ossessi che avevano messo al mondo e che si erano impadroniti del ristorante. (*Chiamare*) (16) .... il gestore e gli (*consegnare*) (17) .... un biglietto: "La libertà dei tuoi figli finisce dove comincia quella dei tuoi vicini di casa". Il gestore mi sorride e dice che con i bambini ci vuole pazienza. Avrei voluto replicare che la pazienza ci vuole con i bambini, ma non con i loro *papy* e *mamy*; insegnare certe regole di comportamento in pubblico non è repressione, ma solo educazione.

In treno, anche negli scompartimenti per fumatori, si trovano ancora vecchi gentiluomini che chiedono: disturba il fumo? Mai sentito dire: disturba il figlio?

(adattato da «Atmosphere 63», Meridiana)

2 Completa il testo mettendo i seguenti verbi al condizionale.

| dovere   scendere   potere (2)   insorgere   accettare   costare (2)   reagire |

La posta di Luca Goldoni
Cenerentoli sì, ma con lo stipendio

Il 37% delle donne lavoratrici (1) .... **la proposta di tornare a fare le massaie, se retribuite dallo Stato con un milione al mese. Che ne pensa un antifemminista come Lei?**

Trovo comprensibile l'aspirazione di tante donne che – sperimentata la schiavitù del lavoro dipendente – riscoprono il più accettabile giogo casalingo: un milione al mese senza cartellini da timbrare.

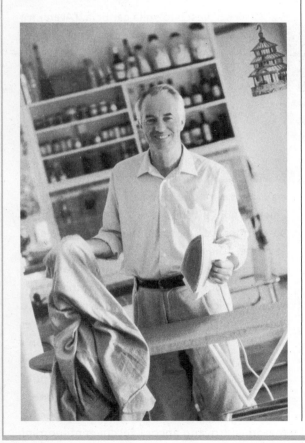

Chi ha lanciato questa proposta ha anche quantificato cosa (2) .... allo Stato queste massaie con busta paga: 60 mila miliardi. È lecito supporre che a questo punto legioni di altre casalinghe che non sono mai andate in ufficio né in fabbrica (3) .... : e perché mai a noi, che sgobbiamo altrettanto, niente milione al mese? Elementare. Quante sono le casalinghe? Stiamo bassi: dieci milioni. Moltiplichiamo per dodici milioni all'anno: 120 mila miliardi.

Bene. Come (4) .... allora le schiere di operai, che guadagnano poco più di un milione al mese in catena di montaggio?

(5) .... immediatamente in piazza per rivendicare la parità di diritti con la donna: anche noi abbiamo da fare in casa, aggiustare lavandini, riordinare la cantina, e poi molti di noi hanno l'hobby di cucinare: finalmente (6) .... preparare ai nostri figli un'amatriciana come Dio comanda (nei ritagli di tempo (7) .... fare qualche lavoretto in nero per avvocati, medici, commercianti che al nero ci sono abituati).

Questi dipendenti casalinghi, in fondo, non (8) .... allo Stato più di 300 mila miliardi. Senonché lo Stato, a questo punto, (9) .... preoccuparsi di recuperare un po' dei suoi soldi, esportando la produzione delle sue maestranze domestiche: e cioè amatriciane, letti fatti, bucati più bianchi del bianco eccetera.

(Adattato da «Supplemento al Corriere della Sera», dicembre 1992)

Test

1 Completa queste battute con i pronomi combinati corretti.

1. – Chi vuole andare a fare il Capodanno nella nostra casa al mare?

   – .... ha chiesto Gianna.

2. – A che ora torni stasera?

   – Ma che .... frega a che ora rientro la sera!

3. – E allora, che cosa ti ha detto di me la professoressa d'inglese?

   – Adesso non ho tempo di raccontar......... .... , ... parlo più tardi.

4. – Com'è andato Mario all'esame di guida?

   – .... è cavata proprio bene, meglio di quanto pensassi.

5. – Mamma, la mia borsa non è più di moda quest'anno. .... compri una nuova?

   – E va bene, ... regaliamo per il tuo compleanno io e papà.

6. – Marco sa già che stasera non ha il permesso di uscire?

   – Sì, ... ho già detto io.

→ **/8 punti**

2 La sociologa Carla Vacchero esprime le sue opinioni sul fatto che i figli italiani rimangano a lungo nella famiglia d'origine. Completa le sue affermazioni coniugando correttamente il verbo tra parentesi.

Il fattore determinante mi pare (*essere*) (1) .... l'impossibilità di trovare casa, in particolare il mercato degli affitti è ridottissimo. Il secondo fattore è la mancanza di lavoro. È un dato di fatto che i giovani se la (*prendere*) (2) .... sempre più comoda con gli studi e (*raggiungere*) (3) .... l'indipendenza economica molto più tardi.
Ma io sono convinta che più di tutto (*contare*) (4)

.... il rapporto familiare. Mi sembra che tra i genitori e i figli nel conto del dare e dell'avere (*esserci*) (5) .... sempre un saldo positivo a favore dei secondi. Mi pare proprio che per un figlio i vantaggi di rimanere in casa (*essere*) (6) .... maggiori rispetto agli svantaggi.
Al contrario sono dell'idea che la componente socioculturale non (*giocare*) (7) .... alcun ruolo. Se contassero i fattori economici e sociali, dovrebbero essere i ricchi a uscire di casa prima dei poveri, mentre nella realtà avviene l'esatto contrario.

→ **/7 punti**

3 Trasforma le seguenti frasi cominciando con il verbo indicato tra parentesi.

1. (*penso*) Vado oggi pomeriggio a trovare Carla all'ospedale.

   ....

2. (*non sono certo*) Carla rimane ad abitare ancora a lungo dai suoi suoceri.

   ....

3. (*crediamo*) Facciamo ogni giorno del nostro meglio.

   ....

4. (*mi sembra*) Lina sta per separarsi dal marito.

   ....

5. (*non sono convinta*) Riesco a mantenere la promessa di dedicarmi di più alla famiglia.

   ....

→ **/5 punti**

4 Coniuga i verbi tra parentesi scegliendo tra il modo congiuntivo e l'indicativo.

1. Anche se mamma (*accudirmi*) (1) .... completamente ho preferito lasciare la casa materna in cerca di maggior libertà.

2. Sebbene la maggioranza (*pensare*) (2) .... che la donna debba lavorare al pari degli uomini, aumenta la percentuale di coloro che ritengono che la donna debba dedicarsi solo alla famiglia.

3. Laura riesce a trovare il tempo di fare anche volontariato benché (*avere*) (3) .... tre figli e lavori.

4. Sono circa il 50% i trentenni senza figli né coniuge che rimangono a vivere con i propri genitori, anche se (*avere*) (4) .... una buona occupazione.

→　　　　　**/4 punti**

5 Completa questa relazione sui cambiamenti della famiglia italiana mettendo le parole che trovi sotto al posto giusto.

> sceso   un incremento   una diminuzione
> medio   contro   separazioni   natalità
> l'indagine

In Italia il numero (1) .... di figli per donna è (2) .... infatti dal 2,42 del 1970 all'1,2 del 1999, anche se il 2000 ha fatto registrare un incremento della (3) .... e gli esperti promettono che l'"onda lunga" della ripresa della fecondità durerà fino al 2005. Si sceglie di sposarsi soprattutto nel

Sud (91,9% (4) .... l'87,3% del Centro), mentre la convivenza predomina al Centro, con il risultato che a (5) .... del numero dei matrimoni corrisponde una crescita della massa delle convivenze. Inoltre, sottolinea l'*Eurispes*, la rivoluzione culturale ha determinato (6) .... delle (7) ...., dovuto soprattutto alle richieste delle donne. Ma non tutte sfociano in un divorzio e questo perché, secondo (8) ...., non tutti i coniugi separati vogliono contrarre un nuovo matrimonio.

→　　　　　**/8 punti**

6 Completa queste frasi con la preposizione *di* o *a*.

1. Abbiamo deciso *di* seguire i consigli della psicopedagogista.

2. Non ha ancora imparato *a* non offendersi quando la sgridiamo.

3. La donna oggi non vuole più rinunciare *ad* essere autonoma economicamente.

4. Non è facile riuscire *a* conciliare i tempi della famiglia con quelli del lavoro.

5. Marta ha scelto *di* sposarsi in comune.

6. Ti suggerisco *di* occuparti della cura dei figli almeno metà giornata.

7. Per motivi professionali la donna può arrivare *a* rinunciare *a* avere figli.

→　　　　　**/8 punti**

→**punteggio totale**　　　**/40 punti**

Sintesi grammaticale

Pronomi combinati

Forma

Mi dài il libro? **Me lo** dài?
Mi dài i libri? **Me li** dài?
Ti do il libro. **Te lo** do.
Ti do i libri. **Te li** do.

Mi dài la borsa? **Me la** dài?
Mi dài le borse? **Me le** dài?
Ti do la borsa. **Te la** do.
Ti do le borse. **Te le** do.

Mario non ha il libro. Non importa, **glielo** do io.
Marta non ha i libri. Non importa, **glieli** do io.
Mario e Marta non hanno le borse. Non importa, **gliele** do io.
Signor Rossi, non ha la borsa? Non importa, **gliela** do io.

Ci dài il libro? **Ce lo** dài?
Ci dài i libri? **Ce li** dài?
Vi do il libro. **Ve lo** do.
Vi do i libri. **Ve li** do.

Ci dài la borsa? **Ce la** dài?
Ci dài le borse? **Ce le** dài?
Vi do la borsa. **Ve la** do.
Vi do le borse. **Ve le** do.

Altre combinazioni

I pronomi atoni indiretti possono combinarsi anche con:

▶ *ne* (partitivo)
  Ho comprato troppo pane, *te ne* do un po'.
  A Mario piace leggere libri. *Gliene* regalo due al mese.

▶ *si* (impersonale)
  Non *ti si* vede mai in giro.
  Non *vi si* può mai dire niente.

I pronomi diretti si possono combinare con il *si* (riflessivo):
  Il mio nipotino *se li* lava già da solo. (i denti)
  Vuoi il libro di Goldoni? No grazie, *me lo* sono già preso. (riflessivo apparente)

È anche possibile combinare il *si* (riflessivo) e il *si* (impersonale):
  D'estate *ci si* sveglia presto. (cfr. Unità 5 e 10, p. 179 e 371)

Accordo con il participio passato

Carino questo accendino.
Carina questa pianta.
Carini questi scaffali.
Carine queste piante.
Carine queste piante.

Me l'ha regalato Carla.
Ce l'ha regalata Renzo.
Me li ha regalati Pino.
Ce le ha regalate Silvana.
Me ne ha regalate due Leo.

Verbi idiomatici con il doppio pronome fisso

▶ **farcela** = riuscire
  Ce l'ho fatta a dare l'esame.
▶ **sentirsela** = avere il coraggio di
  Non *me la sento* di lasciarlo.
▶ **cavarsela** = trovare una soluzione, superare una situazione non facile, saper fare abbastanza bene qualcosa
  Per non aver studiato, *se l'è cavata* abbastanza bene.
▶ **mettercela tutta** = fare tutto il possibile
  Ti prometto che *ce la metterò tutta* per vincere.

▶ **prendersela** = offendersi, arrabbiarsi
  Se la prende per un niente.

▶ **vedersela brutta** = trovarsi in una situazione pericolosa
  La macchina ha cominciato a sbandare, *se la sono vista brutta*.

▶ **passarsela bene**, **male** = trovarsi in condizioni buone, cattive
  È partito per la Thailandia e dice che *se la sta passando bene*.

Notate che quando il verbo è a un tempo composto il participio passato va accordato al femminile con il pronome *la*:
  Non me *la* sono sentit*a* di lasciarlo andare da solo.

Congiuntivo presente (cfr. Tavole grammaticali, pp. 475-483)

Forma

	Parlare	Vendere	Partire	Capire
(che io)	parl-**i**	vend-**a**	part-**a**	cap-**isc-a**
(che tu)	parl-**i**	vend-**a**	part-**a**	cap-**isc-a**
(che lui/lei/Lei)	parl-**i**	vend-**a**	part-**a**	cap-**isc-a**
(che noi)	parl-**iamo**	vend-**iamo**	part-**iamo**	cap-**iamo**
(che voi)	parl-**iate**	vend-**iate**	part-**iate**	cap-**iate**
(che loro)	parl-**ino**	vend-**ano**	part-**ano**	cap-**isc-ano**

Poiché le desinenze delle tre persone singolari di ogni coniugazione sono uguali, per evitare ambiguità spesso si rende necessario esprimere il soggetto:
  È necessario che *io/tu/lui vada* subito.

Molti verbi irregolari hanno come radice quella della I persona singolare del presente indicativo, eccetto per la I e II persona plurale:

Verbi irregolari

andare	(la radice è) **vad**-a, **vad**a, **vad**a, andiamo, andiate, **vad**ano
dare	dia, dia, dia, diamo, diate, diano
bere	(la radice è) **bev**-a, **bev**a, **bev**a, **bev**iamo, **bev**iate, **bev**ano
dire	dica, dica, dica, diciamo, diciate, dicano
dovere	debba, debba, debba, dobbiamo, dobbiate, debbano
fare	faccia, faccia, faccia, facciamo, facciate, facciano
potere	possa, possa, possa, possiamo, possiate, possano
rimanere	rimanga, rimanga, rimanga, rimaniamo, rimaniate, rimangano
salire	salga, salga, salga, saliamo, saliate, salgano
sapere	sappia, sappia, sappia, sappiamo, sappiate, sappiano
spegnere	spenga, spenga, spenga, spegniamo, spegniate, spengano
stare	stia, stia, stia, stiamo, stiate, stiano
tenere	tenga, tenga, tenga, teniamo, teniate, tengano

uscire	esca, esca, esca, usciamo, usciate, escano
venire	venga, venga, venga, veniamo, veniate, vengano
volere	voglia, voglia, voglia, vogliamo, vogliate, vogliano
essere	sia, sia, sia, siamo, siate, siano
avere	abbia, abbia, abbia, abbiamo, abbiate, abbiano

Uso

Il congiuntivo è il modo che si usa in frasi **secondarie** come segnale di significati genericamente **soggettivi**, che di volta in volta vengono specificati mediante i predicati della frase principale (*spero, credo, temo, è possibile*). Il congiuntivo è il modo della:

▶ soggettività ▶ incertezza

▶ volontà ▶ possibilità

Con il congiuntivo **il soggetto della frase secondaria normalmente è diverso da quello della frase principale**:

▶ soggetti diversi → congiuntivo
  Sandro (1° soggetto) spera che suo figlio (2° soggetto) *trovi* lavoro.
▶ stessi soggetti → *di* + infinito
  Sandro (1° soggetto) spera (1° soggetto = Sandro) *di trovare* lavoro.

Nei testi di questa unità abbiamo visto che il congiuntivo si usa:

1. quando il predicato della frase principale esprime un'**opinione**, un **giudizio** personale, un **fatto non certo**:
   <u>Penso</u> che Silvana *abbia* ragione.
   <u>Mi sembra</u> che tu *faccia* meglio a prenderti una casa in affitto.
   <u>Non sono sicuro</u> che Paolo *si laurei* entro l'anno.

Espressioni di questo tipo sono: *ho idea che, credo che, ritengo che, disapprovo che, immagino che, mi pare che, mi sembra che, suppongo che, non sono convinto che...*

2. quando il verbo della frase secondaria dipende da un **connettivo concessivo** come *nonostante, benché, sebbene*:
   Anche se nevica, vado lo stesso al cinema. → <u>Sebbene</u> *nevichi*, vado lo stesso al cinema.

Preposizioni verbali (*di*, *a* + infinito)

A | Si usa dopo i seguenti verbi:

abituarsi, aiutare, cominciare, continuare, convincere, decidersi, divertirsi, imparare, insegnare, invitare, mettersi, riuscire, stare attento;
con i verbi di movimento: *andare, venire, passare, fermarsi...*

> Mi ha aiutata *a* prendere la patente.
> Vengo *a* restituirti i dischi domani sera.

Di | Si usa dopo i seguenti verbi:

avere bisogno, avere il piacere, avere paura, avere intenzione, avere voglia, accettare, cercare, chiedere, consigliare, credere, decidere, dimenticar(si), dire, finire, pensare, permettere, preoccuparsi, promettere, ricordar(si), smettere, suggerire, sperare, scrivere, temere...

> Ha bisogno *di* capire meglio che cosa vuole veramente.
> Non si è ricordata *di* lasciarmi le chiavi della macchina.

Formazione di parola (cfr. Tavole grammaticali, pp. 484-490)

Alterati: diminutivo

Forma | I suffissi diminutivi più comuni sono **-ino**, **-etto** e **-ello**, che possono essere usati sia con nomi sia con aggettivi:

> – *bacino, bellino / bacetto, bassetto / asinello, cattivello*

Il suffisso **-etto** ha anche un valore vezzeggiativo.

Sono possibili diverse combinazioni (es. **-ett-ino**, **-ell-ino**):

> – *bacettino, bassettino, alberellino*

Attenzione ai falsi alterati!

mattone = "per costruire le case" e non "grande matto"
mattino = "parte del giorno" e non "piccolo matto"

Uso | L'alterazione è un particolare tipo di suffissazione che non cambia il significato della parola, ma gli dà una sfumatura riguardante:

▶ la dimensione (piccolo = **diminutivo** / grande = **accrescitivo**)
▶ il valore (positivo = **vezzeggiativo** / negativo = **peggiorativo**)

A seconda del contesto in cui vengono usati, gli alterati assumono significati particolari (connotazioni) legati al mondo affettivo del parlante:

> Ho comprato una *casetta*. (può significare: piccola, graziosa, insignificante, a me cara...)

Coesione testuale (cfr. Tavole grammaticali, pp. 491-497)

Connettivi avversativi

Introdurre un contrasto

Ma, però | Introducono un contrasto, un dato inatteso rispetto al primo elemento:
> Vivo a Roma, *ma* una volta alla settimana torno a Milano.
> È tardi, *però* non ho sonno.

Ma viene anche usato nel parlato per introdurre domande o espressioni di sorpresa:
> *Ma* tu che lavoro fai?
> *Ma* che bello!

Però può essere collocato liberamente nella frase:
> L'ho ascoltato con attenzione, (*però*) non ho (*però*) capito (*però*) nulla (*però*)!

Eppure | Capisco le tue ragioni, *eppure* il tuo discorso non mi convince.

Tuttavia | (tipico della lingua scritta e del registro formale):
> Gli ostacoli sono molti, *tuttavia* accetto la sfida.

Dal più informale al più formale: però, ma → eppure; tuttavia

---

Comunque | Ho parecchie obiezioni, *comunque* decidi tu. (però, tuttavia)

Comunque ha anche altri usi e significati (cfr. anche Unità 5, pp. 161 e Unità 11, p. 395):
- ▶ significato **concessivo** (con questo valore è seguito dal congiuntivo)
  Comunque vadano le cose, io devo partire.
- ▶ può servire come segnale di **chiusura del discorso**
  Comunque, ci penso io.
- ▶ come avverbio con il significato di "**in ogni caso, in ogni modo**"
  Anche se non riusciamo a cenare assieme, io passo *comunque* a salutarti prima di partire.

Correggere un'affermazione

Negano e sostituiscono l'affermazione del primo elemento.

Anzi | *Anzi* serve a precisare o correggere, e assume il significato di "o meglio":
> Va bene, *anzi* benissimo.
> Non è arrabbiato, *anzi* mi sembra di buon umore.

Bensì | (tipico del registro formale):
> Non si trattava di un incontro informale, *bensì* di una riunione ufficiale, alla presenza del capo del personale.

Al contrario | Nei ritmi quotidiani della vita contemporanea, il pranzo si è ridotto a un panino, *al contrario* la cena è diventata un rito familiare.

Invece	*invece* + V:
	Non capivo se ero veramente felice o se *invece* fingevo solo di esserlo.
	invece + N:
	Avrei voluto appartenere a una famiglia o ricca o povera, *invece* la mia famiglia era borghese.
Mentre	(esprime l'opposizione tra due fatti):
	Sua moglie è al mare a divertirsi *mentre* suo marito è al lavoro fino a tarda sera!
	A Bologna i giovani tra i 25 e i 34 anni che vivono con i genitori sono il 36%, *mentre* a Caserta sono appena il 27%.

Altri connettivi

Cioè	(cfr. anche Unità 6, p. 200 e Unità 11, p. 395) Serve a riformulare, ripetere con altre parole, con esempi concreti:
	Parliamo del fenomeno delle coppie di fatto, *cioè* delle coppie non sposate in chiesa o in comune.
Infatti	(cfr. anche Unità 1, p. 34) Serve a confermare quello che è già stato detto prima:
	Era da un po' che si lamentava dei comportamenti strani del marito. *Infatti* dopo un anno si sono separati.
Insomma	(cfr. anche Unità 4, pp. 142 e Unità 11, p. 395) Serve a riformulare riassumendo:
	Il matrimonio religioso dà all'unione una dimensione soprannaturale, offre una ricchezza interiore tutta particolare, *insomma* è una scelta di fede.
Per cui	(cfr. anche Unità 6, pp. 224) Serve a giungere a conclusioni:
	Non mi permetto di giudicare, *per cui* non sono né a favore né contraria.

Segnali discorsivi del parlato
(cfr. Tavole grammaticali, pp. 498-500)

Allora	Serve a iniziare un discorso; segnale di apertura:
	Allora, cominciamo col dire che...
Ecco	(cfr. anche Unità 4, pp. 142) Serve a sottolineare un punto focale del discorso fatto prima:
	Ecco, ecco è proprio quello che volevo dire.

Il tempo libero degli italiani

■ **Unità tematica**	– attività del tempo libero – vacanze (gli italiani all'estero) – attività sportiva
■ **Funzioni e compiti**	– confrontare dati – esprimere il grado massimo di gradimento – esprimere quantità indefinite – commentare grafici e tabelle – raccontare per lettera un'avventura – scrivere un ritratto ironico
■ **Testualità**	– connettivo correlativo (*sia ... sia*) – connettivi esplicativi di registro formale (*ossia, ovvero*) – connettivi per introdurre un nuovo tema (*per quanto riguarda, quanto a*) – forma negativa di *anche* (*non ... neanche*)
■ **Lessico**	– aggettivi derivati da nomi con *-ale/-ile, -ico/-atico/-istico* – avverbi di quantità (*non ... affatto, assai*)
■ **Grammatica**	– superlativo relativo – elementi che introducono il secondo termine di paragone (*di, che, di quanto, a*) – comparativi e superlativi irregolari (*il migliore*) – trapassato prossimo – pronomi e aggettivi indefiniti (*alcuno, qualche, nessuno*) – congiuntivo presente con verbi impersonali (*basta che, bisogna che*) – nomi invariabili (*la/le qualità*) – preposizione: *da*
■ **Strategie**	– raccogliere idee e parole con mappa concettuale – lettura orientativa e lettura esplorativa – scrittura: autocorreggersi
■ **Ripasso**	– pronomi relativi (*che, il/la quale, i/le quali, cui*)

Entrare nel tema

Per se stessi — Per riposare

Per divertirsi — TEMPO LIBERO — Quantità

Da dedicare alla famiglia — Da dedicare agli amici

Discutete in classe.

► Che cos'è per voi il tempo libero?
► Come lo trascorrete?
► Fate delle ipotesi sulle attività del tempo libero degli italiani.
► Nel vostro Paese si fa qualcosa di diverso? Parlatene.
► Secondo voi gli italiani viaggiano poco o molto all'estero? Quanti turisti italiani hai incontrato nel tuo Paese?
► Da cosa si può riconoscere un italiano all'estero? Dall'abbigliamento? Dal tono alto della voce, dal gran gesticolare, dal fatto che non fa la coda? E da che altro?
► Gli italiani sono un popolo di pigri o di attivi? Quali sono gli sport più praticati?

1 Leggere

Lettura orientativa e lettura esplorativa

A Hai 5 minuti di tempo per fare una prima lettura veloce e orientativa di questo commento statistico, allo scopo di individuare l'informazione principale di ciascun paragrafo. Leggi rapidamente per capoversi. Associa a ogni paragrafo un titolo, scegliendo tra i seguenti. Poi confrontati con il resto della classe.

a. quantità e qualità del tempo libero ☐
b. giochi, concorsi, scommesse ☐
c. le relazioni con parenti e amici ☐
d. gli animali domestici ☐

e. percezione del tempo libero ☐
f. le attività artistico-espressive ☐
g. le attività per sé ☐

Le attività del tempo libero

Il volume che l'Istat presenta oggi fa parte della serie di pubblicazioni che raccolgono a livello tematico le informazioni tratte dall'indagine multiscopo del 2000 "I cittadini e il tempo libero", basata su un campione composto da circa 20 000 famiglie per un totale di oltre 55 000 individui. Si tenga presente che gli intervistati potevano fornire a gran parte delle domande più di una risposta.

1. Per oltre il 44% della popolazione il tempo libero è sia il tempo del riposo e del relax, sia il tempo disponibile per sé, ossia l'arco temporale sganciato dalla specificità delle altre attività quotidiane (come il lavoro professionale, impegni familiari, l'impegno in attività sociali). È elevata anche la quota di persone che ritengono che il tempo libero sia quello da dedicare alla famiglia (29,3%) o alla coppia (12,6%) e agli amici (21,9%). Per il 19% circa è libero il tempo del divertimento e quello al di fuori degli orari di lavoro e di scuola. Sono soprattutto i giovani di 18-19 anni a considerare il tempo libero come tempo disponibile per sé (53,5%) e tempo del divertimento (42%), mentre sono soprattutto le persone tra i 35 e i 64 anni a ritenere libero il tempo per la famiglia (con valori che superano il 30%).

5

10

2. C'è più soddisfazione per come si trascorre il tempo libero (68,2%) che per la quantità di ore a disposizione (57,7%). Questa tendenza, che aumenta con il crescere dell'età, è costante in tutte le ripartizioni territoriali, ma va comunque sottolineato che il Sud presenta le percentuali più basse rispetto sia alla qualità sia alla quantità. Sono soprattutto le donne occupate a essere meno soddisfatte della quantità di tempo libero a disposizione. Infatti, quelle che dichiarano di essere molto o abbastanza soddisfatte sono solo il 38,9%, mentre gli uomini occupati arrivano al 44%.
Durante la settimana l'11% della popolazione lavora anche al di fuori dell'orario di lavoro. La percentuale più alta si trova tra i dirigenti, gli imprenditori e i liberi professionisti (26,5%), seguiti dai lavoratori in proprio (16,6%) e dagli impiegati (12,2%). Le prime tre categorie di sesso maschile sono maggiormente oberate di lavoro al di fuori dell'orario rispetto alle colleghe donne.

15

20

25

3. Circa il 70% della popolazione dichiara di andare dal parrucchiere e di recarsi a fare *shopping* almeno una volta l'anno. Il 32,5% va dal parrucchiere una o più volte al mese e il 38,2% si reca a fare *shopping* mensilmente. Andare dall'estetista o dal parrucchiere è una pratica prevalentemente femminile. Sono le donne tra i 45 e i 59 anni le più assidue frequentatrici di parrucchieri e centri estetici. Lo *shopping* invece è praticato settimanalmente soprattutto dalle ragazze di 18-24 anni (23%).

30

Parte del tempo libero viene trascorso semplicemente rilassandosi senza fare nulla in particolare (72,9%). Il 23,6% delle persone dichiara di potersi rilassare una o più volte a settimana, mentre il 29,9% solo raramente durante l'arco dell'anno.

35

4. Il 32,7% della popolazione di 6 anni e più si dedica alla fotografia, l'8,2% gira film o video amatoriali, il 13% disegna, dipinge, il 9,2% scrive diari, poesie e racconti. Tra le persone di 11 anni e più l'8,4% circa canta, suona o compone musica, il 18,2% si dedica al ballo, il 2,1% alla recitazione. Tra la popolazione di 15 anni e più il 32% cuce, ricama, fa la maglia. Le donne svolgono più degli uomini quasi tutte le attività artistico-espressive; gli uomini, invece, svolgono più delle donne le attività legate alla musica, come suonare o comporre, e le attività collegate alla fotografia e alle video-riprese amatoriali. 40

5. Il 46,7% della popolazione di 14 anni e più gioca a carte, il 40,3% si dedica all' enigmistica , il 22,3% fa giochi di società e solo il 7% frequenta sale da biliardo e di videogiochi. Per tutti i giochi considerati si registra una tendenziale preponderanza maschile, ad eccezione dell'enigmistica dove vi è una leggera prevalenza femminile (circa 3 punti percentuali). Quasi il 50% dei ragazzi tra i 14 e i 17 anni fa giochi di società e tale percentuale ha un andamento decrescente con l'aumentare dell'età. 45

Gli italiani sono appassionati anche di concorsi a premi, come il Lotto, il Totocalcio e le lotterie abbinate a manifestazioni sportive e musicali. 26 milioni e 307 mila italiani, pari al 53,1% delle persone di 14 anni e più, hanno dichiarato di aver partecipato a uno o più concorsi a premi. Il Superenalotto è il concorso più giocato (39,9%), seguito dal Lotto (34,6%), da Totocalcio, Totogol, Totosei, Totip (29,5%) e dagli altri concorsi a premi, casinò, lotterie (21,1%). La partecipazione degli uomini risulta nettamente superiore a quella delle donne per tutti i tipi di concorso a premi, ma le differenze più forti si riscontrano soprattutto nei concorsi legati agli eventi sportivi (46% contro il 14% delle donne). L'abitudine al gioco è più diffusa nel meridione, dove si riscontrano le quote più elevate di giocatori del Lotto e del Superenalotto, con percentuali del 42%. I concorsi a premi, le lotterie di vario tipo e i casinò sono più diffusi al Centro (20,4%). I maggiori livelli di partecipazione abituale ai diversi giochi si registrano fra gli operai (53,1%) e lavoratori in proprio. 50 55 60

6. Durante l'arco della settimana il 49,2% della popolazione di 6 anni e più incontra i parenti almeno una volta, il 10,8% li incontra tutti i giorni. Le donne risultano più attive degli uomini nel curare la rete delle relazioni familiari. Sono soprattutto le persone residenti nel Mezzogiorno a frequentare maggiormente i parenti durante l'arco settimanale (55% circa), mentre la percentuale è pari a circa il 46% al Nord e al 44,8% al Centro. Per quanto riguarda la sfera delle relazioni amicali, emerge che il 66,1% della popolazione incontra gli amici durante il tempo libero almeno una volta a settimana, mentre è più consistente la percentuale di chi li vede tutti i giorni (20,1%). 65 70

Nel 2000 il 79,6% delle persone di 14 anni e più ha trascorso parte del proprio tempo libero pranzando o cenando fuori casa, il 30,9% pranza e cena fuori casa almeno una volta al mese. Mangiare fuori casa è un'abitudine diffusa soprattutto tra le persone di 18-44 anni (con percentuali superiori al 90%) e diminuisce nettamente nelle età successive. Dal punto di vista territoriale, emerge una prevalenza delle regioni del Nord (82-85% circa) rispetto al Sud (74,9%) e alle Isole (72,4%). 75

7. Il 38,2% della popolazione di 6 anni e più gioca con animali domestici (cani, gatti, pesci ecc.) nel tempo libero e il 22,3% lo fa con frequenza settimanale. Sono soprattutto i giovani di 20-24 anni a dedicarsi a questo tipo di attività. D'altro canto, in Italia il 32,5% delle famiglie possiede un cane o un gatto. Sono soprattutto le coppie o i monogenitori con figli di 14 anni a possedere almeno un animale, seguite dalle coppie con figli di età inferiore ai 14 anni. 80

(da www.istat.it, 11 novembre 2002)

B Fai una seconda lettura più accurata di alcune parti del testo per individuare le percentuali. Completa con le percentuali la griglia che trovi sotto.

Tempo libero	
Tempo per il riposo e per sé	............%
Tempo da dedicare alla famiglia	............%
Tempo da dedicare agli amici	............%
Soddisfazione per la qualità del tempo libero	............%
Soddisfazione per la quantità di tempo libero	............%
Lavorare anche fuori dall'orario di lavoro	............%
Andare dal parrucchiere una o più volte al mese	............%
Fare *shopping* mensilmente	............%
Rilassarsi senza fare niente di particolare	............%
Fare fotografie	............%
Ballare	............%
Disegnare, dipingere	............%
Scrivere	............%
Cantare, suonare	............%
Giocare a carte	............%
Fare la *Settimana Enigmistica*	............%
Fare giochi di società	............%
Giocare a biliardo e ai videogiochi	............%
Partecipare a concorsi a premi	............%
Incontrare i parenti una volta alla settimana	............%
Incontrare gli amici settimanalmente	............%
Mangiare fuori almeno una volta al mese	............%
Giocare con gli animali domestici settimanalmente	............%

C Rileggi le percentuali e svolgi le attività indicate.

1. Indica quali di queste attività sono più praticate al Nord (N) e quali al Sud (S) d'Italia.

	N	S
a. essere più insoddisfatti sia della quantità che della qualità del tempo libero	☐	☐
b. mangiare fuori	☐	☐
c. giocare al Lotto e al Superenalotto	☐	☐
d. frequentare i parenti durante la settimana	☐	☐

2. Indica quali di queste attività sono più praticate dalle donne (D) e quali dagli uomini (U).

	D	U
a. dipingere, scrivere	☐	☐
b. curare il corpo	☐	☐
c. suonare e fotografare	☐	☐
d. frequentare sale da biliardo e di videogiochi	☐	☐
e. dedicarsi all'enigmistica	☐	☐
f. curare le relazioni familiari	☐	☐
g. fare giochi con le carte e giochi di società	☐	☐
h. partecipare a concorsi a premi	☐	☐

2 Lessico

A Sostituisci le parole evidenziate nell'articolo di pp. 71-72 scegliendo tra i sinonimi elencati sotto.

decisamente   maggioranza   dilettanteschi   andare   industriali   collegate
giochi (come le parole incrociate)   sovraccaricate   numero   costanti

1. quota ....
2. imprenditori ....
3. oberate ....
4. recarsi ....
5. assidue ....
6. amatoriali ....
7. enigmistica ....
8. preponderanza ....
9. abbinate ....
10. nettamente ....

B Cerca nell'articolo di pp. 71-72 gli aggettivi che derivano da nomi con l'aggiunta dei suffissi indicati:

ESEMPIO

▶ (riga 4) il lavoro **professionale** (da *professione* → *profession-ale*)

Aggettivi derivati da nomi			
-ale/-ile (11 casi)	....	....	....
	....	....	....
	....	....	....
-are (1 caso)	....		
-ico/-atico/-istico (3 casi)	....	....	....

Rosella Bozzone Costa

VIAGGIO NELL'ITALIANO

CORSO DI LINGUA E CULTURA ITALIANA PER STRANIERI

Seconda edizione

CHIAVI DI SOLUZIONE

2A. 2B. 2C.
P.4.
4.C.

Loescher

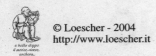
Ristampe

7	6	5	4	3
2011	2010	2009	2008	2007

Loescher Editore S.r.l. opera con sistema qualità
certificato CERMET n° 1679-A
secondo la norma UNI EN ISO 9001-2000

Coordinamento editoriale: Laura Cavaleri
Redazione: Chiara Versino
Progetto grafico e videoimpaginazione: Softdesign - Torino

Stampa: Sograte - Città di Castello (PG)

Indice

Introduzione metodologica

1. Presentazione del corso

Viaggio nell'italiano è un corso di italiano lingua generale, destinato all'insegnamento-apprendimento dell'italiano in Italia e all'estero. È un corso comunicativo, strutturato in unità tematiche e multisillabiche, destinato a un pubblico di studenti adulti con diverse lingue di provenienza, con un livello di conoscenza dell'italiano medio-alto, che voglia approfondire la lingua italiana e la sua cultura. È adatto soprattutto al lavoro con un gruppo-classe, ma può essere parzialmente utilizzato anche per il lavoro autonomo (appoggiandosi a questa guida all'uso – che accompagna il libro di testo e contiene le soluzioni delle attività e le trascrizioni del materiale audio –, e alle *Tavole grammaticali* che riportano tavole sinottiche degli argomenti di morfosintassi, testualità e formazione di parola focali per questo livello di competenza).

Il corso è completato da *due CD audio* che costituiscono parte integrante del percorso didattico.

Riferendoci ai livelli di competenza del *Quadro comune europeo di riferimento per le lingue* (Consiglio d'Europa 2002) – d'ora in poi *QCERL* – possiamo dire che *Viaggio nell'italiano* è adatto a studenti che posseggono già un uso indipendente della lingua e che vogliano avviarsi verso un uso competente. In altri termini il libro si rivolge ad apprendenti che partono da una competenza intermedia (B2) dell'italiano per raggiungere una competenza intermedia superiore (B2+, livello progresso potenziato) e avanzata (C1, livello dell'efficacia). Il focus nel livello B2+ è l'**efficacia dell'argomentazione** (es. saper sostenere una discussione evidenziando i punti salienti a sostegno delle proprie opinioni); l'**efficacia nell'interazione sociale** (strategie di cooperazione); e un alto grado di **consapevolezza linguistica** (es. saper controllare consapevolmente i propri errori, correggerli, prenderne nota). L'enfasi nel livello C1 è invece sulla **scioltezza e la spontaneità** della comunicazione e delle capacità discorsive.

Riportiamo per chiarezza la descrizione globale dei due livelli tratta dal *QCERL* (p. 32):

B2

Livello progresso

B2+ Livello progresso potenziato
(livello intermedio-superiore)

È in grado di comprendere le idee fondamentali di testi complessi su argomenti sia concreti sia astratti, comprese le descrizioni tecniche nel proprio settore di specializzazione. È in grado di interagire con relativa scioltezza e spontaneità, tanto che l'interazione con un parlante nativo si sviluppa senza eccessiva fatica e tensione. Sa produrre testi chiari e articolati su un'ampia gamma di argomenti ed esprimere un'opinione su un argomento di attualità, esponendo i pro e i contro delle diverse opzioni.

C1

Livello dell'efficacia
(livello avanzato)

È in grado di comprendere un'ampia gamma di testi complessi e piuttosto lunghi e ne sa ricavare anche il significato implicito. Si esprime in modo scorrevole e spontaneo, senza un eccessivo sforzo per cercare le parole. Usa la lingua in modo flessibile ed efficace per scopi sociali, accademici e professionali. Sa produrre testi chiari, ben strutturati e articolati su argomenti complessi, mo-

strando di saper controllare le strutture discorsive, i connettivi e i meccanismi di coesione.

L'approccio del corso è comunicativo e orientato all'azione, cioè allo sviluppo di "compiti" che richiedono una messa in gioco strategica delle competenze e risorse cognitive e affettive dell'apprendente e un utilizzo autentico della lingua. Non si trascura tuttavia lo sviluppo dell'abilità di riflessione grammaticale considerato che l'italiano è una lingua flessiva, morfologicamente ricca, e che il livello medio-alto di competenza dei fruitori del corso richiede il raggiungimento di un equilibrio tra fluenza dell'espressione e accuratezza grammaticale (e lessicale). La presentazione degli aspetti morfosintattici, come si specificherà meglio oltre (par. 2.7. e 3.6.), è rigorosamente induttiva e contestualizzata.

Tra le diverse componenti che concorrono allo sviluppo di una competenza comunicativa si ritengono di particolare importanza, per uno studente che miri a una competenza avanzata della lingua, la *competenza testuale e discorsiva* (saper costruire testi coesi e discorsi efficaci), quella *sociolinguistica* (saper usare appropriatamente le diverse varietà dell'italiano, in particolare quella scritta che è diversa da quella orale e i registri formali) e quella *semantico-lessicale* (per l'arricchimento del lessico a disposizione del parlante). A tal scopo in ciascuna unità sono previste ricche sezioni di lavoro su "Coesione testuale" e "Lessico".

2. Principi teorici e scelte didattiche

Prima di passare in esame le diverse sezioni in cui è strutturato il corso, presentiamo brevemente i principi programmatici generali riguardanti l'acquisizione di lingue seconde (L2) e la teoria della lingua, che hanno guidato la selezione e l'elaborazione del materiale. Queste indicazioni possono aiutare l'insegnante a usare e mediare al meglio l'abbondante e vario materiale socio-linguistico-culturale offerto dal corso, mentre l'apprendente potrà essere 'iniziato' ad alcuni di questi principi attraverso l'*Unità Introduttiva* incentrata sul "Come si impara una lingua", in cui avrà la possibilità di riflettere sul processo di apprendimento di una lingua straniera in contesto guidato – facendo tesoro e mettendo in discussione le proprie convinzioni e i propri comportamenti –.

2.1. *Importanza della componente affettiva*

Tra le diverse componenti che fanno parte del processo di acquisizione di L2 riteniamo vada tenuta in primo conto la componente affettiva e umanistica. A livello didattico questo significa:

– porre il discente (con i suoi atteggiamenti, motivazioni, fattori della personalità, ritmi, stili di apprendimento e cognitivi) al centro del percorso di apprendimento-insegnamento, mentre l'insegnante diventa sollecitatore, facilitatore, regista di attività comunicative e consulente linguistico;
– insegnare con un approccio costruttivista e non trasmissivo che stimoli un processo interattivo di costruzione della conoscenza, incentivando la partecipazione attiva dell'apprendente;
– insegnare le strategie che possono sostenere e aiutare l'apprendente a imparare più efficacemente, a diventare più responsabile e autonomo nel proprio apprendimento;
– assicurare in classe un'atmosfera di rilassatezza che abbassi l'azione del 'filtro affettivo' e quindi il livello d'ansia che sempre accompagna l'apprendimento di una lingua da parte di adulti;

– ricerca costante di significatività e motivazione dell'apprendente coinvolgendolo in attività comunicative che lo stimolino a livello intellettuale/affettivo;
– utilizzare in classe una didattica varia e integrata, ovvero un'ampia gamma di tecniche e modalità didattiche per soddisfare i diversi stili di apprendimento presenti nel gruppo-classe.

2.2. *Imparare la lingua è un processo di costruzione creativa*

Per quanto riguarda le teorie sull'acquisizione di L2 siamo convinti che apprendere una lingua sia un percorso graduale di costruzione creativa di grammatiche transitorie (interlingue) sempre più vicine per complessità alla lingua obiettivo, in cui la componente cognitiva è senza dubbio prevalente rispetto a quella comportamentista. Da questa convinzione discendono alcune scelte operative quali:

– la proposta di attività orientate sul processo di comunicazione di significati e sull'interazione (con la componente della negoziazione) piuttosto che sull'assimilazione di prodotti pronti;
– la presentazione induttiva degli aspetti grammaticali che si richiede vengano scoperti dall'apprendente nella misura in cui la sua interlingua è in grado di coglierli e assimilarli;
– una certa gradualità nell'ordinare gli argomenti grammaticali tenendo conto anche delle sequenze naturali di apprendimento emerse da studi sull'acquisizione spontanea dell'italiano L2 (cfr. Giacalone Ramat (a cura di), *Verso l'italiano. Percorsi e strategie d'acquisizione*, Carocci, Roma 2003).

2.3. *Apprendimento e acquisizione*

Gli apprendenti adulti sono dotati di due modalità di internalizzazione e di attualizzazione della conoscenza linguistica che vanno intese come processi in parte collegati e complementari: l'*apprendimento*, ovvero un modo conscio, riflessivo, una capacità di controllo che attiva una conoscenza analizzata e non-automatica e l'*acquisizione*, ovvero un modo inconscio (naturale/spontaneo) che attiva un uso automatico e non-analizzato della lingua.
Nell'iter didattico occorre prevedere momenti di lavoro separati per lo sviluppo di queste due modalità, anche per favorire chi per stile d'apprendimento è più orientato sugli aspetti formali (ed è sistematico-riflessivo) e chi invece è più orientato sui contenuti (ed è intuitivo-impulsivo).
All'interno di ciascuna unità sono stati a tal scopo alternati tipi di attività che richiedono queste due diverse modalità: attività di acquisizione incentrate sui significati (sulla comunicazione di contenuti) in cui non è prevista la pratica della correzione e attività d'apprendimento incentrate sulle forme (sulla riflessione grammaticale) in cui invece l'insegnante deve intervenire correggendo e verificando le ipotesi avanzate dagli apprendenti (per i dettagli si veda par. 2.7.).

2.4. *Testualità, autenticità e varietà dell'input*

Il corso si basa su una concezione linguistica non atomistica e parcellizzata della lingua, ovvero sulla convinzione dell'assoluta importanza nella pratica didattica della testualità e dell'autenticità dell'*input*. Il materiale del corso si basa su testi autentici e non costruiti *ad hoc*, anche se spesso 'adattati' nel senso di 'accorciati', per ragioni di spazio, ma non semplificati a livello morfosintattico e lessicale.
Questa scelta, caldeggiata anche dal *QCERL* (pp. 115-124), è dovuta all'osservazione che per cogliere molti aspetti linguistici (quali connettivi, ordine delle parole, fenomeni di ripresa anaforica e referenza) si deve uscire dalla frase e indagare il contesto interfrasale; inoltre solo la dimensione testuale e quella autentica permettono di confrontare l'apprendente con la grammatica della comunicazione, del discorso, dell'uso, delle strategie interazionali, in altre parole con la ricchezza del comportamento linguistico dei parlanti nativi.

Nel corso è stata data particolare cura anche alla scelta dei testi (orali e scritti) proposti, sia in termini di generi testuali sia di varietà sociolinguistiche.
Per quanto riguarda la tipologia testuale, sono rappresentati con una buona gamma di varietà tutti i tipi testuali (narrativi, descrittivi, espositivi e argomentativi), ma prevalgono quelli argomentativi (ed espositivi), ovvero un genere assai utile per apprendenti che mirino a raggiungere i livelli B2+ e C1, in cui è centrale la capacità di esprimere idee/emozioni e di motivarle.
Quanto alla variazione della lingua legata al mezzo, al luogo in cui si parla, alla situazione, allo status socio-culturale del parlante, ecc. è stata fornita un'ampia gamma di varietà che va dall'italiano neo-standard all'italiano colloquiale, allo scopo di allargare il repertorio a disposizione dell'apprendente, sviluppando la sua capacità sociolinguistica di cogliere e saper usare differenti registri, stili, accenti regionali. Inoltre un'unità del libro, la 7, è stata specificamente dedicata al tema della variazione sociolinguistica.

2.5. *Unità tematiche con componente socio-culturale integrata*

I contenuti del corso sono stati organizzati attorno a grandi temi e problemi che forniscono occasione di conoscenza della realtà socioculturale italiana e anche motivo, stimolo di discussione, riflessione generale, confronto tra le diverse realtà di partenza degli apprendenti e quella 'd'arrivo'. I temi si collocano prevalentemente nei domini "privato" e "pubblico", ma un'unità è dedicata anche al dominio "educativo" (l'unità 4, *Dalla scuola all'università*) e una a quello "occupazionale" (l'unità 5, *Panorama lavoro*).
Le unità possono essere considerate come degli itinerari tematici in cui si esplora, attraverso più testi, lo stesso tema offrendo 'spaccati' diversi dell'Italia, in modo da fornire sul piano culturale una rappresentazione non stereotipata ma multiforme e dinamica della realtà italiana contemporanea, e sul piano linguistico un contesto individuabile e plausibile entro cui inquadrare i diversi compiti comunicativi di tutta l'unità.
Questo tipo di organizzazione dovrebbe promuovere un alto grado di motivazione in studenti avanzati che, per certo, desiderano approfondire attraverso la lingua anche la cultura che essa veicola; inoltre, questa 'insistenza' su uno stesso argomento e la ricchezza di *input* dovrebbero riuscire a garantire per via inconscia e conscia un arricchimento lessicale (attivo e passivo) tematico, fondamentale per apprendenti avanzati.

2.6. *Sviluppo delle cinque abilità linguistiche di base e percorsi modulari*

I contenuti tematici sono stati strutturati in una serie di compiti che hanno l'obiettivo di sviluppare – con momenti diversi di lavoro – le cinque macroabilità linguistiche (ricezione orale e scritta, produzione orale e scritta e interazione), privilegiando per apprendenti di livello intermedio-avanzato l'abilità produttiva e interattiva e il mezzo scritto, che rappresentano quelle competenze in cui, raggiunto un certo stadio, si progredisce lentamente.
Siamo consapevoli che questa distinzione in abilità separate sia più una classificazione utile in termini di programmazione didattica che reale, in quanto i compiti comunicativi proposti attivano una serie di abilità miste e integrate, seppure ce ne sia sempre una prevalente su cui si concentra maggiormente l'attenzione dello studente. Ed è proprio a questa che noi ci riferiamo quando classifichiamo, per esempio, un'attività come "Leggere" sebbene sia prevista anche la stesura di appunti o il riferire i contenuti salienti a un compagno.
Essendo il corso concepito per un pubblico ampio e non specifico di apprendenti (se non per livello di competenza), abbiamo proposto una gamma massimamente espansa di compiti per ciascuna

abilità, che nella pratica didattica l'insegnante dovrà chiaramente selezionare a seconda dei bisogni linguistici del gruppo-classe con cui lavora e di altri fattori ancora, quali il monte-ore a disposizione, la lingua di provenienza, ecc. In altri termini la struttura del corso permette dei percorsi modulari in termini di sviluppo delle abilità in base alle specificità di ciascun gruppo di studenti, a patto che si rispetti il principio secondo cui le stringhe di compiti devono sempre procedere da attività autentiche (in cui l'attenzione è sulla scoperta e la trasmissione dei contenuti) ad attività analitiche (con il focus sulle forme della lingua) e non viceversa.

2.7. Grammatica in contesto e scoperta dall'apprendente

Sebbene il corso si basi su un approccio comunicativo e si articoli attraverso itinerari tematici, in ogni unità sono stati previsti dei momenti di riflessione ed esercitazione grammaticale. Il corso, che non è incentrato sulla grammatica, mira tuttavia a sviluppare un alto grado di consapevolezza linguistica richiesto dal livello avanzato dell'apprendente (cfr. sopra, par. 1).

Ma quale grammatica va insegnata e come?

La grammatica, che come abbiamo visto deve avere come unità d'insegnamento il testo (e non la frase), non va intesa riduttivamente come morfologia e sintassi; esistono altri livelli sui quali occorre condurre la capacità di analisi dell'apprendente: quello pragmatico, testuale, sociolinguistico (e semantico-lessicale).

Sono i testi che forniscono lo spunto per la riflessione grammaticale, condotta quindi su fenomeni linguistici previamente incontrati in contesto.

Le regolarità della lingua e della comunicazione non vanno fornite dall'insegnante in maniera preconfezionata: si deve richiedere allo studente di ricavarle dai testi, attraverso un procedimento di generalizzazione e un percorso in cui riuscirà a cogliere ciò che il sistema della sua interlingua – che si trova a una certa fase di sviluppo – è in grado, è pronto ad assimilare. L'insegnante avrà il ruolo di organizzatore della ricerca e consulente.

Un approccio di questo tipo in cui si stimola nello studente la capacità di ricercatore (e non di puro ricevente di informazioni dispensate dall'insegnante) risulterà senza dubbio più vivace e motivante, oltre a creare le condizioni per un'assimilazione più integrata e profonda.

3. Struttura delle unità e guida all'uso

Il corso comprende 12 unità tematiche, più una introduttiva per aiutare l'apprendere a "imparare meglio a imparare". Gli argomenti lungo i quali si snoda il corso, che per questo motivo è stato intitolato *Viaggio nell'italiano*, sono:

Unità 1: *Parliamo d'infanzia*
Unità 2: *La famiglia italiana: nuovi scenari*
Unità 3: *Il tempo libero degli italiani*
Unità 4: *Dalla scuola all'università*
Unità 5: *Panorama lavoro*
Unità 6: *Ci stiamo giocando l'ambiente*
Unità 7: *La situazione linguistica in Italia oggi*
Unità 8: *Il piacere della lettura*
Unità 9: *Il cinema italiano, un cinema da tener d'occhio*
Unità 10: *Bell'Italia*
Unità 11: *Nord e Sud s'incontrano*
Unità 12: *Canzone d'autore italiana*

Ciascuna unità è articolata in una serie di sezioni ricorrenti, graficamente ben evidenziate, che esamineremo qui di seguito, oltre a compiti comunicativi diversificati a seconda del tema trattato e della tipologia testuale. Le sezioni che si trovano in tutte le unità, seppure con una distribuzione di volta in volta parzialmente diversa, sono commentate qui di seguito (par. 3.1. – 3.14.).

3.1. Entrare nel tema

Contiene stimoli visivi e un paio di compiti comunicativi volti a suscitare interesse e ad avviare l'apprendente nel tema dell'unità, stimolando la sua sfera affettiva/intellettiva; spesso si richiede allo studente di 'richiamare' le conoscenze, le impressioni, le idee che ha sul tema proposto e di confrontarle con gli altri. Questa sezione va fatta all'inizio, nella modalità che l'insegnante ritiene più consona a stimolare nel suo gruppo-classe la motivazione a intraprendere un 'viaggio' nel tema e nella lingua.

3.2. Leggere

S'intende la lettura di uno o più testi autentici inerenti al tema dell'unità, fatta in silenzio a mente, individualmente, con l'attenzione rivolta al contenuto del testo. In questa sezione, che normalmente ricorre più volte nella stessa unità didattica, non vanno condotte analisi formali né a livello grammaticale né a livello lessicale, in quanto previste in momenti successivi dell'iter didattico. Scopo primario delle attività di lettura è arrivare a leggere con la stessa naturalezza di un lettore nativo, ovvero imparare a sviluppare le diverse strategie (es. di inferenza, selettive, ecc.) coinvolte in questa abilità. A tal fine sono state proposte in questa sezione diverse modalità e tecniche di lettura, specificate nel sottotitolo della sezione (es. lettura orientativa) e nell'istruzione dell'attività. Le principali – suggerite anche dal *QCERL* (p. 86) – sono: la lettura "**orientativa**" (rapida e per capoversi) per cogliere l'andamento generale del testo, le informazioni essenziali; la lettura "**esplorativa**" (ispezione rapida alternata a ispezioni più accurate di parti del testo) per individuare alcune informazioni specifiche, di dettaglio; la lettura "**intensiva**" (lineare e sequenziale, accurata, riflessiva) per comprendere bene l'argomento, punti di vista particolari, significati impliciti; la lettura **riassuntiva** o di sintesi e quella **ricreativa** (lineare, sequenziale, attenta, per piacere personale).

La sequenza di attività prevista in questa sezione si snoda attraverso una prima fase di pre-lettura che serve ad elicitare le preconoscenze enciclopedico-contestuali sul tema/evento, a fornire parole-chiave e a indirizzare nella giusta direzione le aspettative del lettore stimolando previsioni basate sul paratesto e sulla struttura generale del testo. Seguono dei compiti di lettura che servono a graduare la comprensione e a incentivare più riletture del testo con tecniche e scopi di volta in volta diversificati.

Alternata alle letture, si consiglia di adottare la pratica dello scambio di informazioni con un compagno, che serve come reciproca colmatura di informazioni, oltre che come parziale verifica. L'insegnante potrà prevedere a propria discrezione una fase di verifica finale (si rifletta tuttavia sul fatto che il controllo non accresce la capacità di capire, ma anzi può alzare il 'filtro affettivo' e indurre l'abitudine a ricevere soluzioni dall'insegnante, e sul fatto che il capire è un'esperienza soggettiva e selettiva).

Tenendo conto delle indicazioni suggerite dal *QCERL* per i livelli B2+ e C1, in questo corso è stata prevista la lettura soprattutto di narrazioni, testi letterari moderni e di testi che riguardano problemi contemporanei; pochi sono invece i testi di corrispondenza, istruzioni e inerenti a campi di specializzazione in ambito professionale e accademico poiché il corso si rivolge a un pubblico generico.

3.3. Lessico

Contiene esercizi per **potenziare la competenza semantico-lessicale** che è di particolare importanza per i livelli medio-avanzati di conoscenza della lingua, in cui, a nostro parere, occorre puntare non solo sull'aspetto quantitativo della competenza lessicale ma anche su quello qualitativo, sulla precisione e sull'adeguatezza sociolinguistica delle scelte lessicali, sui significati periferici e traslati. L'apprendente dovrà inoltre essere aiutato, come indicato nel *QCERL* (p. 81), a usare **strategie** di **compensazione**, quali per esempio l'uso di circonlocuzioni e parafrasi per colmare le lacune lessicali.

Nell'unità didattica questa sezione, che può ricorrere più volte, segue quella di "Leggere" e prevede sistematicamente del lavoro sul lessico incontrato nei testi già esplorati dal punto di vista del contenuto, nei quali sono state spesso evidenziate alcune parole – che non appartengono al *Vocabolario Fondamentale* – che saranno qui oggetto d'attenzione. Dove possibile, il lavoro verte anche su 'sfere semantiche' (es. "ecologia", "cinema", "università") attinenti al tema, nelle modalità per esempio del *cloze*-lessicale (con testi autentici), della ricerca di lessemi a partire da parafrasi, ecc. Essendo queste ultime attività svincolate da un testo letto, possono essere svolte, a discrezione dell'insegnante, come propedeutiche a compiti di produzione e di interazione orale e scritta.

Gli esercizi più ricorrenti presenti nella sezione "Lessico" riguardano la ricerca di sinonimi di termini dati o da individuare nel testo; una cura particolare è stata prestata anche alla ricerca di metafore ed espressioni idiomatiche che, poiché hanno un significato non letterale, sono fonte di errori di comprensione e d'uso. In ogni sezione sono stati inoltre previsti degli esercizi sul riconoscimento e sull'uso di regole di formazione di parola, in quanto costituiscono per l'apprendente un importante serbatoio di arricchimento lessicale (rendono inoltre il discorso più formale ed abituano allo stile nominale). Queste **regole di derivazione** fanno parte di quegli aspetti di 'grammatica fine' che non possono mancare in un corso per avanzati, considerando che sono fonte di errori anche in studenti universitari nativi. Il sillabo delle regole di formazione di parola diluito nelle varie unità riguarda: gli alterati (es. *bacetto*), gli aggettivi da nomi (es. *panoramico*), gli aggettivi etnici (es. *marchigianò*), gli aggettivi da verbi (es. *illeggibile*), i nomi d'azione da verbi (es. *censimento*), i nomi d'agente (es. *sportellista*), i nomi di qualità da aggettivi (es. *flessibilità*), i verbi da nomi e aggettivi (es. *privatizzare, ingiallire*), alcuni prefissi e suffissi di origine colta (es. *dialettologo*), alcuni prefissi intensivi (es. *ipercritico*) e negativi (es. *antinevralgico*), i composti verbo + nome (es. *apriscatole*) e i giustapposti nome + nome (es. *parola chiave*).

3.4. Ascoltare

Come la sezione "Leggere" anche questa è finalizzata alla comprensione del contenuto e più in generale ad accrescere la capacità globale di capire la L2.

Il materiale scelto fornisce un'ampia gamma di varietà sociolinguistiche: più precisamente, per quanto riguarda la variazione di registro, prevalgono i brani di stile formale, e anche l'estrazione socio-culturale dei parlanti è spostata verso il polo medio-alto. Quanto alla variazione geografica, è preponderante la varietà regionale lombarda, in parte per ragioni di praticità – vivendo l'autrice del corso in Lombardia – ma in parte anche perché dall'indagine di Nora Galli De Paratesi (in *Lingua toscana in bocca ambrosiana. Tendenze verso l'italiano standard: un'inchiesta sociolinguistica*, il Mulino, Bologna 1984) emerge che la più vicina approssimazione alla pronuncia dell'italiano normativo si abbia a Milano (le altre città indagate erano Firenze e Roma) e che più in generale il Nord-ovest d'Italia funga da centro-guida della standardizzazione della pronuncia dell'italiano. Dettagliando la tipologia degli ascolti si trovano in ordine decrescente di presenza: le trasmissioni radiofoniche, le conferenze, i racconti d'esperienza e le esposizioni di opinioni, le interazioni tra parlanti nativi e gli annunci pubblici.

Il contenuto dei brani di ascolto è sempre attinente al tema dell'unità; per ciascuna unità sono stati previsti due brani di ascolto (ad eccezione dell'unità 3 che ne ha tre) con il riferimento del numero della traccia nel CD, per un totale di 25 frammenti audio, le cui trascrizioni sono raccolte in questa guida all'uso.

Per quanto riguarda la modalità di svolgimento di questa attività, come per la lettura, occorre prevedere una fase di pre-ascolto per la raccolta delle pre-conoscenze e la formulazione di ipotesi; poi il brano autentico va fatto ascoltare più volte fino ad arrivare ad un equilibrio tra sforzo e progresso, alternando agli ascolti lo scambio d'informazioni con un compagno, come suggerito per le letture.

Le attività di comprensione proposte vanno intese, come per la lettura, come incentivi per nuovi riascolti e non come strumenti di controllo della comprensione, che viene parzialmente verificata nel confronto a coppie.

Per la buona riuscita di questa attività è fondamentale liberare l'apprendente dal peso del "dover capire", aiutandolo a diventare consapevole del fatto che non importa quanto capisca perché il processo di crescita ha luogo per il fatto stesso di esercitare tale abilità. Più l'apprendente riesce ad abbandonarsi al flusso dei suoni e più il suo meccanismo inconscio di acquisizione lavorerà indisturbato e proficuamente.

Non dobbiamo inoltre dimenticare che queste attività autentiche (sia la lettura che l'ascolto), oltre ad accrescere l'abilità di comprensione in questione, forniscono *input* che vanno ad arricchire a un livello inconscio la grammatica (nella sua accezione più ampia) nella mente dell'apprendente.

3.5. Coesione testuale

Contiene esercizi per sviluppare la capacità di cogliere quegli elementi che concorrono a rendere coeso un testo sia orale che scritto (es. i rimandi anaforici e cataforici, i connettivi, i campi lessicali). Tra i meccanismi coesivi particolare attenzione è stata data ai **connettivi** e ai **segnali discorsivi**, ovvero quei dispositivi di cui è ricco il parlato che servono a strutturare il discorso e a stabilire e a mantenere i ruoli sociali e affettivi tra gli interlocutori. Abituare gli studenti a riflettere e a esercitare questi aspetti di solito trascurati nei corsi tradizionali è una buona 'palestra' che dovrebbe dare i suoi frutti poi nelle attività produttive.

Per quanto riguarda la collocazione degli esercizi di questa sezione nell'iter didattico, essi seguono la lettura/ascolto – dopo il lavoro lessicale – o, a discrezione dell'insegnante, possono essere svolti prima dei compiti di produzione/interazione orale e scritta perché possano essere "attivabili" in tali attività. Si tratta di una sezione che può ricorrere un paio di volte in una stessa unità.

3.6. Esplorare la grammatica

È un'attività analitica, di riflessione grammaticale sulle strutture linguistiche contenute nei testi già esplorati a livello contenutistico nella sezione "Leggere" o presenti in testi nuovi.

Si richiede all'apprendente di ripercorrere il testo per scoprirne certe regolarità (a livello morfosintattico, semantico-funzionale, testuale): in altri termini si tratta di un modo di '**fare grammatica**' **induttivo**, con un procedimento di scoperta delle regole da parte dell'apprendente. Scopo di questa attività è stimolare nell'apprendente la capacità di ricercatore e la capacità di riflessione metalinguistica che, come si è visto sopra (par. 1), nel livello avanzato deve essere molto sviluppata.

Anche per questo tipo di compito è proficuo il confronto dei risultati tra compagni.

Nella fase di verifica, l'insegnante potrà rispondere direttamente o rilanciare le domande a tutta la classe, stimolando un processo interattivo di costruzione della conoscenza.

Si consiglia di svolgere questa sezione dopo un piccolo intervallo di tempo dalla lettura autentica per evitare noia e ripetitività.

All'attività di esplorazione grammaticale, che ricorre più volte nella stessa unità, segue di solito un esercizio di reimpiego guidato dell'argomento di grammatica su cui è stata fatta l'analisi. Inoltre l'icona ▶**E 1, 2, 4** rinvia a eventuali **esercizi supplementari** sullo stesso argomento presenti nella sezione "Esercizi".

3.7. Reimpiego

Normalmente si tratta di compiti di **produzione orale** con indicata la funzione comunicativa che deve essere esercitata (es. esortare, esprimere paura). Solitamente seguono la sezione di "Esplorare la grammatica" in quanto costituiscono una fase di riutilizzo semi-guidato delle forme linguistiche sulle quali è stata appena condotta una riflessione metalinguistica.

3.8. Parlare

È la fase in cui gli apprendenti possono **rielaborare in maniera autonoma e creativa** il materiale linguistico assimilato in maniera conscia (con le attività analitiche delle sezioni "Esplorare la grammatica", "Esercizi") ed inconscia (con le attività autentiche delle sezioni "Leggere" e "Ascoltare") nelle fasi precedenti, producendo nuovi testi orali.

Le attività di questa sezione (e di quella successiva) sono state proposte in una fase conclusiva del percorso didattico, ovvero dopo le attività analitiche e quelle di "Lessico" e di "Coesione testuale" che costituiscono, seppure nella loro autonomia, momenti propedeutici alla produzione libera orale e scritta.

Lo scopo multiplo di queste attività di produzione libera orale è quello di raggiungere la scorrevolezza e la spontaneità dell'espressione, l'appropriatezza e l'efficacia sociolinguistica e l'attivazione di nuovo lessico tematico, praticando le funzioni ideativa e testuale della lingua e le strategie interattive. Un requisito indispensabile per raggiungere tale scopo è la disposizione psicologica dell'apprendente, che deve essere di rilassatezza e di apertura, condizione che non collima con la pretesa di correttezza talvolta imposta dall'insegnante: pertanto in queste attività di produzione libera orale non è opportuno né corretto né richiedere la correttezza (che sarà il *focus* di altre attività).

Per gli apprendenti di livello intermedio-avanzato occorre offrire in classe opportunità per sviluppare la capacità di saper argomentare in modo sistematico e convincente, di saper ribattere a contro-argomentazioni complesse, di saper evidenziare i punti significativi del loro discorso, di saper esprimere emozioni, particolari sfumature di significato, di saper usare la lingua anche per alludere e scherzare, aiutandoli a essere consapevoli e capaci di usare strategie di compensazione e di esitamento che si notino il meno possibile. Attraverso le attività proposte avranno la possibilità di parlare su appunti, su stimoli visivi quali grafici e tabelle, di parlare a braccio e di parlare allontanandosi da un testo preparato per raccogliere gli spunti emersi in una discussione.

In generale le attività presenti in questa sezione sono compiti comunicativi volti a favorire la **produzione e l'interazione autentica in classe** che, nonostante la situazione 'artificiale', è possibile realizzare se il compito dato è motivante sul piano affettivo/intellettivo. Specificando un po' meglio, possiamo distinguere la seguente tipologia di attività che raccoglie le indicazioni previste dal *QCERL* (pp. 72-76 e 92-101) per la produzione e interazione orali.

Per l'interazione orale:

a) **conversazioni**, tra cui anche attività di simulazione (come per es. confrontarsi sulle politiche adottate nei propri Paesi a sostegno della famiglia);

b) **discussioni informali e formali** (con o senza moderatore), spesso formando due schieramenti, uno "pro" e uno "contro" un determinato problema (come per es. "Insegniamo il dialetto a scuola?" o "Donna: è meglio lavorare o fare la casalinga?");

c) **discussioni per risolvere un problema**, ovvero compiti operativi (come per es. la realizzazione di un opuscolo informativo per il progetto: "Insegnare il rispetto dell'ambiente");

d) **scambi di informazioni** che coinvolgono l'apprendente in prima persona, riguardanti la sfera affettiva, esperienze di vi-

ta, gusti in fatto di libri, viaggi, cinema (come per es. consigliare un film "da non perdere");

e) **interviste** (per es. sulla propria vita lavorativa).

Per la produzione orale:

f) **monologo per descrivere** esperienze (come per es. raccontare/descrivere una gita scolastica memorabile);

g) **monologo argomentativo** (come per es. esporre i problemi sociali che più assillano il proprio Paese di provenienza).

Per ogni unità sono state fornite diverse di queste attività per dare la possibilità all'insegnante – che di solito si dice a corto di idee per far parlare – di scegliere (o farne scegliere agli studenti) alcune, a seconda delle esigenze e dei gusti della classe.

Le modalità proposte con cui svolgere queste attività sono varie (a coppie, a piccoli gruppi e poi collettivamente, ecc.) e sono sempre dettagliate nelle istruzioni.

3.9. Scrivere

Anche questa, come la sezione vista sopra, rappresenta una fase di produzione autonoma e creativa prevista in un momento finale del percorso didattico. Scrivere è un'abilità molto complessa che richiede addestramento esplicito, conoscenze tecniche e procedurali. Inoltre il testo scritto non è un semplice travaso di quello parlato ma ha testualità e sintassi proprie.

La sequenza di attività previste in questa sezione procede di solito da una fase di raccolta e organizzazione delle idee all'analisi di uno **schema procedurale** o di uno **schema sul genere testuale** oggetto d'esame, per arrivare alla definizione del compito di scrittura (con l'indicazione del destinatario, dello scopo, ecc.).

Il sillabo di scrittura che si snoda sull'intero corso propone l'elaborazione, in termini di generi, di diversi testi narrativi (come per es. il racconto di fatti passati, di un'avventura di viaggio, la pagina di diario, il racconto di fantasia, l'articolo di cronaca) poiché si tratta di un genere che, secondo noi, è centrale per acquisire scioltezza in questa abilità; di testi argomentativi, altrettanto centrali per questo livello di competenza (come per es. l'articolo di giornale, il saggio), di testi espositivo-interpretativi (come la recensione di film e libri, la relazione) e di testi descrittivi, importanti invece per la precisione e l'adeguatezza delle scelte lessicali (come per es. l'itinerario turistico, il ritratto di una città). Completano il sillabo alcuni compiti di scrittura creativa, le lettere formali (es. di lamentela), la lettera di candidatura e il *Curriculum Vitae*.

Le attività di produzione scritta devono essere seguite da un'attività analitica di correzione dei testi prodotti, con le modalità che l'insegnante ritiene più opportune (correzione individuale, a coppie, collettiva). Anche il grado di intervento dell'insegnante sul testo prodotto potrà variare (es. si può sottolineare solo l'enunciato in cui si trova l'errore, oppure precisamente l'errore con possibilità di classificarlo, ecc.). È tuttavia di fondamentale importanza che sia l'apprendente a fare le correzioni perché solo in questo modo, oltre a potenziare la propria capacità di autocorreggersi, realizza le condizioni per un lavoro cognitivo profondo e proficuo. Oltre alle attività di scrittura previste in questa sezione, in alcune unità vengono esercitate abilità scritte integrate inerenti alla pratica scolastica, quali prendere appunti e scrivere un riassunto.

3.10. Navigando

In questa sezione si trovano un paio di compiti comunicativi che richiedono un lavoro di ricerca e di **esplorazione in Internet** che diventa risorsa motivante per l'apprendimento. Si tratta di attività utili per sviluppare la **competenza sociale** (es. saper lavorare in gruppo) e il saper fare (es. pianificare e distribuire il lavoro, reperire materiali, ecc.).

Per ogni attività vengono segnalati alcuni siti e/o parole-chiave utili per svolgere il compito che va da attività di scoperta di aspetti socioculturali dell'Italia legati al tema dell'unità (come per es. fare una relazione sintetica sui siti italiani ritenuti patrimonio artistico-culturale dall'UNESCO), a cacce al tesoro *on line*, a compiti di natura concreta, (come per esempio simulare di essere un'agenzia che offre un pacchetto di proposte di lavoro stagionale, *stage* per giovani stranieri che desiderano fare esperienza di lavoro-studio in Italia e così via). Le attività di questa sezione possono essere anticipate e sfruttate per la raccolta di materiale socio-culturale utile per i compiti di produzione/interazione orale e scritta.

3.11. Esercizi

Contiene una gamma piuttosto varia di **esercizi sui punti grammaticali esplorati** precedentemente dall'apprendente nella sezione "Esplorare la grammatica" e su alcuni punti grammaticali nuovi, ma di secondaria importanza per il livello in questione (come per es. le irregolarità nella morfologia nominale). Rispetto agli esercizi strutturali tradizionali, questi hanno il pregio di **utilizzare lessico e funzioni attinenti al tema dell'unità**; purtroppo però spesso richiedono la manipolazione di frasi isolate. Sono stati inseriti anche alcuni *cloze* (testi autentici con lacune da completare) che hanno il vantaggio di porre l'apprendente di fronte a un testo che richiede un'attività interpretativa complessa, a tutti i livelli della lingua.

Si è pensato inoltre di includere sistematicamente in questa sezione, in ciascuna unità, un esercizio o un *cloze* sulle **preposizioni**, che costituiscono, come è noto, un punto 'debole', di lenta acquisizione facilitata solo dall'uso.

Questa sezione compare sempre in fondo all'unità – prima del test e della sintesi grammaticale – in quanto è stata pensata come pacchetto supplementare di **esercizi per il rinforzo**; quindi essa costituisce un'"appendice" rispetto al corpo dell'unità che è, negli intenti e di fatto, tematica e comunicativa. Si è scelto tuttavia di includere questa sezione anzitutto perché si ritiene che il processo di insegnamento/apprendimento possa avvalersi anche di una componente comportamentista/cognitiva guidata in una fase in cui l'apprendente ha bisogno di rendere automatiche le regole appena 'apprese' e non ancora 'acquisite'; secondariamente perché il livello avanzato prevede un livello costante elevato di correttezza grammaticale (QCERL p. 140). Sarà compito dell'insegnante stabilire se, quanto e quando avvalersi di tali esercizi che possono essere fatti dopo le attività analitiche in una fase riproduttiva e imitativa se si tratta di automatizzare strutture nuove, oppure utilizzati come revisione grammaticale, o rinforzo da svolgere individualmente a casa o anche in classe.

3.12. Ripasso

Contiene sempre uno o due *cloze* (basati su un testo autentico in tema con l'unità) che riprende argomenti grammaticali trattati nelle unità precedenti. In particolare, basandoci sull'esperienza, si è deciso di insistere sistematicamente su alcuni punti che risultano sempre problematici per studenti medio-avanzati: i pronomi personali, i pronomi relativi, i tempi passati dell'indicativo, la morfologia nominale, il passivo, i congiuntivi, l'uso degli articoli. Come si è già detto sopra (par. 3.11) è stata privilegiata come tecnica il *cloze* perché attiva procedimenti di analisi e di interpretazione su un testo, contemporaneamente in tutti i suoi aspetti (pragmatico, testuale, morfosintattico, lessicale, ecc.).

3.13. Test

A chiusura di ogni unità abbiamo pensato di prevedere una fase propriamente di *testing*, incorporando nel corso un test sugli aspetti grammaticali, testuali e lessicali che hanno costituito il *focus* del lavoro analitico svolto durante il percorso didattico. Si tratta di esercizi vari per un totale di 40 *items* nei test dall'unità 1 alla 6 e di 50 *items* dall'unità 7 alla 12.

Se l'insegnante desiderasse verificare, per completezza, anche gli obiettivi comunicativi, potrebbe, per la comprensione orale, utilizzare uno dei due ascolti e, per quella scritta, uno dei diversi testi per la lettura presenti nell'unità. Quanto alla produzione/interazione orale e scritta può prelevare spunti o propriamente attività dalle sezioni di "Reimpiego", "Parlare" e "Scrivere".

Il test potrà essere svolto in classe con esplicitazione delle soluzioni ed eventuale assegnazione di un punteggio, o a casa come autoverifica con riferimento alla guida all'uso per le chiavi degli esercizi. L'insegnante dovrà specificare agli apprendenti con chiarezza che non si tratta di una normale attività di classe ma di una vera e propria prova di valutazione/autovalutazione del loro progresso.

3.14. Sintesi grammaticale

Come dice il termine, questa sezione non pretende di essere un'esposizione esaustiva, bensì una sintesi dei punti grammaticali, di formazione di parola e di coesione testuale (connettivi e segnali discorsivi) emersi dal lavoro analitico sui testi dell'unità. È stata pensata come un utile strumento di consultazione e di revisione in particolare per chi, per stile d'apprendimento, è analitico, sistematico e riflessivo.

Per la sua stesura sono state consultate le seguenti grammatiche:

- Maurizio Dardano, Pietro Trifone, *La lingua italiana*, Zanichelli, Bologna 1997.
- Anna Maria Lepschy, Giulio Lepschy, *La lingua italiana. Storia, varietà dell'uso, grammatica*, Bompiani, Milano 1986.
- Giovan Battista Moretti, *L'italiano come seconda lingua nelle varietà del suo repertorio scritto e parlato*, Vol. 1, Guerra, Perugia 1992.
- Luca Serianni, *Grammatica italiana. Italiano comune e lingua letteraria*, UTET, Torino 1988.
- Alberto Sobrero (a cura di), *Introduzione all'italiano contemporaneo*, Vol 1 *Le strutture*, Vol. 2 *La variazione e gli usi*, Laterza, Roma-Bari 1993.

Parliamo d'infanzia

1 Leggere

B 1. Paragrafo 3, informazione a; 2. paragrafo 1, informazione a; 3. paragrafo 2, informazione b; 4. paragrafo 4, informazione a.

C 1. riga 3 "con i suoi pazienti ci metteva il cuore"; riga 21 "come abbracciava i suoi pazienti quand'erano guariti": la mamma è un medico. 2. Risposta libera. 3. Paura: il bambino ha paura di raccontare alla madre del suo interesse per i sassi; rabbia: la madre vorrebbe che il figlio la guardasse negli occhi.

2 Lessico

A 1. b; 2. c; 3. d; 4. a.

B 1. rannicchiato; 2. abbracciava; 3. mi aggrappavo; 4. chinarsi / si piegava.

C 1. ci metteva passione, si appassionava, lo faceva con amore; 2. fingere.

D 1. una dozzina; 2. un centinaio; 3. un migliaio.

3 Esplorare la grammatica

A 1. (es. ho capito, ho cominciato, ho imparato); 2. (es. leggevo, dormivamo, diceva, prendeva); 3. (es. avevo detto); 4. (es. furono); 5. (es. sarei stato, avrebbe saputo, avrebbe aperto).

B Passato prossimo: 1. c, 2. c, 3. c; imperfetto: 1. b; 2. a; 3. d.

C Viene usato il condizionale passato per esprimere il futuro nel passato, non il futuro reale.

D (1) ero; (2) ha buttata; (3) ha detto; (4) conosceva; (5) ho imparata; (6) improntava; (7) doveva; (8) buttavo; (9) facevo; (10) avevo; (11) ho salvato; (12) doveva; (13) stavo; (14) sembravo; (15) sono partiti; (16) doveva; (17) erano; (18) parlavamo; (19) rideva; (20) correva; (21) giocava; (22) facevamo; (23) scriveva.

6 Ascoltare

CD1, ›1: "I pianti, non ti dico!!!"

LUISA — Buono, questo cappuccino!

GIUSY — Sì, davvero, io lo bevo sempre volentieri.
Pensare che c'è stato un periodo della mia vita in cui non ho bevuto latte per un anno!

LUISA — Perché?

GIUSY — Ma, guarda, c'è da ridere a pensarci perché ... Più o meno avevo cinque anni, quattro o cinque anni, ovviamente sapevo che il latte veniva dalle mucche diciamo, ma forse non mi ero mai resa conto... eravamo in vacanza, in montagna, in agosto andavamo sempre in montagna, e siamo andati a visitare una stalla e ho visto mungere.

LUISA — Mungere... le mucche?

GIUSY — Mungere le mucche guarda, t'assicuro: ho preso un colpo, perché nella stalla c'è sempre un odore sgradevole.

LUISA — Abbastanza forte!

GIUSY — Forte, e vedere che il latte veniva munto da una mucca che va beh era anche, sì anche abbastanza sporca, perché puoi immaginare... io non ho più voluto bere il latte! Ho fatto un po' la bambinetta schifiltosa, in effetti, perché mia mamma mi faceva capire, ma figurati è sterilizzato non lo si beve direttamente, niente da fare!

LUISA — Ti è bastato vedere una stalla per non bere più.

GIUSY — Sì per un anno, poi va beh probabilmente sai si dimentica e poi io probabilmente anche come fisico ho bisogno di... di latticini, infatti adesso figurati, non potrei stare senza latte, formaggio, yogurt, cioè a me piacciono... e comunque mi ricordo che mia mamma era preoccupata perché insomma sai il latte è un alimento completo, fa bene.

LUISA — E sei rimasta stressata dalle mucche, praticamente!

GIUSY — Ma, stressata... comunque ricordo questo che sempre in occasione di quella vacanza una volta mio padre mi ha preso, così, si giocava, e mi ha messo su una mucca. I pianti, non ti dico!

LUISA — Cioè ti ha messo a cavallo di una mucca?

GIUSY — Mi ha messo a cavallo di una mucca.

LUISA — Che stress!

GIUSY — Ma sì, si giocava, tra l'altro ho proprio l'immagine in mente, proprio la ricordo, un'immagine reale, però ogni tanto la rivedo anche nei filmini che i nostri genitori ci facevano per ricordare le vacanze.

LUISA — Tu a cavallo della mucca.

GIUSY — Io a cavallo di una... ma proprio appoggiato, poi vedendo appunto che piangevo m'ha tolto immediatamente e ogni tanto si ride, adesso non che abbia particolare paura...

LUISA — È stranissimo perché io mi ricordo quando ero piccola, avrò avuto cinque anni ero andata a camminare con mio padre...

GIUSY — La stessa età.

LUISA — ... sì, più o meno, ero andata a camminare con mio padre e mio zio in montagna, eravamo in un paese dove c'era un abbeveratoio, e io stavo bevendo alla fontana, e improvvisamente ho alzato gli occhi e mi sono vista addosso non so, io mi ricordo decine di mucche, in realtà saranno state due o tre; però mi ricordo dei mostri grandissimi, sopra di me che volevan bere l'acqua, mi sono spaventata da morire...

GIUSY — Ma pensa!

LUISA — ... sono saltata in braccio a mio zio, piangevo come una disperata.

GIUSY — Ma dai!

LUISA — Ma anche adesso quando vado in montagna e vedo una mucca...

GIUSY — Ti allontani.

LUISA — Mi allontano! Oppure cerco di star vicino a un amico o a qualcuno perché ho paura, ho il terrore delle mucche.

GIUSY — No io proprio paura, no... non potrei dire d'aver paura, però diciamo che penso sempre che possa magari avere un... così, un atteggiamento strano, magari, non so, se sono vicina, per esempio, che magari debba inforcarmi, con le corna.

LUISA   Ma sai che...

GIUSY   Non lo so, non do tanta fiducia, ecco, agli animali in genere, perché la stessa cosa, guarda, mi è capitata con le capre.

LUISA   Con le capre?

GIUSY   Con le capre, mi son trovata in Engadina, proprio ricordo un sentiero, una valle molto bella, a un certo punto, c'erano delle capre sul sentiero e io...

LUISA   Dove stavi camminando tu.

GIUSY   Sì, ovviamente, dove stavo camminando e io veramente avevo paura, ma so che non ti possono far del male però io ho paura delle corna, l'idea che ti possano veramente aggredire, "inforcarti" come dicono, no, perché non è raro eh...

LUISA   Mmh, mmh.. ma, io ero in Val d'Aosta... anche qua, sarà quindici anni fa, cioè avevo quindici anni, no forse meno, ho visto una festa che fanno al Passo del San Bernardo, mi pare, o San Bernardino, non ricordo, dove c'era la festa della regina delle mucche, ed erano delle mucche che venivano dalle varie vallate, che avevano già vinto delle gare e combattevano l'una contro l'altra per vincere il titolo di "Regina delle mucche".

GIUSY   Non l'ho mai sentito, dov'è, questa cosa?

LUISA   La "Reine des Alpes", lo fanno in... in Val d'Aosta.

GIUSY   E in che periodo? Quale periodo dell'anno?

LUISA   Dev'essere stato la fine di luglio, mi pare, ed erano impressionanti, sembravano dei... dei buoi, in realtà, neanche delle mucche, muggivano e si incornavano ed era una cosa, era molto strana a vederla, per cui poi ho ricollegato quand'ero piccola e probabilmente ho avuto uno shock simile a quand'ero piccola!

GIUSY   Tu dici, per quello?

LUISA   Mah, penso di sì.

GIUSY   Comunque, rimangono, eh, questi spaventi, perché ad esempio, io non riesco a dare fiducia ad un cane, perché da piccola sono stata aggredita da un cane, insomma, avevo dodici anni, tredici anni, e da dietro proprio sono stata assalita e non riesco più a dar fiducia, è una cosa pazzesca, mi piacevano i cani, eh, però adesso ho paura.

LUISA   Non avrai mai un cane in casa tua.

GIUSY   Non avrò mai un cane, no, quello senz'altro.

LUISA   Forse riusciremo con una tartaruga o qualcosa del genere!

GIUSY   I pesciolini rossi!

B   **Giusy** *Età*: 4-5 anni
         Situazione: in montagna; in una stalla
         Ricordo: 1ª paura: odore sgradevole della stalla;
                    vista della mungitura

         Età: 4-5 anni
         Situazione: in montagna in vacanza
         Ricordo: 2ª paura: la mettono a cavallo
                    di una mucca e si spaventa

         Età: –
         Situazione: in Engadina
         Ricordo: 3ª paura: in mezzo alle capre

         Età: da bambina
         Ricordo: 4ª paura: aggredita da un cane

         Luisa *Età*: 5 anni
         Situazione: in montagna in vacanza
         Ricordo: 1ª paura: si trova a bere circondata
                    da mucche

         Età: 15 anni
         Situazione: in Val d'Aosta
         Ricordo: 2ª ricordo: assiste alla "Reine des Alpes"

C   1. mucca; 2. capra; 3. cane; 4. tartaruga; 5. pesciolini rossi.

D   1. muggire (il muggito); 2. la stalla; 3. mungere le mucche.

E   GUARDA è un segnale discorsivo del parlato che ha la funzione di richiesta di attenzione; altri con funzione analoga sono: *senti/a, senti un po', mi segui, dimmi, di', dica, di' un po', vedi/a.* MA DAI! MA PENSA! significano "veramente! /davvero!? / non posso crederci!" sono cioè dei modi per empatizzare con l'interlocutore, mostrando sorpresa.

8 Leggere

A   1. È una descrizione; 2. la nonna era cilena; 3. carattere forte; 4. bella voce di soprano, temperamento teatrale.

B   1. Descrizione fisica: era bruna, aveva del sangue indio, gli occhi erano enormi, aveva una faccia liscia, era grassa e sfatta; 2. conoscenza dell'italiano: non sapeva parlare l'italiano, diceva "el uomo", non distingueva tra 'cappello' e 'capello'; 3. abbigliamento: si vestiva con cura, faceva molto uso di paillettes, era di un'eleganza vagamente da palcoscenico; 4. sensazioni della scrittrice verso la nonna: avevo terrore, mi era odioso, avevo orrore.

C   1. "non l'ho *mai* vista piangere", "non era *mai* stata contenta"; 2. "a ottant'anni non sapeva *ancora* parlare l'italiano", "aveva *ancora* una faccia liscia e tonda"; 3. "ha rimpianto *per tutta la vita* il palcoscenico"; 4. "*due o tre volte* mi è anche capitato di dormire con lei".

D   1. buon, belle; 2. belle; 3. buone; 4. bel; 5. buoni; 6. bravo; 7. bel; 8. buon; 9. bello, bene; 10. buone.

9 Lessico

A   1. o; 2. l; 3. i; 4. b; 5. n; 6. h; 7. c; 8. d; 9. p; 10. m; 11. f; 12. g; 13. e; 14. a.

B   1. a; 2. b; 3. c; 4. c; 5. b; 6. b; 7. a. Altre: *essere un mulo, una civetta, un galletto, un leone.*

C   1. d; 2. c; 3. a; 4. b; 5. g; 6. f; 7. e. Altre: *essere senza cuore, essere a pezzi, avere la testa fra le nuvole.*

D   1. scortese; 2. altruista; 3. superficiale/inaffidabile; 4. disubbidiente; 5. originale/eccentrica.

E   1. b; 2. a.

12 Coesione testuale

A   "Non so, <u>non</u> guardavo mai negli occhi <u>neanche</u> la maestra, <u>né</u> lei, <u>né</u> la maestra, <u>né nessun'altra</u>.

1. All'asilo nido non ha imparato né a socializzare né a condividere i giochi. 2. Marco, il mio cugino più piccolo, non aveva né il coraggio né il desiderio di seguirci nelle nostre avventure. 3. Quando piangevo mia madre né mi consolava né mi abbracciava. 4. Mia sorella Laura non era né generosa né affettuosa verso di me. 5. Mio padre diceva sempre che non faceva né preferenze né torti nei confronti dei suoi quattro figli. 6. I miei genitori purtroppo non mi hanno mai lasciato tenere né un gatto né un cane. 7. A scuola non mi erano simpatici né i compagni né la maestra.

B   TANTO CHE esprime una conseguenza.
1. e Da bambino ero *tanto* disubbidiente *che* mi castigavano sempre. / Da bambino ero disubbidiente *tanto che* mi castigavano sempre.
2. f Da bambino ero *tanto* bugiardo *che* non mi credevano più anche

quando raccontavo la verità. / Da bambino ero bugiardo *tanto che* non mi credevano più anche quando raccontavo la verità.

3. d Da bambino ero *tanto* timido *che* (arrossivo, mi nascondevo) se mi facevano dei complimenti. / Da bambino ero timido *tanto che* (arrossivo, mi nascondevo) se mi facevano dei complimenti.

4. b Da bambino ero *tanto* vivace *che* la sera, mentre mangiavo, mi addormentavo dalla stanchezza. / Da bambino ero vivace *tanto che* la sera, mentre mangiavo, mi addormentavo dalla stanchezza.

5. c Da bambino ero *tanto* aggressivo *che* picchiavo tutti gli altri bambini. / Da bambino ero aggressivo *tanto che* picchiavo tutti gli altri bambini.

6. a Da bambino ero *tanto* affettuoso *che* abbracciavo e salutavo tutti. / Da bambino ero affettuoso *tanto che* abbracciavo e salutavo tutti.

C INFATTI serve a motivare e a dare una prova di quanto affermato precedentemente.

13 Ascoltare

CD1, ›2: "Avevo una bambola che era più o meno grande come me…"

MARIA PIA Questo è un ricordo veramente molto molto vecchio, risale ai tempi della scuola materna: avevo una bambola, che era grande più o meno come me, delle mie dimensioni, e questa bambola aveva un vestito, un vestito antico, tipo molto romantico, e questo vestito io a volte avevo provato a spogliarlo dalla bambola per indossarlo io, e questa cosa mi aveva molto eccitata, molto entusiasmata, per cui apprezzavo moltissimo questa bambola, e mia madre probabilmente non era della stessa opinione, io adesso non ricordo bene, perché ero troppo piccola, però questa bambola doveva essere davvero molto rovinata e molto sciupata perché un giorno, affacciandomi al balcone, ho visto la bambola sul ciglio della strada, e mi sono domandata "Cosa ci fa la mia bambola sulla strada?" e non ho fatto tempo a realizzare questa cosa, volevo scendere per prenderla, ma non ho fatto a tempo a compiere questo atto che ho visto arrivare il camion della spazzatura che ha caricato, ha buttato, la persona addetta a ritirare la spazzatura, ha preso la bambola e l'ha rovesciata nel cassone del camion che poi l'ha stritolata. Questa cosa mi ha, mi ha veramente fatto male, mi sono domandata perché la mamma mi avesse fatto questo, e poi ho messo, ci ho messo un po', insomma, ho pianto con la mamma, la mamma ha cercato forse – scusa – in qualche maniera, di spiegarmi la cosa, e ho impiegato un po' di anni a elaborarla e a capire che poteva avere i suoi motivi per avere fatto una cosa del genere.

B I. LE CARATTERISTICHE DELLA BAMBOLA: grande come la bambina, con un vestito antico, molto rovinata. 2. CHE COSA È SUCCESSO: Maria Pia ha visto la sua bambola sul ciglio della strada, il camion della nettezza urbana che è arrivato e gli addetti che l'hanno presa e gettata nel cassone del camion. 3. LE REAZIONI DI MARIA PIA: dolore e incomprensione del gesto della mamma.

15 Scrivere

A Pinocchio.
2. a; 3. c; 4. e; 5. f; 6. b; 7. g; 8. d.

C Tutte le mattine, prima di avviarsi all'ufficio dei telefoni, la zia Nerina prendeva il battipanni e picchiava il cugino Venanzio. Infatti, ella spiegava, il cugino Venanzio ne faceva tante durante la giornata, e tutti i giorni ne faceva tante, che si era sicuri di non sbagliare picchiandolo tutte le mattine appena sveglio. Così per tutto il resto della giornata non ci si pensava più. Dunque, la zia Nerina prendeva il battipanni e si accostava al letto del cugino Venanzio; e il cugino Venanzio faceva il suo sorriso e inghiottiva: "Venanzio" diceva allora la zia Nerina "Tirati su la camicia da notte perché devo picchiarti". E poi se ne andava all'ufficio dei telefoni, dopo avere scartocciato i suoi boccoli, s'intende. E il papà andava in giro a cercare assicurazioni per gli incendi, e il fratello maggiore in tipografia, e il secondo all'allenamento, e il terzo a scuola: in casa restava solo il cugino Venanzio.

Esercizi

1 1. ho bevuto; 2. giocava; 3. si faceva, ascoltava; 4. andavamo; 5. è vissuta, mangiava; 6. sono nato/a, vivevano; 7. mi ha preso/a, mi ha messo/a; 8. ho alzato, mi sono visto/a; 9. è rimasto; 10. ha insegnato; 11. abitavo; 12. ho studiato.

2 1a. ci siamo conosciuti; 1b. conoscevo; 2a. sapevamo; 2b. ho saputo; 3a. avevo paura; 3b. ho avuto paura; 4a. potevi; 4b. ho potuto; 5a. ho dovuto, sono potuto/a; 5b. dovevamo.

3 (1) ha preso; (2) portava; (3) aveva; (4) ha sentito; (5) costava; (6) ha venduto; (7) ha varcato; (8) c'era; (9) recitavano; (10) ha gridato; (11) hanno urlato; (12) è salito; (13) si spazientiva; (14) è caduto.

4 Ho messo quella riga perché avevo fiducia nella maestra, altrimenti non avrei scritto niente di quelle cose. Invece il giorno dopo lei cosa *ha fatto*? *È entrata* in classe con tutti i compiti in mano, *si è seduta* e *ha detto*: — Le bugie hanno le gambe corte — e *ha cominciato* a leggere il mio tema a voce alta. Io non *sapevo* dove guardare e tutti gli altri *ridevano*. Poi me lo *ha ridato* indietro e *ha detto* forte, faresti meglio a studiare invece di inventare bugie. Così da quel giorno tutti *hanno cominciato* a prendermi in giro. Quando *uscivamo si spingevano* forte e *gridavano*: — È quello tuo padre?! O quell'altro?! Oh, no, eccolo, guarda, eccolo, lì, vicino all'albero! È un agente così segreto che non si vede!

5 (1) suo; (2) sua; (3) la tua; (4) suoi; (5) i suoi; (6) la sua; (7) la sua; (8) il suo; (9) al loro; (10) una sua; (11) una loro; (12) il suo; (13) la nostra; (14) mia; (15) tue; (16) Tuo.

6 1. i cigli; 2. le ciglia; 3. dita; 4. dei fili; 5. le labbra; 6. lenzuola; 7. le ossa.

7 1. chiudano; 2. portassi; 3. arrivi; 4. piova; 5. ritornassi; 6. nascesse.

8 (1) in; (2) da; (3) a; (4) per; (5) nella; (6) in; (7) da; (8) tra; (9) entro; (10) per; (11) per/a.

Ripasso

1 (1) tamponarlo; (2) le; (3) accompagnarla; (4) l'ha sentita; (5) l'ha fatto; (6) li; (7) ce l'hai; (8) ce l'hai; (9) domandargli; (10) l'aveva; (11) la; (12) la; (13) la.

Test (40 punti)

1 (1) portava; (2) arrivavano; (3) erano; (4) aveva; (5) bastava; (6) era; (7) si rifiutavano; (8) dormiva.

2 (1) si è svegliata; (2) voleva; (3) faceva; (4) si trattava; (5) ho raccontato; (6) hanno avuto; (7) si è avviata; (8) mi sono accorta.

3 (1) bello; (2) bei; (3) begli; (4) bella; (5) bel.

4 (1) tuo; (2) i tuoi; (3) i suoi; (4) sua; (5) mia; (6) tua/vostra.

5 1. entro/per; 2. tra; 3. per, per; 4. da.

6 1. Laura quando mi ha vista arrivare non era né contenta né triste. 2. Quando avevo tre anni ricordo bene che non volevo rimanere né con i nonni né (volevo) andare all'asilo: desideravo solo restare con mia madre. / Quando avevo tre anni ricordo bene che non volevo né rimanere con i nonni né (volevo) andare all'asilo: desideravo solo restare con mia madre. 3. L'adolescenza è un'età molto problematica perché i ragazzi non sono né bambini né adulti.

7 1. vipera; 2. pallone gonfiato; 3. orso; 4. mani bucate; 5. testa tra le nuvole.

La famiglia italiana: nuovi scenari

UNITÀ
2

1 Leggere

B 1. NATALITÀ: insieme delle nascite in un luogo; 2. LONGE-VITÀ: lunga durata della vita; 3. TASSO: rapporto tra due fenomeni considerati nell'unità di tempo (percentuale); 4. MORTALITÀ: quantità di decessi in un determinato periodo; 5. NUZIALITÀ: quantità di matrimoni in un determinato periodo; 6. COPPIA DI FATTO: coppia che convive ma non è sposata né con rito religioso né con rito civile.

C

DIVORZI E SEPARAZIONI	
ITALIA	MEDIA EUROPEA: *1,9 per mille*
2000: incremento del *10% circa*	Italia: *0,7 per mille*
Nord: *più* divorzi che al Sud	Germania, Francia, Gran Bretagna: + 2 per mille
Età media di chi divorzia: *43 anni*	Belgio: *2,9 per mille*
Affidamento dei figli alla madre: 86%	

TASSO DI NATALITÀ	
Europa	*1,47*
Italia	*1,24*
Irlanda	*1,98*
Spagna	*1,25*

FIGLI FUORI DAL MATRIMONIO	
Europa	28,4%
Grecia	4,1%
Italia	9,6%
Francia	+ 40%
Svezia	55,3%

TASSO DI NUZIALITÀ in Italia	
2000	4,9 per mille
2001	4,5 per mille

LONGEVITÀ in Italia	
donne	82,9
uomini	76,7

COPPIE DI FATTO	
Italia (Spagna)	6%
Germania, Inghilterra	+ 40%
Francia	48%
Danimarca	72%

2 Lessico

A (1) rispetto all'; (2) aumentato; (3) diminuita; (4) si attesta; (5) in pareggio; (6) in aumento; (7) record; (8) pari allo; (9) medio; (10) contro.

3 Esplorare la grammatica

A Perché il verbo STIMARE, che significa "giudicare, ritenere senza essere certi", vuole il congiuntivo.

B I due soggetti sono diversi; se i soggetti sono uguali si usa *di* + infinito.

C Penso che, credo che, ritengo che, mi pare che, mi sembra che, ho idea che, non sono sicuro che, non sono convinto che...

D 1. *Credo che* il governo *abbia* il dovere di aiutare anche una madre che deve allevare un figlio da sola. 2. *Non sono convinto che* le convivenze *siano* un matrimonio non ancora perfezionato che non ha diritto alla stessa tutela sociale delle famiglie. 3. *Mi pare che* alle donne italiane *spetti* un'astensione obbligatoria di cinque mesi prima e dopo la nascita; *mi pare che* poi *possano* usufruire di sei mesi di astensione facoltativa. 4. *Mi sembra che* a ogni mamma e a ogni papà *sia* consentito chiedere un periodo di astensione dal lavoro fino a un massimo di sei mesi. 5. *Ho idea che* il nido in ufficio *sia* una soluzione adatta alle grandi imprese. 6. *Credo che* in Francia le coppie omosessuali *possano* sottoscrivere un patto di solidarietà civile che estende alcune norme del diritto di famiglia alle coppie di fatto. 7. *Non sono convinto che* il governo *abbia* deciso di dare incentivi solo alle giovani coppie sposate con matrimonio religioso o civile. 8. *Non sono sicuro che* non *sia* giusto valutare la famiglia solo in base a un vincolo legale. 9. *Ritengo che* una famiglia si *possa* dire costituita quando c'è un figlio. 10. *Mi pare che* una vita prolungata tra genitori e figli non *possa* che diventare conflittuale.

5 Ascoltare

CD1, ›3: "Ma, tuo marito non potrebbe aiutarti a fare qualcosa?"

CHIARA Allora, dimmi un po', come va la tua storia con Francesco?

ELISA Eh, insomma... sta diventando un po' pesante, la gestione della casa, perché ormai devo fare tutto da sola, io mi occupo della spesa, mi occupo della pulizia della casa, poi devo preparare pranzo e cena, e a questo aggiungici Elena che ormai, da quando ha cominciato a camminare, è diventata estremamente impegnativa, non la posso più lasciare un attimo sola.

CHIARA	Senti, quanto tempo ha adesso Elena?
ELISA	Ha un anno.
CHIARA	Un anno.
ELISA	Sì.
CHIARA	Ma, tuo marito non potrebbe aiutarti a fare qualcosa?
ELISA	Eh, infatti, è quello che anche io vorrei, ma a quanto pare, non la capisce, non mi dà retta, e poi quando... quando io riprenderò il lavoro non so bene che cosa succederà.
CHIARA	E quando hai in programma di ricominciare a lavorare?
ELISA	Fra sei mesi.
CHIARA	Fra sei mesi!
ELISA	Fra sei mesi, sì.
CHIARA	Ho capito.
ELISA	E comunque rimangono questi sei mesi in cui vorrei anche che le cose cambiassero, perché sono veramente stanca.
CHIARA	Ho capito. Senti, ma tu hai provato a discuterci con tuo marito?
ELISA	Oh, figurati, guarda, ne abbiamo discusso tantissimo, ne discutevamo già prima che nascesse Elena, per cui, immaginati, non è una cosa nuova. Lui, magari, quando litighiamo per qualche giorno mi dà una mano, e poi torna tutto come prima. Non c'è niente da fare, lui va a lavorare, poi torna a casa, mangia, fa un riposino, ritorna al lavoro, la sera torna a casa, gioca un pochettino con Elena, mentre io cucino per la sera, e poi niente, di nuovo, guarda la televisione e tutto il resto è sulle mie spalle: alcune volte figurati che sono costretta ad andare a fare la spesa al supermercato, io ed Elena...
CHIARA	Ho capito...
ELISA	...quindi devo badare alle cose da acquistare ed Elena che mi fa diventare matta, perché vuole stare nel carrello, vuole uscire...
CHIARA	Certo.
ELISA	Veramente, è terribile. Neanche una mano in... a fare la spesa, mi dà, insomma.
CHIARA	Ma senti, tu comunque non pensi che sarebbe comunque opportuno continuare ad insistere, cioè nel senso continuare a dialogare, continuare a fargli assolutamente presente che tu così non puoi andare avanti.
ELISA	Ma, ormai non so a che cosa può servire questo, perché l'abbiamo fatto veramente per tanto tempo, e io non so più che cosa fare. Non ho in mente nessun... nessuna soluzione al problema.
CHIARA	Senti, e non potresti alleggerire un po' il tuo lavoro portando Elena da tua madre?
ELISA	Eh, anch'io ci ho pensato, ma il problema è che mia madre ormai non è proprio in forma, l'età insomma comincia a farsi sentire, e poi ha già badato a Giulio quando è nato, il mio nipotino, qualche anno fa, e già faceva fatica allora, adesso veramente non so proprio, non ce la farebbe secondo me, penso proprio che non sarebbe più in grado, l'età ormai è quella che è.
CHIARA	Ma allora guarda, io se fossi in te cercherei una baby sitter, tanto problemi economici non credo ne abbiate.
ELISA	No, non è quello, ma il problema è trovare una baby sitter. Ho già messo un annuncio sul giornale, qualche tempo fa, e mi hanno riposto in parecchie, però erano tutte persone giovanissime, diciottenni, senza nessuna esperienza con i bambini, insomma, persone inaffidabili, e io non me la sento di lasciare la piccola Elena in mano a queste persone che secondo me non saprebbero neanche fronteggiare un'emergenza, non saprebbero prendere... prendersi delle responsabilità insomma, le vedo proprio incompetenti, soprattutto inaffidabili, quindi non... no... non...
CHIARA	È possibile che Francesco non si renda conto che dovrebbe assolutamente darti una mano? In modo particolare quando riprenderai a lavorare!
ELISA	Certo, beh, ma allora le cose dovranno per forza cambiare, perché cosa vuoi fare, non... Ho fatto domanda per mettere la bambina all'asilo nido, spero che prima o poi...
CHIARA	Ti accettino la richiesta...
ELISA	...mi accettino, sì, però, non so...
CHIARA	Mah, secondo me, guarda, io se fossi in te tenterei l'ultima spiaggia, cioè tenterei la linea dura.
ELISA	Come ad esempio?
CHIARA	Per esempio, con azioni dimostrative di natura pratica, del tipo sciopero di una settimana nel lavare i piatti, nel preparare il mangiare, oppure anche, non lo so, programmerei un fine settimana, un fine settimana libero, in cui tu ti fai un giro con le tue amiche, e lascerei completamente la bambina a Francesco, così si potrebbe rendere conto di che cosa vuol dire l'impegno di una giornata intera a guardare la bambina.
ELISA	Sì, guarda, penso che rimarrebbe scioccato!

A 1. Elisa si lamenta della mancanza di collaborazione del suo compagno, Francesco, nella cura della casa e della loro bambina di un anno, Elena. 2. CONSIGLI DI CHIARA: 1. Provare a discuterne con il marito. 2. Portare ogni tanto la bambina dalla nonna per avere un po' di respiro. 3. Cercare una baby sitter. 4. Attuare forme di protesta e di sciopero. COME RIBATTE ELISA: 1. Ne ha già discusso con il marito fino allo sfinimento. 2. La nonna non ha più l'età per riuscire a badare a una bambina così piccola. 3. Le baby sitter disponibili sono tutte troppo giovani e senza esperienza. 4. (Ride... forse lo farà!) 3. Dover fare la spesa da sola al supermercato tra banchi e carrelli e dover anche tenere d'occhio la bambina. 4. Risposta libera.

B 1. della, della; 2. a; 3. di; 4. ad, a, alle; 5. di; 6. a, a, a.

6 Lessico

A 1. b; 2. a; 3. c, d; 4. e; 5. f.

B 1. Era in crisi con il marito da diversi anni, e ieri, quando è venuta a trovarmi, mi ha confidato che *non ce la fa* proprio più e che ha finalmente deciso di separarsi. 2. Ieri Giulio ha fatto l'esame per la patente. Poverino, ha studiato un casino, *ce l'ha messa tutta*, ma non *ce l'ha fatta*. Dovrà ripeterlo. 3. E dai, *non prendertela* se non hai passato l'esame, lo rifarai tra un mese, che problema c'è? 4. Non *me la sento* di lasciarlo perché sono certa che nostra figlia ne soffrirebbe terribilmente. 5. Considerando che è la prima volta che è rimasto a casa da solo con la bambina di tre mesi, *se l'è cavata* proprio bene.

C 1. poch-ett-ino; 2. riposino, nipotino.
1. pallidino; 2. magrina/magretta; 3. lettino; 4. casetta/casina; 5. cagnolino; 6. mammina; 7. nipotini; 8. figlioletto.

D 1. una scarpettina; 2. una scalettina; 3. un orsettino; 4. una borsettina; 5. un pezzettino (di torta) 6. un viaggettino.

E 1. mi aiuta; 2. è a mio carico.

7 Coesione testuale

A 1. f; 2. e; 3. d; 4. b; 5. c; 6. a.

B 1. c; 2. con il congiuntivo; 3. *nonostante, benché*; richiedono il congiuntivo.

C 1. benché la maggioranza delle coppie si sposi; 2. benché già lavorino; 3. nonostante esista; 4. sebbene i nidi aziendali a oggi siano pochi; 5. benché i giovani italiani desiderino; 6. sebbene la convivenza sia.

8 Leggere

C 1. È una famiglia composta dai genitori e uno (al massimo due) figli. 2. La famiglia italiana assomiglia sempre più ai modelli europei nei ritmi quotidiani dei giorni lavorativi (per es. con il pranzo spesso ridotto a un panino), ma si riscopre italianissima nel fine settimana e durante le feste, con i grandi pranzi con i parenti riuniti. 3. Al Nord solo il 60% dei bambini delle elementari pranza a casa, e comunque solo il 45% pranza con un parente; al Sud l'80% dei bambini consuma il pranzo in famiglia. 4. Nelle città la rete sociale alternativa alla famiglia allargata è formata dai compagni di scuola e dai rispettivi genitori, che spesso fanno amicizia tra loro.

D PSICOLOGA (righe 21-25): oggi tramite la scuola le famiglie con pochi figli ricreano la rete sociale altrimenti perduta. SOCIOLOGA (righe 40-61): soprattutto nelle città medio-grandi i bambini passano pochissimo tempo con i propri genitori e molto da soli, o con i nonni o la baby sitter; è anche vero però che molti genitori tendono a enfatizzare i pochi momenti in comune e che molte madri cercano in tutti i modi di riunire la famiglia anche a pranzo.

9 Lessico

A 1. g; 2. c; 3. f; 4. d; 5. b; 6. a; 7. e.

B 1. a; 2. b; 3. b; 4. c; 5. a.

10 Coesione testuale

A I connettivi sottolineati indicano una contrapposizione (c).

B (1) ma/però; (2) ma/però; (3) però; (4) al contrario; (5) eppure; (6) però/ma; (7) ma/però; (8) invece; (9) anzi.

11 Leggere

A 1. f (i figli rischiano di credere che tutto sia loro dovuto e non si mettono alla prova); 2. c (i figli cercano una figura forte fuori dalla famiglia); 3. a (i figli rischiano la chiusura psicologico-sociale e sentono il desiderio di evasione); 4. d (i figli crescono con un senso di insicurezza e instabilità); 5. e (i figli ricevono dei messaggi educativi diversi); 6. b (i figli si adeguano e si reprimono o cercano vie di fuga).

12 Esplorare la grammatica

A 1. Te li = a te, gli occhiali nuovi, 2. se la cavano = cavarsela, 3. gliela = a lui, la macchina.

B 1. gliene; 2. te lo; 3. se lo, glielo; 4. gliene; 5. te la; 6. te lo.

14 Ascoltare

CD1, ›4: "In Italia, pensate, un bambino su dieci nasce in coppie di fatto"

GIORNALISTA   In Italia, pensate, un bambino su dieci nasce in coppie di fatto, e forse non tutti si aspettavano un dato del genere, così alto, in fin dei conti.

GIORNALISTA 2   E infatti è proprio in aumento anche il numero delle coppie di fatto, che in questo momento nel nostro Paese sono trecentocinquantamila. E ne parliamo con un noto matrimonialista, l'avvocato Cesare Rimini, buongiorno avvocato.

RIMINI   Buongiorno a tutti.

GIORNALISTA 2   Allora abbiamo parlato delle coppie di fatto spieghiamo bene quali diritto, diritti hanno, in Italia, le coppie di fatto, avvocato.

RIMINI   Beh, le coppie di fatto, in Italia, hanno pochissimi diritti, il vivere insieme è una scelta, io dico scherzosamente, che si ripete ogni mattina quando si prende il caffè insieme, norme non ce ne sono, salvo una norma importantissima e completamente acquisita alla coscienza sociale, che i figli nati dalle coppie di fatto hanno praticamente gli stessi identici diritti dei figli legittimi. Poi ci sono delle altre giurisprudenze, che dicono che se una coppia di fatto si separa e se c'è un bambino, la casa coniugale può venire assegnata al coniuge che rimane col bambino, ma insomma, voglio dire, è una normativa che non prevede, a favore del compagno che viene abbandonato, o che abbandona, oneri di tipo economico verso l'altro compagno, mentre il mantenimento dei figli nati fuori dal matrimonio è assolutamente parificato a quelli nati nel matrimonio.

GIORNALISTA   Ci ha raggiunto al telefono, per continuare a parlare di coppie di fatto, dei figli che nascono nelle unioni tra persone che non si sono sposate né civilmente né religiosamente, l'ex presidente della Camera dei Deputati, Irene Pivetti, onorevole buongiorno!

PIVETTI   Buongiorno.

GIORNALISTA   Allora, le coppie di fatto, lei lo sa benissimo, sono sempre più diffuse, ne parlavamo con l'avvocato Rimini, lei che cosa ne pensa, delle unioni di fatto?

PIVETTI   Mah, sì, è vero, è una tendenza dovuta a moltissimi fattori, compreso alcuni fatti pratici, si studia di più, ci si laurea più tardi, più tardi si trova lavoro, e ci si sistema e si mette su casa, quindi si tende a rimandare il più possibile la data di un matrimonio, e quindi l'impegno stabile, e nel frattempo uno convive, coppie di fatto eccetera è anche normale, diciamo, umanamente comprensibile che una volta impostato il ménage in questa maniera, due che sarebbero in altre circostanze sociologiche stati coniugi, preferiscano non passare da, dal matrimonio, sto riferendomi ovviamente al matrimonio civile, come atto puramente burocratico, in fondo, e giustamente, sostengono l'amore è più che sufficiente a tenere insieme la coppia, è chiaro che sul piano del matrimonio religioso il discorso sarebbe completamente diverso, ma quello diciamo è statisticamente su un altro piano.

GIORNALISTA 2   Ecco, ecco ecco infatti, è proprio questo che volevo dire, ci sorprende in un certo senso questa sua posizione, i toni concilianti con cui lei parla di questo argomento.

PIVETTI   Io sono favorevole, perché penso che, non sono né favorevole né contraria, non mi sogno, non mi permetto di giudicare la vita degli altri.

RIMINI   L'onorevole lascia libera scelta, giustamente.

PIVETTI   No, guardi, rispetto le scelte degli altri, naturalmente per me stessa ho fatto una scelta diversa e penso, tra l'altro, che il matrimonio, ma, naturalmente, in questo caso, sto pensando al matrimonio religioso, offre a chi lo fa una ricchezza interiore tutta particolare, dà all'amore umano una dimensione soprannaturale che è un regalo meraviglioso e quindi...

RIMINI   Secondo me, onorevole, resta sempre il matrimonio insomma tradizionale, resta sempre una grande speranza, ecco.

A   1. c; 2. c.

B   1. Sì (in chiesa). 2. Si studia di più, ci si laurea più tardi, si trova lavoro più tardi, nel frattempo si convive e poi non si ha più voglia di formalizzare l'unione con il matrimonio civile.

C   1. ALLORA è un demarcativo di apertura, serve cioè ad aprire, attaccare un discorso. 2. ECCO è un focalizzatore che serve a·sottolineare e riprendere un punto focale, centrale del discorso fatto prima (in questo caso da un altro parlante).

Esercizi

1   1. gliela paga; 2. vengo a pagarglielo/glielo vengo a pagare; 3. a cambiarglielo; 4. te lo deve dare/deve dartelo; 5. ve ne porto, me ne hanno date; 6. glielo dà; 7. ce l'hanno promesso.

2   1. gliene; 2. ve le; 3. gliel'ha; 4. te lo; 5. gliela; 6. me le; 7. se ne.

3   (1) me lo; (2) ce lo; (3) me lo; (4) me lo; (5) te lo; (6) dimmelo.

4   1. Mi ha prestato 500 euro e glieli ho dovuti restituire / ho dovuto restituirglieli dopo un mese. 2. Abbiamo comprato i dischi perché non ce li ha regalati nessuno. 3. Renata ha comprato una cravatta per papà e gliel'ha data a Natale. 4. Non abbiamo comprato i biglietti perché ce li hanno dati in omaggio. 5. Hanno scelto una pianta e me l'hanno mandata per il mio compleanno. 6. Ho preso il pacco e gliel'ho portato. 7. Ho fotocopiato i fogli e ve li ho spediti.

5   1. esca (dipende dall'espressione verbale negativa *non è detto che*), si guadagnino (dipende dal verbo *pretendere* che è un verbo che indica un comando); 2. diventino (dipende dal verbo impersonale *accade*); 3. si accorcino (dipende dal connettivo concessivo *nonostante*); 4. siano saliti (dipende dal connettivo concessivo *sebbene*); 5. sia (dipende dal connettivo concessivo *sebbene*).

6   1. *Credo che* mia madre *sappia* perché mio fratello si è separato dalla moglie. 2. *Non sono convinto che abbiano* ragione. 3. *Penso che* Silvia *adotti* un bambino peruviano. 4. *Non sono sicura che* Sandra *voglia* partire. 5. *Ritengo che* Mario *collabori* molto alla gestione della famiglia. 6. *Mi pare che* mia sorella *debba* portare la bambina dallo psicologo lunedì. 7. *Credo che* Susanna non *riesca* più a sopportare Luigi. 8. *Non sono sicuro che vogliate* rimanere in quel posto di lavoro. 9. *Ritiene che si comportino* male con i nonni. 10. *Credono che* Marco *faccia* un grave errore continuando a frequentare quella donna.

7   1. di; 2. a, a; 3. a; 4. di; di; 5 di; 6. a.

Ripasso

1   (1) mangiavano; (2) brindavano; (3) avevano; (4) era; (5) ha cominciato; (6) si è alzato; (7) ha fatto; (8) hanno imitato/imitavano; (9) andava; (10) si sono catapultati; (11) è inciampato; (12) bevevo; (13) ho avuto; (14) ho incrociato; (15) si sorridevano; (16) ho chiamato; (17) ho consegnato.

2   (1) accetterebbe; (2) costerebbero; (3) insorgerebbero; (4) reagirebbero; (5) scenderebbero; (6) potremmo; (7) potremmo; (8) costerebbero; (9) dovrebbe.

Test (40 punti)

1   1. me l'ha chiesto/ce l'ha chiesto; 2. te ne; 3. raccontartelo, te ne; 4. se l'è cavata; 5. me ne, te la; 6. gliel'ho già detto.

2   (1) sia; (2) prendano; (3) raggiungano; (4) conti; (5) ci sia; (6) siano; (7) giochi.

3   1. *Penso di andare* oggi pomeriggio a trovare Carla all'ospedale. 2. *Non sono certo che* Carla *rimanga* ad abitare ancora a lungo dai suoi suoceri. 3. *Crediamo di fare* ogni giorno del nostro meglio. 4. *Mi sembra che* Lina *stia* per separarsi dal marito. 5. *Non sono convinta di riuscire* a mantenere la promessa di dedicarmi di più alla famiglia.

4   (1) mi accudiva; (2) pensi; (3) abbia; (4) hanno.

5   (1) medio; (2) sceso; (3) natalità; (4) contro; (5) una diminuzione; (6) un incremento; (7) separazioni; (8) l'indagine.

6   1. di; 2. a; 3. a; 4. a; 5. di; 6. di; 7. a, ad.

Il tempo libero degli italiani

1 Leggere

A   a. 2; b. 5; c. 6; d. 7; e. 1; f. 4; g. 3.

B

Tempo libero	
Tempo per il riposo e per sé	44%
Tempo da dedicare alla famiglia	29,3 %

Tempo libero	
Tempo da dedicare agli amici	21,9%
Soddisfazione per la qualità del tempo libero	68,2%
Soddisfazione per la quantità di tempo libero	57,7%
Lavorare anche fuori dall'orario di lavoro	11%
Andare dal parrucchiere una o più volte al mese	32,5%
Fare *shopping* mensilmente	38,2%
Rilassarsi senza fare niente di particolare	72,9 %

Tempo libero	
Fare fotografie	32,7%
Ballare	18,2%
Disegnare, dipingere	13%
Scrivere	9,2%
Cantare, suonare	8,4%
Giocare a carte	46,7%
Fare la *Settimana Enigmistica*	40,3%
Fare giochi di società	22,3%
Giocare a biliardo e ai videogiochi	7%
Partecipare a concorsi a premi	53,1%
Incontrare i parenti una volta alla settimana	49,2%
Incontrare gli amici settimanalmente	66,1%
Mangiare fuori almeno una volta al mese	30,9%
Giocare con gli animali domestici settimanalmente	22,3%

C   1. a. S; b. N; c. S; d. S. 2. a. D; b. D; c. U; d. U; e. D; f. D; g. U; h. U.

2 Lessico

A   1. quota = numero; 2. imprenditori = industriali; 3. oberate = sovraccariche; 4. recarsi = andare; 5. assidue = costanti; 6. amatoriali = dilettanteschi; 7. enigmistica = giochi (come le parole incrociate); 8. preponderanza = maggioranza; 9. abbinate = collegate; 10. nettamente = decisamente.

B   -ale/-ile: temporale, sociale, territoriale, generazionale, amatoriale, tendenziale, femminile, (punti) percentuali, musicale, amicale, settimanale;
-are: familiari;
-ico/-atico/-istico: estetico (da *estetista*), tematico, artistico (da *arte* con -istico, o da *artista* con -ico); (attenzione: *domestico* non ha una parola base, deriva dal latino *domesticus*).

C   1. allegorici; 2. popolari; 3. fotografico; 4. gastronomica, medievale; 5. teatrale; 6. nazionale; 7. comunale; 8. artistica; 9. grafico-pittorica; 10. naturale; 11. giovanile; 12. acquatica.

D   (−) niente | non ... affatto | appena appena | poco | piuttosto | quasi | parecchio | assai | particolarmente | nettamente | moltissimo (+)

3 Coesione testuale

A   Il connettivo *sia ... sia* significa *e ... e* (entrambi); nella frase viene posto prima dell'elemento a cui si riferisce.

B   1. Le donne praticano maggiormente rispetto agli uomini sia la cura del corpo sia le attività artistiche. 2. Nel nuovo millennio è diminuito il tempo libero dedicato sia al riposo sia ai giochi da tavolo. 3. Rispetto agli anni novanta, nel 2002 si registra la tendenza a dedicare più tempo sia alla famiglia sia alla cura del proprio corpo. 4. Con il nuovo millennio i consumi culturali sono in profonda trasformazione: diminuiscono sia le persone che seguono la televisione (dal 96% al 93%) sia quelle che leggono quotidiani (dal 64% al 59%). 5. Al contrario cresce sia il numero dei lettori di settimanali sia la quota di coloro che ascoltano la radio. 6. La cura di sé e del proprio corpo è praticata sia dai giovani sia dalle persone di età avanzata. 7. L'indagine rileva che nel Sud dell'Italia si tende, rispetto al Nord, sia a giocare maggiormente al Lotto sia a frequentare più assiduamente i parenti.

C   (righe 1-5) Per oltre il 44% della popolazione il tempo libero è sia il tempo del riposo e del relax, sia il tempo disponibile per sé, <u>ossia</u> l'arco temporale sganciato dalla specificità delle altre attività quotidiane (come il lavoro professionale, impegni familiari, l'impegno in attività sociali).
Altri connettivi esplicativi formali sono *ovvero, vale a dire, invero,* ecc.

D   (righe 65-70) Sono soprattutto le persone residenti nel Mezzogiorno a frequentare maggiormente i parenti durante l'arco settimanale (55% circa), mentre la percentuale è pari a circa il 46% al Nord e al 44,8% al Centro. <u>Per quanto riguarda</u> la sfera delle relazioni amicali, emerge che il 66,1% della popolazione incontra gli amici durante il tempo libero almeno una volta a settimana, mentre è più consistente la percentuale di chi li vede tutti i giorni (20,1%).
Altri connettivi per introdurre un nuovo tema discorsivo sono: *quanto a, relativamente a, rispetto a, se si considera, se consideriamo, prendiamo ora in considerazione, si prenda ora in considerazione,* ecc.

E   [Soluzione possibile]. **La partecipazione degli italiani alle attività culturali.** I consumi culturali sono in profonda trasformazione: diminuiscono le persone che seguono la televisione (dal 96,7% del 1995 al 93,3% del 2000) e quelle che leggono quotidiani (dal 64,4% al 59,7%); cresce il numero di lettori dei settimanali (dal 52,3% al 56,3%) e la quota di coloro che ascoltano la radio (dal 64% al 65,7%). Considerevole anche la quota di persone che usano le videocassette (55,2%).
<u>Per quanto riguarda</u> l'uso delle nuove tecnologie, soltanto il 28,6% delle persone di 16 anni e più usa il PC, mentre il 18,3% usa Internet. La velocità di diffusione dei *new media* è però molto elevata: rispetto al 1995 il numero degli utenti del PC a casa è praticamente raddoppiato. <u>Quanto alla lettura</u>, il 42,2% degli intervistati dichiara di aver letto libri negli ultimi 12 mesi per interesse personale, il 12,5% per motivi di lavoro e il 6% per motivi di studio. <u>Relativamente all'a</u>scolto della musica, l'82,8% ascolta musica, prevalentemente musica rock e pop (86,6%), classica (39,1%), *dance* e *house* (29,9%), jazz e blues (29,5%).
<u>Per quanto riguarda</u> la partecipazione diretta a eventi culturali, spettacoli e rappresentazioni, il cinema si conferma come l'intrattenimento preferito dagli italiani (41,8%), seguito da visite a monumenti storici (37,4%), manifestazioni sportive (25,2%), visite a musei e mostre in Italia (23,3%), teatro (15%) e visite a siti archeologici (14,6%).
Infine, se si considera la diffusione dei vecchi e nuovi media nelle famiglie italiane, risulta che il 92,4% delle famiglie possiede almeno una TV, il 65% il videoregistratore e comincia a essere rilevante la quota di famiglie che hanno l'antenna satellitare (12,2%). Circa un terzo delle famiglie possiede almeno un PC (28,1%), ma solo il 15,4% ha un accesso a Internet.
Questi sono i principali indicatori strutturali di partecipazione culturale misurati con l'indagine multiscopo "I cittadini e il tempo libero", realizzata nel dicembre del 2000 su un campione di circa 20 mila famiglie.

4 Esplorare la grammatica

A   1. (righe 22-23) la percentuale più alta; 2. (righe 30-31) le più assidue frequentatrici; 3. (riga 54) il concorso più giocato; 4. (riga 59) le quote più elevate.

B   1. Qual è il libro più letto dagli italiani? 2. Qual è il genere televisivo più guardato dagli italiani? 3. Qual è la forma di intrattenimento più praticata dagli italiani? 4. Qual è l'attività sportiva femminile più praticata dalle donne italiane? 5. Qual è lo sport più praticato dagli uomini italiani? 6. Dove/In quale città italiana si trova l'acquario più grande d'Europa? 7. Qual è il mezzo di trasporto più usato dagli italiani per andare al lavoro? 8. Qual è il nuovo *media* più presente nelle case degli italiani? 9. Qual è la meta turistica italiana più richiesta/frequentata dagli italiani?

C *Di* viene usato normalmente (1); *che* quando il confronto è tra parole della stessa categoria (nell'esempio, due nomi) (2); *a* con i comparativi *superiore, inferiore* (3, 4).

D 1. Uno dei dati emersi dall'indagine sul tempo libero è che gli italiani si rilassano meno *di quanto* si pensi. 2. In media gli italiani dedicano più tempo alla famiglia *che* alla cultura e agli spettacoli. 3. Gli italiani del Sud trascorrono più tempo con i familiari *che/degli* abitanti del Nord. 4. Le donne prediligono le attività artistico-espressive *rispetto a* quelle più intellettuali. 5. Gli italiani dedicano più tempo alla TV *che* alle attività fisiche e alle passeggiate. 6. Da questo studio esce la fotografia di un italiano meno pigro fisicamente e intellettualmente *di quanto* non si possa immaginare. 7. Gli italiani spendono più tempo a guardare la TV *degli/che gli* europei del Nord. 8. Lo sport è praticato in modo continuativo più nel Nord Est *che* nel Nord Ovest d'Italia. 9. Gli sport sono praticati con sistematicità più nella fascia d'età tra gli 11 e i 14 anni *che* tra i 20 e i 29 anni. 10. La partecipazione degli uomini alla cura delle relazioni sociali è inferiore *a/rispetto a* quella delle donne.

E

alto	
	Comparativo: superiore (più alto)
	Superlativo relativo: (il più alto)
	Superlativo assoluto: supremo (altissimo)
grande	
	Comparativo: maggiore (più grande)
	Superlativo relativo: il maggiore (il più grande)
	Superlativo assoluto: massimo (grandissimo)
basso	
	Comparativo: inferiore (più basso)
	Superlativo relativo: (il più basso)
	Superlativo assoluto: infimo (bassissimo)

F

1. migliore; 2. peggiore; 3. pessima; 4. maggiore; 5. massimo; 6. ottima; 7. minimo; 8. superiore.

7 Ascoltare

CD1, ›5: "Anzi, ti dirò che noi il bagno, poi, alla fine, non l'abbiamo neanche fatto"

ANNA   Anzi, ti dirò che noi il bagno, poi alla fine, non l'abbiamo neanche fatto! Allora: veterani delle vacanze nei paesi del Terzo Mondo, sappiamo benissimo che bisogna fare attenzione

AMICA   Certo...

ANNA   e quindi, ci diamo il cambio. Posteggiamo la macchina, nella... in questa radura, di ghiaia, che c'è prima di accedere alla spiaggia, e prendiamo il nostro, i nostri rispettivi zainetti, e ce ne andiamo, ce ne andiamo in spiaggia. Tu devi sapere che non c'è mai successo, ma non te lo dico adesso per cercare giustificazioni così, non c'è mai successo, in tutta la nostra esperienza di vacanze, di andarcene in giro senza pensare di suddividerci...

AMICA   I soldi.

ANNA   le cose di maggiore importanza quali i soldi, documenti...

AMICA   Macchina fotografica, eccetera.

ANNA   Esatto. Quindi, guarda caso, in quel momento, Nicola aveva tutto nel suo zainetto. Tutto, ritengo, cioè, voglio dire, il suo passaporto, il mio fortunatamente l'avevo io, e i soldi. Andiamo in spiaggia, e dico, va beh, chi inizia,

chi entra per primo, facciamo i turni, perché non si possono lasciare le cose incustodite sulla spiaggia, no? Allora, Nicola aveva caldo, va beh, "vado io", allora io rimango sulla spiaggia, rimango sulla spiaggia, lui entra, fa un bagnetto, è tutto contento, e poi esce roba di cinque minuti, no? E fa "dai dai, bello bello, vai anche tu". Va bene, allora vado io, si stende sull'asciugamano, io vado, così, poi, non mi ricordo perché, però forse c'era troppa gente in acqua, era una spiaggia affollatissima.

AMICA   Mhh, mhh.

ANNA   C'era tantissima gente in acqua, non l'ho trovato particolarmente suggestivo, son rientrata quasi subito, son tornata in spiaggia quasi subito. Lui fa, "va beh allora, se non ci vuoi star tu, torno io, che a me piace". Va bene resto io. Allora: il tempo, ti giuro, il tempo di stenderti di nuovo sul mio asciugamano, esattamente nella posizione in cui ero prima, il tempo di appoggiare la testa sul mio zainetto, e toccavo con l'orecchio sinistro lo zainetto di Nicola, capito? era, era praticamente attaccato alla mia testa, allora, il tempo di fare questo movimento ho sentito un fruscio, ho sentito un fruscio e mi son resa conto che mi avevano...

AMICA   Qualcuno ti stava rubando

ANNA   rubato lo zainetto di Nicola!

AMICA   Ma che mano lesta!

ANNA   Ma una cosa tremenda! Allora ho fatto, io ho detto, allora ho detto, di scatto mi alzo, solo che, nonostante mi fossi resa conto che questa cosa era veramente successa, ho detto non vorrei gridare, fare uno scandalo in questa spiaggia piena di gente senza motivo, allora, ho avuto, secondo me, in quel momento la prontezza di riflessi di controllare prima se, per caso, avessi messo lo zainetto di Nicola nel mio, giusto per essere più sicura, perché... quando ho capito che non era vero, giro la testa e vedo

AMICA   Qualcuno che

ANNA   un ragazzo, una persona giovane, che, io lo vedevo di spalle lui, con le mani, comunque, davanti, e quindi io capivo che stava tenendo in mano qualcosa e cercava di nasconderlo, teneva camminando tranquillamente, verso il parcheggio.

AMICA   Ah.

ANNA   E allora io, e allora io cosa faccio, comincio a gridare "Nicola! Nicola! Il tuo zainetto! Al ladro! Al ladro!" Eh, al ladro, io ho gridato al ladro, al ladro, ma ti giuro non sapevo... è cominc..., mi sentivo svenire, non son più riuscita a... guarda, ho cominciato a piangere

AMICA   e neanche a corrergli dietro

ANNA   Nicola che poveretto era in bagno, era a fare il bagno, era in acqua e se la stava godendo un mondo, è dovuto uscire, ah, premessa: avevamo lasciato tutti i nostri vestiti e le scarpe in macchina, quindi lui, a piedi nudi, ha rincorso questo signore, che invece era ben attrezzato di scarponi, di scarponi e... o scarpe da ginnastica resistentissime, per tutto il pezzo di ghiaia che era, era lunghissimo, e un parcheggio lunghissimo, è sparito...

AMICA   E la gente non ha reagito, non vi ha dato una mano?

ANNA   Al momento non me ne sono resa conto, poi sì, è stata una reazione proprio di compassione, mi regalavano i... mi regalavano le monetine e mi dicevano "signora, se per caso ne ha bisogno, non si sa mai"... E quindi, e niente, insomma, è sparito, Nicola è sparito per dieci minuti, quindici minuti e io ero lì che piangevo, pregavo, pregavo, piangevo, ritorna, senza niente.

AMICA   Mamma mia...

ANNA   Questo qua dopo il primo chilometro di corsa forsennata è stato caricato all'angolo di una strada su una macchina... Nicola, per i successivi tre giorni, dopo aver perso le chiavi della macchina, che abbiamo dovuto poi far aprire dal fabbro

AMICA

ANNA   dal fabbro, eccetera, il passaporto, suo e poi ... il mio comunque non c'era, i soldi, che non ti so dire, ci sono rimasti, credo, l'equivalente di duemila lire in tasca e dovevamo ancora rientrare a Quito con la macchina, senza macch... senza chiavi, dovevamo ancora passare gli ultimi cinque giorni che ci rimanevano nel Paese, e saremmo dovuti rientrare in Italia. Io ho pianto per le successive due ore, no, tremavo, ero agitatissima, Nicola ha avuto delle fiacche sotto i piedi per una settimana, che quasi quasi me lo dovevo portare io a spalle in giro e...

AMICA   E come ve la siete cavata poi?

ANNA   Guarda, per bontà di un signore che ha assistito a tutta la nostra scena di disperazione e alla fine senza conoscerci, senza sapere chi fossimo, da dove venissimo eccetera

AMICA   Vi ha prestato dei soldi

ANNA   Ci ha prestato dei soldi che poi gli abbiamo restituito a Quito, perché noi comunque a Quito avevamo lasciato parte del danaro per, giusto per non...

A   1. Anna e Nicola hanno trascorso la vacanza in Ecuador. 2. Non hanno pensato di suddividersi i soldi e gli oggetti più importanti. 3. Facevano il bagno a turno per tenere d'occhio gli zainetti sulla spiaggia. 4. Hanno rubato lo zainetto di Nicola. 5. Conteneva i soldi, le chiavi della macchina, il passaporto di Nicola. 6. Anna era sulla spiaggia, vicinissima allo zainetto. 7. Nicola stava facendo il bagno. 8. Anna ha gridato "Al ladro" e poi è scoppiata a piangere, Nicola ha rincorso il ladro per un po'. 9. La gente ha reagito con compassione. 10. Nicola non aveva le scarpe perché stava facendo il bagno e le aveva lasciate in macchina. 11. Il ladro è stato caricato da una macchina poco dopo. 12. Nicola ha avuto delle vesciche sotto i piedi per giorni. 13. Sono riusciti a sopravvivere grazie a un signore che ha prestato loro dei soldi fino al ritorno a Quito.

8 Esplorare la grammatica

A   1. mi avevano rubato; 2. qualcosa era successo; 3. avevamo lasciato; 4. avevamo lasciato. Il trapassato prossimo si forma con l'imperfetto dell'ausiliare *essere* o *avere* + il participio passato del verbo.

B   1. In tre frasi secondarie (1, 2, 4) e in una principale. 2. Se sono secondarie, la principale è al passato prossimo. 3. Il trapassato prossimo indica fatti anteriori rispetto a un punto di osservazione già collocato nel passato (passato prossimo, passato remoto o imperfetto).

10 Leggere

B   1. Gli italiani all'estero si riconoscono per l'abbigliamento (Timberland, maglione in vita, blazer blu troppo stretto e jeans troppo stinti) e per l'abilità di svuotare le camere d'albergo portandosi via dei "souvenir". 2. Il libro è un "manuale" su come l'italiano medio non deve comportarsi quando va all'estero e allo stesso tempo un benevolo "specchio" degli italiani che viaggiano.

C   1. folla = gente; 2. muti = senza parlare; 3. cinta = vita; 4. stinti = che hanno perso colore; 5. constatare = riscontrare; 6. inviato speciale = giornalista in missione all'estero; 7. perfidia = cattiveria; 8. benevolo = bonario.

D   [I casi di indefiniti sono 9] **Aggettivi**: qualunque cosa, altre volte, alcun portacenere, nessuna confezione, altre regole;

Pronomi: qualcosa, dovunque (pron. + congiuntivo), qualcuno, dovunque (pron.; in questo caso non viene usato il congiuntivo).

E   1. Un buon viaggiatore porta sempre con sé qualche rullino/alcuni rullini. 2. Un buon viaggiatore porta sempre con sé qualche pila di scorta/alcune pile di scorta. 3. Un buon viaggiatore porta sempre con sé qualche candela/alcune candele. 4. Un buon viaggiatore porta sempre con sé qualche fazzoletto di carta/alcuni fazzoletti di carta. 5. Un buon viaggiatore porta sempre con sé qualche sua fotografia/alcune sue fotografie.

F   1. Siete andati a Matera e non avete neanche visto i Sassi!? 2. Siete andati a Siena e non avete neanche visitato la piazza del Campo!? 3. È andata a Londra e non ha neanche visto Trafalgar Square!? 4. Sei andato a Torino e non hai neanche visto il Museo Egizio!? 5. Sei andato a Reggio Calabria e non hai neanche visto i Bronzi di Riace!? 6. Sei andato in montagna e non sei neanche andato a sciare!?

11 Ascoltare

CD1, 16: "Paese che vai, informazione locale che torna"

GIORNALISTA

1. Sabato 8 gennaio alle 21, al Teatro Comunale di Guidizzolo, in provincia di Mantova, Marina Malfatti e Corrado Pani sono protagonisti della commedia *L'amica delle mogli*.

2. L'Officina d'Arte di Verona organizza un viaggio culturale a Venezia in occasione della mostra "I Faraoni" a Palazzo Grassi. Per maggiori informazioni contattare lo 045/8031723.

3. Il circolo UISP "Vivicittà" di Brescia organizza una gita a Parma per venerdì 28 febbraio. La quota di partecipazione è di 34 euro. Il termine per le iscrizioni è fissato per venerdì 14 febbraio. Per ulteriori informazioni chiamare lo 030/47191, dal lunedì al venerdì dalle 15 alle 19.

4. Mostre da segnalare: fino al 16 febbraio, in torre Avogadro a Lumezzane Pieve in provincia di Brescia, esposizione dei manifesti di Lorenzo Mattotti. Orari di apertura: giovedì venerdì e sabato dalle 15 alle 20; domenica e festivi dalle 10 alle 13 e dalle 15 alle 20. Per informazioni e prenotazioni telefonate allo 030/8971245.

5. A Palazzo Martinengo di Brescia fino al 23 febbraio mostra curata da Renato Barilli intitolata "Impressionismo italiano"; la mostra è aperta da martedì a domenica dalle 9.30 alle 19.30.

6. Nella sala d'arte Novaglio di Bovezzo, in provincia di Brescia, fino al 23 febbraio, mostra di pittura dell'artista Adolfo Mutti, intitolata "Dal volto al segno".

7. Corsi e concorsi: l'associazione Arci di Brescia comunica che il 31 gennaio scade il termine per la presentazione della domanda di ammissione al servizio civile femminile, riservata a ragazze che abbiano tra i 18 e i 26 anni. Per maggiori informazioni contattare lo 030/47191.

8. La seconda circoscrizione del comune di Brescia organizza i seguenti corsi: ballo latino-americano e ballo liscio. Per informazioni ed iscrizioni chiamare lo 030/2099077.

9. Il circolo UISP "Vivicittà" di Brescia organizza i corsi di lingua inglese, cucito, *body-tonic*, ballo liscio. Per iscrizioni, orari ed informazioni contattare, dal lunedì al venerdì, dalle 15 alle 19, lo 030/47191.

10. La quarta circoscrizione del comune di Brescia organizza la quarta edizione del Premio di poesia "La Leonessa – Città di Brescia". Il termine per la presentazione delle opere è fissato per il 31 gennaio. Per maggiori informazioni è possibile contattare lo 030/3756354.

11. La Società Nazionale di Salvamento, sezione di Verona, organizza un corso per bagnini di salvataggio. Inizio dei corsi dal primo febbraio al 13 aprile; informazioni allo 045/8342164.

Ed è tutto per quanto riguarda l'informazione locale di *Paese che vai, informazione locale che torna* in forma di cronaca tra meno di mezz'ora con il giornale in radio.

A a. 10; b. 1; c. 2; d. 5; e. nessuna iniziativa; f. 9; g. 11; h. 8 e 9.

CD1, ›7: "Spot pubblicitari: prodotti e servizi per il tempo libero"

PUBBLICITÀ 1   Il tempo delle parole, il tempo dei pensieri, il tempo della musica. *La cura del tempo*, il nuovo album di Niccolò Fabi.

PUBBLICITÀ 2   "Per favore, un suo parere sulle radio!"
"Beh, non sono tutte uguali!"
"Dalla radio? Cerco compagnia!"
"Io invece voglio la musica!"
"Mi piace perché anche quando viaggio mi tiene aggiornato!"
"Mi accompagna da mattina a sera!"
"Credo che l'informazione debba essere puntuale e credibile!"
"A volte mancano di spontaneità!"
"Non posso assolutamente farne a meno!"
"L'accendo e mi piace ascoltarla!"
Le radio non sono tutte uguali. RTL 102.5 è unica.

PUBBLICITÀ 3   "Ciao, è tanto che volevo dirti, io ti a....., io ti a....... A proposito, bella felpa!"
È San Valentino e non sai come dire "Ti amo"? Wind ti offre mille modi per farlo. Se sei un prepagato dal 10 al 23 febbraio con Wind Card a soli 5 euro avrai gratis 1000 sms verso i telefonini Wind, 1000 minuti per scaricare loghi e suonerie di San Valentino, 1000 minuti per inviare dediche di San Valentino, l'attivazione di Wind Tandem Sms! Chiedi ai rivenditori Wind o al 158. Servizi Wind disponibili con cellulari *dual band*. Wind. Comunicare in un soffio.

PUBBLICITÀ 4   "Papà, c'è la finale a Milano domenica, se voli qui ce la vediamo insieme!"
"Arianna, il concerto è qui a Palermo, vola qui ti prego, non puoi perderlo!"
"Giulia, mi sembri raffreddata, perché non voli qui che ti cura la mamma?"
Quanto vale poter volare ogni volta che vuoi? Oggi con Alitalia voli in tutta Italia a partire da 69 euro andata e ritorno, e nessuno ti dà più voli, più servizi e più attenzioni, ad un prezzo così. Vola di valore, vola Alitalia. Tariffe soggette a restrizioni, valide fino al 29 marzo. Tasse aeroportuali e supplementi esclusi.

B 1. Il nuovo album di Nicolò Fabi; 2. RTL 102.5; a., d.; 3. per la festa degli innamorati di San Valentino (14 febbraio); 1000 sms verso i telefonini Wind, 1000 minuti per scaricare loghi e suonerie per San Valentino, 1000 minuti per inviare dedi-

che per San Valentino; 4. a. un figlio invita il papà ad andare a vedere la finale domenica a Milano, b. un'amica invita Arianna ad un concerto a Palermo, c. una mamma invita la figlia ad andare da lei perché è raffreddata e così può curarla; 5. Alitalia, in tutta Italia, 69 euro, al 29 marzo, aeroportuali, esclusi.

13 Scrivere

A 1. qualche giorno, visitarla, ha piovuto, eravamo, c'è, è, lo, alcuni, sono atterrati, sulle braccia, c'era; 2. è stata, nei dintorni di Bergamo, preferito, è stata, il panorama era sbalorditivo, corre lungo il lago; 3. il giorno dopo, è stato, nei giorni a venire, quella, quella, è stata, le (hanno rubato il borsellino); 4. in cui, lì, avevano creato dei grandi mostri con i quali.

14 Navigando

C 1. Alessandro Del Piero; 2. Paolo Maldini; 3. Alberto Tomba; 4. Deborah Compagnoni; 5. Fausto Coppi; 6. Mario Cipollini; 7. Valentino Rossi.

Esercizi

1 1. Siccome Marco ci *aveva detto* che la mostra era bella ci siamo andati sabato scorso. 2. La guida turistica era soddisfatta perché *aveva preso* una buona mancia. 3. Noi non abbiamo potuto visitare il museo perché *avevano già chiuso*. 4. In quella mostra ho visto un quadro che non *avevo mai visto* prima. 5. Ho rivisto con piacere quel film anche se *l'avevo già visto* qualche anno fa. 6. I turisti erano stanchi perché *avevano camminato* molto. 7. Hanno preso l'aereo dopo che *avevano fatto* l'esperienza di viaggiare in treno. 8. Sergio non è venuto a teatro perché *aveva già visto* quella commedia. 9. Sono andati al museo dopo che *avevano visitato* la basilica. 10. Tino era felice perché *aveva vinto* il primo premio.

2 *Non ho potuto* andare in palestra perché *avevo perso* le chiavi della macchina. Allora *ho chiamato* mio marito, che però *era* già *uscito* dall'ufficio e, oltretutto, *aveva dimenticato* a casa il suo cellulare. Disperata, ma ancora decisa a non mancare al mio corso di ginnastica, *sono corsa* alla fermata dell'autobus, che *era appena passato*. Ho preso il successivo ma non *avevo* il biglietto perché non *avevo fatto in tempo* a comprarlo. Sai chi *è salito*? Ma naturalmente il controllore con il quale *ho fatto* una figuraccia perché non solo *non avevo* il biglietto ma *avevo anche dimenticato* a casa, nella furia, il portafoglio. Ma non mi *sono data per vinta*, *sono arrivata* a destinazione con un'ora di ritardo e *ho scoperto* che la lezione *era stata sospesa* perché l'istruttore si *era rotto* una gamba sciando.

3 (1) aveva abbandonato; (2) proveniva; (3) aveva insistito/ha insistito; (4) faceva; (5) girellavo; (6) mi sono resa conto; (7) indossava; (8) mi sono voltata/mi voltavo; (9) ero; (10) avevo rischiato; (11) aveva chiesto; (12) avevi messo; (13) ha spiegato/spiegava.

4 1. *Lo sport più estremo* è il *free climbing*. 2. *Una delle canzoni più amate* dagli italiani è *O sole mio*. 3. *Il passatempo meno praticato* dall'italiano medio è la lettura di libri. 4. *Le tre città d'arte italiane più visitate* dagli stranieri sono Roma, Firenze e Venezia. 5. *I due più grandi ciclisti* degli anni cinquanta furono/sono stati Coppi e Bartali. 6. *Il viaggio più avventuroso* che io abbia mai fatto è stato in Costa Rica. 7. Si dice che *le donne più belle del mondo/le più belle donne del mondo* siano venezuelane. 8. *Lo sport più praticato* dagli uomini italiani è il calcio. 9. *Le* mete turistiche *più scelte* dagli italiani che vanno all'estero sono le capitali europee. 10. *Le* tre città estere *più visitate* dagli italiani sono Parigi, Londra e Madrid.

5   1. Paola ha fatto carriera *più di* suo marito. 2. Gli italiani dedicano *meno* ore al tempo libero *di quanto* pensiamo. 3. Luisa legge *più di quanto* esca con gli amici. 4. Paolo è *meno* sportivo *di* Elena. 5. Sergio vuole divertirsi *più che* lavorare. 6. Daniele viaggia con i mezzi pubblici *meno che* con la macchina. 7. Gianni sceglie le vacanze organizzate *più che* i viaggi avventurosi. 8. I *single* escono a cena *più delle/che* le coppie con figli. 9. Gli italiani amano andare al cinema *più di quanto* si possa immaginare.

6   1. alcuno; 2. alcuna; 3. alcuni; 4. alcuno; 5. alcuni; 6. alcun; 7. alcune; 8. alcuno; 9. alcuni.

7   1. Se non vedete *nessuna* confezione di shampoo, significa che è passato un italiano. 2. Se non vedete *nessun* portacenere, significa che è passato un italiano. 3. Se non vedete *nessun* asciugamano, significa che è passato un italiano. 4. Se non vedete *nessuna* saponetta, significa che è passato un italiano. 5. Se non vedete *nessun* accappatoio, significa che è passato un italiano. 6. Se non vedete *nessuna* penna, significa che è passato un italiano.

8   1. non ci dispiace; 2. mi manca (mancano); 3. basta; 4. non mi piacciono; 5. occorre; 6. bastano; 7. interessano; 8. occorrono.

9   1. mi stia ambientando; 2. si faccia; 3. portiate; 4. vivano; 5. venga; 6. si compri; 7. prendano, siano; 8. ci tengano, sia.

10   1. Per verificare la qualità del tempo libero degli italiani abbiamo usato diverse *unità* di misura. 2. Durante la lettura dell'articolo abbiamo incontrato parecchie *difficoltà*. 3. Quali *qualità* positive hanno gli italiani? 4. Dalla tabella emergono alcune *realtà* confortanti. 5. Nelle *città* con più di un milione di abitanti gli spostamenti occupano più di due ore al giorno. 6. Di norma i *papà* italiani tendono a occuparsi poco dei figli. 7. Non è vero che nelle *società* economicamente avanzate si lavori meno.

11   1. da (a), da (g); 2. dal (a), dalla (a); 3. da (*dipendere da*), da (f), da (f).

Ripasso

1   (1) a cui (al quale); (2) di cui (della quale); (3) che (i quali); (4) alle quali (a cui); (5) su cui (sul quale); (6) che; (7) che; (8) che; (9) da cui (dal quale); (10) in cui; (11) che; (12) con cui (con il quale).

Test (40 punti)

1   (1) portavo; (2) ho perso; (3) è arrivato; (4) avevano trovato; (5) aveva accompagnato/accompagnava; (6) aveva ritrovato; (7) ero stata; (8) sono entrati.

2   (1) superiori; (2) rispetto agli; (3) che; (4) inferiore; (5) di quanto; (6) maggiore; (7) minore; (8) gli sport più femminili; (9) delle/che le; (10) le più sedentarie.

3   1. alcuno/nessuno sport; 2. qualche concerto; 3. alcune sale; 4. alcuna/nessuna vacanza; 5. nessuno.

4   1. *Sembra che* la più alta percentuale di vacanzieri *si registri* tra i cittadini del Nord Ovest (64,2%). 2. *Si dice che* gli italiani all'estero *siano* riconoscibili per la loro rumorosità. 3. Per scaricare lo stress quotidiano *basta che* tu *faccia* mezz'ora di attività fisica quotidiana. 4. *Pare che* rispetto ai coetanei di vent'anni fa i bambini di oggi *vadano* in bicicletta la metà del tempo.

5   1. per quanto riguarda; 2. sia ... sia; 3. non ... neanche; 4. ossia.

6   1. Nel nostro viaggio negli Stati Uniti abbiamo visitato diverse/alcune (0,4 punti) città (0,3 p.) interessanti (0,3 p.), New York, Chicago, San Francisco. 2. In questa zona di montagna si riescono a prendere poche/alcune (0,4 p.) radio (0,3 p.) locali (0,3 p.) e pochi canali televisivi. 3. Nel libro di Severgnini puoi scoprire alcune/le (0,4 p.) curiose (0,3 p.) qualità (0,3 p.) dell'italiano che viaggia all'estero. 4. Nel pacchetto turistico di questo Tour Operator sono incluse le (0,4 p.) attività (0,3 p.) sportive (0,3 p.) e le escursioni settimanali sull'isola.

7   (1) primaverile; (2) turistiche; (3) agrituristiche; (4) culturali; (5) esotici.

Dalla scuola all'università

UNITÀ 4

1   Leggere

A   LA RIFORMA DELLA SCUOLA

Ciclo scolastico: Scuola dell'infanzia (facoltativa)
Durata in anni: 3
All'età di: 2,5 (facoltativo)
Esame finale: no

Primo ciclo
Ciclo scolastico: Scuola primaria
Durata in anni: 5
All'età di: 5,5 (facoltativo)
Esame finale: no

Ciclo scolastico: Scuola secondaria di primo grado
Durata in anni: 3
All'età di: /
Esame finale: sì

Secondo ciclo
Ciclo scolastico: Licei
Durata in anni: 5
All'età di: /
Esame finale: sì
Ciclo scolastico: Formazione professionale
Durata in anni: 4
All'età di: /
Esame finale: sì

B 1. F; 2. F; 3. F; 4. F; 5. F; 6. V; 7. V; 8. V; 9. F.

C Si chiama «riforma Moratti» perché il Ministro dell'Istruzione che l'ha proposta si chiama Letizia Moratti; spesso le leggi prendono il nome del ministro che le ha fatte.

2 Lessico

A 1. d; 2. e; 3. b; 4. g; 5. h; 6. c; 7. f; 8. a.

B 1. ha ricevuto l'approvazione/è stato approvato; 2. del Governo (Palazzo Madama a Roma è la sede del Governo).

C 1. biennale; 2. quinquennale; 3. quadriennale; 4. decennale.

D 1. Scienze è una materia *facoltativa*. 2. Marco è stato *bocciato/respinto*.

3 Coesione testuale

A 1. *Il cui* riprende *dell'esame di Stato* (il superamento dell'esame di Stato); 2. *del quale* riprende *del quinto anno*. Si usa la costruzione Articolo + *cui* + Nome o Nome + *del/della quale, dei/delle quali* quando il pronome relativo ha funzione di genitivo (Il primo ciclo si chiude con un esame di Stato. IL SUO superamento costituisce il titolo di accesso al sistema dei licei...).

B 1. Il primo ciclo è costituito dalla scuola primaria *la cui durata* è rimasta invariata. 2. Già a partire della scuola primaria si studierà una lingua straniera *la cui padronanza* diventerà sempre più necessaria per i futuri cittadini europei. 3. Le "medie" saranno organizzate in un biennio seguito da un terzo anno *il cui obiettivo* sarà l'orientamento e il raccordo con le superiori. 4. Gli studenti si cimenteranno anche con le tecnologie informatiche e Internet *il cui uso* è indispensabile per il curriculum scolastico e le professioni future. 5. Il miglioramento della situazione economica ha determinato un aumento del livello di scolarizzazione dei giovani *il cui tasso* è vicino al 100% nella scuola materna ed elementare. 6. La riforma prevede l'alternanza scuola-lavoro *la cui introduzione* consentirà agli studenti di imparare direttamente negli ambienti dove si elabora il saper fare (reparti industriali, uffici).

C *nonché* = e anche, inoltre, per di più.

5 Esplorare la grammatica

A Perché si vuole enfatizzare l'oggetto dell'azione (es. lo studio della lingua straniera, la qualità dell'offerta formativa) e non tanto l'agente che la compie, che nella prima frase non è espresso mentre nella seconda sì (*dall'Istituto nazionale di valutazione*).

B È un *si* passivante (possono essere conseguiti).

C è costituito (2 volte), sarà articolata, viene abolito, verrà introdotto, è previsto, è assicurato, è articolato, è assicurata e assistita, è affidata.

D (1) è innalzato/è stato innalzato; (2) conferma/ha confermato; (3) sarà/verrà fatta / è/viene fatta; (4) nascono; (5) si aggiunge; (6) è/sarà/viene/verrà garantito; (7) è/viene confermata; (8) è/è stata introdotta.

7 Ascoltare

CD1, ›8: "Esaminiamo invece Coffaro..."

PRESIDE — Se permettete passerei ai casi, diciamo, più complessi. Questo Cardini è veramente un disastro...

VIVALDI — Che disastro, preside, ha qualche insufficienza...

PRESIDE — Per ora lascerei stare. Esaminiamo invece Coffaro. Lei, professore, gli ha messo 3 in media.

SPERONE — Il registro parla chiaro, preside, scusate, 4 in aprile, 2 in marzo, 2 in maggio, 2 in giugno. Scusa posso usare la tua calcolatrice, 4 + 2 + 2 + 2 fa 10,10 diviso 4 uguale 2,5, se la matematica non è un'opinione, quindi io con il 3 mi sono mantenuto larghetto, se non le spiace...

PROFESSORE — Io ho messo 5, ma globalmente il 5 resta.

VIVALDI — Preside, Coffaro è un ragazzo chiuso, ha un carattere che sembra un nodo alla marinaia, e poi inoltre devo dire che qui purtroppo qualcuno gioca a stimolarne l'aggressività, insomma, noi dobbiamo partire dal *background* di questo ragazzo.

MORTILLARO — *Background*, ah...! Come lo odio, l'inglese...!

PRESIDE — Mortillaro, lei conferma il 5 a Coffaro?

MORTILLARO — 5, 6... è nato beduino, e beduino resta.

PRESIDE — Lei, signora Maiello, che ci dice?

MAIELLO — Ah, scusate, sì. Comunque, Coffaro, in certe materie ce la mette tutta: solo che ha i suoi tempi, come tutti noi. Allora lui cerca di crescere e voi dite "bocciamolo!"

SPERONE — Guarda che noi lo bocciamo, proprio per farlo crescere.

LUGO — Posso dire una cosa personale? Ecco, anch'io una volta sono stata bocciata, in quarta ginnasio, è stata una cosa tremenda, una vergogna, un'umiliazione che sono diventata piccola piccola e non sono cresciuta più...

A 2. (Sperone); 3. (Lugo); 5. (Sperone); 6. (Mortillaro); 8. (Maiello); 9. (Vivaldi).

B 1. c (se permettete; uso del condizionale (*passerei*); diciamo); 2. b (ecco); 3. a (insomma).

C IL REGISTRO PARLA CHIARO: "fornisce le prove scritte della mia valutazione"; SE LA MATEMATICA NON È UN'OPINIONE: "non vorrete contestare la scientificità della mia valutazione"; SE NON LE SPIACE: modo ironico per concludere, dopo aver fornito una prova a conferma della propria valutazione.

8 Reimpiego

A 1. *È grave che* si *cancelli* così l'obbligo scolastico. 2. *È evidente che* l'anticipo *non sia coerente* con l'idea della materna come "vera scuola". 3. *È giusto che* i bambini *comincino* lo studio di una lingua straniera all'età di sei anni. 4. *È assurdo che* la valutazione *venga fatta* ogni due anni. 5. *È positivo che* dai 15 anni gli studenti *possano* frequentare *stage* in azienda, enti pubblici e privati. 6. *È pericoloso che* i ragazzi *siano già obbligati* a scegliere tra scuola e formazione professionale alla fine della scuola media. 7. *È ingiusto che* nella realtà alcuni professori *bersaglino* senza motivo certi studenti. 8. *È normale che* non si *possa* essere bravi in tutte le materie. 9. *È sbagliato che* in classe la disciplina *vada* imposta con l'autorità.

B 1. *Vogliamo che* gli insegnanti *siano pagati* di più. 2. *Non vo-*

gliamo che la scuola *ricalchi* il modello aziendalistico. 3. *Vogliamo che* tutti gli studenti *abbiano* le stesse possibilità di successo scolastico. 4. *Gli studenti vogliono che* gli insegnanti *siano* meno severi. 5. *Gli studenti vogliono che* la scuola *offra* più attività extrascolastiche, come gite, sport e corsi di teatro. 6. *Vogliamo che* le università italiane *si dotino di campus* e strutture di accoglienza per gli studenti che si spostano dalla casa d'origine. 7. *Chiediamo che* i docenti *spieghino* in modo più chiaro. 8. *Vogliamo che* gli studenti stranieri *siano* seguiti da un tutor. 9. *Gli studenti vogliono che* gli insegnanti *diano* meno contenuti nozionistici e *si concentrino* maggiormente sulla metodologia di studio. 10. *Vogliamo che* gli studenti *diventino* autonomi nell'abilità di studio e di valutazione critica degli eventi. 11. *Vogliamo che* ci *sia* meno competitività tra i compagni di classe. 12. *Vogliamo che* ci *diano* meno compiti da fare a casa. 13. *Pretendo che* mio figlio, che è intelligente, *si impegni* di più. 14. *Desidero che* la professoressa di italiano non *rimproveri* sempre ingiustamente mia figlia. 15. *Gli studenti vogliono che* le note disciplinari non *esistano*. 16. *Vogliamo che* gli studenti non *siano* così legati al voto, che non *studino* per il voto ma per se stessi e il loro arricchimento culturale!

9 Leggere

B

Tasso di scolarità	scuola materna e elementare	100%
	scuola secondaria superiore	84%
Università	1999-2000:	- 4,6% di immatricolati
	studenti totali:	più di un milione e mezzo
	dal 1995 al 2000:	il numero dei laureati è aumentato
	la maggioranza dei neo dottori ha una laurea in economia-statistica	
Lavora dopo tre anni	71,6% di laureati	
	44,9% di maturi	
	(con titolo di scuola superiore)	

10 Esplorare la grammatica

A 1. calo (suffisso zero); 2. aumento (suffisso zero); 3. scolarizzazione (-*zione*); 4. ascesa (participio passato femminile); 5. diminuzione (-*zione*); 6. inserimento (-*mento*); 7. occupazione (-*zione*); 8. investimento (-*mento*); 9. conseguimento (-*mento*).

B 1. A sei anni è prevista *l'introduzione* di una prima lingua straniera europea. 2. Alla fine della scuola primaria è prevista *l'abolizione* dell'esame di Stato. 3. Per *l'accesso* all'università è necessario il *superamento* dell'esame di Stato. 4. Nella scuola primaria non è prevista la *bocciatura* degli alunni. 5. C'è il diritto del/al *conseguimento* di una qualifica entro il diciottesimo anno di età. 6. È possibile il *passaggio* dal sistema dei licei a quello della formazione professionale. 7. Ai docenti spetta la *valutazione* dell'apprendimento. 8. La *bocciatura* degli studenti non aiuta la *crescita* della loro autostima. 9. Nella *valutazione* degli studenti bisogna tener conto anche dei loro problemi personali e familiari.

11 Ascoltare

CD1, ›9: "La laurea specialistica, invece..."

PROF.SSA MOLINELLI   La riforma universitaria è attuata in Italia dal 2001-2002, e ha previsto una nuova articola-zione dei titoli di studio praticamente in tutte le facoltà con eccezione delle lauree in Medicina e Odontoiatria, che mantengono il loro percorso tradizionale di cinque-sei anni. Nelle restanti facoltà, il percorso si articola in una laurea triennale, detta anche di primo livello, e in una laurea specialistica, o di secondo livello. La laurea triennale mira a fornire a ciascun studente delle capacità relative ai metodi e ai contenuti scientifici generali già però con l'acquisizione di una piccola professionalità nel settore. La laurea specialistica, invece, fornisce delle formazioni più ancora professionalizzanti, di elevata qualificazione, quindi in ambiti assolutamente specifici, che prevedono quindi un percorso completo di cinque anni, tre la laurea di primo livello, più due, la laurea specialistica. Inoltre la riforma ha dato origine ad una serie di specializzazioni, che sono i Master, annuali o biennali, i Diplomi di specializzazione, che sono ulteriori qualificazioni, e il Dottorato di ricerca, che era già stato in precedenza istituito, che ha l'obiettivo di portare alla ricerca, in generale al mondo universitario gli studenti, dopo le lauree specialistiche.

Un secondo campo di grande rilevanza in quanto novità specifica della riforma, è stata l'istituzione di un nuovo criterio di valutazione del... dello studio compiuto dallo studente. Quindi, alla tradizionale valutazione qualitativa attraverso il voto che si effettuava anche prima, di ogni singolo esame, lo studente acquisice attraverso la frequenza e poi naturalmente attraverso l'esame di un corso specifico, acquisisce crediti formativi. Ciascun credito formativo misura il lavoro di uno studente, e un credito vale 25 ore di lavoro, che racchiudono sia le ore di frequenza in aula, che le ore di studio personale, a casa. Queste 25 ore di lavoro quindi vanno a misurare complessivamente il lavoro di uno studente. Per conseguire la laurea di primo livello sono necessari 180 crediti, per la laurea specialistica complessivamente 300 crediti. Perché diciamo complessivamente? Perché nella laurea specialistica dovrebbero confluire i 180 crediti di una laurea di primo livello a cui si aggiungono i 120 appunto del percorso degli ultimi due anni. Tuttavia, non sono percorsi esclusivi, cioè non da una sola laurea di primo livello si accede ad una di secondo livello, ma ci sono percorsi, anche, che si compongono, quindi ci sono più lauree specialistiche, per esempio, destinate a studenti che hanno una certa, una sola laurea di primo livello. Per fare un esempio, concreto, di come si può articolare una laurea in laurea di primo livello e laurea di secondo livello, possiamo prendere quello che è attualmente il Corso di laurea triennale della Facoltà di Lettere, Corso di laurea in Lettere, presso l'Università degli Studi di Bergamo. Il Corso di laurea dunque si articola, Corso di laurea in Lettere, si articola su tre anni, e presenta tre *curricula*.

Questa è una specificazione del contenuto scientifico che lo studente può attuare sempre rimanendo all'interno dello stesso corso di laurea. I tre *curricola* sono: *curriculum* letterario, quello di scienze delle arti figurative, della musica e dello spettacolo, e il terzo in scienze dell'editoria e della produzione multimediale. Che cosa significa? Che questi tre *curricola* hanno un percorso comune, e poi delle aree caratterizzanti che naturalmente diversificano i tre *curricola*. Alla fine lo studente ottiene comunque una Laurea in Lettere, in quanto tutti e tre i *curricola* sono parti, sono specificazioni, dello stesso corso di laurea, che appartiene alla "classe" delle lauree numero 5, che è quella di Lettere, per l'appunto.

A Le tre novità: titoli di studio, criteri di valutazione (credito formativo), *curricola*.

B Anno di attuazione della riforma: 2001-2002

Titolo di studio	Durata	N. crediti
Laurea di primo livello	3 anni	180
Laurea di secondo livello	3 + 2 anni	180 + 120
Master	1 o 2 anni	-
Credito	25 ore di lavoro	

C 1. V; 2. F; 3. F; 4. F; 5. V.

12 Coesione testuale

A a. "*inoltre* la riforma ha dato origine a una serie di specializzazioni che sono il Master"; altre: *possiamo aggiungere*. b. "Nella laurea specialistica dovrebbero confluire i 180 crediti di una laurea di primo livello a cui si aggiungono i 120 *appunto* del percorso degli ultimi due anni."; " Tutti e tre i curricola sono specificazioni dello stesso corso di laurea che appartiene alla classe di laurea numero 5, che è quella di Lettere *per l'appunto*."; altre: *come dicevo, ripeto*. c. *"per fare un esempio* concreto di come si può articolare una laurea"; altre: *per/ad esempio, prendiamo un esempio, pensiamo a/pensate a*.

B La DOMANDA RETORICA è un espediente didattico che serve a spiegare, precisare, puntualizzare.

13 Lessico

A 1. i; 2. g; 3. a; 4. b; 5. c; 6. d; 7. l; 8. m; 9. f; 10. e; 11. h; 12. p; 13. n; 14. o.

B 1. in bocca al lupo! 2. secchione; 3. il primo della classe; 4. lecchino; 5. bigiato (altre parole dello stesso significato sono: *marinare, velare*, ecc.); 6. mattoni; 7. strizza (= fifa); 8. cannato.

14 Esplorare la grammatica

A 1. ciascuno/ognuno; 2. ciascuno; 3. ciascun; 4. ognuno/ciascuno; 5. ciascuno; 6. ciascuna; 7. ciascuno/ognuno; 8. ciascuna; 9. ciascun; 10. ognuno/ciascuno.

Esercizi

1 1. I bambini potranno *essere iscritti* alla scuola d'infanzia

prima dei tre anni. 2. *Verrà dato* più spazio all'insegnamento delle lingue e dell'informatica. 3. I contenuti della legge *erano già stati illustrati* dal ministro in un forum per docenti e studenti. 4. Il tempo pieno è *stato abolito*. Chi lo vorrà dovrà pagarselo. 5. Le Magistrali *sono state sostituite* dal liceo delle Scienze Umane. 6. Allo scientifico il latino non *sarà più fatto*. Al suo posto *verranno fatte* informatica e nuove tecnologie. 7. Nella scuola dell'obbligo tutti gli studenti *vengono promossi*. 8. Ieri il caso dello studente Cardini è *stato esaminato* dal consiglio di classe.

2 1. La domanda di ammissione *va spedita* entro la fine del mese. 2. *Andranno programmate* più biblioteche sul territorio. 3. In quell'occasione *andavano prese* misure più restrittive. 4. Nella scuola elementare *va incentivato* il piacere della lettura. 5. Per avere la tessera *va versata* una cauzione di 15 euro. 6. Nelle edicole *vanno venduti* i libri più interessanti e recenti.

3 1. è/viene/sarà/verrà rilasciato; 2. può/potrà essere conseguito; 3. è/viene/va concertato; 4. può/potrà essere inviata; 5. dev'essere/va effettuato; 6. vanno allegate/devono essere allegate, sono/saranno/verranno richieste; 7. vanno/devono/dovranno essere spedite; 8. è/sarà data; 9. è/sarà/verrà data, sono tenuti; 10. va/deve essere inviata, può essere allegata.

4 (1) realizzazione; (2) insegnamento; (3) prosecuzione; (4) ampliamento; (5) sviluppo; (6) aggiunta; (7) incarichi; (8) perfezionamento; (9) trasferimento; (10) contributo; (11) riconoscimento.

5 1. tutti i; 2. ogni; 3. ogni; 4. tutta la; 5. tutte le; 6. tutti gli; 7. ogni; 8. ogni; 9. ogni; 10. tutti gli.

6 1. Beppe Grillo è un comico *le cui battute*, seppur pungenti, piacciono a tutti. 2. Abbiamo scelto l'agenzia di via Paleocapa, *la cui proposta* era la più conveniente e affidabile. 3. Il telespettatore *il cui biglietto* verrà estratto vincerà un premio. 4. Nel nostro viaggio abbiamo incontrato molti bambini *i cui genitori* sono morti durante la guerra. 5. Silvio si è fidanzato con una ragazza *il cui padre* è deputato al Parlamento Europeo. 6. Le comunità *la cui lingua* è minoritaria vanno tutelate. 7. Nell'entroterra della Liguria si trovano paesi *il cui dialetto* è assolutamente incomprensibile. 8. Sto frequentando un corso di Sociologia tenuto da un docente *le cui lezioni* sono molto stimolanti. 9. Ho conosciuto una studentessa giapponese *la cui conoscenza* della lingua italiana era di altissimo livello. 10. Hanno comprato una casa molto spaziosa *nella cui taverna* terranno dei corsi di yoga per bambini.

7 (1) al; (2) a; (3) dal; (4) delle; (5) dei; (6) dall'; (7) dalle; (8) da; (9) dall'; (10) allo; (11) alle; (12) di; (13) di; (14) al.

Ripasso

1 (1) lo; (2) dal; (3) dal; (4) sui; (5) dalla; (6) tecniche; (7) schema; (8) il; (9) la; (10) dallo; (11) il; (12) lo; (13) lezioni; (14) la; (15) concentrazione; (16) allo; (17) tecniche; (18) condivisione; (19) degli; (20) nello; (21) lo; (22) amici; (23) materiale; (24) la; (25) esame; (26) migliori; (27) fresco; (28) sui libri; (29) dei; (30) gli; (31) quello.

Test (40 punti)

1 (1) siano stati vidimati; (2) deve/dovrà essere corredata; (3) sarà/verrà indicato; (4) deve/dovrà essere sostenuta.

2 (1) attuazione; (2) svolgimento; (3) votazione; (4) ammissione; (5) valutazione; (6) rendimento.

3 1. La riforma universitaria non riguarda le facoltà di medicina e veterinaria *la cui durata/la durata delle quali* è rimasta di 5-6 anni. 2. Per conseguire la laurea in qualsiasi disciplina è richiesta una lingua straniera europea *la cui conoscenza / la conoscenza della quale* viene misurata con test previsti dalle certificazioni internazionali, come il PET per l'inglese. 3. La quota di popolazione *il cui livello di istruzione/il livello di istruzione della quale* è scarso (22% con licenza elementare o nessun titolo) è ancora piuttosto elevata, anche se per buona parte si tratta di persone che non partecipano più attivamente al mercato del lavoro. 4. Sono in crescita i giovani iscritti ai corsi di laurea in Scienze della Comunicazione *che* intendono prepararsi al mercato del lavoro in settori *che* vanno dall'editoria a Internet, dal giornalismo agli uffici stampa e relazioni con il pubblico.

4 1. *È incredibile che* l'età media della laurea per uno studente italiano *sia* pari a 26,5 anni. 2. *È preoccupante che* il 25% degli studenti iscritti all'università *abbandoni* gli studi al primo anno. 3. *È giusto che* per il conseguimento della laurea di qualsiasi tipo *sia* obbligatorio lo studio di almeno una lingua straniera europea. 4. *Gli studenti vogliono che* l'età media di inserimento nel mercato del lavoro dei giovani laureati *sia/venga anticipata*. 5. *Gli studenti chiedono che* la scuola *si doti* di maggiori attrezzature sportive. 6. *Gli insegnanti vogliono che* il lavoro straordinario all'interno della programmazione scolastica *sia/venga riconosciuto* con incentivi adeguati.

5 (1) tutti i; (2) ogni/tutte le; (3) ogni; (4) tutti gli.

6 1. inoltre; 2. insomma; 3. diciamo; 4. appunto; 5. nonché.

7 1. mi sono laureato; 2. punteggio; 3. tesi; 4. triennale; 5. appelli; 6. piano di studio; 7. bacheca; 8. crediti; 9. promozione; 10. l'esame di maturità.

Panorama lavoro

UNITÀ 5

↗ Entrare nel tema

1. LAVORO TEMPORANEO = lavoro che non prevede un contratto classico a tempo indeterminato, bensì contratti a tempo determinato o di collaborazione; 2. LICENZIAMENTO = rescissione del contratto di lavoro da parte del datore di lavoro; ASSUNZIONE = il datore di lavoro prende alle proprie dipendenze il lavoratore; 3. AGENZIA DI LAVORO INTERINALE = agenzia che assume un lavoratore per un periodo di tempo per conto di un'azienda; il lavoratore è comunque alle dipendenze dell'agenzia; 4. SOCIETÀ DI RICERCA/SELEZIONE DEL PERSONALE = società che svolge la selezione del personale (smaltimento curricula, colloqui) per conto di aziende; 5. CASSA INTEGRAZIONE = integrazione (all'80% dello stipendio) delle ore non lavorate dal lavoratore a causa della mancanza di lavoro e di problemi dell'azienda di cui è dipendente; 6. INCENTIVI = premi dati a un lavoratore per incentivare la produttività.

1 Leggere

B 1. b; 2. a; 3. b; 4. c; 5. c.

C 1. La disoccupazione dovuta alla mancanza di aggiornamento nelle nuove tecnologie. 2. Le professioni innovative non sono necessariamente professioni tecnologiche ma professioni nuove in tutti gli ambiti che servano a modernizzare il paese, a stare al passo con le nuove esigenze poste dall'evolversi della società. 3. La mobilità professionale è la disponibilità a cambiare mansioni e quella geografica è la disponibilità a trasferirsi in nuove città o paesi lontani da casa.

2 Lessico

A 1. f; 2. d; 3. e; 4. g; 5. b; 6. a; 7. c.

B 1. POTERE CONTRATTUALE: la possibilità da parte del lavoratore di far "pesare" le proprie richieste nella contrattazione con la controparte, il datore di lavoro. 2. CASSA INTEGRAZIONE: è l'istituto statale che ha il compito di integrare i guadagni dei lavoratori per le ore di lavoro perdute a causa di riduzione dell'orario normale o di sospensione del lavoro, in caso di effettiva difficoltà da parte dell'azienda oppure per temporanee difficoltà di mercato. L'integrazione ordinaria è dovuta nella misura dell'80% della retribuzione che sarebbe spettata per le ore di lavoro non prestate e può essere concessa per un periodo continuativo dai 3 ai 12 mesi. 3. SUSSIDIO DI DISOCCUPAZIONE: l'assegno di disoccupazione che viene pagato direttamente dall'Inps (Istituto nazionale previdenza sociale) a chi, licenziato o sospeso dal lavoro, viene reimpiegato a svolgere lavori socialmente utili da pubbliche amministrazioni o da Enti autorizzati dal Ministero del lavoro e della Previdenza sociale. Il sussidio di disoccupazione spetta anche ai giovani disoccupati chiamati a svolgere lavori di pubblica utilità o impegnati in borse di lavoro. Si tratta di giovani di età compresa tra i 21 e i 32 anni, iscritti da più di 30 mesi alla prima classe delle liste di collocamento. Il sussidio di disoccupazione, pari a circa 400 euro mensili, spetta a tutti per un periodo massimo di 12 mesi ed è legato a progetti specifici.

C *Iper-* = super; *pluri-* = con più; *stra-* = molto. Sono prefissi di intensificazione.

D 1. Addetto alla selezione del personale; 2. Collaudatore, Disegnatore progettista con sistema Cad-Cam; 3. Informatore scientifico, Responsabile Ambiente e Sicurezza; 4. Veterinario, Enologo, Nutrizionista; 5. Esperto assistenza al volo, Caposervizi treno; 6. *Project manager*, Addetto al *customer-care*; (*Webmaster*); 7. *Webmaster*, Redattore elettronico; 8. Tecnico delle luci, Regista, Creatore degli effetti speciali; 9. Responsabile della logistica, Direttore di Centro commerciale, (Addetto al *customer-care*); 10. Manager culturale, Restauratore, Archivista.

E 1. *Project manager*; 2. Webmaster.

3 Coesione testuale

A *Chi, quanti* significano "la persona che/le persone che"; con *chi* il verbo va alla terza persona singolare, con *quanti* alla terza persona plurale; *quanti* è più formale e si usa di solito nella lingua scritta.

B (1) quanti; (2) che; (3) che; (4) che; (5) che; (6) chi; (7) chi; (8) che; (9) che; (10) chi; (11) cui; (12) cui; (13) che; (14) che; (15) che; (16) che; (17) chi; (18) che.

4 Ascoltare

CD1, ›10: "Emerge su tutte un dato significativo…"

SPEAKER — Adesso ci ascoltiamo insieme una intervista, che abbiamo realizzato con una società che tra l'altro serve per su… una società che lavora su Internet, che serve per incrociare domanda e offerta. Per quale motivo si prende in considerazione di cambiare lavoro, è questa la domanda che *Monster*, Business Unit di TMP Worldwide, leader nel *recruiting on line*, ha rivolto in un recente sondaggio ai visitatori degli 11 siti del network europeo. Corrado Tirassa, amministratore delegato di Monster.it, ci illustra i risultati di questo sondaggio, sentiamolo al microfono di Giuditta Cerutti.

TIRASSA — *Monster* è il gruppo leader al mondo nel *recruiting on line*, quindi nell'incontro tra domanda e offerta di lavoro su Internet. *Monster* propone in continuazione dei sondaggi rivolti ai candidati che interagiscono col sito, quindi che depositano il curriculum o che comunque rispondono alle offerte di lavoro pubblicate sul network *Monster*, per cui il campione è costituito dai candidati che si rivolgono a *Monster* per cercare il lavoro giusto per la propria carriera.

CERUTTI — Emerge su tutte un dato significativo: gli europei hanno voglia di nuove sfide. Chi ha voglia di nuovi lavori?

TIRASSA — Moltissimi, direi, hanno voglia di nuove sfide, è emerso dal sondaggio che comunque il 41% dei votanti hanno espresso il bisogno di una nuova sfida come base nella ricerca di un nuovo lavoro. Questo è emerso in maniera molto significativa soprattutto nei Paesi del Nord Europa, in particolare in Norvegia, Danimarca, Svezia, Germania e Olanda, dove addirittura quest'opzione è stata scelta da più del 50% di coloro che hanno risposto, mentre invece in altri Paesi, tra cui Francia, Spagna e Irlanda, esprimono un'opinione leggermente differente: in Spagna considerano importante un miglior equilibrio *work-life*, mentre invece francesi e irlandesi cercano un salario più elevato in cambio di una professione.

CERUTTI — Cosa possiamo dire invece a riguardo dell'Italia?

TIRASSA — A riguardo dell'Italia noi abbiamo fatto un sondaggio specifico qualche… precedentemente all'ultimo, a quest'ultimo sondaggio, che si chiama *Monster Meeter*, sul *Monster Meeter* precedente emergeva invece che in particolare in Italia sta emergendo come fattore distintivo e decisivo nella scelta di una nuova occupazione il prestigio della nuova azienda, quindi si guarda molto a quello che è il prestigio dell'azienda inteso in senso di notorietà del *brand* inteso in senso di azienda capace di competere e di muoversi sullo scenario di mercato. Per cui questo risultava molto importante; tuttavia c'è da dire che la retribuzione è ancora nella maggioranza dei casi, nel 35,3% dei casi, come il principale motivatore nel cambio di lavoro, nella scelta di una nuova occupazione.

A 1. Per quale motivo si prende in considerazione di cambiare lavoro? 2. Ai candidati che cercano lavoro sui siti del network *Monster*. 3. *Monster* lavora nel settore della ricerca lavoro *on line* (incrociare domande e offerte di lavoro).

B

Motivi decisivi della scelta	%
1. Nei paesi del Nord Europa: il bisogno di nuova sfida	+ 50%
2. In Spagna: un miglior equilibrio *work-life*	/
3. In Francia e Irlanda: uno stipendio più elevato	/

In Italia	%
Fattore principale: una retribuzione migliore	35,3%
Fattore in crescita: il prestigio della nuova azienda (la notorietà del marchio, la capacità di competere)	/

C Sono 4: *recruit, on line, work-life, brand*.

5 Leggere

D 1. Desideriamo incontrare candidature di buon livello culturale *che si contraddistinguano*… 2. e *che abbiano maturato* una significativa esperienza…
FRASE RELATIVA + CONGIUNTIVO: significato di "eventualità".

E 1. abbia offerto; 2. intervenga; 3. arrivi; 4. abbia preso; 5. si trasferiscano.

F — conosca/conoscano almeno due lingue; — abbia/abbiano maturato esperienza analoga; — abbia/abbiano buona presenza; — sappia/sappiano relazionarsi con la clientela; — mostri/abbia serietà mostrino/abbiano serietà, professionalità.

7 Leggere

A Il pronome soggetto *si* viene usato nelle costruzioni impersonali quando l'agente è indefinito; il verbo va concordato con l'oggetto diretto che se è singolare va al singolare (*si richiede la laurea*), se è plurale va al plurale (*si offrono retribuzione e incentivi*); la costruzione con il *si* impersonale e oggetto diretto è simile per significato alla costruzione passiva (*si richiede la laurea* = la laurea è richiesta).

B Si trova dopo il verbo. Questo uso sopravvive nello stile telegrafico, negli annunci economici e negli avvisi pubblicitari.

C *Si* impersonale con un verbo riflessivo: *si + rivolgersi > ci si rivolge* (per evitare la ripetizione *si si rivolge*).

D 1. Nella nostra azienda è richiesto che *ci si dedichi* un'ora alla settimana all'aggiornamento informatico. 2. Dal mese prossimo *ci si prepara* ad affrontare la fiera di marzo. 3. In alcuni settori industriali non *ci si ferma* mai durante l'intera giornata. 4. Su Internet il candidato può trovare molti consigli su come *ci si presenta* a un colloquio e su come *ci si comporta*. 5. Per lavorare nel settore della *New Economy ci si deve specializzare* in qualcosa (es. *Webdesign*), senza però dimenticarsi di ampliare le proprie conoscenze in altri settori.

E "Se si è <u>fatto</u> un colloquio, si può richiamare l'azienda dopo una settimana e chiedere com'è andato". Si usa l'ausiliare *essere*.

8 Reimpiego

A [Soluzione possibile] 1. *Si fa* la spesa *on line* durante l'orario di lavoro e *ci si fa* recapitare in azienda la merce. 2. *Si arriva* in ufficio con il proprio figlio e *si esce* assieme. 3. *Si acquistano on line* biglietti per spettacoli o eventi sportivi per evitare di fare la fila. 4. *Si va* nella palestra aziendale a fare aerobica. 5. La mattina *si porta* in azienda il sacco con i vestiti sporchi e la sera *si ritira* in azienda la biancheria lavata e stirata.

9 Lessico

A Nomi che derivano da aggettivi:
-ità/-età: flessibilità (flessibile), serietà (serio), professionalità (professionale);
-enza (da aggettivi nella forma di participio presente del verbo): bella presenza (presente), buona conoscenza (conoscente);
-asmo/-ismo: entusiasmo (entusiasta).

B disponibilità; ambizione; dinamicità, spigliatezza, vivacità; creatività ma precisione; motivazione e determinazione nel perseguire gli obiettivi aziendali; responsabilità e riservatezza.

C 1. c; 2. a; 3. e; 4. d; 5. b.

D 1. neoassunto; 2. previdenziale; 3. retribuzione.

10 Ascoltare

CD1, ›11: "Lavoro e carriere"

GIORNALISTA Noi proseguiamo con alcune segnalazioni della nostra redazione, parliamo di *stage*.

ANNUNCIO 1 Azienda del settore Consulenza per l'edilizia offre tirocinio per una posizione di supporto al progetto di *Direct Marketing*. Possono candidarsi diplomati, laureati, e studenti universitari. È richiesta un'ottima padronanza di Excel ed è gradita la conoscenza di Access. Lo stagista si occuperà della creazione di un *database* aziendale contenente i nominativi di potenziali clienti. L'azienda offre la possibilità di lavorare part-time e di concordare un rimborso spese. L'inizio dello *stage* è previsto per fine febbraio, la durata è di 3 mesi prorogabili a 6, e la sede di svolgimento sarà Cassina Rizzardi, in provincia di Como, raggiungibile con i mezzi pubblici.

ANNUNCIO 2 Azienda del settore Autonoleggio offre tirocinio per una posizione di addetto al controllo dei veicoli. È richiesto il diploma di maturità tecnica, con una votazione di almeno 50/60; inoltre lo stagista deve avere un'età compresa fra i 21 e i 27 anni, aver assolto gli obblighi di leva e possedere una buona conoscenza della lingua inglese, di Word, Excel e Internet. Lo stagista apprenderà le conoscenze informatiche e le tecniche di controllo dell'attività, si occuperà inoltre dell'inserimento dei dati nel sistema informatico aziendale ed apprenderà le tecniche di gestione del rapporto con i clienti e i fornitori. È previsto un rimborso spese di 401 euro al mese; lo *stage* inizierà a febbraio, avrà sede a Roma e durerà 6 mesi.

ANNUNCIO 3 Kelly Services, multinazionale americana leader mondiale nella fornitura di servizi per le risorse umane, ricerca uno stagista da inserire nell'ufficio Selezione e gestione del personale, per la filiale di Milano Loreto. Lo stagista, di età compresa tra i 23 e i 30 anni, dev'essere in possesso di un diploma o di una laurea in materie umanistiche e avere una buona conoscenza del PC, Word ed Excel; è gradita inoltre una buona conoscenza della lingua inglese. Lo stagista si occuperà dello *screening* dei curricula, di reclutamento e selezione del personale, della gestione amministrativa e della comunicazione agli Enti.

GIORNALISTA Come sempre, maggiori dettagli sul nostro sito Internet, www.radio24.it nella sezione "Lavoro e carriere".

A Primo annuncio
Settore dell'azienda: consulenza per l'edilizia
Posizione: supporto in un progetto di *marketing* (creazione di un *database* di clienti potenziali)
Conoscenze richieste: Excel, Access
Durata dello stage: 3-6 mesi
Sede: Provincia di Como
Titolo di studio richiesto: Diploma, laurea
Età: /
Rimborso: sì

Secondo annuncio
Settore dell'azienda: autonoleggio
Posizione: addetto al controllo veicoli
Conoscenze richieste: inglese, Word, Excel, Internet
Durata dello stage: 6 mesi
Sede: Roma
Titolo di studio richiesto: Diploma maturità tecnica
Età: 21-27 anni
Rimborso: sì (401 € al mese)

Terzo annuncio
Settore dell'azienda: servizi per risorse umane
Posizione: stagista in ufficio di selezione e gestione del personale
Conoscenze richieste: uso PC, Word, Excel, inglese
Durata dello stage: /
Sede: Milano
Titolo di studio richiesto: Diploma o laurea in materie umanistiche
Età: 23-30 anni
Rimborso: /

B a. 3; b. 1; c. 2.

C Nel secondo annuncio.

11 Leggere

A È una giornalista radiofonica; si occupa di salute.

B Lavora a Radio 24 Il Sole 24 ore (cura una rubrica quotidiana dedicata alla salute); i suoi consigli sono: frequentare una buona scuola di giornalismo che dia la possibilità di fare praticantato con *stage* presso giornali, TV; fare molta pratica; all'inizio farsi una cultura generale e poi specializzarsi se si ha una particolare passione.

C 1. f; 2. e; 3. b; 4. c; 5. a; 6. d.

D 1. "È un ruolo importantissimo: *ne* ero convinta prima e lo sono ancora di più oggi occupandomi di salute." (righe 3-5); riprende: ero convinta del ruolo importante dell'informazione; valore 2 (Di che cosa? Ero convinta del ruolo). 2. "Io non ho fatto scuole di giornalismo, però so che ce *ne* sono parecchie, alcune di ottimo livello che consiglio vivamente." (righe 33-35); riprende: ci sono parecchie scuole; valore 1 (Quante? Partitivo: quantità imprecisata [*parecchie*]). 3. "Lo vedo in molti stagisti che passano da Radio 24: gli si dà il comunicato stampa dicendo loro di ricavar*ne* 4 righe e le prime volte vanno nel panico." (righe 68-71); riprende: di ricavare quattro righe dal comunicato stampa; valore 3 (Da dove? Dal comunicato stampa). 4. "Poi col tempo, se uno ha una passione, può specializzarsi in un argomento. E a quel punto sì che *ne* vale la pena." (righe 76-78); riprende: vale la pena di specializzarsi; valore 4 (verbo idiomatico *vale la pena di* = merita).

E 1. Secondo un'indagine del Cnel il 34,5% dei lavoratori immigrati ha un lavoro manuale non qualificato; il 10,1% ha un impiego di basso livello e il 4,7% *ne* ha uno di medio livello. 2. La cifra bassa delle rimesse di albanesi, rumeni, polacchi, tunisini si spiega con la tendenza a stabilizzarsi in Italia e ad essere raggiunti dalla famiglia o a formar*ne* una qui in Italia. 3. Dice in un'intervista Antonella Cavaglià che fa la "trainer" di cavalli: "Ho rinunciato a molte cose per coltivare la mia passione per i cavalli, ma non me *ne* pento". 4. Come scegliere la scuola di specializzazione? Ce *ne* sono di tutti i tipi e di tutte le correnti. Durante l'università lo studente avrà già avuto modo di conoscere e di simpatizzare per una o più linee di pensiero. La scelta avverrà in questo senso. 5. La musica è diventata il mio lavoro quando ho cominciato a insegnare. Sono stato docente in molte scuole medie e di musica, finché ho deciso di fondar*ne* una io. 6. Le grandi orchestre in Italia scarseggiano, la stessa RAI *ne* ha soltanto più una. L'unica alternativa per lavorare è cercare spazio in quelle più piccole anche a livello locale.

12 Coesione testuale

A (1) così; (2) mentre; (3) visto che; (4) inoltre; (5) comunque; (6) per cui (per questo); (7) perché; (8) per questo.

B Sono connettivi che indicano una conseguenza.

14 Navigando

C 1. Si tratta di un titolo onorifico – che continua una tradizione iniziata nel 1901 – che viene conferito tutti gli anni dal Presidente della Repubblica a 25 imprenditori che si siano resi benemeriti nel campo del lavoro. 2. L'articolo n. 1 recita: "L'Italia è una Repubblica democratica, fondata sul lavoro". 3. Si tratta della legge 125/91 detta *Legge per le Pari opportunità* (www.welfare.gov.it/Europalavoro/default.htm). 4. I tre sindacati nazionali sono: la CGIL, la CISL, la UIL (www.cgli.it, www.cisl.it, www.uil.it); quello che ha il maggior numero di iscritti è la CGIL. 5. I "Circumlavorando" sono dei *motorhome* che si fermano nelle piazze delle città italiane per mettere a disposizione informazioni e materiale su tirocini, apprendistato, lavoro e formazione in Italia e in Europa. 6. Nel 2003 il tasso di disoccupazione era del 9,2%, al Nord del 4%, al Centro del 7% e al Sud del 18-20% (www.istat.it). 7. Le piccole imprese, che coprono il 95% di tutte le aziende italiane (la dimensione media delle imprese italiane è di circa 8-9 addetti ed è la più bassa dell'UE). 8. Nel 2003, l'agricoltura 5% (l'industria 39%, e il terziario 56%). 9. Ugo Fantozzi è un ragioniere coinvolto in catastrofiche disavventure. Rappresenta il tipico impiegato in una megaditta, frustrato, umiliato e sottomesso ai capi.

15 Scrivere

A Formule di apertura: Spett.le/Spettabile Ditta/Società;

Oggetto: autocandidatura in qualità di commessa per Vs. sede di Milano; **Riferimento**: Ho appena letto sulla cronaca locale di Milano del «Corriere della Sera»; **Motivare il proprio interesse**: Conosco la Vostra linea e credo di essere...; **Mie caratteristiche**: Ho 24 anni e da sette svolgo attività stagionali in negozi di abbigliamento quali Branchetti, Migliadori, Belelli. Sono ordinata, precisa, dinamica e ho ottime capacità relazionali e di comunicazione. Mi sono occupata, oltre che di vendita, anche di cassa e di ordini. Conosco bene l'inglese perché mia madre è londinese e discretamente il francese che ho studiato al liceo. **Proposta di collaborazione**: ...credo di essere informale e colorata come il Vostro stile richiede e di aver maturato esperienze che coincidano con il profilo di commessa che state cercando. **Disponibilità a corsi di formazione, flessibilità, disponibilità a fornire referenze**: Sono disponibile a lavorare anche la domenica e sono molto interessata a partecipare a corsi di formazione per aggiornare le mie conoscenze tecniche e crescere nell'ambito della moda. **Formule di chiusura, saluti, firma**: Sperando di sentirVi presto, Vi saluto cordialmente. **Allegati**: Curriculum Vitae.

C 1. Di solito dalle esperienze più recenti a quelle più remote. 2. Nella sezione dati personali; servizio militare assolto/servizio militare da assolvere. 3. Vengono eliminati articoli e preposizioni (*acquisto merci* invece di *l'acquisto delle merci*) e i verbi (cfr. punto 4). 4. Assunzione (assumere), identificazione (identificare), misurazione (misurare), gestione (gestire), collaborazione (collaborare), analisi (analizzare), acquisto (acquistare), interviste (intervistare), presentazione (presentare), creazione (creare), scambi (scambiare), ricezione (ricevere), partecipazione (partecipare); mansioni (ho lavorato nella mansione di), stage (ho fatto uno stage), responsabilità (avevo la responsabilità di), insegnante e responsabile corso (ho lavorato come), obiettivi (gli obiettivi erano), docente di italiano (ho lavorato come), assistente di lingua italiana (ho lavorato come), terminalista (ho lavorato come), laurea (ho conseguito la laurea), votazione riportata, tesi di laurea (ho scritto), programma Erasmus (ho partecipato al programma Erasmus), diploma di maturità (ho conseguito il diploma), inglese, francese parlato e scritto (parlo e scrivo l'inglese e il francese), sport, ciclismo (pratico sport), musica (i miei interessi sono la musica...), vicepresidente (sono vicepresidente). 5. Giorno, mese, anno. 6. Le informazioni che riguardano le esperienze lavorative devono contenere il nome e (indirizzo) del datore di lavoro, il tipo di azienda o settore, il tipo di impiego e le principali mansioni. 7. (Inglese) scolastico/elementare, discreto, buono, ottimo/eccellente. 8. Autorizzo il trattamento dei miei dati personali, ai sensi della legge 675/96; va messa in fondo al CV.

D Nel racconto parlato
1. Definivo i profili dei candidati
2. Analizzavo i bisogni formativi
3. Selezionavo i candidati
4. Ho progettato i corsi di formazione
5. Ho gestito dei *database* di circa 1500 *curricula*
6. Ho organizzato seminari di finanza e marketing
7. Ho conseguito l'abilitazione all'esercizio della professione di Dottore Commercialista
8. Ho sviluppato dei prodotti editoriali
9. Ho prestato servizio di consulenza all'università di Torino per lo sviluppo del sito web

Nel CV scritto
1. definizione profili candidati
2. analisi bisogni formativi
3. selezione candidati
4. progettazione corsi di formazione
5. gestione *database* di 1500 CV

6. organizzazione seminari di finanza e marketing
7. abilitazione di Dottore Commercialista
8. sviluppo prodotti editoriali
9. consulenza all'università di Torino per sviluppo sito web

Esercizi

1 (1) sappia; (2) abbiano maturato; (3) vogliano; (4) abbiano già maturato; (5) mantengano; (6) assista; (7) abbiano svolto; (8) sappiano; (9) abbiano.

2 1. disti; 2. paghino; 3. sia salita; 4. abbia già imparato; 5. entrino; 6. si sia giocato/si giochi.

3 **La lettera di accompagnamento.** Che cos'è una lettera di accompagnamento? È obbligatoria? Cosa bisogna scriverci? Sono questi gli interrogativi più frequenti che *ci si pone* nel rispondere a un annuncio o nell'inviare un Curriculum Vitae spontaneo. Ecco qualche indicazione pratica per evitare gli errori più grossolani. Il contenuto varia a seconda che *si stia rispondendo* a un annuncio o che *si stia inviando* un curriculum spontaneo. Nel primo caso la lettera deve contenere in maniera chiara il riferimento alla posizione per la quale *ci si sta candidando*, deve essere formale e deve evidenziare il fatto che *si posseggono* tutti i requisiti richiesti. Nel secondo caso *ci si deve sforzare* di candidarsi per una posizione precisa o per un ruolo per cui *si abbia* l'esperienza o quanto meno i titoli necessari. La lettera di accompagnamento non deve essere pomposa ed eccessivamente autocelebrativa, ma deve sicuramente parlare un po' di *sé* e del *proprio* carattere. Una lettera eccessivamente fredda e formale darà l'impressione che *si sia* una persona rigida. *Si faccia* ben attenzione a chi *si sta scrivendo* e ai messaggi anche inconsapevoli che *si mandano*. A ciascuna azienda la sua lettera. Sembra banale ma tante volte per fare in fretta e perché *si inviano* tanti CV *si ha* la tentazione di mandare a tutti la stessa lettera di accompagnamento fotocopiata e con l'indirizzo scritto a mano. Una lettera così è sicuramente squalificante! *Si scriva* sempre una lettera *ad hoc* per ciascuna azienda mettendo in risalto le caratteristiche di *sé* che di volta in volta sembrano più adeguate alla cultura aziendale del ricevente.

4 1. ci si deve proporre; 2. ci si rivolga; 3. se si viene contattati, ci si informi; 4. ci si rilassi e ci si ricordi; 5. ci si può permettere.

5 1. La molestia sul lavoro è donna: su 1000 casi il 38% sono abusi al femminile. *Ne* parlava il film *Rivelazioni* con Demi Moore e Michael Douglas. 2. L'eventuale motivo delle proprie dimissioni non va riportato nel CV, se *ne* discuterà eventualmente in fase di colloquio. Stessa cosa vale per le richieste economiche, è meglio parlar*ne* a voce. 3. Assume un giovane meccanico di 24 anni straniero, tanto bravo nel lavoro quanto affascinante nei modi e nell'aspetto. Se *ne* invaghisce ma poi l'uomo *se ne* va sbattendo la porta anche perché lo stipendio non arriva puntuale. 4. La molestia al femminile è un fenomeno taciuto perché intacca il mito della virilità che si è costruito il maschio, per questo chi *ne* è colpito preferisce confessarsi con lo psicologo senza arrivare alle estreme conseguenze di una denuncia. 5. Un giovane può essere flessibile, può cambiare più volte lavoro, può imparare cose nuove senza vivere questi passaggi in modo traumatico. Può far*ne* la sua ricchezza.

6 1. me ne; 2. gliene; 3. ve ne; 4. me ne; 5. te ne; 6. me ne; 7. se ne; 8. gliene; 9. se ne; 10. dagliene.

7 1. Carla *se ne è andata* di fretta perché doveva andare a ritirare i bambini dall'asilo. 2. Marino *me ne ha parlato*. 3. *Ne ho* letti solo due. 4. *Gliene ho regalato* un barattolo. 5. Emanuela *non se ne è accorta*. 6. *Te ne sono serviti* almeno cinque. 7. *Ne ho mangiato* un cesto. 8. *Ne ha ricavato* un bel gruzzolo. 9. *Ne ho comprati* molti. 10. *Ne ha indossate* molte.

8 1. f; 2. c; 3. b; 4. a; 5. e; 6. d; 7. g.

9 1. chi; 2. quante; 3. quanti; 4. quante; 5. quanto; 6. quanti; 7. quanto; 8. quanto; 9. chi; 10. quanti.

10 *Qualunque/qualsiasi* sono usati come aggettivi; significano "non importa quale"; si riferiscono a esseri animati e cose; richiedono il congiuntivo nello stile formale mentre nel parlato colloquiale si trova spesso l'indicativo. 1. qualunque/qualsiasi; 2. qualche; 3. qualunque/qualsiasi; 4. qualunque/qualsiasi; 5. qualche; 6. qualunque/qualsiasi; 7. qualche; 8. ogni; 9. qualche; 10. qualunque/qualsiasi; 11. ogni; 12. ogni; 13. ogni.

11 (1) animatori; (2) operatori; (3) istruttori; (4) coreografi; (5) scenografi; (6) costumisti; (7) chitarristi; (8) ballerini; (9) attori; (10) cabarettisti; (11) accompagnatori; (12) sciatori.

12 (1) a; (2) in; (3) nel; (4) a; (5) a; (6) in; (7) al; (8) in; (9) al; (10) al; (11) al; (12) nel; (13) a; (14) a; (15) in; (16) in; (17) ad; (18) a; (19) a; (20) nell'; (21) nel; (22) in; (23) in; (24) in; (25) in; (26) a; (27) a; (28) a; (29) a.

Ripasso

1 (1) è/viene corrisposto; (2) sono/vengono organizzati; (3) è riservato; (4) sono previsti; (5) è fissato; (6) saranno/verranno scelte; (7) saranno/verranno illustrati; (8) è riservato; (9) sono previsti; (10) è organizzato; (11) sarà/verrà rilasciato.

Test (40 punti)

1 (1) promuovano; (2) vendano; (3) siano; (4) abbiano maturato; (5) abbiano.

2 (1) si è conseguito; (2) si è partecipato; (3) si possono disporre; (4) si dovranno indicare; (5) si è lavorato; (6) si accumulano; (7) si possono eliminare.

3 1. Per forza ha una bronchite cronica, fumava tre pacchetti di sigarette al giorno perché era stressato al lavoro. *Ne* ha davvero abusato. 2. Sono contenta che abbia preso una settimana di riposo dal lavoro, *ne* aveva un gran bisogno! 3. Hai preso tu i floppy? *Ne* mancano parecchi, ieri la scatola era ancora piena! 4. Se impari bene le lingue, potrai trar*ne* dei grossi vantaggi per la tua futura professione. 5. Risposta libera. 6. Risposta libera.

4 (1) chi; (2) cui; (3) che; (4) cui; (5) chi; (6) quanti; (7) quanti.

5 1. qualsiasi/qualunque; 2. qualche; 3. ogni; 4. qualsiasi/qualunque.

6 1. costanza; 2. determinazione; 3. flessibilità; 4. riservatezza.

7 (1) trattamento economico; (2) ambosessi; (3) profili; (4) grafici; (5) lavoro temporaneo; (6) Responsabile selezione del personale; (7) licenziamento.

Ci stiamo giocando l'ambiente

1 Leggere

B 1. Roma: Centro, Lazio; 2. Napoli: Sud, Campania; 3. Milano: Nord, Lombardia; 4. Palermo: Sud, Sicilia; 5. Torino: Nord, Piemonte; 6. Firenze: Centro, Toscana; 7. Belluno: Nord, Veneto; 8. Pistoia: Centro, Toscana; 9. La Spezia: Nord, Liguria; 10. Siena: Centro, Toscana; 11. Caltanissetta: Sud, Sicilia; 12. Verbania: Nord, Piemonte; 13. Sondrio: Nord, Lombardia; 14. Campobasso: Sud, Molise; 15. Pisa: Centro, Toscana.

C

Motivi principali della fuga dalle città	%
1. l'inquinamento atmosferico	65%
2. lo stress	53%
3. il rumore	49%
4. la mancanza di spazi verdi	37%

D 1. I prezzi delle case che fuori dalla città sono più bassi; 2. il fatto che le città non siano a misura di bambino; 3. il livello di vita in molti comuni con meno di 2000 abitanti è migliore; 4. la migliore qualità del cibo in campagna; 5. maggior facilità di contatti sociali in campagna; 6. la criminalità più diffusa nei grandi centri.

E 1. Il lavoro, l'abbondanza di servizi e divertimenti e la paura della solitudine; 2. il pendolarismo; 3. dal 1991.

F 1. a. V; b. F; c. V; d. V; e. V; f. F.
2. a. 130 000: abitanti che hanno lasciato in un solo anno grandi città come Roma, Milano, Napoli, Firenze. b. 17%: cittadini che pensano seriamente di lasciare la città. c. 70 000: abitanti dei sei comuni italiani che vengono considerati a misura di bambino. d. 42 000: abitanti che in un anno hanno lasciato Roma. e. 800 000: automobili di pendolari che entrano ogni giorno a Milano. f. 41: cinematografi presenti a Milano. g. + di 800 000: le persone che praticano il telelavoro. h. 3,6%: percentuale di dipendenti che lavora da casa.

2 Lessico

A 1. i; 2. h; 3. e; 4. g; 5. f; 6. a; 7. l; 8. c; 9. d; 10. b.

B 1. essere adatto a; 2 avere il ruolo principale, comandare.

C 1. luogo di lavoro in cui ci si ammala perché l'aria che si respira causa problemi alla salute; 2. ricredersi e tornare sui loro passi, cioè ritornare dalla città in campagna.

D 1. urbano; 2 rurale.

E 1. *-bile* significa "che si può + base verbale": vivibile = che si può vivere, invidiabile = che si può invidiare; 2. se la base verbale è della prima coniugazione il suffisso è *-a-bile*, se il verbo è della seconda o della terza è *-i-bile*.
1. Il progetto di costruzione di una piattaforma ecologica è *realizzabile* se l'amministrazione comunale è d'accordo. 2. I segni del degrado ambientale sono *visibili* da tutti: discariche vicino a zone residenziali, urbanizzazione selvaggia a scapito del verde pubblico e inquinamento acustico in aumento. 3. L'indicazione di divieto su

quel cartello è *illeggibile* perché il carattere è troppo piccolo. 4. Il linguaggio di questa rivista specializzata è *incomprensibile*. 5. Il rumore del traffico che si sente girando per la città è *insopportabile*. 6. Sono ormai molti i rifiuti *riciclabili*. 7. Hanno sospeso l'erogazione dell'acqua perché da analisi hanno riscontrato che non era *potabile*. 8. Occorre trattare con cautela queste sostanze perché sono *infiammabili*. 9. Non possiamo continuare a sfruttare le risorse della terra in questo modo. Ricordiamoci peraltro che gli altri pianeti *non* sono *abitabili*/sono *inabitabili*.

3 Esplorare la grammatica

A a. riprende "di andare a vivere in campagna"; valore: complementi "a + gruppo nominale"; b. valore: verbo idiomatico (*impiegarci* = metterci); c. valore: "esistenziale" = esiste; d. valore: "esistenziale" = esistono; e. valore: verbo idiomatico (*metterci*); f. *vi* riprende "in questi imballaggi"; *vi* ha lo stesso significato del *ci* locativo, ma viene usato in registri più formali sia orali sia scritti.

B 1. Per finanziare questa nuova campagna per fermare la distruzione della foresta africana *Greenpeace* ha urgentemente bisogno del tuo aiuto. Utilizza il modulo di pagamento accluso per inviare il tuo contributo. *Ci contiamo*. 2. Anche in Italia sono molti gli animali in via di estinzione: 42 specie di pesci, 28 di anfibi, 34 rettili, 170 uccelli nidificanti, 69 mammiferi. *Ma ci pensate*?! Stiamo distruggendo il nostro pianeta. 3. Sono consapevole dell'inquinamento provocato dall'uso dell'auto. *Ci penso* anche con preoccupazione, ma poi per una questione di fretta non prendo mai i mezzi pubblici. 4. Saresti disponibile a ridurre l'uso degli elettrodomestici superflui per arrestare i cambiamenti climatici? Sì, certo, potrei *rinunciarci/ci potrei rinunciare*, anche se all'inizio sono sicura che farei molta fatica. 5. Ti fa piacere passeggiare in mezzo a parchi e boschi puliti? Se *ci tieni davvero*, partecipa anche tu all'iniziativa "Puliamo il nostro verde" organizzata nella giornata mondiale di salvaguardia dell'ambiente che si svolgerà domenica 25 settembre.

4 Ascoltare

CD1, ›12: "Le energie rinnovabili"

SPEAKER Oggi, la nostra priorità è naturalmente di avere elettricità, riscaldamento, trasporti, per vivere le nostre vite energivore: consumiamo moltissima energia, e i Paesi in via di sviluppo vogliono assolutamente seguirci su questa strada. Ma vogliamo anche contenere i danni sull'ambiente, questi danni a breve termine sono notoriamente l'inquinamento atmosferico, che viviamo nelle grandi città, e più a lungo termine sono quegli impatti dei gas di emissione dalla combustione di petrolio e di altri combustibili, che si scaricano nell'atmosfera, che provocano il riscaldamento del pianeta e, a catena, tutta una serie di eventi, di cambiamenti climatici di cui anche sentiamo spesso parlare. Proprio in questo momento tra l'altro si sta svolgendo un seminario, sempre organizzato dall'ENEA, che è l'ente nazionale per lo studio delle energie più importante in Italia, proprio sugli effetti, anche economici, dei cambiamenti climatici in Italia. L'energia dunque è un problema strategico, eppure in Italia, come dicevamo poco fa, c'è una forte dipendenza dall'estero. Importiamo più dell'80% delle risorse energetiche necessarie: compriamo dalla Libia, compriamo dalla Russia, dall'Algeria, ma compriamo anche dalla Norvegia, dalla Germania, dall'Olanda e dalla Cina. Ora, questo non solo è uno svantaggio economico, ma è anche un problema di sicurezza degli approvvigionamenti, perché il mondo in cui viviamo non si può certo definire politicamente stabile o tranquillo. Naturalmente ci sono molte ricerche in corso, però nessuna con ricadute prevedibili a breve termine. E allora che cosa fare nel frattempo? C'è un settore in cui, probabilmente, potremmo impegnarci senza ricorrere all'estero, ed è quello delle fonti rinnovabili, di cui parla la scheda, preparata dalla redazione, che ora ascolteremo.

SCHEDA   Le energie rinnovabili sono quelle che si basano su fonti naturali considerate inesauribili come il sole, il vento e l'acqua. Secondo il rapporto "Energia e ambiente" dell'ENEA pubblicato il mese scorso, il loro contributo nel periodo compreso tra il 1995 e il 2001 al bilancio energetico nazionale è aumentato del 25%, a un ritmo di circa il 4% in più ogni anno. Un vero e proprio boom hanno avuto tra il 1955 e il 2002, il settore dell'energia eolica, con un incremento del 100%, e lo sfruttamento dei rifiuti solidi urbani, aumentato del 70%.

SPEAKER   Una breve correzione al volo, non era il '55, il '95, questa crescita delle energie rinnovabili, comunque ci sembra consistente.

B 1. F; 2. V; 3. F; 4. F; 5. V; 6. V.

C 1. L'ENEA è l'ente nazionale per le nuove tecnologie, l'energia e l'ambiente. 2. Gli effetti anche economici dei cambiamenti climatici in Italia. 3. I gas serra che derivano per esempio dalla combustione di petrolio. 4. Sviluppando le energie rinnovabili. 5. a. naturali, b. inesauribili. 6. a. acqua, b. vento, c. sole.

D (1) 1995; (2) 2001; (3) aumentato; (4) 25%; (5) eolica; (6) 100%; (7) rifiuti solidi urbani; (8) 70%.

6 Lessico

A 1. tutela, salvaguardia, difesa; 2. nocive, velenose; 3. sporcare, avvelenare, danneggiare, contaminare; 4. immondizia, pattumiera, spazzatura; 5. ambientalista, ecologista.

B 1. f; 2. b; 3. c; 4. g; 5. h; 6. d; 7. i; 8. l; 9. e; 10. a.

C 1. Hanno organizzato una marcia di *protesta* contro la caccia. 2. Ognuno deve evitare lo *spreco delle* risorse. 3. Il *consumo di* prodotti biologici ed ecologici serve a salvaguardare le risorse del pianeta. 4. Occorre una legge che penalizzi i prodotti *con imballaggi superflui*. 5. Nelle grandi città con molto traffico le *emissioni* degli scarichi delle macchine sono molto dannose alla salute. 6. Le associazioni ambientaliste promuovono delle campagne per la *difesa della* nostra salute.

D (1) specie; (2) estinzione; (3) patrimonio; (4) agricole; (5) polmoni; (6) coltivazioni; (7) esaurite; (8) piogge acide; (9) combustione; (10) inquinamento; (11) contaminano; (12) cemento; (13) abusivamente; (14) devastano; (15) venatoria; (16) sopravvivenza; (17) rifiuti; (18) tossici; (19) tutelare.

E [Soluzione possibile] 1. Ti hanno solo chiamato per un colloquio, non ti illudere di aver trovato lavoro, stai con i piedi per terra. 2. Per lui che ha sempre vissuto in città, abitare in campagna lo fa sentire un pesce fuor d'acqua. 3. La nuova direttrice si dà un sacco di arie, ma chi si crede di essere?

7 Leggere

B 1. l'imperativo. 2. tu: provaci, aiutaci, non sprecarla, ricordati, stendi, unisciti, toglilo; noi: mettiamoli, teniamoli.
Nell'imperativo informale (nelle persone *tu, voi, noi*) i pronomi vanno dopo il verbo; nell'imperativo formale (*Lei, Loro*) i pronomi vanno prima del verbo: *ci provi/ci provino, ci aiuti/ci aiutino, lo tolga/lo tolgano, li metta/li mettano, li tenga/li tengano*.
3. L'imperativo con i verbi riflessivi è: *ricordati, ricordatevi, ricordiamoci* (dopo il verbo) e *si ricordi, si ricordino* (prima del verbo).
4. L'imperativo negativo è: *non sprecarla, non sprecatela, non sprechiamola, non la sprechi, non la sprechino*.

C 1. evitali, li eviti, evitateli; 2 leggili, li legga, leggeteli; 3. firmalo e fallo firmare, lo firmi e lo faccia firmare, firmatelo e fatelo firmare; 4. mantienila, la mantenga, mantenetela; 5. non lasciarla scorrere, non la lasci scorrere, non lasciatela scorrere; 6. falla, la faccia, fatela.

9 Ascoltare

A 4. *covata* (da *covare*) = deporre, fare le uova; *schiusa* (da *schiudersi*) = momento in cui le uova si aprono; *predazione* (da *predare*) = caccia da parte di altri animali.

CD1, ›13: "Per favore non toccate le tartarughe!"

SPEAKER   Strana storia, quella delle tartarughe di Lampedusa. Da una parte c'è *Legambiente*, che dal '96 gestisce ufficialmente la riserva con l'incantevole Spiaggia dei Conigli, l'unica, in Italia, dove questi animali depongono le uova; dall'altra c'è una biologa romana, che da 10 anni ha scelto di vivere su un'isola. Presenza scomoda, criticata, ed evitata dalla Lampedusa che conta è lei, che senza una lira di finanziamenti pubblici e dunque tra mille difficoltà, gestisce il centro di recupero per le tartarughe marine. Si chiama Daniela Freggi, ed insieme a decine di ragazzi dell'isola ha creato una piccola comunità.

DANIELA FREGGI   Vivere tutto l'anno a Lampedusa è un'esperienza che arricchisce, un'esperienza magica, un'esperienza dolorosa, faticosa, ti stacchi da tutto quello che è il tuo mondo, ti stacchi dagli affetti, ti stacchi tra virgolette dalla cultura, dalla civiltà. L'Internet per me è arrivata da poco, da un mese, perché i finanziamenti per avere insomma un computer e poi attivarlo con Internet sono arrivati... abbiamo raccolto insomma la cifra solo da poco. Però, dicevo, qui ho trovato un affetto, una sensibilità, soprattutto nei giovani, che alla fin fine è stata una grossa... un grosso stimolo.

SPEAKER   Ed è a lei che i pescatori si rivolgono quando le tartarughe incappano nelle reti. A fine agosto, sulla Spiaggia dei Conigli, sono nate 123 tartarughine, un momento quasi magico, un'attrazione per tutta l'isola che finalmente anche gli abitanti e non solo i turisti cominciano ad apprezzare. La Caretta Caretta, che è poi l'esemplare che si riproduce a Lampedusa, può arrivare fino a 150 anni, ed attraversare più volte gli oceani. Purtroppo, fin dall'inizio la selezione è spietata.

RAGAZZO   Già al momento della schiusa possono essere i topi, ad esempio, sulla spiaggia, che di notte tranquillamente scorazzano per l'arenile, i cani, che si trovano, anche questi, purtroppo, per fenomeni di randagismo sull'isola, e anche la predazione da parte degli uccelli, quindi gabbiani, berte presenti sull'isola. Dal momento che mettono la testa in mare, lì avviene una predazione altissima, a scapito appunto della covata, c'è una percentuale appunto altissima di predazione proprio perché avendo ancora il carapace morbido, cioè questo guscio protettivo ancora morbido, vengono predati da qualsiasi abitante del mare.

SPEAKER   Dunque una serie di problemi che Daniela Freggi, in aperta contrapposizione con *Legambiente*, pensa di risolvere intervenendo su quelle che sono le leggi della natura.

DANIELA FREGGI   Io sono convinta che il poter utilizzare un'incubatrice, alzando la temperatura tanto fino a che si ottenga un maggior numero di femmine, avrebbe un risultato immediato sulla salvaguardia delle tartarughe marine, perché nascerebbero delle femmine che fra vent'anni tornerebbero sicuramente a deporre in un sito già protetto, perché all'interno di una riserva. Così come sono convinta che l'accrescimento almeno di un anno dei piccoli, li tuteli da morte sicura: la maggior parte dei piccoli, quasi il 90, 95%, viene poi mangiato a 2, 3, 5 giorni dalla schiusa, dalle prede che gironzolano intorno agli scogli, saraghi, ricciole, cernie; e invece, a crescerli per un anno, portandoli fino a un chilo, un chilo e mezzo, eh beh, garantirebbe loro sicuramente maggiori probabilità di successo.

SPEAKER   Altra cosa che agli ambientalisti più puri suscita orrore è la sua pratica di coinvolgere la gente quando, dopo averle curate, libera le tartarughe nelle varie cale di Lampedusa: il rito è sempre lo stesso, manifesti e annunci con l'altoparlante.

DANIELA FREGGI   È sicuramente un punto di vista poco scientifico e molto umano, però da una parte il fatto che io reputi che le tartarughe sono di tutti, non solo dei biologi o di chi se ne occupi, dall'altra il fatto che la tartaruga è comunque assurta al simbolo di Lampedusa, l'attrattiva un po' di Lampedusa, e dunque, credo che una liberazione pubblica possa servire da un lato a stimolare l'amore verso questi animali, scoprire quali sono i loro problemi, le loro difese, dunque creare vari focolari di interesse nel resto dell'Italia, perché quando queste persone poi torneranno a casa racconteranno quello che avran visto.

SPEAKER   *Legambiente* no, ma i turisti sembrano apprezzare.

B   I. a. *Legambiente* gestisce la riserva sulla Spiaggia dei Conigli dal 1996; b. la bióloga romana Daniela Freggi ha aperto un centro di recupero delle tartarughe marine da 10 anni; 2. topi, cani randagi, uccelli, pesci; 3. dura ma stimolante; 4. a. di usare un'incubatrice per alzare la temperatura e far nascere più femmine; b. di allevare i piccoli per un anno fino a un peso di I chilo, un chilo e mez-

zo per garantir loro maggiori possibilità di sopravvivenza; 5. a. perché le tartarughe sono di tutti, sono il simbolo di Lampedusa; b. per sensibilizzare la gente al rispetto verso gli animali.

C   I. d; 2. b; 3. e; 4. c; l'associazione non corretta è: Daniela Freggi/attivista di *Legambiente* (5. a).

10 Coesione testuale

A   I. e; 2. c; 3. a; 4. b; 5. d.

B   "tra virgolette" significa "per così dire"; segnala che si fa un uso non letterale della parola che segue o precede, in questo caso *cultura* e *civiltà*.

C

Connettivi conclusivi	
INFORMALI	FORMALI
quindi	
così	
perciò	per cui, per questo
allora	pertanto, di conseguenza
	dunque
	cosicché

D   I. quindi/dunque/perciò; 2. allora; 3. per cui/quindi/perciò; 4. allora/dunque; 5. così; 6. dunque; 7. quindi (qui ha anche il significato temporale di "poi"); 8. perciò, dunque; 9. così.

11 Esplorare la grammatica

C   I. Le ditte che producono sostanze tossiche devono pagare *anche* per i danni ambientali causati. 2. *Anche* le ditte che producono sostanze tossiche devono pagare per i danni ambientali causati. 3. Marco ha partecipato *anche* ad *Arcobalena*. 4. *Anche* Marco ha partecipato ad *Arcobalena*. 5. Abbiamo visto le tartarughe e *anche* le scimmie. 6. Abbiamo visto *anche* le tartarughe che depositavano le uova. 7. Abbiamo *anche* visto le tartarughe che depositavano le uova. 8. *Anche* l'Italia dovrà ridurre del 6,5% la quota delle emissioni dei gas serra. 9. Tra le emergenze di cui si dovrà occupare la nuova giunta cittadina c'è *anche* il problema dello smaltimento dei rifiuti solidi urbani.

14 Scrivere

A   b. (lettera di protesta).

B   I. ESPOSIZIONE DEL FATTO: "In questi giorni si parla molto di inquinamento. Ho notato che molti degli autisti di autobus che sostano al capolinea sono i primi a non rispettare le richieste di limitazione degli scarichi, in quanto sostano tenendo il motore acceso anche per lungo tempo. Da anni mi trovo a convivere non solo con queste emissioni degli scarichi, ma anche con il rumore continuo da essi causati (d'estate la situazione peggiora)". Il tono è civile, pacato e ironico. LETTERA DI LAMENTELA: "forse per scaldare un po' l'ambiente? O essendo autisti di mezzi pubblici hanno privilegi rispetto a noi cittadini invitati a fare più attenzione agli sprechi?
Io e la mia famiglia usiamo spesso i mezzi pubblici e capiamo il loro lavoro, perciò vogliamo ringraziare i pochi autisti che prestano un po' più attenzione di altri che invece fingono che non sia un loro problema. Nonostante i nostri ripetuti appelli all'ATB e ad altri enti, non abbiamo mai ricevuto alcuna risposta ed il problema non ha avuto alcun riscontro. Forse non interessa a nessuno?"

"Se ognuno di noi cominciasse a rispettare le regole e chi di dovere a farle rispettare, si potrebbe almeno dire di avere un punto di partenza". IL LETTORE SI LAMENTA del fatto che gli autisti di autobus non spengano il motore quando sostano al capolinea; si lamenta inoltre di non aver mai ricevuto risposta alle sue proteste e del fatto che i vigili non facciano rispettare le regole. 2. Le domande sono RETORICHE con un chiaro intento ironico e provocatorio. Sono in realtà delle asserzioni che richiedono all'interlocutore di essere d'accordo con quanto in esse detto. 3. La lettera è scritta con uno stile abbastanza formale. 4. ESPRESSIONI FORMALI: *in quanto* = dato che, visto che; *non* abbiamo mai ricevuto *alcuna* risposta ed il problema *non* ha avuto *alcun* riscontro = non abbiamo mai ricevuto nessuna risposta e il problema non ha avuto nessun riscontro; *essendo* autisti di mezzi pubblici hanno privilegi rispetto a noi cittadini invitati a fare più attenzione agli sprechi = siccome sono autisti. 5. LESSICO: limitazione degli scarichi, emissioni, appello.

D 1. Convincere il lettore a diventare socio del WWF; 2. di salvaguardia delle Foreste Tropicali; 3. realista, fiducioso; 4. in un minuto vengono distrutti 400 000 mq di Foreste Tropicali e ogni ora perdiamo per sempre almeno 5 specie di esseri viventi, tra piante e animali; 5. diventare socio è un modo di agire direttamente per salvare l'ambiente e quindi la salute e la qualità della vita di sé e della propria famiglia; 6. non usa forme linguistiche dirette come l'imperativo e il condizionale, ma espressioni molto gentili e indirette come: "ho pensato che potesse essere un'ottima occasione per darLe modo di intervenire direttamente contro il progressivo deterioramento dell'ambiente e della 'qualità' della nostra stessa vita", "ho voluto inviarLe fin d'ora l'adesivo di sostenitore della Campagna Foreste Tropicali perché ho fiducia nella Sua volontà di agire oggi per un futuro migliore", "Ci sono molte cose che posso suggerirLe di fare", "Così Le auguro che questa mia lettera sia per Lei l'occasione, forse cercata da tempo, d'intervenire con efficacia in difesa dell'ambiente naturale".

Esercizi

1 1. Ricordo che la partecipazione a *Biciscuola* dev'essere richiesta dalle scuole, per cui i ragazzi interessati a *parteciparvi* dovranno dirlo per tempo ai loro insegnanti. 2. Sei andato da Paola? Certo, *ci* sono andato e *ci* ho parlato. 3. Siete andati anche a vedere Bhopal? Sì, *ci* siamo passati e abbiamo visto molte persone per strada che soffrono ancora di gravi conseguenze provocate dalla nube tossica che nel 1984 fece 20 000 morti. 4. Marco acquista molti nuovi abiti, *investendovi* buona parte del suo stipendio. 5. Hai paura della morte? Sì, ma non *ci* penso più di tanto. 6. L'assessore all'ambiente continua a fare promesse ma gli ecologisti *non ci credono* più.

2 1. ci sono cascato/a; 2. ci stavo; 3. ci siamo? 4. ci state; 5. ci conto, 6. ci arrivano; 7. ci sono; 8. ce l'ho.

3 [Soluzione possibile] 1. *Ci* gioco ogni settimana. 2. *Ne* ha portate una mezza dozzina. 3. No, *ne* ho bevuti solo quattro. 4. Sì, *ne* ho letti più di trenta. 5. No, non *ci* vado perché sono stanco. 6. Sì, *ci* sono andato ieri sera. 7. No, non *ci* credo più. 8. Me *ne* preoccupo perché è molto vecchia e non so se se la caverà questa volta. 9. No, non me *ne* ero proprio accorto. 10. *Ne* apprezzavo l'impegno con cui svolgevano i compiti assegnati. 11. *Ce ne* siamo innamorati perché sono dolcissimi! 12. *Se ne* interessa da qualche anno. 13. *Ne* posso mangiare solo un po'. 14. Sì, *me ne* occupo io. 15. Sì, *me ne* sono finalmente reso conto. Meglio tardi che mai! 16. *Ci* vivo da cinque anni. 17. E sì, *ci* devo assolutamente rinunciare, purtroppo. 18. No, ormai *ci* penso solo qualche volta. 19. Sì, *me ne* vanto, perché? Che c'è di male?

4 1. ci; 2. ne; 3. ci; 4. non posso farne a meno; 5. me ne; 6. ne; 7. ne; 8. ne; 9. ne; 10. me ne; 11. ne; 12. trarne; 13. ci; 14. ci; 15. se ne; 16. discuterne; 17. ci; 18. ci; 19. ci; 20. ce ne.

5 1. non mettere, non metta, non mettete; 2. non raccogliere, non raccolga, non raccogliete; 3. non cacciare, non cacci, non cacciate; 4. non bagnarti /non fare il bagno, non si bagni/non faccia il bagno, non bagnatevi/non fate il bagno; 5. non produrre, non produca, non producete; 6. non usare, non usi, non usate; 7. non abbandonare, non abbandoni, non abbandonate; 8. non gettare, non getti, non gettate; 9. non comprare, non compri, non comprate; 10. non lasciare accesa la macchina, non lasci, non lasciate.

6 1. impegnati, si impegni, impegnatevi; 2. usale, le usi, usatele; 3. spegnile, le spenga, spegnetele; 4. utilizzale, le utilizzi, utilizzatele; 5. non coprirli, non li copra, non copriteli; 6. sceglila, la scelga, sceglietela.

7 1. Ogni giorno nel nostro paese vengono abbandonate *abusivamente* 186 000 tonnellate di rifiuti. 2. Arcobalena è una marcia di protesta organizzata da *Greenpeace* in difesa delle balene che si svolge *contemporaneamente* in cinquanta città italiane. Arcobalena è una marcia di protesta organizzata da *Greenpeace* in difesa delle balene che si svolge in cinquanta città italiane *contemporaneamente*. 3. Sofia compra *solo* prodotti biologici. *Solo* Sofia compra prodotti biologici. 4. Quale mezzo di trasporto usate *abitualmente* in città? Quale mezzo di trasporto usate in città *abitualmente*? 5. Non uso *generalmente* prodotti "usa e getta". Non uso prodotti "usa e getta" *generalmente*. *Generalmente* non uso prodotti "usa e getta". 6. *Stranamente* ha parlato di questo argomento. Non ce l'aspettavamo proprio. Ha *stranamente* parlato di questo argomento. Non ce l'aspettavamo proprio. 7. Le più importanti zone di pesca del mondo sono state *praticamente* esaurite da una pesca eccessiva e irrazionale. 8. Ha parlato *stranamente* di questo argomento. Non mi è parso chiaro. Ha parlato di questo argomento *stranamente*. Non mi è parso chiaro. 9. La capacità della terra di soddisfare le esigenze dell'umanità sta *pericolosamente* diminuendo. La capacità della terra di soddisfare le esigenze dell'umanità sta diminuendo *pericolosamente*. 10. Non aveva *affatto* parlato di questo. 11. Per avere ulteriori informazioni e ricevere *gratuitamente* il materiale didattico, chiamate il numero verde 1678-11096. Per avere ulteriori informazioni e ricevere il materiale didattico *gratuitamente*, chiamate il numero verde 1678-11096. 12. Mi ha detto per telefono di partire *immediatamente* perché era successo qualcosa di grave a mio fratello. 13. Soltanto con il tuo aiuto *Greenpeace* potrà ostacolare la distruzione della foresta africana e l'estinzione del gorilla, dello scimpanzé e dell'elefante. Per questo motivo abbiamo *urgentemente* bisogno che ogni sostenitore diventi un "Custode delle grandi foreste" e sostenga questa nostra importante campagna internazionale. Soltanto con il tuo aiuto *Greenpeace* potrà ostacolare la distruzione della foresta africana e l'estinzione del gorilla, dello scimpanzé e dell'elefante. Per questo motivo abbiamo bisogno *urgentemente* che ogni sostenitore diventi un "Custode delle grandi foreste" e sostenga questa nostra importante campagna internazionale. 14. Il vetro andrà conferito *esclusivamente* nelle apposite campane collocate in vari punti del quartiere.

8 1. finalmente; 2. alla fine; 3. alla fine; 4. finalmente; 5. infine; 6. infine.

9 1. È per ridurre le emissioni di gas velenosi nell'aria che l'assessore all'ambiente vuole introdurre bus urbani elettrici. 2. È per colpa di Luisa che siamo finiti a vivere in questa zona rumorosa della città. 3. È di cambiamenti climatici che ti vorrei parlare. 4. Sono i nostri amministratori che hanno dato esempio di disonestà. 5. È il

WWF che ha curato un libro che elenca 50 semplici accorgimenti da mettere in pratica tutti i giorni per salvare l'ambiente. 6. È soprattutto sulle coste meridionali che sono stati costruiti molti edifici abusivi. 7. È il rispetto dell'ambiente che va insegnato a scuola, e non altre materie strane! 8. È questo l'inquietante allarme che ha lanciato la direttrice dell'OMS in un intervento al vertice dell'ONU sullo sviluppo sostenibile.

10 1. ludoteche, biologici; 2. tecnologici, scarichi; 3. drammatici; 4. lunghe, boschi, acustici, atmosferici; 5. colleghi; 6. pubblici; 7. idroelettriche, dighe; 8. igienici; 9. idriche, idrici; 10. climatici; 11. ecologici, sintetici.

11 1. su (e. distributivo); 2. sul (a. stato in luogo), sullo (c. argomento); 3. sulla (b. moto a luogo); 4. sul (e. distributivo); 5. sulla (c. argomento); 6. su (e. distributivo), su (e. distributivo); 7. sulla (b. moto a luogo); 8. sui (d. approssimazione); 9. sui (d. approssimazione); 10. sulle (a. stato in luogo).

Ripasso

1 (1) vuole; (2) sia; (3) abbia puntato; (4) bisognerebbe; (5) siano; (6) incida; (7) risale; (8) va; (9) sia; (10) sia; (11) risolverebbe; (12) sia; (13) è; (14) sia; (15) dobbiamo; (16) siano; (17) occorra; (18) vengano/siano investite.

Test (40 punti)

1 1. ci; 2. me ne; 3. ci; 4. occuparmene; 5. ci; 6. ci.

2 1. comprali; 2. li eviti; 3. le usi; 4. non li cambi; 5. acquistali; 6. mangiali; 7. non investirli.

3 1. Ogni anno lo spot "Più consumi meno vivi" con cui viene pubblicizzata la giornata mondiale del non acquisto viene *sistematicamente* rifiutato (*sistematicamente*) da tutti i canali televisivi e trova spazio a pagamento solo sulla Cnn. 2. La multinazionale australiana estrae oro con il cianuro che è *altamente* tossico. 3. Nel 2005 la nostra società ha raggiunto il 43,2% di raccolta differenziata, separando circa 25,2 milioni di kg di materiali su un totale di 58,4 milioni di kg di rifiuti prodotti. Questo risultato è stato ottenuto *anche* grazie alla vostra collaborazione. 4. F. Pierri, che è *mobility manager* della Provincia di Milano, coordina aziende e comuni che hanno aderito *spontaneamente* all'iniziativa di organizzare la mobilità dei loro dipendenti con trasporti di tipo alternativo. 5. Oggi, *oltre* a pensare a produrre energia, dobbiamo *anche* pensare a ridurre i danni ambientali che derivano dall'uso dei combustibili. 6. Negli Stati Uniti costruiranno un milione di tetti fotovoltaici entro il 2010. In Germania 100 000. *Solo* in Italia le tecnologie per catturare l'energia che viene dal cielo e non inquina sono state tenute al guinzaglio.

4 1. È Marco che ho iscritto ad un campo ecologico estivo. 2. È la bici che vorrei usare per andare al lavoro. 3. È l'amministrazione che vuole introdurre i bus elettrici.

5 1. biologici; 2. domestici; 3. farmaci; 4. elettrodomestici; 5. pubblici; 6. lunghi.

6 1. rinnovabili; 2. riciclabile; 3. invisibile; 4. infiammabile; 5. potabile.

7 (1) sprechi; (2) salvaguardare; (3) imballaggi; (4) discariche; (5) spazzatura; (6) difendersi; (7) energia.

La situazione linguistica in Italia oggi

UNITÀ 7

↗ Entrare nel tema

▶ ITALIANO SCRITTO: 1. lingua specialistica della medicina, referto medico; 3. sms tra due persone giovani che hanno un rapporto intimo e confidenziale. ITALIANO PARLATO: 2. italiano parlato colloquiale, in treno tra due persone che si conoscono; 4. italiano formale aulico, inaugurazione di un corso o di un convegno all'università.

▶ È il titolo di un articolo che parla dei modi di dire e di come queste espressioni idiomatiche differiscano da lingua a lingua: per dire "piove tanto" in italiano si dice "piove a catinelle", in tedesco "piove a fiumi", in inglese "piovono cani e gatti" e in francese "piove come una vacca che fa la pipì".

▶ Frase fatta, modo di dire, espressione idiomatica.

1 Ascoltare

CD1, ›14: "Lo schema ha come obiettivo di spiegare come si componga l'italiano..."

PROF.SSA MOLINELLI

La situazione linguistica presente in Italia oggi è molto più variegata di quanto possa far supporre l'esistenza di una lingua unica, di una lingua nazionale. Questa mia affermazione fa riferimento da una parte alla gamma di varietà di cui si compone questo universo definito "lingua italiana"; dall'altro, fa riferimento alle lingue non imparentate o solamente così, parlate fuori d'Italia, comunque lontane dall'italiano, quali possono essere il francese, il tedesco, l'albanese, che sono parlate in determinate zone dell'Italia, e anche un'altra componente di questa panoramica linguistica italiana, sono i dialetti, che comunque non vengono presi in considerazione in questo schema che noi vediamo. Questo schema ha come obiettivo di spiegare come si componga l'italiano contemporaneo nelle sue molteplici varietà. Per collocare queste varietà si è scelto una costruzione tridimensionale, che tiene in considerazione principalmente tre possibili asse... assi di variazione, cioè la lingua può variare innanzitutto per il mezzo che la veicola, cioè se noi usiamo la lingua scritta, avremo delle espressioni o delle caratteristiche profondamente diverse dall'uso orale; quindi questo è l'asse orizzontale, diamesico, che voi vedete. Un'altra componente importante della comunicazione è legata proprio alla modalità della comunicazione: quindi, se noi ci rivolgiamo a degli amici o a un contesto familiare, informale, useremo una lingua diversa dalla... da quella invece usata, per esempio, in una dimensione scritta, o in una dimensione speciale del nostro lavoro, ammesso che noi, per esempio, svolgiamo una occupazione legata ai computer o a una lingua più tecnica: questa sarà la dimensione diafasica che, come vedete, raggruppa a un estremo della scala l'italiano informale trascurato e l'italiano gergale, ravvicinati l'uno a destra l'altro a sinistra dell'asse. Questo perché sul lato destro sono presenti i registri, cioè le varietà di lingua legate alla situazione della comunicazione; alla parte invece sinistra, bassa, dell'asse sono presenti i sottocodici: il gergo è un esempio di sottocodice, cioè una lingua speciale, parlata in un gruppo piuttosto ristretto e definito, può essere per esempio quello dei soldati delle caserme, che è legata sia all'informalità della situazione, ma anche allo strato sociale dei parlanti. Parlando di... dell'altro invece estremo della scala, abbiamo varietà legate da un lato a una cultura alta: come vedete, "italiano tecnico-scientifico" fa supporre anche un grado di cultura elevato; e dall'altro a una situazione definita, per esempio, quando si parla di italiano formale aulico, che è, possiamo dire, la lingua residua in alcune situazioni come possono essere gli esami di laurea, o determinati... determinate formule della lingua definita aulica. Queste... questi due assi che abbiamo citato, hanno da considerare comunque sempre una terza possibilità di variazione che è legata al parlante stesso, cioè al suo grado di cultura, al suo strato sociale, come bagaglio personale di uso della lingua. Tutte queste possibili variazioni lasciano come presupposta la variazione legata alla provenienza regionale del parlante che, qualunque tipo di situazione... in qualunque tipo di situazione o qualunque lingua usi, qualunque varietà usi, avrà nel suo retroterra culturale questa provenienza, che si manifesta semplicemente anche nel-

la pronuncia, nei tratti morfologici o nelle parole, quindi nel lessico. Al centro di questa complicata struttura, abbiamo l'italiano standard letterario, che è spostato come vedete verso lo scritto, la dimensione scritta e verso una dimensione alta, quindi, colta, ed è la norma, diciamo, delle grammatiche, codificata, che si basa appunto sulla... una certa letteratura. Il centro, invece, o quanto meno la varietà più vicina al centro, è quella definita italiano neo-standard, che in questo volume è sinonimo di italiano regionale colto medio, cioè una lingua colta quindi abbastanza in questo... elevata rispetto al centro di questo... di questo schema, ma con una base allargata rispetto all'italiano standard letterario, una base comunque definita "media", quindi di cultura ed estrazione sociale collocata al centro, e una lingua, comunque, con qualche caratteristica regionale, come vedete. L'italiano neo-standard è cioè la dimensione di variazione in cui tutti o quasi tutti i parlanti italiano riescono a riconoscere la propria lingua.

B   1. b; 2. c; 3. a; 4. c; 5. c.

2 Leggere

A   1. b. ITALIANO BUROCRATICO: periodi lunghi e complicati, tendenza allo stile nominale (*per l'accensione del conto*), frasi fatte (*premesso che, riveste la qualifica, attenersi alle modalità*), formule lessicali come il *medesimo*, uso del gerundio (*risultando iscritto*). 2. c. ITALIANO PARLATO COLLOQUIALE: molti deittici come *questo qui, quella là*, segnali discorsivi (*allora, niente*), colloquialismi (*un'emerita deficiente, come una pazza*), il *che* esplicativo, fusioni e troncamenti nella pronuncia (*col rosso, non abbiam più visto*), sintassi giustapposta con poca subordinazione. 3. a. ITALIANO STANDARD LETTERARIO: il pronome soggetto *egli*, sintassi subordinata e incassata, lessico ricercato (*filippica, fare grazia*). 4. d. ITALIANO POPOLARE: errori di ortografia (*litalia, ce, agiutarlo, meso*), mancato uso delle doppie come nell'italiano regionale veneto (*fano, metali*), errori con le preposizioni (*sono pronti di, nel meso a*), *mentre che, voialtri*, assenza quasi totale di punteggiatura.

3 Leggere

B   Il contrario di "per modo dire" è "letteralmente".

C   1. Vuole evidenziare che i modi di dire non hanno un significato letterale. Viene ripreso dalla riga 22 alla riga 24. 2. Vengono definite "strizzate d'occhio": "strizzare l'occhio a qualcuno" significa lanciare un cenno di intesa a qualcuno chiudendo un occhio, cioè usare un linguaggio espressivo, quello della mimica facciale, proprio come i modi di dire usano un linguaggio figurato e colorito. Vengono inoltre definite "paragoni accorciati" perché sono delle espressioni che sintetizzano in modo efficace delle situazioni o stati d'animo. 3. Nel passato nascevano all'interno del mondo popolare, dialettale e contadino, oggi vengono generate soprattutto dai *media*, negli spettacoli comici, come i cabaret, nella pubblicità e nel linguaggio giovanile. 4. Perché anche il linguaggio giovanile è fonte di modi di dire che si diffondono poi su tutto il territorio, come per esempio *essere fuori come un balcone*.

D

Espressioni idiomatiche		
1. d'origine storica	*fare un quarantotto*	(riga 16)
2. dalla Bibbia	*lavarsene le mani*	(righe 39-40)
3. dal mito	*fare la parte del leone*	(righe 33-34)
4. dal mondo dell'arte	*Paganini non ripete*	(riga 37)
5. dalla vita reale	*contare le pecore*	(riga 40)

4 Lessico

A   1. d; 2. e; 3. f; 4. h; 5. a; 6. g; 7. i; 8. b; 9. c.

B

Modi di dire	Significato
1. sudare sette camicie	"fare molta fatica"
2. cadere dalle nuvole	"meravigliarsi per qualcosa di inaspettato"
3. fare una maratona	"sostenere una prova lunga e faticosa"
4. fare il portoghese	"usufruire di un servizio (es. prendere il bus) senza pagare il biglietto"
5. ingoiare un rospo	"rassegnarsi a qualcosa di increscioso molto malvolentieri"
6. il tallone di Achille	"il punto debole di una persona"
7. andare a letto con le galline	"andare a dormire a un orario esageratamente anticipato rispetto alla norma"
8. fare la parte del leone	"prendere il meglio e il più in una ripartizione"
9. Paganini non ripete	"rifiutarsi di ripetere un gesto o una frase"
10. lavarsene le mani	"non assumersi le proprie responsabilità"
11. contare le pecore	"avere difficoltà ad addormentarsi"

C   1. c; 2. e; 3. i; 4. g; 5. h; 6. d; 7. l; 8. b; 9. f; 10. a; 11. m.

D   1. (parlante) monolingue; 2. (parlante) bilingue; 3. plurilingue; 4. dialettologo; 5. dialettologia; 6. dialettofono.

5 Capire i giochi di parole

A   La prima è la pubblicità di un prodotto per l'igiene della casa. *Mangiarsi le parole*, che significa "pronunciare le parole in maniera imperfetta", viene usato con il significato letterale: il bambino mette in bocca e mangia dei cubi con le lettere dell'alfabeto raccolti da terra. La seconda è la pubblicità di uno spray per la gola per non russare. *Chi russa resta solo* si basa sul meccanismo di sostituzione di più parole del detto originario: "Chi dorme non piglia pesci" (di cui si parla nell'articolo dell'attività 1.)

6 Lessico

B   1. è mancata all'appuntamento; 2. stai andando velocemente in macchina o in moto; 3. permaloso; 4. mi vesto bene, elegantemente; 5. ci si incontra; 6. ragazza brutta; 7. moltissimo; 8. si dà delle arie, è vanitoso, ben vestito; 9. esaurito, impazzito; servizio militare.

7 Esplorare la grammatica

A   Accordo con il participio passato

*verbi con ausiliare **essere***
siano tratte (le espressioni)
è scoppiata la pace
l'effetto è dato
scritto (lo slogan)

*verbi con ausiliare **avere***
ne ha raccolti e spiegati (di modi di dire)
li ha definiti (i modi di dire)
ha suddiviso le espressioni
aveva inviato (il disegno)
hanno mandato

*participi con funzione di aggettivi (con ellissi di **essere**)*
abusati
perdutasi (la data di nascita)
fatte (le frasi)
accaduti (gli episodi)
storpiati (i modi di dire)
tramandati (i modi di dire)
paragoni accorciati
una maniera preconfezionata

Con i verbi con l'ausiliare *essere* il participio passato si accorda con il soggetto.
Con verbi con l'ausiliare *avere* il participio passato si può accordare con il nome oggetto diretto, ma non è molto comune nel parlato (più tipico dello scritto formale e letterario); si accorda invece con i pronomi oggetto diretto e il *ne*.

B   (1) si è modificata; (2) è calata; (3) hanno contribuito; (4) ha coinvolto/i; (5) hanno finito/sono finiti; (6) è stato; (7) ha ridotto; (8) ha reso/i; (9) erano rimasti; (10) sono stati; (11) collegati; (12) hanno avuto/e; (13) è stata; (14) sono stati; (15) ha imposto/a; (16) ha riunito/i; (17) avuto/a; (18) potuto; (19) riconosciuta; (20) impresso/a; (21) presentata; (22) celebrata.

8 Ascoltare

CD1, ›15: "Quando noi parliamo di dialetti..."

PROF. CUZZOLIN   Quando noi parliamo di dialetti italiani, dobbiamo brevemente distinguere in quale accezione usiamo la parola "dialetti". "Dialetto" ha due grandi significati, il primo: il dialetto come varietà di una lingua; il secondo: dialetto come equivalente a lingua che però non ha avuto la fortuna di diventare lingua da un punto di vista statutario, mi spiego: quando noi parliamo di dialetto lombardo, di dialetto piemontese, di dialetto, diciamo, toscano, e intendiamo tutti i dialetti dell'Italia, per la maggior parte noi ci riferiamo a dialetti che non sono varietà dialettali dell'italiano, e sono dialetti primari nel senso che da un punto di vista della loro origine sono dialetti nati insieme con la varietà toscana, che a sua volta sarebbe diventata statutariamente l'italiano, quindi per ragioni sociali, politiche, economiche e così via. Da questo punto di vista, quindi, quando noi diciamo piemontese, lombardo, diciamo che sono dialetti non dell'italiano nel senso che ne sono per così dire una varietà, ma sono semplicemente, da un punto di vista di origine, nati con quella var..., con quel dialetto che sarebbe diventato, poi, lingua. Un secondo caso, invece, la seconda accezione, è quella dei dialetti che diventano, che sono dialetti perché sono una varietà locale, specialistica, specialistica no, per così dire, una varietà locale che viene parlata in un'area ben determinata, varietà di un... della varietà lombarda. Il dialetto bergamasco, da questo punto di vista, è una varietà del lombardo, è una sua specializzazione, sempre... termine da prendersi sempre con le molle, il trevigiano o il veneziano come specializzazioni in senso geografico, sociale, del veneto. Punto. Vediamo, per quel che riguarda la divisione dei dialetti in Italia, una divisione di ampio respiro è quella che vede dialetti gallo-italici al Nord, premesso che sostanzialmente l'Italia, i dialetti italiani, sono divisi in tre grandi gruppi, uno nord-settentrionale, uno centrale e uno meridionale. Abbiamo l'area gallo-italica, che comprende i dialetti lombardi, emiliani, liguri, poi ovviamente piemontesi, l'area veneta, e l'area, diciamo, l'area centrale che comprende il toscano e i dialetti centro-italici, un'area meridionale che comprende le zone geograficamente dalla Campania e dall'Abruzzo in giù, fino a comprendere anche i dialetti meridionali, del tipo siciliano; anche se il sardo è una lingua, viene considerato ufficialmente, è una lingua, più che un dialetto, da un punto di vista linguistico può comunque essere considerato un dialetto, uno dei dialetti d'Italia. Ovviamente queste divisioni hanno al loro interno divisioni più sottili, si parlerà spesso di dialetti terziari, ma questa è una distinzione sulla quale non vorrei soffermarmi, nel senso che appunto, parlare per esempio di dialetto bergamasco, per tutta l'area della provincia di Bergamo, significa, come dire, rendere omogenea una area linguisticamente non così omogenea, nel senso che rispetto al dialetto di Bergamo, il dialetto di paesi vicini a Bergamo, pur simili, possono avere ulteriori distinzioni, più sottili distinzioni, nel lessico, prevalentemente nel lessico e nella fonologia; bisognerebbe a rigore parlare di, quando si parla di dialetto bergamasco, a rigore il dialetto bergamasco sarebbe il dialetto di Bergamo, e le altre sarebbero varietà del dialetto bergamasco. Il dialetto in Italia oggi è in forte regresso, più o meno nelle differenti aree; qualche tempo fa è stato messo in luce che il dialetto forse più... nello stato più minacciato è il dialetto ligure, con soltanto il 4% ancora di parlanti, mentre in alcune zone, come per esempio la Sicilia o il Veneto, il dialetto è tuttora molto usato, anche se in regresso anche in queste zone. Ovviamente, il dialetto viene parlato da strati, diciamo, dagli strati della popolazione meno alti, in genere, però in regioni come il Veneto, il dialetto può essere addirittura usato come *incode* a livelli sociali piuttosto elevati, quasi come vezzo, per cui può capitare che, i docenti universitari, finita la lezione, per esempio in italiano, possano parlare tra di loro in dialetto o il patriziato veneziano che si lascia spesso e volentieri andare a frasi in veneziano. Ovviamente, il

dialetto è più associato a situazioni colloquiali, familiari, dove cioè non esistano, dal punto di vista formale, la situazione sia piuttosto, la situazione non sia formale, e viene utilizzato in numerose situazioni tipiche, in contesti, possiamo dire che nei contesti in cui non ci sia un qualche controllo, o il parlante non senta di doversi sorvegliare, può emergere, qualora sia stato educato in dialetto, può emergere l'uso del dialetto o il tentativo di adeguarsi ad esso: per esempio al bar, per esempio in alcuni, diciamo, nell'ambito familiare, molto spesso può capitare che il dialetto venga usato ancora oggi, in fabbrica, nei laboratori, molto spesso nell'ambiente degli agricoltori, già meno... è meno probabile che questo accada nell'ambito del commercio, perché il commercio per sua natura è sempre in zona prevalentemente, diciamo, urbana o di centro abitato, non... nelle grandi città può, è difficile che possa entrare nel negozio un acquirente di cui, la cui competenza in dialetto sia nota al commerciante; oppure può capitare che, nelle piccole città, entri qualcuno che non può, o non sa parlare in dialetto e quindi, mentre di nuovo, nel caffè, al bar, in luoghi di ritrovo, data la loro natura, il dialetto è possibile che venga parlato, lo si sente più frequentemente, anche se in tutti i luoghi dove è possibile un, diciamo così, un ricambio di persone che non sia controllabile, non sempre il dialetto può essere visto in modo positivo e accettato, mentre la scomparsa del dialetto in ambito scolastico, è abbast..., o in ufficio, è abbastanza, ormai, un fatto noto. Rimane un forte uso del dialetto, invece, nelle caserme e nell'esercito, perché in questi ambienti i parlanti del medesimo dialetto hanno modo di formare dei piccoli gruppi ristretti e tendenzialmente chiusi, dove di nuovo il dialetto...

B   1, 3, 4.

C   DIALETTI PRIMARI: equivalenti a una lingua, ma che non sono diventati tali; nati insieme con il toscano che è l'unico a essere diventato poi la lingua italiana (es. lombardo, veneto, toscano). VARIETÀ LOCALI: specializzazioni di una varietà più ampia (es. dialetto bergamasco, trevigiano, veneziano).

D   Area gallo-italica; area veneta; area centrale; area meridionale. Sardo e siciliano appartengono all'area meridionale; toscano all'area centrale; lombardo, emiliano e ligure all'area gallo-italica.

E   1. V; 2. V; 3. V; 4. F; 5. F; 6. V; 7. F; 8. V.

F   PIÙ USATO: nei luoghi di ritrovo (bar), in fabbrica, tra agricoltori, in famiglia, in caserma (nell'esercito). MENO USATO: nel commercio, a scuola, in ufficio.

9 Coesione testuale

A   RIFORMULARE/CORREGGERE: *mi spiego, per così dire, come dire, diciamo* (usato più volte), *diciamo così, no.* INDICARE CHE HA FINITO DI PARLARE DI UN ARGOMENTO: *punto.* INTRODURRE UN NUOVO ARGOMENTO DEL TEMA DI CUI STA PARLANDO: *per quel che riguarda.*

B   (riga 21) innanzitutto; (riga 24) in secondo luogo.

C (1) primo/in primo luogo/innanzitutto/anzitutto; (2) eccetera/e via discorrendo; (3) secondo/in secondo luogo; (4) inoltre/poi; (5) infine/in ultimo.

D (riga 23) *a meno che*; (righe 26-27) *a seconda che*. Il verbo va al congiuntivo (ma può essere messo anche all'indicativo).

E [Sono possibili anche altre soluzioni] 1. Se vivrà in Italia, in tre mesi potrà imparare a cavarsela in italiano *a meno che (non)* frequenti solo stranieri. 2. Riuscirò a collegare da solo lo scanner *salvo che* le istruzioni non siano scritte in modo troppo tecnico. 3. Non riesco a darle un appuntamento fino al mese prossimo *fuorché* qualcuno disdica all'ultimo momento. 4. Vorrei frequentare un corso di italiano *eccetto che* non costi troppo. 5. Non mancherò alla conferenza *a meno che* non mi capiti qualche imprevisto sul lavoro. 6. Keith si è trovato bene nella famiglia che l'ha ospitato *tranne che* parlavano spesso in dialetto. 7. Verremo a trovarti per Natale in treno *salvo che* non ci siano scioperi. 8. Non penso di uscire stasera *salvo che (non)* riesca a ritornare prima dal lavoro. 9. Parteciperà alla gara *tranne che* il medico glielo sconsigli. 10. Avrei intenzione di comprare un vocabolario *a meno che* mio padre *(non)* me ne regali uno.

10 Esplorare la grammatica

A 1. a. La frase secondaria è anteposta a quella principale. b. È un costrutto caratteristico dei registri formali. c. In questo caso il congiuntivo, che è comunque richiesto dalla presenza nella frase principale dalla costruzione impersonale con la negazione (*non è una novità*), ha una funzione pragmatica, serve cioè a segnalare l'anticipazione della frase dipendente rispetto alla frase reggente. 2. Nella frase scissa viene messa in rilievo l'informazione nuova per sottolineare ed è in contrasto con l'informazione già data (*Una volta i modi di dire, frequenti nel parlato, nascevano per lo più negli strati bassi della popolazione, magari in contesti rurali e dialettali, per poi diffondersi sul resto del territorio.*)

B 1. Perché alcuni neologismi resistano alle mode mentre altri spariscano, non è chiaro. 2. Che il dialetto sardo sia incomprensibile, è risaputo. 3. Che il 13% delle parole del lessico italiano sia di origine francese, pochi lo sanno. 4. Che non debba essere facile per uno straniero percepire le differenze di accento dovute alla provenienza geografica del parlante, è chiaro. 5. Che il linguaggio giovanile suoni all'orecchio degli adulti come scurrile e incomprensibile, è risaputo. 6. Che i dialetti italiani siano i tardi continuatori del latino volgare, cioè del latino parlato, è noto.

C 1. Ma insomma, i bambini delle elementari studieranno l'inglese o no? In Sardegna insegneranno il dialetto a scuola/In Sardegna il dialetto verrà insegnato a scuola. Bisogna dare subito la parola alla gente. 2. Nella dislocazione a sinistra l'elemento dislocato all'inizio della frase viene ripreso dal pronome atono corrispondente. 3. La dislocazione a sinistra serve a portare a tema un costituente diverso dal soggetto. L'elemento dislocato, messo in posizione iniziale, viene enfatizzato.

11 Lessico

B 1. il parafulmine – i parafulmini; 2. l'apriscatole – gli apriscatole; 3. il battipanni – i battipanni; 4. il cacciavite – i cacciaviti; 5. il cavatappi – i cavatappi; 6. il guardaroba – i guardaroba; 7. la lavastoviglie – le lavastoviglie; 8. il parafango – i parafanghi; 9. il colapasta – i colapasta; 10. il portaombrelli – i portaombrelli; 11. il salvagente – i salvagente; 12. lo spremiagrumi – gli spremiagrumi; 13. lo stuzzicadenti – gli stuzzicadenti; 14. il tergicristallo – i tergicristalli; 15. il tostapane – i tostapane.

C [Queste parole possono anche essere scritte con un trattino] 1. m. la vacanza premio [la vacanza-premio] – le vacanze premio [le vacanze-premio]; 2. g. la donna poliziotto – le donne poliziotto; 3. b. la parola chiave – le parole chiave; 4. e. l'uomo scimmia – gli uomini scimmia; 5. f. la trattativa lumaca – le trattative lumaca; 6. h. lo stato cuscinetto – gli stati cuscinetto; 7. l. la guerra lampo – le guerre lampo; 8. i. lo studente modello – gli studenti modello; 9. a. il vagone letto – i vagoni letto; 10. d. la ragazza tipo – le ragazze tipo; 11. c. l'indagine pilota – le indagini pilota.

D [Esempi] DALLA MUSICA: adagio, prestissimo; DALLE ARTI FIGURATIVE: altorilievo, putti; DALLA MODA: doppiopetto; DALLO SPORT: catenaccio; DALLA MALAVITA: mafia, padrino, piovra; ITALIANISMI NEL TEDESCO: casanova, bravo, gusto, lotto, tifoso, pizzeria, osteria; ITALIANISMI NEL FRANCESE: diva, tifoso.

E ARABO: hascisc; CINESE: ginseng, wok; EBRAICO: eden; FRANCESE: chance, bricolage; GIAPPONESE: karaoke, origami; HINDI: kajal; INGLESE: kit, hooligan; NEDERLANDESE: kermesse; POLACCO: mazurca; RUSSO: kalashnikov; SPAGNOLO: aficionado, banderilla; TEDESCO: wafer, hinterland; TURCO: pilaf, yogurt.

12 Esplorare la grammatica

A Se la /i/ è tonica si conserva nel plurale (es. *bugìa-bugìe*); se la /i/ non è tonica, se davanti a *-cia/-gia* c'è una vocale, questa si mantiene (es. *camicia-camicie*), se invece c'è una consonante la i non si mette (es. *boccia-bocce*).

B 1. In questa città c'erano parecchie farmacie. 2. Le allergie da polline e polveri sono aumentate. 3. Nel viaggio di ritorno ha perso due valigie. 4. Le spiagge di Rimini sono rinomate tra i giovanissimi. 5. In Italia hanno costituito nove nuove province. 6. Nel partito ci sono diverse frange estremiste. 7. Posso assaggiare un paio di ciliegie? 8. In Italia si usano molte pronunce.

Esercizi

1

CONCORDANZA

RAPPORTO DI ANTERIORITÀ

FRASE PRINCIPALE	FRASE SECONDARIA **ANTERIORITÀ**

passato prossimo

imperfetto

passato remoto

Presente
Passato legato
al presente
(passato prossimo)

trapassato prossimo
(azione precedente a
un punto di riferimento
nel passato)

condizionale passato
(azione non realizzata
nel passato)

Passato non legato
al presente
(passato prossimo,
passato remoto, imperfetto,
trapassato prossimo)

trapassato prossimo
trapassato remoto

2 (1) era/è stato; (2) mi è avanzato; (3) era avvolto; (4) mi hanno detto; (5) ero/(fossi stato); (6) aveva prenotato; (7) ho avuto l'impressione; (8) dormivano; (9) aveva installato; (10) era entrato in panne; (11) poteva; (12) occorreva; (13) sono riuscito; (14) l'ho estratto; (15) ho cercato; (16) conteneva; (17) c'era; (18) ho aperto; (19) ho messo; (20) ho sistemato; (21) me ne sono disinteressato; (22) sono rientrato; (23) stava; (24) ho aperto; (25) ho visto; (26) era; (27) ho telefonato; (28) ho detto; (29) trovavano /(avessero trovato); (30) era; (31) era; (32) hanno risposto; (33) occorreva; (34) parlava; (35) poteva; (36) ho aperto; (37) ho trasferito; (38) ho allogato; (39) era; (40) emanava; (41) era; (42) ho telefonato; (43) hanno detto; (44) c'era stato; (45) sono andato; (46) era; (47) risultava; (48) avevo consumato; (49) ho cercato; (50) mi ha assicurato; (51) diceva; (52) ho chiesto; (53) hanno portato; (54) hanno detto.

3 1. È nato, divaricata, appresa, elevate; 2. viene usato; 3. si è diffusa, ha innalzato; 4. avevo comprato, sono riportati, l'ho prestato; 5. sono arrivati, hanno rafforzato/a, hanno portato, si era fatta; 6. è stabilita, è lasciata; 7. siamo stati/e abbiamo conosciuto/a; 8. ho visitato/e, ne ho trovata; 9. vanno tutelate; 10. me li sono dovuti; 11. si è trasferita, se ne è innamorata.

4 1. È/era di espressioni idiomatiche che si stava parlando. 2. È un dizionario monolingue che Gianna vorrebbe, non uno bilingue. 3. L'italiano l'ho imparato da piccolo parlando con i miei nonni. 4. È per colpa di Luisa che siamo finiti qui. 5. È di italiano popolare che oggi vorrei parlare e non di parlato colloquiale, che ho già trattato la volta precedente. 6. Sono i nostri amministratori che hanno dato prova di disonestà. 7. È nel settentrione d'Italia che, secondo parecchi linguisti, gli stranieri dovrebbero imparare la pronuncia, non in Toscana. 8. A Emanuela, gliel'ho spedita ieri una lettera. 9. È il rapporto con l'interlocutore che determina la scelta del registro. 10. In università ci andiamo domani.

11. Di birra ne beve due litri al giorno! 12. L'origine di alcuni modi di dire non la conosciamo.

5 1. francofone; 2. etimologia 3. psicologia, sociologia; 4. automunito; 5. ispanofoni; 6. astrologia; 7. dietologo; 8. telelavoro; 9. allergologo; 10. lessicologo; 11. cinefilo; 12. teleabbonati; 13. autoapprendimento; 14. bibliofilo.

6 (1) allo; (2) a; (3) della; (4) alla; (5) alla; (6) della; (7) alla; (8) a; (9) a; (10) a; (11) di; (12) dello; (13) dell'.

Ripasso

1 (1) usava; (2) terminava; (3) era; (4) usava; (5) ha fatto; (6) è rimasto; (7) si chiamava; (8) impiegavano; (9) poteva; (10) hanno dovuto; (11) è imparato; (12) sono diventati; (13) ha preso; (14) solevano; (15) entrava; (16) varcava.

Test (50 punti)

1 (1) è formato; (2) ininterrotta; (3) tratte; (4) colta; (5) formatesi.

2 (1) davo; (2) avevo tolto; (3) cercavamo; (4) hai chiamato; (5) avevi preso; (6) si è riagganciato; (7) perdeva/aveva perso.

3 1. Che l'incidenza degli anglismi nella stampa sia raddoppiata negli ultimi trent'anni, è evidente. 2. Che l'uso di *gli* al posto di *loro* sia largamente usato e accettato nel parlato colloquiale, è sotto gli occhi di tutti. 3. Che il dialetto veneto sia ancora molto parlato dai giovani, lo sanno gli studenti stranieri che vivono a Padova.

4 1. Il dialetto non l'ho mai imparato perché i miei genitori non lo usavano in famiglia. 2. La fonologia dell'italiano non l'abbiamo ancora studiata in classe. 3. È il gergo dei malviventi e degli emarginati che ha/ad avere una fondamentale funzione di lingua segreta, ma non quello giovanile.

5 1. valigie; 2. province; 3. spiagge.

6 1. innanzitutto; 2. a meno che/(salvo che); 3. in ultimo; 4. se non che; 5. salvo che.

7 1. sudare sette camicie; 2. fare la parte del leone; 3. cadere dalle nuvole.

8 1. dialettologia; 2. francofono; 3. autodidatta.

9 [Questi giustapposti possono essere scritti anche senza trattino] 1. Il progetto-pilota – i progetti-pilota; 2. la seduta-fiume – le sedute-fiume; 3. l'impiegato-modello – gli impiegati-modello.

10 1. lo schiaccianoci – gli schiaccianoci; 2. l'apribottiglia – gli apribottiglia; 3. il cacciavite – i cacciaviti.

11 1. ITALIANO TECNICO SCIENTIFICO: uso di lessico specialistico, di parole inglesi e di parole comuni come *porta* usate con un significato specifico. 2. ITALIANO NEO-STANDARD: sintassi con frasi brevi, uso di parole straniere e di neologismi come *sponsorizzazione*, il prefisso di origine colta *mega*, il termine colloquiale *scippare*, la frase nominale. 3. ITALIANO PARLATO COLLOQUIALE: colloquialismi come *cacchi di*, mancato uso del congiuntivo nella frase relativa (non esiste un ladro al mondo che *fa* rumore).

Il piacere della lettura

Entrare nel tema

▶ Alessandro Baricco, Susanna Tamaro, Andrea de Carlo, Stefano Benni.

1 Leggere

C 1. Ad Acqua Traverse, un piccolo paese del Sud Italia (nel primo capoverso si descrive un luogo in campagna arso dal sole). 2. Un bambino. 3. Il bambino che narra, sua sorella di 5 anni e la loro banda di amici: il Teschio di 12 anni, Salvatore di 9, Remo e Barbara. 4. Risposta libera.

2 Lessico

A 1. schiattava: moriva, crepava; 2. si tappavano: si chiudevano; 3. mi toccava: dovevo; 4. si era appiccicato: si era incollato; 5. spodestarlo: è un termine formale 6. un sacco di: molti; 7. crinale: è un termine formale; 8. schiappa: incapace.

B 1. intensificare; 2. è ben esemplificato; 3. si sono americanizzati; 4. lottizzare; 5. si folleggia/folleggiava; 6. filosofeggiare; 7. grattugia; 8. impermeabilizzare; 9. stava albeggiando; 10. ironizza; 11. numerare; 12. ha quantificato; 13. ha armato; 14. ha assassinato.

3 Leggere

A 1: Ero cascato...; 2. Ho fatto un salto indietro...; 3. Mi sono seduto...; 4. Sono rimasto a guardarlo...; 5. – Dove stai?

B 1. Narra in sequenza, come fossero i fotogrammi di una pellicola, particolare dopo particolare ciò che vede, ciò che sente, e ciò che fa. 2. Michele prova spavento, paura, desiderio di fuggire, immobilità di fronte a una scoperta spaventosa e curiosità.

[Le parti sottolineate corrispondono alla descrizione delle emozioni di Michele.]

Ero cascato sopra un buco.
Era buio. Ma più spostavo la lastra e più rischiarava. Le pareti erano fatte di terra, scavate a colpi di vanga. Le radici della quercia erano state tagliate.
Sono riuscito a spingerla ancora un po'. Il buco era largo un paio di metri e profondo due metri, due metri e mezzo.
Era vuoto.
No, c'era qualcosa.
Un mucchio di stracci appallottolati?
No...
Un animale? Un cane? No...
Cos'era?
Era senza peli...
Bianco...
Una gamba...
Una gamba!
Ho fatto un salto indietro e per poco non sono inciampato.
Una gamba?

Ho preso fiato e mi sono affacciato un istante.
Era una gamba.
Ho sentito le orecchie bollenti, la testa e le braccia che mi pesavano. Stavo per svenire.
Mi sono seduto, ho chiuso, gli occhi, ho poggiato la fronte su una mano, ho respirato. Avevo la tentazione di scappare, di correre dagli altri. Ma non potevo. Dovevo prima guardare un'altra volta.
Mi sono avvicinato e ho sporto la testa.
Era la gamba di un bambino. E un gomito spuntava dagli stracci. In fondo a quel buco c'era un bambino.
Era steso su un fianco. Aveva la testa nascosta tra le gambe.
Non si muoveva.
Era morto.
Sono rimasto a guardarlo per non so quanto tempo. C'era anche un secchio. E un pentolino. Forse dormiva.
Ho preso un sasso piccolo e gliel'ho tirato. L'ho colpito sulla coscia. Non si è mosso. Era morto. Mortissimo. Un brivido mi ha morso la nuca. Ho preso un altro sasso e l'ho colpito sul collo. Ho avuto l'impressione che si muovesse. Un leggero movimento del braccio.
– Dove stai? Dove stai? Dove sei finito, *recchione*?
Gli altri! Il Teschio mi stava chiamando.
Ho afferrato la lastra e l'ho tirata fino a tappare il buco. Poi ho sparpagliato le foglie e la terra e ci ho rimesso su il materasso.
– Dove stai Michele?
Sono andato via, ma prima mi sono girato un paio di volte a controllare che ogni cosa fosse al posto suo.

4 Lessico

A 3, 2, 1, 4.

6 Leggere

C Attraverso il linguaggio: il padre di Michele e i suoi amici urlano e si insultano (*bastarda, puttana, cretino*) mentre la madre di Filippo, pur nella sua disperazione, è contenuta e usa una varietà di italiano formale. Anche la descrizione di Filippo (tutto pulito, con in mano un giocattolo) e quella della madre e della stanza in cui viene ripresa (poltrona di cuoio, stanza piena di libri) servono a mettere in risalto la diversa estrazione sociale.

D 1. dalla riga 24 alla riga 31; 2. dalla riga 11 alla riga 16; 3. dalla riga 38 alla riga 50.

7 Lessico

A Parole legate alla sfera del "rapimento": rapire, carabinieri, inquirenti, seguire una pista, appello, rapinatori, sequestratori, riscatto.

B 1. hanno rubato; 2. hanno derubato; 3. hanno svaligiato; 4. razziare/saccheggiare; 5. è stato scippato; 6. hanno razziato/saccheggiato; 7. è stato rapito/sequestrato; 8. ha rapinato/rubato.

C 1. sinonimo di "urlare": ha strillato/ha ringhiato (riga 30 e 26); 2. vi supplico (riga 49).

8 Esplorare la grammatica

A   1. Ho avuto l'impressione che <u>si muovesse</u>. 2. Sono andato via, ma prima mi sono girato un paio di volte a controllare che ogni cosa <u>fosse</u> al suo posto. 3. Si stringeva le mani come se le <u>dovessero</u> scappare.

a. Sono congiuntivi imperfetti. b. Il tempo del verbo della frase reggente è un tempo passato (passato prossimo e imperfetto). c. In 1. l'uso del congiuntivo dipende dal verbo *avere l'impressione* che indica un'opinione, un fatto non certo; in 2. dal verbo *controllare* che implica incertezza e in 3. dal connettivo modale *come se* che richiede sempre il congiuntivo.

B   "Mentre pedalavo verso Acqua Traverse, pensavo alla pentola che avevo trovato nella cascina. Mi sembrava strano che <u>era</u> uguale alla nostra."
Viene usato *era* invece di *fosse*; si tratta di un uso tipico dell'italiano parlato colloquiale in cui si tende a usare l'imperfetto al posto dei congiuntivi e del condizionale passato (cfr. la sintesi grammaticale di questa unità, p. 294).

C   1. ricominciasse; 2. potesse; 3. ci fosse; 4. se ne accorgesse; 5. fosse; 6. baluginasse; 7. fosse; 8. offrissero; 9. calasse.

9 Ascoltare

CD2, ›1: "Allora, l'hai poi letto *Io non ho paura*..."

ELENA   Allora, l'hai poi letto *Io non ho paura* di Niccolò Ammaniti?

GIANNA   Sì, guarda, bellissimo, guarda, ti ringrazio proprio di avermelo consigliato perché era da parecchio che non leggevo un romanzo così coinvolgente, ben costruito...

ELENA   Bello, neh?

Sì, veramente. È uno proprio di quelli che non riesci a smettere di leggere!

GIANNA   Vero, vero, sì. Con una trama incalzante, che ti tiene con il fiato sospeso fino alla fine. Fra l'altro lui è veramente bravo, perché nei punti di svolta della storia, fra l'altro una storia difficile perché racconta la storia di un sequestro, aggiungeva, inseriva, elementi nuovi di scoperta, per cui appunto avevi voglia proprio di andare avanti a leggere; non lo so mi viene in mente appunto che scopre il buco, poi scopre la pentola che c'era, che era simile a quella di casa sua, poi Felix scopre che, Felice, amico del padre, è il guardiano del bambino, poi casualmente alla televisione vede la mamma del bambino che lancia l'appello... eh veramente...

ELENA   No, è bello sì poi son belle anche comunque le descrizioni un po' la... così l'approfondimento della psicologia dell'adolescente... mi sembra molto bravo nel descrivere appunto la psicologia di un ragazzino, mi sembra che abbia sugli undici anni

GIANNA   Nove anni, nove anni

ELENA   Sì, me lo ricordavo un po' più grande.

Gianna   Era l'amico Teschio che aveva undici anni e tutti gli altri ragazzini...

ELENA   Eh... Mi sembra che descriva bene la psicologia, e poi anche l'ambiente, questi paesaggi, campi di grano, fantastici! E poi non si capisce esattamen-te dove, dov'è la storia, cioè è un Sud Italia generico, non è che dice, non...

GIANNA   localizza

ELENA   ... esattamente la regione

GIANNA   esattamente, sì, sì, anche a me è piaciuto molto che la storia di... della scoperta di questo sequestro sia trasmessa attraverso gli occhi di questo bambino, Michele, che scopre Filippo, questo bambino sequestrato, e che la vive attraverso le fantasie, le paure

ELENA   Sì, perché quando lui scopre il bambino nel buco, non è che realizza immediatamente che è un bambino rapito

GIANNA   Certo

ELENA   E quindi si fa tutte queste fantasie su come sarà finito... infatti non chiama nessuno, non avvisa nessuno, si fa tutte queste fantasie, come sarà finito lì, si immagina che l'hanno chiuso lì perché è pazzo...

GIANNA   Ti ricordi che all'inizio empatizza talmente, completamente, che pensa, ipotizza, che sia un suo fratello gemello

ELENA   Suo fratello, sì, fratello venuto male...

GIANNA   Venuto male, portato via dal padre

ELENA   e nascosto lì.

GIANNA   Poi hanno un momento invece di diffidenza, nel rapporto, e poi lui riesce a superare la paura e da lì, da lì diventa il suo angelo custode, fino a rischiare addirittura la vita quando lo cerca nel nuovo covo.

ELENA   Sì, eh, infatti... lì non si... non sono... non si capisce fino a che punto appunto lui riconosca la realtà della situazione, sembra quasi, anche quando vede la madre in televisione, non capisce esattamente la situazione, che cos'è un rapimento, del perché viene messo un bambino in un buco, che ci sono di mezzo, c'è di mezzo una questione di soldi, lui rimane comunque con questa...

GIANNA   Questo slancio vitale... di assistenza nei confronti del bambino e non si chiede troppi perché, soprattutto secondo me non mette mai in discussione, comunque, le sue figure di riferimento, e cioè il padre e la madre, anche se scopre, capisce che ne sono coinvolti

ELENA   che ne sono coinvolti, sì...

GIANNA   Però non crollano queste figure

ELENA   Non crollano, infatti sembra persino strano, perché comunque la figura paterna mi sembra all'inizio che sia una figura positiva, cioè non è un cattivo padre, quest'uomo, per lui

GIANNA   Anche se un po' assente

ELENA   Assente, sì, perché fa il camionista, sta lontano molto, ma non è un cattivo padre, o comunque lui non lo vive così, per cui ha questo... ambivalenza nel scoprire che però suo padre è coinvolto in questa cosa e tiene questo bambino in queste condizioni poi disperate, quando descrive il bambino nel buco, sono veramente impressionanti, come descrizioni, perché il bambino è ridotto in uno stato pietoso

GIANNA   tutto sporco...

ELENA   sporco, denutrito, quasi irriconoscibile e anche fuori di testa, ha perso ogni cognizione, straparla, delira, infatti a volte per quello lui non capisce

	esattamente la situazione, perché il bambino nel buco straparla veramente, parla di orsetti lavatori, di morti,
GIANNA	del signore dei vermi...
ELENA	è bello, bello, bello anche verso la fine, questa scena finale degli elicotteri, la polizia,
ELENA+GIANNA	... che arriva...
GIANNA	e poi, secondo te, dunque, il padre... il padre
ELENA	Allora, il bambino, si eran già visti i movimenti di polizia e carabinieri per cui il bambino viene trasferito... Ma forse, non ricordo bene, lo trasferiscono forse perché hanno intuito che c'è qualcuno che ha trovato il nascondiglio
GIANNA	Sì
ELENA	E allora Michele riesce a trovarlo nel nuovo nascondiglio e in quel momento arrivano i carabinieri con gli elicotteri
GIANNA	Arrivano i carabinieri e la banda dei sequestratori aveva deciso di
GIANNA	deciso di uccidere il bambino
ELENA	di eliminarlo
GIANNA	Sì di eliminarlo.
ELENA	Tocca al padre... Tocca proprio al padre, che però arriva nel momento in cui Michele è entrato nel buco ed è riuscito anche lì questa scena
GIANNA	Sì
ELENA	molto drammatica e riesce a spingere questo bambino, che ormai è senza forze, e non collabora, riesce con grande fatica
GIANNA	a farlo salire
ELENA	a spingerlo fuori dal buco proprio nel momento in cui arriva il padre... lì non è descritto in maniera precisissima la scena, però si intuisce che il padre spara
GIANNA	che il padre spara e colpisce lui,
ELENA	Colpisce lui.
GIANNA	Sì, e colpisce lui, e colpisce diciamo, sì, metaforicamente, ma anche fisicamente il proprio bambino, quindi come dire, in questo libro l'infanzia è vincente e invece gli adulti sono perdenti, perché sono adulti che non hanno coscienza e, mentre è il bambino che è appunto il salvatore dell'altro bambino, no?
ELENA	Sì, le figure adulte sono tutte chiuse in questo mondo privo di slanci, di interessi, son tutti chiusi e così...
GIANNA	Hanno questa chimera dell'arricchimento
ELENA	dei soldi, tesi solo a risolvere il problema economico, mentre i bambini hanno proprio questa, questa fantasia, questo slancio
GIANNA	verso la vita, verso l'avventura. E invece, linguisticamente, come ti pare scritto?
ELENA	È molto lineare, mi sembra, molto semplice, a volte appunto mi sembra imiti un po' quello che può essere lo stile del pensiero di un ragazzino, quindi mi sembra un linguaggio abbastanza semplice da...
GIANNA	Io trovo che anche con il linguaggio caratterizzi i personaggi, no?
ELENA	Sì.
GIANNA	Sì, un parlato molto colloquiale, in certi casi anche così con parolacce, quindi caratterizzante appunto dell'ambiente sociale, mentre la mamma che compare alla televisione ha un linguaggio forbito.

A 1. Le due amiche definiscono il libro come un romanzo coinvolgente, ben costruito, che non si riesce a smettere di leggere. 2. Elena ha apprezzato in particolar modo la capacità di approfondire la psicologia del bambino protagonista e le descrizioni dell'ambiente, dei paesaggi. 3. A Gianna è piaciuta l'abilità di aggiungere elementi nuovi di scoperta nei punti di svolta del romanzo, che invogliano il lettore ad andare avanti nella lettura e il fatto che la storia del sequestro sia vista attraverso gli occhi, le fantasie e le paure di un bambino. 4. All'inizio Michele, il bambino protagonista, pensa che Filippo, il bambino trovato nel buco, sia suo fratello gemello per cui vuole conoscerlo; poi c'è un momento di diffidenza tra i due perché Filippo sembra pazzo, farnetica, straparla; poi Michele diventa il suo "angelo custode" fino a mettere a repentaglio la sua vita per salvarlo. 5. Gli adulti sono delle figure perdenti, chiusi nel loro mondo fatto di interessi, privi di coscienza, mentre i bambini sono ritratti come pieni di slancio verso la vita, generosi, fantasiosi, avventurosi. 6. Elena definisce "impressionanti" le descrizioni delle condizioni in cui viene tenuto il bambino nel buco, sporco, denutrito, irriconoscibile. 7. La scena che per lei è "drammatica" è quella finale in cui Michele, che è entrato nel nuovo nascondiglio di Filippo, cerca di farlo uscire dal buco perché sente che fuori stanno arrivando i sequestratori ad ucciderlo. Lo spinge con tutte le sue forze ma Filippo è senza vita e volontà per cui fa una fatica immane a spingerlo fuori dal buco. 8. Il libro finisce con i sequestratori che, sentendosi braccati, cambiano nascondiglio al bambino e decidono di ucciderlo. Tocca proprio al padre di Michele farlo. Mentre gli elicotteri stanno sorvolando la zona e i carabinieri stanno arrivando, il padre entra nel buco e spara, senza saperlo, al proprio figlio Michele che era entrato per mettere in salvo il bambino sequestrato. 9. Per Gianna l'autore usa il linguaggio per caratterizzare i personaggi (parlato colloquiale a tratti volgare, linguaggio forbito della madre di Filippo) e il loro ambiente sociale; per Elena il linguaggio è lineare e semplice perché imita lo stile del pensiero dei bambini.

11 Esplorare la grammatica

B Fatti o desideri che non si sono realizzati nel passato / ipotesi irreale (nel periodo ipotetico): 1, 2, 5, 6, 8. Futuro nel passato: 3, 4, 7, 9, 10.

13 Lessico

A

E	X	P	S	A	T	I	R	A	M	O	T	L
N	L	F	O	T	O	R	O	M	A	N	Z	O
C	T	U	Z	S	T	A	M	Y	N	N	S	U
I	R	M	A	N	I	C	A	Y	U	B	A	M
C	H	E	B	E	P	C	N	W	A	I	G	O
L	R	T	B	R	V	O	Z	R	L	O	G	R
O	T	T	F	O	E	N	O	F	I	G	I	I
P	K	O	I	E	R	T	R	S	S	R	R	S
E	G	I	A	L	L	O	O	A	T	A	T	T
D	C	H	B	R	U	O	S	U	I	F	I	I
I	V	Q	A	M	G	T	A	I	C	I	C	C
A	N	A	R	R	A	T	I	V	A	A	A	O
F	A	N	T	A	S	C	I	E	N	Z	A	A

1. biografia; 2. giallo; 3. fotoromanzo; 4. fumetto; 5. enciclopedia; 6. fantascienza; 7. racconto; 8. romanzo rosa; 9. manualistica; 10. fiaba; 11. saggistica; 12. narrativa; 13. (genere) umoristico; 14. (genere) nero; 15. satira.

B　I. RISTAMPA: nuova stampa di un'opera identica alla precedente; 2. EDITORE: chi pubblica libri; 3. TASCABILE: un libro in formato ridotto ed economico; 4. BEST-SELLER: libro di grande successo, il più venduto; 5. EX-LIBRIS: contrassegno, spesso decorato, che si applica alla copertina per provarne la proprietà; 6. INCUNABOLO: uno dei primi libri a stampa (dalle origini al 1500); 7. COPERTINA: foglio esterno di solito stampato e illustrato che apre e chiude un libro; 8. PREFAZIONE: presentazione, premessa al testo; 9. INDICE: elenco dei capitoli/paragrafi in cui è articolato un testo; 10. RECENSIONE: il commento critico di un libro appena uscito.

14 Ascoltare

CD2, ›2: "Secondo lei questo tipo di pubblicazioni nuocciono alla vendita in libreria..."

INTERVISTATORE	A questo punto, ci sembra giunto il momento di consultarci con degli scrittori, scrittori che hanno concesso che le loro opere venissero distribuite anche attraverso le edicole. Il nostro primo scrittore è Dacia Maraini, buongiorno Dacia Maraini.
MARAINI	Buongiorno, buongiorno.
INTERVISTATORE	Ecco, lei ha concesso il suo libro, il suo romanzo, *La lunga vita di Marianna Ucria*, col quale del resto lei ha anche vinto il Premio Campiello; secondo lei questo tipo di pubblicazioni nuocciono, diciamo, alla vendita in libreria oppure no, insomma qual è la sua reazione?
MARAINI	No, io non credo affatto che nuocciano, anzi credo che i giornali aiutino, come dovrebbe aiutare la televisione, che invece è piuttosto assente, a vendere i libri, così come i libri, qualche volta, aiutano a guardare la televisione; voglio dire che ci sono dei rapporti che non ci possono... non sono settori separati.
INTERVISTATORE	Sì, però è un modo abbastanza unico questo qui di venderli con i giornali nelle edicole, e questo ha modificato anche, come abbiamo sentito dai nostri ospiti prima, il mercato vero e proprio dei libri...
MARAINI	Sì, però non è...
INTERVISTATORE	... cioè ha penalizzato per esempio la vendita dei libri tascabili, in qualche modo...
MARAINI	Ma io non lo... sinceramente, non lo so, certo ci sono gli esperti che ne sanno più di me, e avranno in mano delle... dei dati, però devo dire che io vedo che coloro che, in qualche modo, sono indotti a comprare un libro sia attraverso i giornali che leggono tutti i giorni, o sia attraverso anche le bancarelle, dove si vendono... io spesso ho sentito parlar male delle bancarelle, eppure vedo che tanta gente incomincia a leggere perché trova il libro sulla bancarella. Certo, non stiamo parlando dei grandi lettori, che comunque vanno in libreria, e comprano i libri che vogliono, ma delle persone che leggono poco e che devono incontrare sulla loro strada...
INTERVISTATORE	Insomma, le sembra che questa strada dei libri in edicola apra vie a nuovi lettori, è così?
MARAINI	Per me sì, per me sì, non mi sembra che faccia mai la concorrenza, non sono libri pubblicati per la prima volta, sono già dei libri che sono già stati pubblicati.
INTERVISTATORE	Sì, infatti la concorrenza è soprattutto ai libri tascabili...
MARAINI	Vabbè, ma i libri tascabili possono essere venduti,
	vengono venduti alla stazione, vengono venduti per strada, vengono venduti adesso addirittura ci sono, c'è una rete, e lasciano i libri sulle panchine... Io credo che tutto quello che si fa per aiutare le persone a incontrare i libri, credo che sia utile.
INTERVISTATORE	È un fatto positivo.
MARAINI	Sì. Per me sì.
INTERVISTATORE	Allora grazie per la sua opinione a Dacia Maraini.
MARAINI	Grazie a voi, grazie a lei.
INTERVISTATORE	Buongiorno, Marcello Gigaglione.
LIBRAIO	Buongiorno.
INTERVISTATORE	Noi vogliamo sentire dalle parole di un grande libraio, di un dirigente di molte librerie, cosa ne pensate voi.
LIBRAIO	Voglio subito dire che io, inizialmente, non avevo nessun tipo di preconcetto nella cosa, perché il fatto che i libri si vendessero in edicola era un discorso che vedevo anche con, potrà sembrar strano, ma anche una certa interesse, no, quindi non avevo preconcetti a questo discorso...
INTERVISTATORE	Infatti, il risultato in questo senso è buono, perché sembra che i libri siano venduti in modo uguale, a uomini e donne, e in tutte le parti d'Italia, non è più il Nord sul Sud o cose di questo genere.
LIBRAIO	Quello che però mi ha molto disturbato è che questa qui dei libri in edicola da parte di quotidiani importanti come «Repubblica» e «Il Corriere della Sera» in maniera particolare, è stata una mera operazione commerciale, senza un minimo di sensibilità culturale e di rispetto verso appunto le librerie italiane, che sono una cosa molto importante per questo Paese, per cui non c'è stata un'analisi di cosa avrebbe potuto procurare, al di là dei benefici economici per i quotidiani, quindi c'è stata una mera operazione, soltanto commerciale, e non assolutamente culturale...
INTERVISTATORE	Come dice il professor Gianarturo Ferrari, quindi un'operazione di *marketing*...
LIBRAIO	Assolutamente, una bieca operazione soltanto di *marketing*. Questo è l'aspetto che dà molto fastidio perché non c'è stata nessuna analisi e nessuna sensibilità culturale.
INTERVISTATORE	Ma lei non pensa che quei cinquecentomila, un milione di lettori in più, insomma, di acquirenti di libri in più, possano diventare un domani anche potenziali acquirenti di libri in libreria?
LIBRAIO	Ascolti, Edgar, io le ho detto che non avevo preconcetti, no, però questa operazione, se fosse stata condotta in un modo, appunto, dicevo, con una certa sensibilità culturale... Per esempio, bene, sono stati distribuiti determinati titoli, no, ma mai che un giornale come «Repubblica» o «Il Corriere della Sera», insieme a *Cent'anni di solitudine*, che ha scelto da distribuire e quindi è andato a mezzo milione di persone, avesse fatto... Lei ha visto con quale attenzione e quanto spazio su questi quotidiani viene promozionata la cosa...
INTERVISTATORE	Certo.
LIBRAIO	... un riquadro in cui...
INTERVISTATORE	... si parli anche degli altri libri!
LIBRAIO	Dico, García Márquez non ha scritto soltanto *Cent'anni di solitudine*, ma ha scritto degli splendidi libri, come *L'amore ai tempi del colera*, *Cronaca di una morte annunciata*... Non c'è stato un minimo di accenno a dire: bene, noi vi facciamo leggere *Cent'an-*

ni di solitudine, che tra l'altro, forse, potrebbe essere anche il libro non migliore, ma ci sono tutta una serie di altri libri che, se vi è piaciuto *Cent'anni di solitudine*, andateli a comperare in libreria...

INTERVISTATORE   E questo è un ottimo suggerimento da dare ai giornali per il futuro, insomma...

B   NOME DELLA SCRITTRICE: Dacia Maraini; TITOLO DEL SUO LIBRO VENDUTO IN EDICOLA: *La lunga vita di Marianna Ucria*; PREMIO VINTO DAL LIBRO: premio Campiello.

C   LA SCRITTRICE sostiene che tutto ciò che si fa per aiutare le persone che non leggono a incontrare i libri è un fatto positivo. La TV, i giornali, le bancarelle, la nuova rete nata per lasciare libri nelle stazioni possono aiutare a sensibilizzare i non-lettori, mentre i grandi lettori non ne hanno bisogno perché vanno nelle librerie e scelgono da soli i libri che vogliono.

IL LIBRAIO, che inizialmente non aveva preconcetti sull'iniziativa, è stato poi disturbato dal fatto che si è trattato di un'operazione solo commerciale senza un minimo di sensibilità culturale. Per

esempio sui giornali hanno fatto propaganda solo del libro in vendita e non anche degli altri libri dell'autore che il nuovo lettore avrebbe poi potuto andare a cercare in libreria.

D   1. F; 2. V; 3. V; 4. F; 5. F; 6. V; 7. F; 8. V.

15 Coesione testuale

A   RICHIESTA DI ATTENZIONE: ascolti; RICHIESTA DI ACCORDO / CONFERMA: no; ACCORDO / CONFERMA: certo.

B   *Bene*: ha valore concessivo; va bene, d'accordo, ammesso/ammettiamo che ma....

C   1. a, d; 2. c, d; 3. c, d.

D   È un CONNETTIVO che indica un fatto ipotetico irreale. *COME SE* + congiuntivo. 1. stesse litigando; 2. fosse; 3. rimaneva, si offendeva; 4. volesse; 5. stesse dicendo; 6. avevo mai vista; 7. facesse; 8. ci volessero; 9. giocasse; 10. fosse; 11. aveva mai fatto.

17 Scrivere

A/B   Le parti sottolineate corrispondono alle parti in cui il recensore dà una valutazione del romanzo.

Niccolò Ammaniti
Io non ho paura

"E tutto si è fermato.
Una fata aveva addormentato Acqua Traverse. I giorni seguivano uno dopo l'altro, bollenti, uguali e senza fine."

(left margin labels: INTRODUZIONE, DOVE, PROTAGONISTA (snodo), VICENDA, EVOLUZIONE PSICOLOGICA DEL PROTAGONISTA)
(right margin labels: GENERE, AUTORE, QUANDO, PERSONAGGI)

Finalmente una storia originale, diversa, nuova. Un nuovo romanzo per un autore già ben conosciuto dal pubblico dei lettori italiani: il suo precedente lavoro, *Ti prendo e ti porto via*, ha raccolto molti consensi, anche da parte di critici illustri (in questi giorni ancora Sergio Pent su «La Stampa» lo ha definito "uno dei romanzi più completi e ben strutturati delle ultime stagioni"). Qui Ammaniti si confronta con una storia difficile, vista attraverso gli occhi di un bambino. Siamo nella campagna italiana del Sud, in un piccolissimo paese collocato in un'area geografica indefinita, Acqua Traverse, frazione di Lucignano, composto da una manciata di case (proprio "quattro case in tutto", se si esclude un grande casale dell'Ottocento), senza una piazza, senza altre strade se non lo stradone centrale. Quattro case tra i campi di grano. È il 1978, è estate e fa molto caldo. I ragazzini sono a casa: la scuola è chiusa per le vacanze estive. È una piccola banda di bambini quella che scorrazza nelle campagne di Acqua Traverse, retta dai difficili equilibri di forza tra i più grandi e i più piccoli. Sono bambini e bambine (queste in minoranza) di età molto varia: dai 5 ai 12 anni. Michele è uno di questi ed è la voce narrante che ci racconta questa storia lontana, del tempo in cui aveva nove anni (una storia della fine degli anni Settanta con tanti elementi che la connotano). Un padre camionista che vuole cambiare vita, una madre casalinga molto bella e corteggiata, una sorellina, Maria, la più piccola del gruppo, che Michele deve quasi sempre trascinarsi appresso. Tra i tanti giochi organizzati insieme, anche le lunghe pedalate nella campagna, alla ricerca di emozioni, come giovani esploratori in terra d'Africa. Una di queste "escursioni" porta Michele all'interno di una casa abbandonata e diroccata che la "banda" non aveva mai visto, lontana dal paese, dietro una collina. All'interno di questo edificio pericolante avverrà l'incontro con un personaggio determinante della storia, un coetaneo che... Non è possibile svelare di più di una trama incalzante, in alcuni momenti quasi travolgente. Ammaniti ha descritto un momento non lontano, ma quasi senza tempo, con la capacità di farci rivivere colori, luci e sensazioni comuni: quelli dell'infanzia, delle estati con gli amici, dei giochi in compagnia, dei litigi, dei rapporti con i genitori. La normalità vista con gli occhi di un bambino. Ma all'interno di questo quadro, ha saputo inserire l'eccezionalità, l'evento. Michele vive alcune (poche) giornate che lo trasformano, che ne fanno quasi un adulto, rendendolo autonomo, dandogli la forza e il coraggio di decidere, svincolandolo traumaticamente dal legame affettivo (basato sulla fiducia e sul rispetto oltre che sull'amore) con i genitori. Michele al termine della storia "non ha più paura" di affrontare il pericolo. Ha uno scopo, quello di difendere un amico. È diventato per lui un "angelo custode" e deve impersonificare questa figura sino in fondo, portando a termine il suo compito. Se gli adulti hanno sbagliato (nel goffo tentativo di realizzare il sogno comune di raggiungere il benessere e trasferirsi al Nord) innescando un dramma che potrebbe finire in tragedia, lui potrà forse rimediare. E lo farà, in un finale probabilmente un po' troppo "cinematografico", ma di sicuro impatto emotivo. Difficile dire di più di una vicenda che non può essere raccontata per non compromettere il piacere della lettura, che è anche piacere del ricordo di un'infanzia e di un'ingenuità perdute per sempre.

[Soluzione possibile] Il recensore dà una valutazione positiva del romanzo dicendo che si tratta di una storia che ha il pregio di essere nuova, difficile da raccontare e con una trama coinvolgente; sottolinea inoltre che l'autore è riuscito a farci rivivere il piacere dei ricordi e delle sensazioni dell'infanzia; critica invece il finale che reputa un po' troppo cinematografico.

E   Per sapere come termina il racconto di Dino Buzzati vai a p. 66.

Esercizi

1 1. avrebbe studiato; 2. avrei prestata; 3. direbbe; 4. comprerei/avrei comprata; 5. pretenderesti; 6. avrebbe perso; 7. sarebbero; 8. generalizzerei; 9. dovrei; 10. avrei voluto; 11. sarei tornato; 12. avrei preso, mi sarei sparato; 13. rivedrebbe.

2 1. Felice ha promesso a Filippo che sarebbe andato a trovarlo il giorno dopo. Gli avrebbe portato una bottiglia d'acqua fresca, del sapone per lavarsi e dei vestiti puliti. Poi avrebbe cercato di farlo uscire da quel buco. Ma lui lo avrebbe dovuto aiutare/avrebbe dovuto aiutarlo. Lo avrebbe caricato sulla sua bicicletta e assieme sarebbero andati dai carabinieri, così avrebbe potuto riabbracciare la sua mamma. 2. Ieri Paolo al telefono ha detto a Franca che sarebbe partito la mattina seguente. Avrebbe cercato di alzarsi presto, avrebbe fatto colazione per strada e poi fino a Firenze non avrebbe fatto più soste. Sarebbe arrivato a casa verso le prime ore del pomeriggio, se tutto andava bene. 3. Felice ha sentito il padre che parlava con la madre e diceva che quando avrebbero preso i soldi del sequestro se ne sarebbero andati da quel postaccio. Si sarebbero trasferiti subito al Nord, a Milano, si sarebbero comperati una casa con giardino, avrebbero avuto tante stanze così i bambini avrebbero potuto dormire nella loro cameretta e lei avrebbe potuto finalmente comprarsi la pelliccia e lui una nuova macchina. Sarebbe stata una nuova vita e presto avrebbero dimenticato quella terribile storia. 4. Questo è un tema che hai scritto quando eri bambino. Dicevi che da grande saresti diventato famoso. Avresti fatto il disegnatore di fumetti. Avresti disegnato dei personaggi che il pubblico avrebbe amato moltissimo perché sarebbero stati pieni di umanità e di difetti. Ma avrebbero avuto dei poteri straordinari e avrebbero salvato il mondo dai signori della guerra. Poi ti saresti sposato con una principessa indiana e avresti fatto almeno quattro bambini. Saresti stato ricco ma soprattutto felice.

3 Risposta libera.

4 Risposta libera.

5

CONCORDANZA

RAPPORTO DI POSTERIORITÀ

PASSATO	PRESENTE	FUTURO

FRASE PRINCIPALE → FRASE SECONDARIA **POSTERIORITÀ**

Presente
Passato legato al presente
(passato prossimo)

→ futuro (reale)
→ presente
→ futuro composto
→ condizionale presente (azione realizzabile)
→ condizionale passato (azione non realizzabile)

Passato non legato al presente
(passato prossimo, passato remoto, imperfetto, trapassato prossimo)

→ condizionale passato (futuro nel passato – non si sa se l'azione si è realizzata)

6 1. riuscirà; 2. sarebbe andato; 3. rivedrebbe; 4. avremmo noleggiato; 5. avrò finito; 6. ci avrebbe aspettati; 7. ci andrei; 8. sarebbe laureata; 9. indosserò; 10. avrai finito; 11. arriva/arriverà; 12. sarai già stato operato.

7 LE PAURE DEI BAMBINI. 1. Temevo che l'artiglio affilato di un mostro mi affondasse nel collo. 2. Avevo paura che nel buio arrivassero le streghe e mi portassero via. 3. Avevo il terrore che mia madre mi abbandonasse dalla nonna e non tornasse più a riprendermi. 4. Avevo paura che il mio miglior amico mi tradisse e preferisse giocare con altri bambini. LE SPERANZE. 5. Speravo che i cani del vicino non mi annusassero e cominciassero ad abbaiare. 6. Avevo la speranza che i miei genitori vivessero più a lungo possibile. 7. Non vedevo l'ora che la scuola finisse così potevamo andare nella casa in campagna dei miei cugini. 8. Pregavo perché mio fratello trovasse un lavoro appena laureato e uscisse di casa.

8 1. non è che voglia dare ordini; 2. non è che abbia un finale incoerente; 3. non è che fosse una schifezza; 4. non è che non fosse professionale; 5. non è che sia antipatica; 6. non è che sia severa; 7. non è che spiegasse male.

9 Risposta libera.

10 [Soluzione possibile]. 1. Che cosa succederebbe se non ci fosse più bisogno di lavorare? 2. Che cosa succederebbe se non esistessero più i frigoriferi? 3. Che cosa succederebbe se non conoscessimo il cerchio? 4. Che cosa succederebbe se si scoprisse l'elisir dell'eterna giovinezza? 5. Che cosa succederebbe se una mattina ti svegliassi e scoprissi di avere cambiato sesso? 6. Che cosa succederebbe se non ci fossero più i soldi?

11 1. partissero; 2. chiudano; 3. riconoscessi; 4. vincessi; 5. restituisca; 6. abbia smesso; 7. scadano; 8. resti; 9. volesse; 10. abbia piovuto; 11. fossimo; 12. cambiasse.

12 (1) facesse; (2) legga; (3) abbia; (4) abbia rimproverato; (5) abbia accompagnata; (6) fosse; (7) dovesse; (8) avrebbe preceduto; (9) avrebbe continuato; (10) si sarebbe trasformato.

13 (1) tra; (2) tra; (3) per; (4) per; (5) per; (6) tra; (7) tra; (8) ad; (9) alla; (10) al; (11) per; (12) a; (13) per; (14) alle; (15) a; (16) per; (17) tra; (18) per.

Ripasso

1 (1) L'(lo); (2) l'(lo); (3) te ne; (4) ce ne; (5) mi; (6) gli; (7) ti; (8) mi; (9) lo; (10) l'(lo); (11) ci; (12) gli; (13) ce ne; (14) ne; (15) mi; (16) ci; (17) mi; (18) se ne.

Test (50 punti)

1 (1) fosse; (2) avrebbe dovuto; (3) ci fosse; (4) fosse; (5) dovesse; (6) chiameremmo; (7) fosse; (8) si sia lavato/si fosse lavato; (9) fosse; (10) abbia trovato/avesse trovato; (11) osasse; (12) sarebbero dovuti.

2 1. Lo psicologo ci aveva detto che era necessario che *avessimo* molta pazienza con nostro figlio e che *cercassimo* di capire i suoi problemi, senza pretendere che *cambiasse* da un momento all'altro. 2. Mio figlio Marco, prima di partire per l'Olanda, mi aveva promesso che *avrebbe fatto* attenzione alle compagnie che frequentava/avrebbe frequentato, *sarebbe rientrato* presto la sera e non *avrebbe bevuto* troppa birra. 3. Speravo che Gino *prendesse/avrebbe preso* le ferie in luglio e *venisse/sarebbe venuto* in Olanda con noi.

3 (1) agli; (2) per; (3) a; (4) tra/fra; (5) tra/fra; (6) per; (7) al; (8) al.

4 1. annulli; 2. potesse; 3. c'era; 4. piacesse/piaccia; 5. facesse; 6. viveva; 7. riterranno; 8. si prenda.

5 1. ironizza; 2. guerreggiare; 3. quantificare; 4. ho cestinato; 5. privatizzare.

6 (1) i generi; (2) la narrativa; (3) il giallo; (4) i premi; (5) best-seller; (6) le recensioni; (7) trama; (8) tascabile; (9) comico.

Il cinema italiano, un cinema da tener d'occhio

UNITÀ 9

↗ Entrare nel tema

▸ 1. a. Alberto Sordi; 2. g. Monica Vitti; 3. i. Sofia Loren; 4. b. Marcello Mastroianni; 5. c. Totò; 6. e. Massimo Troisi; 7. f. Enrico Lo Verso; 8. p. Vittorio Gassman; 9. o. Ugo Tognazzi; 10. d. Sergio Castellitto; 11. h. Diego Abatantuono; 12. m. Nanni Moretti; 13. n. Carlo Verdone; 14. l. Roberto Benigni.

1 Ascoltare

CD2, ›3: "Il cinema contemporaneo italiano"

GHISLOTTI   Per comprendere il cinema italiano contemporaneo, cioè il cinema tra gli anni '90 e gli anni 2000, occorre fare qualche passo indietro, perché la condizione attuale del cinema italiano dipende da diversi fattori, che si sono sviluppati tra gli anni '60 e gli anni '80. C'è una fase felice del cinema italiano che è quella degli anni '50-'60: è un'epoca in cui il cinema è ricco dal punto di vista della produzione ed è molto seguito dal punto di vista del consumo. C'è un periodo, tanto per fare un esempio, il... l'anno più fortunato per il cinema italiano è il 1955, quando vengono venduti circa 800 milioni di biglietti. Nel punto più basso, nel momento di maggiore crisi, la vendita di biglietti per il cinema italiano è di soltanto 90 milioni di unità. Questo dà l'idea di quanto il cinema, negli anni '50 e '60, sia stato importante, e dà l'idea, per altro verso, appunto, di quanto sia stato il calo che si è progressivamente verificato, un calo appunto di presenze di pubblico e conseguentemente anche di produzione, che si è verificato nel corso degli anni '70 e degli anni '80. Ancora gli anni '60 sono un momento molto fortunato per il cinema italiano, non solo dal punto di vista del pubblico, ma anche dal punto di vista artistico, perché ci sono, come dire, c'è il magistero di registi come Fellini, Antonioni, Visconti, i grandi maestri del cinema italiano, e c'è tutta una generazione – Pasolini, Olmi, Bellocchio – che si fa avanti – Bertolucci – che si fa avanti, e si presenta, appunto, al cinema. Perché gli anni '70 sono anni di crisi? I motivi sono molteplici: c'è una crisi generale, nel cinema mondiale, possiamo dire, e in Italia, l'Italia viene investita soprattutto negli anni '70 e '80, dovuta al fatto che lo spettacolo cinematografico non è più primario, negli interessi del pubblico, che si è spostato verso lo spettacolo televisivo. Questo implica notevoli problemi e, si perde proprio, perdendosi la produzione di film, si perde anche, potremmo dire, il "corpo del cinema",

cioè le persone che ci lavorano, gli sceneggiatori che scrivono le storie, i registi che le realizzano, anche gli attori in qualche modo; sopravvivono attori importanti, di un'epoca passata, e però si tarda a trovare i sostituti. La situazione attuale, dalla metà, grosso modo, dalla seconda metà degli anni '90, vede il cinema italiano in un certo senso, in un momento di rinascita perché, proprio questo gap che si era creato tra il corpo del cinema, le maestranze, la produzione eccetera, si è progressivamente, lentamente, colmato e, per quanto ridimensionato, il cinema italiano resta comunque un cinema importante da diversi punti di vista: per un, per il fatto che c'è comunque un mercato interno, che tutto sommato tiene, anche se non è fortissimo, ma soprattutto per il fatto che il cinema italiano contemporaneo è un cinema, come dicevano alcuni critici stranieri, da tenere d'occhio, perché è un cinema che viene premiato molto spesso nei Festival internazionali, ed è un cinema che bene o male esprime quell'insieme, potremmo dire, di aspetti artistici e di aspetti sociali che hanno sempre contraddistinto la tradizione del miglior cinema italiano. Una figura di snodo, una figura molto importante, per, anche in relazione all'attuale panorama del cinema italiano, è la figura di un regista, poco meno che cinquantenne, Nanni Moretti, il quale è stato protagonista e ha vissuto in prima persona tutto il percorso, possiamo dire, che il cinema italiano, parallelamente, vedeva come appunto un percorso di perdita progressiva, mentre Moretti tutto sommato cresce via via come regista e diventa uno dei maestri incontrastati, uno dei punti di riferimento, perché è ancora considerato un giovane regista, quindi non un maestro, ma uno dei punti di riferimento del, anche dell'attuale cinema italiano. La situazione italiana è una situazione molto interessante, il giovane, cosiddetto giovane cinema italiano si è sviluppato ed è diventato adulto, possiamo dire, registi come Giuseppe Tornatore, tra gli anni '89 e '90 si affermano, addirittura vincendo un Oscar come miglior film straniero, la visibilità del cinema italiano, sempre problematica, per i problemi che appunto ha tutto il cinema italiano e tutto il cinema europeo, la visibilità del cinema italiano è garantita in qualche modo da una forte presenza ai Festival cinematografici. Ci sono molti nuovi autori che emergono in questo periodo, cioè tra, nel corso degli anni '90, uno, e sono in parte autori cinematografici in senso pieno, secondo la tradizione degli anni '60 e '70, in parte, ma anche questo è importante, più che altro registi, che mettono in scena sceneggiature di altri, uno di questi per esempio è Gabriele Salvatores, giunto a un successo di critica abbastanza unanime con il suo ultimo film *Io non ho paura*, di recente produzione, ma possiamo citare anche Marco Risi, che ha dato, figlio di, del famoso Dino Risi, il regista del *Sorpasso*, che ha dato una svolta interessante alla sua carriera: aveva cominciato negli anni '80 come regista goliardico di storie, di commediole sentimentali, è passato poi, ha reintrodotto in qualche modo un'attenzione particolare al neorealismo, nel cinema italiano contemporaneo, con due film ambientati nella Sicilia della mafia, nella Sicilia dei ragazzi che sbagliano e che vengono messi in prigione prima ancora di essere maggiorenni, e l'altro film importante, *Il muro di gomma*, un film di impegno civile, che ricostruisce il disastro di Ustica. Un'altra figura importante, che non va dimenticata anche se non è tra i giovanissimi, è Gianni Amelio, che ha fatto film molto belli e molto apprezzati dalla critica italiana e straniera, tra questi *Il ladro di bambini*, e *Lamerica*, un film sulla condizione degli albanesi che vengono in Italia, e il più recente *Così ridevano*, del '98. Vanno ricordati, tra gli altri, perché sono parecchi i giovani registi che appunto si sono affermati dalla metà degli anni '90, vanno ricordati Roberto Benigni, che arriva alla regia verso la fine degli anni '80, e che comincia a raccogliere il gradimento di tutto il pubblico, non soltanto del pubblico d'élite che in qualche modo lo ha sempre sostenuto, fino all'exploit di *La vita è bella*, un film che è arrivato, che è arrivato molto lontano, è stato visto internazionalmente, e questo riporta un po' a quello che era il cinema dei grandi maestri degli anni '60, e cioè film, come quelli di Fellini, di Antonioni, o anche di Bertolucci più recentemente, che vengono visti in tutto il mondo perché sono dei capolavori assoluti in questo senso. Va ricordato inoltre Paolo Virzì, che è un regista che recentemente si è presentato, dalla metà, appunto, dalla seconda metà degli anni '80, possiamo citare *Ferie d'agosto* e *Ovosodo*, due film di, che hanno qualche parentela con la commedia dialettale, ma molto lontana, perché sono ambientati in, sono di ambientazione toscana, romana, e quindi rappresentano personaggi molto, molto concreti, e quindi personaggi che sono stati tradizionalmente tipici della commedia.

A **Anni '50-'60.** Fase felice del cinema italiano: ricca produzione, molto consumo (nel 1955: 800 milioni di biglietti venduti), ricco anche dal punto di vista artistico: Fellini, Visconti, Antonioni, Olmi, Bellocchio, Pasolini, Bertolucci.

Anni '70-'80. Crisi del cinema italiano: crisi generale del cinema mondiale che ha investito l'Italia negli anni '70; non è più il divertimento primario perché il pubblico si è spostato verso la televisione; si perde il corpo del cinema, gli sceneggiatori, i registi, gli attori. Negli anni di maggior crisi: 90 milioni di biglietti venduti.

Dalla metà degli anni '90. Rinascita del cinema italiano: c'è un mercato interno che tiene, la critica straniera ritiene che il film contemporaneo italiano vada tenuto d'occhio e i film italiani ricominciano a essere premiati nei festival internazionali.

B 3. Nanni Moretti.

C 1. /, n.; 2. e, h.; 3. a, i; 4. b, g; 5. c, l; 6. d, m.

2 Leggere

A 2. Ma come siamo tornati di moda!

B 1. Il nuovo interesse per i film italiani è dovuto al fatto che vengono realizzate delle storie in cui il pubblico si riconosce: si tratta di opere che si pongono a metà tra la commedia italiana popolare e gli estremismi artistici di alcuni registi di grande talento. Inoltre si trovano a operare insieme bravi sceneggiatori, case produttrici intraprendenti e attori che interpretano bene le storie ambientate nell'Italia di oggi. 2. a. Molti film vedono protagonisti i bambini: *Io non ho paura* di Salvatores, *Respiro* di Emanuele Crialese, *Dillo con parole mie* di Daniele Luchetti, *La destinazione* di Piero Sanna. b. La seconda tendenza riguarda il fatto che si raccontano storie di vita quotidiana, di personaggi comuni alle prese con problemi sentimentali e di natura concreta, come in *Il pranzo della domenica* dei fratelli Vanzina, *La vita come viene* di Stefano Incerti, *Il posto dell'anima* di Riccardo Milani. 3. di Bertolucci; di Martone; di Olmi. Il film di Bernardo Bertolucci, *Dreamers*, e quello di Mario Martone, *L'odore del sangue*, parlano di sesso, mentre quello di Olmi, *Cantando dietro i paraventi*, parla di pirati nel Mar della Cina.

C 1. *Respiro* di Emanuele Crialese; 2. Dario Argento; 3. *La destinazione* di Piero Sanna; 4. *Il posto dell'anima* di Riccardo Milani; 5. *Le chiavi di casa* di Gianni Amelio (dal romanzo di Giuseppe Pontiggia, *Nati due volte*), *L'odore del sangue* di Mario Martone (tratto da Goffredo Parise); 6. Michele Placido in *Il posto dell'anima* e *L'odore del sangue*.

3 Lessico

A 1. c; 2. a; 3. b; 4. f; 5. e; 6. d; 7. h; 8. l; 9. g; 10. i.

B 1. cortometraggio; 2. trama; 3. attore/attrice; 4. produttore; 5. sceneggiatore; 6. distributore; 7. il/la regista; 8. cinefilo; 9. doppiare; 10. montaggio; 11. anteprima; 12. colonna sonora; 13. sottotitolare; 14. girare; 15. la scena/le scene; 16. macchina da presa/cinepresa.

C 1. film d'amore, romantico, sentimentale, una love-story; 2. film di guerra; 3. film impegnato, di impegno civile, di denuncia; 4. film pornografico, a luci rosse, erotico; 5. film comico, una commedia; 6. film drammatico; 7. film di spionaggio; 8. un poliziesco, un giallo, un thriller; 9. film dell'orrore.

D 1. da 'folla' più il prefisso *-a* più il suffisso *-are* (affollare); 2. da 'vile' più il prefisso *-a* più il suffisso *-ire*; 3. da 'cuore' più il prefisso *-rin* più il suffisso *-are*.

E 1. approfondire; 2. arrossisco; 3. si è irrigidita; 4. ha intristiti/ha rattristati; 5. abbottona; 6. atterrato; 7. inscatolare; 8. impauriscono; 9. indurire; 10. avvitare; 11. assaporare; 12. insaporire; 13. accarezzare.

F -ANTE/-ENTE: appassionante, commovente, toccante; -IVO: istruttivo.

AGGETTIVI DEVERBALI IN -*ANTE*, -*ENTE*, -*IVO*		
	VERBO	AGGETTIVO
(I coniugazione)	appassionare	appassion*ante*
	toccare	tocc*ante*
(II coniugazione)	commuovere	commov*ente*
(II/III coniugazione)	istruire	istrutt*ivo*

G 1. incoraggiante; 2. divertente, istruttivo; 3. commovente; 4. brillanti; 5. invadente; 6. offensive; 7. vincente.

4 Esplorare la grammatica

A PARTE A

Biagi ha domandato chi era/fosse Benigni.

Benigni ha risposto che se Biagi gli diceva che Benigni era un buffone, un burattino, un comico, un clown, gli faceva un complimento. Ha detto che avrebbe tanto voluto che lo chiamassero/avessero chiamato così, e che più si rideva di lui e più veniva trattato male, non masochisticamente, ma poeticamente, credeva che ciò fosse il loro destino. Ha affermato che loro (i comici) venivano/vengono da lì, che dal dolore nascevano/nascono i comici, non per essere troppo poetici.

PARTE B

Biagi ha ribattuto che anche lui credeva che fosse così. Credeva che se un uomo asciugava/asciuga una lacrima faceva/fa una grandissima cosa. Ma che se un uomo regalava/regala un sorriso ne faceva/fa una ancora più grande.

Benigni ha risposto che non c'era niente di più vero. Ha detto che aggiungeva solo che ricordava che la sua più grande emozione da piccolo era stata quella, quando aveva visto qualcuno sorridere su una cosa che aveva accennato. Ha detto che, allora, gli era rimasto impresso quel sorriso, che avrebbe voluto ripetere per tutta la vita quel momento.

6 Ascoltare

CD2, ›4: "Che film italiano ti senti di consigliare, ad un pubblico di stranieri?"

ALESSANDRO Ma, guarda, io mi sentirei di consigliare *Buongiorno, notte*, l'ultimo film di Bellocchio, che mi ha molto colpito, proprio perché ha trattato un problema di un evento della nostra storia che noi non siamo abituati a fare a scuola, almeno la mia generazione. E si tratta appunto di questo caso di Aldo Moro, non credo che in molti Paesi il rapimento di un Presidente del Consiglio sia consueto quindi, secondo la nostra storia, ma credo che possa interessare anche a studenti stranieri. Allora, mi ha molto colpito proprio perché riprende questo evento molto importante della nostra storia da un punto di vista molto privato, quindi non della Storia con la "S" maiuscola: lo riprende dal punto di vista privato e lo riprende dal punto di vista dei terroristi che lo rapirono, quindi vedendola dalla loro ottica, o tentando questa cosa. Quindi, questa cosa mi ha sicuramente colpito e credo potrebbe essere recepito, almeno dal mio punto di vista, potrebbe essere recepito come vicino anche per degli stranieri. Qui non si tratta della Storia sconosciuta, con la "S" maiuscola, di un altro paese, ma di un evento molto, forte sul terrorismo che è anche molto attuale. Questo va beh, per quanto riguarda... tu mi chiedevi se io lo consiglierei a degli stranieri; poi mi fa piacere che una volta tanto un film italiano, di un regista che ha già fatto degli altri film, Bellocchio, ma che è in grado secondo me in questo caso di parlare anche a un pubblico più ampio rispetto a solo quello italiano, mi fa piacere l'idea di consigliarlo. Mi è piaciuto molto, però, nei temi soprattutto perché è stato recitato benissimo, i personaggi mi convincono molto, i personaggi interpretati benissimo dagli attori, poi questi attori come Lo Cascio, e la Sansa, che ultimamente stanno facendo molti film che sono di grande qualità. Poi, per quanto riguarda come è stata svolta la storia, a me personalmente, ma qui entriamo in un discorso personale, lascia un po' perplesso; è vero che hanno avuto... Bellocchio ha avuto il grande merito, di inquadrare la storia dalla prospettiva dei terroristi, e da una prospettiva quindi un po' più privata, però proprio questo mi sembra anche il limite del film, la Storia con la "S" maiuscola è stata buttata dentro, è stata schizzata dentro per immagini, frammentarie, quindi politici, grandi politici, dello stesso partito di Aldo Moro, la Democrazia Cristiana, ma non c'è... non ci sono dei grandi collegamenti della Storia con la "S" maiuscola. Torno a ripeterti, questo mi sembra un po' il punto debole, perché sono già stati fatti film sul caso Moro, sul caso della Democrazia, dei problemi della Democrazia Cristiana a metà degli anni '70, quindi degli anni di piombo, però ho l'impressione che qualcosa non funzioni proprio sulla verità storica; allora, le licenze, le licenze artistiche, le licenze cinematografiche del grande regista, possono funzionare, a me non hanno convinto molto.

Di fatto, oltre che essere comunque un film recitato molto bene, è un film che ha il merito, come ti dicevo prima, di prendere in considerazione un punto di vista assolutamente nuovo all'interno del cinema italiano, su casi come questo, cioè il punto di vista dei terroristi, non siamo abituati a questo. E credo quindi che persino per il pubblico italiano sia abbastanza destabilizzante.

ROBERTA Un film italiano che mi sentirei di consigliare. A un pubblico straniero, dici.

Guarda, io ti posso parlare di un film italiano di grande successo, è un film recente, del 2001, se non sbaglio, diretto da un regista, da uno dei registi più importanti dell'ultima generazione, che è Gabriele Muccino. Il film è *L'ultimo bacio*, è stato uno dei film più visti nell'anno in cui è uscito, in assoluto in Italia, un grandissimo successo, per il cinema italiano ma, non te ne parlo per questo motivo, te ne parlo perché il... così la storia, i personaggi, mi hanno molto coinvolta. Nel... dunque, i personaggi sono... allora, il film è ambientato a Roma, è ambientato ai nostri tempi, è un film che potremmo definire "generazionale", allora io mi sono sentita, così, presa in causa in questo film e mi sono sentita molto vicina ai personaggi perché i personaggi-protagonisti sono dei trentenni. I due protagonisti sono due fidanzati che aspettano un bambino, già conviventi da tempo, una coppia consolidata, che proprio per l'arrivo di questo bambino decide di sposarsi. Accanto a questa coppia di amici ci sono altri amici, della stessa età; alcuni, uno di loro, il collega del protagonista, è già sposato con un figlio, un altro in procinto di sposarsi e che si sposerà appunto durante il film, e durante proprio queste nozze succederà un evento che scatenerà tutta una serie di conseguenze; un altro amico ancora che invece ha con le donne un rapporto solo, dunque, occasionale, nel senso che ha molte storie, con molte donne diverse, tutte storie però di una notte o comunque poco più, senza nessun coinvolgimento da parte di questo ragazzo. C'è poi da considerare, ci sono poi da considerare come personaggi anche importanti i genitori, mi sembra i genitori della ragazza, e anche questa coppia di cinquantenni con i suoi problemi. Allora io vedo due tematiche importanti in questo film, tutte e due che mi hanno, ripeto ancora, fatto sentire molto partecipe. Una è la tematica, direi, della paura di crescere: sembrerà strano, parlando di trentenni, ma per chi conosce, così, le problematiche sociali della nostra generazione, si sa che i trentenni del duemila sono apolitici, apoliticizzati, quindi infatti anche nel film questo è presente, questa assenza si sente, sono delle persone che hanno dei miti e degli ideali, se vuoi, piccoli, di realizzazione personale, e sono degli eterni adolescenti, quindi la sindrome di Peter Pan è una delle tematiche. E in particolare il protagonista, che è, diciamo, innamorato della sua ragazza, anche contento all'idea di sposarsi, anche contento all'idea dell'arrivo del figlio, ma soprattutto è molto spaventato e confuso, si sente in procinto di legarsi per sempre, non si sente pronto a questo, e appunto proprio durante il matrimonio dell'amico a cui accennavo, a cui facevo cenno prima, incontra così casualmente una diciottenne, con cui nasce subito un feeling, una simpatia, e l'ultimo bacio è un pochino l'ultimo... l'ultima storia, l'ultima scappatella, l'ultima avventura giovanile che questo trentenne in procinto di diventare adulto si concede, mettendo a rischio però quella che è la sua... la sua storia con la fidanzata e tutto il resto. Le inquietudini dei trentenni sono riflesse poi nei suoi amici, che sono tutti persone con caratteri e situazioni diverse di vita, ma che riflettono bene, a mio avviso, le problematiche dei miei coetanei.

C'è una conclusione a sorpresa, del film, che è stata considerata da molti, non è piaciuta a tutta la critica, è stata definita "una strizzatina d'occhi" allo spettatore; secondo me, invece, io l'ho trovata molto pertinente, molto appropriata, ho trovato che desse il giusto tocco al film, evitando che il film quindi diventasse o da un lato troppo pessimista e tragico, o dall'altro, invece, troppo così, un lieto fine, zuccheroso, che avrebbe sicuramente distaccato lo spettatore dallo spettacolo in cui si era... dalla storia, dalle storie in cui si era lasciato coinvolgere; per cui, ecco, consiglio a tutti questo film, a spettatori di un'età dai 18 anni a 30, ai 50, perché no anche oltre, qualcuno, ognuno ritroverà penso qualche cosa, qualche domanda che si è posto. La seconda tematica, avevo fatto cenno all'inizio, a due grandi tematiche, la seconda tematica, oltre alla sindrome di Peter Pan, è sicuramente il rapporto di coppia e l'amore, come nasce l'amore, come si gestisce, ammesso che un'espressione di questo tipo possa avere senso in questo contesto, come si gestisce l'amore alle diverse età, a diverse età, nelle diverse età, e come si può far durare una storia d'amore.

B   Studente A

Titolo   *Buongiorno, notte*
Regista   Bellocchio
Trama   Rapimento di Aldo Moro, Presidente del Consiglio, esponente della DC (Democrazia Cristiana) da parte di terroristi
Attori   Lo Cascio, Sansa

Perché gli è piaciuto
  – tratta di un evento della storia contemporanea di cui non si parla a scuola
  – affronta la storia da un punto di vista privato, quello dei terroristi
  – personaggi convincenti e ben interpretati

Che cosa non l'ha convinto
  – manca la cronaca storica che è data solo attraverso delle immagini frammentarie

Studente B

Titolo   *L'ultimo bacio*
Regista   Gabriele Muccino
Anno   2001
Trama   Due giovani trentenni che convivono già da tempo decidono di sposarsi perché aspettano un bambino. Al matrimonio di un loro amico, il protagonista si concede l'ultima scappatella con una diciottenne prima di sposarsi. Inquietudine degli altri amici della loro stessa età.
Personaggi La coppia protagonista, un amico sposato con figli, l'amico che si sposerà, un altro amico che ha solo storie occasionali con le donne, i genitori della ragazza protagonista

Perché le è piaciuto?
  – storia e personaggi coinvolgenti
  – film generazionale: si è sentita partecipe delle problematiche dei suoi coetanei trentenni
  – conclusione a sorpresa pertinente

Tematiche trattate
  – la sindrome di Peter Pan (la paura di crescere)
  – il rapporto di coppia, l'amore alle diverse età, come far durare una storia d'amore

7 Coesione testuale

A   ALESSANDRO. (1) proprio (intensifica, dà più forza a quanto si dice, sottolinea un punto focale del discorso); (2) appunto (riprende e conferma quanto detto poco prima); (3) almeno dal mio punto di vista (diminuisce la forza di quanto si dice; chiarisce che si tratta di un punto di vista personale); (4) secondo me (chiarisce che si tratta di un punto di vista personale); (5) a me personalmente (diminuisce la forza di quanto si dice; chiarisce che si tratta di un punto di vista personale); (6) proprio (intensifica, dà più forza a quanto si dice); (7) torno a ripeterti (sottolinea un punto già menzionato precedentemente); (8) come ti dicevo prima (sottolinea di aver già parlato di questo punto); (9) persino ("anche", rafforzativo).

ROBERTA. (1) se non mi sbaglio (attenua il grado di impegno a sottoscrivere ciò che dice); (2) così (attenua l'importanza di ciò che dice); (3) ripeto ancora (sottolinea un punto importante già toccato precedentemente); (4) così (attenua ciò che dice); (5) se vuoi (segnala la non rilevanza di ciò che dice); (6) a cui facevo cenno prima (sottolinea di aver già toccato questo punto); (7) avevo fatto cenno all'inizio (riprende un discorso anticipato prima); (8) a mio avviso (sottolinea che si tratta di un punto di vista personale).

B   Sono connettivi finali, servono a esprimere il fine, lo scopo che si vuole raggiungere con l'azione della principale. Nella costruzione esplicita vanno al congiuntivo presente o imperfetto, in quella implicita vanno all'infinito presente introdotto da *per, a, di, da* a seconda del verbo.

C   1. fin; 2. fin; 3. cau; 4. con; 5. fin; 6. fin; 7. con; 8. fin; 9. cau.

D 1. facesse mettere; 2. possa; 3. farsi perdonare; 4. leggere; 5. parliamo; 6. mi chiami; 7. venisse diffusa.

8 Leggere

A *Recensione:* **Lietta Tornabuoni** («La Stampa»)
Punto di vista: Pensa che il film non renda il dramma di quel periodo storico, che manchi la cronaca
Cosa valuta: La ricostruzione dei fatti: manca; I personaggi: sono più simboli che persone; La protagonista: esprime poco il suo dramma
Come lo valuta: Interessante perché Bellocchio è sempre bravo, ma non rende la drammaticità di quegli anni di piombo

Recensione: **Alberto Crespi** («L'Unità»)
Punto di vista: Apprezza che il film sia una riflessione su valori più importanti della politica
Cosa valuta: Taglio dato al film: onirico, difficile da capire; L'interpretazione degli attori: perfetta; Somiglianza con un altro film di Bellocchio (*L'ora di religione*)
Come lo valuta: Capolavoro

9 Esplorare la grammatica

A I parenti, gli amici, gli orfani: elementi di una classe; un appartamento: elemento nuovo; i carcerieri: elemento di una classe; la loro vita: elemento già menzionato; il prigioniero: elemento noto/presente nel discorso e già menzionato (riprende i personaggi); un ritratto: un membro di una classe (un ritratto possibile tra i tanti che si possono fare); un uomo: membro di una classe (anche se è un elemento che è già stato menzionato).

B (1) il; (2) i; (3) la; (4) un; (5) un; (6) uno; (7) la; (8) la; (9) una; (10) gli; (11) lo; (12) il; (13) l'; (14) un; (15) il; (16) un; (17) le; (18) un; (19) un; (20) il; (21) la.

12 Navigando

A 1. 1989: *Nuovo Cinema Paradiso* di Giuseppe Tornatore; nel 1991 *Mediterraneo* di Gabriele Salvatores; nel 1998 *La vita è bella* di Roberto Benigni. 2. A Sofia Loren nel 1991, a Federico Fellini nel 1993, a Michelangelo Antonioni nel 1995. 3. Con *La stanza del figlio* nel 2001. 4. Il festival internazionale del cinema di Venezia. 5. Con *Roma città aperta* del 1945, di Roberto Rossellini. 6. Aldo, Giovanni e Giacomo (film: *Tre uomini e una gamba*, *Dimmi se sono felice*). 7. Totò.

Esercizi

1 1. avessi visto; 2. fosse; 3. avessimo deciso; 4. nevicasse, avesse; 5. avesse mai realizzato; 6. dessimo; 7. venisse proiettato; 8. avesse curato.

2 **Frase principale al presente:** (1) parta; (2) partirà; (3) parta; (4) stia partendo; (5) sia partita; (6) (partisse); (7) fosse (già) partita.

Frase principale al passato: (8) sarebbe partita; (9) partisse; (10) partisse; (11) stesse partendo; (12) fosse partita; (13) partisse.

3 1. arrivi (anteriorità/posteriorità); 2. uscisse (contemporaneità); 3. abbia capito (anteriorità); 4. fosse (contemporaneità); 5. finisca/finirà (posteriorità); 6. si fermassero/sarebbero fermati (posteriorità); 7. avesse già detto (anteriorità); 8. andasse (anteriorità, azione abituale); 9. si sia laureata (anteriorità); 10. avessero già giocato (anteriorità).

4 (1) raggiungesse; (2) scrivesse; (3) sapessero; (4) avessero; (5) fosse/fosse stata; (6) avrebbe dovuto; (7) tranquillizzasse; (8) indovinassero; (9) fosse; (10) volesse.

5 Il regista Gianni Amelio ha detto che *se l'era chiesto* anche *lui* e che forse la risposta *era* che *quella volta aveva fatto* un film più diretto. Ha detto che invece di usare la macchina da presa come diaframma *tra sé* e il pubblico, *si era lasciato* andare alle emozioni. Ha detto che un paio di volte durante le riprese *si era sorpreso a commuoversi*. Ha detto che *si era un po' preoccupato*, temendo di non avere *quel* distacco necessario dall'opera. Ha detto che invece forse era giusto così. Ha detto che i bambini *sono/erano* sempre un'arma a doppio taglio e che *è/era* molto difficile girare con loro perché la falsità *si vede/si vedeva* subito. Ha detto che *non si sentiva parte* della generazione di Salvatores perché *era* fuori età. Ha detto che i trentenni *avevano* un'altra storia e che i suoi compagni di strada *erano altri*. Ha detto che, anche se *facevano* film diversissimi, *sentiva* piuttosto come un punto di riferimento costante un regista come Nanni Moretti. Ha detto che il suo modo di vivere il cinema *aveva spazzato* via la cialtroneria da *quel* mestiere. Ha detto che *non si sentiva* molto emozionato perché tutte le emozioni le *spendeva* sul set e che poi dopo il gioco *era* fatto. Ha detto che allora *si sentiva* molto felice e che *era stato* uno splendido regalo. Ha detto che *dedicava* questo premio a una persona ma che *era* un segreto che *sapevano solo loro due*.

6 1. Sandra gli ha gridato di uscire da lì e di non farsi mai più vedere. / Sandra gli ha gridato che uscisse da lì e che non si facesse mai più vedere. 2. Anna ha detto di aprire subito quel pacco. / Anna ha detto che aprissi subito quel pacco. 3. Il signor Cottugno la minacciò di stare attenta che la denunciava/l'avrebbe denunciata. / Il signor Cottugno la minacciò che stesse attenta che la denunciava/l'avrebbe denunciata. 4. Marta suggerisce al cliente di comprare quella macchina. / Marta suggerisce al cliente che compri quella macchina. 5. Antonio dice a Luciano di lasciarla tranquilla che quella notte non ha dormito. / Antonio dice a Luciano che la lascino tranquilla che quella notte non ha dormito. 6. Ada le ha consigliato di non perdere quel film. / Ada le ha consigliato che non perdesse quel film. 7. Mia madre mi diceva sempre per insegnarmi a nuotare di battere i piedi, di provare a nuotare, di andare tranquilla. / Mia madre mi diceva sempre per insegnarmi a nuotare che battessi i piedi, che provassi a nuotare, che andassi tranquilla. 8. Mio padre invece mi diceva di salire sulle sue spalle che mi faceva/avrebbe fatto fare una bella nuotata. / Mio padre invece mi diceva che salissi sulle sue spalle che mi faceva/avrebbe fatto fare una bella nuotata. 9. I suoi genitori gli hanno detto di tornare a casa prima di mezzanotte. / I suoi genitori gli hanno detto che tornasse a casa prima di mezzanotte. 10. Ha chiesto al professore di storia di interrogarlo per primo. / Ha chiesto al professore di storia che lo interrogasse per primo.

7 1. Hanno dichiarato sotto giuramento che se li avessero protetti avrebbero confessato i nomi dei complici che avevano collaborato al sequestro. 2. Mara ha risposto che se fosse dipeso solo da lei l'avrebbe già fatto. 3. Mario ha affermato che se non avesse avuto/avesse i figli si sarebbe già separato. 4. Daniele ha dichiarato che se non gli avessero aumentato lo stipendio se ne sarebbe andato. 5. Carla ha detto che se non si fosse slogata la spalla sarebbe venuta. 6. Gianna ha risposto che se avesse fatto in tempo, li sarebbe andati a prendere lei i bambini. 7. I miei genitori mi avevano promesso che se avessi preso la sufficienza in latino avrei potuto andare/sarei potuto/a andare al cinema domenica. 8. L'attrice Anna Golino ha confessato che se qualcuno glielo chiedesse/avesse chiesto, interpreterebbe/avrebbe interpretato volentieri il ruolo della cattiva, della perfida che fa/faceva soffrire gli uomini.

8 Il verbo della principale è al condizionale; 2. a, 2. b. 1. chiedesse/avesse chiesto; 2. facesse; 3. andasse; 4. fossi partito; 5. imparassi; 6. lavorasse; 7. avesse mai conosciuto; 8. foste comprati; 9. foste arrivati.

9 Risposta libera.

10 1. finché; 2. perché/affinché; 3. dopo che; 4. perché; 5. prima che; 6. come se; 7. affinché/perché; 8. per (finale); 9. pur; 10. benché; 11. siccome; 12. a meno che; 13. anche se.

11 (1) la; (2) un; (3) il; (4) la; (5) una; (6) la; (7) una; (8) un; (9) un; (10) i; (11) la; (12) la; (13) gli; (14) un'; (15) una; (16) una; (17) la; (18) la; (19) le; (20) una; (21) un; (22) uno.

12 1. terroriste, altruista, ottimista; 2. le protagoniste/i protagonisti; 3. i brigatisti, docenti; 4. l'antagonista; 5. il miglior giornalista; 6. violiniste, una pianista, chitarristi, soliste; 7. cineasti; 8. la regista.

13 1. competitivo; 2. eccessiva; 3. persuasiva; 4. continuativa; 5. ignorante; 6. produttivo; 7. incoraggiante; 8. impressionanti; 9. selettivo; 10. offensiva; 11. inquietante; 12. nociva.

14 (1) si avvantaggia di; (2) passando per; (3) s'affiancano ai; (4) integrati da; (5) separati dal; (6) è da; (7) consente di; (8) ha imposto al.

Ripasso

1 IL CUORE ALTROVE: (1) gentilezza; (2) tenerezza; (3) capacità; (4) sapiente; (5) iniziazione; (6) perdita; (7) innocenza; (8) malinconico; (9) tristezza; (10) gemellaggio; (11) comicità; (12) popolare. FELLINI: (1) ardente; (2) scomparsa; (3) natale; (4) gigantesca; (5) potenti; (6) entrata; (7) interviste; (8) celebrazioni; (9) proiezione; (10) indimenticabili; (11) europeo; (12) cinematografico; (13) prestigioso; (14) riconoscimento; (15) distanza.

Test (50 punti)

1 1. abbiate mai sentito (anteriorità); 2. sia (contemporaneità); 3. si tratti (contemporaneità/posteriorità); 4. avessero affidato (anteriorità); 5. riuscisse (contemporaneità / posteriorità); 6. frequentassi (anteriorità, azione abituale); 7. fossi comportato (anteriorità); 8. parli (contemporaneità);

2 [1 p. per i verbi = 7 p.; 0.5 p. per gli altri elementi = 4 p.]. Bellocchio ha risposto che, senza nessuna ipocrisia, *credeva* che il *suo fosse* un film diverso da quello di Ferrara, che ricostruiva l'accaduto in modo abbastanza classico e cercava dei responsabili della vicenda. Bellocchio ha affermato che *lui aveva cercato* una strada più intimistica. Per arrivare a *quell'*immagine l'approccio *era stato* graduale. Oltretutto *gli era stato chiesto* di fare *quel* film, non l'*aveva scelto lui*. Di fronte a *quella* possibilità *aveva cominciato* a chiedersi come affrontarla.

3 (1) il; (2) un; (3) una; (4) una; (5) una; (6) una; (7) la; (8) il; (9) un.

4 1. affollano; 2. impastato; 3. incoraggiava; 4. ha allattato; 5. accarezza.

5 (1) sorprendente; (2) emozionante; (3) commovente; (4) debuttanti; (5) competitivo.

6 (1) botteghino; (2) incasso; (3) commedia; (4) classifica; (5) pellicole; (6) esilarante; (7) spettatori.

7 1. allo scopo di; 2. perché; 3. se vuoi; 4. affinché; 5. appunto.

Bell'Italia

UNITÀ 10

↗ Entrare nel tema

▶ Didascalie: San Gimignano; Palazzo dei Diamanti, Ferrara; I Sassi di Matera; Villa Foscari, Mira, Venezia; costiera amalfitana; Leonardo da Vinci, *L'ultima cena*, Milano, Santa Maria delle Grazie.

1 Leggere

A 1. Risposta libera. 2. L'autore descrive l'arrivo alla stazione e l'impatto immediato con l'acqua e le gondole; i tragitti in gondola. 3. La gondola gli dà un'impressione di leggerezza e di una bellezza da sogno; il silenzio dell'acqua durante gli spostamenti permette di conservare e a continuare a godere delle impressioni provate nel visitare i luoghi. 4. Dai giri in gondola sui canali.

2 Lessico

A 1. e; 2. d; 3. g; 4. f; 5. h; 6. b; 7. c; 8. a.

B Possibili soluzioni: 1. UOMO: avvenente, attraente, seducente; 2. SERATA: incantevole, magnifica, splendida, meravigliosa, fantastica; 3. SORRISO/OCCHI: magnifico, splendido, stupendo, incantevole; 4. PANORAMA: stupendo, magnifico, splendido, meraviglioso, fantastico; 5. DIVANO/CUSCINI: grazioso, delizioso; 6. PALAZZI/FACCIATA: magnifici, meravigliosi, stupendi, splendidi; 7. STIPENDIO: notevole, cospicuo, consistente; 8. BAGNO: piacevole, divertente; 9. DONNA: affascinante, attraente, meravigliosa, stupenda, splendida, incantevole, seducente.

BELLO, affascinante, aggraziato, attraente, avvenente, carino, delizioso, incantevole, leggiadro, magnifico, meraviglioso, splendido, stupendo, vago, venusto.

Bello è il termine di significato più generale per indicare la qualità di ciò che alla vista o all'udito suscita una sensazione di piacere estetico e un conseguente senso di ammirazione (*un bel ragazzo; un bel volto; un bel panorama; un bel quadro; una bella musica*); per estensione, può definire ciò che è moralmente buono, apprezzabile o anche piacevole, gradevole (*un bel gesto; una bella azione; una bella gita*); riferito ad aspetti della natura, indica serenità, condizioni di non perturbamento (*una bella giornata; un bel mare; la bella stagione*).

Se "bello" esprime genericamente la qualità di ciò che induce un piacere estetico, esistono altri termini che connotano la stessa qualità o facendo riferimento in maniera specifica all'impressione soggettiva che essa provoca, o precisandone la particolare natura.

Affascinante è propriamente ciò che con la sua bellezza suggestiva esercita un fascino a cui difficilmente si può resistere (*una donna affascinante; occhi affascinanti; il circo è uno spettacolo affascinante*). Significato abbastanza prossimo ad affascinante ha **attraente**, propriamente "che attrae"; rispetto ad affascinante manca però in attraente l'elemento di particolare suggestione che è insito nel fascino (*una bambina attraente; un romanzo attraente*). Qualcosa in più di attraente, ma comunque in meno di affascinante, sembra avere **incantevole**, propriamente "che incanta", che esercita una rapita ammirazione; una bellezza incantevole è una bellezza che per la sua armonia, la sua grazia suscita una sensazione di ammirato stupore (*un essere incantevole; un sorriso incantevole; un paesaggio incantevole*).

Meraviglioso si dice di qualcosa di straordinario che si manifesta in maniera imprevista e che, proprio per questo, determina nell'animo una sensazione, appunto, di meraviglia, di piacevole sorpresa; di qui, per estensione, il significato di bello che meraviglia, ossi adi straordinariamente bello (*una città meravigliosa; un museo ricco di meravigliose opere d'arte; occhi meravigliosi*); se è riferito a persona, più che a qualità fisiche, fa riferimento alla straordinarietà delle sue doti morali (*sua madre è una donna meravigliosa*). Se meraviglioso è ciò che meraviglia, **stupendo** è letteralmente ciò che stupisce, in particolare per la sua bellezza; di fatto ha gli stessi usi e significati di meraviglioso, con cui è per lo più sostituibile (*una ragazza stupenda; Venezia è una città stupenda*). I termini finora considerati esprimono un grado elevato di bellezza, come si è detto, facendo riferimento alla sensazione che essa produce nell'animo (fascino, attrazione, incanto, meraviglia, stupore). D'ora in avanti considereremo un'altra serie di parole, che esprimono modi particolari del bello facendo riferimento a concetti, per così dire, esterni alla reazione emotiva del soggetto. **Splendido** equivale a straordinariamente bello, di una bellezza smagliante, radiosa, completa (*un sorriso splendido; una donna splendida*); essere "splendido" collegato etimologicamente a "splendore", può essere connesso al significato di splendido anche quello della fastosità, della sontuosità (*uno splendido palazzo*). L'idea della fastosità, della sontuosità è invece prevalente nel tipo di bellezza che connota il termine **magnifico** (*una sala ornata di magnifici affreschi; le signore indossavano dei magnifici abiti da sera*); per estensione può tuttavia indicare genericamente anche ciò che è bello al di fuori dal comune (*Che splendida figura: ha i capelli neri tagliati corti, occhi grigioverdi, ciglia lunghissime, e una magnifica pelle*, ARBASINO).

L'idea di una bellezza non appariscente, ma legata alla grazia, alla finezza, alla delicatezza, all'armonia delle parti richiama grazioso (*un volto grazioso; Era superba della propria bellezza fatta di una testina piccola gonfiata da capelli tagliati corti ma ricciuti intensamente e una figurina molto aggraziata*).

Delizioso è propriamente ciò che delizia l'animo, ciò che procura un intenso e raffinato piacere; la bellezza che suscita una sensazione di questo genere è anch'essa fondamentalmente legata alla grazia, è una bellezza che contemporaneamente attrae e lusinga (*una creatura deliziosa; Mai una donna è tanto deliziosa come quando s'avvede benissimo del turbamento che le sue grazie suscitano in un uomo eppure fa sembiante di nulla*, LANDOLFI).

Carino voce di uso solo familiare, connota un tipo di bello non dissimile da quello espresso da "delizioso", anche se il termine esprime un'intensità molto minore; è carino ciò che è grazioso, amabile, piacevole (*una bambina carina; un paese carino*).

I termini che seguono appartengono tutti al linguaggio letterario ed esprimono sfumature di significato in parte coincidenti con quelle dei termini già descritti.

Avvenente esprimeva un tempo un tipo di bellezza legato soprattutto alla grazia e al garbo; oggi connota per lo più una bellezza, soprattutto femminile, appariscente, vistosa (*Piccoletta e grassoccia, e più bella che avvenente, aveva in sé tanto da sperare un affetto, non tanto da eccitarlo profondo*, TOMMASEO; *Un'espressione antipatica di vanità, di sufficienza e di falsa benevolenza rendeva questo viso, a prima vista avvenente e maestoso, addirittura repulsivo*, MORAVIA).

Leggiadro è ciò che ha in sé leggiadria, cioè una bellezza fresca e armoniosa, legata alla grazia e all'eleganza (*occhi leggiadri; viso leggiadro; È bella sì, ma ne vediamo tante / più leggiadre di lei, di lei men stanche*, SABA). Di significato vicino a "leggiadro", anche se di uso esclusivamente poetico, è **vago**: "vago" è da *vagare* "muoversi" e, secondo il Tommaseo, "dall'essere gli oggetti leggermente e leggiadramente moventisi, tali da arrecare desiderio e diletto, *vago* venne a significare desiderabile e bello" (*vaghissimi occhi*).

Venusto connesso etimologicamente con il latino *Venus* "Venere", se riferito a persona, e soprattutto a donna, connota una bellezza derivata dalla perfezione delle forme e dalla grazia degli atteggiamenti e dei movimenti (*donna di aspetto venusto*).

Dizionario Garzanti dei Sinonimi e dei Contrari, con Generici, Specifici, Analoghi, Inversi e 207 Inserti di sinonimia ragionata, Milano, Garzanti, 1991.

3 Esplorare la grammatica

A *Si* impersonale/passivante: *si scende, si esce, ci si trova, si sceglie, ci si siede, ci si inoltra, ci si imprime*. Si usa il pronome doppio *ci si* quando il *si* impersonale viene usato con un verbo riflessivo: * *si si trova* = *ci si trova*.

B Con il *si* impersonale l'ausiliare del verbo al tempo composto è sempre *essere*. Se il verbo viene usato transitivamente il participio passato si accorda con l'oggetto diretto (*Si sono trovate numerose gondole che aspettavano i turisti*); se il verbo viene usato intransitivamente si deve pensare all'ausiliare che prende nella costruzione non impersonale: *scendere > sono sceso*, il verbo prende *essere* quindi il participio va accordato al maschile plurale in -*i*, *puntare > ho puntato* il verbo ha *avere* quindi il participio va accordato al maschile singolare in -*o* (*Si è scesi dalla gondola e si è puntato verso Piazza San Marco.*)

C (1) ci si porta; (2) si segue; (3) si scorgono; (4) si raggiunge; (5) si ritorna; (6) si punta; (7) si raggiungono; (8) si punta;

(9) si ritorna. PASSATO: (1) ci si è portati; (2) si è seguita; (3) si sono scorti; (4) si è raggiunta; (5) si è ritornati; (6) si è puntato; (7) si sono raggiunti; (8) si è puntato; (9) si è ritornati.

5 Ascoltare

CD2, ›5: "GRAND TOUR: il sud dei grandi viaggiatori..."

SPEAKER A Sud si scorgeva Minervino, sullo sperone di un'altura che dava sulla parte marittima delle province di Basilicata e Capitanata; ed era lì che eravamo diretti. Percorremmo praterie verdi e ondulate che discendevano al piano e prima del tramonto arrivammo ai piedi della collina sulla quale sorgeva la città. Minervino offriva una bella veduta in direzione nord al di sopra della piana di canne fino alla baia e alla montagna del Gargano. Da quella distanza si coglieva la visione di un'altra pianura di immense proporzioni e insieme di una bellezza delicata per i numerosi tratti chiari e luminosi che la intramezzavano, tanto da farla rassomigliare a un'ampia distesa di mare piuttosto che di terra. Il paese di grandi proporzioni era pulito e attivissimo: parecchie strade erano fiancheggiate da terrazze. Il luogo risultava completamente diverso nel suo aspetto e in quello dei suoi abitanti dai paesi abruzzesi o calabresi. La sensazione di quiete o per meglio dire di inerzia che si avvertiva in questi ultimi era in apparisente contrasto con le comunità di Apulia dove tutto era brulichio e animazione: strade ben asfaltate, case di bell'aspetto, file di muli che trasportavano carichi, ogni particolare dava subito l'idea del progresso dell'attività commerciale.

B Il Gargano si trova nelle Puglie. LOCALITÀ RAGGIUNTA: Minervino, in direzione del mare, paese di grosse dimensioni. PERCORSO PER ARRIVARCI: attraverso una pianura per poi arrivare ai piedi della collina e raggiungere il paese situato su di una collina. PANORAMA CHE SI GODEVA DALLA LOCALITÀ: la baia, la montagna del Gargano e da lì un'immensa pianura che sembrava un mare. SENSAZIONE PROVATA: paese operoso, progredito, con un'attività commerciale vivace.

6 Lessico

A 1. f; 2. g; 3. a; 4. e; 5. b; 6. c; 7. d.

B brulicare > brulich-io; l'accento di parola cade sul suffisso. [Soluzione possibile] 1. lo scricchiolio di una sedia vecchia; 2. il ronzio degli insetti (es. delle api); 3. il mormorio di un pubblico presente in un'assemblea; 4. il brontolio di una persona anziana che si lamenta; 5. il cigolio dei freni della bicicletta; 6. il pigolio dei pulcini.

C valle, golfo, costa, pianura, scogliera, baia, altipiano, promontorio.

D 1. Le montagne valdostane; 2. le valli trentine; 3. le lagune venete; 4. gli altipiani friulani; 5. le coste liguri; 6. le terme emiliane; 7. le spiagge romagnole; 8. le necropoli toscane; 9. i porti marchigiani; 10. le colline umbre; 11. i nuraghi sardi; 12. i paesi laziali; 13. i fiumi molisani; 14. la pianura pugliese; 15. i golfi campani. suffissi: -ese, -ano, -ino, - ale, -olo, -igiano.

7 Coesione testuale

A La SECONDARIA IMPLICITA ha valore consecutivo.
"... tanto che la faceva rassomigliare/rassomigliava a un'ampia distesa di mare."

B 1. Era così bravo a dipingere ogni genere di soggetto che tutti lo invidiavano. 2. Pioveva a dirotto tanto che mi sono bagnato fradicio./Pioveva così tanto a dirotto che mi sono bagnato fradicio. 3. Il calciatore ha colpito la palla con tale/così tanta forza che il portiere non ha potuto pararla. 4. È talmente/così timida che non prende mai parte alle discussioni. 5. Aveva (così) tanto sonno che andò a letto. 6. Ha una tale/così tanta nostalgia della figlia che va spesso a trovarla. 7. Bologna è una città tanto/così bella e accogliente che ci vivrei volentieri. 8. Canto così tanto a squarciagola che sveglio tutto il palazzo.

8 Esplorare la grammatica

A

Posizione degli aggettivi qualificativi	
Funzione "restrittiva" (necessaria, limitativa, distintiva)	Funzione "descrittiva" (accessoria, valutativa)
In posizione postnominale	In posizione prenominale

B (1) grandi maestri; (2) meravigliosa produzione; (3) bellezze artistiche; (4) grandi maestri; (5) gioiello culturale; (6) eccellenti primi piatti; (7) caratteristica piazza; (8) deliziosa loggia; (9) cattedrale attigua; (10) loggiato superiore; (11) botteghe ceramiche faentine; (12) numero utile; (13) città romagnola; (14) feste medievali; (15) feste medievali; (16) gradito ricordo; (17) gran cuciniere; (18) menù medievali; (19) dieci anni; (20) antiche ricette; (21) cucina medievale; (22) centri collinari; (23) soldati proverbiali.

9 Ascoltare

CD2, ›6: "Dal periodo romano passiamo al periodo medievale..."

SPEAKER Verona è una città di oltre 270 000 abitanti, appartiene alla regione Veneto ed è capoluogo di regione. È il secondo centro per numero di abitanti, per importanza e per bellezza, dopo Venezia. Non si conoscono con certezza le origini di Verona, ma si sa che sono certamente legate all'epoca pre-romana, e soprattutto ai popoli italici che la abitarono, tra i quali i Liguri, gli Etruschi, i Galli Cenomani e i Veneti. Non si conosce neppure con certezza l'origine del suo nome: alcuni dicono che derivi da Vera, un nome etrusco, di una famiglia nobile, altri dicono che derivi dal nome latino ver, primavera, altri ancora sostengono derivi invece dalla frase latina "Vere est una" che significa "è veramente unica".
Per quanto riguarda la storia della città di Verona, si sa che i primi insediamenti umani si ebbero quasi certamente sul colle di S. Pietro, collina che a tutt'oggi fa parte del centro storico della città, e che poi si spostarono gradatamente sulla piana sottostante al di là del fiume Adige, Adige che serviva come via di comunicazione col mare e, logicamente, come mezzo di trasporto.
Verona, per quanto riguarda ancora il periodo romano, fu alleata di Roma a partire dal 49 a.C. e Roma concesse alla città di Verona la cittadinanza, cittadinanza onorifica, in riconoscimento della sua fedeltà nei confronti della città di Roma e in riconoscimento anche della... dell'importanza della sua posizione geografica: si incrociavano in-

fatti, nel territorio veronese, le... tre delle grandi vie consolari dell'epoca romana, l'Augusta, la Gallica e la Postumia. Dal periodo romano passiamo al periodo medievale, che vede inizialmente Verona impegnata a proteggersi dalle numerose invasioni dei popoli barbarici del... che scendevano dal nord Europa, che vede sempre appunto nel suo territorio l'installarsi del potere di... della discendenza di Carlo Magno, con il figlio Pipino, personaggio che fece di Verona il suo luogo di residenza e che iniziò a sviluppare la città dal punto di vista commerciale.

Risale infatti al periodo di Pipino il, la costruzione, l'organizzazione delle prime fiere che si trovano, che si trovavano all'epoca nell'attuale quartiere di San Zeno. Verona si sviluppa gradatamente durante il periodo medievale, fa parte della... della Lega Veronese, capeggia la Lega Veronese che precedette quella Lombarda e che vide i cittadini di Verona impegnati appunto contro il Barbarossa, nelle lotte di indipendenza del territorio e cambia completamente dominazione a partire della... dalla seconda metà del tredicesimo secolo: siamo qui nel 1262, quando inizia uno dei periodi di maggiore floridezza politica, economica ed artistica, nella città di Verona, periodo che continuerà per tutto il tredicesimo secolo e fino alla fine del quattordicesimo secolo, per... con precisione fino al 1387. Questo periodo di incredibile ricchezza è dovuto alla presenza, nella città di Verona, della signoria scaligera, alla quale... della quale facevano parte personaggi di rilievo quali Can Grande I, e Can Signorio di Verona. Ricordiamo anche che questo è il periodo in cui visse Dante e Dante, nelle sue memorie letterarie, ricorda Can Grande di Verona come l'uomo capace di unire l'Italia. Alla caduta degli Scaligeri Verona viene... viene dominata per un brevissimo periodo, per una ventina d'anni, a cavallo tra il XIV e il XV secolo, dalla famiglia dei Visconti di Milano ai quali si succede, con una breve pausa dei Carraresi, la Repubblica di Venezia. La dominazione della Serenissima dura nel territorio veronese dal 1405 fino alla fine del XVIII secolo. Il 1797 vede infatti la caduta dell'impero veneziano. Verona fu ceduta da Venezia prima all'Austria e poi nel 1805 fu unita al Regno italico di Napoleone, per poi passare, nel 1814, definitivamente ancora sotto l'Austria. Questo fino al... praticamente, all'annessione del territorio veronese al neonato Regno d'Italia, che avviene con la liberazione di Verona nel 1866.

A 1. c; 2. b; 3. a; 4. c.

B 1. Perché sul suo territorio s'incrociano tre importanti vie consolari, la Gallica, la Postumia, l'Augusta. 2. Pipino organizza le prime fiere. 3. Per difendersi dalle invasioni del Barbarossa. 4. Viene citato Dante perché nelle sue memorie letterarie ricorda Can Grande di Verona, signore della famiglia degli Scaligeri, come l'uomo capace di unire l'Italia.

C I discendenti di Carlo Magno, gli Scaligeri, i Visconti, la Repubblica di Venezia, gli Austriaci, il Regno di Napoleone, gli Austriaci. 5, 3, 7, 1, 4, 2, 6.

D 1. dal 49 A.C.: alleanza con Roma; 2. dal 1262 al 1387: floridezza artistica e economica con gli Scaligeri; 3. dal 1405 al 1797: dominazione della Repubblica veneziana; 4. 1805: annessione al regno di Napoleone; 5. 1814: inizio della dominazione austriaca; 6. 1866: annessione al Regno d'Italia.

10 Esplorare la grammatica

A La narrazione delle vicende storiche viene fatta alternando il presente storico e il passato remoto (oltre all'imperfetto). I verbi sono al passato remoto che, a differenza del passato prossimo, è il tempo della 'memoria storica'.
Le forme sono: 1. si ebbero, si spostarono; 2. fu, concesse; 3. fece, iniziò; 4. precedette, vide; 5. visse; 6. fu ceduta, fu unita.

B Verbi regolari: spostarono (*spostare*), iniziò (*iniziare*), precedette (*precedere*); verbi irregolari: ebbero (*avere*), fu (*essere*), concesse (*concedere*), fece (*fare*), vide (*vedere*), visse (*vivere*), fu ceduta (*essere ceduta*), fu unita (*essere unita*).

C CREDERE: io credei (credetti), tu credesti, lui credé (credette), noi credemmo, voi credeste, loro crederono (credettero)
PRENDERE: l'irregolarità consiste nella radice (*prend-* / *pres-*); nelle persone I singolare (io pres-i), III singolare e plurale (lui, lei pres-e, loro pres-ero).

D (1) si sviluppò; (2) fece; (3) capeggiò; (4) precedette; (5) vide; (6) cambiò; (7) iniziò; (8) continuò; (9) fu dovuto; (10) fecero; (11) venne; (12) succedette; (13) durò; (14) vide.

12 Lessico

A a. loggiato; b. navate; c. presbiterio; d. pulpito; e. abside; f. altare; g. cripta; h. coro.

B 1. catalogo, acquerelli, collezioni; 2. tela; 3. committente; 4. affreschi; 5. mosaici; 6. nature morte; 7. ritratto; 8. capolavori, in primo piano, sullo sfondo.

C 1. raffalleschi; 2. quattrocentesca; 3. rinascimentale; 4. artistica; 5. novecentisti, futuriste, neo-umanista; 6. impressionisti; 7. trecentesca; 8. medievale; 9. ducale, pittoriche.

13 Leggere

A

USO DEGLI ARTICOLI CON I NOMI GEOGRAFICI		
Città, paesi	Con articolo:	• una Roma diversa
	Senza articolo:	• alla scoperta di Roma
		• collegata con Santa Teresa di Gallura
		• dal porto di Palau
		• la provincia di Brescia
Stati, regioni	Con articolo:	• le Marche, l'Umbria, della Sardegna
		• l'Italia
	Senza articolo:	• Marche e Umbria
Fiumi, laghi, mari	Con articolo:	• il Tevere, la Senna, il Tamigi, il lago d'Iseo, il lago d'Endine, l'Adriatico
Isole	Con articolo:	• la Maddalena (arcipelago)
	Senza articolo:	• Caprera, Montisola, Loreto, San Paolo (isole piccole)
Monti	Con articolo:	• i Monti Sibillini

B   Patrimoni dell'umanità

(1) /; (2) /; (3) /; (4) dal; (5) alle; (6) dalla; (7) del; (8) /; (9) della; (10) /; (11) /; (12) /; (13) della; (14) /; (15) le; (16) /; (17) /; (18) l'.

16 Scrivere

C   1. Malaga è situata ~~nella~~ sulla costa. 2. Ci si può rilassare ~~alle~~ sulle belle spiagge. 3. ~~Alla~~ Nella città incantevole di W. si può visitare il duomo. 4. Ci si può arrampicare ~~alle~~ sulla sommità della scogliera. 5. È un'isola circondata ~~di~~ da un mare immenso. 6. I bungalow sono ~~in~~ a forma di fungo. 7. Il paesaggio assomiglia a un mosaico. 8. Il villaggio è circondato ~~per~~ da un bosco di sempreverdi. 9. Siamo lontani ~~dello~~ dallo stile di vita londinese. 10. È carino ~~per~~ da visitare in primavera. 11. Ci sono tante passeggiate ~~e~~ da fare. 12. È molto frequentato ~~a causa della~~ grazie alla sua storia ricca. 13. Se siete tanto fortunati da avere qualche giorno libero e disponete di una bicicletta, questo è il vostro tour.

Esercizi

1   1. Se si è amanti del barocco, si visiti la città di Lecce. 2. Se si è golosi di piatti nostrani, ci si fermi e si giri il Mantovano. 3. Se si è disposti a camminare per qualche ora, si prenda il sentiero numero 12. 4. Se si è desiderosi di vivere a contatto con la natura, si faccia una vacanza in Abruzzo. 5. Se si è avventurosi e allenati, ci si arrampichi sulle Dolomiti. 6. Se si è romantici e si amano le visite dei castelli, non ci si perda la Valle d'Aosta. 7. Se si è ricchi, si noleggi una barca e si faccia il giro dell'arcipelago. 8. Se si è raffinati, non si perdano le ville del Palladio.

2   (1) si tiene; (2) si parte; (3) si può percorrere; (4) si può raggiungere; (5) si possono ammirare; (6) si possono programmare; (7) si staglia; (8) si vuole pianificare; (9) ci si deve munire.

3   Da Foggia per ampia strada *si è puntato* attraverso il Tavoliere verso Manfredonia. *Si è iniziato* poi il giro del promontorio montuoso per una bella strada panoramica. Superata la Testa del Gargano orlata di scogliere, *è apparsa* Vieste, annidata tra bianchi scogli a picco sul mare. *È seguito* un tratto di costa solitaria; la strada si *è internata* fra gli ulivi e i pini, finché *è apparsa* pittoresca Peschici. *Si è scesi, si è attraversata* la stupenda pineta di S. Menaio e in piano *si è raggiunto* Rodi Garganico, con le sue bianche case sopra un promontorio. *Si è tagliata* in diagonale la penisola entrando nel folto della Foresta Umbra e *si è raggiunto* Monte Sant'Angelo con le sue tipiche casette scaglionate sul monte. *Si sono toccati* poi S. Giovanni Rotondo e Rignano Garganico, affacciato sull'immensa distesa del Tavoliere.

4   (1) nacque; (2) fu; (3) assorbì; (4) si trovò; (5) finì; (6) si fece; (7) dipinse; (8) venne dipinto; (9) entrò; (10) dipinse; (11) cominciò; (12) furono; (13) creò; (14) abbandonò; (15) uccise; (16) dovette; (17) rimase; (18) fu; (19) fuggì; (20) morì.

5   (1) si alzava; (2) si stagliava; (3) si alzò; (4) balzarono; (5) si rivestì; (6) lampeggiavano; (7) saltai; (8) gridai; (9) giunse; (10) galleggiava; (11) si faceva; (12) proveniva; (13) feci; (14) mi abbandonai; (15) tornai; (16) indicai; (17) scivolò; (18) risuonavano; (19) invitava.

6   1. Non so perché i viaggiatori stranieri trovassero affascinante la Liguria. 2. Non capisco perché i vari ministri dei beni culturali non abbiano mai ordinato l'abbattimento degli edifici che deturpano la Valle dei Templi di Agrigento. 3. Mi chiedo perché molti turisti italiani abbiano un comportamento vandalico nei confronti del patrimonio naturale e culturale del loro paese. 4. Non so quanti siano gli italiani che conoscono bene il Sud d'Italia. 5. Mi domando se vi siate fermati a visitare i Sassi di Matera. 6. Mi chiedo perché gli Italiani frequentino poco i musei. 7. Non mi ricordo se questa Madonna sia di Giotto o di Raffaello. 8. Non mi ricordo quando ci sia stato il terremoto che ha distrutto la Valle di Noto. 9. Non sono certo se questo castello sia medievale o rinascimentale.

7   (1) gran parte; (2) centro storico; (3) principali chiese; (4) asse viario; (5) decumano inferiore; (6) città antica; (7) parti pressoché uguali; (8) sequenza ininterrotta; (9) potenzialità turistiche; (10) ambiente sociale; (11) un'aria diversa; (12) nucleo antico; (13) centro storico; (14) altri quartieri; (15) sedi universitarie; (16) vita studentesca; (17) attività commerciali; (18) zone precise; (19) antico Monte di Pietà; (20) vecchi gioielli; (21) botteghe artigiane; (22) fiori finti.

8   1. le belle cattedrali; 2. una bella basilica; 3. le belle scogliere; 4. i bei promontori; 5. quei begli scogli; 6. il bell'edificio; 7. le belle mura; 8. quei begli altipiani; 9. un bel castello; 10. una bella baia; 11. le belle coste; 12. un bello scoglio; 13. il bel convento; 14. un bell'anfiteatro.

9   1. i colori blu; 2. le serie geometriche; 3. le maglie marrone; 4. dei numeri dispari; 5. le tele viola; 6. le città rinascimentali; 7. le poltrone giallo oro; 8. i caffè storici; 9. i cappotti rosso scuro; 10. le crisi esistenziali; 11. le pareti verde bottiglia; 12. i pigiama rosa; 13. gli abiti rosa pastello; 14. le borse viola chiaro.

10   1. gli addii nostalgici; 2. i principi immorali; 3. gli studi archeologici; 4. gli zii simpatici; 5. gli itinerari cicloturistici; 6. i domini medievali; 7. i desideri tipici; 8. gli scintillii stellari; 9. i ghiacciai perenni; 10. gli omicidi spaventosi; 11. gli scorci panoramici; 12. gli edifici ricostruiti; 13. i paesaggi pittoreschi; 14. gli esempi architettonici; 15. i pendii verdeggianti; 16. dei brontolii fastidiosi.

11   (1) /; (2) la; (3) /; (4) /; (5) la; (6) /; (7) /; (8) della; (9) la; (10) /; (11) il ; (12) del; (13) i; (14) /; (15) /; (16) /; (17) /; (18) /; (19) /; (20) /; (21) dal; (22) /; (23) /; (24) /; (25) /; (26) la ; (27) un; (28) il; (29) /; (30) /; (31) /; (32) dalla; (33) la ; (34) l'; (35) i; (36) il ; (37) /; (38) alla; (39) la; (40) del; (41) dagli; (42) /; (43) /; (44) un; (45) /; (46) una; (47) /; (48) alla; (49) /; (50) /; (51) della; (52) il; (53) /; (54) /; (55) i; (56) /; (57) /; (58) gli; (59) /; (60) la; (61) /; (62) /; (63) le; (64) /; (65) /; (66) dall'; (67) un; (68) /; (69) i; (70) /; (71) il; (72) la; (73) il; (74) il; (75) /; (76) le; (77) della; (78) un; (79) ai.

12   1. Le telefonerò dopo essere arrivata. (temporale) 2. Ho letto tanto da farmi male gli occhi. (consecutiva) 3. Luigi è così distratto da essersi dimenticato le chiavi. (consecutiva) 4. Sono soddisfatta per averglielo finalmente detto. (causale) 5. La bambina era così stanca da non riuscire a prendere sonno. (consecutiva) 6. Ho detto loro di avvisarmi prima di arrivare. (temporale) 7. L'hanno premiato per essere arrivato primo. (causale) 8. Uscirò dopo aver finito questo lavoro. (temporale) 9. È stato ucciso da un sicario per aver confessato chi erano i complici. (causale) 10. Il treno ha avuto un tale ritardo da aver perso ben due coincidenze. (consecutiva)

13 (1) in; (2) a; (3) a; (4) a; (5) a; (6) in; (7) dal; (8) dal; (9) dal; (10) a; (11) a; (12) a; (13) a; (14) da; (15) dall'; (16) a; (17) per; (18) lungo/attraverso; (19) per/da; (20) nella; (21) fino a; (22) sulla; (23) a; (24) a; (25) in.

Ripasso

1 (1) l'; (2) la; (3) i; (4) i; (5) i; (6) i; (7) i; (8) sfumate; (9) pastello; (10) la; (11) i; (12) un; (13) strettissimo; (14) importante; (15) alcune; (16) le; (17) le; (18) le; (19) il; (20) nostre; (21) fisiche; (22) dimostrato; (23) alcuni; (24) un; (25) norvegese; (26) le; (27) ospitate; (28) una; (29) la; (30) altre; (31) sistemate; (32) una; (33) dipinta; (34) una; (35) identica; (36) alcuna; (37) i; (38) limitati; (39) i; (40) un; (41) il; (42) la; (43) i; (44) cardiaci; (45) il; (46) la; (47) l'; (48) la; (49) gastrici; (50) la; (51) straordinari; (52) i; (53) ogni; (54) alcune; (55) la.

Test (50 punti)

1 1. A Lucera *si possono* ammirare il Duomo angioino, il Castello d'origine sveva, il Museo Civico e l'Anfiteatro. 2. A Peschici *ci si addentri* nel vecchio abitato con le case a cupola. 3. *Si prosegue* poi per la SS 228, svoltando a sinistra *si giunge* al castello di Roppolo, sede dell'Enoteca regionale della Serra.

2 1. Poi *si è percorsa* una strada tortuosa in direzione di Biella sino a giungere nel comune di Cavaglià che deve il suo nome probabilmente alle numerose stazioni di cambio di cavalli. 2. Intorno al 1200 *si sono avute* le prime notizie riguardanti la costruzione di un riccetto per la protezione dei prodotti agricoli, delle uve e delle numerose greggi. 3. È una zona di locande in cui *si è mangiato* squisitamente.

3 (1) nacque; (2) si trasferì; (3) entrò; (4) lasciò; (5) visse; (6) lavorò; (7) fu; (8) rivelò.

4 (1) dipinse; (2) sapeva; (3) copriva; (4) impersonò; (5) spiegò; (6) illustrava.

5 (1) l'; (2) nel; (3) la; (4) la; (5) l'; (6) la; (7) dal; (8) la; (9) la; (10) le.

6 (1) vecchia Milano; (2) archeologia industriale; (3) suggestive immagini; (4) il battello elettrico; (5) a pannelli solari; (6) pittoresco centro; (7) bel castello visconteo.

7 (1) golfo; (2) costa; (3) isola; (4) rocce; (5) baie; (6) fondali.

8 (1) la facciata; (2) torri; (3) arcate; (4) navate; (5) mosaici.

9 1. settecentesco; 2. panoramica; 3. lottesco; 4. impressionisti; 5. piemontese; 6. scintillio.

Nord e Sud s'incontrano

1 Ascoltare

CD2, ›7: "Il Sud non conobbe lo sviluppo di liberi comuni..."

BERGAMINI Procedendo per grandi balzi, possiamo dire che nell'arco del Medioevo il Nord è andato sviluppandosi, appunto, in maniera diversa e più intensa del Sud. Nel Nord sono sorti soprattutto i comuni, cioè città libere, gestite come città-stato, quindi con forme di autogoverno che, pur riconoscendo magari formalmente l'autorità dell'imperatore o del papa (imperatore e papa si combatterono per secoli per la supremazia del potere), riuscirono comunque a ricavare, di fatto, una grande autonomia. Questi comuni, che erano decine, in tutta l'Italia settentrionale – possiamo ricordare Milano, Bergamo, Brescia, Alessandria... tutte le città più importanti del Nord sono state comuni, liberi comuni – conobbero grandi sviluppi, grazie appunto a questa autonomia, questa indipendenza; sul piano economico, divennero fiorenti centri dell'artigianato, della finanza, ricordiamo ad esempio poi Genova, o Milano stessa, o anche Venezia, diventarono cioè città importanti a livello europeo per la nuova vivacità economica e poi diventarono laboratori di autogoverno, di governo in cui i cittadini in qualche modo gestivano la cosa pubblica. Questo non voleva dire democrazia, perché ovviamente nei comuni a gestire la cosa pubblica erano essenzialmente i ceti più ricchi, i ceti borghesi ma anche i ceti nobiliari nei rapporti anche con l'autorità del vescovo. Tuttavia nei comuni c'erano delle forme di rappresentanza, c'erano le assemblee, c'erano dei consigli, costituiti dai cittadini, divisi magari in corporazioni professionali; c'erano insomma delle forme di partecipazione alla vita politica, che erano diverse da quelle del feudalesimo, cioè da quelle del... di un territorio diviso tra signori feudali che governavano con potere assoluto su una vasta quantità di sudditi che non avevano sostanzialmente niente. Questo invece, appunto questo dello sviluppo di stati di carattere feudale fu una caratteristica del Centro-Sud, del Sud. Nel Sud, a differenza del Nord, salvo alcune eccezioni, Amalfi, Bari, per certi versi Napoli e Palermo, che conobbero anche periodi di fioritura, la maggior parte del territorio non conobbe uno sviluppo di liberi comuni, non conobbe uno sviluppo di città che si autogovernavano. Piuttosto prevalse nel Sud il latifondo, il sistema feudale e la dominazione straniera. Il Sud, a differenza... molto più del Nord, conobbe una serie di dominazioni straniere: i Normanni, poi gli Svevi, gli Angioini, gli Aragonesi. E questo fu rilevante – ed è importante questo punto – per qualificare, anche dal punto di vista dell'atteggiamento verso il potere, ancora oggi, il Sud rispetto al Nord. Mentre al Nord, attraverso i comuni prima e poi per certi versi le stesse signorie, gli stati che ne seguivano, ci fu una formazione di borghesia e di cittadini che si intendevano appunto in quanto tali, quindi per-

sone che avevano diritti e doveri e che partecipavano in qualche modo all'attività economica in modo autonomo, con proprie iniziative, ed anche all'attività politica, quindi cittadini, il Sud fu soprattutto un'area di sudditi, di persone che subivano il potere, non partecipavano al potere, erano gravate da pesanti regimi fiscali, erano soggette a regolamenti che soffocavano l'attività economica, erano non in contatto con l'Europa del Nord, fiorente, in sviluppo, ma piuttosto con l'area mediterranea. Qui c'è una divergenza di fondo che, per certi versi giustifica quella che molti studiosi giudicano una differenza di atteggiamento nei confronti del potere che è sensibile al Sud rispetto al Nord: cioè appunto un retaggio di sudditanza, un atteggiamento nei confronti del potere come se il potere fosse un nemico in qualche modo da eludere, da giocare, da evitare, e come se il governo fosse qualcosa rispetto a cui difendersi, rispetto a cui magari fare imbrogli, ingannare, piuttosto che partecipare e assumere responsabilità. Questa tendenza che, appunto, si delinea già nel Medioevo, si sviluppa attraverso poi il Rinascimento e l'epoca moderna, nel Settecento ad esempio il Nord finisce a sua volta sotto dominazioni straniere, però è una dominazione straniera ad esempio più illuminata che c'è... quella che governa la Lombardia durante il Settecento, l'impero di Maria Teresa d'Austria, quindi un dispotismo illuminato, che comunque porta un coinvolgimento di parte delle classi dirigenti, delle classi borghesi italiane, nei circuiti del potere imperiale, è comunque una zona economicamente dinamica, ci sono riforme, ci sono innovazioni, c'è appunto un rapporto anche fisico, di viaggi, di scambi, con l'Europa del Centro e del Nord. Invece appunto al Sud tende a instaurarsi una monarchia, quella borbonica, che ha caratteristiche ben diverse, più oppressiva, più conservatrice, meno attenta a promuovere il dinamismo sociale ed economico e piuttosto, invece, attenta a soffocare o comunque non favorire fermenti che avrebbero potuto dare instabilità. Oggi in realtà la storiografia tende a rivalutare molto anche la... il regno borbonico, che ci fu al Sud e che ebbe in Napoli e Palermo due grandi capitali, e a sottolineare aspetti comunque di promozione dell'economia, di sviluppo, di eccellenza nel campo delle arti, dell'artigianato e anche della filosofia, non dimentichiamoci che al Sud Napoli fu una delle capitali dell'Illuminismo europeo, con personaggi di grandissimo spicco come per esempio Giambattista Vico, che è sicuramente uno degli intellettuali più importanti di tutto il Settecento europeo. Tuttavia, sicuramente la distinzione di fondo non fu modificata, e questa distinzione di fondo ebbe un'occasione per venire meno, che fu il raggiungimento dell'unità: l'unità d'Italia, nel 1860, poi proclamata ufficialmente nel '61, attraverso appunto la proclamazione del Regno d'Italia, avvenne in realtà secondo modalità che non favorirono la ricomposizione di questa frattura che aveva radici storiche così profonde, perché...

A 1. LATIFONDO: grande proprietà terriera tipica del medioevo; 2. FEUDALESIMO: sistema politico, economico e sociale basato sull'istituto del feudo, sorto nell'alto Medioevo; 3. SUDDITI: sottoposti a un potere sovrano.

B 1. NORD. STRUTTURA POLITICA: si sviluppano i liberi comuni, delle città stato con forme di autogoverno, i cittadini partecipano alla vita politica con assemblee e consigli. ECONOMIA: si sviluppa un'economia vivace, i comuni diventano centri di artigianato e finanza. SUD. STRUTTURA POLITICA: si sviluppano degli stati feudali dominati da signori che hanno potere assoluto, i cittadini sono sudditi senza diritti, vessati da tasse. ECONOMIA: permane il latifondo. 2. Il Sud è stato caratterizzato per secoli dalle dominazioni straniere. 3. Normanni, Svevi, Angioini, Aragonesi. 4. Nel Nord si era cittadini, cioè si partecipava attivamente alla gestione della vita pubblica e economica. Nel Sud si era sudditi, cioè si subiva il potere dei signori feudali, si era soffocati da tasse e da regolamenti che impedivano lo sviluppo economico e non si avevano contatti con l'Europa fiorente e sviluppata del Centro-Nord. 5. Nel Sud si sviluppa un atteggiamento negativo verso il potere: chi governa viene sentito come un nemico da eludere, da ingannare, dal quale difendersi; nel Nord si sviluppa una borghesia che si assume delle responsabilità e collabora attivamente con la classe politica. 6. Nel Settecento nel Nord (in Lombardia) c'è l'impero austriaco che è però una dominazione illuminata che coinvolge la classe borghese italiana, che promuove riforme, scambi con l'Europa del Centro-Nord; nel Sud invece c'è la monarchia borbonica, oppressiva, conservatrice e che non promuove dinamismo economico e sociale. 7. Napoli e Palermo. 8. Gian Battista Vico fu uno degli intellettuali più importanti del Settecento europeo, nato e vissuto a Napoli, a quel tempo capitale dell'Illuminismo europeo. 9. La storiografia rivaluta la dinastia borbonica che ha comunque favorito lo sviluppo di arti, artigianato e filosofia. 10. Nel 1860, ufficialmente nel 1861. 11. Poteva essere un'occasione ma non fu così.

2 Leggere

B 1. V; 2. F: le condizioni di vita non migliorarono perché la costruzione delle opere pubbliche fu affidata per lo più ad imprese del Nord. 3. F: vennero applicate le stesse tasse anche al Sud, fatto che affamò ulteriormente la popolazione; molte attività commerciali e industriali chiusero. 4. V; 5. V; 6. V; 7. V; 8. V; 9. F: l'autore ritiene che sarebbe stato meglio eliminare il male alla radice, ovvero migliorare le condizioni di ignoranza, di povertà e di diffidenza verso il nuovo stato della popolazione meridionale, creando lavoro, bonificando le terre, distribuendo le terre ai contadini e concedendo loro dei prestiti.

3 Lessico

B 1. l; 2. f; 3. c; 4. g; 5. n; 6. o; 7. m; 8. i; 9. b; 10. a; 11. h; 12. e; 13. d.

C 1. esasperazione, ostilità, diffidenza, odio, ribellione; 2. tasse, esattore, finanze, usuraio, prestiti; 3. assassino, bandito, malfattore, ladro, brigante.

D 1. peggiorare; 2. aggravarsi; 3. si abbassarono; 4. saccheggiavano, si rintanavano; 5. parteggiavano; 6. furono fucilati, imprigionati.

5 Esplorare la grammatica

A (paragrafo 3) Il regime borbonico godeva fama di essere corrotto e i nuovi funzionari, partendo (causale) da questa convinzione, trattarono spesso i Napoletani e i Siciliani dall'alto al basso come se fossero degli inferiori, di cui diffidare sempre e da tenere a freno, anche usando la maniera forte. (modale) Il regime borbonico godeva fama di essere corrotto e i nuovi funzionari, siccome partivano da questa convinzione, trattarono spesso i Napoletani e i Siciliani dall'alto al basso, di cui diffidare sempre e da tenere a freno, anche con l'uso della maniera forte. (soggetti uguali: i nuovi funzionari trattarono – i nuovi funzionari partivano da questa convinzione – i nuovi funzionari usavano).

(paragrafo 5) I "Piemontesi" (come venivano chiamati tutti gli impiegati dello Stato nuovo) sembravano venuti a portar via, per mezzo dell'esattore delle imposte, fino all'ultimo centesimo e a sottrarre i giovani al lavoro, tenendoli per molti anni sotto le armi. (modale/causale). I Piemontesi sembravano venuti a portar via [...] i giovani al lavoro, poiché li tenevano per molti anni sotto le armi. (soggetti uguali: i Piemontesi sembravano venuti a sottrarre – i Piemontesi tenevano sotto le armi) (il pronome va dopo il gerundio formando con esso un'unica parola).

B 1. Io non vorrei chiamare mafia qualsiasi attività criminale perché altrimenti sarebbe presente in tutto il mondo. Lasciando una specificità al termine, la mafia è un fenomeno prevalentemente meridionale che ha spesso delle connessioni con diverse frange di criminalità. (ipotetico) 2. Si pensi ai luoghi comuni del tipo "Basta un commissario e una squadra di polizia efficienti e il problema sarà risolto". Se fosse così sarebbe molto bello, in poco tempo avendo a disposizione energici commissari di polizia, si potrebbero rapidamente debellare questi fenomeni. (ipotetico) 3. La mafia ha una dimensione multinazionale: ci sono tante "mafie", che si collegano spartendosi zone di influenza e settori di attività o scambiandosi servizi. (modale) 4. È allora giusto che il Paese argini questo fenomeno ponendo una frontiera tra le regioni sane e le regioni "contaminate"? (modale) 5. Come dobbiamo interpretare l'atteggiamento del cittadino comune che si rivolge al mafioso piuttosto che all'istituzione statale? In termini di semplice omertà o di una radicale assenza dello Stato? Considerando questi fatti, si dovrebbe parlare di una rassegnazione della popolazione al fenomeno, oppure della condivisione di un certo atteggiamento? (ipotetico) 6. Dopo la Seconda guerra mondiale si avvia in tutto il paese, e naturalmente anche in Sicilia, la ricostruzione edilizia. La mafia scopre un nuovo affare intervenendo nella speculazione edilizia, ossia nella parte distorta della ricostruzione. (modale) 7. La mafia non può non avere un rapporto con la pubblica amministrazione, perché altrimenti non riuscirebbe a far variare i piani regolatori secondo le proprie convenienze, riuscendo a farla franca (pur) violando le regole. (concessiva/modale) 8. Quindi molto accortamente le banche svizzere, pur avendo una tradizione di segreto bancario molto severa, aprirono i conti e noi trovammo una serie di riscontri e di prove che poi hanno portato alla condanna di queste persone. (concessivo) 9. Non c'è dubbio che la criminalità organizzata tragga i maggiori guadagni, ancora oggi, dal traffico delle sostanze stupefacenti. È tutto da vedere, però, se questo profitto verrebbe a cessare liberalizzando la vendita di droga. (ipotetico) 10. C'è sicuramente un problema di razionalizzazione dell'impiego delle forze dell'ordine, pur sapendo che non si potrà mai mettere un poliziotto o un carabiniere accanto a ogni singolo cittadino. (concessivo)

C 1. Ho ricevuto subito una telefonata da un'altra inglese ~~affermando~~ che affermava che aveva sentito che c'era una festa da noi. 2. Ho finito l'esame e tutti i miei amici ~~aspettando per me~~ mi stanno aspettando fuori. 3. Ho 23 anni, sono nubile e sto studiando per una laurea in geografia e italiano all'Università di Wales, Swansea. 4. Ho 24 anni, sono italiana e nubile. Essendomi laureata recentemente in economia e commercio, con una tesi sull'ospitalità-G , cerco esperienze di lavoro nel settore alberghiero. 5. Tuttavia Inoltre parlo correntemente francese e italiano avendoli studiatoi durante due soggiorni in Francia. 6. In riferimento al Vostro annuncio su «L'Eco di Bergamo» del 24 aprile per un posto di segretaria , Vi prego di dedicarmi un attimo del Vostro tempo per esaminare il mio curriculum. 7. Augurandomi che vorrete dare un esito favorevole alla mia domanda e che vorrete concedermi il favore di un colloquio, Vi Ringraziando ringrazio per l'attenzione, e Vi saluto distintamente. 8. Guardare la TV è la miglior attività rilassante: si dice infatti che la TV sia come la droga consumando che si consuma tutti i giorni. 9. Nonostante i polacchi abbiano meno tempo libero comparando con gli a confronto degli italiani, penso che leggano un po' di più, sebbene la differenza non sia troppo grande. 10. Sono stato ballando Ho ballato per tre ore. 11. Stavo salendo in macchina quando ho visto sua moglie uscendo che usciva dalla banca.

6 Ascoltare

CD2, ›8: "Il Sud è semplicisticamente associato all'idea della mafia"

SPEAKER   Naturalmente ci sono delle importanti, anche delle importanti differenze culturali, le differenze economiche e sociali, non esauriscono il novero delle differenze. Per esempio, il Sud dell'Italia è certamente un'area del Paese meno secolarizzata, dove sono meno evidenti i fenomeni di disaffezione verso le Chiese tradizionali, penso in particolare verso la chiesa cattolica, diciamo, dove sono più elevate delle pratiche diciamo più tradizionali di comportamento religioso, dove fioriscono meno nuove religioni o culture new age eccetera, e sono aree... sono, per esempio, ci sono, sono, società, è una società, quella dell'Italia meridionale, appunto, considerata sempre in maniera molto generica, nella quale rivela una certa tenuta, maggiore che in altre aree del Paese, un'istituzione come la famiglia. E tra l'altro bisogna dire che la, come dire, il numero di figli, la natalità relativamente superiore rispetto al Nord, una natalità più alta, semmai, relativamente superiore che questa zona del Paese ha, permette anche all'Italia di, come dire, di non veder peggiorato il rapporto, il rapporto tra, diciamo, il tasso, il tasso generale di crescita demografica del nostro Paese, che è vicino allo zero, ma che è tenuto su, è vicino allo zero perché è tenuto su dalle regioni del Sud che continuano a, diciamo, nelle quali il tasso di natalità continua a essere più alto. Ecco, ci sono anche degli elementi positivi, tuttavia, ecco, per esempio certamente lo sviluppo complessivo dell'Italia nel dopoguerra e quindi la ridistribuzione di risorse anche a favore del Sud, hanno permesso anche alle popolazioni di questo, di questa parte del Paese di avere un tasso di scolarizzazione molto alto: sostanzialmente non ci sono differenze significative nella scolarizzazione tra il Sud e il Nord del paese, anzi il problema semmai al Sud è il contrario, cioè che ci sono molti laureati che non hanno lavoro, cioè molte persone con alta, o altissima formazione professionale, con, diciamo, un insieme di titoli, di qualificazioni pro... di qualificazioni, scusate, educa-

tive, molto elevate, che non trovano lavoro perché purtroppo il mercato del lavoro in quelle aree è debole: sono quindi spesso costrette ad emigrare. Naturalmente, cito questo ultimo aspetto, il Sud dell'Italia è spesso associato, spesso semplicisticamente associato all'idea della mafia, addirittura l'Italia intera è spesso associata all'idea, all'idea, alla diffusione dell'immagine della mafia, che è un'immagine naturalmente anche amplificata dai *media*, dal cinema, insomma costituisce un po' uno stereotipo dell'italiano, dell'italianità. Qui naturalmente il discorso sarebbe complicato: la cosa che si può dire è che, da un lato, la mafia è un fenomeno italiano, perlomeno... cioè, non è un fenomeno solo italiano, perché ci sono mafie che vengono da altri paesi, ma è un fenomeno italiano, nel senso che non bisogna negare il fatto che probabilmente tra una certa... come dire che la mafia affonda le sue radici in una certa cultura italiana, in una certa cultura familistica, in una certa cultura che mette al centro, che privilegia i rapporti di parentela rispetto ai rapporti diciamo universalistici, rispetto ai rapporti con gli estranei, che considera un importante punto di discriminazione il fatto di avere dei legami di parentela con una persona rispetto al non averli; questo è sicuramente un fattore che ha, che ha favorito la cultura della mafia. D'altro canto bisogna però ricordare assolutamente che questo fenomeno riguarda una parte minima, infima, della popolazione italiana e una parte comunque infima della società meridionale; che tra l'altro in questi anni questo fenomeno ha ricevuto, grazie a Dio, delle, subito delle, questa organizzazione ha subito delle sconfitte pesantissime da parte dello... per l'azione dello Stato ma anche per l'azione, diciamo, di... per l'isolamento politico e sociale di cui è stata fatta oggetto all'interno di quelle società che sono meno sensibili, meno penetrabili oggi dal fenomeno mafioso di quanto non fossero in passato, e grazie naturalmente anche all'azione di repressione, che è stata organizzata dallo Stato, dalle forze dell'ordine, dalla magistratura, dagli uomini politici e dalle classi politiche, quindi ha subito dei colpi molto forti, e comunque anche nel periodo di maggior fortuna riguardava una parte minima della popolazione, la maggior parte della popolazione del Sud era vittima della mafia; era, era, non so, pensate a quegli imprenditori che sono morti, come Libero Grassi, per esempio, che sono morti per difendere il loro diritto ad avere un'attività economica onesta e non, come dire, e non pagare il pizzo alla mafia. Libero Grassi era un cittadino di Palermo, era un siciliano, esattamente come i mafiosi, ma era un'altra Sicilia, era, è stato, è diventato suo malgrado l'eroe, il campione di una Sicilia che si ribella alla mafia; e così, a partire dagli anni '90, hanno cominciato a fare, molte parti della società siciliana, della società calabrese, della società campana, si potrebbero poi appunto citare dei casi specifici, che riguardano le amministrazioni del comune di Palermo, del comune di Napoli, che hanno come dire, avuto, fatto registrare negli ultimi anni dei cambiamenti importanti, se uno va in queste città anche come turista, si rende conto del cambiamento e, ci fosse stato, potesse fare il paragone con quello che queste città erano negli anni '70 e '80, io credo che si accorgerebbe di un significativo clima culturale che, insomma, che è cambiato.

A

importanti differenze culturali tra Nord e Sud d'Italia

1. il Sud è un'area meno secolarizzata, c'è meno disaffezione verso la chiesa cattolica, e pratiche più tradizionali di comportamento religioso
2. al Sud si dà maggior importanza all'istituzione famiglia
3. al Sud c'è un tasso di natalità più alto che contribuisce a contenere il calo demografico in Italia

non ci sono differenze significative

1. nel tasso di scolarizzazione che è molto alto anche nel Sud; anzi ci sono molti laureati che non trovano lavoro e sono costretti ad emigrare

B 1. Per cultura familistica s'intende un'estrema importanza data ai rapporti di parentela a scapito delle relazioni universalistiche, un'attitudine di protezione degli interessi della famiglia. È in questa cultura che affonda le proprie radici il fenomeno mafioso. 2. La mafia riguarda una minima parte della società italiana e di quella meridionale; la maggior parte della popolazione è vittima della mafia. 3. La mafia è stata sconfitta grazie all'azione repressiva delle forze dell'ordine, della magistratura, della classe politica, e grazie all'isolamento politico e sociale di cui è stata fatta oggetto in quelle parti della società meno permeabili a questa cultura. 4. Libero Grassi è stato un imprenditore palermitano che ha lottato per difendere il diritto di avere un'attività economica senza pagare il pizzo alla mafia e che per questo è stato ucciso. Rappresenta l'eroe di una Sicilia che si ribella alla mafia. 5. Le amministrazioni di Palermo e Napoli negli anni '90 hanno operato dei cambiamenti tangibili nella gestione della città.

7 Coesione testuale

A 1. appunto; 2. anzi, cioè; 3. insomma; 4. diciamo; 5. comunque; 6. come dire.

8 Lessico

A (1) ergastoli; (2) traffico di droga; (3) processi di mafia; (4) denunciare; (5) appalti; (6) infliggendo; (7) capi mafia; (8) uccisione; (9) l'attentato; (10) indagava; (11) cosche; (12) estorsioni; (13) pentiti; (14) auto blindate; (15) strage; (16) massacrati; (17) scorta; (18) killer; (19) antimafia.

B 1. strage; 2. scippare; 3. spacciare; 4. pagano il pizzo.

C 1. d; 2. a; 3. c; 4. e; 5. h; 6. g; 7. i; 8. b; 9. f.
1. godeva fama di, tenere a freno; 2. andava sotto le armi; 3. far scorrere sangue; 4. sta rialzando la testa; 5. hanno messo gli occhi; 6. abbia buttato la spugna; 7. sulla propria pelle; 8. farla franca.

9 Leggere

A

Uso dell'articolo con i nomi propri di persona	
OMISSIONE DELL'ARTICOLO	PRESENZA DELL'ARTICOLO
Giuseppe Lumia, con Provenzano, a Giuffré	– Un Provenzano che non esclude... (quando il nome è specificato da un aggettivo e da una frase relativa) – L'onorevole diessino Giuseppe Lumia (titoli) – Dei de Stefano, dei Morabito, i (messinesi) Alfano (al plurale, inteso come famiglia)

B 1. I Borboni hanno regnato nel Sud fino all'unità d'Italia. 2. La mafia ha spedito un proiettile al procuratore di Marsala, Silvio Sciuto, e a un giudice di Sciacca, Giuseppe Agate. 3. Posso parlare con il dottor Marzano? Sono l'ingegner Salino. 4. Buongiorno Ragionier Rossi. Come va? È da un po' che non la vedo. Tutto bene? 5. Oggi vado al ricevimento della professoressa Valentini. 6. Professor Mengozzi, una domanda: domani fa lezione anche se c'è sciopero o no? 7. Ieri sera siamo andati a cena con i Ferrari, che non vedevamo da parecchio tempo. 8. Luciano Violante, allora vicepresidente della Camera, si dichiarò favorevole agli sconti di pena per i collaboratori di giustizia. 9. Ti consiglio di non perderti la mostra di Modigliani che c'è a Milano. 10. A scuola abbiamo appena studiato il Manzoni/Manzoni.

10 Leggere

B 1. b; 2. a.

12 Coesione testuale

A Nella 1ª opinione: e così via; nella 2ª opinione: o meglio, ovvero.

B 1. Si è presa il mal di gola per aver viaggiato con il finestrino della macchina aperto. (causale) 2. Per aver studiato/pur avendo studiato solo un anno parla molto bene l'italiano. (concessiva) 3. Giovanna è così piena di virtù da essere considerata un modello. (consecutiva) 4. Abbiamo già fatto diversi tentativi per convincerlo a lasciare la Sicilia. (noi convinciamo lui) (finale) 5. A vederlo/vedendolo non penseresti che è straniero. (condizionale) 6. Dopo aver finito i compiti potrai uscire. (temporale) 7. Passeggiando, discutevamo delle differenze culturali e di stile di vita tra il Nord e il Sud. (temporale) 8. Applicandoti/Ad applicarti puoi riuscire a finire gli esami prima dell'estate. (condizionale) 9. Molti politici, pur avendo legami con la mafia locale, non sono stati rimossi dai loro incarichi o indagati. (concessiva) 10. Cominciò la sua relazione presentando una serie di dati. (modale) 11. Abbiamo fatto tardi senza accorgercene. (esclusiva) 12. Pur non essendo d'accordo mi adeguo alla volontà della maggioranza. (concessiva)

14 Scrivere

A 1, 5, 7, 3, 4, 6, 2.

Esercizi

1 1. Mi sono imbattuto in Anna *che usciva* dalla palestra.
2. *Uscendo* di casa, ho sentito i vicini *che litigavano*. 3. Dovrò venire
con i mezzi pubblici, non *disponendo* di una macchina. 4. *Andando*
a ballare si conoscono molte persone. 5. I giudici licenziano
il testimone *le cui confessioni risultano* contraddittorie. 6. Ho
imparato a suonare la batteria *frequentando* Marco
che suonava in un gruppo. 7. Io ho scoperto che mio figlio legge
giornaletti pornografici *ordinando* la sua scrivania. 8. *Correndo*
mi sono rotto una gamba *sbattendola* contro il marciapiede.
9. *Prendendo* la metropolitana ho incontrato mia figlia che non era
andata a scuola. 10. Non *riuscendo* a finire il lavoro prima
delle vacanze estive, lo prenderà in mano la mia collega.
11. *Parlando* di mafia, alcuni meridionali negano ancora la sua
esistenza. 12. Mi sono rotta il piede *camminando* in montagna.

2 1. Giulia ha dovuto ripetere l'esame, non *avendo studiato*
abbastanza. 2. *Avendo rotto/Essendosi rotto/a* la gamba, non è
potuto partire. 3. Carlo, *tornando* dall'ufficio, puoi passare a
prendere il bambino? 4. *Avendo avuto* esperienze negative con quel
medico ti suggeriamo di rivolgerti a qualcun altro. 5. Nina parla
l'italiano *facendo* ancora molti errori. 6. *Cenando* abbiamo sentito al
telegiornale dell'uccisione di un giudice impegnato nel processo
contro la mafia. 7. Pur *mangiando* poco, ingrassa. 8. *Avendo finito* di
stirare posso uscire a fare un giretto in centro con te. 9. Non
essendo mai *stata* a Napoli, ero molto curiosa di vederla.

3 1. Non *avendo* altre possibilità è andata con lui in auto.
2. *Leggendo* i sondaggi, sembra che gli Italiani abbiano un
atteggiamento laico verso le questioni di sesso e la morale.
3. *Accompagnato* mio figlio a scuola, sono andata in banca.
4. *Considerandolo/considerato* scandaloso, il fumetto di *Lupo
Alberto* non è stato fatto circolare nelle scuole. 5. *Credendo* che ci
fossimo persi si offrì di accompagnarci a casa con la sua
macchina. 6. *Resisi* conto della gravità del problema, hanno deciso
di intraprendere una campagna informativa. 7. *Finito* il temporale,
è uscito l'arcobaleno. 8. *Essendo* troppo stanco per continuare a
lavorare, è uscito a prendersi un caffè. 9. Mi tengo su di morale
cantando. 10. *Avendo capito/Capito* male l'orario, si è perso l'inizio
dello spettacolo. 11. Solo *avendo vissuto* le sue stesse esperienze
avresti potuto capirlo. 12. *Toltosi* il cappello, la salutò con il
baciamano. 13. *Decisa* la destinazione, partirono subito.
14. *Camminando* a piedi nudi, ti farai certamente male. 15. *Saliti* in
cima alla torre ci si presentò uno spettacolo splendido. 16. Non
sentendosi a loro agio, se ne sono andati molto presto dalla festa.
17. *Messi* a dormire i bambini, mi sono stesa sul divano con il mio
CD preferito.

4 1. *Iscrittasi* all'università, non ha dato esami per i primi
due anni. 2. *Scandalizzatasi* per l'infedeltà del marito, si è saputo
che lo tradiva da anni. 3. *Scritta* la lettera, l'ha imbucata, sperando
che arrivasse entro due giorni. 4. *Indignatisi* per la presenza di un
pentito in una trasmissione, hanno scritto una lettera di protesta
al direttore della RAI. 5. *Debellato* il brigantaggio, il governo decise
di far presidiare il territorio dall'esercito. 6. *Imposta* una tassa
sul grano macinato il governo dovette domare violente ribellioni
da parte dei contadini. 7. *Scritto* un libro sulla mafia ne ha subito
pubblicato un secondo. 8. *Pentitosi*, è stato subito eliminato
dagli uomini d'onore della sua cosca. 9. *Manifestatasi* con violenza
l'aggressività verso il marito, ha deciso di iniziare una terapia
psicanalitica. 10. *Vissuta* per anni in Sicilia, dopo l'uccisione
del marito, ha deciso di trasferirsi.

5 1. Che Fabio fosse un Don Giovanni, lo sappiamo.
2. Che Carlo avesse avuto molte fidanzate prima di me, lo sapevo.
3. Che non sia facile dire di no alla mafia, è chiaro. 4. Che Barletta
sia un importante centro calzaturiero, è noto. 5. Che mio fratello
sia omosessuale, pochi lo sanno. 6. Che Luigi avesse avuto un
passato poco pulito, era chiaro. 7. Che il sindaco fosse colluso con
le famiglie mafiose del salernitano, era noto a tutto il paese.
8. Che anche le donne abbiano un ruolo attivo nella gestione
mafiosa, è provato dalla presenza di imputate eccellenti in alcuni
processi. 9. Che i soldi non diano la gioia di vivere, è confermato
anche da alcuni economisti. 10. Che gli Italiani siano stati e siano
ancora un popolo di emigranti, non è una novità.

6 1. Dovunque *si vada* si incontrano negozietti di
antiquariato. 2. Chiunque *faccia* parte dell'organizzazione mafiosa
deve giurare assoluta fedeltà alla famiglia. 3. In vacanza Pinuccia
chiacchierava con chiunque *incontrasse*. 4. Qualsiasi cosa Giulio ti
dica non credergli perché ti ha tradito con altre donne. 5. Chiunque
ci *abbia cercato*/ci *cercasse* non ci ha trovati perché eravamo in
montagna. 6. Durante il nostro viaggio nel Sud Italia dovunque
alloggiassimo trovavamo gente disponibile, cordiale
e ospitale. 7. Gino scattava fotografie dovunque ci *fermassimo*.
8. Qualsiasi dubbio Lei *abbia* può rivolgersi alla nostra agenzia.
9. Qualunque cosa io *dicessi* o *facessi*, non ti andava mai bene.
10. Chiunque *venga* a sapere che è stato in carcere non si fiderà
di lui.

7 1. Ho paura che gli *sia successo* qualcosa perché doveva
arrivare alle 10 e adesso è già mezzogiorno. (una paura)
2. È giusto che anche le famiglie dei pentiti *siano protette*.
(opinione con è + aggettivo) 3. Pensavo che *fossero già partiti*
e invece li ho trovati a casa. (un'opinione) 4. Mia madre non
permetteva che noi *portassimo* a casa i nostri amici. (un ordine)
5. Gli amici sospettano che Lia *sia ricaduta* nell'eroina. (una paura)
6. Mi aspettavo che *mi scrivesse/aveste scritto* almeno una
cartolina. (una speranza) 7. I suoi genitori vogliono che lei *studi*
arte. (un desiderio) 8. Mi chiedo perché la Chiesa non *si mobiliti/si
sia mobilitata* contro la mafia. (interrogativa indiretta) 9. Totò Riina
è il boss più spietato *che sia mai esistito*. (relativa con superlativo
relativo) 10. Sebbene *abbia* potere e ricchezze non sembra essere
felice. (connettivo concessivo) 11. Bisogna che
imbianchiate/imbianchi la casa con la bella stagione. (verbo
impersonale) 12. Che in certe società mediterranee *venga* premiata
l'astuzia del comportamento individuale, è noto. (pragmatico)
13. Non ho nessun dubbio che molti giovani, che non frequentano
la scuola, *finiscano* per alimentare il mercato del crimine.
(un'opinione) 14. Che non *debba essere* facile dire di no
alla mafia, è chiaro. (pragmatico) 15. È inammissibile che
la *picchiassero/l'abbiano picchiata* a scuola perché era la figlia
di un pentito. (un'opinione)

8 1. Sono contento *che tu abbia trovato* un lavoro che ti
gratifica più del precedente. 2. Sandra era contenta *di aver trovato*
un lavoro che le lasciasse più tempo per la famiglia. 3. Preferiva
muoversi sempre con la scorta. 4. Avendo ricevuto minacce,
preferiva *che anche la sua famiglia fosse scortata*. 5. Speravamo
di farcela a prendere la coincidenza per Verona. 6. Sperava (che)
vincessero loro l'appalto per la costruzione della metropolitana.
7. Il sistema politico deve rendersi conto *di non poter abbassare*
la guardia nella lotta contro la criminalità organizzata.
8. È talmente distratta che non si è neanche resa conto
che le avevano/hanno rubato il portafoglio. 9. Anche all'ultimo
processo ha affermato *di essere innocente/che è innocente*. 10. Mi
ha promesso *di impegnarsi/che si impegnerà* nel suo prossimo

esame. 11. Non avrei mai immaginato che *ci potesse ingannare/che ci avrebbe potuti ingannare* in questo modo. 12. Non avrei mai immaginato *di incontrare/che avrei incontrato* così tante difficoltà nella pronuncia. 13. Contavo *di incontrarti* alla riunione e invece non ti ho vista. 14. Contavo che ci *dessero/ci avrebbero dato* una mano a fare il trasloco ma in quel periodo saranno già in vacanza, quindi non possono. 15. Ha negato *di aver rubato* la Fiat Panda per l'attentato al giudice Brancati. 16. Marta ha negato *che l'abbiate aiutata* a trovare lavoro. 17. Permetto ai bambini *di guardare* la televisione un'ora al giorno. 18. Il medico mi aveva raccomandato *di non prendere/che non prendessi* il sole. 19. Luca dice *di essere arrivato/che è arrivato* tre giorni fa. 20. Non erano sicuri *di passare/che sarebbero passati* da Roma.

9 (1) esiste; (2) serva; (3) cambiare; (4) di non cambiare; (5) abbiano; (6) lavorino/lavori; (7) chiude; (8) ci siano; (9) pensano; (10) è; (11) risolva; (12) si capisca; (13) possano/possono; (14) ha; (15) posso; (16) di lasciarmi; (17) dobbiamo; (18) possono; (19) fossi; (20) resti; (21) faccia/abbia fatto; (22) abbia buttato.

10 (1) dai; (2) a; (3) dall'; (4) di; (5) per; (6) a; (7) a; (8) dall'; (9) alla; (10) dai; (11) ad; (12) alla; (13) dalla; (14) a; (15) di; (16) a; (17) alla.

Ripasso

1 (1) un; (2) dell'; (3) della; (4) della; (5) della; (6) della; (7) /; (8) /; (9) nel; (10) /; (11) /; (12) gli; (13) del; (14) /; (15) nell'; (16) //nell'; (17) in/nella; (18) in/nella; (19) in/nel; (20) /; (21) /; (22) /; (23) /; (24) /; (25) la; (26) /; (27) /; (28) la; (29) /; (30) /; (31) i; (32) /; (33) /; (34) /; (35) sui; (36) le; (37) del; (38) delle; (39) sui; (40) le.

2 (1) comprava; (2) vendeva; (3) finanziava; (4) mi rendevo conto; (5) rimaneva; (6) lasciarono; (7) si era rinforzata/si fosse rinforzata; (8) cominciarono; (9) mi recai; (10) diedero fuoco; (11) avevano voluto; (12) sarebbe stata; (13) ignorai; (14) rincasavo; (15) presi; (16) cominciai; (17) presero; (18) dovettero; (19) cominciarono; (20) misi; (21) registrammo; (22) erano; (23) ricevetti; (24) persi.

Test (50 punti)

1 1. Quale imprenditore serio aprirebbe una fabbrica al Sud *dovendo* pagare, oltre alle tasse, anche il pizzo alla mafia? 2. Ma io continuavo a combattere pur *rendendomi* conto che, a fine anno, *pagate* tutte le spese, non mi rimaneva niente. 3. Mi fa piacere

sapere che *anche vedendo/pur vedendo* la cosa "dal Sud", condividi. 4. Il padre, *appresa* la notizia dalla località segreta dove si trovava, tentava di convincere la moglie a seguirlo, a portare via la bambina da Palermo. 5. Negli anni sessanta-settanta la mafia controlla il settore degli appalti pubblici, dell'edilizia privata e del sistema degli enti locali *traendone* profitti enormi che verranno investiti negli anni settanta-ottanta nel traffico della droga e delle armi. 6. *Essendomi battuto* di persona contro il racket delle estorsioni e dell'usura, posso affermare che occorre molto coraggio e fiducia nelle istituzioni. 7. *Avendo già letto* questo libro non te lo consiglio proprio. 8. *Facendo* un mese di mare vedrà che la sua asma migliorerà sensibilmente. 9. *Chiarite* le condizioni, possiamo firmare il contratto.

2 1. degli Andaloro; 2. Avvocato Pesenti; 3. la signora De Capua; 4. di Sciascia.

3 1. chiunque *possa* favorire; 2. Qualsiasi voto *prendesse*; 3. Ciascun cittadino *deve* collaborare; 4. dovunque *andasse*; 5. qualunque promessa *vi faccia/abbia fatto*.

4 1. Che Dario avesse avuto tre figli dal matrimonio precedente, lo sapevo. 2. Che ci voglia coraggio a non pagare il pizzo alla mafia, è chiaro. 3. Che nel meridione ci siano degli importanti distretti industriali, non è così noto. 4. Che le donne meridionali abbiano un ruolo subalterno e passivo, è un luogo comune. 5. Che la mafia affondi le sue radici nella cultura meridionale, è un dato di fatto.

5 1. Mi sono scottata *per essere rimasta* al sole per troppe ore. 2. *Pur avendo/Per avere* qualche chilo di troppo è ancora atletico. 3. Eri così concentrato *da non sentirmi /avermi neanche sentita* entrare. 4. Legge sempre il giornale *andando* al lavoro in treno. 5. *Dopo aver preparato* la cena potrò finalmente rilassarmi un po'. 6. *Pur non essendo/per non essere mai stato* all'estero, parla molto bene il giapponese. 7. L'ho chiamata *per ricordarle* il suo appuntamento di domani. 8. Era così disperata *da mettersi* a piangere davanti a tutti.

6 1. Desideravo tanto *diventare* nonna e invece mia figlia non vuole avere bambini. 2. Il medico ha proibito a Sara *di alzarsi* dal letto. 3. Gradirei *che tu mi chiamassi* quando sei arrivata all'aeroporto. 4. Si lamenta sempre *di sentirsi stanco/che si sente stanco*. 5. Mi hanno promesso *che passeranno/di passare* a salutarmi entro oggi. 6. Tuo padre vuole solo *che tu lo avverta/essere avvertito* se non rientri la notte. 7. Anche in questa occasione ha negato *di avere* torto. 8. Si era dimenticata che sua figlia *aveva/avrebbe avuto* oggi l'esame di guida. 9. Quando ero piccola ero sempre molto triste *di non poter avere* un cane tutto mio. 10. Sono contenti *di andare/di essere andati* ad abitare a Cagliari.

7 (1) edilizie; (2) estorsione; (3) intimidatorio; (4) le forze di polizia; (5) il pizzo; (6) un attentato; (7) imprenditore; (8) profitto.

Canzone d'autore italiana

↗ Entrare nel tema

▸ I cantanti raffigurati nelle fotografie sono Vasco Rossi, Eros Ramazzotti, Claudio Baglioni, Adriano Celentano, Mina.

1 Leggere

B 1. LA SCUOLA GENOVESE

Luigi Tenco...; (sintesi: Luigi Tenco, scuola genovese, parole e temi nuovi, si suicida per protesta).
Ai benpensanti Fabrizio De André...; (sintesi: Fabrizio De André, genovese, costante ironica, rielaborazione di testi del passato, figure di grande umanità contrapposte a personaggi perbene, ballata, uso passato remoto).
Tra i cantautori genovesi andrà ricordato...; (sintesi: Gino Paoli, genovese, canta amori particolari).

2. LA CANZONE POLITICA

Tra la fine degli anni Sessanta e gli inizi degli anni Settanta...; (sintesi: fine anni '60 e inizio anni '70, canzone di impegno politico)
Pierangelo Bertoli, il cui primo album Eppure soffia *è del 1977...*; (sintesi: Pierangelo Bertoli, operaio, ideale della libertà, personaggi emarginati, parole semplici e colloquiali)
Un altro cantautore impegnato di area padana (bolognese) è Lucio Dalla...; (sintesi: Lucio Dalla, bolognese, metafore e similitudini insolite, passato remoto, uso del discorso diretto)

3. CANTAUTORI PROFESSORI

Un grande interprete della nuova maniera di scrivere canzoni inaugurata da De André è Francesco Guccini...; (sintesi: Francesco Guccini, canzone di denuncia politica, rielaborazione di testi del Medioevo, linguaggio colto, ricorso alla rima)
Roberto Vecchioni rappresenta il secondo aspetto della canzone d'autore "coronata"...; (sintesi: Roberto Vecchioni, cantautore colto, ripresa di scritture del passato come dialogo interiore, molte citazioni letterarie)

4. LA SCUOLA ROMANA

La scuola romana, se di scuola vera e propria si può parlare...; (sintesi: scuola Romana legata al Folkstudio, locale di Trastevere dove sono nati due cantautori, De Gregori e Venditti)
Il loro sodalizio artistico si concretizza nel 1972 con un disco inciso assieme...; (sintesi: anni '70 sodalizio artistico tra De Gregori e Venditti, poi strade separate; De Gregori canzone di impegno politico, lingua ermetica; Venditti musica commerciale, lingua colloquiale, uso del romanesco)

5. RIVOLUZIONE SESSUALE E RESTAURAZIONE AMOROSA

L'area romana ha visto crescere negli anni Settanta anche due cantanti...; (sintesi: ambiente romano, anni '70, genere canzone d'amore due cantanti contrapposti: Renato Zero dissacratore, temi tabù come il sesso; Claudio Baglioni, amore adolescenziale e romantico, linguaggio colloquiale)
Renato Zero divenne sul finire degli anni Settanta, un vero e proprio fenomeno di costume...; (sintesi: Renato Zero, molto amato dal pubblico, teatrale)

6. AUTORI COSMOPOLITI

Nel panorama italiano della canzone d'autore la produzione musicale di alcuni interpreti...; (sintesi: alcuni autori isolati che non appartengono a nessuna scuola)
L'amore di Paolo Conte per la musica e per il jazz in particolare è molto precoce...; (sintesi: Paolo Conte, amore precoce per il jazz, autore di testi, poi cantante, lingua ricercata con parole straniere)
Nel panorama del cantautorato nazionale Franco Battiato è un protagonista di primo piano...; (sintesi: Franco Battiato, atipico per i contenuti delle canzoni e per la lingua, canzoni mistiche, misto di lingue nuove e antiche per gioco)

7. I GIOVANI

Tra la fine degli anni Ottanta e i primi anni Novanta emerge una nuova generazione di cantautori...; (sintesi: anni '80 e '90 nuovi cantautori che non sempre scrivono testi, che esordiscono nelle Nuove Proposte del Festival di Sanremo)
Cantautore, soprattutto inizialmente, di "quelli che sono allo sbando"...; (sintesi: Eros Ramazzotti, canta la morale dei ragazzi d'oggi, parlato popolare, specchio della realtà giovanile a differenza delle rielaborazioni dotte dei cantautori tradizionali)
Si assiste anche all'ampia incursione del filone erotico...; (sintesi: entra nelle canzoni il sesso che fino al 1972 era stato censurato)
Cantautori a pieno titolo sono invece Luca Carboni e Luca Barbarossa...; (sintesi: due veri giovani cantautori sono Luca Carboni, bolognese e Luca Barbarossa, romano; temi legati a Roma, amore, descrizioni di vita quotidiana)

8. VORREI LA PELLE NERA

In Italia, dopo i tentativi pionieristici (di fine anni Sessanta) di alcuni gruppi...; (sintesi: Napoli capitale del blues italiano con Edoardo Bennato, Pino Daniele, Zucchero Fornaciari, mescolanza di più lingue)

2 Lessico

A 1. c; 2. v; 3. f; 4. h; 5. b; 6. j; 7. w; 8. s; 9. t; 10. g; 11. r; 12. p; 13. q; 14. k; 15. a; 16. d; 17. l; 18. u; 19. o; 20. m; 21. n; 22. e; 23. y; 24. z; 25. i; 26. x.

B 1. anticonformista: prefisso di negazione *anti-* + Aggettivo *conformista* "persona originale"; 2. dissacrante: Aggettivo *sacro* -> Verbo *dissacrare* (nella forma del participio presente con funzione di aggettivo) con prefisso negativo *dis-* + *-are* "profanante"/che toglie la sacralità"; 3. purezza: Aggettivo *puro* -> Nome di qualità con suffisso *-ezza* "candore"; 4. meschinità: Aggettivo *meschino* -> Nome di qualità con suffisso *-ità* "mediocrità, grettezza"; 5. anticonvenzionali: prefisso di negazione *anti-* + Aggettivo *convenzionale* "originali, fuori dalla norma"; 6. aridità: Aggettivo *arido* -> Nome di qualità con suffisso *-ità* "improduttività", 7. inconsuete: prefisso di negazione *in-* + Aggettivo *consuete* "insolite, strane"; 8. gucciniana: Nome proprio *Guccini* -> Aggettivo con *-ano* "di Guccini"; 9. denunciataria: Nome *denuncia* -> Aggettivo con suffisso *-atario* "di denuncia"; 10. duecentesche: Nome *Duecento* -> aggettivo con suffisso *-esco* "del Duecento"; 11. cantastorie: Nome composto formato dal Verbo *canta* + Nome *storie* "cantore medievale"; 12. incessanti: prefisso di negazione *in-* + Aggettivo dal verbo *cessare* "continue"; 13. incarnata: Nome *carne* -> Verbo con prefisso *in-* + *-are* "fatto carne, rappresentato"; 14. allentato: participio passato con funzione di aggettivo, aggettivo *lento* -> Verbo con prefisso *a-* + *-are* "diventato meno stretto"; 15. dissacratore: Aggettivo *sacro* -> Verbo con prefisso negativo *dis-* + *-are dissacrare*-> + suffisso per derivare aggettivi in *-tore* "che toglie sacralità"; 16. buffonesco: Nome *buffone* -> Aggettivo con suffisso *-esco* "comico"; 17. tabuizzati: Nome *tabù* -> Verbo con suffisso *-izzare* "soggetti ad essere considerati tabù"; 18. sfrenato: prefisso di negazione *s-* + Aggettivo *frenato* "senza freni"; 19. contraltare: Nome composto dal prefisso *contro* + *altare* "contrapposizione"; 20. irretito: Nome *rete* -> Verbo con prefisso *in-* + *-ire* "affascinato, preso nella rete"; 21. atipico: prefisso negativo *a-* + Aggettivo *tipico* "insolito, originale"; 22. s'incentra: Nome *centro* -> Verbo con prefisso *in-* + *-arsi* "mette al centro, ruota attorno a"; 23. accomunati: Aggettivo *comune* -> Verbo con prefisso *a-* + *-are*, usato al participio passato con funzione di aggettivo; 24. impuri: Aggettivo *puro* con prefisso di negazione *in-* "non autentici"; 25. mediatici: Nome (straniero) *media* -> aggettivo con suffisso *-atico* "dei media"; 26 pionieristici: Nome *pioniere* -> Aggettivo con suffisso *-istico* "audaci, nuovi, avventurosi"; 27. riscoperta: prefisso *ri-* + Nome *scoperta* "nuova scoperta".

C Santautori: *santi* + *autori* invece di *cantautori* "autori sacri" con significato ironico.

D Descrittivismo minimalista "il gusto per descrizioni di scene di vita quotidiana".

E 1. Se per Guccini la cura linguistica dei testi serve per <u>vestire l'abito del chierico</u> vagante [...] (per assumere il ruolo del cantastorie) 2. La scuola romana, se di scuola vera e propria si può parlare, è incarnata, nell'immaginario canzonettistico, dal Folkstudio, il locale di Trastevere, <u>palestra di cantautori</u> negli anni Sessanta, <u>luogo di culto</u> dove suonò anche Bob Dylan. Qui nascono professionalmente Francesco De Gregori e Antonello Venditti. (il locale è una palestra perché i cantautori si allenano a suonare; il locale è un luogo di culto perché vi passarono cantanti famosi come Bob Dylan e cantanti che diventeranno poi famosi) 3. Venditti, invece, s'è allontanato <u>dall'alveo di una canzone</u> nutrita di elementi stilisticamente e contenutisticamente *folk*, <u>per sfociare nel grande mare della musica commerciale</u>. (canzone vista come un fiume che si allontana dal proprio letto, cioè dalla tradizione *folk* per gettarsi [sfociare] nel mare della musica commerciale).

3 Ascoltare

CD2, ›9: "Cantautori italiani"

STUDENTE 1 Bella questa canzone, è di De André, giusto?

STUDENTE 2 Sì, è una canzone di Fabrizio De André.

STUDENTE 1 Ne conoscevo anche un'altra... Com'è il titolo di questa?

STUDENTE 2 Questa si intitola *Don Raffaé*.

STUDENTE 1 *Don Raffaé*... ne conoscevo un'altra, di cui anche di questa qua non ricordo il titolo, quella che faceva "La chiamavano Bocca di Rosa / metteva l'amore, metteva l'amore / la chiamavano Bocca di Rosa / metteva l'amore sopra ogni cosa".

STUDENTE 2 Sì! Il titolo di questa canzone è *Bocca di Rosa*, è una canzone molto importante per Fabrizio De André.

STUDENTE 1 Ha anche un significato, diciamo, c'è un significato legato alla canzone.

STUDENTE 2 Cioè era una canzone a cui lui era molto legato, perché era una canzone che come diceva sempre lui, lo rappresentava molto bene, una canzone che fondamentalmente parla di lussuria e lui era sostanzialmente un lussurioso. Tutto sommato comunque è una canzone

abbastanza anomala nel suo repertorio, perché molto più frequentemente De André ha cantato di dolore, di sofferenza, ha cantato il mondo degli ultimi, un mondo che sentiva molto vicino alla sua persona perché, nonostante fosse nato in una famiglia molto ricca e molto "bene" di Genova, è cresciuto insieme ai ragazzi del porto antico, è cresciuto con... coi ragazzi della città vecchia, la città dei vicoli stretti, degli odori, dei sapori mediterranei, è cresciuto con i figli delle prostitute di Via del Campo, che conosceva molto bene, e così vivendo in maniera molto profonda anche le contraddizioni di un'estrazione familiare così alta e di un ambiente di socializzazione così povero, composto da miserabili, composto da... da poveri, ha sviluppato in questa contraddizione quella sensibilità artistica e umana che si è portato dietro per... per tutta la vita. Ha cantato spessissimo anche dell'estremo limite, ha cantato della morte, soprattutto in un album, uno dei più famosi, *Non al denaro, né all'amore né al cielo*, si intitola.

STUDENTE 1 Eh, quella al che ha tratto dall'album di *Spoon River*, è questa.

STUDENTE 2 Esattamente.

STUDENTE 1 Tu hai detto prima, hai parlato del mondo degli ultimi, che lui cantava, cui si sentiva abbastanza legato, però, cioè, considerando il fatto che provenisse da una famiglia benestante, comunque della Genova "bene", che tendenzialmente avrà dato un'impostazione, anche di comportamento, come mai lui ha cominciato a frequentare questa, diciamo, queste compagnie, perché si è avvicinato proprio a questo mondo, da dove è nato l'interesse, verso proprio il mondo degli ultimi?

STUDENTE 2 Lui era un ragazzo ribelle, era una persona con un carattere molto particolare, non accettava, accettava molto a fatica schemi, regole, per esempio, non è nemmeno mai riuscito a finire l'università; questo gli creava un ulteriore motivo di sofferenza, perché al contrario suo fratello era sempre stato il primo della classe, e anche all'università era riuscito con pieni voti, al meglio. Da dove poi originasse questa sua passione per il mondo degli ultimi, forse non ha nemmeno troppo senso starlo a indagare, quello che conta è il dato di fatto, che lui, a quel tipo di realtà si è sempre sentito vicino, e alla fine quasi aveva anche costruito un teorema attorno all'idea che proprio dal dolore e dalla sofferenza si potesse imparare anche a riconoscere l'amore e l'umanità. E lo canta benissimo in una sua canzone, *Il testamento di Tito*, in cui chiude dicendo appunto "Io nel vedere quest'uomo che muore, madre io provo dolore. Nella pietà che non cede al rancore, madre ho imparato l'amore".

STUDENTE 1 Ma, ecco, per esempio, i temi della pietà, dell'amore, comunque della solidarietà, vengono cantati anche successivamente, cioè considerando che avrà, che ha avuto comunque una crescita sotto il punto di vista professionale, intendo poi esplodendo come cantautore, quindi arricchendosi in questa crescita come cantante, ha poi mantenuto comunque questi stessi temi, cioè li ha comunque cantati, o li ha un po' messi via, cioè si è più commercializzato, diciamo.

STUDENTE 2 No, no, De André ha sempre tenuto fede a quelli che sono stati i principi delle sue origini. Emblematico è il fatto che Fabrizio De André è stato rapito in Sardegna nel 1979, e uscito da questa situazione, una volta che venne liberato, scrisse una canzone, *Hotel Sopramonte*, che dedicò ai suoi rapitori, una canzone bellissima, estremamente dolce, estremamente elegante, e in un'intervista che gli venne fatta al riguardo, arrivò persino a dire che alla fine per come la vedeva lui, non si sentiva nemmeno di essere nella posizione peggiore rispetto ai suoi rapitori, perché lui diceva era comunque riuscito ad uscire, quelli che invece stavano scappando, i veri prigionieri, per quello che riguardava lui, rimanevano i rapitori che, dopo una situazione che li aveva portati a fare una scelta di questo tipo, si trovavano a scappare, in giro per i monti della Sardegna.

STUDENTE 1   C'è quindi un ribaltamento della figura del... di chi soffre veramente alla fine. Ma, anche, va beh, della Sardegna gli sarà rimasto comunque un brutto ricordo considerando l'esperienza del rapimento.

STUDENTE 2   No, anzi, alla Sardegna continuò a rimanere molto legato, al punto che dedicò, scrisse anche una canzone in dialetto sardo. De André ha scritto parecchi pezzi in dialetto, questo, *Zichiriltaggia*, "Lucertolaio", in dialetto sardo, poi un intero LP, invece, in dialetto genovese, dal titolo *Creuza de mä*...

STUDENTE 1   Anche la canzone di prima che ascoltavamo è in dialetto napoletano.

STUDENTE 2   Sì, *Don Raffaé*.

STUDENTE 1   Sono queste... Ha comunque delle tendenze a scrivere anche usando il dialetto, come espressione linguistica?

STUDENTE 2   Sì, per lui i dialetti avevano un'importanza, una funzione fondamentale, e anche la ricerca di sonorità differenti, sempre legate all'ambito mediterraneo, è stata importante per lui, ha passato una vita a fare anche ricerche, sempre più approfondite, in questa direzione. L'ultimo disco, per esempio, arriva a raccogliere anche pezzi di canzoni con sonorità rom, balcaniche, e anche pezzi di canzone parlata in dialetti dell'Est Europa.

B

Fabrizio De André	
BIOGRAFIA famiglia ambiente di socializzazione carattere	origine genovese; famiglia di estrazione sociale ricca; ambiente di socializzazione della Genova vecchia, povera; non si laurea al contrario del fratello; carattere ribelle, vicino per sensibilità al mondo degli emarginati; rapito in Sardegna nel 1979
TEMATICHE RICORRENTI	il mondo degli ultimi la solidarietà il dolore la sofferenza
TEMI TRATTATI NELLE CANZONI CITATE	
Bocca di Rosa	Lussuria
Il testamento di Tito	Dal dolore si può imparare l'amore e l'umanità
Hotel Sopramonte	I veri prigionieri sono i suoi rapitori
USO DEL DIALETTO *Zirichiltaggia* ("Lucertolaio")	Dialetto sardo
Don Raffaé	Dialetto napoletano
Creuza de mä	Dialetto genovese

C   1. F; 2. V; 3. F; 4. F; 5. F; 6. V.

4 Leggere

B   1. le cornute, il commissario, quattro gendarmi, il sagrestano, il parroco, la Vergine, (la gente). 2. Risposta aperta. 3. (righe 11-12) "Bocca di Rosa né l'uno né l'altro, lei lo (l'amore) faceva per passione"; (righe 39-40) "Quella schifosa ha già troppi clienti più d'un consorzio alimentare"; (righe 53-56) "chi per un poco senza pretese, senza pretese, a salutare chi per un poco portò l'amore nel paese"; (righe 58-59) "Addio Bocca di Rosa con te se ne parte la primavera"; "l'amor profano". 4. mogli tradite, "le cornute": "Bocca di Rosa si tirò addosso l'ira funesta delle *cagnette a cui aveva sottratto l'osso*"; tradimento: (riga 35) *il furto d'amore*. 5. il dare consigli da parte della gente: (righe 25-26) *"la gente dà buoni consigli sentendosi come Gesù nel Tempio"*; il tam tam, il passa parola: (righe 60-63) "Ma una notizia un po' originale non ha bisogno di alcun giornale *come una freccia dall'arco scocca vola veloce di bocca in bocca"*. 6. Rosa – Rosa – cosa / Sant'Ilario – missionario; professione – passione / voglie – moglie; addosso – osso; iniziativa – invettiva; consigli – consigli ; tempio – esempio / moglie – voglie; gusto – giusto; cornute – argute; punito – costituito; parafrasare – alimentare / gendarmi – armi; carabinieri – volentieri / tutti – tutti; sagrestano – mano / poco – poco; pretese – paese; nera – primavera / originale – giornale; scocca – bocca / successiva – partiva; fiore – ore; disprezza – bellezza; unzione – processione / lontano – profano.

5 Leggere

A   1. Renato Zero si rivolge al pubblico, a chi segue il suo spettacolo o lo ascolta. 2. Il "mercante di stelle" è lui, cioè uno showman che offre allegria, che fa sognare, che sollecita la fantasia, la libertà, un idealista e il "mercante di realtà" è un venditore di cruda realtà, un materialista, un pessimista, uno che si arrende, che non sa usare la fantasia e la sua libertà. 3. (righe 9-10) "Per questo sono qui / in questo luna park con tutti i sogni tuoi": su questo palcoscenico che è come un parco dei divertimenti; (righe 24-25) "Tu non restare lì / in quella galleria che non ti vedo più": galleria di un teatro, ma anche metaforicamente "luogo chiuso, buio". 4. Risposta aperta.

B   (riga 3) "non gettare nel vento": non buttar via, non fare che si perda il nostro amore; (riga 8) "tu per lei sei un giocattolo": non sei una cosa seria, sei solo qualcosa con cui si trastulla, che prende e poi lascia; (riga 9) "il capriccio di un attimo": un desiderio che dura solo un attimo, che non è duraturo; (riga 10) "per me sei la vita": sei tutto.

C   1. Sentimenti di rabbia, paura di perdersi e di cedere, desiderio di rispettarsi pur riconoscendo di essere testardo e ribelle. 2. L'amore simboleggiato dalle labbra. 3. A qualcosa che brucia. 4. (riga 26) "mi mangerei le mani" (mangiarsi le mani).

D   PRIMO TIPO

PERIODO IPOTETICO DELLA REALTÀ
(condizione e conseguenza sentite come reali)
1. Se vuoi credere in me devo dirti che io sono solo un mercante di stelle.
2. certe volte è così e non è colpa tua se la vita confonde le carte
3. Ma mi spaventi tu se ti rassegnerai.
4. Io se devo dire basta non aspetto domani.
5. non cadrò se starò attento a quello che farò

SECONDO TIPO

PERIODO IPOTETICO DELLA POSSIBILITÀ (condizione
e conseguenza sentite di possibile realizzazione)
1. Se lei ti amasse io saprei soffrire e anche morire pensando a te. (due volte)
2. Se trovassi un sogno me ne andrei a dormire.

TERZO TIPO

PERIODO IPOTETICO DELLA IRREALTÀ (condizione
e conseguenza sentite di impossibile realizzazione)
1. Che avrebbe fatto un altro al posto mio
(sottinteso *Se fosse stato al posto mio*)
2. Ti avrebbe detto di sì (sottinteso *se glielo avessi chiesto*)

E

	PROTASI (Condizione)	APODOSI (Conseguenza)
PI della realtà	indicativo presente	indicativo presente
	indicativo presente	indicativo futuro
	indicativo futuro	indicativo futuro
PI della possibilità	congiuntivo imperfetto	condizionale presente
PI della irrealtà	congiuntivo trapassato	condizionale passato

F

1. Se avessimo detto subito che non eravamo d'accordo avremmo evitato la discussione di stasera. 2. Se ti avessi vista ti avrei salutata. 3. Se Carla non avesse perso l'autobus sarebbe arrivata puntuale. 4. Se questi stivali non mi fossero stretti li metterei più spesso. 5. Se ci avesse dato ascolto non si troverebbe in queste condizioni. 6. Se mangi di più non ti sentirai così debole. 7. Se ci provi ci riesci. 8. Se non fosse una persona troppo egoista e irresponsabile si sarebbe sposato. 9. Se gli telefoni ora lo trovi sicuramente. 10. Se avessi qualche anno di meno farei con te il giro del mondo.

7 Lessico

A (1) rifacimento; (2) musicisti; (3) voce solista; (4) rock demenziale; (5) avevano esordito; (6) riproponeva; (7) brani; (8) complesso; (9) album; (10) cantautore; (11) intitola; (12) testo; (13) fan; (14) casa discografica; (15) interattivo.

B 1. divo; 2. sostenitori; 3. gruppo, complesso; 4. complesso delle persone che realizzano uno spettacolo.

C 1. debuttare; 2. essere in testa/in vetta nelle/alle classifiche.

D 1. trombettista, batterista, pianista (con suffisso -*ista*); 2. duetto, trio, quartetto; 3. il tenore/i; 4. il baritono; 5. il soprano (di genere maschile anche se si tratta di una donna); 6. ovazione; 7. fare il bis; 8. fare un tour/una tournée; 9. repertorio; 10. il singolo; 11. ritornello.

E 1. CAVALLO DI BATTAGLIA: il pezzo di maggior successo, per il quale l'artista è più conosciuto; 2. FARE FIASCO: non avere successo, essere un fallimento per le manifestazioni artistiche.

F A FIATO: 1. flauto, 2. clarinetto, 3. saxofono, 4. oboe, 5. fagotto, 6. trombone, 7. tromba, 8. corno, 9. fisarmonica, 10. organo; A CORDE: 11. violino, 12. violoncello, 13. mandolino, 14. contrabbasso, 15. chitarra elettrica, 16. arpa, 17. pianoforte a coda, 18. clavicembalo; A PERCUSSIONE: 19. timpano, 20. tamburo, 21. batteria, 22. piatti, 23. gong.

8 Ascoltare

CD2, ›10: "Intervista a Laura Pausini"

GIORNALISTA ... allora, questa è una nuova meta, perché già hai conquistato il Sud America, molti stati dell'Europa, perché gli Stati Uniti, una meta ambita da tutti voi artisti?

PAUSINI Beh, è una sfida per me, dopo dieci anni di tanto viaggiare, con la musica in italiano, in spagnolo, appunto in Europa e in Sud America, la mia casa discografica, la Warner americana, mi ha chiesto se ero interessata a registrare alcune canzoni in inglese, mi sono impegnata in questo progetto perché è un momento importante per me, mi sento pronta, conosco bene la lingua, e...

GIORNALISTA Hai anche una casa a Los Angeles.

PAUSINI Ho vissuto per un po' a Los Angeles, adesso sto veramente viaggiando dappertutto.

GIORNALISTA Non hai fissa dimora.

PAUSINI No, voglio provarci, penso che sia un'opportunità davvero particolare, da parte di una ragazza, giovane, una persona italiana, quindi non di madrelingua inglese, io sono una persona positiva, ottimista, proprio perché...

GIORNALISTA Si vede. Si vede, ma vogliamo ricostruire adesso con l'aiuto di Manuela Moreno e questa scheda la storia artistica di questi dieci anni di lavoro di Laura Pausini.

SCHEDA La sua carriera inizia grazie a un santo, Remo. È il 1993 quando vince il Festival della canzone italiana. Da allora non ci sono più santi, ma solo la sua voce, così Laura Pausini da Solarolo conquista il mondo, con cinque album in italiano e quattro in spagnolo. 20 milioni di album venduti nel mondo, 160 i dischi di platino; ora, a quasi dieci anni dal suo debutto, arriva il primo disco in inglese, *From the Inside*, anticipato dal brano *Surrender*. Sono queste le immagini in anteprima del videoclip americano di *Surrender*, un video nato esclusivamente per il mercato statunitense, e che per questo non sarà mai programmato in Italia. Così come doveva essere per anche l'album *From the Inside*, uscito a novembre negli Stati Uniti, e lì sarebbe dovuto rimanere, ma dopo il successo è stato deciso di pubblicarlo in tutto il mondo. Difficile ormai mettere limiti e confini ad uno dei nostri migliori prodotti di esportazione.

PAUSINI Wow!

GIORNALISTA Laura, insomma, sei giovane però hai già fatto molto, che cosa ti aspetti adesso per il futuro? Hai cantato anche a Oslo per i premi Nobel, hai cantato per Barbara Streisand, insomma, dei traguardi importanti li hai raggiunti. Cosa ti aspetti?

PAUSINI Innanzitutto, avendo sentito il mio nome associato al fatto di essere un prodotto, questa cosa mi fa un po' ridere, specialmente dopo la crisi della Fiat, almeno una cosa italiana che vada bene, e comunque, a parte gli scherzi, di viaggiare tanto, di continuare a crescere, e apprendere attraverso questi viaggi...

B (1) 1993; (2) il festival della canzone italiana di Sanremo; (3) cinque; (4) quattro; (5) spagnolo; (6) 20 milioni; (7) 160; (8) platino; (9) dieci; (10) inglese; (11) brano; (12) Oslo; (13) premi Nobel.

9 Leggere

A 1. a. Il narratore è un deejay; b. del sabato sera; c. degli incidenti del sabato sera per guida spericolata; d. alla riga 29 si parla di omosessualità; alle righe 26-27 di uso di cocaina; e. la rincorsa alla libertà, al mito della vita spericolata diventa un paradosso perché finisce con la perdita della vita. 2. a. riga 25 *"far la figa"*; riga 26 *"pipparsi qualche riga"*; riga 36 *"rimorchiare"*. 3. L'uso di parole scurrili: (riga 42) *"in culo* a questa notte", (riga 54) *"c'è lo stronzo"*, (riga 65) *"fanculo"*.

B (riga 72) *"Che questo rap sia* un monumento ai caduti di una guerra che fa vittime di diciotto anni sacrificate al dio dei grandi inganni". (congiuntivo desiderativo, ottativo)

C [Soluzione possibile] 1. Che vinca 3 - o! 2. Almeno mi avesse fatto gli auguri per telefono! 3. Voglia il cielo! 4. Magari vincessero al Lotto! 5. Almeno ce ne restituissero una parte! 6. Che la fortuna li assista! 7. Se almeno cambiasse idea! 8. Magari riuscissimo subito a vendere la nostra! 9. Tu possa ricordartelo! 10. Almeno ammettesse le sue colpe!

11 Coesione testuale

A 1. comunque ("in realtà, tuttavia" avversativo); 2. appunto (riprende e rafforza quanto detto prima); 3. cioè (spiega, precisa), diciamo (attenua l'affermazione); 4. anzi ("al contrario" avversativo).

B (1) anzi (per precisare); (2) per così dire (per attenuare); (3) nel senso che (per spiegare); (4) ma (c. avversativo); (5) sia pure (c. concessivo); (6) così (conseguenza); (7) per (c. finale); (8) per (c. finale); (9) ma/o meglio (c. avversativo); (10) allora (c. conclusivo); (11) o meglio (per precisare); (12) quando (c. temporale); (13) ma (c. avversativo); (14) prima che (c. temporale); (15) poi (c. temporale); (16) invece (c. avversativo).

Esercizi

1 1. Se mio marito guadagnasse un buono stipendio, smetterei di lavorare. 2. Se durante l'anno avessi studiato, ora ti godresti le vacanze invece di dover prendere ripetizioni. 3. Qualora avesse bisogno di assistenza medica, può/potrà chiamare questo numero. 4. Se i topi volassero, assomiglierebbero a pipistrelli. 5. Peccato, Vittorio è già partito; se fossi venuto ieri sera l'avresti ancora visto. 6. Se non avessi avuto impegni sarei venuto/verrei con voi sabato prossimo, ma non posso proprio mancare all'appuntamento che ho già preso da un mese. 7. Dipende solo da lui: se finisce/finirà presto di fare i compiti può/potrà uscire, altrimenti no. 8. Se Guido sapesse il russo avrebbe già letto tutti quei libri. 9. Se Marta non riesce/riuscirà ad avere un bambino lo adotta/adotterà. 10. Se mi aumentano/ aumenteranno lo stipendio, rimango/rimarrò a lavorare da loro, altrimenti mi licenzierò. 11. Nell'ipotesi che vincessi alla lotteria, farei restaurare la vecchia casa di campagna dei miei nonni. Ma è solo un sogno, lo so! 12. Se non fossi andato a dormire così tardi ieri sera, stamattina avrei preso il treno delle 7.10 e invece ho preso quello delle 9. 13. Se

Luciana si fosse ricordata di prenotare per tempo ora mangeremmo cose raffinate in quel localino di Via Solata, invece di dover scegliere sempre gli stessi piatti in mezzo a tanta gente e fumo! 14. Se continuano/continueranno ad aumentare le macchine, nel giro di pochi anni la circolazione si bloccherà.

2 1. Se Sara avesse seguito i miei consigli ora non si troverebbe senza lavoro. 2. Se avessi avuto il tuo indirizzo, ti avrei potuto scrivere/avrei potuto scriverti. 3. Se fosse una persona sincera mi avrebbe detto qualcosa. 4. Se Gianna fosse una persona onesta mi avrebbe pagato i danni. 5. Se non fumassi/se fumassi di meno non avresti il mal di gola. 6. Se ha/avesse bisogno, non si faccia problemi a chiamarmi/mi chiami pure. 7. Se avessi saputo che eri già tornata dalle vacanze, ti avrei chiamata. 8. Se Eva avesse trovato l'uomo ideale non sarebbe rimasta zitella. 9. Se mi volessi bene come dici, avresti lasciato tua moglie. 10. Se non fossi stato male avrei partecipato alla riunione.

3 1. Se ci fosse stata farina, avrei fatto gli gnocchi. 2. Se avessi saputo che eri a casa sarei passato a trovarti. 3. Se non fosse uscito non si sarebbe ammalato. 4. Se me lo avessi detto ne avrei preso uno anche per te. 5. Se avesse fatto bello saremmo andati al mare. 6. Se avessi guidato più piano non ti sarebbe successo. 7. Se fossi arrivato mezz'ora fa avresti parlato con tuo padre al telefono. 8. Se avesse voluto avrebbe potuto farcela.

4 1. Nell'ipotesi che l'imputato fosse/sia riconosciuto colpevole dovrebbe/ dovrà ritornare in carcere. 2. Passo io a prenderti purché tu non mi faccia aspettare sotto casa, come tuo solito, una mezz'ora. 3. Caso mai ritardassi/ritardi un po', ti prego di scusarmi fin da ora. 4. La crisi potrà/potrebbe essere superata nell'ipotesi che il governo modifichi/modificherà/modificasse la proposta di legge sull'immigrazione. 5. Te lo presto, a condizione che tu me lo restituisca tra una settimana. 6. Il babbo ha detto che le darà la macchina a patto che la usi con giudizio. 7. Nel caso domattina sia/fosse nuvoloso, non partiremo/partiremmo per la montagna. 8. Ti aiuto a comprare la casa a patto che tu ne prenda una con il giardino. 9. Nell'eventualità che lo sciopero non sia/fosse ancora finito, ti vengo/verrò/verrei a prendere. 10. Qualora l'imputato confessi/confessasse di aver ricevuto tangenti, sconterà/sconterebbe metà della pena.

5 1. È meglio avvisare i suoi genitori *prima che* sia troppo tardi. 2. Non mi stancherò di parlargli *finché* avrò voce. 3. Uscirò *dopo che* avrò pulito la casa. 4. Passerò a trovare la nonna (non) *appena* avrò/ho un attimo di tempo. 5. Non ti ho chiamato *perché* non avevo notizie importanti da darti. 6. Non ti ho chiamato *perché* potessi stare tranquillo prima dell'esame. 7. *Siccome* non avevamo soldi, non abbiamo fatto le ferie. 8. Hanno consultato un esperto *per* investire al meglio il patrimonio ereditato. 9. *Per quanto* l'abbia aiutata a studiare, non è riuscita a superare l'esame. 10. Continua a fumare *anche se* ha la tosse. 11. La invitai alla festa *benché* non mi fosse simpatica. 12. *Pur* saltando il pranzo non sono riuscita ad arrivare in orario. 13. *Nonostante* nevicasse uscirono a fare una passeggiata. 14. È meglio se lo facciamo *senza che* lei lo sappia. 15. Scrissi una lettera anonima a Marta *affinché* scoprisse la verità sul conto di suo marito. 16. Ti aspettiamo *a meno che* tu non voglia raggiungerci con la tua macchina. 17. La mafia può essere sconfitta *a patto che* tutti i cittadini collaborino per toglierle consenso. 18. *Se* siete amanti del rock demenziale non potete perdervi il concerto di Elio e le Storie Tese. 19. *Nel caso* al bambino risalga/risalisse la febbre, mi chiami in studio. 20. *Se* potessi cambierei nazionalità. 21. La aiutò ad accudire la madre *purché* la smettesse di lamentarsi. 22. *Pur* frequentando l'ambiente dello spettacolo, l'ha amata *come se* esistesse solo lei come donna. 23. È stato *tanto* persuasivo *che* ci ha convinti a fermarci da lui ancora un paio di giorni. 24. Le sue canzoni sono *così* piene di ritmo e vivacità *da* coinvolgere l'intero pubblico presente nella sala.

6　[Soluzione possibile]. 1. ovvero, ossia; 2. tuttavia; 3. pertanto; 4. poiché / in quanto; 5. affinché; 6. qualora faccia / facesse; 7. sebbene, benché; poiché, in quanto; 8. purché / a patto che / a condizione che non si faccia.

7　(1) trovavo; (2) vidi/ho visto; (3) conoscevo; (4) era; (5) ricordavo; (6) avessi conosciuto; (7) si chiamasse; (8) avrei dovuto; (9) avrebbe detto; (10) hai fatto; (11) dicevi/avevi detto; (12) avrei saputo; (13) valeva; (14) cercare/avrei cercato; (15) eravamo; (16) stavo; (17) ho riconosciuto/riconobbi; (18) avevo mai incontrato; (19) ho fatto/feci; (20) sono passato/passai; (21) ho riflettuto; (22) ho pensato; (23) era; (24) avevo scorto; (25) avevo avuto; (26) abbiamo trascorso; (27) sono diventati; (28) erano state esposte; (29) avevano dovuto; (30) sono; (31) indicano; (32) senta; (33) esistesse; (34) entri; (35) appartenesse; (36) fosse; (37) parlassero; (38) avessi afferrato; (39) avessi trascinato; (40) avessi chiamato; (41) ho incontrato; (42) avessi buttato; (43) hanno convinto; (44) era/fosse/sia; (45) è/sia; (46) volevano; (47) sia.

8　1. Almeno tornasse presto stasera dalla disco! (desiderio) 2. Se avessi studiato di più per questo esame! (desiderio irrealizzato, rammarico) 3. Che tu riesca ad arrivare tra i primi tre! (augurio) 4. Voglia il cielo che questo bambino abbia salute e serenità. (augurio) 5. Magari Carla avesse sposato un uomo ricco! (desiderio irrealizzato) 6. Che sia stata la mamma ad aver spostato il mio portafoglio? (dubbio) 7. Che i pacchi siano pronti quando rientro! (ordine) 8. Vedessi come mi hanno ridotto la casa! (sconcerto) 9. Avessi sentito come urlavano i nostri vicini di casa! (sconcerto) 10. Che sia il postino? (dubbio)

9　**INTERIEZIONI**
　　ORDINE: Basta! Zitto! Finiscila!
　　ESORTAZIONE: Dai! Forza!Su! Coraggio!
　　IMPRECAZIONE: Peccato! Accidenti! Maledizione!
　　DISACCORDO: Si figuri! Mi faccia il piacere! Neanche per sogno!
　　SDEGNO, SORPRESA, DOLORE: Oddio! Dio mio! Santo cielo! Povero me! Per carità! Per amor del cielo!

1. Finiscila! 2. Oddio!/Santo cielo! 3. Mi faccia il piacere! 4. Coraggio! 5. Su! 6. Maledizione! 7. Santo cielo!

10　Panorama.
1. I testi delle canzoni presentate a Sanremo presentano, tra i temi ricorrenti, l'amore. 2. È un problema serio: se non riprenderà a mangiare sarà meglio consultare uno psicologo. 3. De André ha rielaborato alcune canzoni del poeta ermetico Umberto Saba. 4. In Nuova Zelanda abbiamo visto dei panorami splendidi. 5. L'unico cinema con più sale si trova fuori Lucca. 6. Mio figlio da grande vorrebbe fare il geometra. 7. Si è avvalso del più affermato musicista del momento. 8. Fu il più saggio monarca di tutti i tempi. 9. L'ha ricevuto il vaglia che Le ho spedito una settimana fa? 10. Abbiamo trascorso le vacanze di Pasqua sul Delta del Po. 11. Si dice che Saddam Hussein avesse una dozzina di sosia. 12. È scappato dallo zoo un gorilla appena arrivato.

11　(1) del; (2) di; (3) delle; (4) di; (5) della; (6) a; (7) ai; (8) con; (9) con; (10) di; (11) di; (12) di; (13) dalla; (14) dal; (15) a; (16) a; (17) ad; (18) tra; (19) alla/nella; (20) della; (21) per; (22) alle; (23) di; (24) con; (25) di; (26) a.

Ripasso

1　(1) prossimo 11 ottobre; (2) tour mondiale; (3) impegnativo tour promozionale; (4) meritato periodo; (5) intensa tournée; (6) date previste; (7) scorso 30 maggio; (8) suo nono album; (9) considerevole riscontro; (10) classifica italiana; (11) copie vendute; (12) dati esteri; (13) Italia esclusa; (14) doppio disco; (15) maggiori *charts*.

2　(1) essere; (2) legato; (3) nascente; (4) contrapponendosi; (5) dominante; (6) infranti; (7) trascinante; (8) traducendola; (9) basata; (10) combinati; (11) costituendone; (12) acquistando; (13) nato; (14) collegati; (15) condividendo; (16) dissacranti; (17) teso; (18) susseguirsi; (19) ottenute; (20) servendosi; (21) sbilanciata; (22) arcaicizzante; (23) rappresentata; (24) aver ribaltato; (25) privilegiando.

Test (50 punti)

1　1. fosse sopravvissuta, sarebbero state; 2. fosse/fosse stato, avrei pregato; 3. riscrivessi, sarebbe; 4. mi avessi dato, saremmo arrivati. 5. Se vuole/vorrà guarire, deve/dovrà osservare una dieta ferrea. 6. Se non mi fossi trasferito negli Stati Uniti, la casa di famiglia sarebbe ancora nostra. 7. Se avessi viaggiato in treno, non avrei fatto l'incidente. 8. Se cammini/camminerai piano non inciampi/inciamperai.

2　[Soluzione possibile] 1. Che siano Turchi? 2. Almeno vincessi un premio! 3. Avessi visto come erano sporchi i bagni! 4. Magari avesse trovato la moglie giusta! 5. Che possa guarire velocemente! 6. Almeno ci provasse sul serio per una volta!

3　1. Qualora la minacciassero ancora, si rivolga immediatamente alla polizia. 2. Nel caso che tuo marito dovesse partire, rimanderemmo/rimanderemo la gita a un'altra volta. 3. Potete rimanere dai nonni purché vi comportiate bene. 4. La perdonerò a patto che mi chieda scusa. 5. Nell'eventualità che non ce la faccia ad andare a prendere i bambini a scuola, ti telefono. 6. Ti presto la mia macchina a condizione che tu vada piano.

4　(1) tournée; (2) album; (3) fans; (4) palcoscenico; (5) intitolato; (6) brani; (7) concerti; (8) sonorità; (9) colonna sonora; (10) esordire.

5　(1) oppressione: verbo *opprimere* (0,5 p.)-> nome con suffisso *-sione* (0,5 p.); (2) reazione: verbo *reagire* -> nome con suffisso *-zione*; (3) collaboratori: verbo *collaborare* -> nome con suffisso *-tore*; (4) verità: aggettivo *vero* -> nome con suffisso *-ità*; (5) statunitense: nome *Stati Uniti* -> aggettivo con suffisso *-ense*; (6) sonorità: aggettivo *sonoro* -> nome con aggettivo *-ità*.

6　1. Così come le rose durano poco e appassiscono in fretta anche il nostro amore è sfiorito. 2. L'amore passionale è finito.

7　Possibili soluzioni: 1. Peccato!/Accidenti! 2. Dio mio/Santo cielo/Povero me! 3. Su!/Forza!/Dai! 4. Si figuri!/S'immagini!

17 Scrivere

E cfr. p. 41.

Il borghese stregato

Dino Buzzati

"Buongiorno" disse Giuseppe, in lietissima disposizione di spirito. "Stavo a guardarvi... e così, quando andate all'assalto?"

Ai bambini piacque che l'ignoto signore, anziché sgridarli, quasi li appoggiasse. Però tacquero intimiti.

Una ridicola cosa venne allora in mente a Giuseppe. Balzò giù per il valloncello e, affondando i piedi nelle ghiaie sotto di lui frananti, discese a salti verso i ragazzi; i quali si alzarono in piedi. Ma lui disse loro: "Mi volete con voi? Porterò la tavola, per voi è troppo pesante".

I ragazzi sorrisero leggermente. Che cosa voleva quello sconosciuto che mai si era visto nei dintorni? Poi, vedendo la sua faccia simpatica, presero a considerarlo con indulgenza.

"Ma guarda che lassù c'è Sisto" gli disse il più piccolo, per vedere se si spaventava.

"Ma è così terribile Sisto?"

"Lui vince sempre" rispose il bambino. "Mette le dita in faccia, sembra che voglia cavare gli occhi. È cattivo, lui..."

"Cattivo? Vedrai che lo prenderemo lo stesso!" fece il Gaspari divertito.

Così mossero. Il Gaspari, aiutato da un altro, sollevò l'asse che pesava molto di più di quanto non avesse pensato. Poi risalirono il canalone, su per i macigni del fondo. I bambini lo guardavano meravigliati. Curioso: non c'era ombra di compatimento in lui, come negli altri uomini grandi quando si degnavano di giocare. Pareva proprio facesse sul serio.

Finché giunsero al punto dove il valloncello svoltava. Ivi si fermarono e appiattandosi dietro ai sassi sporsero lentamente il capo a osservare. Anche Gaspari fece lo stesso, lungo disteso sulle ghiaie, senza preoccuparsi del vestito.

Vide allora la rimanente parte del canalone, ancora più singolare e selvaggia. Coni di terra rossa che parevano fragilissimi si alzavano attorno, accavallandosi a circo, come guglie di una cattedrale morta. Essi avevano una vaga e inquietante espressione, quasi da secoli fossero rimasti là, immobili, allo scopo di aspettare qualcuno. E in cima al più alto di essi, che si ergeva nel punto superiore del valloncello, si vedeva una specie di muricciolo di sassi, e tre o quattro teste che spuntavano.

"Eccoli lassù, li vedi?" gli bisbigliò uno dei cinque.

Lui fece cenno di sì; ed era perplesso. Breve era lo spazio metricamente considerato. Tuttavia per qualche istante egli chiese come avrebbero fatto ad arrivare lassù, a quella lontanissima rupe sospesa tra le voragini. Sarebbero giunti prima di sera? Ma fu impressione di pochi istanti. Che cosa gli era passato per la mente? Ma se era questione di un centinaio di metri!

Due dei ragazzi rimasero fermi ad aspettare. Si sarebbero fatti avanti solo al momento opportuno. Gli altri, col Gaspari, si inerpicarono da un lato, per raggiungere il ciglio del vallone, badando a non farsi vedere.

"Adagio, non muovere sassi" raccomandava a bassa voce il Gaspari, più ansioso degli altri circa l'esito dell'impresa. "Coraggio, tra poco ci siamo".

Raggiunsero il ciglione, discesero per qualche metro in un valloncello laterale, del tutto insignificante. Quindi ripresero la salita; portandosi sempre dietro la tavola.

Il piano era ben calcolato. Quando si riaffacciarono al vallone, il "fortino" dei selvaggi comparve a una decina di metri da loro, un po-

co più sotto. Ora bisognava scendere in mezzo ai cespugli e gettare la tavola sopra una stretta spaccatura. I nemici erano placidamente seduti e tra essi spiccava Sisto, con una specie di criniera in testa; una maschera gialliccia di caronte, intenzionalmente mostruosa, gli nascondeva metà faccia. (Ma intanto una nuvola era calata sopra di loro, il sole si era spento, il valloncello aveva preso colore di piombo).

"Ci siamo" bisbigliò il Gaspari. "Adesso io vado avanti con la tavola".

Infatti, tenendo l'asse con le mani, si lasciò lentamente calare in mezzo ai rovi, seguito da presso dai ragazzi. Senza che i selvaggi si accorgessero, essi riuscirono a raggiungere il punto desiderato.

Ma qui il Gaspari si fermò, come assorto (la nube ristagnava ancora, da lungi si udì un grido lamentoso che assomigliava a un richiamo). "Che strana storia" pensava "solo due ore fa ero in albergo, con la moglie e le bambine, seduto a tavola; e adesso in questa terra inesplorata, distante migliaia di chilometri, a lottare con dei selvaggi".

Il Gaspari guardava. Non c'era più il valloncello adatto ai giochi dei ragazzi, né le mediocri cime a panettone, né la strada che risaliva la valle, né l'albergo, né il rosso campo da tennis. Egli vide sotto di sé sterminate rupi, diverse da ogni ricordo, che precipitavano senza fine verso maree di foreste, vide più in là il tremulo riverbero dei deserti e più in là ancora altre luci, altri confusi segni denotanti il mistero del mondo. E qui dinanzi, in cima alla rupe, stava una sinistra bicocca; tetre mura a sghembo la reggevano e i tetti in bilico erano coronati da teschi, candidi per il sole, che sembrava ridessero. Il paese delle maledizioni e dei miti, le intatte solitudini, l'ultima verità concessa ai nostri sogni!

Una porta di legno, socchiusa (che non esisteva), era coperta di biechi segni e gemeva ai soffi di vento. Il Gaspari si trovava ormai vicinissimo, a due metri forse. Cominciò ad alzare lentamente la tavola, per lasciarla cadere sull'altra sponda.

"Tradimento!" gridò nel medesimo istante Sisto, accortosi dell'attacco; e balzò in piedi ridendo, armato di un grande archetto. Quando scorse il Gaspari restò un istante perplesso. Poi trasse di tasca un uncino di legno, innocuo dardo; lo applicò alla corda dell'archetto, prese la mira.

Ma, dalla socchiusa porta coperta di oscuri segni (che non esisteva), il Gaspari vide uscire uno stregone, incrostato di lebbre e di inferno. Lo vide rizzarsi, altissimo, gli sguardi privi di anima, un arco in mano, sorretto da una forza scellerata. Egli lasciò allora la tavola, si trasse con spavento indietro. Ma l'altro già scoccava il colpo.

Colpito al petto, il Gaspari cadde tra i rovi.

Ritornò all'albergo che già scendeva la sera. Era sfinito. E si lasciò andare su una panchina, di fianco alla porta di ingresso. Gente entrava ed usciva, qualcuno lo salutò, altri non lo riconobbero perché era già scuro.

Ma lui non badava alla gente, chiuso interamente in se stesso. E nessuno di quanti passavano si accorgeva che nel mezzo del petto egli portava confitta una freccia. Una asticciola, tornita con perfezione, di un legno apparentemente durissimo e di colore scuro, sporgeva per circa trentacinque centimetri dalla camicia, al centro di una macchia sanguigna. Gli sguardi del Gaspari la fissavano con moderato orrore, per via di una felicità curiosa che vi si mescolava. Egli aveva provato ad estrarla ma faceva troppo male: uncini laterali dovevano trattenerla dentro alle carni. E dalla ferita ogni tanto gorgogliava il sangue. Lo sentiva colare giù dal petto e il ventre, ristagnare nelle pieghe della camicia.

Dunque l'ora di Giuseppe Gaspari era giunta, con poetica magnificenza; e crudele. Probabilmente – egli pensò – gli toccava morire. Eppure che vendetta contro la vita, la gente, i discorsi, le facce, mediocri, che l'avevano sempre contornato. Che stupenda vendetta. Oh, lui adesso non tornava certo dal valloncello domestico a pochi minuti dall'albergo Corona. Bensì tornava da remotissima terra, sottratta alle irriverenze umane, regno di sortilegi, pura; e per arrivarci gli altri, (non lui) avevano bisogno di attraversare gli oceani e poi avanzare lungo il tratto per le inospitali solitudini, contro la natura nemica e le debolezze dell'uomo; e poi non era ancora detto che sarebbero giunti. Mentre lui invece...

Sì, lui, quarantenne, si era messo a giocare coi bambini, credendoci come loro; solo che nei bambini c'è una specie di angelica leggerezza; mentre lui ci aveva creduto sul serio, con una fede pesante e rabbiosa, covata, chissà, per tanti anni ignavi senza saperlo. Così forte fede che tutto si era fatto vero, il vallone, i selvaggi, il sangue. Egli era entrato nel mondo non più suo delle favole, oltre il confine che a una certa stagione della vita non si può impunemente tentare. Aveva detto a una segreta porta apriti, credendo quasi di scherzare, ma la porta si era aperta veramente. Aveva detto selvaggi e così era stato. Freccia, per gioco, e vera freccia lo faceva morire. Pagava dunque l'arduo incantesimo, il riscatto; era andato troppo lontano per poter ritornare; ma in compenso che vendetta per lui. Oh, lo aspettassero per pranzo moglie, figlie, compagni d'albergo, lo aspettassero

per il *bridge* della sera! La pastina in brodo, il manzo lesso, il giornale radio: c'era da ridere. Lui, uscito dai tenebrosi recessi del mondo!

"Beppino" chiamò la moglie da una terrazza sovrastante dove erano preparate le tavole all'aperto. "Beppino, che cosa fai là seduto? E che cosa hai fatto fino adesso? Ancora in calzettoni? Non vai a cambiarti? Lo sai che sono passate le otto? Noi abbiamo una fame..."

""...*amen*"...". La sentì quella voce il Gaspari? Oppure se n'era già troppo discostato? Con la destra fece un cenno vago come per dire che lo lasciassero, facessero a meno di lui, non gliene importava un corno. Perfino sorrise. Ed esprimeva un'acre letizia, benché il respiro stesse cadendo.

"Ma su, Beppino" gridava la moglie. "Ci vuoi fare ancora aspettare? Ma che cos'hai? Perché non rispondi? ".

Egli abbassò la testa come per dire di sì; senza rialzarla. Lui vero uomo, finalmente, non meschino. Eroe, non già verme, non confuso con gli altri, più in alto adesso. E solo. La testa pendeva sul petto, come si conveniva alla morte, e le raggelate labbra continuavano a sorridere un poco, significando disprezzo, ti ho vinto miserabile mondo, non mi hai saputo tenere.

Viaggio nell'italiano
Corso di lingua e cultura italiana per stranieri
Seconda edizione

Componenti	• *Libro dello studente* (contiene esercizi, applicazioni Internet, test di progresso, sintesi grammaticali, tavole di grammatica in appendice) • *2 cd audio* per la classe • *Guida all'uso del corso* (introduzione metodologica del corso, soluzioni delle attività, trascrizioni dei frammenti audio, materiale supplementare)
Destinatari • Età • Livello di competenza	 Giovani adulti, adulti Secondo i livelli del *Quadro comune europeo*: per studenti di livello intermedio (B2) che vogliano raggiungere una competenza intermedia superiore (**B2+**, livello progresso potenziato) e avanzata (**C1**, livello dell'efficacia)
Uso e situazione di insegnamento	• Italiano come lingua seconda (in Italia) e lingua straniera (all'estero) • Nel gruppo-classe o in situazioni di apprendimento autonomo
Approccio	Pragmatico-comunicativo e umanistico-affettivo
Struttura del corso	• Unità introduttiva • 12 unità didattiche • tavole grammaticali di sintesi

Unità didattiche

Unità introduttiva	*Come si impara una lingua straniera?*
Unità 1	*Parliamo d'infanzia*
Unità 2	*La famiglia italiana: nuovi scenari*
Unità 3	*Il tempo libero degli italiani*
Unità 4	*Dalla scuola all'università*
Unità 5	*Panorama lavoro*
Unità 6	*Ci stiamo giocando l'ambiente*
Unità 7	*La situazione linguistica in Italia oggi*
Unità 8	*Il piacere della lettura*
Unità 9	*Il cinema italiano, un cinema da tener d'occhio*
Unità 10	*Bell'Italia*
Unità 11	*Nord e Sud s'incontrano*
Unità 12	*Canzone d'autore italiana*

Ore complessive di lavoro	120-150 ore di lavoro in classe (più altrettante ore di studio e rinforzo a casa)

QUESTO CORSO È COSTITUITO DA:
ISBN 88-201-2630-3 MANUALE PER LO STUDENTE CON FASCICOLO SOLUZIONI € 27,20
ISBN 88-201-2750-4 MANUALE PER LO STUDENTE CON FASCICOLO SOLUZIONI + 2 CD AUDIO € 37,00
ISBN 88-201-7762-5 2 CD AUDIO € 10,50

PH412
BOZZONE COSTA
VIAGGIO NELL'ITALIANO
CHIAVI DI SOLUZIONE

00610

In copertina: C. Zeni, *Come senza musica*, olio e gesso su tela, 2003, proprietà dell'Artista.

2630-2750

C Completa queste iniziative per il tempo libero trasformando i nomi tra parentesi in aggettivi derivati con *-ale/-ile, -ico/-atico/-istico.*

■ Almenno, 1 marzo 2003, ore 14 sfilata di carri (*allegoria*) ....

■ Osio Sotto, 1 marzo 2003, ore 21 danze (*popolo*) .... europee

■ Albino, 3 marzo 2003, ore 20 premiazione concorso (*fotografia*) ....

■ Bergamo, 3 marzo 2003, ore 20 serata (*gastronomia*) .... (*medioevo*) ....

■ Costa Volpino, 4 marzo 2003, gruppo (*teatro*) .... norvegese

■ Como, 4 marzo 2003, ore 20.45 "Globalizzazione, identità (*nazione*) .... ed Europa"

■ Grone, 6 marzo 2003, palestra (*comune*) ...., corso di ortofrutticoltura

■ Parma, 6 marzo 2003, la fotografia (*arte*) ....

■ Urbino, 8 marzo 2003, corso di espressione grafico- (*pittore*) ....

■ Gubbio, 8 marzo 2003, corso di alimentazione (*natura*) ....

■ Milano, sala del Comune, ore 21 riunione dei Centri di ricreazione (*giovane*) ....

■ Seriate, piscina, ore 20 corso di danza (*acqua*) ....

D Avverbi di quantità. Nel testo di pp. 71-72 ci sono alcuni avverbi di quantità.

ESEMPIO

▶ (righe 19-20) Infatti, quelle che dichiarano di essere <u>molto</u> o <u>abbastanza</u> soddisfatte sono solo
il 38,9% [...]

Prova a ordinare gli avverbi di quantità che trovi nelle frasi sotto lungo un *continuum* di valori che va da "niente" a "moltissimo":

(–) niente |....................| *appena appena* |....................|....................|

|....................|....................|....................|....................| *nettamente* | moltissimo (+)

1. A volte può bastare l'abbigliamento: se vedete un uomo di qualsiasi età con scarpe Timberland ai piedi, avete di fronte un muratore americano (sono gli unici che le indossano
nel Paese in cui vengono prodotte), o <u>assai</u> più verosimilmente un italiano, specie se ha
un maglione legato attorno alla cinta.

2. Tra le casalinghe la quota di chi può rilassarsi almeno una volta a settimana è <u>particolar-
mente</u> bassa.

3. <u>Quasi</u> il 50% dei ragazzi tra i 14 e i 17 anni fa giochi di società.

4. La partecipazione degli uomini risulta <u>nettamente</u> superiore a quella delle donne per tutti i tipi di concorso a premi.

5. Le ventiquattr'ore del maschio <u>non</u> sono <u>affatto</u> simili a quelle della donna.

6. Anche considerando che l'adolescenza e gli anni dello studio si sono <u>parecchio</u> allungati,
resta il fatto che la quota produttiva è <u>piuttosto</u> ridotta.

7. "Le donne, che dalle attività domestiche non vengono mai esentate, sono <u>appena appena</u>
meno fedeli al video..."

8. Gli italiani viaggiano ancora <u>poco</u> all'estero.

3 Coesione testuale

A Nel testo di pp. 71-72 hai trovato il connettivo correlativo *sia ... sia*. Che cosa significa e dove si mette nella frase?

► Sia ... sia
► p. 108

> **ESEMPI**

► (righe 1-3) Per oltre il 44% della popolazione il tempo libero è <u>sia</u> il tempo del riposo e del relax, <u>sia</u> il tempo disponibile per sé [...].

► (righe 16-18) Questa tendenza, che aumenta con il crescere dell'età, è costante in tutte le ripartizioni territoriali, ma va comunque sottolineato che il Sud presenta le percentuali più basse rispetto <u>sia</u> alla qualità <u>sia</u> alla quantità.

B Trasforma ora queste frasi usando il connettivo *sia ... sia*.

1. Le donne praticano maggiormente rispetto agli uomini la cura del corpo e anche le attività artistiche.

2. Nel nuovo millennio è diminuito tanto il tempo libero dedicato al riposo quanto ai giochi da tavolo.

3. Rispetto agli anni novanta, nel 2002 si registra la tendenza a dedicare più tempo alla famiglia e anche alla cura del proprio corpo.

4. Con il nuovo millennio i consumi culturali sono in profonda trasformazione: diminuiscono tanto le persone che seguono la televisione (dal 96% al 93%) quanto quelle che leggono quotidiani (dal 64% al 59%).

5. Al contrario cresce il numero dei lettori di settimanali e anche la quota di coloro che ascoltano la radio.

6. La cura di sé e del proprio corpo è praticata tanto dai giovani quanto dalle persone di età avanzata.

7. L'indagine rileva che nel Sud dell'Italia si tende, rispetto al Nord, a giocare maggiormente al Lotto e anche a frequentare più assiduamente i parenti.

C Cerca nel primo paragrafo del testo di pp. 71-72 un connettivo con lo stesso significato esplicativo di *cioè*, ma di registro più formale, tipico dello scritto. Ne conosci altri?

> **connettivi esplicativi formali** con il significato di *cioè*:
>
> ....
>
> ....

D Se parlando o scrivendo vuoi introdurre un nuovo tema, rispetto a un argomento di cui stai parlando, che connettivi puoi usare? Ne trovi uno nel paragrafo 6 del testo di pp. 71-72. Con l'aiuto dell'insegnante prova a elencarne altri che abbiano la stessa funzione discorsiva.

> **connettivi per introdurre un nuovo tema:**
>
> ....
>
> ....

E Prova a inserire in questo testo i connettivi che hai elencato nell'attività precedente, nei punti in cui ti pare che venga introdotto un nuovo tema, facendo i dovuti cambiamenti.

La partecipazione degli italiani alle attività culturali

I consumi culturali sono in profonda trasformazione: diminuiscono le persone che seguono la televisione (dal 96,7% del 1995 al 93,3% del 2000) e quelle che leggono quotidiani (dal 64,4% al 59,7%); cresce il numero di lettori dei settimanali (dal 52,3% al 56,3%) e la quota di coloro che ascoltano la radio (dal 64% al 65,7%). Considerevole anche la quota di persone che usano le videocassette (55,2%).

L'uso delle nuove tecnologie: soltanto il 28,6% delle persone di 16 anni e più usa il PC, mentre il 18,3% usa Internet. La velocità di diffusione dei *new media* è però molto elevata: rispetto al 1995 il numero degli utenti del PC a casa è praticamente raddoppiato. Il 42,2% degli intervistati dichiara di aver letto libri negli ultimi 12 mesi per interesse personale, il 12,5% per motivi di lavoro e il 6% per motivi di studio. L'82,8% ascolta musica, prevalentemente musica rock e pop (86,6%), classica (39,1%), *dance* e *house* (29,9%), jazz e blues (29,5%).

Nell'ambito della partecipazione diretta a eventi culturali, spettacoli e rappresentazioni, il cinema si conferma come l'intrattenimento preferito dagli italiani (41,8%), seguito da visite a monumenti storici (37,4%), manifestazioni sportive (25,2%), visite a musei e mostre in Italia (23,3%), teatro (15%) e visite a siti archeologici (14,6%).

Infine, se si considera la diffusione dei vecchi e nuovi media nelle famiglie italiane, risulta che il 92,4% delle famiglie possiede almeno una TV, il 65% il videoregistratore e comincia a essere rilevante la quota di famiglie che hanno l'antenna satellitare (12,2%). Circa un terzo delle famiglie possiede almeno un PC (28,1%), ma solo il 15,4% ha un accesso a Internet.

Questi sono i principali indicatori strutturali di partecipazione culturale misurati con l'indagine multiscopo "I cittadini e il tempo libero", realizzata nel dicembre del 2000 su un campione di circa 20 mila famiglie.

(da www.istat.it, 31 maggio 2002)

4 Esplorare la grammatica

Comparativi e superlativi

A Per parlare di dati statistici, nel testo di pp. 71-72 sono stati usati parecchi superlativi relativi che indicano il grado massimo/minimo di una qualità:

ESEMPI

► (righe 16-18) Questa tendenza, che aumenta con il crescere dell'età, è costante in tutte le ripartizioni territoriali, ma va comunque sottolineato che il Sud presenta le percentuali più basse rispetto sia alla qualità sia alla quantità.

► (righe 61-62) I maggiori livelli di partecipazione abituale ai diversi giochi si registrano fra gli operai (53,1%) e lavoratori in proprio.

Lavorate in coppia. Rileggete il testo (i paragrafi 2, 3, 5) e cercate altri 4 superlativi relativi.

(riga ......) ....   (riga ......) ....

(riga ......) ....   (riga ......) ....

►E 4   **B** Formula delle domande sul tempo libero degli italiani usando il superlativo relativo.

ESEMPIO

► Risposta: Rai 1. Domanda: (il canale) Qual è *il* canale *più* guardato dagli italiani?

RISPOSTE	DOMANDE
1. *Va' dove ti porta il cuore*	(il libro)
2. Il quiz show	(il genere televisivo)
3. Il cinema	(la forma di intrattenimento)
4. La ginnastica	(l'attività sportiva femminile)
5. Il nuoto	(lo sport maschile)
6. A Genova	(l'acquario)
7. L'auto	(il mezzo di trasporto)
8. Il videoregistratore	(il nuovo *media*)
9. Le località balneari	(la meta turistica italiana)

C Prova a spiegare, con l'aiuto di un compagno e poi dell'insegnante, quando si devono usare *di, che, a* per introdurre il secondo termine di paragone. Analizza queste frasi tratte dal testo di pp. 71-72.

1. (righe 64-65) Le donne risultano più attive degli uomini nel curare la rete delle relazioni.
2. (righe 15-16) C'è più soddisfazione per come si trascorre il tempo libero (68,2%) che per la quantità di ore a disposizione (57,7%).
3. (righe 55-58) La partecipazione degli uomini risulta nettamente superiore a quella delle donne per tutti i tipi di concorso a premi, ma le differenze più forti si riscontrano soprattutto nei concorsi legati agli eventi sportivi.
4. (righe 80-81) Sono soprattutto le coppie o i monogenitori con figli di 14 anni a possedere almeno un animale, seguite dalle coppie con figli di età inferiore ai 14 anni.

E 5 **D** Completa queste frasi scegliendo tra *di* (articolato), *che*, *a* (articolato), *di quanto*, *rispetto a*, per introdurre il secondo termine di paragone.

1. Uno dei dati emersi dall'indagine sul tempo libero è che gli italiani si rilassano meno .... si pensi.

2. In media gli italiani dedicano più tempo alla famiglia .... alla cultura e agli spettacoli.

3. Gli italiani del Sud trascorrono più tempo con i familiari .... abitanti del Nord.

4. Le donne prediligono le attività artistico-espressive .... quelle più intellettuali.

5. Gli italiani dedicano più tempo alla TV .... alle attività fisiche e alle passeggiate.

6. Da questo studio esce la fotografia di un italiano meno pigro fisicamente e intellettualmente .... non si possa immaginare.

7. Gli italiani spendono più tempo a guardare la TV .... europei del Nord.

8. Lo sport è praticato in modo continuativo più nel Nord Est .... nel Nord Ovest d'Italia.

9. Gli sport sono praticati con sistematicità più nella fascia d'età tra gli 11 e i 14 anni .... tra i 20 e i 29 anni.

10. La partecipazione degli uomini alla cura delle relazioni sociali è inferiore .... quella delle donne.

E In 3 delle frasi degli esercizi precedenti hai incontrato alcuni aggettivi comparativi e superlativi che, oltre ad avere le costruzioni regolari, hanno forme che derivano da radici latine. Individua le frasi e cerca poi di completare lo schema che trovi sotto.

	Comparativo	Superlativo relativo	Superlativo assoluto	
alto	.... (più alto)	.... (il più alto)	supremo	(altissimo)
....	.... (più grande)	il maggiore (il più grande)	....	(grandissimo)
....	.... (più basso)	.... (il più basso)	infimo	(bassissimo)

F Completa queste frasi scegliendo tra i comparativi e superlativi irregolari che trovi sotto.

superiore   massimo   pessima   ottima   minimo   migliore   maggiore   peggiore

1. Per Anna il momento .... della giornata per scrivere agli amici lontani è la sera.

2. L'avventura .... che ti possa succedere in vacanza è il furto o lo smarrimento del portafoglio con soldi e documenti.

3. La tua idea di andare a cena in quel ristorante etnico è stata .... : peggio di così non potevamo mangiare!

4. La difficoltà .... che ho incontrato andando all'estero è stata la lingua.

5. Una crociera di quindici giorni ai Caraibi è il .... della vita: relax, mare splendido e ogni tipo di *comfort* sulla nave!

6. Andare al circo con in bambini è stata un'........................ idea, si sono divertiti un mondo!

7. Riesce sempre a ottenere il massimo risultato con il .... sforzo.

8. La partecipazione degli uomini ai concorsi a premi è di molto .... a quella delle donne.

5 Reimpiego

Confrontare dati

A Lavorate in coppia. Guardate la tabella e confrontate i dati relativi alla fruizione di spettacoli e intrattenimenti nelle diverse parti d'Italia. Fate particolare attenzione all'uso di *di*, *che* o *a* per introdurre il termine di paragone.

ESEMPI

▶ Gli italiani del Sud vanno a vedere più spettacoli sportivi che mostre e musei.

▶ I maggiori frequentatori di teatro sono gli italiani del Centro.

Persone di 6 e più anni che hanno fruito nell'anno dei diversi spettacoli e intrattenimenti per ripartizione								
	teatro	cinema	musei e mostre	concerti classici	concerti leggeri	spettacoli sportivi	discoteche	siti archeologici e monumentali
Italia nord-occidentale	18,8	46,4	33,2	8,6	17,3	28,6	26,4	25,9
Italia nord-orientale	18,9	43,5	35,8	10,2	18,7	29,2	28,1	28,1
Italia centrale	20,9	49,7	32	9,6	17,2	27,9	26,9	27,5
Italia meridionale	12,7	40,7	18,8	6,6	19,3	26,4	23,2	15,6
Italia insulare	14,3	42,5	21,2	8,1	19,9	26,3	25	19,1
Italia	**17,2**	**44,7**	**28,6**	**8,5**	**18,3**	**27,8**	**25,9**	**23,3**

(da *Cultura, socialità e tempo libero*, Istat 2001)

E a voi, che spettacoli e intrattenimenti piacciono?

6 Reimpiego

Esprimere il grado massimo di gradimento

A Il massimo della vita! Lavorate in coppia. A turno intervistatevi per scoprire le vostre preferenze in fatto di cinema, libri, vacanze, sport, hobby... Cercate di giustificare le vostre scelte. Per l'intervista usate le schede che ci sono a p. 501 (uno la scheda A e l'altro la scheda B).

ESEMPI

▶ Lo sport più avventuroso che io abbia mai fatto è il *rafting*. Non sono molto coraggiosa, per esempio non potrei mai scalare.

▶ Il concerto più bello che ho visto è stato quello degli U2 a Modena nel 1998 perché c'era un'atmosfera speciale, abbiamo ballato molto ma non ci sono stati disordini. E per di più ho incontrato casualmente degli amici che non vedevo da tanto tempo.

7 Ascoltare

›5 "Anzi, ti dirò che noi il bagno, poi, alla fine, non l'abbiamo neanche fatto"

(CD1)

Ti è mai successo di vivere un'avventura durante un viaggio e di raccontarla poi agli amici? Ascolta almeno due volte il racconto dell'avventura capitata ad Anna durante la sua ultima vacanza ed esegui l'attività.

A Rispondi alle domande.

1. Dove hanno trascorso la vacanza Anna e Nicola? ....
2. Che precauzione si sono dimenticati di prendere? ....
3. Perché facevano il bagno a turno? ....
    ....
4. Che cosa gli hanno rubato? ....
5. Che cosa conteneva? (scegli più di una risposta)
    - ☐ a. la macchina fotografica
    - ☐ b. i soldi
    - ☐ c. le chiavi della macchina
    - ☐ d. le scarpe di Nicola
    - ☐ e. il passaporto di Anna
    - ☐ f. il passaporto di Nicola
    - ☐ g. l'equivalente di £.2000
    - ☐ h. i vestiti di Anna
6. Dov'era Anna quando è successo il fatto?
    ....
    ....
7. Dov'era Nicola?
    ....
    ....
8. Come hanno reagito al furto Anna e Nicola?
    ....
    ....
    ....
    ....
9. E come ha reagito la gente?
    ....
    ....
10. Perché Nicola non aveva le scarpe?
    ....
    ....
11. Come è sparito il ladro? ....
    ....
12. Che conseguenze fisiche ha avuto Nicola?
    ....
    ....
13. Come sono riusciti a sopravvivere?
    ....
    ....

8 **Esplorare la grammatica**

Trapassato prossimo

A Leggi questi frammenti tratti dal racconto di Anna e sottolinea i verbi al trapassato prossimo. Poi osserva come si forma questo tempo composto.

"Ho sentito un fruscio e mi sono resa conto che mi avevano rubato lo zainetto di Nicola."

"Solo che, nonostante mi fossi resa conto che qualcosa era veramente successo, ho detto, non vorrei gridare, fare uno scandalo in questa spiaggia piena di gente, senza motivo..."

"Ah, premesso: avevamo lasciato tutti i nostri vestiti e le scarpe in macchina, quindi lui (Nicola) ha rincorso a piedi nudi questo signore..."

"Per bontà di un signore che ha assistito a tutta la nostra scena di disperazione e alla fine, senza conoscerci, senza sapere chi fossimo, da dove venissimo ci ha prestato dei soldi che poi gli abbiamo restituito perché noi a Quito avevamo lasciato parte del denaro..."

B Rispondi alle domande.

1. Nelle frasi che hai analizzato il trapassato prossimo si trova in frasi principali o secondarie?

   ....

   ....

2. Se sono secondarie, a che tempo si trova il verbo della frase principale?

   ....

   ....

3. Quando si usa questo tempo rispetto ai tempi semplici del passato, come il passato prossimo, il passato remoto e l'imperfetto?

   ....

   ....

1, 2, 3 ■ **C** ■ Completa le frasi liberamente, usando il trapassato prossimo.

> **ESEMPIO**

> ▶ In questa galleria ieri ho visto una mostra sugli impressionisti; due anni fa ne *avevo vista* una di Picasso.

1. L'anno scorso sono andata in Toscana; due anni fa...

2. Ieri siamo andati a letto alle due; il giorno prima...

3. Mi sono iscritta a un corso di *découpage*; due anni fa invece...

4. Il mese scorso ho fatto una gita al lago; il mese prima...

5. Ieri ho comprato questo libro; la volta prima...

6. L'anno scorso non abbiamo festeggiato; due anni fa...

7. Ieri ho comprato un CD di Giorgio Gaber; un mese fa...

8. La settimana scorsa non siamo usciti; la settimana prima...

9. Questa volta ha cucinato per sei; quella volta...

10. L'anno scorso d'estate hanno affittato una casa; l'anno precedente...

9 Reimpiego

Raccontare fatti del passato

A Racconta alla classe o a piccoli gruppi che sport/hobby avevi già praticato a 15 anni, che viaggi avevi già fatto a 18 anni e che esperienze avevi già avuto a 20 anni.

> **ESEMPIO**

> ▶ A 15 anni ero già stata negli Stati Uniti da sola e avevo già fatto una vacanza in campeggio con i miei amici. Avevo già avuto due ragazzi e mi ero già ubriacata di spumante una volta a Capodanno (e poi mai più!).

10 Leggere

Esplorare la grammatica

A Leggi il titolo e fai previsioni sul contenuto di questo articolo di giornale e sul genere testuale a cui appartiene. Secondo te si tratta di un resoconto di viaggi, di una recensione di un libro o di un manuale sul comportamento che si deve tenere quando si viaggia all'estero?

È uscito un libro che racconta i vizi e le manie dei nostri connazionali all'estero
Con quella faccia da italiano in gita

Sarà capitato a tutti di trovarsi in viaggio o in vacanza all'estero, a Manhattan così come nelle isole greche, a Mosca piuttosto che a Parigi, e di individuare con sicurezza
5 un gruppo di persone nella folla : "Quelli", pensate senza ombra di dubbio, "sono italiani". E non sbagliate.
Noi italiani, infatti, abbiamo il dono – o il difetto – di farci istantaneamente riconoscere.
10 Non a causa dell'accento o della fisionomia: possiamo anche restare muti , e nascondere il volto sotto berretto e occhiali scuri. Ma c'è qualcosa, nell'italiano in viaggio, che lo rende quasi sempre inconfondibile, dovun-
15 que sia, qualunque cosa faccia. A volte può bastare l'abbigliamento: se vedete un uomo di qualsiasi età con scarpe Timberland ai piedi, avete di fronte un muratore americano (sono gli unici che le indossano nel Pae-
20 se in cui vengono prodotte), o assai più verosimilmente un italiano, specie se ha un maglione legato attorno alla cinta , o un blazer blu troppo stretto su un paio di blue jeans
25 troppo stinti . Altre volte non è neanche necessario che l'uomo sia presente, per riconoscerne la nazionalità. Se entrate in una camera d'albergo ap-
30 pena il cliente l'ha lasciata per il "check-out", e non vedete alcun portacenere sui tavolini, nessuna confezione di saponette, shampoo, bagno schiu-
35 ma nel bagno, e se per di più nell'armadio manca l'accappa-

toio con lo stemma dell'hotel sul taschino, avete la certezza che di lì è appena uscito un italiano, con una valigia piena di "souvenir"
40 discretamente sottratti (qualcuno direbbe meno discretamente: rubati) all'albergo dove ha dormito per un paio di notti.
Queste e altre innumerevoli regole per riconoscerci sono un ironico ma in fondo af-
45 fettuoso contributo allo studio della nostra razza, offerto da un giornalista che si è sforzato di allontanarsi dall'Italia e dagli italiani con i suoi viaggi di lavoro in giro per il mondo, ma come ha confessato al suo direttore
50 Indro Montanelli ha dovuto constatare che dovunque va "c'è sempre un commerciante di Brescia" che lo aspetta. Beppe Severgnini, inviato speciale del "Giornale", ha raccolto in un libro, *Italiani con valigia, il Bel-*
55 *paese in viaggio* (Rizzoli, pagg. 239), i suoi incontri con i propri compatrioti ai quattro angoli del pianeta, e le sue osservazioni "sociologiche". Il risultato si potrebbe definire con perfidia
60 un "manuale" su come l'italiano medio non dovrebbe mai comportarsi quando è in vacanza o in viaggio d'affari fuori dai confini nazionali; ma è
65 anche un benevolo "specchio" per quanti in questi giorni partono per le ferie con la consapevolezza di essere italiani, non tedeschi, giapponesi o americani, e che a questo
70 dato di fatto non c'è modo di riparare.

Brillante, ironico, divertentissimo
Beppe Severgnini
Italiani con valigia

(adattato da «La Repubblica», 12 giugno 1993)

B Leggi una prima volta per orientarti globalmente sul contenuto dell'articolo.

1. Elenca le caratteristiche che rendono riconoscibili gli italiani all'estero per turismo.

....

2. Chi scrive definisce il libro in due modi. Come? ....

C Sostituisci le parole evidenziate nell'articolo scegliendo tra i sinonimi elencati sotto.

> bonario   che hanno perso colore   gente   senza parlare   riscontrare
> giornalista in missione all'estero   vita   cattiveria

1. folla ....
2. muti ....
3. cinta ....
4. stinti ....

5. constatare ....
6. inviato speciale ....
7. perfidia ....
8. benevolo ....

D Rileggi il testo e cerca nell'articolo tutti gli indefiniti (8 casi). Inseriscili, in base alla funzione che hanno nel testo, sotto la colonna degli Aggettivi o dei Pronomi e verifica per ognuno di essi il numero (singolare/plurale) e se si riferiscono a "esseri animati" o a "cose".

Indefiniti	
Aggettivi	**Pronomi**
qualsiasi età (riga 17)	*tutti* (riga 1)

Hai trovato dei casi in cui l'indefinito è seguito dal modo congiuntivo? Quali?

6, 7 **E** Che cosa non può mancare nel bagaglio di un buon viaggiatore? Rispondi usando *alcuno/i/a/e* e *qualche*.

▶ Un buon viaggiatore porta sempre con sé *alcune* medicine di base/*qualche* medicina di base.

1. rullini 2. pile di scorta 3. candele 4. fazzoletti di carta 5. sue fotografie E che altro?

F Nell'articolo di p. 84 hai trovato l'avverbio negativo *neanche*, che deve essere usato con la negazione. Trasforma secondo l'esempio.

▶ (righe 25-28) Altre volte <u>non</u> è <u>neanche</u> necessario che l'uomo sia presente, per riconoscerne la nazionalità.

> ▶ Non ... neanche
> ▶ p. 108

ESEMPIO

▶ tu/Parigi/il museo del Louvre → Sei andato a Parigi e *non* hai *neanche* visitato il museo del Louvre!?

1. voi/Matera/i Sassi
2. voi/Siena/la piazza del Campo
3. Lei/Londra/Trafalgar Square

4. tu/Torino/il museo egizio
5. tu/Reggio Calabria/i Bronzi di Riace
6. tu/andare in montagna/andare a sciare

11 Ascoltare

A
›6
CD1

Ascolta queste informazioni su iniziative locali per il tempo libero trasmesse da Radio Mille Note (*Paese che vai, informazione locale che torna*, 28 gennaio 2003). Scegli per ogni persona (a, b, c, ...) l'informazione che fa per lei facendo una croce sul numero della notizia. Attenzione: non tutte le informazioni saranno utili; inoltre per una delle persone vanno bene 2 iniziative (quindi dovrai fare 2 croci), mentre una non riuscirà a soddisfare il proprio desiderio.

a. È da parecchio tempo che vorresti partecipare con le tue poesie a un concorso di scrittura.	1 2 3 4 5 6 7 8 9 10 11
b. Ti piace andare a teatro a fare quattro risate.	1 2 3 4 5 6 7 8 9 10 11
c. Hai già visto il Museo Egizio di Torino e non vuoi perderti la mostra sugli Egizi che c'è a Venezia.	1 2 3 4 5 6 7 8 9 10 11
d. Un appassionato d'arte come te non può perdersi la mostra sugli impressionisti italiani che c'è a Brescia.	1 2 3 4 5 6 7 8 9 10 11
e. Hai appena imparato a fotografare e ti piacerebbe vedere una mostra di fotografie.	1 2 3 4 5 6 7 8 9 10 11
f. Hai un pomeriggio libero alla settimana. Sei alla ricerca di un corso per imparare a fare qualche lavoretto con ago e filo, una tua vecchia passione.	1 2 3 4 5 6 7 8 9 10 11
g. Sei un ragazzo atletico e sportivo. Vorresti trovare un lavoro per quest'estate in una località marittima.	1 2 3 4 5 6 7 8 9 10 11
h. Dopo aver già imparato la salsa e il merengue, ti è venuta voglia di cambiare genere e di imparare il valzer.	1 2 3 4 5 6 7 8 9 10 11

B
›7
CD1

Ascolta ora queste pubblicità radiofoniche che offrono prodotti e servizi per il tempo libero e svolgi le attività che trovi sotto (da RTL, 6 febbraio 2003).

1. Che cos'è "La cura del tempo"?

2. Che radio viene pubblicizzata?
   Indica i due pareri sulla radio che non vengono detti.
   ☐ a. le radio sono tutte uguali!   ☐ c. la radio mi aggiorna anche mentre viaggio
   ☐ b. la radio mi fa compagnia   ☐ d. la radio è informazione puntuale e credibile

3. Questa pubblicità è un'offerta di Wind. Per quale occasione? ....
   Completa. Wind offre gratis: 1000 .... ; 1000 .... ; 1000 ....

4. In questa pubblicità vengono presentate tre situazioni in cui delle persone rivolgono degli inviti. Quali inviti e a chi?
   a. ....
   b. ....
   c. ....

5. Completa l'ultima pubblicità: "Con .... voli in .... a partire da .... Tariffe valide fino .... Tasse .... e supplementi .... ".

12 Parlare

A **Monologo per raccontare esperienze.** Lavorate in gruppi di 4 o 5 persone. Scrivete su un foglietto i vostri hobby, poi piegate i foglietti e pescatene uno a caso. Cercate di indovinare chi l'ha scritto. La persona in questione dovrà cominciare a parlare dei propri hobby: raccontare come li ha sviluppati e coltivati, e perché la appassionano. Fatele delle domande, se avete curiosità. Poi andate avanti a pescare un altro foglietto.

"Avere un hobby mantiene sani e aiuta a migliorare la qualità della vita"

I creativi	Arti decorative, creta, dipinti su tela, vetro e stoffa
I manuali	Modellismo, giardinaggio, bricolage, cucito, pesca
Gli intellettuali	Fotografia, cinema, teatro, musica, lettura
I ludici	Carte, giochi di ruolo, giochi da tavolo, scacchi
I collezionisti	Francobolli, conchiglie, monete, altri oggetti
I mangerecci	Cucina, raccolta di funghi o castagne

B **Discussione. TV che passione!?** Lavorate in gruppo e scambiatevi informazioni su:

– quanto tempo trascorrete davanti alla televisione
– quali sono i vostri programmi preferiti

Poi con tutta la classe discutete sui seguenti punti:

– Quanto si guarda la TV nel vostro Paese?
– Chi trascorre più tempo davanti alla TV?
– Quali sono le caratteristiche di un telespettatore incallito?
– Che consigli pratici dareste a un teledipendente per moderare il suo "vizio"?
– Com'è la qualità della televisione pubblica e privata italiana? Confrontatela con quella del vostro Paese.

Esprimete la vostra opinione sulle seguenti affermazioni:

Lo schermo è il nemico numero uno della creatività

La televisione è una comoda baby sitter!

La violenza e le nudità in TV vanno vietate

Mario Ventura

C   **Conversazione. Che viaggiatori siete?** In quale di questi profili di viaggiatore vi riconoscete?

	Profilo
"Tutto incluso"	ami le vacanze rilassanti, ben organizzate
"Guida e cartina sempre alla mano"	sei alla ricerca di destinazioni ricche di tradizione e cultura
"By night"	il tuo obiettivo è vivere senza regole, fare tardi in locali di tendenza
"Sì, viaggiare!"	in vacanza desideri essere in continuo movimento
"Un mondo da esplorare"	viaggi per scoprire il vero volto di un Paese, mischiandoti con la sua gente per le strade
"Off limits!"	sei in cerca di emozioni forti e di imprese estreme

Raccontatevi che viaggi amate fare, che viaggi avete fatto, quali vorreste fare nel futuro e come. È vero che "Le ferie sono la nostra unica possibilità di avventura"?

D **Commento e conversazione. La pratica sportiva.** A piccoli gruppi analizzate e commentate queste tabelle sulla pratica sportiva in Italia. Fate dei confronti con la pratica dello sport nel vostro paese.

Persone di 3 anni e più che praticano sport					
sesso	anni	in modo continuativo	in modo saltuario	qualche attività fisica	mai
maschi	1995	23,2	11,8	33,7	30,9
	2000	22,3	13,4	31,7	31,8
femmine	1995	12,6	6	36,7	44,2
	2000	13,9	7,6	34,7	42,9
totale	1995	17,8	8,8	35,3	37,8
	2000	18	10,4	33,2	37,5

(da *Cultura, socialità e tempo libero*, Istat 2001)

(da www.usl.mo.it/pps/salute/download/attivitf.pdf)

13 Scrivere

A   **Autocorreggersi.** In questa sezione dovrai scrivere una lettera a un tuo amico in cui racconti un viaggio che hai fatto. Prima di cominciare ti proponiamo un'attività di correzione su frammenti di lettere-racconto scritte da studenti stranieri. Leggile e correggi gli errori segnalati, aiutandoti con l'indicazione del tipo di errore. Poi verifica le tue correzioni con il resto della classe e con l'aiuto dell'insegnante.

TIPI DI ERRORI	
L	errore di lessico, scelta delle parole
M	errore di morfologia (desinenze)
T	errore di scelta dei tempi verbali
Pron	errore di scelta dei pronomi
Rel	errore nella costruzione di frasi relative
O	errore di ortografia
Aux	errore di scelta dell'ausiliare

1. L'altro ieri sono andata a Venezia con Richard (il mio ragazzo). Lui era venuto a trovarmi per qualche giorni e così abbiamo deciso di andare a visitarlo in giornata. Aveva piovuto per tutto il giorno, ma siamo stati felici. Siamo andati a Piazza San Marco e siamo saliti in alto sul Duomo dove ché un balcone, dove si può vedere la Piazza molto bene, e anche il Duomo e i posti vicini. Il più buffo momento della giornata è stato quando Richard ha comprato dei semi per i piccioni, e tutti gli hanno attaccato, e qualche hanno atterrato sulla sua testa e sui bracci. Lui odia le cose che volano, e ha urlato come una ragazza! Volevamo andare in gondola, ma ch'era così tanta pioggia che avevamo paura di affondare!

2. Era una settimana interessante e abbiamo fatto molte visite turistiche: siamo andati attorno a Bergamo, a Milano e il mio favorito al Lago di Como, uno dei famosi laghi del nord dell'Italia. Era una giornata memorabile!
Durante il viaggio in treno le viste erano sbalorditive. Il treno va diritto accanto al lago e si possono vedere le montagne.

3. Il prossimo giorno il sole ci ha svegliate e il tempo era bellissimo per il resto delle nostre ferie. Nei seguenti giorni abbiamo visto quasi tutti i monumenti e musei, come per esempio il Colosseo, i Fori Romani, perché con la rete dei pullman non è un problema andare da un'estremità all'altra della città. Come mi hai scritto l'ultima volta non abbiamo mai lasciato lo zaino sulla schiena sui mezzi pubblici, con l'eccezione di questa volta!!
Questa volta era una di troppo perché ci hanno rubato il borsellino di Susanne. L'abbiamo realizzato solo quando volevamo pagare un'ora più tardi in un bar.

4. Nel periodo quando ero qui la gente festeggiava l'anno nuovo dell'induismo. Per la celebrazione dell'anno nuovo c'è una grande festa e nelle settimane prima tutti creano dei grandi mostri. Con questi grandi mostri vogliono far prendere uno spavento agli spiriti cattivi.

B **Testo descrittivo e/o narrativo: ritratto ironico.** Scrivi un breve ritratto ironico dei tuoi connazionali in viaggio all'estero (tipo quello dell'Attività 10 di p. 84). Puoi descrivere diversi aspetti e comportamenti che li caratterizzano o concentrarti sul racconto di uno o più episodi che li vedono come protagonisti viaggiatori. La descrizione e/o il racconto devono tuttavia avere i colori dell'ironia.

ESEMPIO

▶ Chi assiste all'indecoroso spettacolo di un italiano impegnato a fare acquisti in un "mercatino" del Terzo Mondo, non può certo immaginare che la belva che lotta per uno sconto di tre euro con un bambino scalzo è spesso un'ottima persona: magari un insegnante di scuola media che ha spiegato cento volte ai suoi alunni i drammi del Terzo Mondo.

TESTO NARRATIVO
Scrivere una lettera informale

Per scrivere una lettera a un amico ti può essere utile conoscere alcune formule di apertura e di chiusura che si usano in un messaggio di registro informale, familiare.

Formule di apertura
▶ Caro/a mio/a   Caro/a Carissimo/a + Nome   Ciao + Nome
▶ Come stai? / Come va? / Come te la passi? / Tutto bene?

Formule di chiusura
▶ Aspetto tue notizie / Scrivimi presto / Fatti vivo
▶ Un caro saluto / cari/tanti/tantissimi saluti / Tanti cari saluti
▶ Un abbraccio / Ti/Vi abbraccio
▶ Un bacio/baci/bacioni/bacini
▶ A presto/Arrivederci a presto
▶ Con affetto/Affettuosamente
▶ Tuo/a + Nome

C **Adesso tocca a te.** Scrivi una lettera a un tuo amico in cui racconti un episodio particolare che ti è successo durante un viaggio o una vacanza che hai fatto (cfr. i suggerimenti per narrare fatti passati di p. 18).

14 Navigando

A **Auditel.** Ti interessa sapere qual è il canale televisivo più guardato dagli italiani e quali sono i loro programmi preferiti? Consulta il sito **www.mediasetonline.it/auditel** in cui potrai trovare le medie giornaliere di ascolto dei 3 canali Rai, dei 3 canali Mediaset (Canale 5, Italia 1 e Rete 4) e de La Sette, e una graduatoria dei 10 programmi più visti il giorno prima. Per poter capire a che genere televisivo (film TV, documentari, quiz show, soap opera) appartengono questi programmi, entra nel sito del canale in cui sono trasmessi (es. **www.rai.it/portale** o **www.canale5.com**) e ricava l'informazione. Potresti inoltre fare un confronto con i generi televisivi più guardati nel tuo Paese.

B **Organizzare una vacanza a tema.** Dividetevi in 3 gruppi a seconda delle vostre preferenze: il primo gruppo dovrà raccogliere informazioni per progettare un viaggio di studio, il secondo gruppo un viaggio gastronomico e il terzo un viaggio di ecoturismo. Immaginate di essere un gruppo di amici che deve organizzare questa vacanza: andate sul sito **http://viaggi.virgilio.it**, esplorate e raccogliete informazioni. Alla fine del lavoro dovrete presentare il vostro programma al resto della classe.
Se desiderate potete anche visitare il sito della Borsa Internazionale del Turismo (BIT) che è la più importante esposizione al mondo del prodotto turistico italiano e uno dei principali eventi per l'industria turistica internazionale: **www.expocts.it**

C **A caccia di campioni.** Formate delle squadre di 4-5 persone e giocate a una caccia al campione italiano di diverse discipline sportive su Internet. Vince la squadra che per prima risponde correttamente a tutte le domande sui nomi degli sportivi richiesti sotto. Come aiuto avete il nome proprio, l'iniziale del cognome e il numero di lettere dello sportivo da cercare. Potete consultare il portale dello sport italiano (**www.losportitaliano.it**) oppure fare una ricerca con il vostro motore di ricerca preferito (es. **www.virgilio.it**) usando parole-chiave ("campione italiano di motociclismo", "sportivo italiano di pallavolo").

Come si chiama

1. Il calciatore della Juventus, soprannominato Pinturicchio, grande fantasista nel gioco? Alessandro D_ _ _ _ _ _ _

2. Il calciatore del Milan, difensore di gran classe? Paolo M_ _ _ _ _ _

3. Uno degli sciatori più bravi che l'Italia abbia mai avuto, vincitore di alcune coppe del mondo? Alberto T_ _ _ _

4. La bravissima sciatrice italiana, che ha ormai smesso l'attività sportiva, vincitrice di numerose gare a livello internazionale? Deborah C_ _ _ _ _ _ _ _

5. Il "campionissimo" degli anni '40-'50, diventato un mito in Italia e in Europa vincendo per primo il Giro d'Italia e il Tour de France nello stesso anno? Fausto C_ _ _ _

6. Il ciclista toscano, famoso nel mondo per la sua assoluta imbattibilità in volata, campione del mondo nel 2002? Mario C_ _ _ _ _ _ _ _

7. Il più volte campione del mondo di motociclismo nella classe 250 e 500, velocissimo e spericolato? Valentino R _ _ _ _

Esercizi

1 **Forma delle frasi complete seguendo il modello.**

`ESEMPIO`

▶ turista / essere giù di morale / perché perdere lo zaino

Il turista era giù di morale perché *aveva perso* lo zaino.

1. siccome / Marco dire a noi che mostra essere bella / noi andarci sabato scorso

   ....

   ....

2. guida turistica / essere soddisfatta / perché prendere buona mancia

   ....

3. noi non potere visitare il museo / perché loro già chiudere

   ....

4. in quella mostra / io vedere quadro / mai vedere prima

   ....

5. io rivedere con piacere quel film / anche se vederlo già qualche anno fa

   ....

   ....

6. turisti / essere stanchi / perché camminare molto

   ....

7. loro prendere aereo / dopo che loro fare esperienza di viaggiare in treno

   ....

8. Sergio non venire teatro / perché già vedere quella commedia

   ....

9. loro andare museo / dopo che visitare la basilica

   ....

10. Tino / essere felice / perché / vincere primo premio

    ....

2 **Trasforma questo racconto al passato. Comincia così:**

`ESEMPIO`

▶ Non *ho potuto* andare in palestra perché *avevo perso* le chiavi della macchina.

Una giornata da dimenticare

Non posso andare in palestra perché ho perso le chiavi della macchina. Allora chiamo mio marito, che però è già uscito dall'ufficio e, oltretutto, ha dimenticato a casa il suo cellulare. Disperata, ma ancora decisa a non mancare al mio corso di ginnastica, corro alla fermata dell'autobus che è appena passato. Prendo il successivo ma non ho il biglietto perché non ho fatto in tempo a comprarlo. Sai chi sale? Ma naturalmente il controllore con il quale faccio una figuraccia perché non solo non ho il biglietto ma ho anche dimenticato a casa, nella furia, il portafoglio. Ma non mi do per vinta, arrivo a destinazione con un'ora di ritardo e scopro che la lezione è stata sospesa perché l'istruttore si è rotto una gamba sciando.

....

....

....

....

....

....

....

....

....

....

....

....

3 Completa questo racconto coniugando i verbi tra parentesi al passato prossimo, imperfetto e trapassato prossimo. Il racconto, un'avventura di viaggio, è stato scritto da una giornalista australiana che ha trascorso sei anni in Medio Oriente come corrispondente.

Un caldissimo giorno d'estate, in Iran, mi sono recata al centro religioso di Qom assieme a Nahid Aghtaie, una studentessa di medicina che (*abbandonare*) (1) .... gli studi a Londra per ritornare in patria e prendere parte alla rivoluzione islamica.

Gli iraniani in genere non permettono ai non musulmani di entrare in templi importanti, ma Nahid, dicendo che questa regola non (*provenire*) (2) .... dall'Islam ma dalla ristrettezza mentale, (*insistere*) (3) .... perché la ignorassi.

Mentre Nahid (*fare*) (4) .... le abluzioni per la preghiera, io (*girellare*) (5) .... per l'ampia corte anteriore della moschea, osservando le famiglie che si disponevano a fare un picnic in quel luogo riparato, ricoperto di piastrelle azzurre. Alla fine (*rendersi conto*) (6) .... che un uomo con un turbante mi stava inseguendo. Era un giovane con una barba a ciuffi, che (*indossare*) (7) .... la veste grigio chiaro e il manto nero del clero iraniano in via di addestramento. Mentre (*voltarsi*) (8) .... ha fatto un passo verso di me e mi ha sussurrato qualcosa in lingua *farsi*. Io credevo che si fosse accorto che non (*essere*) (9) .... musulmana e mi chiedesse di andarmene.

Mesi dopo, nel descrivere la bellezza di quel luogo a un'amica iraniana, le ho raccontato che (*rischiare*) (10) .... di essere cacciata via da un *mullah*. Ciò che mi (*chiedere*) (11) .... era un invito a un contratto che esiste esclusivamente per gli sciiti e che si chiama *sigheh*. "Probabilmente (*mettere, tu*) (12) .... il *chador* nel modo sbagliato", mi (*spiegare*) (13) .... la mia amica. "È uno dei segnali usati dalle donne che sono in cerca di un *sigheh*".

(G. Brooks, *Padrone del desiderio. L'universo nascosto delle donne musulmane*, Sperling & Kupfer, Milano 1995)

4 Formula delle frasi complete seguendo il modello.

ESEMPIO

▶ hobby / più praticato / donne italiane di media età / fare la *Settimana Enigmistica* → L'hobby *più praticato* dalle donne italiane di media età è fare la *Settimana Enigmistica*.

1. sport / più estremo / *free climbing*

2. una delle canzoni / più amate / italiani / *O sole mio*

3. passatempo / meno praticato / italiano medio / lettura di libri

4. tre città d'arte italiane / più visitate / stranieri / Roma, Firenze e Venezia

5. due / più grandi ciclisti anni cinquanta / Coppi e Bartali

6. viaggio / più avventuroso / mai fatto / in Costa Rica

7. si dice che / le donne / più belle del mondo / venezuelane

8. lo sport / più praticato / uomini italiani / calcio

9. le mete turistiche / più scelte / italiani che vanno all'estero / le capitali europee

10. tre città estere / più visitate / italiani / Parigi, Londra e Madrid

5 Costruisci delle frasi seguendo l'esempio; per esprimere il secondo termine di paragone devi scegliere tra *di*, *che*, *di quanto*.

ESEMPIO

▶ Fulvio / dinamico / sedentario (*più*)
Fulvio è *più* dinamico *che* sedentario.

1. Paola / fare carriera / suo marito (*più*)
2. Gli italiani / dedicare ore al tempo libero / pensiamo (*meno*)
3. Luisa / leggere / uscire con amici (*più*)
4. Paolo / essere sportivo / Elena (*meno*)
5. Sergio volere / divertirsi / lavorare (*più*)
6. Daniele / viaggiare / con i mezzi pubblici / con la macchina (*meno*)
7. Gianni /scegliе/ le vacanze organizzate / i viaggi avventurosi (*più*)
8. I *single* / uscire a cena / coppie con figli (*più*)
9. Gli italiani / amare andare al cinema / si possa immaginare (*più*)

6 Nel testo di p. 84 hai trovato degli aggettivi indefiniti, come:

ESEMPIO

▶ Se entrate in una camera d'albergo appena il cliente l'ha lasciata per il "check-out", e <u>non</u> vedete <u>alcun portacenere</u> sui tavolini, <u>nessuna confezione</u> di saponette, shampoo, bagno schiuma nel bagno, [...] avete la certezza che di lì è appena uscito un italiano.

Completa queste frasi con la forma corretta dell'aggettivo indefinito *alcuno* (*alcun*, *alcuno*, *alcuna*, *alcuni*, *alcune*).

1. Non abbiamo incontrato .... studente.
2. Non ho .... voglia di uscire.
3. Ho incontrato al cinema .... miei studenti.
4. Non abbiamo visto .... spettacolo veramente interessante e un po' nuovo.
5. Abbiamo visitato .... centri commerciali.
6. Non c'è .... teatro in quella città.
7. C'erano anche .... ragazze di Milano.

8. Mio figlio è un pigro, non c'è .... sport che gli piaccia.
9. In quella città potete visitare anche .... siti archeologici.

7 Trasforma come nell'esempio.

ESEMPIO

▶ Se *non* vedete *alcuna* carta da lettera, significa che è passato un italiano. (più formale)
Se *non* vedete *nessuna* carta da lettera, significa che è passato un italiano. (più frequente nel parlato)

1. alcuna confezione di shampoo
2. alcun portacenere
3. alcun asciugamano
4. alcuna saponetta
5. alcun accappatoio
6. alcuna penna

8 Completa queste frasi scegliendo tra la terza persona singolare o plurale dei verbi impersonali che trovi tra parentesi.

ESEMPI

▶ Che bello, manca <u>una settimana</u> alle vacanze!
▶ Dai, tieni duro che man<u>cano</u> solo <u>tre giorni</u> alle vacanze!

1. Non ci (*dispiacere*) .... la vacanza termale.
2. Mi (*mancare*) .... una dozzina di pagine per finire il libro.
3. (*Bastare*) .... la carta d'identità per viaggiare in Spagna.
4. Non mi (*piacere*) .... le spiagge sabbiose, preferisco quelle rocciose.
5. (*Occorrere*) .... poco denaro per vivere decorosamente in quel Paese.
6. (*Bastare*) .... due zaini per questo breve viaggio.
7. A Gianna (*interessare*) .... alcuni numeri della rivista *Tutto viaggi* dell'anno 2003.
8. Per viaggiare in certi paesi africani (*occorrere*) .... alcune vaccinazioni.

9 Completa questi brevi frammenti di racconti di viaggio coniugando il verbo tra parentesi. Ricorda che con i verbi impersonali (che trovi sottolineati) è richiesto l'uso del congiuntivo.

1. Stiamo bene, più o meno grondanti di sudore, ma direi bene. Ho compiuto nei giorni scorsi un mese di permanenza e <u>sembra che</u>, a poco a poco, (*ambientarmi*, forma progressiva) .... davvero. Non è stato facile, anzi, dovevate vedermi all'inizio, ma ora sono già partita in quarta e sto facendo parecchie cose in terra filippina.

2. A Manila la regola è l'assenza assoluta di regole sulla circolazione stradale e quindi si sorpassa semplicemente dove c'è spazio, non si rispettano i semafori e <u>sembra che</u> (*fare*, *si* impersonale) .... di tutto per impedire ai pedoni di attraversare la strada.

3. La sorpresa è stata quando prima di entrare in casa ci hanno fatto togliere le scarpe perché in tutte le case finlandesi si entra senza scarpe. Quindi, piccolo consiglio, se vi dovesse capitare di andarci <u>conviene che</u> (*portare*) .... con voi dei calzini antiscivolo.

4. Da più fonti ci è stata confermata la presenza in territorio indonesiano di esseri soprannaturali e magici che condividono pacificamente la quotidianità di questa gente. Oltre ai fantasmi esistono anche i giganti: <u>pare che</u> (*vivere*) .... più che altro all'aria aperta e la loro presenza è stata notata soprattutto nel Nord dell'isola.

5. Come oramai saprai le nostre trasferte al mare sono soprattutto motivate da questa fatale attrazione per gli abissi. Di solito, infatti, le nostre giornate trascorrono scandite da umidi rituali di montaggio attrezzatura, trasferimento in barca "dove sono le mie pinne, mi passi la maschera, ci siamo?". <u>Merita</u> davvero <u>che</u> tu (*venire*) .... a trovarci non fosse altro che per fare un bagno in mezzo a questo mare limpido e animato da pacifici e colorati pesci di ogni forma.

6. Se Lucia ha intenzione di venire a trovarci in Perù e vuole, come mi diceva, salire con le sue gambe a vedere le rovine di Machu Picchu, <u>bisogna</u> assolutamente <u>che</u> (*comprarsi*) .... un sacco a pelo d'alta quota.

7. I filippini <u>sembra che</u> (*prendere*) .... il Natale incredibilmente sul serio! È indescrivibile la quantità di illuminazioni per le strade, dentro e fuori dai centri commerciali, sulle facciate e sui tetti di edifici pubblici e privati. Il tutto in barba alla crisi energetica, <u>non importa</u>, insomma, <u>che</u> il problema numero uno di questo paese (*essere*) .... i *black out* che durano dalle quattro alle sei ore al giono!

8. <u>Si dice che</u> gli slovacchi (*tenerci*) .... alla precisione, ed è proprio vero! Se vai al ristorante puoi scegliere tra zuppa di verdura 3 dl, filetto di carpa 145 g, gelato di frutta 35 g; al bar ti puoi prendere 1,5 g di tè con 4 g di zucchero, ecc. Qui a casa, se ci verrete a trovare, potrete sorseggiarvi un liquorino locale, <u>basta che</u> (*essere*) .... in un bicchierino-misurino da 5 cl, tanto per non correre il rischio di esagerare!

(da *Lettere di A.B.*)

10 Rileggi questo pezzo tratto dal testo di pp. 71-72 e rifletti sul plurale dei nomi che finiscono in *-tà*, e più in generale sui nomi che hanno la vocale finale accentata.

(righe 1-4) Per oltre il 44% della popolazione il tempo libero è sia il tempo del riposo e del relax, sia il tempo disponibile per sé, ossia l'arco temporale sganciato dalla specificità delle altre attività quotidiane.

Trasforma al plurale le parole sottolineate nelle frasi (non dimenticarti di fare tutti i cambiamenti necessari).

Nomi invariabili	
SINGOLARE	PLURALE
l'attivi<u>tà</u>	le attivi<u>tà</u>

1. Per verificare la qualità del tempo libero degli italiani abbiamo usato una <u>unità</u> di misura.
2. Durante la lettura dell'articolo abbiamo incontrato una sola <u>difficoltà</u>.
3. Quale <u>qualità</u> positiva hanno gli italiani?
4. Dalla tabella emerge una <u>realtà</u> confortante.
5. In una <u>città</u> con più di un milione di abitanti gli spostamenti occupano più di due ore al giorno.
6. Di norma il <u>papà</u> italiano tende a occuparsi poco dei figli.
7. Non è vero che in una <u>società</u> economicamente avanzata si lavori meno.

11 Completa queste brevi curiosità dal mondo, mettendo la preposizione semplice o articolata *da*. Poi associa in ciascuna frase la preposizione alla sua funzione, scegliendo tra quelle elencate sotto.

ALCUNE FUNZIONI DELLA PREPOSIZIONE *DA*	
a. agente	Il film è prodotto *dalla* Sacher.
b. causa	Piangeva *dalla* contentezza.
c. origine, provenienza	Ho appreso la notizia *dalla* radio.
d. fine, scopo	Gli italiani portano sempre gli occhiali *da* sole.
e. modo	Mi ha trattata *da* amica.
f. qualità, condizione	Era un uomo *dal* cuore d'oro.
g. introduce una frase consecutiva	Ho una fame *da* morire.

Forse non tutti sanno che...

1. Le locandine dei film filippini sono tutte dipinte a mano .... (......) abili pittori. Il loro salario è talmente basso .... (......) non incentivare assolutamente l'inizio di una produzione a livello industriale.

2. Le donne filippine sono particolarmente famose per il loro *sex-appeal* nei confronti del maschio occidentale. Ulteriore prova viene data .... (......) Dott. Ballini, italiano in trasferta a Manila. Nonostante la sua consolidata reputazione di marito fedele, eccolo colto .... (......) mano esperta di un fotografo specializzato in *scoop* mondani. La moglie (ovvero chi scrive), assisteva alla scena, impotente!!!!

3. Qui tutti i cognomi delle donne hanno il suffisso *-ova* che linguisticamente le designa dipendenti .... (......) colui che dà loro il cognome. Tanto per rendere l'idea Bertellova .... (......) signorina e Bertolinova .... (......) moglie. E così nelle riviste locali puoi ammirare la bionda Klaudia Shifferova o leggere di Sofia Lorenova...

(da *Lettere di A.B.*)

Ripasso

1 Completa questa lettera con i pronomi relativi *che, cui* o le forme *il/la quale, i/le quali*. Quando necessario devi mettere anche la preposizione.

Carissima Ilaria,

dall'ultima puntata del diario di Manila una qualche cosina effettivamente è successa. Per me, soprattutto, un gran movimento. A novembre il viaggio lampo in Italia per il matrimonio di mio fratello, (1) _____ è seguita la missione vietnamita di Sandro, durata 10 giorni e (2) _____ io sono stata nominata mascotte d'eccezione. E così finalmente sono stata in Asia, in quella vera, quella dagli odori nauseabondi, quella dei milioni di biciclette e del cappellino a cono appiattito. Siamo stati principalmente a Ho Chi Minh City e a Hanoi con un paio di puntate giornaliere fuori città in paesaggi bellissimi di delta di fiumi, viali alberati (3) _____ si stagliano in paesaggi di risaie, conformazioni rocciose stranissime in mezzo (4) _____ scorre un grande pacifico fiume (5) _____ ci navighi con rozze canoe di legno vogate da ragazzine dagli occhi (6) _____ brillano e dalle camicette a fiori.

Ma soprattutto tante, tantissime, pericolosissime biciclette. Neppure il traffico di Manila è mai riuscito a farmi provare momenti di terrore all'avvicinarsi agli incroci, come è successo varie volte a Hanoi. Si andava in giro bellamente scarrozzati da "cyclò", taxi locali formati da una bicicletta (7) _____ spinge una carrozzella "ad una piazza e mezzo"... E tu sei lì in mezzo a questa folla di gente su due ruote (8) _____ occupa l'intera strada e ti avvicini a un enorme incrocio dove sai che nessuno mai si fermerà, che tutti riusciranno a passare, zigzagando, passando sull'altra corsia, ma poi alla fine ne esci illeso, senza sapere come sia potuto succedere.

I vietnamiti sono molto gentili e curiosi nei confronti dei turisti. Fanno tante domande, vogliono sapere del paese (9) _____ vieni e non c'è volta (10) _____ non chiedano che cosa pensi del Vietnam. Parlano una lingua incredibilmente difficile (11) _____ prevede differenze di significato a seconda del tono (12) _____ una parola viene pronunciata (fino a 6 toni). Però salutano dicendo 'ciao' (scritto chao) e sono sempre stati molto contenti nel notare che avevamo imparato la parola molto in fretta!

Un abbraccione forte forte per resistere fino alla prossima.

Roberta

(da *Lettere di A.B.*)

Test

1 Completa questo testo coniugando i verbi tra parentesi all'imperfetto, passato prossimo o trapassato prossimo.

IL VALORE DI UN VIAGGIO

di Licia Colò

[...] Ricordo un episodio che mi ha insegnato molto. Mi trovavo in Africa per lavoro, in Kenya. Allora (*portare*) (1) .... sempre con me un anello al quale tenevo molto. Un prezioso ricordo della mia famiglia. Lo (*perdere*) (2) .... mentre ero all'interno di un villaggio turistico in un parco. L'ho cercato disperatamente fin quando non (*arrivare*) (3) .... il giorno del ritorno in Italia. Ho supplicato allora il personale del villaggio di farmi sapere se lo avessero trovato. Poche ore prima della partenza ho telefonato e mi hanno detto che lo (*trovare*) (4) .... Ho chiesto allora al ragazzo che ci (*accompagnare*) (5) .... di prenderlo e di spedirlo in Italia. Gli ho consegnato 300 dollari da dare alla persona che (*ritrovare*) (6) .... il mio anello. Quando sono salita sull'aereo alcune persone con cui viaggiavo mi hanno detto che (*essere*) (7) .... imprudente. Avevo non solo perduto l'anello ma anche il denaro [...].

A due mesi dal mio ritorno in una mattina qualsiasi, ho ritrovato nella mia cassetta delle lettere l'anello. Conclusione. Io oggi l'anello non l'ho più perché i ladri (*entrare*) (8) .... in casa e hanno portato via tutto. La povertà, quella più dura e cruda, molto spesso è dignità, dalla quale noi abbiamo molto da apprendere. Quando si va a visitare un paese povero non si dovrebbe mai fare sfoggio della propria ricchezza, è un atteggiamento provocatorio inutile [...].

(da «Mediterranea», giugno 2002)

→ /8 punti

2 Completa questo testo con i comparativi irregolari, i superlativi indicati tra parentesi e l'elemento che introduce il secondo termine di paragone.

LA PRATICA SPORTIVA IN NUMERI

Gli italiani, secondo la recente indagine Istat "I cittadini e il tempo libero", si confermano un popolo che spende volentieri il proprio tempo libero in attività sportive o fisiche. L'aumento di sportivi è un fenomeno generale che tuttavia vede valori di crescita (*più alti*) (1) .... per le donne (2) .... gli uomini. Inoltre sembra che lo sport faccia più proseliti al Nord (3) *che* al Sud, almeno per quanto riguarda i praticanti assidui.

Il dato numerico dei cittadini non dediti affatto allo sport o ad attività fisiche si attesta su una percentuale (*più bassa*) (4) .... al previsto (38,4%). Tuttavia l'analisi della diffusione dello sport in Italia è più complessa (5) .... si pensi: per arrivare ad avere un quadro dettagliato occorre fare delle distinzioni in base al sesso, all'età, alla regione d'appartenenza, al tipo di istruzione e al tipo di pratica sportiva, continuativa o saltuaria. Per esempio la (*più grande*) (6) .... percentuale di sportivi continuativi si trova nei ragazzi fino ai 14 anni, mentre con il crescere dell'età il tempo dedicato allo sport con assiduità è sempre (*più piccolo*) (7) .... ; (SUPERLATIVO/PLURALE: *sport più femminile*) (8) .... sono la ginnastica, l'attrezzistica e la danza; gli uomini preferiscono praticare all'aria aperta più (9) .... donne, assidue frequentatrici di centri di *fitness* e palestre. Le donne *over 55* sono (SUPERLATIVO: *più sedentarie*) (10) ....

(adattato da www.uisp.it/vademecum)

→ /10 punti

3 Completa queste frasi scegliendo tra gli indefiniti *alcuno, nessuno, qualche.*

1. Una discreta fascia di persone dichiara di non praticare .... sport.
2. Quest'anno siamo riusciti ad andare a sentire solo .... concerto di musica leggera.
3. Nella località balneare in cui siamo stati l'anno scorso c'erano .... sale da ballo e discoteche.
4. Più della metà degli italiani (52,2%) nel corso dell'ultimo anno non ha fatto .... vacanza per motivi economici e familiari.
5. Ieri sera .... ha guardato alla televisione il Giro d'Italia.

→   /5 punti

4 Trasforma queste frasi incominciando con l'espressione data tra parentesi.

1. La più alta percentuale di vacanzieri si registra tra i cittadini del Nord Ovest (64,2%). (*Sembra che*)
2. Gli italiani all'estero sono riconoscibili per la loro rumorosità. (*Si dice che*)
3. Per scaricare lo stress quotidiano fai mezz'ora di attività fisica quotidiana. (*Basta che tu*)
4. Rispetto ai coetanei di vent'anni fa i bambini di oggi vanno in bicicletta la metà del tempo. (*Pare che*)

→   /4 punti

5 Completa queste frasi scegliendo tra i seguenti connettivi:

| sia ... sia | ossia |
| per quanto riguarda | non ... neanche |

1. .... il grado di cultura, pare che ci sia un rapporto inverso tra praticare attività fisica regolare da adulti e titolo di studio: non la fa il 20,2% dei laureati contro il 45,1% di chi ha la licenza elementare o nessun titolo.
2. Gli hobby danno l'opportunità .... di frequentare altre persone, ... di trascorrere ore piacevoli anche in assenza di compagnia.
3. Quando torna a casa alla sera è così stanco che .... ha .... voglia di intrattenersi un po' con i bambini.
4. Dedicarsi a un'attività fine a se stessa, ... che produce divertimento, è il modo più sano per recuperare energie e tenere lontano il cattivo umore.

→   /4 punti

6 Trasforma al plurale le parole evidenziate nelle frasi facendo tutti i cambiamenti necessari.

1. Nel nostro viaggio negli Stati Uniti abbiamo visitato una sola **città** interessante, New York.
2. In questa zona di montagna si riescono a prendere una **radio** locale e pochi canali televisivi.
3. Nel libro di Severgnini puoi scoprire una curiosa **qualità** dell'italiano che viaggia all'estero.
4. Nel pacchetto turistico di questo Tour Operator sono incluse **l'attività** sportiva e le escursioni settimanali sull'isola.

→   /4 punti

7 Completa questo testo con gli aggettivi che derivano dai nomi tra parentesi, aggiungendo i suffissi *-ale/-ile, -ico, -istico.*

TURISMO: MINI ESODO PER IL PONTE DEL 1° MAGGIO

Nel periodo (*primavera*) (1) .... – che va dalle vacanze di Pasqua fino al ponte del primo maggio – gli arrivi stranieri nelle strutture ricettive italiane saranno in totale 3 milioni e mezzo, mentre gli italiani in vacanza in Italia saranno 3 milioni e ottocentomila e quelli che hanno scelto mete estere circa 2 milioni.
Le tipologie (*turista*) (2) .... italiane che ottengono i migliori risultati sono le vacanze (*agriturismo*) (3) .... , balneari, lacuali e (*cultura*) (4) ....
Le mete preferite dagli italiani che si recano all'estero sono le capitali europee, mentre per il mare si continuano a preferire mari (*esotismo*) (5) .... come il Mar Rosso, i Caraibi, le Baleari.

→   /5 punti

→ **punteggio totale**   /40 punti

Sintesi grammaticale

Gradi dell'aggettivo

Superlativo relativo

Indica il grado massimo o minimo di una qualità, relativamente a un gruppo di persone o cose.

Si differenzia dal comparativo di maggioranza o di minoranza per la presenza dell'articolo determinativo davanti all'aggettivo o al nome:

> È *il più bel film* che ho visto quest'anno.
> Il teatro è *l'attività culturale meno praticata* dagli italiani.

Come puoi osservare, l'aggettivo al grado comparativo può essere messo sia prima del nome (come nel primo esempio) sia dopo il nome (come nel secondo esempio). Per la funzione dell'aggettivo a seconda della posizione, cfr. Unità 10, p. 375.

Se il nome ha l'articolo indeterminativo, il superlativo viene comunque introdotto dall'articolo determinativo:

> <u>Una</u> donna, *la più anziana* di tutte, si è alzata e ha cominciato a protestare.

Il termine di confronto collettivo plurale è espresso da *tra/fra/di*:

> Il Lotto è *il concorso più giocato* <u>tra/fra/di</u> tutti i concorsi a premi.
> Questi sono *i più piccoli* <u>possibile</u>. (*possibile* è invariabile)

Rara e di tono enfatico, considerata un francesismo, è la costruzione con l'articolo ripetuto:

> È *la città la più accogliente* che io conosca.

Si noti che quando il superlativo relativo è seguito da una frase relativa, il verbo di questa viene usato al congiuntivo, nello stile formale:

> È *lo sport più pericoloso* che io *abbia* mai *praticato*.

mentre nel parlato colloquiale si tende a usare l'indicativo.

Comparativi e superlativi irregolari

Gli aggettivi che seguono, oltre alle forme regolari (tra parentesi), ne hanno altre che derivano da comparativi e superlativi latini.

Positivo	Comparativo di maggioranza		Superlativo relativo		Superlativo assoluto	
buono	migliore	(più buono)	il migliore	(il più buono)	ottimo	(buonissimo)
cattivo	peggiore	(più cattivo)	il peggiore	(il più cattivo)	pessimo	(cattivissimo)
grande	maggiore	(più grande)	il maggiore	(il più grande)	massimo	(grandissimo)
piccolo	minore	(più piccolo)	il minore	(il più piccolo)	minimo	(piccolissimo)
alto	superiore	(più alto)	il più alto		supremo	(altissimo)
basso	inferiore	(più basso)	il più basso		infimo	(bassissimo)

Nella maggior parte dei casi le due forme si equivalgono, anche se nelle forme irregolari prevale il senso figurato:

È *il migliore* di tutti.

Queste forme vengono usate come superlativo relativo:

Ho *la massima ammirazione* per lui. ("la più grande")

Non ho *il minimo dubbio* ("Il più piccolo")

È *superiore/inferiore* agli altri concorrenti nello stile libero.

Secondo termine di paragone

Io sono *più sportivo* **di** Carlo.

Gli italiani sono *meno sportivi* **degli** americani.

Gli italiani usano *più* la macchina **che** i servizi pubblici.

Gli italiani amano *più* guardare la TV **che** leggere.

Gli italiani sono *più* sedentari **che** dinamici.

Gli italiani hanno *meno* tempo libero **di quanto** si pensi.

È *superiore/inferiore* **a** lui.

Come potete osservare dagli esempi dati sopra, **il secondo termine di paragone** può essere introdotto da:

▶ **di** usato normalmente

▶ **che** quando i due termini sono confrontati direttamente, ovvero quando il confronto è tra parole della stessa categoria (due nomi, aggettivi, verbi, avverbi); in alcuni casi si può usare anche *di*

Uso più la televisione *che la/della* radio.

▶ **di quanto**, **di quello** seguiti da un verbo (tipo *credere, pensare, aspettarsi*) che può essere al congiuntivo, se si opta per uno stile formale

È arrivato più tardi *di quanto* (non) mi aspettavo/aspettassi.

Si noti l'uso del *non* pleonastico, cioè non necessario, che non nega il predicato della secondaria.

▶ **a** con i comparativi *superiore, inferiore*

Le sue ore di tempo libero sono inferiori *alle* tue.

Trapassato prossimo

Forma

io	avevo			ero	
tu	avevi			eri	partito/a
lui/lei/Lei	aveva	lavorato		era	
noi	avevamo			eravamo	
voi	avevate			eravate	partiti/e
loro	avevano			erano	

Il trapassato prossimo è un tempo composto da un ausiliare, *essere* o *avere*, all'imperfetto + il participio passato del verbo.

Uso

Il trapassato prossimo e il trapassato remoto vengono chiamati tempi 'relativi' in quanto sono usati soprattutto in relazione ad altri riferimenti temporali presenti nel discorso. Per questo fatto sono tipici delle proposizioni secondarie:

> Non sono andata al cinema   perché *avevo* già *visto* quel film.
> (principale)   (secondaria)

Il trapassato prossimo indica fatti **anteriori rispetto** a un punto d'osservazione già collocato nel **passato**. Questo termine di riferimento temporale, che può essere espresso da un verbo al passato prossimo, passato remoto o imperfetto, di solito è contenuto nello stesso periodo o in uno contiguo, ma può essere anche sottinteso nel discorso:

> <u>Aveva</u> sempre <u>frequentato</u> regolarmente finché un giorno non *venne* più.
> La settimana scorsa *ho* finalmente *ricevuto* la lettera che mi <u>aveva spedito</u> un mese prima.
> Non *avevo* fame perché <u>ero stata</u> male la sera prima.
> Sara non <u>era</u> mai <u>andata</u> all'estero. (prima di un momento passato di cui stavo parlando, che qui è sottinteso)

Il trapassato prossimo si trova spesso con gli avverbi *già, prima, non ancora* e con le congiunzioni temporali *quando, appena, dopo che* e causali *perché, siccome*:

> Ne *aveva già comprato* uno l'anno scorso.
> *Quando* la chiamai, *era già uscita*.

Non sempre per un'azione accaduta prima di un'altra è necessario usare il trapassato, dipende dall'intenzione comunicativa del parlante:

> Ha letto tutta la corrispondenza e poi è andato a letto.
> (il parlante non intende mettere in evidenza il rapporto di tempo tra le due azioni)
> È andato a letto *dopo che aveva letto* tutta la corrispondenza.
> È andato a letto *dopo aver letto* tutta la corrispondenza.
> (il parlante intende evidenziare il rapporto di anteriorità dell'azione del leggere)

Trapassato remoto

Il trapassato remoto nella lingua letteraria si usa come antecedente del passato remoto (soprattutto in frasi temporali):

> Dopo che lo *ebbero visto* telefonarono alla polizia.

Ha impieghi piuttosto rari, ed è sostituito nell'italiano parlato (soprattutto settentrionale) dal trapassato prossimo.

Aggettivi e pronomi indefiniti

Forma Gli indefiniti indicano esseri animati o cose non determinati, non definiti in senso quantitativo (o qualitativo).

AGGETTIVI (*aggettivi e pronomi)			
Maschile singolare	**Femminile singolare**	**Maschile plurale**	**Femminile plurale**
qualche	qualche		
*nessuno	nessuna		
*alcuno	alcuna	alcuni	alcune

Uso

Qualche Con "persone o cose" indica quantità indefinita ma limitata. Il verbo è alla III persona singolare:

> Per le strade della città di notte c'era solo *qualche* persona. (più di una, meno di molte)
> Pratica *qualche* sport.

Ha anche altri significati:
> "certo"
> > Un'opera di *qualche* rilievo.
> "qualsiasi"
> > Un *qualche* rimedio si dovrà pur trovare!

Nessuno, nessuna "Non uno, una", non ha il plurale:
– (prima del verbo)
> *Nessuno* è perfetto! *Nessuna* attività fisica le piace.

Ha le forme dell'articolo indeterminativo:
> **Nessun** viaggiatore può entrare senza passaporto.
> **Nessuno** straniero ha il permesso di entrare nella moschea.
> **Nessuna/Nessun'**agenzia guadagna meno del 20%.
> **Nessuna** stanza dell'albergo ha il telefono.

– (dopo il verbo) accompagnato da *non* + Verbo, sostituisce *alcuno*
> <u>Non</u> abbiamo incontrato **nessun** turista. (più frequente nel parlato)
> <u>Non</u> abbiamo incontrato **alcun** turista (più formale)

Alcuno, alcuna, alcuni, alcune – (al singolare)
> Non abbiamo incontrato **alcun** turista/americano. (solo nelle frasi negative; corrisponde a *nessuno* di cui è la variante più formale).

Ha le forme dell'articolo indeterminativo come *nessuno*:
> Non ho incontrato alc**un** viaggiatore straniero.
> Non pratica alc**uno** sport.
> Non fa alcuna/alc**un'**attività fisica.
> Non ha alc**una** conoscenza dell'inglese.

– (al plurale)

> Abbiamo perso l'autobus per colpa di *alcuni* ritardatari. (corrisponde a *qualche*)

In questa unità abbiamo anche notato che **qualunque** e **dovunque** (oltre a **qualsiasi**, **chiunque**) di solito sono seguiti da congiuntivo (cfr. Unità 11, p. 424).

> Ma c'è qualcosa, nell'italiano in viaggio, che lo rende quasi sempre inconfondibile, *dovunque* sia, *qualunque cosa* faccia.

Verbi impersonali

Si possono costruire impersonalmente, alla III persona singolare/plurale, i seguenti verbi:

accadere (+ *di*)	**mancare** (+ *di*)
importare (+inf./*di*)	**capitare** (+ *di*)
andare (+ *di* "mi va di...")	**piacere**
interessare (+inf./*di*)	**convenire**
bastare	**succedere** (+ *di*)
occorrere	**dispiacere**
bisognare	**toccare**

> Mi è *accaduto* di assistere a una rapina.
> Ti *va* di uscire? No, grazie, non mi va proprio.
> *Basta* prenotare in tempo.
> Mi è *capitato* di conoscere una guida molto simpatica.
> Ci *conviene* chiedere il rimborso.
> Gli *manca* (di fare) un esame.
> Mi è *toccato* studiare tutta l'estate.

Questi verbi ammettono un soggetto logico che non cambia però la persona del verbo (*mi conviene*; *ti conviene*; *vi conviene*).

Quelli che ammettono un oggetto diretto, vanno alla III persona plurale se il nome che segue è plurale:

> Mi *bastano* due borse grandi.   Mi *basta* una borsa grande.

Usi del congiuntivo (cfr. Tavole grammaticali, pp. 475-483)

Per le forme regolari e irregolari del congiuntivo presente, cfr. pp. 64-65.
Vi ricordiamo invece quelle di due verbi molto usati:

essere   sia, sia, sia, siamo, siate, siano
avere   abbia, abbia, abbia, abbiamo, abbiate, abbiano

Vi ricordiamo anche che il congiuntivo in generale è il modo della soggettività, della volontà, dell'incertezza, della possibilità.

Con verbi impersonali | Nei testi di questa unità abbiamo visto che il congiuntivo si usa quando il predicato della frase principale è **una costruzione di tipo impersonale**:

> *Bisogna che* Carlo riprenda ad allenarsi. (verbo con soggetto definito, "Carlo deve riprendere")

Bisogna riprendere ad allenarsi. (nella forma impersonale "si deve riprendere" si usa l'infinito)

Altre espressioni di questo tipo sono: *basta che, può darsi che, occorre che, si dice che, merita che, non importa che.*

Avverbi di quantità

Gli avverbi di quantità indicano in modo indefinito una quantità.

Ecco un elenco di alcuni di questi avverbi – quelli più in uso – ordinati secondo una scala di valori dal "niente" (–) al "moltissimo" (+):

(–) nulla	(per) niente	non ... affatto	appena	pochissimo	poco	
un po'	di poco	alquanto	abbastanza	sufficientemente	piuttosto	
quasi	parecchio	assai	tanto	molto	particolarmente	
moltissimo	troppo	eccessivamente (+)				

L'avverbio *nettamente* precede sempre un aggettivo al grado comparativo:

La percentuale di italiani che fa le vacanze in Italia è *nettamente superiore* a quella degli italiani che va all'estero.

Formazione di parola (cfr. Tavole grammaticali, pp. 484-490)
Aggettivi denominali

Per derivare aggettivi da nomi ci sono diversi suffissi:

▶ **-ale/** e le varianti **-ile/-are**
    un corso alla settimana → un corso settiman-**ale**
    una vacanza in primavera → una vacanza primaver-**ile**
    uno sport del popolo → uno sport popol-**are**

▶ **-ico**
    la vista che ha un bel panorama → la vista panoram-ica
    (in alcuni casi -ico sostituisce il suffisso della parola base: es. una vacanza con caratteri di esotismo → una vacanza esot-ica; in altri casi con il suffisso -ico si ha la modificazione della parola base: indagine che fa un'analisi → indagine analit-ica)

▶ **-atico** è variante di -ico
    un'avventura che si è conclusa con un dramma → un'avventura dramm-atica

▶ **-istico**
    un avvenimento del calcio → un avvenimento calc-istico
    (molti aggettivi in -istico derivano da nomi in -ismo, come automobil-istico da automobilismo, giornal-istico, real-istico, ideal-istico)

Nomi e aggettivi invariabili

I nomi (e gli aggettivi) invariabili, cioè che hanno la stessa forma al singolare e al plurale, si possono raggruppare nelle seguenti categorie:

▶ nomi che finiscono con vocale accentata	*la città – le città*
▶ nomi che hanno una sola sillaba (monosillabici)	*il re – i re*
▶ nomi femminili che finiscono in *-ie*	*la specie – le specie*
▶ nomi e aggettivi che finiscono in *-i*	*la crisi – le crisi*
▶ nomi che terminano in consonante (di solito sono parole straniere)	*il bar – i bar*
▶ nomi che risultano dall'abbreviazione di altri nomi	*la moto[cicletta] – le moto[ciclette]*

Preposizione (*da*)

Il valore fondamentale è quello di "provenienza":

> Vengo *da* Sondrio.

Altre sue funzioni sono:

▶ agente	Il film è prodotto *dalla* Sacher.
▶ causa con espressioni che indicano stati d'animo	Piangeva *dalla* contentezza. Rideva come un matto *dalla* felicità.
▶ origine, provenienza	Ho appreso la notizia *dalla* radio.
▶ fine, scopo	Gli italiani portano sempre gli occhiali *da* sole. Abito *da* sera, spazzolino *da* denti
▶ modo	Mi ha trattata *da* amica.
▶ qualità, condizione	Era un uomo *dal* cuore d'oro/*dagli* occhi azzurri. *Da* giovane ha giocato molto a pallone.

Inoltre, *da* + verbo all'infinito introduce:

▶ una frase consecutiva

> Ho una fame *da* morire.
> È un film *da* non perdere = "che non bisogna perdere" (cfr. Unità 10, p. 382)

▶ una frase finale

> Non ha voluto niente *da* bere.
> Ho portato un libro *da* leggere in viaggio. (cfr. Unità 9, p. 337)

Per il significato temporale, cfr. Unità 1, p. 32.

Coesione testuale (cfr. Tavole grammaticali, pp. 491-497)

Connettivi

Correlativi

Sia ... sia,
sia ... che...,
sia che ... sia che,
e ... e

Servono a correlare due elementi (parole, sintagmi, frasi) e si mettono davanti all'elemento a cui si riferiscono:

> È *sia* bello *sia* bravo. (formale)
> È *sia* bello *che* bravo. (meno formale)
> *Sia che* venga, *sia che* non venga, noi ci andiamo lo stesso.
> È passato *e* dal bar del centro *e* da quello in piazza.

Esplicativi

Ossia, ovvero
(formali)
cioè (informale)

Servono a spiegare, specificare quanto appena detto:

> È un novello Goethe, *ossia* viaggia sempre con guida e cartina in mano.

Il significato originario di *ovvero, ossia* è "o":

> Preferisci gli hobby ricreativi *ovvero* intellettuali?

Altri connettivi esplicativi formali sono *vale a dire, invero, in altre parole, detto altrimenti*.

Introdurre un tema

Per quanto
riguarda

Locuzione preposizionale che serve a introdurre, delimitare il tema di cui si sta parlando:

> *Per quanto riguarda* gli hobby creativi, ce ne sono di diversi tipi.

Altri connettivi testuali con la stessa funzione sono: *quanto a, relativamente a, per quanto concerne, rispetto a, se si considera, se consideriamo, prendiamo ora in considerazione, si prenda ora in considerazione, in riferimento a*.

Aggiungere un tema

Non ... neanche

È la forma negativa di *anche*; ha valore aggiuntivo "inoltre, in più, oltretutto".

> Non è venuto a trovarci e *non* ci ha *neanche* dato un colpo di telefono per salutarci.

■ **Unità tematica**	– il sistema scolastico italiano: due recenti riforme
■ **Funzioni e compiti**	– descrivere le regole di un gioco di società
	– esprimere giudizi e opinioni
	– esprimere desideri che riguardano gli altri
	– prendere appunti mentre si ascolta
	– scrivere un articolo di giornale
	– scrivere una pagina di diario
■ **Testualità**	– pronome relativo genitivo (*il cui, della quale*)
	– connettivi per aggiungere, ampliare (*nonché, inoltre*)
	– segnali discorsivi del parlato (*diciamo, ecco, insomma, appunto*)
	– connettivi per esemplificare (*per fare un esempio*)
	– uso delle domande retoriche (*Che cosa significa? Che questi 3 curricola...*)
■ **Lessico**	– aggettivi numerali che indicano la durata (*biennale*)
	– fraseologismi (*se la matematica non è un'opinione*)
	– nomi che derivano da verbi (*rendimento scolastico*)
	– parlare di scuola e università (*promosso, appello*)
	– gergo scolastico (*in bocca al lupo, mattone*)
■ **Grammatica**	– forma passiva
	– congiuntivo presente per esprimere opinioni e giudizi (*è evidente che*)
	– congiuntivo presente per esprimere desideri (*vogliamo che gli insegnanti...*)
	– alcuni aggettivi e pronomi indefiniti (*ogni, tutto/a/i/e, ciascuno, ognuno*)
	– preposizioni: *a, di, da*
■ **Strategie**	– uso di mappe concettuali per raccogliere idee su un tema o per realizzare un progetto
	– lettura esplorativa
	– ascolto intensivo
	– lessico: capire e dare definizioni
■ **Ripasso**	– morfologia nominale

↗ Entrare nel tema

▶ Da un'indagine condotta su un campione di 265 mila studenti quindicenni delle scuole secondarie di 32 paesi, risulta che oltre un quarto degli studenti dichiara che "la scuola è un posto dove si va controvoglia".

Voi che rapporto avete/avete avuto con la scuola? Concentratevi alcuni minuti da soli: raccogliete le idee con l'aiuto della mappa concettuale qui sotto, annotando i ricordi che vi vengono in mente. Poi raccontate al resto della classe.

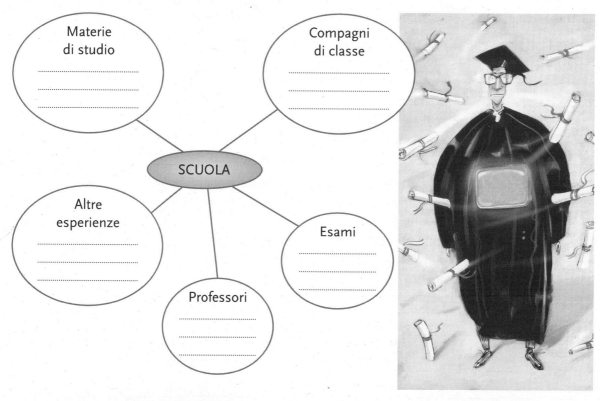

Materie
di studio
....
....
....

Compagni
di classe
....
....
....

SCUOLA

Altre
esperienze
....
....
....

Esami
....
....
....

Professori
....
....
....

1 Leggere

A Leggi questo articolo che parla del sistema scolastico italiano, e più precisamente dei contenuti della riforma Moratti approvata dal Governo (di Berlusconi, centro-destra) nel novembre 2002. Poi, completa la tabella alla pagina seguente.

Scheda / I contenuti della riforma Moratti
A scuola prima dei sei anni, subito lingue e informatica

Il ministro Letizia Moratti

Ecco in sintesi il contenuto del disegno di legge Moratti che ha ricevuto il via libera dall'aula di Palazzo Madama.   5
SCUOLA DELL'INFANZIA – Di durata triennale, concorre all'educazione e allo sviluppo affettivo, psicomotorio e sociale   10 dei bambini. Alla scuola dell'infanzia possono iscriversi anche i bambini e le bambine che compiono i tre anni entro il 30 aprile dell'anno scolastico di riferimento.   15
PRIMO CICLO – È costituito dalla scuola primaria, della durata di cinque anni, e dalla secondaria di primo grado della durata di tre anni.
SCUOLA PRIMARIA – Dura cinque anni come   20 le attuali elementari. Si potranno iscrivere facoltativamente alla prima classe anche i bambini di cinque anni e mezzo, mentre a sei anni l'iscrizione è obbligatoria. Già dalla prima classe verrà introdotto lo studio di   25 una lingua straniera tra quelle europee e l'uso del computer. Sarà articolata in un primo anno e due periodi didattici biennali. Viene abolito l'esame di quinta.
SCUOLA SECONDARIA DI PRIMO GRADO – Le   30 attuali medie. Dura tre anni. Verrà introdotto lo studio di una seconda lingua europea e verrà approfondito l'uso di tecnologie

informatiche. È poi previsto, nell'ultimo anno, un orientamento guidato per la scel   35 ta del percorso successivo. Il primo ciclo si chiude con un esame di Stato, il cui superamento costituisce il titolo di accesso al sistema dei licei e al sistema dell'istruzione e della formazione professionale.   40
SECONDO CICLO – È costituito dal sistema dei licei e della formazione professionale. Dal quindicesimo anno di età i diplomi e le qualifiche si possono conseguire in alternanza scuola-lavoro e attraverso   45 l'apprendistato. È comunque assicurato a tutti il diritto all'istruzione e alla formazione per almeno 12 anni o, comunque, sino al conseguimento di una qualifica entro il diciottesimo anno di età.   50
LICEI – Durano cinque anni. I ragazzi potranno scegliere tra otto indirizzi: artistico, classico, delle scienze umane, economico, linguistico, musicale, scientifico e tecnologico. Sarà articolato in due bienni   55 più un quinto anno di approfondimento disciplinare e di orientamento agli studi superiori. Si chiude con un esame di Stato il cui superamento rappresenta titolo necessario per l'accesso all'università e al   60 l'istruzione e formazione artistica e tecnica superiore.
ISTRUZIONE-FORMAZIONE PROFESSIONALE – Chi sceglie la formazione professionale potrà frequentare un quinto anno, al termi   65 ne del quale ci sarà un esame di Stato che

→

consentirà l'accesso all'università. È assicurata e assistita la possibilità di cambiare indirizzo all'interno del sistema dei licei, nonché di passare dal sistema dei licei al 70 sistema dell'istruzione e della formazione professionale e viceversa.

FORMAZIONE DEGLI INSEGNANTI – La formazione iniziale degli insegnanti "è di uguale dignità" per tutti i docenti e prevede per 75 tutti gli insegnanti lauree specialistiche seguite da un biennio di tirocinio .

VALUTAZIONE – La valutazione degli apprendimenti e del comportamento degli studenti è affidata ai docenti così come 80 quella dei periodi didattici, i bienni. Si è promossi o respinti ogni due anni. La qualità dell'offerta formativa e dei livelli di apprendimento verrà monitorata periodicamente e sistematicamente dall'Istituto 85 nazionale di valutazione.

Le precedenti riforme della scuola risalivano al 10 febbraio 2000 (riforma Berlinguer e De Mauro) e al 1962 (riforma Gentile).

(adattato da «La Repubblica», 13 novembre 2002)

La riforma della scuola			
Ciclo scolastico	**Durata in anni**	**All'età di**	**Esame finale**
– Scuola dell'.................... (facoltativa)	....	2,5 (facoltativo)	....
Primo ciclo			
– Scuola		(facoltativo)	....
– Scuola secondaria	....		....
Secondo ciclo			
– Licei	....		....
– Formazione	....		....

B. Indica se le seguenti informazioni sono vere (V) o false (F). V F
1. L'ultimo anno della scuola dell'infanzia è obbligatorio. ☐ ☐
2. La scuola primaria è articolata in un biennio e un triennio. ☐ ☐
3. L'insegnamento della lingua straniera verrà introdotto a 11 anni. ☐ ☐
4. Gli studenti devono scegliere tra liceo e formazione professionale a 15 anni. ☐ ☐
5. Tutti hanno l'obbligo di studiare per 12 anni. ☐ ☐
6. Dall'età di 15 anni si possono alternare scuola e *stage* lavorativi. ☐ ☐
7. Si può passare dal liceo alla formazione professionale e viceversa. ☐ ☐
8. Ogni due anni verrà fatta la valutazione del profitto. ☐ ☐
9. Chi sceglie la formazione professionale non ha accesso all'università. ☐ ☐

C. Spiega perché la riforma si chiama «riforma Moratti».

2 Lessico

A Trova dei sinonimi per le parole evidenziate nel testo di pp. 111-112, scegliendo tra quelli in elenco.

☐ 1. costituito
☐ 2. didattici
☐ 3. accesso
☐ 4. alternanza
☐ 5. conseguimento
☐ 6. consentirà
☐ 7. tirocinio
☐ 8. monitorata

a. controllata
b. entrata
c. permetterà
d. formato
e. di insegnamento
f. addestramento pratico
g. successione
h. raggiungimento

B Che cosa significano le seguenti espressioni metaforiche presenti nell'articolo di pp. 111-112? Cerca un sinonimo.

1. (righe 3-4) ha ricevuto il via libera ....
2. (riga 5) di palazzo Madama ....

C Nell'articolo di p. 111-112 si trovano parecchi aggettivi numerali. Osserva l'esempio e completa.

ESEMPIO

▶ La scuola secondaria di primo grado ha durata *triennale* (= di tre anni).

Come si dice:

di due anni ....   di quattro anni ....
di cinque anni ....   di dieci anni ....

D Qual è il contrario di:

1. Scienze è una materia <u>obbligatoria</u>. ....
2. Marco è stato <u>promosso</u>. ....

3 Coesione testuale

A Indica a che cosa si riferisce il pronome relativo sottolineato nelle frasi seguenti, tratte dal testo di pp. 111-112. Poi rispondi alla domanda.

1. (righe 36-39) Il primo ciclo si chiude con un esame di Stato, <u>il cui</u> superamento costituisce il titolo di accesso al sistema dei licei. ....
2. (righe 64-67) Chi sceglie la formazione professionale potrà frequentare un quinto anno, al termine <u>del quale</u> ci sarà un esame di Stato che consentirà l'accesso all'università.

....

Quando si usano queste costruzioni relative?

Articolo + *cui* + Nome   ....
Nome + *del/della quale, dei/delle quali*   ....

▸E 6   **B**   Unisci le due frasi con il pronome relativo.

> **ESEMPIO**

> ▸ Molti criticano la riforma Moratti. La sua approvazione è giunta ieri dal Governo.
> Molti criticano la riforma Moratti *la cui* approvazione è giunta ieri dal Governo.

1. Il primo ciclo è costituito dalla scuola primaria. La sua durata è rimasta invariata.
2. Già a partire dalla scuola primaria si studierà una lingua straniera. La sua padronanza diventerà sempre più necessaria per i futuri cittadini europei.
3. Le "medie" saranno organizzate in un biennio seguito da un terzo anno. Il suo obiettivo sarà l'orientamento e il raccordo con le superiori.
4. Gli studenti si cimenteranno anche con le tecnologie informatiche e Internet. Il loro uso è indispensabile per il curriculum scolastico e le professioni future.
5. Il miglioramento della situazione economica ha determinato un aumento del livello di scolarizzazione dei giovani. Il suo tasso è vicino al 100% nella scuola materna ed elementare.
6. La riforma prevede l'alternanza scuola-lavoro. La sua introduzione consentirà agli studenti di imparare direttamente negli ambienti dove si elabora il saper fare (reparti industriali, uffici).

C   Che cosa significa il connettivo sottolineato che hai trovato nel testo di pp. 111-112?

(righe 67-72)

È assicurata e assistita la possibilità di cambiare indirizzo all'interno del sistema dei licei, nonché di passare dal sistema dei licei al sistema dell'istruzione e della formazione professionale e viceversa.

....

4   Parlare

Confrontare i sistemi scolastici

A   Lavorate in coppia. Dopo aver letto l'articolo sul sistema scolastico italiano, confrontatevi su come è strutturata la scuola nel vostro Paese di provenienza. Usate come termine di confronto i dati raccolti nella tabella dell'esercizio A di p. 112.

5   Esplorare la grammatica

Forma passiva

A   Nel testo di pp. 111-112 in cui si parla dei contenuti della riforma della scuola vengono usati molti passivi. Leggi queste frasi tratte dal testo e prova a ragionare sul perché viene scelta la forma passiva invece di quella attiva.

(righe 24-26)   Già dalla prima classe <u>verrà introdotto</u> lo studio di una lingua straniera.
(righe 82-86)   La qualità dell'offerta formativa e dei livelli di apprendimento
                <u>verrà monitorata</u> periodicamente [...] dall'Istituto nazionale di valutazione.

B   Con che funzione viene usato il *si* nella frase che segue?

(righe 43-46)   Dal quindicesimo anno di età i diplomi e le qualifiche <u>si</u> possono conseguire in alternanza scuola-lavoro e attraverso l'apprendistato.

C   Rileggi il testo e cerca almeno altri 4 casi di passivo.

....

....

1, 2, 3   **D**   Completa questo testo coniugando i verbi nella forma passiva o nella forma attiva.

Come cambia la scuola

(*Innalzare*) (1) .... ad almeno 12 anni complessivi il diritto-dovere all'istruzione e alla formazione. La riforma Moratti (*confermare*) (2) .... in cinque anni la durata dei licei; la valutazione del profitto (*fare*) (3) .... ogni due anni; ci sarà inoltre il tirocinio obbligatorio e la formazione in servizio per i docenti; (*nascere*) (4) .... il liceo economico e il liceo musicale.

Al compimento dei 15 anni, all'apprendistato si (*aggiungere*) (5) .... la possibilità di *stage* in realtà sociali, culturali e del mondo produttivo, sotto la responsabilità delle istituzioni scolastiche e formative. (*Garantire*) (6) .... l'accesso all'università anche per chi effettua corsi professionali di durata almeno quadriennale, con un ulteriore anno di studio e l'esame di Stato. (*Confermare*) (7) .... la valutazione periodica e annuale effettuata dai docenti; (*introdurre*) (8) .... ogni due anni la valutazione del profitto, per cui si è promossi o respinti ogni due anni.

6   Reimpiego

Descrivere le regole di un gioco (o sport)

A   Lavorate in coppia. Leggete le regole di questo gioco di società, facendo attenzione all'uso della forma passiva e del *si* passivante. Poi scegliete un gioco o uno sport tipici del vostro paese e, a turno, spiegate al compagno le sue regole. Cercate di usare la forma passiva.

La Dama italiana

2 giocatori, 1 gioco di dama

Le 40 pedine (20 bianche e 20 nere) vengono disposte sulle caselle nere e sono separate da due file di caselle vuote. Le pedine possono solo essere mosse in avanti ma la dama, cioè la pedina che giunge sul lato opposto della scacchiera, può essere spostata anche all'indietro.

In caso di presa multipla vanno osservate le seguenti regole:

– è obbligatorio prendere un numero massimo di pedine nemiche;

– se una pedina e una dama hanno la stessa possibilità di presa, si dovrà muovere quest'ultima.

È ammesso "soffiare" i pezzi. In caso di mancata osservanza delle regole precedenti, viene "soffiata" la pedina o dama che non ha effettuato la mossa, non quella che ha giocato.

Se un giocatore perde senza aver ottenuto nemmeno una dama, non ha diritto alla rivincita.

(M. Basset-Clidière, *Giochi da fare in casa*, Pan Libri, Milano 1990)

7 Ascoltare

Ascolto intensivo

›8 "Esaminiamo invece Coffaro..."

CD1

Il film di Daniele Luchetti *La scuola* (1995) è una commedia che ritrae in modo ironico la scuola italiana di oggi. Il frammento che ascolterete riguarda il consiglio di classe riunito nell'ultimo giorno di scuola per decidere la promozione o la bocciatura degli studenti. Il caso che i professori e il preside stanno esaminando è quello di Coffaro, studente problematico e molto chiuso, difeso dal professor Vivaldi e preso invece di mira dal professor Sperone.

DATA _____

" Oggi alle 13.35 si è riunito il consiglio di classe della sezione IV A per procedere allo scrutinio finale.
Erano presenti: Vivaldi italiano e storia, Maiello fisica, Lugo inglese, Mortillaro francese, Fantozzi religione, Sperone e il Preside "

A Ascolta più volte e cerca di individuare quali, tra i punti di vista elencati sotto, vengono sostenuti dai professori del consiglio di classe.

☐ 1. La scuola si assume la responsabilità di formare i professionisti del futuro e quindi non può regalare le promozioni.

☐ 2. La bocciatura aiuta lo studente a maturare.

☐ 3. La bocciatura diminuisce la stima di sé.

☐ 4. Se uno studente è vicino alla sufficienza bisogna incoraggiarlo e promuoverlo.

☐ 5. La valutazione è una questione rigorosa, matematica.

☐ 6. C'è chi è nato per studiare e chi è nato per zappare.

☐ 7. Se la scuola non riesce a promuovere tutti, fallisce nel suo obiettivo.

☐ 8. Bisogna premiare gli sforzi fatti dagli studenti e rispettare i loro tempi.

☐ 9. Nel giudizio globale bisogna tener conto dei problemi personali.

☐ 10. Nella decisione di promuovere o bocciare bisogna tener conto della media della classe.

E voi cosa ne pensate delle opinioni espresse sopra sui criteri di valutazione del rendimento scolastico? Discutetene con la classe.

B Analizza queste frasi tratte dall'ascolto precedente e indica quali mezzi linguistici vengono usati per:

a. concludere, riassumere il senso del discorso
b. aprire, attaccare il discorso
c. attenuare la forza di ciò che si dice

☐ 1. "Ora se permettete passerei ai casi, diciamo, più complessi. Questo Cardini è veramente un disastro..."

☐ 2. "Posso dire una cosa personale? Ecco, anch'io una volta sono stata bocciata in quarta ginnasio, è stata una cosa tremenda, una vergogna, un'umiliazione che sono diventata piccola piccola e non sono cresciuta più..."

☐ 3. "Eh, poi, inoltre, devo dire che qui, purtroppo, qualcuno gioca a stimolare l'aggressività. Insomma noi dobbiamo partire dal *background* di questo ragazzo..."

C Analizza i fraseologismi sottolineati, usati dal Professor Sperone, e spiega il loro significato e la loro funzione:

PRESIDE   Lei, professore, gli ha messo tre di media...

PROF. SPERONE   <u>Il registro parla chiaro</u>, preside, scusate, 4 in aprile, 2 in marzo, 2 in maggio e 2 in giugno. Posso avere la tua calcolatrice [rivolgendosi ad una collega], 4 + 2 + 2 + 2 fa 10 diviso 4 fa 2,5, <u>se la matematica non è un'opinione</u>, quindi io con il 3 mi sono mantenuto larghetto, <u>se non le spiace</u>...

1. ....   2. ....   3. ....

8 Reimpiego

Esprimere giudizi e desideri

A Riformula queste opinioni sulla scuola iniziando la frase con l'espressione tra parentesi. L'espressione di giudizio *è + aggettivo* vuole il congiuntivo, che è il modo per esprimere le opinioni personali.

ESEMPIO

▶ Con la riforma Moratti si ripristinano due scuole: una per chi può continuare a studiare e l'altra per l'addestramento al lavoro subito, fin dai 13-14 anni.
È vergognoso che con la riforma Moratti *si ripristinino* due scuole.

1. Si cancella così l'obbligo scolastico. (*è grave che*)
2. L'anticipo non è coerente con l'idea della materna come "vera scuola". (*è evidente che*)
3. I bambini cominciano lo studio di una lingua straniera all'età di sei anni. (*è giusto che*)
4. La valutazione verrà fatta ogni due anni. (*è assurdo che*)
5. Dai 15 anni gli studenti possono frequentare *stage* in azienda, enti pubblici e privati. (*è positivo che*)
6. I ragazzi sono già obbligati a scegliere tra scuola e formazione professionale alla fine della scuola media. (*è pericoloso che*)
7. Nella realtà alcuni professori bersagliano senza motivo certi studenti. (*è ingiusto che*)
8. Non si può essere bravi in tutte le materie. (*è normale che*)
9. In classe la disciplina va imposta con l'autorità. (*è sbagliato che*)

B Esprimi questi desideri che riguardano la scuola come nell'esempio, usando il congiuntivo in dipendenza del verbo *volere* e di altri verbi con significato simile come *desiderare, pretendere, esigere, chiedere.*

Scuola: i desideri di studenti, insegnanti e genitori

`ESEMPIO`

▶ Il governo deve destinare più risorse alla scuola (almeno il 6% del prodotto interno lordo, al posto dell'attuale 4,8%).
  Vogliamo che il governo *destini* più risorse alla scuola.

1. Gli insegnanti devono essere pagati di più.
2. La scuola non deve ricalcare il modello aziendalistico.
3. Tutti gli studenti devono avere le stesse possibilità di successo scolastico.
4. Gli insegnanti devono essere meno severi.
5. La scuola deve offrire più attività extrascolastiche, come gite, sport e corsi di teatro.
6. Le università italiane devono dotarsi di *campus* e strutture di accoglienza per gli studenti che si spostano dalla casa d'origine.
7. I docenti dovrebbero spiegare in modo più chiaro.
8. Gli studenti stranieri dovrebbero essere seguiti da un tutor.
9. Gli insegnanti devono dare meno contenuti nozionistici e concentrarsi maggiormente sulla metodologia di studio.
10. Gli studenti devono diventare autonomi nell'abilità di studio e di valutazione critica degli eventi.
11. C'è troppa competitività tra i compagni di classe.
12. Ci danno troppi compiti da fare a casa.
13. Mio figlio è intelligente ma si impegna poco.
14. La professoressa di italiano rimprovera sempre ingiustamente mia figlia.
15. Le note disciplinari non dovrebbero esistere!
16. Gli studenti sono troppo legati al voto! Studiano per il voto e non per se stessi e il loro arricchimento culturale!

C Lavorate in gruppo. Come dovrebbe essere per voi la scuola ideale? Che cosa vorreste eliminare e cosa vorreste creare di nuovo nell'organizzazione scolastica? Che cosa fa la qualità della scuola? Che cosa aiuta il piacere di andare a scuola e il rendimento scolastico? Esponete al resto della classe le idee che avete raccolto.

> Potete usare:
> • eliminerei, creerei
> • si va a scuola sorridendo se, si va bene a scuola se
> • voglio che, desidero che
> • penso che, ritengo che, bisogna che, è giusto che, è grave che

9 Leggere

Lettura esplorativa

A Prima di leggere questo testo, che fornisce alcuni dati sul tasso di scolarità in Italia, fai le tue previsioni riguardo alle seguenti domande:

– Ci sono in Italia bambini che non vanno a scuola?
– Su 100 studenti quanti oltre l'obbligo scolastico frequentano la scuola superiore?
– Qual è il corso di laurea più scelto dagli studenti italiani?
– Trova più in fretta lavoro chi è diplomato o chi è laureato?

B Leggi il testo e completa la tabella che segue.

Istruzione

Le scuole italiane, per effetto del calo demografico, sono sempre meno affollate: nell'anno scolastico 1999-2000, gli alunni delle scuole materne, elementari, medie e superiori sono stati complessivamente 8 730 486, circa 25 mila in meno rispetto all'anno scolastico 1998-99. Ma il miglioramento della situazione economica ha determinato un aumento del livello di scolarizzazione dei giovani. Il tasso di scolarità, vicino al 100% nella scuola materna ed elementare, risulta in costante ascesa anche nelle scuole secondarie superiori, passando negli ultimi cinque anni dall'80 all'84,1%.

Nell'anno accademico 1999-2000 l'università registra un numero di immatricolati pari a 295 832 unità, con una diminuzione complessiva del 4,6% rispetto al precedente anno accademico. Complessivamente la popolazione universitaria è salita leggermente, ora è pari a 1 684 992 studenti. Il numero dei laureati, seppure sempre inferiore rispetto ai paesi più

avanzati, continua a crescere e nell'anno accademico 1999-2000 è giunto a 139 108 contro i 108 mila del 1995-96. Tra i corsi il gruppo economico-statistico, con 26 764 laureati, è quello che fa registrare il maggior numero di neo dottori, mentre il gruppo agrario si ferma a 2726.

Per quanto riguarda l'inserimento lavorativo dei giovani, le indagini condotte mostrano che la probabilità di trovare un'occupazione cresce all'aumentare dell'investimento formativo. A poco più di tre anni dal conseguimento del titolo, infatti, lavora il 71,6% dei laureati rispetto al 44,9% dei maturi. La differenza è rilevante, ma va considerato che molti giovani che terminano la scuola superiore proseguono gli studi scegliendo di iscriversi all'università, pertanto dopo tre anni sono ancora studenti.

(da www.istat.it)

Tasso di scolarità	scuola materna e elementare ....
	scuola secondaria superiore ....
Università	1999-2000: .... di immatricolati
	studenti totali: .... di un milione e mezzo
	dal 1995 al 2000: il numero dei .... è aumentato
	la maggioranza dei neo dottori ha una laurea in ....
Lavora dopo tre anni	.... di laureati
	.... di maturi (con titolo di scuola superiore)

C   Lavorate a piccoli gruppi e commentate questo diagramma a torta che sintetizza il livello di istruzione in Italia della popolazione tra i 25 e i 64 anni (fonte Istat, 2001).

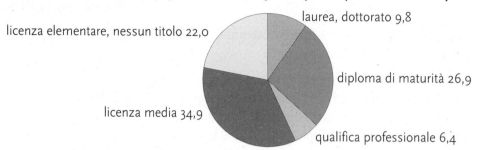

licenza elementare, nessun titolo 22,0

laurea, dottorato 9,8

diploma di maturità 26,9

licenza media 34,9

qualifica professionale 6,4

10 Esplorare la grammatica

Nomi che derivano da verbi

A   Cerca nel testo di p. 119 i nomi che derivano da verbi, come "il *miglioramento* della situazione economica" (dal verbo *migliorare* con il suffisso *-mento*). Ci sono altri 9 nomi deverbali; annotali e scrivi a fianco il suffisso usato.

ESEMPIO

▶ miglioramento → -mento

Nomi deverbali (v → N)	Suffisso
1.	
2.	
3.	
4.	
5.	
6.	
7.	
8.	
9.	

▶E 4   **B**   Trasforma queste frasi sostituendo il verbo sottolineato con un nome deverbale. Fai attenzione all'uso della preposizione richiesta dal nome che indica l'azione o il risultato.

ESEMPIO

▶ La scuola concorre a <u>educare</u> i bambini.
La scuola concorre all'*educazione dei* bambini.

1. A sei anni è previsto di <u>introdurre</u> una prima lingua straniera europea.
2. Alla fine della scuola primaria è previsto di <u>abolire</u> l'esame di Stato.
3. Per <u>accedere</u> all'università è necessario <u>superare</u> l'esame di Stato.
4. Nella scuola primaria non è previsto di <u>bocciare</u> gli alunni.
5. C'è il diritto di <u>conseguire</u> una qualifica entro il diciottesimo anno di età.
6. È possibile <u>passare</u> dal sistema dèi licei a quello della formazione professionale.
7. Ai docenti spetta di <u>valutare</u> l'apprendimento.
8. <u>Bocciare</u> gli studenti non aiuta a <u>far crescere</u> la loro autostima.
9. Nel <u>valutare</u> gli studenti bisogna tener conto anche dei loro problemi personali e familiari.

11 Ascoltare

Prendere appunti

›9 "La laurea specialistica invece..."

Ascolta più volte la Prof.ssa Piera Molinelli che, in un incontro di orientamento con gli studenti della scuola superiore, introduce i principali cambiamenti della riforma universitaria.

CD1 Ad ogni ascolto svolgi una delle attività proposte.

A Prendi appunti delle tre principali novità introdotte dalla riforma universitaria di cui parla la Prof.ssa Piera Molinelli. Sintetizza con un titolo ciascuna novità. Poi confronta i tuoi appunti con quelli di un compagno.

I.
_____

_____

2.
_____

_____

3.
_____

_____

B Riascolta con attenzione e completa la tabella.

Anno di attuazione della riforma: ....

Titolo di studio	Durata	N. crediti
Laurea di primo livello	....	....
Laurea di secondo livello	....	....
Master	....	....
Credito	.... ore di lavoro	

C Indica se le seguenti affermazioni sono vere (V) o false (F).

	V	F
I. La riforma universitaria non riguarda la laurea in Medicina.	☐	☐
2. La laurea triennale è più professionalizzante della laurea specialistica.	☐	☐
3. Il Master è un titolo di studio superiore al Diploma di Specializzazione.	☐	☐
4. Per ogni esame lo studente riceve solamente un certo numero di crediti e non più un voto.	☐	☐
5. Per ogni laurea di primo livello sono previste più specializzazioni possibili.	☐	☐

12 Coesione testuale

A Dopo aver lavorato sui contenuti della riforma universitaria (p. 121), riascolta il discorso della Prof.ssa Molinelli e fai attenzione ad alcuni connettivi testuali e segnali discorsivi caratteristici di un testo orale espositivo.

1. Che espressioni usa la parlante per:

	Nel testo ascoltato	Altre
a. aggiungere informazioni	....	....
b. sottolineare il punto centrale del discorso appena fatto	....	....
c. esemplificare	....	....

2. Con l'aiuto dell'insegnante aggiungi altre espressioni equivalenti per ciascuna funzione testuale.

B La parlante usa nel suo discorso due volte la domanda retorica, fatta cioè non per avere una risposta. Con quale scopo?

– *"Perché diciamo complessivamente?* Perché nella laurea specialistica dovrebbero confluire i 180 crediti di una laurea di primo livello a cui si aggiungono i 120 appunto del percorso degli ultimi due anni".

– *"Che cosa significa?* Che questi tre curricola hanno un percorso comune e poi delle aree caratterizzanti".

La DOMANDA RETORICA serve a ....

13 Lessico

Vita universitaria e linguaggio giovanile

A Ecco alcune parole utili per poter "muoversi" all'interno dell'organizzazione didattica universitaria. Associa le parole della lista A alla loro definizione (lista B).

Lista A	Lista B
☐ 1. laurea	a. corso di perfezionamento scientifico superiore al conseguimento della laurea
☐ 2. facoltà	b. ore di lavoro e studio da parte dello studente
☐ 3. master	c. percorso formativo diversificato all'interno di un corso di laurea
☐ 4. (CFU) credito formativo	d. punteggio ottenuto in una interrogazione o esame universitario
☐ 5. curriculum/curricula (plur.)	e. università
☐ 6. voto	f. lavagna alla quale vengono esposti avvisi e informazioni per gli studenti

□ 7. matricola

g. unità didattica che organizza e coordina tutti gli insegnamenti di un certo settore finalizzati al conseguimento di un titolo accademico

□ 8. aula

h. massimo rappresentante dell'università

□ 9. bacheca

i. titolo di dottore al termine del corso di studi universitario

□ 10. ateneo

l. studente iscritto al primo anno del corso di laurea

□ 11. rettore

m. luogo in cui si svolgono le lezioni

□ 12. appello

n. programma delle discipline e degli esami da sostenere per il conseguimento del titolo accademico

□ 13. piano di studio

o. dissertazione scritta su un argomento attinente alle discipline studiate, discussa con il relatore al termine del corso di studio di fronte a una commissione

□ 14. tesi di laurea

p. turno di una sessione di esami universitari

B Completa questi microdialoghi inserendo le espressioni del gergo studentesco e del linguaggio giovanile che trovi di seguito.

> strizza   il primo della classe   mattoni   in bocca al lupo
> cannato   lecchino   bigiato   secchione

1. • Dove stai andando così di corsa?

   – A fare l'esame di Diritto internazionale in aula 22.

   • Ah, allora ....!

   – Crepi!

2. • Lo dicono tutti che sei un ....

   – Meglio essere uno sgobbone come me che un copione come te, carissimo!

3. Marco è veramente intelligente, pur non studiando molto è ....

4. Smettila di essere così falso con la prof di matematica, solo per ottenere la sua simpatia e avere voti più alti! Sei un vero ....!

5. Ha .... perché doveva essere interrogato ma non si era preparato.

6. Per l'esame di Psicologia generale devo preparare due .... di 300 pagine l'uno.

7. • Allora, sei pronto per l'esame?

   – Taci che c'ho una ....!

8. • Com'è andato lo scritto di matematica?

   – Ah, male, penso di aver .... la prima parte.

C A piccoli gruppi, con l'aiuto del dizionario, date una definizione di queste discipline accademiche.

CORSO DI LAUREA IN ECONOMIA E COMMERCIO

✓ Diritto
✓ Informatica
✓ Marketing internazionale
✓ Ragioneria generale
✓ Statistica

CORSO DI LAUREA IN LETTERE
✓ Archivistica
✓ Editoria multimediale
✓ Filologia romanza
✓ Glottologia
✓ Pedagogia generale

14 Esplorare la grammatica

Aggettivi e pronomi indefiniti

A Nei testi orali e scritti di questa unità abbiamo incontrato due indefiniti. Sottolineali e di' se sono aggettivi o pronomi. Quale ha il significato di "ogni" e quale di "ognuno"?

1. Ciascun credito formativo misura il lavoro dello studente in aula e a casa.
2. Ciascuno deve fare la propria parte se vogliamo riuscire nell'impresa.

Completa queste frasi scegliendo tra *ciascuno* e *ognuno*.

1. _____ deve fare quello che ritiene opportuno per superare l'esame.

2. _____ studente può scegliere tra diversi curricula all'interno dello stesso corso di laurea.

3. Per _____ anno di corso lo studente deve accumulare 60 crediti.

4. _____ è libero di scegliere se frequentare prima il modulo A o il modulo B.

5. A _____ studente del primo anno viene assegnato un numero di matricola e dato il libretto universitario sul quale fare registrare la votazione degli esami sostenuti.

6. Nella sede nuova dell'università _____ aula è dotata di computer collegati in rete.

7. _____ pensi a cosa si può fare per migliorare l'organizzazione dell'attività didattica.

8. _____ matricola deve presentare una relazione per il seminario di Glottologia.

9. Per _____ anno sono previsti, nel corso di laurea in Lingue e Letterature straniere, 8 esami obbligatori.

10. I docenti in ruolo nelle università italiane sono 52 000, ovvero _____ di questi insegna in media a 32 studenti.

15 Parlare

A **Raccontarsi.** Avete 5 minuti di tempo per raccogliere le idee, prendendo qualche appunto scritto di ciò che vorreste raccontare. Poi formate delle coppie e a turno cominciate a raccontare. Potete scegliere tra:

– la storia della vostra classe e dei vostri compagni;
– una gita scolastica memorabile;
– le attività extracurricolari organizzate all'interno della scuola (teatro, sport, giornalismo, cinema) alle quali avete preso parte;
– un momento rituale légato alla vita/carriera scolastica, che pensate sia caratteristico del vostro Paese d'origine (l'alzata della bandiera, la discussione della tesi di laurea).

B **Risolvere problemi.** Come vi comportereste o come vi siete comportati trovandovi nelle situazioni "spinose" qui descritte:

– qualcuno ha sottratto dalla cartella dell'insegnante di greco una copia del compito in classe per il giorno dopo e l'ha offerta a tutti i compagni di classe;
– due ragazzi della vostra scuola sono stati colti a baciarsi nei bagni durante le ore di lezione;
– la macchina del professore di matematica, che era in sosta nel parcheggio della scuola, viene trovata bruciata.

C **Discutere i pro e i contro.** Formate per alzata di mano due schieramenti, uno favorevole e uno contrario al tema sul quale avete scelto di discutere. Poi confrontatevi, in un primo momento, in coppia con un compagno che la pensi diversamente da voi e, in un secondo momento, con il gruppo classe, eleggendo un moderatore del dibattito. Potete discutere di:

– la religione come materia di insegnamento nelle scuole elementari (i contenuti, l'obbligatorietà, da chi deve essere fatta, le alternative);
– l'insegnamento del latino (serve, a che cosa serve, modi e forme nuove di insegnarlo);
– abolire i voti (valore e peso della valutazione, proposte alternative).

16 Scrivere

A **Un articolo di giornale (testo argomentativo).** La prima prova scritta della maturità italiana prevede la stesura di un tema o articolo di giornale o breve saggio o analisi letteraria. Prova a cimentarti in questo tipo di prova, scrivendo un testo argomentativo, ovvero un testo in cui devi esprimere le tue opinioni su un determinato tema, proponendo una tesi e degli argomenti che la sostengano. Qui di seguito trovi un esempio tratto dalla maturità del 2001-2002.

Scrivi un articolo di giornale per un settimanale di cultura e costume come Famiglia Cristiana. *Leggi i documenti che trovi sotto e, partendo da alcune idee che ti sembrano rilevanti, costruisci il tuo pezzo. Argomenta la tua opinione e dai all'articolo un titolo che ritieni appropriato.*

Argomento
Conoscenza, lavoro e commercio nell'era di Internet

Documenti

1) Supplemento a «Panorama», 15 novembre 2001
   "Dal lavoro interinale a quello su Internet. Non più solo annunci sui quotidiani o sulle bacheche delle agenzie. Per chi è alla ricerca di un impiego o desidera cambiare lavoro le proposte non mancano. Grazie anche alle immancabili "partnership", parola che indica le collaborazioni tra le agenzie di reclutamento web con siti e portali, sia italiani sia esteri. (...) Pensati per chi cerca un impiego o vuole cambiarlo, gli indirizzi di ricerca del personale sono uno strumento rapido per fare incontrare la domanda con l'offerta".

2) A. Grando, *Commercio elettronico e progettazione logistica. Una relazione sottovalutata*, Milano 2001.
   "Il commercio elettronico consiste nello svolgimento di attività di business in via elettronica. Esso è basato sulla elaborazione e trasmissione di dati, inclusi testi, suoni e immagini. Comprende una molteplicità di attività, inclusive di attività commerciali di beni e servizi, trasferimenti elettronici di fondi, scambi commerciali elettronici, fatturazione elettronica, aste di vendita, progettazione e sviluppo collaborativo tra partner. Esso comprende sia prodotti (ad esempio, beni di consumo o attrezzature specializzate), sia servizi (ad esempio servizi informativi, finanziari e legali); attività tradizionali (ad esempio cure mediche, formazione) e nuove (ad esempio centri commerciali virtuali)".
   (European Commission 1997)

3) Intervento di Umberto Eco al forum "Informazione, conoscenza e verità" (adattato da «La Stampa», 30 ottobre 2000)
   "Cosa accade ora con Internet. La stampa ha reagito bene al fenomeno, con il quotidiano *on line* che ha alcuni vantaggi: permette di avere subito le notizie importanti ed è utilissimo come archivio perché permette di consultare i numeri precedenti. Tutti però sappiamo come consultiamo il quotidiano *on line*: leggiamo il sommario, individuiamo i temi che ci interessano, clicchiamo su quel dato articolo, ma non dedichiamo alla lettura sul computer il tempo che dedicheremmo alla lettura integrale del quotidiano".

TESTO ARGOMENTATIVO
Un articolo di giornale

Per scrivere l'articolo puoi procedere in questo modo:
- **Lista**: raccogli tutte le idee e informazioni sull'argomento che ti v...
  notale scrivendo una lista o costruendo una mappa concettuale.
- **Scaletta**: organizza logicamente le idee che hai raccolto facendo una sca...
  introduzione, svolgimento e *chiusura.*
- **Revisione**: dopo aver scritto l'articolo rileggilo più volte e fa' i seguenti controlli: c...
  to logico delle idee, paragrafatura, punteggiatura, grammatica (qualche tuo "punto d...
  ortografia.

Ecco, inoltre, una lista di connettivi utili per costruire un testo argomentativo:

> **conseguenza**: *perciò, per cui, per questo, dunque, quindi, pertanto, di conseguenza*
> **argomentazione:**
> opinione + argomento: *perché, in quanto*
> argomento + opinione: *siccome, poiché, dato che, visto che, considerato che*
> **contro-argomento**: *benché, sebbene, nonostante, malgrado* (+ congiuntivo), *anche se*
> **riserva**: *a meno che, tranne che, purché, a patto che* (+ congiuntivo)

B **Una pagina di diario.** Leggete e commentate con l'insegnante questa pagina di diario tratta da *Il giornalino di Gian Burrasca*. Gian Burrasca è il soprannome dato dalla famiglia a Giannino Stoppani a causa del suo comportamento molto irrequieto. Col tempo è diventato un modo di definire tutti i ragazzini "discoli" (Sei un Gian Burrasca!).

5 dicembre

Ieri avevo portato a scuola una boccettina d'inchiostro rosso che avevo trovato sulla scrivania del babbo... Io ho sempre detto che sono un gran disgraziato, e lo ripeto. Infatti guardate: io porto a scuola una bottiglietta d'inchiostro rosso proprio nel giorno in cui alla mamma del Betti viene in mente di mettergli una golettona inamidata di due metri; e lei mette al suo figliuolo quella golettona proprio nel giorno che mi viene il capriccio di portare a scuola una bottiglia d'inchiostro rosso.

Basta. Non so come mi è venuta l'idea di utilizzare la goletta del Betti, la quale era così grande, così bianca, così luccicante... e intinta la penna dalla parte del manico nell'inchiostro rosso, piano piano perché il Betti non sentisse, gli ho scritto sulla goletta questi versi:

Tutti fermi! tutti zitti,
Ché se vi vede *Muscolo*
Siete tutti fritti!

Poco dopo il professor *Muscolo* ha chiamato il Betti alla lavagna, e tutti leggendo su quella bella goletta bianca scritti questi tre versi in un bel color rosso, hanno dato in una grande risata.

Da principio *Muscolo* non capiva, e non capiva nulla neppure il Betti, proprio come l'altra volta quando gli misi la pece sotto i calzoni che gli rimasero attaccati sulla panca. Ma poi il professore lesse i versi e diventò una tigre.

Andò subito dal Preside il quale, al solito, venne a fare un'inchiesta.

Io nel frattempo avevo fatto sparire la boccettina dell'inchiostro rosso nascondendola sotto la base di legno del banco; ma il Preside volle far la rivista delle cartelle di tutti noi, che stavamo di posto dietro al Betti [...] e nella mia trovò la penna col cannello tinto di rosso.

– Lo sapevo che era stato lei! – mi disse il Preside – come fu lei a metter la pece sotto i calzoni dello stesso Betti... –

(Vamba, *Il giornalino di Gian Burrasca*, Giunti, Firenze 1997)

...cca a te scrivere una pagina di diario in cui racconti, sul filo della memoria, un'avventura successa nella tua classe o nella tua scuola alla quale hai preso parte. Per la stesura di un testo narrativo che racconta fatti passati puoi riferirti a p. 18.

17 Navigando

A Ecco alcuni siti che potrebbero esserti utili per approfondire qualche aspetto legato al "pianeta scuola" italiano.
  - istituzionale (sito ufficiale del Ministero dell'Istruzione, dell'Università e della Ricerca): **www.murst.it**
  - se vuoi consultare il sito di qualche università italiana devi inserire "uni + sigla città. it": per esempio **www.unibg.it** per l'Università di Bergamo
  - generali: **www.istruzione.it**, **www.edscuola.com**
  - per partecipare a forum o dibattiti su tematiche specifiche: **www.studenti.it**
  - per l'esame di maturità: **www.guidamaturita.it**, **www.matura.it**

B **Organizzare una gita scolastica**. Lavorate a piccoli gruppi. Dovete realizzare un progetto: organizzare una gita scolastica a Roma cercando tutte le informazioni necessarie su Internet. Completate questa mappa concettuale per raccogliere le idee su che cosa fare e poi dividetevi i compiti.

Ecco alcuni siti che vi possono essere utili:
http://www.abcroma.com, **http://guide.supereva.it/capitali_europee/roma_ed_italia** (con una lista di siti sulla capitale).
Alla fine del lavoro di ricerca fate una relazione sintetica (scritta o orale) in cui presentate il vostro progetto di gita scolastica affinché il comitato direttivo possa scegliere il migliore.

Esercizi

1 **Trasforma le seguenti frasi da attive a passive.**

ESEMPIO

▶ Questa mattina il Consiglio dei Ministri ha approvato il disegno di legge sulla riforma della scuola.

Questa mattina il disegno di legge sulla riforma della scuola *è stato approvato* dal Consiglio dei Ministri.

1. Si potranno iscrivere alla scuola d'infanzia i bambini prima dei tre anni.

   ....

2. Daranno più spazio all'insegnamento delle lingue e dell'informatica.

   ....

3. Il ministro aveva già illustrato i contenuti della legge in un forum per docenti e studenti.

   ....

4. Hanno abolito il tempo pieno. Chi lo vorrà dovrà pagarselo.

   ....

5. Hanno sostituito le Magistrali con il liceo delle Scienze Umane.

   ....

6. Allo scientifico non si farà più latino ma informatica e nuove tecnologie.

   ....

7. Nella scuola dell'obbligo si promuovono tutti.

   ....

8. Ieri il consiglio di classe ha esaminato il caso dello studente Cardini.

   ....

2 **Trasforma seguendo l'esempio.**

ESEMPIO

▶ In treno *si deve rispettare* il divieto di fumare.
In treno il divieto di fumare *va rispettato*/In treno *va rispettato* il divieto di fumare.

1. Si deve spedire la domanda di ammissione entro la fine del mese.

   ....

2. Si dovranno programmare più biblioteche sul territorio.

   ....

3. In quell'occasione si dovevano prendere misure più restrittive.

   ....

4. Nella scuola elementare si deve incentivare il piacere della lettura.

   ....

5. Per avere la tessera si deve versare una cauzione di 15 euro.

   ....

6. Nelle edicole si devono vendere libri più interessanti e recenti.

   ....

3 **Trasforma i verbi tra parentesi alla forma passiva.**

1. Il corso è aperto a italiani e stranieri. Alla fine del corso (*rilasciare*) .... un attestato di frequenza agli studenti che avranno regolarmente frequentato le lezioni.

2. Un diploma (*potere conseguire*) .... a seguito della presentazione, discussione e approvazione di una dissertazione scritta.

3. Il tema della dissertazione (*concertare*) .... con i docenti del corso.

4. Per l'iscrizione al corso inviare una domanda. In caso di urgenza la domanda (*potere inviare*) .... a mezzo telefax 075/5732014.

5. Il pagamento (*dovere effettuare*) .... a favore dell'Università per Stranieri - Perugia.

6. Alla domanda (*allegare*, con significato di «dovere») .... : una foto e l'attestazione in fotocopia dell'avvenuto pagamento; altre tre foto (*richiedere*) .... all'arrivo.

7. Le domande per le borse di studio (*dovere spedire*) .... entro il 31 maggio a mezzo «lettera raccomandata-via aerea».

8. Nella formazione della graduatoria (*dare*) .... precedenza agli aspiranti che nei due anni anteriori non abbiano ottenuto una borsa di studio con fondi comunque elargiti da questa Università.

9. Ai vincitori (*dare*) .... tempestiva comunicazione. Questi (*tenere*) .... a dare conferma della loro partecipazione al corso a mezzo telegramma.

10. I borsisti possono alloggiare alla Casa dello studente; la richiesta (*inviare*, con significato di «dovere») .... all'Università per stranieri e (*potere allegare*) .... alla domanda di borsa di studio.

4 **Completa questo testo costruendo con i suffissi i nomi che derivano dal verbo messo tra parentesi.**

Programma scambi internazionali in università

Il Programma Erasmus, attivato dal 1987, ha promosso la (*cooperare*) *cooperazione* tra le Università nei diversi Stati Membri della Comunità Europea con la mobilità degli studenti, del personale docente e la (*realizzare*) (1) .... in comune di un certo numero di programmi di (*insegnare*) (2) ....
Dall'anno accademico 1997/98 il Programma Socrates (che coinvolge tutti i livelli di istruzione nella Comunità Europea) prevede nell'ambito di Erasmus (azione riguardante solamente l'istruzione superiore) la (*proseguire*) (3) .... e l'(*ampliare*) (4) .... di attività già affermate (mobilità degli studenti, dei docenti, programmi intensivi, (*sviluppare*) (5) .... dei programmi didattici) e (*aggiungere*) (6) .... di iniziative nuove, (*incaricare*, plurale) (7) .... di docenza Erasmus, corsi di (*perfezionare*) (8) .... post-laurea, ECTS – sistema della Comunità Europea di (*trasferire*) (9) .... dei crediti accademici –, moduli europei, corsi integrati di lingue e reti telematiche).

Il Programma Socrates/Erasmus prevede un (*contribuire*) (10) .... agli studenti universitari affinché possano svolgere parte del loro curriculum nelle Università di un altro paese europeo, con il pieno e integrale (*riconoscere*) (11) .... da parte dell'Università di provenienza.

(da *Guida dello studente*, Università degli Studi di Bergamo, anno 2002-2003)

5 **Leggi questo breve testo e osserva l'uso degli aggettivi indefiniti evidenziati:**

Ogni + nome singolare
Tutto/i/a/e + articolo + nome

La nuova maturità

Ed eccoci a un'altra grande novità, i voti in centesimi: un massimo di 15 punti per **ogni prova** scritta (3 in tutto), fino a 35 per quella orale, un *budget* di 20 per i crediti scolastici e formativi, per un totale di ben 100 punti da raggiungere!
Il punteggio minimo per guadagnare la promozione è invece di 60/100.

Non esiste più, infine, l'ammissione alla maturità: sono ammessi automaticamente a sostenere l'esame di Stato **tutti gli alunni** che abbiano frequentato l'ultimo anno di corso della scuola superiore.

(da www.guidamaturita.it)

Completa ora le frasi scegliendo tra *ogni* e *tutto, tutti, tutta, tutte* seguiti se necessario dall'articolo opportuno.

1. Marco ha già fatto .... compiti per domani.

2. Per Natale vorremmo fare un piccolo regalo a .... professore.

3. .... candidato ha la possibilità di scegliere tra diversi tipi di testi scritti: il saggio, la trattazione di un argomento di carattere storico, un tema culturale e un'analisi di un testo letterario.

4. Quest'anno .... classe di mio figlio ha deciso di non partecipare alla gita scolastica.

5. Nel campo della qualificazione post-laurea .... facoltà collaborano con altre università per l'istituzione di corsi per il conseguimento del Dottorato di Ricerca.

6. Il Consiglio degli studenti è organo di rappresentanza di .... studenti a livello di Ateneo.

7. Il Rettore rappresenta l'università a .... effetto di legge.

8. A .... alunno in situazione di *handicap* viene assegnato un tutor.

9. L'associazione universitaria A.E.G.E.E., che è presente in più di 250 città universitarie, promuove .... attività studentesca che aiuti l'integrazione culturale tra studenti universitari italiani e stranieri.

10. Ho finito .... esami, mi manca solo la tesi.

6 Collega le due frasi con un pronome relativo, come nell'esempio.

ESEMPIO

▶ Siamo andati a trovare dei signori. *La loro casa* si trova vicino allo stadio.
Siamo andati a trovare i signori *la cui casa/la casa dei quali* si trova vicino allo stadio.

1. Beppe Grillo è un comico. *Le sue battute*, seppur pungenti, piacciono a tutti.

2. Abbiamo scelto l'agenzia di via Paleocapa. *La sua proposta* era la più conveniente e affidabile.

3. Il telespettatore vincerà un premio. *Il suo biglietto* verrà estratto.

4. Nel nostro viaggio abbiamo incontrato molti bambini. *I loro genitori* sono morti durante la guerra.

5. Silvio si è fidanzato con una ragazza. *Suo padre* (della ragazza) è deputato al Parlamento Europeo.

6. Le comunità vanno tutelate. *La loro lingua* è minoritaria.

7. Nell'entroterra della Liguria si trovano dei paesi. *Il loro dialetto* è assolutamente incomprensibile.

8. Sto frequentando un corso di Sociologia tenuto da un docente. *Le sue lezioni* sono molto stimolanti.

9. Ho conosciuto una studentessa giapponese. *La sua conoscenza* della lingua italiana era di altissimo livello.

10. Hanno comprato una casa molto spaziosa. *Nella sua taverna* terranno dei corsi di yoga per bambini.

7 Completa questo testo scegliendo tra le seguenti preposizioni: *a, di, da*, semplici o articolate.

Profilo storico dell'ateneo di Padova

L'Università di Padova, con Bologna, Parigi, Oxford e Cambridge, è una delle più antiche d'Europa. La sua fondazione risale (1) .... 1222, anno in cui un folto gruppo di maestri e scolari abbandonò lo Studio bolognese trasferendosi (2) .... Padova, libero comune cittadino, sin (3) .... secolo XII sede di scuole umanistiche e di diritto, che garantiva più larghe e sicure condizioni per il rispetto (4) .... libertà e (5) .... privilegi universitari.

Secondo il modello bolognese, in consonanza con le forme e l'ethos giuridico della civiltà comunale fiorente nell'Italia centro-settentrionale, lo Studio di Padova non era istituito per decreto imperiale, pontificio o regio come altre università, ma si costituiva autonomamente come *universitas scholarium*, libera corporazione di scolari che si governava con proprie leggi (statuti), riconosciute (6) .... autorità civile. Sin (7) .... sue origini lo Studio ebbe un carattere internazionale. Maestri e studenti provenivano (8) .... ogni parte d'Europa e d'Italia; all'interno dell'università gli scolari erano raggruppati in diverse *nationes*, secondo le rispettive provenienze. Le nazioni "oltramontane" erano nove: germanica, boema, polacca, ungherese, provenzale, borgognona, inglese, scozzese e catalana (comprendente tutti gli spagnoli); dodici erano quelle italiane e una "oltremarina".

Il Rettore, eletto (9) .... Università degli studenti tra i suoi membri, aveva giurisdizione sopra gli scolari e i professori, e vigilava sulla disciplina e sull'osservanza dei privilegi. (10) .... stesso corpo studentesco spettava originariamente il diritto di eleggere i professori, pagati nei primi tempi con denaro raccolto tra gli scolari. Da parte sua il comune padovano emanava leggi a favore dello Studio e concorreva (11) .... spese; una magistratura cittadina aveva il compito (12) .... curare i rapporti con l'università e (13) .... sovrintendere (14) .... suo buon andamento.

(dalla *Guida dello studente* 2000/2001)

Vercelli 1228 Pavia 1361 Padova 1222
Verona 1339
Torino 1405 Piacenza 1248 Ferrara 1391
Parma 1502 Bologna 1391
Firenze 1349
Pisa 1473 Arezzo 1215 Urbino 1564
Siena 1246
Perugia 1308
Roma
Univ. della Curia 1244-45
Stadium Urbis 1303
Napoli 1224 Salerno 1231
Sassari 1556
Cagliari 1596
Messina 1549
Catania 1443

Anno di fondazione delle principali università italiane

Ripasso

1 Ripassiamo un po' la morfologia nominale, ovvero le desinenze di nomi e aggettivi. Completa questo testo mettendo gli articoli, le preposizioni articolate e le desinenze corrette.

Studiare tanto non significa necessariamente studiare bene e con efficacia.

Ci sono persone che ottengono risultati mediocri pur passando la vita sui libri e chi, (1) .... stesso esame, lo prepara in una settimana. La differenza di risultato dipende solo (*da*) (2) .... metodo di studio e non (*da*) (3) .... tempo speso (*su*) (4) .... libri. Se non sapete da dove cominciare per rivoluzionare il vostro metodo, iniziate (*da*) (5) .... guida del Cedos (www.cedocs.it/versione_it/ i_memorizzare.htm). Qui trovate le tecnic (6) .... per prendere appunti e riassumerli, imparare a studiare e memorizzare, fare ogni tipo di schem (7) .... , i consigli per (8) .... tema di italiano e per superare (9) .... paura. E per chi cerca un consiglio (*da*) (10) .... specialista, c'è anche (11) .... filo diretto con (12) .... psicologo. Ottimo anche il sito www.studiofacile.org che, in 31 lezion (13) .... , spiega come funziona (14) .... mente, la concentrazion (15) .... , come prepararsi (*a*) (16) .... studio, descrive le tecnic (17) .... per ricordare e il metodo migliore per ripassare.

Studiare in compagnia

La condivision (18) .... (*di*) (19) .... stati d'animo (*in*) (20) .... studio è un altro elemento importante per tenere lontano (21) .... stress. Studiare con uno o più amic (22) .... aiuta a rielaborare il material (23) .... imparato, a non perdersi in un mare di parole e a sdrammatizzare (24) .... tensione da interrogazione e da esam (25) ....

Inutile dire che la mattina presto offre le ore miglior (26) .... per studiare perché il cervello è ricettivo e fresc (27) .... La sera approfittatene per distrarvi perché se state (*su*) (28) .... libri fino a tardi e ve li portate anche a letto (magari portateci qualcun altro) potete stare certi che il riposo non sarà (*di*) (29) .... migliori e che i sogni (o (30) .... incubi!) riguarderanno tutto quell (31) .... che avete appena studiato.

(da www.studenti.it)

Test

1 Completa questo testo coniugando i verbi tra parentesi nella forma passiva.

Riconoscimento titolo accademico straniero

Gli studenti italiani, comunitari e non comunitari, legalmente soggiornanti in Italia, possono presentare direttamente all'Università, entro il 5 novembre 2002, le istanze di riconoscimento di titoli accademici stranieri, purché la domanda e i documenti prescritti (*vidimare*) (1) .... dalle competenti rappresentanze diplomatiche italiane competenti per territorio.

La domanda al rettore, su carta legale da € 10,33, (*dovere corredare*) (2) .... da:

- titoli e documenti comprovanti gli studi secondari e universitari compiuti all'estero, debitamente tradotti e legalizzati;
- documento contenente esatte informazioni circa la natura e il valore degli studi compiuti e dei titoli conseguiti all'estero;
- certificato di identità personale contenente tutte le generalità, rilasciato dalla rappresentanza italiana all'estero, ovvero dichiarazione sostitutiva di certificazione;
- ricevuta del versamento di €26,00.

Gli studenti non comunitari residenti all'estero dovranno presentare la domanda alle Rappresentanze diplomatiche italiane entro il termine che (*indicare*) (3) .... con circolare ministeriale.

La prova di conoscenza della lingua italiana (*dovere sostenere*) (4) .... esclusivamente da studenti non comunitari residenti all'estero.

(da Guida dello studente, Università degli studi di Bergamo, a.a. 2002-2003)

→ **/4 punti**

---

2 Completa questo testo costruendo con i suffissi i nomi che derivano dal verbo messo tra parentesi.

La nuova maturità

Il nuovo esame di Stato, introdotto nel 1998, sta gradualmente entrando a pieno regime con l' (*attuare*) (1) .... di tutte le novità previste.

A partire dal giugno 1999, infatti, la maturità ha cambiato faccia: le novità più sostanziali riguardano in primo luogo la strutturazione delle prove scritte e lo (*svolgere*) (2) .... del colloquio, ma interessano anche l'introduzione di crediti, la (*votare*) (3) .... , l' (*ammettere*) (4) .... all'esame.

Per quanto riguarda la formazione delle commissioni, si prevede che siano formate tutte da membri interni, con l'eccezione del presidente, che rimane esterno.

Per crediti formativi e scolastici, altra *new entry* della maturità riformata, si intende la (*valutare*) (5) .... :

- del (*rendere*) (6) .... scolastico dello studente negli ultimi tre anni;
- di tutte le esperienze personali di carattere culturale, artistico, sportivo acquisite anche al di fuori della scuola.

Insomma, tutto ciò che fa cultura, nel senso più ampio del termine, viene premiato con un bonus di fino a 20 punti!

(da www.guidamaturita.it)

→ **/6 punti**

---

3 Trasforma queste frasi unendole con il corretto pronome relativo.

1. La riforma universitaria non riguarda le facoltà di medicina e veterinaria. La loro durata è rimasta di 5-6 anni.

2. Per conseguire la laurea in qualsiasi disciplina è richiesta una lingua straniera europea. La sua conoscenza viene misurata con test previsti dalle certificazioni internazionali, come il PET per l'inglese.

3. La quota di popolazione, il suo livello di istruzione è scarso (22% con licenza elementare o nessun titolo), è ancora piuttosto elevata, anche se per buona parte si tratta di persone che non partecipano più attivamente al mercato del lavoro.

4. Sono in crescita i giovani iscritti ai corsi di laurea in Scienze della Comunicazione. Loro intendono prepararsi al mercato del lavoro in settori. Questi settori vanno dall'editoria a Internet, dal giornalismo agli uffici stampa e relazioni con il pubblico.

→   /5 punti

4 **Trasforma queste frasi cominciando con l'espressione data tra parentesi.**

1. L'età media della laurea per uno studente italiano è pari a 26,5 anni. (*È incredibile che*)

....

2. Il 25% degli studenti iscritti all'università abbandona gli studi al primo anno. (*È preoccupante che*)

....

3. Per il conseguimento della laurea di qualsiasi tipo è obbligatorio lo studio di almeno una lingua straniera europea. (*È giusto che*)

....

4. L'età media di inserimento nel mercato del lavoro dei giovani laureati sarà anticipata. (*Gli studenti vogliono che*)

....

5. La scuola deve dotarsi di maggiori attrezzature sportive. (*Gli studenti chiedono che*)

....

6. Il lavoro straordinario all'interno della programmazione scolastica va riconosciuto con incentivi adeguati. (*Gli insegnanti vogliono che*)

....

→   /6 punti

5 **Completa questo testo scegliendo tra *ogni* e *tutto, tutta, tutti, tutte*, seguiti se necessario dall'articolo opportuno.**

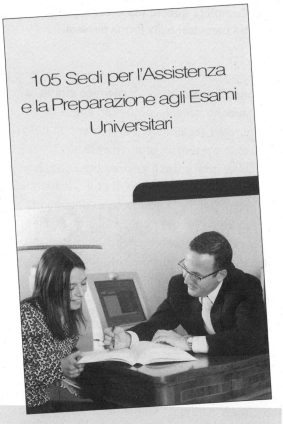

105 Sedi per l'Assistenza e la Preparazione agli Esami Universitari

Lezioni individuali e personalizzate per la preparazione agli esami di (1) .... corsi di laurea.

La nostra società, con le sue 105 sedi, è vicina agli studenti di (2) .... città e fornisce assistenza personalizzata, con un tutor per (3) .... allievo, a chi intende sostenere gli esami presso le università italiane.

Con noi lo studente universitario ha una guida costante e qualificata, un tutor che lo segue passo a passo nella preparazione di (4) .... esami.

La maggior parte degli studenti preparati da noi supera gli esami al primo appello e, qualora l'esito di una prova fosse negativo, ti prepareremo gratuitamente per presentarti agli altri esami.

→   /4 punti

6 Completa queste frasi scegliendo tra i seguenti connettivi:

> insomma   diciamo   nonché
>
> appunto   inoltre

1. I corsi *on line*, o didattica a distanza, permettono anzitutto di eseguire esercizi, leggere testi e accedere a glossari.

   .... si possono ottenere valutazioni sul raggiungimento di livelli crescenti di competenza.

2. Con *l'e-learning* si favoriscono gli studenti-lavoratori e si dà l'opportunità di recuperare lezioni o esercitazioni perdute,

   .... si va incontro a tutti coloro che, per svariati motivi, non possono essere presenti fisicamente sul luogo dove i corsi vengono tenuti.

3. Ho seguito i corsi all'università di Pesaro, che sono corsi di un'università di alto livello, sono riuscita a laurearmi con risultato positivo e quindi ho una formazione teorica,

   .... , ben conclusa.

4. Quattro scuole su cinque in Italia sono in ritardo sugli standard di sicurezza richiesti dalla legge 626. Nessuno rischia la vita, ma in un sacco di scuole mancano impianti antincendio, porte antipanico, scale di emergenza. Per esempio su circa 2000 edifici tra Milano e provincia è quasi impossibile, ... , trovarne una a norma.

5. Nella mia scuola mancano le attività extrascolastiche, ... il dialogo con i professori sull'attualità.

> → /5 punti

7 Completa queste frasi con la parola appropriata scegliendo tra le seguenti:

> triennale   appelli   crediti   bacheca
>
> mi sono laureato   promozione
>
> piano di studio   l'esame di maturità
>
> punteggio   tesi

1. .... in Lingue e Letterature Straniere il 28 novembre del 1986.

2. Nel nuovo esame di maturità occorre raggiungere il .... minimo di 60/100 per guadagnare la promozione.

3. Sto concludendo la .... e ho in programma di laurearmi nella sessione estiva.

4. La laurea ha durata ....

5. Per ogni materia sono previsti tre .... orali e scritti.

6. Secondo il .... nel terzo anno devo ottenere 25 crediti frequentando insegnamenti curricolari che appartengano a tre diverse aree, quella socio-antropologica, teorico-metodologica e psicologica-filosofica.

7. Per informazioni sul ciclo di esercitazioni di Didattica della Lingua Italiana, siete pregati di consultare la .... della stanza 14 di Piazza Vecchia.

8. Per il conseguimento della laurea specialistica lo studente deve aver acquisito 300 ....

9. Nella scuola primaria, secondo la riforma Moratti, la .... è garantita a tutti gli alunni.

10. Dal 1999 in Italia è cambiato .... , che ora è strutturato in tre prove scritte e un colloquio orale.

> → /10 punti

> →punteggio totale   /40 punti

Sintesi grammaticale

Passivo

Nella forma attiva il soggetto del verbo è l'**agente** della frase:

Marco ha fatto i compiti.

Nella forma passiva il vero "agente" della frase non è il soggetto, ma il complemento, che si chiama infatti **complemento d'agente**:

I compiti sono stati fatti *da Marco*.

Forma

I verbi transitivi si possono volgere da attivi a passivi usando l'**ausiliare** *essere* e il **participio passato**; il complemento oggetto dell'attivo diventa soggetto del passivo e il soggetto dell'attivo diventa complemento d'agente del passivo:

Anna *ha corretto* i temi.

I temi *sono stati corretti* da Anna.

L'ausiliare va coniugato nello stesso tempo e modo del verbo della frase attiva e il participio passato accordato in genere e numero con il soggetto:

Attivo	Passivo
Carlo legge i fumetti.	I fumetti *sono letti* da Carlo.
Tutti seguiranno la partita.	La partita *sarà seguita* da tutti.
Ugo comprava sempre il pane.	Il pane *era* sempre *comprato* da Ugo.
Assassinarono Kennedy nel 1963.	Kennedy *fu assassinato* nel 1963.
La ditta ci aveva dato un regalo.	Un regalo ci *era stato dato* dalla ditta.
Quando la casa editrice avrà stampato il libro, te lo manderò	Quando il libro *sarà stato stampato* dalla casa editrice, te lo manderò.

Con i verbi modali si può mettere al passivo il verbo infinito che segue il modale:

Uno straniero non può leggere un testo così difficile.	Un testo così difficile non *può essere letto* da uno straniero.

La costruzione perifrastica non può essere usata nella forma passiva:

Carlo sta scrivendo un saggio.

*Un saggio sta essendo scritto da Carlo.

Ausiliari

Oltre al verbo *essere* si possono usare come ausiliari:

▶ **venire:** solo con i tempi semplici; dà un significato dinamico, sottolinea l'azione

La porta *venne spalancata* dal vento.

▶ **andare:** solo con i tempi semplici; dà un significato di obbligo, necessità

La lettera *va finita* per domani. ("deve essere finita")

Casi come *La porta è aperta* (che sono normali passivi) di solito sono interpretati come **copula + aggettivo** (come se fosse *La porta è grande*), con riferimento allo stato della porta e non all'azione di aprirla.

Posizione del soggetto della frase passiva	– (S + V) Normalmente il soggetto del passivo precede il verbo: La casa *è stata costruita* nel 1985.

– (V + S) Se il soggetto della frase passiva è indeterminato tende a essere messo dopo il verbo:

Alla fine del corso *verrà rilasciato* un attestato di frequenza.
Su ciascun numero *verranno recensiti* circa 120 titoli.

Uso	Di solito il passivo si usa **quando l'agente non è espresso**:

È stato bocciato in quinta elementare.
La riforma dei cicli scolastici *è stata varata*.

Nel parlato medio, in cui il passivo non ha un largo uso, in questi casi si preferisce il *si* **passivante** (cfr. Unità 5, p. 179):

In quel liceo *si* insegna anche il tedesco. (= *è insegnato*)

Il passivo si usa anche quando si vuole **enfatizzare l'oggetto dell'azione** (che con la costruzione passiva viene ad assumere il ruolo di soggetto grammaticale):

I libri *sono stati rovinati* dall'umidità.
invece di: L'umidità ha rovinato i libri. (Dove è in evidenza l'agente dell'azione)

Nel parlato colloquiale, in questi casi, al passivo si preferisce una sorta di costruzione attiva invertita, chiamata **dislocazione a sinistra**, in cui si mette in primo piano l'oggetto diretto ripreso dal pronome atono corrispondente (cfr. Unità 7, p. 257):

I libri li ha rovinati l'umidità.

Pronomi relativi

I pronomi relativi servono a mettere in "relazione" una frase secondaria con una frase principale, sostituendo un gruppo nominale (nome o pronome) incluso in questa:

Ho incontrato Pino *che* andava a scuola. (*che* sostituisce il nome *Pino*)

I pronomi relativi sono:

Che	invariabile, con funzione di soggetto e oggetto.

Ho comprato un libro *che* parla di gerghi.
(*il libro* parla di = soggetto)
Sto leggendo un libro *che* mi ha regalato mia zia.
(mia zia mi ha regalato *il libro* = oggetto)

Cui	invariabile, con funzione di complemento, preceduto da preposizione.

I ragazzi con *cui* studi sono simpatici.
(studi *con ragazzi* = complemento di compagnia)
La città in *cui* vivo è piccola.
(vivo *nella città* = complemento di luogo)

Il libro *di cui* ti ho parlato è esaurito.
Il treno *su cui* ho viaggiato era vuoto.

In funzione di complemento indiretto può essere usato anche senza *a* (uso tipico dei registri formali):

La persona *cui* (*a cui*) mi sono rivolta era molto gentile.
(mi sono rivolta *alla persona* = complemento indiretto)

Il/la quale,   Variabili, con funzione di soggetto; con la preposizione articolata in funzione di com-
i/le quali   plemento:

Conosco una signora, *la quale* può aiutarti.
I ragazzi *con i quali* studi sono simpatici.
La città *nella quale* vivo è piccola.
Il libro *del quale* ti ho parlato è esaurito.

Sono usati meno di *che* e *cui*.
In funzione di soggetto sono limitati al linguaggio formale (scritto) e si usano di solito con le relative appositive (esplicative, aggiuntive) messe tra virgole:

Si è rivolto a un amico, *il quale,* l'ha aiutato.

A volte servono a mettere meglio in evidenza il nome che sostituiscono:

Ho incontrato il figlio di Anna, *il quale* (*il figlio*, non *Anna*) lavora in banca.

Funzione   Se il pronome ha funzione di genitivo (valore di complemento di specificazione) ci so-
di genitivo   no due possibilità:

Ho conosciuto un signore. Sua moglie (la moglie *del signore*) insegna nella mia scuola.
1. Ho conosciuto un signore *la cui* moglie insegna nella mia scuola.
2. Ho conosciuto un signore la moglie *del quale* insegna nella mia scuola. (più formale)

Sono opere. Dalle pagine (*di queste opere*) traspare il pessimismo dell'autore.
1. Sono opere *dalle cui* pagine traspare il pessimismo dell'autore. (trasparire *da*)
2. Sono opere *dalle* pagine *delle quali* traspare il pessimismo dell'autore. (più formale)

Usi colloquiali   Nel parlato e nello scritto colloquiale si usano spesso queste costruzioni:

Il giorno *che* siamo arrivati c'era il sole. (*in cui*, complemento di tempo)
La scuola *dove* insegno è un centro. (*in cui*, complemento di luogo)

Per i pronomi doppi (*chi* = le persone che), cfr. Unità 5, p. 184; per le frasi relative con congiuntivo, cfr. Unità 5, p. 178.

Indefiniti

Forma Gli indefiniti indicano esseri animati o cose non determinati, non definiti in senso quantitativo (o qualitativo).

Aggettivi (*aggettivi e pronomi)				Solo pronomi
Masch. Sing	**Femm. Sing.**	**Masch. Plur.**	**Femm. Plur.**	
*tutto	tutta	tutti	tutte	ognuno/ognuna
ogni	ogni			
*ciascuno	ciascuna			

Uso

Ogni Con "persone o cose" + verbo alla III persona singolare:
Aggettivo
> *Ogni* studente deve ritirare l'apposito modulo in segreteria.
> *Ogni* proposta è stata esaminata con attenzione.
> *Ogni due mesi* si deve fare un test di verifica. (con valore distributivo)

Tutto/i/a/e *Aggettivo* (normalmente *tutto* si lega al nome con l'articolo o l'aggettivo dimostrativo):
> Queste regole valgono per *tutti* gli studenti.

In alcune espressioni si usa senza l'articolo:
> Te lo dico *in tutta confidenza*.
> Ti faccio il favore *di tutto cuore*.
> Andavano *a tutta velocità*.

> Per chi hai comprato *tutte* queste cartoline?!
> Sono partiti *tutti* e due? (se dopo c'è un numerale tra i due bisogna mettere una *e*)

Pronome
> Ho sentito *tutto*.

Ciascuno/a (ogni persona)
Aggettivo (equivale a *ogni*, che è più usato)
> *Ciascun* candidato dovrà portare con sé il libretto. (*Ogni* candidato dovrà portare con sé il libretto.)

ATTENZIONE: *Ciascuno* ha le forme dell'articolo indeterminativo:
> *Ciascuno* studente può scegliere tra diversi indirizzi.

Pronome
> *Ciascuno* può esprimere la propria idea.
> *Ciascuna delle candidate* ha superato l'esame. (con espressione di valore partitivo)

Ognuno/a (ogni persona)
Pronome
> *Ognuno* è libero di decidere come crede.
> *Ognuna di voi* può scegliere tra queste due discipline.

Usi del congiuntivo (cfr. Tavole grammaticali, pp. 475-483)

Per le forme regolari e irregolari del congiuntivo presente, cfr. Unità 2, pp. 64-65.
Vi ricordiamo invece quelle di due verbi molto usati:

essere   sia, sia, sia, siamo, siate, siano
avere   abbia, abbia, abbia, abbiamo, abbiate, abbiano

Vi ricordiamo anche che il congiuntivo in generale è il modo della soggettività, della volontà, dell'incertezza, della possibilità.

Non dimenticate inoltre che con il congiuntivo **il soggetto della frase secondaria** normalmente è **diverso** da quello della frase principale:

Spero che mio figlio *si iscriva* all'università. (se i soggetti sono diversi → congiuntivo)
Spero *di iscrivermi* all'università. (se i soggetti sono uguali → *di* + infinito)

Nei testi di questa unità abbiamo visto che il congiuntivo si usa quando il predicato della frase principale esprime:

Opinione ► un'opinione attraverso la costruzione "*è* + aggettivo"
È importante che *spedisca* subito questo pacco.
Non è giusto che lui *possa* copiare.

Espressioni di questo tipo sono: *è meglio, è assurdo, è logico, è interessante, è ora che, è un peccato che, non è chiaro che, non è ovvio che.*

Desiderio, speranza ► un desiderio, una speranza
Spero che *finiscano* in fretta quel lavoro.
Mi auguro che *si sposino* presto.
Desideriamo che ci *vengano* a trovare.

Espressioni di questo tipo sono: *volere, pretendere, esigere, chiedere.*

Nomi maschili in -*a*

Nomi di persona Al plurale prendono la -*i:*
il poeta – i poeti   il profeta – i profeti   il pediatra – i pediatri
l'atleta – gli atleti   il papa – i papi   il duca – i duchi   il collega – i colleghi

I nomi di agente in -*ista*, come *il giornalista*, che indicano mestieri e professioni, al plurale prendono -*i* se sono maschili (*giornalisti*), -*e* se femminili (*giornaliste*).

Nomi di cose Al plurale prendono la -*i:*
il pianeta - i pianeti   il problema - i problemi   il panorama - i panorami
il tema - i temi   lo schema - gli schemi

Nomi maschili in -*a* invariabili Sono invariabili, cioè hanno al plurale la stessa forma del singolare:
il cinema (i cinema)   il sosia   il vaglia   il lama
il gorilla   il delta   il boia

Formazione di parola (cfr. Tavole grammaticali, pp. 484-490)
Nomi che derivano da verbi

Nei testi scritti di registro formale vengono spesso usati i nomi che derivano dal verbo, mentre nel parlato si tende a usare i verbi:

> Le novità più sostanziali riguardano in primo luogo la *strutturazione* delle prove scritte e lo *svolgimento* del colloquio.
>
> Le novità più sostanziali riguardano in primo luogo come *sono strutturate* le prove scritte e come si *svolge* il colloquio.

I suffissi più frequenti per derivare il nome dal verbo che esprime l'azione o il risultato dell'azione sono:

- ▶ **-zione** (e varianti)
  articolazione, punizione
- ▶ **-sione** (con i verbi della II e III coniugazione)
  - comprensione
- ▶ **-mento**
  insegnamento, rendimento

Esistono coppie di deverbali in *-zione* e *-mento* usati in contesti diversi:

collocazione – collocamento; fondazione – fondamento; perturbazione – perturbamento; concentrazione – concentramento

- ▶ **il suffisso zero**
  attacco, disprezzo, revoca, bonifica (molto usato nel sottocodice burocratico)
- ▶ **-aggio** (solo con i verbi della I coniugazione)
  lavaggio, riciclaggio (molto usato nei linguaggi tecnici)
- ▶ **-ura** (la base è il participio passato)
  fornitura, chiusura
- ▶ **participio passato femminile**
  telefonata, caduta, dormita
- ▶ **participio passato irregolare**
  difesa, ripresa, intesa

Coesione testuale (cfr. Tavole grammaticali, pp. 491-497)

Connettivi

Aggiungere

Inoltre,
Nonché

▶ per **aggiungere, amplificare**

<u>Inoltre</u> la riforma ha dato origine a una serie di specializzazioni che sono il Master...
È assicurata e assistita la possibilità di cambiare indirizzo all'interno del sistema dei
licei, *nonché* di passare dal sistema dei licei al sistema dell'istruzione e della formazione
professionale e viceversa.

Sono equivalenti: *e anche, per di più, neppure.*

Riassumere

Insomma

▶ per **concludere, riassumere il senso del discorso**

Eh, poi, inoltre, devo dire che qui, purtroppo, qualcuno gioca a stimolare l'aggressività.
Insomma noi dobbiamo partire dal *background* di questo ragazzo...

Segnali discorsivi del parlato
(cfr. Tavole grammaticali, pp. 498-500)

Aprire il discorso

Ecco

▶ per **aprire, attaccare il discorso**

Posso dire una cosa personale? <u>Ecco</u>, anch'io una volta sono stata bocciata in quarta
ginnasio...
Con la stessa funzione: *dunque, ora, allora.*

Attenuare

Diciamo

▶ per **attenuare la forza di ciò che si dice**

Ora se permettete passerei ai casi, <u>diciamo</u>, più complessi. Questo Cardini è veramente
un disastro...
Con la stessa funzione: *per così dire, come dire, in qualche modo, in un certo senso.*

Esemplificare

Per fare
un esempio

▶ per **esemplificare**

Per fare un esempio concreto di come si può articolare una laurea...
Con la stessa funzione: *per/ad esempio, prendiamo un esempio, pensiamo a/pensate a,
faccio notare che, mettiamo che.*

Focalizzare

Appunto

▶ per **sottolineare il punto centrale del discorso appena fatto**

Appunto è un focalizzatore ("come dicevo", "ripeto")

Nella laurea specialistica dovrebbero confluire i 180 crediti di una laurea di primo
livello a cui si aggiungono i 120 <u>appunto</u> del percorso degli ultimi due anni.

Panorama lavoro

Unità tematica	– il mondo del lavoro (nuove professioni, tipi di contratti, offerte di lavoro, agenzie interinali, *mobbing*)
Funzioni e compiti	– esprimere eventualità – capire gli annunci di lavoro – scrivere una lettera di candidatura – discutere i pro e i contro di una questione – scrivere un CV
Testualità	– pronomi relativi doppi (*chi, quanti, quanto*) – ripasso connettivi (*mentre, inoltre, così, per cui, per questo*)
Lessico	– sfera semantica del "lavoro" (*incentivo, cassa integrazione*) – alcuni prefissi (*iper-, pluri-*) – nomi di professioni e derivati agentivi (*informatore scientifico, redattore elettronico*) – nomi di qualità che derivano da aggettivi (*flessibilità*) – tipi di contratto (*tirocinio, formazione lavoro*) – verbi idiomatici con *ne* (*valerne la pena*)
Grammatica	– frasi relative con congiuntivo – congiuntivo passato – *si* impersonale/passivante – particella pronominale *ne* – aggettivi indefiniti (*qualunque/qualsiasi*) – preposizioni: *in, a*
Strategie	– lettura orientativa e lettura intensiva – leggere: dedurre informazioni, dare il titolo a un testo
Ripasso	– passivo

↗ Entrare nel tema

Discutete in classe.

▶ Che peso deve avere il lavoro nella vita di una persona? E nella vostra che importanza ha avuto/ha/avrà?

▶ Quali sono oggi, secondo voi, le professioni più richieste e quelle più pagate?
Quali sono nel vostro paese le professioni ritenute più prestigiose, socialmente più valutate?

Gli stakanovisti in Europa

Percentuale di lavoratori che dichiarano di lavorare più di 40 ore alla settimana

ITALIA	76,14%
Lussemburgo	71,38%
Svezia	64,03%
Belgio	63,42%
Spagna	61,48%
Francia	56,99%
Norvegia	53,70%
Irlanda	52,91%
Regno Unito	51,50%
Olanda	46,91%
Finlandia	44,13%
Danimarca	43,04%

(da «L'Eco di Bergamo», 27 maggio 2003)

▶ Annotate le parole utili per parlare del tema lavoro. Poi confrontatele con quelle dei vostri compagni.

....

....

....

Cercate il significato di queste parole.

1. lavoro temporaneo
2. licenziamento ≠ assunzione
3. agenzia di lavoro interinale
4. società di ricerca/selezione del personale
5. cassa integrazione
6. incentivi

1 Leggere

Lettura orientativa e lettura intensiva

A Lavorate a piccoli gruppi. Provate a riflettere su quali sono le nuove professioni e sulle caratteristiche che deve avere il "lavoratore moderno". Per cominciare a orientarvi sui contenuti dell'intervista, dopo aver letto titolo e sottotitolo, leggete solo le domande che vengono poste al Presidente di *Nomisma* e provate a ipotizzare le risposte o gli argomenti di cui si parlerà.

B Leggi l'intervista al presidente di *Nomisma*, una società di ricerche e consulenza (www.nomisma.it), e poi scegli, tra le diverse affermazioni che seguono a p. 148, quella che più corrisponde ai contenuti del testo.

NUOVE PROFESSIONI

Il lavoro nel Duemila
Chi non si aggiorna è perduto

Il futuro non è degli specialisti, dice il presidente di Nomisma, ma di quanti sanno fare più cose. E per questo è necessario studiare. E studiare ancora

DI STEFANO IUCCI

    Gli ultimi dati Istat confermano il costante aumento del tasso di disoccupazione in Italia. Anche il resto d'Europa non sta molto meglio. Eppure, tutto sommato, si tratta di un fenomeno abbastanza recente. Ne parliamo con l'ingegner Nicola Cacace, presidente di Nomisma, *da sempre attento studioso della nostra società.*   5

    "In effetti è vero – commenta Cacace –. La difficoltà generale e diffusa a creare occupazione secondo i bisogni dei singoli paesi industrializzati è esplosa a partire dagli anni novanta. Negli anni ottanta, a parte realtà come il   10
Mezzogiorno d'Italia, si era praticamente raggiunta la piena occupazione, con tassi di disoccupazione che da noi erano intorno al 5 per cento. I motivi di questa **impennata** sono abbastanza evidenti. Innanzitutto il **divario** tra produzione e produttività (produzione per unità di lavoro, *N.d.R.*). Per fabbricare un'automobile, ad esempio, ci vogliono oggi meno ore di lavoro e me-   15
no **addetti** di venti anni fa. L'unico paese al mondo in cui la produttività cresce meno della produzione sono gli Stati Uniti, dove ogni anno si creano un milione e mezzo di nuovi posti di lavoro. Ma a un prezzo che tutti conosciamo: un sistema di tutele e garanzie per i lavoratori praticamente inesistente e salari reali che, negli ultimi venti anni, sono diminuiti, per il 90 per cento   20
degli occupati, del 15 per cento. C'è poi un ultimo elemento da non sottovalutare: l'offerta di lavoro cresce continuamente perché aumenta ovunque il tasso di occupazione femminile".

Cosa dobbiamo fare: fermare il progresso tecnologico?

    Assolutamente no. È grazie al progresso che il livello qualitativo e quanti-   25
tativo della nostra esistenza migliora continuamente. E allora se la produtti-

→

vità continuerà a crescere ci sono solo due vie d'uscita per creare occupazione: lavorare tutti un po' di meno e concentrarsi sui settori innovativi. Il processo di riduzione dell'orario di lavoro è costante nella storia dell'uomo: nel secolo scorso si lavorava 3000 ore all'anno; oggi siamo a 1500-1600. Ma lavorare meno è necessario anche per avere più tempo a disposizione per studiare. Ormai, specie tra i giovani, chi non si aggiorna costantemente, chi non sa fare tante cose è perduto: rischia la disoccupazione tecnologica.   30

**Saper fare tante cose va bene. Ma non si rischia in questo modo di creare un club ristretto di "cervelloni" che ha in mano le leve del potere e poi una   35
truppa di lavoratori intercambiabili, e quindi sempre sostituibili, estranea ai processi decisionali?**

Niente affatto; è vero esattamente il contrario. Le leve in mano non ce le ha lo specialista che sa tutto di fisica delle particelle, ma chi viene da esperienze diverse e ha acquisito la **duttilità** necessaria per gestire sistemi complessi. Un esempio? Il comparto sanitario. In Italia abbiamo ottimi medici,   40
ma non medici-*manager* capaci di dirigere aziende con centinaia di addetti e gestire **approvvigionamenti** , risorse umane, bilanci eccetera. Il mio migliore economista è un laureato in filosofia, che ha fatto l'operaio alla Mercedes e ha girato il mondo imparando quattro lingue.   45

E poi ci sono i settori innovativi...

Certamente. I minatori del Sulcis non possono continuare a scavare un carbone che costa il triplo di quello cinese! Con la globalizzazione dell'economia interi settori tradizionali (acciaio, cantieristica, tessile) sono destinati a spostarsi in paesi dove il lavoro costa meno: Indonesia, India, Thailandia e   50
così via. E allora bisogna inventarsi il lavoro nei settori nuovi, nelle produzioni di qualità, quelli dove la competitività non si gioca sui costi ma sul pregio dei beni prodotti. Del resto l'Italia in passato lo ha già fatto, basti pensare al *design* e all'industria della moda. Soltanto che nel Duemila il *made in Italy* non basta più; bisogna spostarsi verso la multimedialità, i servizi.   55

Questo significa che da noi l'industria tradizionale è destinata a scomparire?

No, l'industria tradizionale ci sarà sempre, ma tenderà a trasferire le fasi produttive a più alta concentrazione di manodopera nei paesi in via di sviluppo e sarà sempre più integrata con i servizi. Oggi i prodotti si vendono bene   60
quando hanno un certo *design*, una certa pubblicità, sono distribuiti in un certo modo, hanno facilitazioni finanziarie, offrono un *service* e una manutenzione di un certo livello. Sono insomma inseriti in una "costellazione" di servizi che non hanno niente a che vedere con il momento produttivo vero e proprio, ma che li fanno vendere. E allora bisogna puntare, ripeto, su servizi   65
e professioni innovative: è qui che si può creare nuova occupazione.

Ma dove stanno queste nuove professioni? A definirle così, uno si immagina cose complicate, ipertecnologiche, per pochi eletti plurilaureati...

Niente di più sbagliato! Le nuove professioni stanno dappertutto. Andia-

→

mo dal *risk manager* fino al nuovo infermiere spe-   70
cializzato nella cura e assistenza domiciliare: si
pensa che nel 2020 ci saranno tantissimi figli unici con genitori (a loro volta figli unici) a carico. Pensi allora a quante opportunità di lavoro si apriranno
nel settore dei servizi alla persona! In generale pos-   75
siamo dire che nei prossimi anni il 40/50 per cen-
to dei lavoratori sarà occupato in professioni che
mutano continuamente. Una porzione minore sarà
invece impegnata in attività del tutto nuove, con
una percentuale che varierà dal 3 al 10 per cento, a   80
seconda del grado di innovazione che saremo capa-
ci di produrre. Comunque, le professioni totalmente nuove saranno strategiche per la modernizzazione del paese.

**E siamo arrivati a un altro tema stranoto, quello della flessibilità. Grande
disponibilità a far cose anche diverse, a spostarsi, a variare ritmi e modi di la-   85
voro. Ma questo nasconde anche dei pericoli: precarietà , insicurezza, perdita di potere contrattuale. Cosa fare, allora?**

Bisogna innanzitutto intendersi sui termini del discorso. Flessibilità non
può significare precarietà del lavoro e delle garanzie. E questo per vari motivi. Innanzitutto perché non è giusto: un lavoratore deve avere un sistema di   90
sicurezze che lo tutelino. Ma anche perché non conviene. Tra lavoratore e
azienda ci vuole uno scambio. Il lavoratore moderno deve accettare la mobilità professionale e anche quella geografica, a certe condizioni: incentivi , al-
loggio e possibilità di riunire la famiglia. In cambio però bisogna trovare un
nuovo statuto dei lavoratori, una nuova carta sociale, una rete di garanzie mi-   95
nime che non siano disincentivanti la ricerca di un nuovo lavoro (come la
vecchia cassa integrazione o il sussidio di disoccupazione).

(adattato da www.cgil.it)

1.   ☐ a. Negli Stati Uniti la disoccupazione non c'era negli anni ottanta e non c'è neanche oggi sebbene gli stipendi abbiano perso potere d'acquisto negli ultimi vent'anni.

☐ b. La disoccupazione, in forte crescita in Europa negli anni novanta, è dovuta al fatto che oggi, grazie al progresso tecnologico, la produttività è aumentata e che sempre più donne vogliono lavorare.

☐ c. Il modello vincente è quello del mercato del lavoro americano che non prevede alcuna garanzia né tutela dei lavoratori ma che in cambio offre buoni salari e sempre nuovi posti di lavoro.

2.   ☐ a. Per creare nuova occupazione occorre ridurre l'orario di lavoro, fatto che peraltro permette di poter dedicare un po' di tempo all'aggiornamento.

☐ b. Dobbiamo lavorare di meno se vogliamo aver tempo per studiare, visto che aggiornarsi è diventato necessario.

☐ c. La qualità e la quantità della nostra vita sono migliorate grazie al progresso tecnologico e al processo naturale per cui si lavora sempre meno ore all'anno.

3.   ☐ a. I posti d'alto livello in cui si prendono decisioni importanti sono più accessibili a chi è plurilaureato e specialista nel proprio settore.

☐ b. Oggi ha maggior possibilità di ricoprire posizioni di potere chi ha maturato esperienze professionali in ambiti diversi e sa quindi affrontare problemi di gestione complessi.

☐ c. Per poter occupare in ambito lavorativo dei ruoli di potere non è necessario essere laureati e specializzati, occorre essere giovani, disponibili a cambiare lavoro, a trasferirsi e tenersi sempre aggiornati.

4.   **Oggigiorno le aziende per essere competitive e vincenti devono:**

☐ a. investire nelle nuove tecnologie, fornire incentivi ai lavoratori e saper non solo creare dei buoni prodotti ma anche saperli vendere.

☐ b. ridurre il costo del lavoro trasferendo alcune fasi produttive nei paesi in cui la manodopera costa di meno.

☐ c. puntare sulla qualità del prodotto e su servizi innovativi che lo completino.

5.   **Cacace è favorevole:**

☐ a. al modello americano che sacrifica le garanzie che tutelano i lavoratori a favore della creazione di nuovi posti di lavoro.

☐ b. a cambiare lo statuto dei lavoratori ma a mantenere delle garanzie come la cassa integrazione e il sussidio di disoccupazione.

☐ c. al mantenimento di alcune garanzie di base per i lavoratori che devono però essere disponibili ad adeguarsi alle esigenze aziendali (spostamenti, cambiamenti di lavoro e orari) in cambio di adeguati incentivi.

C **Rispondi alle domande.**

1.   Che cos'è per Cacace la disoccupazione tecnologica?

....

2.   Che cosa intende Cacace per "professioni innovative"?

....

3.   Che cos'è la mobilità professionale e geografica?

....

2 Lessico

A Collega le parole tratte dall'intervista al Presidente di *Nomisma* con i loro sinonimi.

☐ 1. impennata   a. temporaneità, instabilità
☐ 2. divario   b. rifornimenti
☐ 3. addetti   c. premi per favorire l'aumento della produttività
☐ 4. duttilità   d. differenza
☐ 5. approvvigionamenti   e. lavoratori incaricati di svolgere una certa mansione
☐ 6. precarietà   f. rialzo improvviso
☐ 7. incentivi   g. flessibilità

B Con l'aiuto dell'insegnante cercate di spiegare il significato delle seguenti parole presenti nell'intervista:

1. (riga 87) potere contrattuale   3. (riga 97) sussidio di disoccupazione
2. (riga 97) cassa integrazione

C Che cosa significano i prefissi che compongono queste parole?

(riga 68) **iper**tecnologiche   ....

(riga 68) **pluri**laureati   ....

(riga 84) **stra**noto   ....

D Le nuove professioni. Provate a raccogliere le idee su quali sono:

▶ i mestieri di un tempo oggi in via di estinzione

▶ i lavori/le professioni che oggi hanno buone prospettive occupazionali

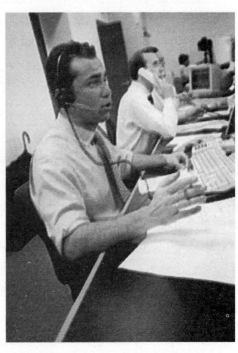

Ordina le figure professionali che trovi sotto all'interno della corretta area occupazionale. Con l'aiuto di un dizionario o di Internet cerca il significato delle professioni che non conosci. Nota che molte sono in inglese. Perché secondo te?

> Redattore elettronico   Creatore degli effetti speciali   Esperto assistenza al volo
> Addetto alla selezione del personale   Addetto al *customer-care*
> Collaudatore   *Webmaster*   *Project manager*   Manager culturale
> Responsabile della logistica   Nutrizionista   Informatore scientifico
> Caposervizi treno   Restauratore   Responsabile Ambiente e Sicurezza
> Disegnatore progettista con sistema Cad-Cam   Tecnico delle luci   Veterinario
> Enologo   Direttore di Centro Commerciale   Regista   Archivista

10 nuove aree occupazionali in vetrina

(da *Il forma lavoro*, Ministero del Lavoro e delle Politiche sociali)

1. Gestione delle Risorse umane

   ....

2. Metalmeccanica

   ....

   ....

3. Chimica

   ....

   ....

4. Agroalimentare

   ....

   ....

5. Trasporti

   ....

   ....

6. Telecomunicazioni

   ....

   ....

7. Grafica ed Editoria

   ....

8. Audiovisivi, Spettacolo e Pubblicità

   ....

   ....

9. Commercio e Distribuzione

   ....

   ....

10. Beni culturali

    ....

    ....

E Chi sono? **Leggi queste descrizioni di professioni e indica a quale delle figure professionali viste sopra si riferiscono.**

1. È il supervisore del prodotto multimediale finale. Il suo obiettivo è raggiungere in tempo debito i traguardi fissati. È lui che tratta con i committenti e gestisce il budget. È una figura di primo piano nell'ambito della progettualità di un prodotto web. Rappresenta il punto di contatto tra l'area design e produzione e quella business e marketing. Ha ottime conoscenze di Internet marketing e comunicazione web. ....

2. È colui che realizza contenuti, grafica, messa in rete e tutto il resto di un sito e che gestisce fisicamente il server su cui il sito risiede. ....

3 **Coesione testuale**

A Leggi queste frasi tratte dal testo di p. 145-147 e rifletti sull'uso dei pronomi relativi sottolineati:

> ▶ che significato hanno?
> ▶ a che persona, singolare/plurale, va il verbo?
> ▶ che differenza c'è tra *chi* e *quanti*?

Pronomi relativi doppi
▶ Chi
▶ Quanti
▶ p. 184

1. (righe 32-33) Ormai, specie tra i giovani, <u>chi</u> non si aggiorna costantemente, <u>chi</u> non sa fare tante cose è perduto: rischia la disoccupazione tecnologica.
2. (righe 1-2) Il futuro non è degli specialisti, dice il presidente di *Nomisma*, ma di <u>quanti</u> sanno fare più cose. E per questo è necessario studiare. E studiare ancora.

9 **B** Completa ora questo articolo in cui si parla di lavoro temporaneo (o interinale, o in affitto) con i pronomi relativi *che, cui, chi, quanti*.

Le storie. Antonella: a quarant'anni si può cambiare occupazione
Fabio: l'occasione di un lavoro studiando da avvocato

Un'opportunità per realizzare una scelta di vita

Nell'arco dell'ultimo triennio le agenzie di lavoro temporaneo sono diventate un punto di riferimento per (1) …………… , uomini e donne, giovani e meno giovani, vogliono inserirsi nel mondo del lavoro o cambiare occupazione. *Adecco, Manpower, Obiettivo Lavoro, Kelly, Ali, Quanta* sono solo alcune delle agenzie di lavoro interinale operanti in Italia.

Le esperienze con questa innovativa formula di occupazione ((2) …………… – lo ricordiamo – prevede l'assunzione del lavoratore da parte dell'agenzia (3) …………… cura il lavoro temporaneo per il periodo necessario ad inviare in "missione" il lavoratore stesso presso l'azienda (4) …………… ne ha fatto richiesta) sono tra le più varie. E mille sono le storie (5) …………… possono essere raccontate: (6) …………… , come Antonella Vitali, 40 anni, grazie all'esperienza dell'interinale ha potuto dare una svolta alla sua vita professionale; o (7) …………… , come Fabio Paganin, giovane studente universitario 22enne, grazie al "temporaneo" ha potuto conciliare le prime esperienze lavorative con la carriera scolastica.

Due punti di vista caratteristici, i loro, (8) …………… rappresentano uno spaccato di quel mondo del lavoro (9) …………… oggi da più parti viene descritto come assolutamente selettivo – per quanto riguarda soprattutto l'età per trovare un nuovo impiego – e fortemente coinvolgente, ossia che difficilmente permette la condivisione di altre attività come lo studio.

Essere quarantenni, seppur ancora giovanissime e piene di voglia di fare, per (10) …………… decide di cambiare lavoro non è un vantaggio. Anzi. Lo conferma anche Antonella, ricordando il periodo in (11) …………… ha maturato la scelta di cambiare impiego. "I datori

→

di lavoro a (12) .... mi ero rivolta prima di arrivare all'interinale non accettavano la mia candidatura in quanto non era possibile, data la mia età, utilizzare un contratto di formazione. Un ostacolo (13) .... la scelta dell'interinale ha permesso di superare brillantemente".

Più che di svolta, quella di Fabio Paganin è un'utile esperienza di ingresso nella realtà del mondo del lavoro: "In attesa della laurea in Giurisprudenza ho deciso che potevo iniziare a lavorare. L'unico problema era quello di riuscire a individuare un impiego (14) .... mi permettesse di avere anche del tempo libero per studiare". Un'opportunità offerta proprio da un impiego con contratto interinale. "Già a settembre sono stato chiamato da una multinazionale (15) .... opera nel commercio. Attualmente lavoro tre giorni alla settimana. In attesa di fare l'avvocato sono contento così: posso studiare e al tempo stesso guadagnare qualcosa, il (16) .... non guasta".

Ma è anche la mentalità di (17) .... è alla ricerca di lavoro (18) .... , secondo Fabio, deve cambiare. "Bisogna entrare nell'ottica della flessibilità, della mobilità, perché sempre di più la richiesta di lavoro deve incontrare le esigenze delle imprese e del mercato".

(adattato da «L'Eco di Bergamo», 1 marzo 2003)

4   Ascoltare

›10   **"Emerge su tutte un dato significativo…"**

CD1

Ascolta i risultati di un sondaggio (trasmesso da Radio 24, 11 marzo 2003) e svolgi le attività che seguono.

A   **Rispondi.**

1. Qual era la domanda del sondaggio? ....
2. A chi era rivolto il sondaggio? ....
3. In che settore lavora *Monster*? ....

B   **Completa la tabella.**

Motivi decisivi della scelta	%
1. Nei paesi del Nord Europa	
2. In Spagna	
3. In Francia e Irlanda	

In Italia	%
1. Fattore principale	
2. Fattore in crescita	

C   **Riascolta l'intervista e prendi nota delle parole straniere che vengono usate. Quante sono?**

5 Leggere

Esplorare la grammatica

Annunci di lavoro

A Leggi il titolo, guarda l'immagine di sfondo e fai ipotesi sul settore occupazionale a cui si riferisce questo annuncio di ricerca di personale.

Una mente agile e scattante, sempre in grado di offrire le più alte prestazioni: è questa una caratteristica essenziale di chi lavora in Brembo. A una solida tradizione uniamo le doti e l'intuito di chi sa ogni volta anticipare il futuro, e siamo consapevoli di aver raggiunto un grande obiettivo: diventare leader mondiale per sistemi e componenti frenanti dedicati a veicoli ad alte prestazioni, mantenendo l'entusiasmo e la determinazione degli esordi. Le chiavi del nostro successo sono il massimo impegno per la ricerca tecnologica e il miglioramento continuo della performance, sia di prodotto sia di chi lavora in Brembo. In questo stimolante contesto, per raggiungere nuovi e importanti traguardi, siamo alla ricerca di persone competenti e motivate.

⑤ Segretarie e Assistenti di Direzione
cod. SEGR

A supporto del responsabile di funzione nell'organizzazione delle attività, agevoleranno il flusso di informazioni interne ed esterne e approfondiranno tematiche specifiche della direzione di appartenenza. Desideriamo incontrare candidature di buon livello culturale che si contraddistinguano per stile relazionale e doti organizzative e che abbiano maturato una significativa esperienza presso realtà multinazionali caratterizzate da una organizzazione complessa. Inglese fluente, buona conoscenza di una seconda lingua (preferibilmente tedesco) e dei più comuni pacchetti sw, sono requisiti fondamentali.

⑤ Diplomati ad indirizzo Meccanico
cod. UT

Verranno inseriti nell'area progettazione o sperimentazione.
I candidati hanno maturato una breve esperienza o sono alla ricerca della prima occupazione.
Sede di lavoro **Curno** (BG)

Si invitano gli interessati/e a inviare un dettagliato Curriculum Vitae con autorizzazione trattamento dati (L. 675/96) e indicazione del codice di riferimento anche sulla busta a:

Brembo S.p.A. - Direzione Risorse Umane
via Brembo, 25 - 24035 Curno (Bergamo)
dru.selezione@brembo.it - www.brembo.it

More than brakes

B Concentrati ora sulla presentazione della ditta. Che immagine vuole dare di sé? Commenta anche la scelta dello slogan.

C Secondo te quali caratteristiche personali devono avere i candidati a cui è rivolto l'annuncio?

ESEMPIO

▶ essere dinamici, ambiziosi...

D Leggi i profili dei candidati. Trova 2 frasi relative seguite da un verbo al congiuntivo. Sottolineale e cerca di capire quale sfumatura di significato dà il congiuntivo alle frasi.

FRASE RELATIVA + CONGIUNTIVO

significato di " .... "

▶E 1, 2   **E**   Completa queste frasi scegliendo tra il congiuntivo presente e il congiuntivo passato.

ESEMPI

> La direzione ha deciso di licenziarlo perché non ritiene che (*comportarsi*) _si sia comportato_ correttamente nei confronti della nostra società.

> La direzione ha deciso di licenziarlo perché non ritiene che (*svolgere*) _abbia svolto_ professionalmente gli incarichi assegnati.

> **Congiuntivo passato**
> ausiliare *essere/avere* al congiuntivo presente + participio passato
>
> ▶ p. 178

1. Non penso che la scuola moderna mi (*offrire*) _____ una formazione adeguata all'ingresso nel mondo del lavoro. Ho dovuto fare la gavetta in varie aziende.

2. Mi auguro che la struttura pubblica (*intervenire*) _____ a potenziare il servizio psicoterapeutico perché la psicoterapia privata mantiene dei costi che discriminano l'accesso alle persone.

3. Dobbiamo smaltire le pratiche inevase prima che (*arrivare*) _____ il nuovo capufficio.

4. Non sono convinto che il direttore nella riunione di ieri (*prendere*) _____ la giusta decisione.

5. Ho deciso comunque di rimanere, sebbene (*trasferire, loro*) _____ a Palermo.

F   Completa ora questo annuncio di lavoro. Decidi quali verbi inserire e coniugali al modo corretto.

> **LAVORARE A SIENA**
> Prestigioso albergo a Siena seleziona per la prossima stagione 2005 personale qualificato: **maître, sommelier, aiuto chef, pasticciere**
> che
> – _____ almeno due lingue
> – _____ esperienza analoga in strutture di pari livello
> – _____ buona presenza
> – _____ relazionarsi con la clientela
> – _____ serietà, professionalità
>
> Si prega di inviare Curriculum con relative referenze e allegata foto a:
> *Ufficio del Personale, Hotel Certosa di Maggiano, Strada di Certosa 82 – 53100 Siena.*

6   Reimpiego

La professione dei miei sogni

A   Lavorate in coppia. Descrivete nel dettaglio come sarebbe la vostra professione ideale: le conoscenze richieste, gli aspetti caratteriali necessari, l'orario di lavoro, la sede, la società/l'azienda/l'ente, il rapporto con i colleghi, il lavoro individuale o d'équipe, il rapporto con i superiori, la retribuzione, la carriera... Usate il più possibile il congiuntivo per esprimere che si tratta solo di ipotesi, di eventualità e non di realtà.

ESEMPIO

> La mia professione ideale è una professione che *sia* utile socialmente, come per esempio lo psicologo. È una professione che mi *permetta* di operare in ambito sociale e di avere contatti con la gente che ha disagi...

7 Leggere

Esplorare la grammati(

A Leggi l'offerta di lavoro che trovi sotto e rispondi.

- Perché viene usato il pronome soggetto *si*?
- Come viene concordato il verbo per numero?
- Come potrebbe essere sostituita questa costruzione con il *si*?

> **Pronome soggetto**
> ▶ *si* impersonale/passivante
> ▶ p. 179

> Azienda farmaceutica di importanza nazionale in forte sviluppo cerca per potenziamento e completamento del proprio organico **Informatori Scientifici** per Torino, Genova, Trento, Pordenone, Lucca.
> Si richiede: laurea nelle discipline previste dal D. L. 30.12.92 n. 541.
> Si offrono: retribuzione interessante e incentivi commisurati all'esperienza maturata.
>
> Inviare dettagliato CV citando anche sulla busta il rif. A-106 a:
> **Sintex Divisione Eurolabor Spa** – Via Carducci 18, 20123 Milano
> www.Sintexselezione.it

B In queste offerte di lavoro in che posizione si trova il *si* impersonale?

> - Cercasi tecnici di laboratorio junior per riparazione stampanti e micro computer, età massima 24 anni, sede lavoro Ferrara, contratto apprendista. Telefonare al mattino: 0532-9412678
> - Cercasi donna/ragazza seria e ordinata per piccoli servizi a domicilio; offresi vitto, alloggio, piccolo compenso. Tel. 02-3479014

C Prova a spiegare l'uso del doppio pronome sottolineato *ci si*.

"Nel CV si devono descrivere in maniera chiara e sintetica le proprie capacità professionali, in relazione a ciò che si vorrebbe fare nell'ambito dell'azienda a cui ci si rivolge."

D Trasforma i soggetti in neretto usando il *si* impersonale con i verbi riflessivi. Fai tutti i cambiamenti necessari.

1. Nella nostra azienda è richiesto che **tutti i lavoratori** si dedichino un'ora alla settimana all'aggiornamento informatico.
2. Dal mese prossimo **l'intero reparto** si prepara ad affrontare la fiera di marzo.
3. In alcuni settori industriali **la produzione** non si ferma mai durante l'intera giornata.
4. Su Internet il candidato può trovare molti consigli su come **l'aspirante** si presenta a un colloquio e su come **l'aspirante** si comporta.
5. Per lavorare nel settore della *New Economy* **devi specializzarti** in qualcosa (es. *Webdesign*) senza però dimenticarti di ampliare le tue conoscenze in altri settori.

E Trasforma il verbo sottolineato nell'esempio dal *voi* alla forma impersonale; come diventa il verbo al passato prossimo, quale ausiliare va usato?

▶ Se <u>avete fatto</u> un colloquio, potete richiamare l'azienda dopo una settimana e chiedere come è andato.

8 Reimpiego

A Immagina di lavorare per un'azienda che punta molto sugli incentivi ai dipendenti. Scrivi delle frasi con il *si* impersonale per elencare i servizi di cui puoi beneficiare sul posto di lavoro.

> **ESEMPIO**
>
> ▶ consulenza legale, finanziaria, tributaria via e-mail
> *Si inviano* per e-mail domande su piccoli problemi quotidiani e *si riceve* una risposta da professionisti.

1. spesa *on line* con recapito della merce in azienda
2. asilo nido aziendale: entrare e uscire con il proprio figlio
3. biglietti spettacoli e sport *on line* per non fare la fila
4. palestra: per scaricare le tensioni e mantenersi in forma
5. lavanderia: il sacco dei vestiti sporchi pronti alla sera

Aggiungine altri (buoni-pasto, telefonino, autovettura).

9 Lessico

I requisiti del candidato ideale

A Negli annunci di lavoro, per esprimere i requisiti che il candidato deve possedere, si usano molti nomi che derivano da aggettivi e ne descrivono la qualità, come *flessibilità* = "la qualità dell'essere *flessibile*". Rileggi le offerte di lavoro delle attività precedenti e trascrivi nella tabella tutti i nomi che derivano da aggettivi. Ordina questi nomi di qualità in base al suffisso usato per derivarli dall'aggettivo.

-ità/-età: flessibilità (flessibile) ....

-enza: ....

-asmo/-ismo: ....

Per descrivere le caratteristiche personali del candidato si usano anche nomi che derivano da aggettivi nella forma del participio passato, come per esempio *motivato > motivazione*.
In questo caso il nome viene composto con un suffisso che serve a derivare nomi da verbi (*motivazione*).

B Riscrivi questo annuncio di lavoro trasformando gli aggettivi che descrivono i requisiti del candidato ideale in nomi con l'aggiunta di un suffisso.

Solido gruppo industriale di tessuti per abbigliamento, situato in provincia di Ancona ricerca **SALES PROMOTER**.

Sei il nostro candidato ideale se sei:
– disponibile
– ambizioso
– dinamico, spigliato, vivace
– creativo ma preciso
– motivato e determinato nel perseguire gli obiettivi aziendali
– responsabile, riservato

Inviare con urgenza dettagliato CV citando il riferimento 204 a:
Sirium, Via G. Camozzi 123 Padova, fax 049-240451, dichiarando il consenso al trattamento dei dati trasmessi.

I contratti

C Leggi questo materiale informativo prodotto dal Ministero del lavoro e delle politiche sociali relativo ai diversi tipi di contratto che possono essere offerti ai candidati in cerca di lavoro.

CONOSCERE PER ORIENTARSI

FORMAZIONE LAVORO	APPRENDISTATO	TIROCINIO	PART-TIME	LAVORO TEMPORANEO (Interinale)
Che cos'è. È un tipo di contratto con il quale il datore di lavoro si impegna a fornire ai neoassunti (di età compresa tra i 16 e i 32 anni) un'adeguata formazione professionale sulla base di specifici "progetti formativi". I contratti sono di due tipi: tipo A, durata 24 mesi, 80 o 130 ore di formazione; tipo B, durata 12 mesi, con almeno 20 ore di formazione. Il datore di lavoro può essere un ente pubblico o un'azienda privata o associazione. **Dove informarsi:** Presso i Centri per l'impiego della propria regione e della propria provincia.	**Che cos'è.** È un contratto (durata minima 18 mesi, massima 4 anni, 5 per il settore artigiano) con cui il giovane assunto (età compresa tra i 15 e i 24 anni, 26 nelle regioni del Sud e 29 per le qualifiche più alte del settore artigiano) riceve da parte del datore di lavoro la formazione necessaria per diventare un lavoratore qualificato. A tale scopo l'apprendista deve frequentare corsi di formazione esterna all'azienda per almeno 120 ore all'anno. **Dove informarsi:** Presso i Centri per l'impiego della propria regione e della propria provincia e uffici di informazione e orientamento degli assessorati alla formazione provinciali e regionali.	**Che cos'è.** Il tirocinio può essere definito un'esperienza formativa "in situazione" che consente al giovane di operare professionalmente all'interno di un concreto contesto lavorativo. La sua durata massima varia, a seconda della tipologia di soggetti, da un massimo di 4 mesi ad un massimo di 24 per i portatori di handicap. Il tirocinio non è considerato rapporto di lavoro subordinato e non comporta, quindi, l'obbligo di retribuzione da parte dell'azienda, né quello previdenziale, anche se solitamente viene previsto un rimborso spese. **Dove informarsi:** Presso i Centri per l'impiego, Informagiovani, Università, Enti Bilaterali e Associazioni Sindacali.	**Che cos'è.** È un normale contratto con l'unica differenza che l'orario di lavoro è inferiore a quello previsto dalla legge, o dal contratto collettivo. Il part-time deve risultare da un contratto scritto da cui si evinca l'accordo tra datore di lavoro e lavoratore sulla definizione dell'orario ridotto. Retribuzione e contributi previdenziali sono proporzionali alla quantità delle ore lavorate. I lavoratori part-time, in caso di assunzione di personale a tempo pieno, hanno diritto di precedenza. **Dove informarsi:** Presso i Centri per l'impiego della propria regione e della propria provincia, le organizzazioni sindacali, patronati, le associazioni dei datori di lavoro.	**Che cos'è.** È un rapporto di lavoro di natura temporanea (detto anche "contratto di lavoro in affitto") che prevede la presenza di tre soggetti: il lavoratore, l'agenzia di lavoro temporaneo e l'impresa che ha bisogno di personale. L'utilizzo è previsto per tutte le qualifiche ed è vietato alle aziende in cui ci siano stati licenziamenti o sia in atto la cassa integrazione. Il lavoratore è assunto e retribuito dall'agenzia di lavoro alla quale è iscritto. **Dove informarsi:** Presso le società di lavoro interinale iscritte in un apposito Albo riconosciuto dal Ministero del Lavoro e delle Politiche Sociali consultabile sul sito Internet www.minlavoro.it

(da *Il forma lavoro*, Ministero del lavoro e delle politiche sociali)

Associa il contratto ai profili, scegliendo tra quelli sotto.

a. formazione lavoro   b. apprendistato   c. tirocinio   d. part-time   e. lavoro temporaneo

☐ 1. Ho 21 anni. Lavoro da sei mesi in una ditta del settore tessile per imparare il mestiere di elettricista industriale. Non percepisco stipendio ma la ditta mi rimborsa viaggio e pasti.

☐ 2. Ho 28 anni. Lavoro da circa un anno per un'impresa di costruzioni. Il mio contratto prevede parecchie ore di formazione organizzate dalla ditta. Sono stato assunto per una posizione di responsabile del servizio di prevenzione e protezione aziendale.

☐ 3. Ho 40 anni. Data l'età, mi sono rivolta a un'agenzia del lavoro che mi ha offerto un posto per due mesi come addetta all'ufficio vendite presso un'azienda metalmeccanica. Spero che la ditta mi assuma poi con un contratto a tempo indeterminato.

☐ 4. Ho 32 anni e sono madre di famiglia con tre figli che mi danno molto da fare. Lavoro dalle 8 alle 12 come archivista nella biblioteca centrale di Ravenna.

☐ 5. Ho 18 anni e lavoro da un anno come addetto alle casse in un supermercato. Frequento anche un corso di orientamento alla soddisfazione della clientela organizzato dalla Regione Toscana.

D Trova nel testo che hai letto, nel tipo di contratto indicato, un sinonimo di:

1. **FORMAZIONE LAVORO** : "persona che ha appena incominciato a lavorare in una ditta/azienda"

2. **TIROCINIO** : "(aggettivo) che riguarda la pensione di anzianità"

3. **PART-TIME** : "paga, compenso, stipendio, salario"

10 Ascoltare

›11 **"Lavoro e carriere"**

CD1

A   Ascolta questi annunci di *stage* presi dalla trasmissione *Lavoro e carriere* di Radio 24 (6 febbraio 2003) e prendi appunti per completare la tabella.

	primo annuncio	secondo annuncio	terzo annuncio
Settore dell'azienda			
Posizione			
Conoscenze richieste			
Durata dello *stage*			
Sede			
Titolo di studio richiesto			
Età			
Rimborso			

B   Associa ogni annuncio a una delle seguenti mansioni.

☐ a.   Selezione di CV, reclutamento e selezione delle persone, gestione amministrativa, comunicazioni agli enti.

☐ b.   Creazione di un *database* aziendale contenente i nominativi dei potenziali clienti.

☐ c.   Apprendimento delle conoscenze informatiche e tecniche di controllo dell'attività, inserimento dati nel sistema informatico aziendale, tecniche di gestione del rapporto tra clienti e fornitori.

C   In quale annuncio è richiesto che il candidato abbia già fatto il servizio militare?

....

11 Leggere

Esplorare la grammatica

A   Leggi la prima parte (righe 1-30) di questa intervista a una donna che si chiama Michela Vuga e cerca di capire qual è la sua professione e di che cosa si occupa.

B   Ora finisci di leggere e cerca di capire dove lavora e che suggerimenti dà a un giovane che voglia intraprendere la sua professione. Che titolo daresti a questo frammento di intervista? Confronta il tuo lavoro sulla comprensione del testo con un compagno.

Come si sta sviluppando il ruolo dell'informazione in Italia?

È un ruolo importantissimo: ne ero convinta prima e lo sono ancora di più oggi occupandomi di salute. Nel mio piccolo, con la mia trasmissione, sono diventata le Pagine Gialle della salute. Mi trovo a dare delle risposte che le Asl* non danno, che il servizio sanitario non dà. 5

Ci sono persone disperate che non riescono a trovare lo specialista, il centro specializzato, l'alternativa possibile: cosa fanno? 10

Telefonano, scrivono, mandano una mail a Michela Vuga. Sembra banale, ma ogni tanto mi trovo a svolgere un servizio che dovrebbe fare il servizio sanitario nazionale. 15

Posto che l'informazione è un elemento fondamentale della nostra società, la mia sensazione è che si corra troppo. Siamo sempre a caccia di notizie nuove, sensazionali, mancano gli approfondimenti, mancano le belle inchieste, è 20
tutto molto in superficie.

Anche in TV sono pochi i programmi giornalistici in cui ti siedi e dici: che bello! Sui giornali è la stessa cosa: si corre troppo e si rischiano delle inesattezze, dettate esclusivamente dalla 25
fretta, dall'esigenza di fare *scoop*. Sulla salute non esistono *scoop*. È una critica che faccio prima di tutto a me stessa: io stessa vado in onda tutti i giorni e tutti i giorni ho bisogno di avere argomenti. 30

Cosa consiglia ai giovani che vogliono fare giornalismo?

Io non ho fatto scuole di giornalismo, però so che ce ne sono parecchie, alcune di ottimo livello che consiglio vivamente. Ho molti colleghi che vengono da queste scuole e noto la loro ottima preparazione. Ovviamente parlo delle scuole che ti danno la possibilità di fare praticantato, quei 18 mesi di lavoro sotto contratto praticante, terminati i quali si può dare l'esame 40
e diventare professionisti iscritti all' albo . Le altre non servono. Praticantato vuol dire anche avere la possibilità di fare *stage* nei giornali e

nelle TV, vuol dire faticare moltissimo, fare gavetta per acquisire esperienza e conoscenze sul campo. Non è facile e ci vuole una 45
buona dose di entusiasmo per la professione e desiderio di riuscire. Ma con la determinazione ce la si può fare .

È meglio specializzarsi su un argomento o saper fare di tutto? 50

Indubbiamente all'inizio è meglio restare generici. In fase di crescita è stato fondamentale avere una buona infarinatura di tutto: intanto perché ti fai un po' di cultura sull'attualità. Un giornalista non può permettersi di 55
essere ignorante. Può al limite permettersi di essere umile e dire: su questa cosa non so nulla, però mi documento, alzo la cornetta e mi faccio spiegare, indago. Inoltre, ci sono 60
certi automatismi fondamentali del giornalismo, che impari ad applicare in ogni campo e quanto più li applichi in campi disparati, tanto più diventano tuoi e il tuo meccanismo si affina. Qual è la notizia? Quali sono i dati es- 65
senziali? Il famoso "chi, come, dove, quando e perché" che impari come regolina a scuola, ti diventa naturale. Lo vedo in molti stagisti che passano da Radio 24: gli si dà il comunicato stampa dicendo loro di ricavarne 4 righe 70
e le prime volte vanno nel panico . La capacità di cogliere l'essenza della notizia la impari sul campo. Per questo è importante fare tanta pratica, anche solo nel giornalino di quartiere o della parrocchia, sono palestre anche quelle. Poi col tempo, se uno ha una passione, può specializzarsi in un argomento. E a quel punto sì che ne vale la pena. A Radio 24, ad esempio, la preparazione in campo economico è fondamentale per fare i Gr**. In 80
sostanza, consiglierei di partire da una buona base generica su cui costruire la specializzazione.

* **Asl** = Azienda sanitaria locale

Gr = Giornale radio

(da http://www.jobtel.it)

C Collega le parole evidenziate nell'intervista ai loro sinonimi.

☐ 1. le Pagine Gialle   a. conoscenza superficiale
☐ 2. albo   b. fare esperienza partendo da lavori umili
☐ 3. fare gavetta   c. si può riuscire, avere successo
☐ 4. ce la si può fare   d. perdono la calma, si agitano
☐ 5. infarinatura   e. pubblico registro degli abilitati a una professione
☐ 6. vanno nel panico   f. elenco telefonico di attività commerciali e servizi

D Lavorate in coppia. Rileggete il testo di p. 159 e cercate la particella *ne* (4 casi). Sottolineate la frase in cui si trova e dite per ogni caso:

– che cosa riprende nel testo;
– perché viene usata e che valore ha, scegliendo tra quelli indicati sotto.

> **La particella *ne***
>
> 1. Partitivo (una parte)
>   ▸ Quanti colloqui hai già fatto? *Ne* ho fatti tre.
>
> 2. Complementi "*di* + gruppo nominale" (complemento di specificazione, di argomento)
>   ▸ Il direttore ha già parlato delle promozioni? Sì, *ne* ha parlato poco fa.
>
> 3. Complementi "*da* + gruppo nominale"(complemento di provenienza)
>   ▸ Hai finito l'analisi statistica? Che risultati *ne* hai tratto?
>
> 4. Con verbi idiomatici (es. *non poterne più*)
>   ▸ *Non ne posso* davvero *più* del mio collega!
>
> ▸ pp. 179-181

▸E 5, 6, 7, 8 **E** Elimina le ripetizioni che ci sono in queste frasi sostituendole con la particella *ne*.

1. Secondo un'indagine del Cnel il 34,5% dei lavoratori immigrati ha un lavoro manuale non qualificato; il 10,1% ha un impiego di basso livello e il 4,7% ha un impiego di medio livello.

2. La cifra bassa delle rimesse di albanesi, rumeni, polacchi, tunisini si spiega con la tendenza a stabilizzarsi in Italia e ad essere raggiunti dalla famiglia o a formarsi una famiglia qui in Italia.

3. Dice in un'intervista Antonella Cavaglià che fa la "trainer" di cavalli: "Ho rinunciato a molte cose per coltivare la mia passione per i cavalli, ma non mi pento di averci rinunciato".

4. Come scegliere la scuola di specializzazione?
   Ci sono scuole di specializzazione di tutti i tipi e di tutte le correnti. Durante l'università lo studente avrà già avuto modo di conoscere e di simpatizzare per una o più linee di pensiero. La scelta avverrà in questo senso.

5. La musica è diventata il mio lavoro quando ho cominciato a insegnare. Sono stato docente in molte scuole medie e di musica. Finché ho deciso di fondare una scuola io.

6. Le grandi orchestre in Italia scarseggiano, la stessa RAI ha ormai soltanto un'orchestra. L'unica alternativa per lavorare è cercare spazio in quelle più piccole anche a livello locale.

12 **Coesione testuale**

A Completa questo testo scegliendo tra i connettivi che trovi sotto. Sono per la maggior parte connettivi che hai già incontrato nelle unità precedenti.

> mentre   inoltre   così   visto che   perché   per questo   per cui   comunque

Ora la molestia in ufficio è donna...

È quanto emerge da uno studio promosso dall'associazione di psicologi e psicoterapeuti "Donne Qualità della vita" condotto su oltre 150 aziende di tutta Italia. Crolla **(1)** ...., stando ai dati di questa ricerca, il luogo comune secondo il quale *mobbing* in ufficio viene esercitato prevalentemente dagli uomini. Di 1000 casi di *mobbing* segnalati agli psicologi dell'associazione, il 38% sono conseguenza di abusi al femminile. E di questi, il 58% perpetrati da donna capo a donna sottoposta, **(2)** .... nel 42% da donna a uomo. Ma qual è il giudizio della donna capo stilato da chi ci lavora insieme? Non sembra troppo lusinghiero, **(3)** .... per il 29% degli intervistati il proprio capo è troppo isterico, per il 25% violento, per il 21% aggressivo e brusco nei modi. Segue un 17% che lo vede frustrato e nel 11% incoerente nelle scelte strategiche. Nello studio sono state poi analizzate le azioni di *mobbing* 'rosa' più diffuse. Al primo posto la pressione psicologica per far sentire una persona inadeguata alla mansione che svolge: una forma di violenza utilizzata nel 31% dei casi. Nel *mobbing* al femminile c'è anche il tentativo di ridicolizzare la 'vittima' in pubblico per provocarla (28%), come pure quello di svuotarla progressivamente delle sue mansioni ordinarie (16%).

(4) .... nello studio sono stati analizzati i luoghi di lavoro dove maggiormente viene esercitato il *mobbing* 'rosa'. Le banche sono le principali sedi di vessazione (26%), seguite dagli ospedali (23%) e dalle aziende in genere (20%). Nella hit parade entrano anche le agenzie di pubblicità e di comunicazione (15%), le università (10%) e le poste (6%). Perché è così aumentata l'aggressività femminile? Sempre secondo i dati della ricerca, nel 24% dei casi motivo scatenante è lo spirito di rivalsa della donna al potere. Nel 21% delle situazioni è la cronica insicurezza; per un 19% alla base c'è l'insoddisfa-

zione sessuale ed emotiva delle donne di potere. "Spesso la donna – spiega la sessuologa Serenella Salomoni, presidente dell'associazione che ha curato la ricerca – raggiunge posizioni professionali altolocate, di direzione o **(5)** .... di responsabilità, in modo frustrato, dovendo sacrificare tempo, sensibilità e piacere sull'altare del lavoro e della carriera, **(6)** .... il meccanismo che scatta, il riflesso, può essere quello del *mobbing*, che purtroppo, ultimamente, non è più solamente una prerogativa maschile". E dopo le spiegazioni, la ricetta per sconfiggere il *mobbing*. "Non ci sono alternative – afferma Salomoni – bisogna combatterlo, non bisogna piangersi addosso e scadere nel vittimismo. Occorre rivolgersi agli avvocati, ai sindacati, alle associazioni che stanno sviluppandosi in tutta Italia proprio contro questi abusi. E poi coalizzarsi in ufficio con altri colleghi, **(7)** .... di solito chi fa *mobbing* non lo fa solo verso una persona ma o lo ha già fatto o lo farà verso altre persone". "La molestia al femminile è un fenomeno taciuto perché intacca il mito di virilità che si è costruito il maschio – spiega il professor Massimo Cicogna – **(8)** .... chi ne è colpito preferisce confessarsi con lo psicologo senza arrivare alle estreme conseguenze di una denuncia".

(da http://www.mobbingonline.it)

B Rileggi le parti di testo in cui si trovano *così, per cui* e *per questo*. Che significato hanno?

13 **Parlare**

A **Intervistarsi. Leggete le domande dell'intervista.** Avete 5 minuti di tempo per raccogliere le idee prendendo, se lo desiderate, qualche appunto scritto di ciò che direte. Poi formate delle coppie e a turno cominciate a intervistarvi sulla vostra vita lavorativa presente/passata/futura, usando le domande che trovate sotto (e aggiungendone anche altre se lo desiderate). Usate il *Lei* di cortesia.

– Che lavoro fa? – Cosa le piace del suo lavoro? – È il lavoro che aveva in mente a 18 anni? – Che studi ha svolto? – Gli studi fatti si sono dimostrati utili alla professione? – Quanto logora e quanto appassiona la sua professione? – Come ha conciliato la vita privata con il lavoro?	– Tornando indietro ci sono scelte che non rifarebbe? – Com'è il suo rapporto con i colleghi e i capi? – Cosa consiglia ai giovani che vogliano intraprendere la sua professione? – Potendo scegliere oggi, quale altra professione le sarebbe piaciuto fare? – Come sono viste le donne all'interno di questa professione? Soffrono pregiudizi? – Quali caratteristiche personali bisogna avere per intraprendere la sua professione?

B **Discutere i pro e i contro. Donna: è meglio lavorare o "fare la casalinga"?** Formate per alzata di mano due schieramenti, uno che sostiene che sia meglio LAVORARE e uno che sia meglio "FARE LA CASALINGA". Poi confrontatevi in coppia con un compagno che la pensi diversamente da voi e, in un secondo momento, con il gruppo classe, eleggendo un moderatore del dibattito. Prima di cominciare fate una lista dei vostri pro e contro.

Ecco alcune informazioni utili riguardo la condizione delle donne in Italia:

◆ le donne investono di più in cultura e riescono meglio negli studi (nel 1950 studentesse universitarie donne 3%, uomini 8,5%; negli anni duemila donne 47,5%, uomini 37%).

◆ Le donne partecipano sempre di più al lavoro, ma in Italia il tasso di occupazione femminile è circa la metà di quello maschile (donne 37,3%, uomini 66,2%; nei paesi europei donne 51,1%, uomini 71,2%); la differenza minore si ha nelle donne tra i 25 e i 34 anni con istruzione elevata.

◆ Migliora la posizione lavorativa delle donne; aumentano le libere professioniste, le imprenditrici e le impiegate.

◆ Aumenta il lavoro temporaneo e quello a tempo parziale soprattutto per le donne.

◆ Si diffondono anche gli orari atipici (lavorare di sabato – fra le donne il 55% –, di sera, a turni, la domenica e di notte – l'8%).

◆ Il modello casalinga-moglie-madre è in declino in tutte le età e in tutte le zone del paese (tra le donne sposate sono occupate il 56%, casalinghe il 32%); il modello lavoratrice-moglie-madre cresce anche nel Mezzogiorno.

◆ Alla crescente partecipazione della donna al lavoro non corrisponde un cambiamento nella distribuzione dei compiti familiari; tra le giovani generazioni emergono segnali di novità nell'impegno paterno.

◆ Le donne italiane che lavorano si dichiarano più soddisfatte delle casalinghe (lavoratrici soddisfatte 45%, casalinghe 39%).

14 Navigando

A **Lavoro stagionale, _stage_ in Italia (e nel mondo).** Dividetevi in piccoli gruppi. Immaginate di essere un'agenzia che vuole offrire un pacchetto di proposte a giovani stranieri che desiderano fare esperienze di lavoro o studio-lavoro in Italia (o all'estero). Il vostro compito è quello di trovare e selezionare alcune offerte di _stage_, lavoro stagionale, progetti di volontariato e di presentare i risultati delle vostre ricerche al resto della classe. Potete visitare i seguenti siti:

• **www.centrorisorse.org** (Centro Risorse nazionali per l'orientamento);
• **www.wep-italia.org** (World Education Program, organizzazione internazionale che promuove scambi culturali, educativi e linguistici in vari paesi del mondo).

B **Test attitudinali.** Vuoi provare anche tu a svolgere un test attitudinale? Questi test e questionari sulla personalità vengono spesso fatti fare ai candidati durante il colloquio di lavoro. Vai sul sito **http://lavoro.virgilio.it/extra/lavoro/** e scegline uno tra quelli on line. Occhio al tempo!

C **A caccia di curiosità sul lavoro in Italia.** Formate delle squadre di 4-5 persone. Avete a disposizione 30 minuti di tempo per rispondere alle domande che trovate sotto riguardanti il mondo del lavoro in Italia; vince la squadra che riesce a "cacciare" più informazioni corrette. Potete fare ricerche con il vostro motore di ricerca preferito (es. **www.yahoo.it**) usando delle parole-chiave a seconda della domanda. Vi segnaliamo inoltre alcuni siti ufficiali del mondo del lavoro: **www.welfare.gov.it** (sito del Ministero del Lavoro); **www.istat.it** (sito dell'Istituto Nazionale di Statistica).

1. Chi è un "Cavaliere del Lavoro"?
2. Che cosa recita l'articolo n. 1 della Costituzione Italiana?
3. In Italia esiste una legge che tutela le donne da forme di discriminazione nell'accesso al lavoro. Come si chiama? Qual è?
4. Come si chiamano i tre più importanti sindacati nazionali? Quale dei tre ha il maggior numero di iscritti?
5. Tra le iniziative per l'orientamento e l'informazione sul lavoro promosse dal Ministero del Lavoro c'è il "Circumlavorando". Di che cosa si tratta?
6. Il tasso di disoccupazione in Italia è inferiore o superiore al 10%? Che differenze ci sono tra Nord, Centro e Sud?
7. In Italia prevalgono le piccole (con meno di 10 lavoratori), medie (da 10 a 49 addetti) o grandi imprese (da 50 a 250 addetti)?
8. L'Italia un tempo era un paese agricolo; oggi l'agricoltura che peso percentuale ha nella formazione del prodotto nazionale?
9. Paolo Villaggio ha interpretato in una serie di film (iniziata nel 1975) un personaggio chiamato "Fantozzi", noto a tutti gli italiani. Chi rappresenta "Fantozzi"?

15 Scrivere

La lettera di candidatura e il CV

A Leggi questa lettera e completa la tabella a p. 165. Per ogni sezione/parte in cui è strutturata la lettera trovi già alcune espressioni possibili; aggiungi le formule che trovi nella lettera.

Caterina Lo Grassi
Via Delle Tofane, 23
20122 Agrate

Agrate, 29 maggio 2003

Spett. L'angolo
c.a. Silvia Consonni
Responsabile della selezione
Via Aurelio Saffi, 4
20100 Milano

Oggetto: autocandidatura in qualità di commessa per Vs. sede di Milano

Ho appena letto sulla cronaca locale di Milano del *Corriere della Sera* che state per aprire alcuni punti vendita a Milano.

Conosco la Vostra linea e credo di essere informale e colorata come il Vostro stile richiede e di aver maturato esperienze che coincidano con il profilo di commessa che state cercando.

Ho 24 anni e da sette svolgo attività stagionali in negozi di abbigliamento quali Branchetti, Migliadori, Belelli.

Sono ordinata, precisa, dinamica e ho ottime capacità relazionali e di comunicazione. Mi sono occupata, oltre che di vendita, anche di cassa e di ordini.

Conosco bene l'inglese perché mia madre è londinese e discretamente il francese che ho studiato al liceo. Sono disponibile a lavorare anche la domenica e sono molto interessata a partecipare a corsi di formazione per aggiornare le mie conoscenze tecniche e crescere nell'ambito della moda.

Sperando di sentirVi presto, Vi saluto cordialmente.

Caterina Lo Grassi
Caterina Lo Grassi

Allegati: Curriculum Vitae

LETTERA FORMALE
Scrivere una lettera di candidatura

Per cercare un lavoro si deve spesso inviare il Curriculum Vitae, che può essere accompagnato da una lettera di candidatura.
La lettera di accompagnamento al Curriculum Vitae (CV) non è necessaria, ma è certamente uno strumento utile per valorizzare i propri "punti di forza", le proprie qualità sia professionali che personali (qualcuno l'ha definita la parte intelligente del CV).

- È una **lettera commerciale**, **formale**, ma **non impersonale**, nel senso che potete essere meno schematici che nel CV e più spontanei, mettendoci un pizzico di originalità per differenziarvi dagli altri candidati, allo scopo di incuriosire e di ottenere il colloquio.
- Il **contenuto varia** a seconda che sia una lettera di risposta a un annuncio o una lettera spontanea di autocandidatura presso un certo tipo di azienda.
- Si deve **motivare il proprio interesse** e spiegare il perché della scelta di quell'azienda, cercando di dimostrare la coincidenza di interessi tra chi cerca lavoro e l'azienda che lo offre.

LA LETTERA DI CANDIDATURA (STRUTTURA)

▶ **Formule di apertura**
Egregio Sig., Dott./Dott.ssa, Prof./Prof.ssa
Gentili Signori ....

▶ **Oggetto**
Candidatura per la posizione di ....

▶ **Riferimento**
– In riferimento/In risposta al Vostro annuncio/alla Vs. inserzione su *Il Corriere della Sera* del 26 maggio per un posto di ....
– Sono stato informato da .... che presso la Vostra azienda
.... Ho saputo da ....

▶ **Motivare il proprio interesse**
– Siccome ritengo che la Vostra ditta sia ....
– Sono venuta a conoscenza dell'apertura di ....
....

▶ **Mie caratteristiche: capacità professionali (esperienze precedenti) e personali**
....
....
....

▶ **Proposta di collaborazione**
– Sarei quindi interessato a stabilire con Voi ....
– Certo di poterVi offrire una valida collaborazione ....
– Ritengo di possedere capacità ed esperienza per un proficuo inserimento ....
– Ritengo di poter essere la candidata ideale/giusta/coerente per il profilo ....

▶ **Disponibilità a corsi di formazione, flessibilità, disponibilità a fornire referenze**
– Sono disposto a viaggiare e a trasferirmi ....
– Sono disponibile a collaborazioni molto flessibili ....
– Quanto alle mie referenze ....

▶ **Formule di chiusura, saluti, firma**
– Sperando che la mia richiesta possa essere presa in considerazione ....
– Nella speranza che la mia domanda venga accolta e che mi venga accordato un colloquio ....
– Le invio i miei migliori saluti / Le porgo i miei più distinti saluti.
– Ringrazio per l'attenzione ....
– In attesa di un Vostro riscontro ....
– Cordiali/distinti saluti / Cordialmente ....
....

▶ **Allegati**
Si allega Curriculum Vitae ....

B Ora tocca a te scrivere una lettera di candidatura per un annuncio che hai letto sul giornale o *on line*. Puoi visitare i siti: www.jobitaly.com, www.lavorolavoro.it, www.cliccalavoro.it, www.bancalavoro.com, www.jobonline.it.

IL CURRICULUM VITAE

C Il Curriculum Vitae è la sintesi schematica delle proprie esperienze di studio e lavoro. Nel CV vanno messe le informazioni veramente significative per la posizione per cui ci si candida. Leggi questo CV e cerca di rispondere alle domande di p. 167 per analizzare la sua struttura e lo stile che si deve usare.

CURRICULUM VITAE

INFORMAZIONI PERSONALI

Nome:	Natalina Trevisan
Data di nascita:	22.10.1976
Indirizzo:	Via Gastone, 13 – 22134 Forlì
Telefono:	023-1345901
Nazionalità:	italiana
Stato civile:	nubile
E-mail:	natalitrevi@yahoo.it

ESPERIENZE LAVORATIVE

1999–2002: Morgan Stanley Dean Bitter Bank – Sede di Milano – Assunzione con contratto a tempo indeterminato, *Risk Management group*.
Mansioni:
– identificazione, misurazione rischi aziendali
– gestione programma assicurativo

Luglio–dicembre 1999: Philips Platform *Purchasing*, Monza, Stage nel reparto Acquisti.
Responsabilità:
– database in collaborazione con Carat
– trend e analisi di mercato, acquisto merci

Ottobre–aprile 1999: Nano-K Multimedia, (studio multimediale che realizza prodotti di alta qualità) Grenoble (F), stage di 6 mesi.
Programma Leonardo da Vinci
Mansioni:
– settori industriali, interviste, questionari
– marketing
– presentazione CD Rom a Expo Langues, creazione del sito: www.u-grenoble3.fr/galatea

Gennaio–marzo 1999: CO.ASC.IT (Ente nazionale di formazione professionale), Grenoble (F) Insegnante e Responsabile corso "Tissut économique et internationalisation des entreprises italiennes".
Obiettivi corso:
– settori industriali
– distretti industriali
– scambi franco-italiani

A.A. 1998: Université Stendhal, Grenoble (F), docente di italiano presso "Maison des Langues e des Cultures".

1995–1996: Centre de Langues Vivantes, Grenoble (F), Assistente di lingua italiana.

1994–1995: Università di Trento (ISU), Ricezione studenti, terminalista (150 ore).

ISTRUZIONE/FORMAZIONE

1994–1998: Laurea in Economia e Commercio, Università di Trento
– Indirizzo aziendale, votazione riportata 106/110
– Tesi di laurea: "Evoluzione degli strumenti di pianificazione e controllo con riferimento a particolari contesti applicativi"

1995–1996: École Supérieure des Affaires, Grenoble (F), programma Erasmus

Giugno 1994: Diploma di Maturità Scientifica, Liceo Tito Livio, Milano

CONOSCENZE LINGUISTICHE

Inglese:	ottimo parlato e scritto
Francese:	ottimo parlato e scritto, D.A.L.F. (Diploma di Approfondimento della Lingua Francese), Académie de Grenoble (F)
Tedesco:	scolastico

CONOSCENZE INFORMATICHE

Conoscenza in ambiente Word per Windows, Excel, SPSS 8, Adobe Photoshop 5, Netsim, Euclid, Bloomberg

INTERESSI

Sport: ciclismo, nuoto, rollerblade, sci di fondo
Musica classica, acquerelli
Vita associativa: vice presidente Aegee (Association des Etats Généraux des Etudiants d'Europe)
Partecipazione a Summer University tenutesi in Monaco, Trier (G), Grenoble (F), Eindhoven (NL)

Autorizzo il trattamento dei miei dati personali, ai sensi della legge 675/96.

1. In quale ordine cronologico vengono inserite le voci (titoli di studio ed esperienze) nel CV?
2. In quale sezione del CV indicheresti la posizione relativa al servizio militare? Come?
3. Nel CV si utilizza uno **stile telegrafico**, schematico, che porta alla caduta di alcuni elementi linguistici. Quali?
4. Nel CV si usa anche uno **stile nominale**, cioè si preferiscono i NOMI che derivano dai corrispondenti verbi (*frequenza* corso Import/Export); nel racconto parlato si tende invece a preferire i verbi (*Ho frequentato* un corso di Import/Export). Sottolinea nel CV che hai letto tutti i nomi che derivano da verbi.

   In altri casi il verbo viene eliminato (*Ho lavorato* nel *Risk Management Group* diventa *Risk Management Group*) o trasformato in participio passato che segue il nome (*Ho conseguito la laurea in Scienze della Comunicazione* diventa *Laurea in Scienze della Comunicazione conseguita...*). Cerca nel CV se ci sono casi simili.
5. Come si scrive la data di nascita in italiano?
6. Le informazioni che riguardano le esperienze lavorative devono contenere il nome e (indirizzo) del datore di lavoro, il tipo di azienda o settore... E poi?
7. Con quali aggettivi si può descrivere la conoscenza linguistica di una lingua straniera?
8. Gli annunci di lavoro richiedono sempre esplicitamente l'autorizzazione al trattamento dei dati personali. Quale formula viene usata nel CV e dove viene messa?

D Prima di scrivere il tuo CV, esercitati a usare lo stile appropriato. Trasforma queste informazioni nello stile nominale e telegrafico adeguato alla scrittura del CV.

Nel racconto parlato	Nel CV scritto
1. Definivo i profili dei candidati	*definizione profili candidati*
2. Analizzavo i bisogni formativi	
3. Selezionavo i candidati	
4. Ho progettato i corsi di formazione	
5. Ho gestito dei *database* di circa 1500 *curricola*	
6. Ho organizzato seminari di finanza e marketing	
7. Ho conseguito l'abilitazione all'esercizio della professione di Dottore Commercialista	
8. Ho sviluppato prodotti editoriali	
9. Ho prestato servizio di consulenza all'università di Torino per lo sviluppo del sito web	

E Ora tocca a te scrivere il tuo CV. Se vuoi, puoi utilizzare come griglia il formato europeo del Curriculum Vitae che trovi sul sito www.cedefop.eu.int/trasparency/cv.asp (lo trovi in 13 lingue). Naturalmente scegli la versione in italiano!

Esercizi

1 Completa queste offerte di lavoro coniugando correttamente il verbo.

Azienda Leader settore tessile-abbigliamento RICERCA **Responsabile commerciale Italia/estero** che in autonomia (*sapere*) (1) .... svolgere tutte le problematiche commerciali relative all'attività commerciale Italia/estero.
Inviare CV e autor. l. 675 a: Casella Essepiemme Pubblicità N. 322 – 51100 Pistoia

Gruppo Bonaldi cerca per ampliamento organico **Venditori Auto.** La ricerca è rivolta:
– sia a persone che (*maturare*) (2) ....
 una significativa esperienza nella vendita;
– sia a giovani che (*volere*) (3) ....
 intraprendere la carriera di venditori, purché (*maturare, già*) (4) .... un'esperienza di base in ambito commerciale.

MEDTRONIC ITALIA S.p.A è la filiale italiana leader mondiale nel campo delle tecnologie mediche, nella ricerca e produzione di sistemi biomedicali ad alta tecnologia. Ricerca **DUE ADDETTI** *CUSTOMER CARE* che (*mantenere*) (5) .... i rapporti con i clienti in un'ottica di *Customer Satisfaction*. Il/la candidato/a ideale, di 20/30 anni, possiede un'esperienza consolidata in analoga posizione, buona padronanza della lingua inglese e dei principali strumenti informatici, spiccate doti relazionali.
Gli/le interessati/e possono inviare per posta prioritaria dettagliato CV citando il riferimento CTM a: Medtronic Italia Spa, V.le Fulvio Testi 280, 20126 Milano, fax 0266164239

Società leader nel settore dell'edilizia residenziale per potenziamento organico CERCA:
– **ingegnere / architetto** che (*assistere*)
 (6) .... il responsabile tecnico nella gestione di progetti edilizi da realizzare nella provincia di Messina.
 La ricerca è rivolta a candidati di età inferiore ai 35 anni che (*svolgere*)
 (7) .... professione analoga per almeno tre anni in cantiere.
– **Geometri** che (*sapere*) (8) ....
 gestire le problematiche degli acquirenti dai preliminari di vendita fino al rogito.
– **Venditori** che (*avere*) (9) ....
 esperienza di vendita nel settore immobiliare a cui affidare la commercializzazione delle unità abitative.
MCCM Selezione S.r.l.
Corso Fulvio Testi 145, 46100 Messina
fax 090-45701123, selezione.pers@tin.it

2 Completa queste frasi scegliendo tra il congiuntivo presente e il congiuntivo passato.

> **Congiuntivo passato**
> ausiliare *essere* / *avere* al congiuntivo presente + participio passato

ESEMPIO

▶ La direzione ha deciso di assumerlo perché ritiene che (*svolgere*) **abbia svolto** professionalmente gli incarichi assegnati nei 3 mesi di prova.

1. Penso di accettare l'offerta nonostante la sede di lavoro (*distare*) .... 100 chilometri da dove abito.
2. Da questo mese in poi bisogna che ci (*pagare, loro*) .... puntualmente altrimenti ricorreremo a un'azione sindacale.

3. È preoccupante che nell'ultimo semestre la disoccupazione (*salire*) .... di un altro punto percentuale.

4. Pretendono che in un solo mese di praticantato (*imparare, già*) .... a gestire l'intera contabilità aziendale.

5. È necessario che i giovani (*entrare*) .... nell'ottica del nuovo mercato del lavoro che richiede flessibilità e continuo aggiornamento.

6. Penso che Giulio (*giocarsi*) .... il posto rifiutandosi di fare straordinari.

3 Trasforma i verbi dalla forma personale (in neretto) a quella impersonale, facendo attenzione a fare tutti i dovuti cambiamenti. (Per esempio gli aggettivi possessivi *tuo/vostro* nella forma impersonale diventano *proprio*).

La lettera di accompagnamento

Che cos'è una lettera di accompagnamento? È obbligatoria? Cosa bisogna scriverci?

Sono questi gli interrogativi più frequenti che **si pongono le persone** nel rispondere a un annuncio o nell'inviare un Curriculum Vitae spontaneo.

Ecco qualche indicazione pratica per evitare gli errori più grossolani.

Il contenuto varia a seconda che **stiate rispondendo** a un annuncio o che **stiate inviando** un curriculum spontaneo. Nel primo caso la lettera deve contenere in maniera chiara il riferimento alla posizione per la quale **vi state candidando**, deve essere formale e deve evidenziare il fatto che **possedete** tutti i requisiti richiesti.

Nel secondo caso **dovete sforzarvi** di candidarvi per una posizione precisa o per un ruolo per cui **avete** l'esperienza o quanto meno i titoli necessari.

La lettera di accompagnamento non deve essere pomposa ed eccessivamente autocelebrativa, ma deve sicuramente parlare un po' di voi e del vostro carattere. Una lettera eccessivamente fredda e formale darà l'impressione che **voi siate** una persona rigida.

Fate ben attenzione a chi **state scrivendo** e ai messaggi anche inconsapevoli che **mandate**. A ciascuna azienda la sua lettera. Sembra banale ma tante volte per fare in fretta e perché **inviate** tanti CV **avete** la tentazione di mandare a tutti la stessa lettera di accompagnamento fotocopiata e con l'indirizzo scritto a mano. Una lettera così è sicuramente squalificante! **Scrivete** sempre una lettera *ad hoc* per ciascuna azienda mettendo in risalto le caratteristiche di voi che di volta in volta sembrano più adeguate alla cultura aziendale del ricevente.

4 Trasforma i soggetti in neretto usando il *si* impersonale con i verbi riflessivi. Fai tutti i cambiamenti necessari.

1. **Il candidato** deve proporsi alle aziende in modo intelligente, scegliendo soltanto i canali di *recruiting* più efficaci.

2. Per problemi di *mobbing* in ambiente di lavoro **rivolgiti** alla Mima (Movimento italiano mobbizzati associati) che fornisce consulenze e sostegno.

3. **Se venite contattati** telefonicamente per un colloquio **informatevi** sulla durata dell'incontro e se ci saranno dei test attitudinali.

4. Durante il colloquio di lavoro **rilassatevi** e **ricordatevi** di spegnere il telefonino. Sarebbe oltremodo imbarazzante se squillasse durante il colloquio.

5. In zone dove la piena occupazione è una realtà **l'imprenditore** può permettersi di scegliere tra manodopera di colore e non.

5 Elimina le ripetizioni che ci sono in queste frasi sostituendole con la particella *ne*.

ESEMPIO

► La disoccupazione è tutto sommato un fenomeno abbastanza recente. Parliamo di disoccupazione con l'ingegner Nicola Cacace, presidente di *Nomisma*.

La disoccupazione è tutto sommato un fenomeno abbastanza recente. *Ne* parliamo con l'ingegner Nicola Cacace, presidente di *Nomisma*.

1. La molestia sul lavoro è donna: su 1000 casi il 38% sono abusi al femminile. Parlava di molestie sessuali da parte di una donna capo il film *Rivelazioni* con Demi Moore e Michael Douglas.

2. L'eventuale motivo delle proprie dimissioni non va riportato nel CV, si discuterà della ragione delle dimissioni eventualmente in fase di colloquio. Stessa cosa vale per le richieste economiche, è meglio parlare di questioni salariali a voce.

3. Assume un giovane meccanico di 24 anni straniero, tanto bravo nel lavoro quanto affascinante nei modi e nell'aspetto. Si invaghisce del meccanico ma poi l'uomo va via dal posto di lavoro sbattendo la porta anche perché lo stipendio non arriva puntuale.

4. La molestia al femminile è un fenomeno taciuto perché intacca il mito della virilità che si è costruito il maschio, per questo chi è colpito dalla molestia femminile preferisce confessarsi con lo psicologo senza arrivare alle estreme conseguenze di una denuncia.

5. Un giovane può essere flessibile, può cambiare più volte lavoro, può imparare cose nuove senza vivere questi passaggi in modo traumatico. Può fare di questi cambiamenti la sua ricchezza.

6 Completa queste frasi con un pronome combinato (es. *me ne*).

1. Non ti vergogni di esser finito sui giornali per aver denunciato il tuo datore di lavoro? Non .... vergogno affatto perché quei soldi mi spettavano.

2. È inutile continuare a discutere con Marco dell'articolo 18 dello statuto dei lavoratori perché non .... importa un bel niente. Ha già detto che non andrà a votare per il referendum.

3. Il responsabile del personale è stato fin troppo gentile con voi, non .... dovete approfittare!

4. L'assemblea sindacale era noiosissima, così .... sono andata prima.

5. Mi parli un po' dei tuoi problemi sul lavoro? Non .... voglio parlare perché mi intristisco troppo.

6. Non ci credi che cambierò lavoro? Ne dubito perché .... avevi già parlato l'anno scorso.

7. È già partita per le ferie la tua collega? Sì, ... è andata ieri.

8. – Il direttore si lamenta di non ricevere i tuoi *report*. • Ma se .... ho spediti due proprio ieri!

9. La mia collega spende tutto il suo stipendio in vestiti, ... compra almeno uno al giorno.

10. Il reparto vendite ha fatto richiesta di 15 nuovi computer. Da .... 13 in modo che ne rimangano un paio per la divisione logistica che li aveva già ordinati precedentemente.

7 Trasforma queste frasi al passato prossimo, facendo attenzione a mettere, quando necessario, l'accordo al participio passato:

ESEMPIO

▶ Serena ne prende 2 rullini (**di foto**).
Serena ne ha presi 2 rullini.

▶ Serena ne prende 24 (**di foto**).
Serena ne ha prese 24.

1. Carla se ne va di fretta perché deve andare a ritirare i bambini dall'asilo.

2. Marino me ne parla. (*dei colleghi*)

3. Ne leggo solo due. (*di annunci di lavoro*)

4. Gliene regalo un barattolo. (*di miele*)

5. Emanuela non se ne accorge. (*di sbagliare*)

6. Te ne servono almeno cinque. (*di toner per stampanti*)

7. Ne mangio un cesto. (*di fragole*)

8. Ne ricava un bel gruzzolo. (*di soldi*)

9. Ne compro molti. (*di libri*)

10. Ne indossa molte. (*di collane*)

8 Associa a ciascun verbo idiomatico con il *ne* il suo significato.

☐ 1. Durante la vacanza premio il nostro Project Manager **ne ha fatte di cotte e di crude**: si è ubriacato tutte le sere, si è perso, ha fatto la corte a una cameriera e per scommessa ha fatto il bagno nudo a mezzanotte. Non l'avrei mai detto, sembrava così serio!

☐ 2. Ho aiutato molto la mia collega quando era stata appena assunta, ma **non ne è valsa** proprio **la pena**.

☐ 3. Vado spesso nella scuola dove ho insegnato per 35 anni a salutare colleghi e studenti. Da quando sono in pensione **non posso farne a meno**!

☐ 4. Mi licenzio, **ne ho abbastanza di** Lei e della sua azienda, Lei è insopportabile, oggi stesso do le dimissioni e me ne vado!!

☐ 5. Durante le vacanze di Pasqua il piccolino di mia cognata **ne ha combinate di tutti i colori**: picchiava Giulio, una volta l'ha spinto giù dalle scale, non ti dico che disastro!

☐ 6. È così afoso qui in ufficio, **non ne posso più**, non vedo l'ora di spostarmi nella nuova sede dove ci sarà l'aria condizionata.

☐ 7. Si era invaghita del suo dipendente che però **non voleva saperne di** lei. Così per vendicarsi lo ha denunciato per violenza sessuale e lo ha fatto arrestare.

a. non la sopporto, tollero più

b. non riesco a fare senza, non riesco a non

c. non se lo meritava

d. non sopporto più questa situazione, condizione

e. ha fatto dei grossi guai

f. ha fatto delle azioni insolite, strane

g. non era interessato a lei

9 Completa queste frasi scegliendo tra *chi* (= "colui/coloro che, la/e persona/e che"), *quanto* (= "ciò che"), *quanti/quante* (= "le persone che, tutti/e quelli che").

1. "............... non lavora, non fa l'amore", diceva una vecchia canzone di Celentano.

2. Mi rivolgo a .... due giorni fa sono andate a frequentare il corso d'aggiornamento fuori sede.

3. Invidio .... riescono a controllare le loro emozioni. Io invece sono impulsiva e dico sempre ciò che penso, facendomi dei nemici sull'ambiente di lavoro.

4. D'accordo, invierò un'e-mail a .... sono mancate alla riunione di ieri.

5. Stando a .... ci ha riferito Luca, l'ufficio dovrebbe essere aperto al pubblico anche di sabato mattina.

6. Si lamenti con .... le hanno dato questa informazione, non con me.

7. Il mio capo-ufficio mi ripeteva più volte: "Ricordati di .... ti ho detto perché stai rischiando il posto di lavoro"

8. Non so nient'altro, questo è .... mi ha riferito il mio collega stagista.

9. "............... troppo vuole nulla stringe", non rientra tra le regole del professionista che vuole fare carriera.

10. .... hanno sbagliato devono pagare.

10 Leggi queste frasi e rispondi alle seguenti domande:

1. Una grande azienda innovativa ha bisogno della collaborazione di tutti i suoi dipendenti, a qualunque livello.

2. Assumono qualsiasi studente parli fluentemente oltre all'inglese una seconda lingua europea, preferibilmente il tedesco.

– *Qualunque/qualsiasi* sono usati come aggettivi o pronomi?

– Che significato hanno?

– Si riferiscono a esseri animati, cose?

– Il verbo va al modo indicativo o congiuntivo?

Completa ora queste frasi scegliendo tra gli aggettivi indefiniti qualunque, qualsiasi, qualche, ogni.

1. .... lavoro tu scelga dovrà essere compatibile con la tua vita familiare.

2. Ecco .... indicazione pratica per evitare gli errori più grossolani.

3. Avendo l'amministratore vietato .... lavoro a casa, devo fermarmi in ufficio a fare straordinari.

4. Sono arrivato in America con le conoscenze

linguistiche limitate di .... studente del liceo italiano, per di più classico.

5. In ufficio è sparita la cassettina dei soldi spicci, che è stata ritrovata .... giorno dopo con segni di scasso.

6. Alla fine ha accettato un lavoro .... pur di potersi trasferire negli Stati Uniti.

7. A Brescia, ... tempo fa, 500 persone hanno rifiutato quello che una volta sembrava un miraggio, l'impiego alle Poste.

8. Per fare lo psicologo occorre molta umiltà perché .... essere umano che si incontra è un caso unico, per il quale vale la pena ripartire sempre da capo e da cui c'è tanto da imparare.

9. Ha fatto .... scuola di giornalismo? No. Ho semplicemente fatto una lunga e faticosa gavetta, prima come *free-lance*, collaborando a varie testate, poi come praticante.

10. Un laureato in una .... materia umanistica ha i requisiti per la posizione offerta.

11. Mi scontro .... giorno con ragazzi che suonano tastiere elettroniche in grado di produrre mille suoni diversi e credono di essere già musicisti: non capiscono invece che fare musica è altro, che occorrono teoria, passione e pratica costante.

12. L'unico paese al mondo in cui la produttività cresce meno della produzione sono gli Stati Uniti, dove .... anno si creano un milione e mezzo di nuovi posti di lavoro.

13. .... 100 aziende controllate nel 2002, più della metà ha fatto ricorso al lavoro nero.

11 Completa questo testo con le parole mancanti – nomi d'agente, di professione – che devi derivare dalla parola-base sottolineata che trovi tra parentesi.

300 (*animare*) (1) ..animatori.. **per le vacanze**

Gilly Project fornisce animatori a tour (*operare*) (2) .... , italiani come *Alpitour* o *Francorosso* e altri esteri: "Ogni stagione sarebbero necessari 300 animatori ma non riusciamo a individuarne più di 150/200" lamenta Liliana Gori che si occupa della selezione. La selezione per l'estate dura fino a giugno. Tra le figure ricercate quella del capo villaggio, gli animatori di ogni specializzazione, gli (*istruire*) (3) .... , sportivi di ogni attività, i ruoli tecnici come disc-jockey, (*coreografia*) (4) .... , tecnici suoni e luci, (*scenografia*) (5) .... , (*costume*) (6) .... , (*chitarra*) (7) .... , (*ballare*) (8) .... , (*agire*) (9) .... , (*cabaret*) (10) .... , tra le hostess soprattutto quelle di contatto e addetti ai miniclub. D'inverno invece la prevalenza va ad (*accompagnare*) (11) .... e (*sciare*) (12) .... esperti.

Si tratta di ragazzi tra i 18 e i 32 anni, estroversi, simpatici, gente che sta bene insieme agli altri. La prima selezione di *Gilly* verte sul carattere e la capacità, si ha poi l'incontro tra il candidato e la struttura che l'inserirà. Il contratto stagionale utilizza l'assunzione a tempo determinato o la collaborazione coordinata e continuativa.

(da «Corriere lavoro», 23 maggio 2003)

12 Completa questo testo scegliendo tra le preposizioni *a* e *in* semplici o articolate.

L'identikit dell'immigrato che lavora in Italia

È marocchino, maschio, non sposato, ha un impiego (1) .... tempo pieno, vive (2) .... Lombardia o (3) .... Lazio, manda (4) .... casa circa 613 euro all'anno, ha problemi con la casa e il suo principale motivo di disagio è la difficoltà (5) .... fare amicizia. Ecco l'identikit dello straniero medio che lavora (6) .... Italia, secondo una serie di ricerche che annualmente vengono svolte da alcuni centri di ricerca. Guardando (7) .... paese di provenienza le cifre parlano chiaro: del 1 236 335 extracomunitari presenti (8) .... Italia, ben 159 599 vengono dal Marocco, e 142 066 dall'Albania. La Romania, con i suoi operai edili, si attesta (9) .... terzo posto (68 929), mentre le Filippine sono (10) .... quarto (65 353), grazie (11) .... personale domestico in maggior parte femminile. In crescita i cinesi, 60 075, che hanno la più alta percentuale di imprenditori, specie (12) .... settore tessile (13) .... Prato e (14) .... Napoli.

Per quanto riguarda le destinazioni primeggiano Lombardia e Lazio. Nella prima regione ci sono 308 408 stranieri (22,2% del totale dell'Italia), e nella seconda 245 666 (il 17%). Su cifre inferiori seguono Veneto (139 522), Emilia Romagna (113 048) e Toscana (114 972). Il sorpasso della Lombardia sul Lazio è avvenuto nel 1999, un dato spiegabile con l'offerta di lavoro delle imprese artigiane. (15) .... Veneto e (16) .... Emilia è la piccola e media impresa (17) .... attrarre gli

extracomunitari. Secondo un'indagine della Swg il 34% degli extracomunitari ha un impiego (18) .... tempo pieno; il 13% lavora (19) .... giornata, il 15% ha un contratto *part-time* (soprattutto le colf – collaboratrici familiari); il 10% ha un lavoro stagionale (soprattutto (20) .... agricoltura); il restante 9% è in Italia per studiare. Dal punto di vista della qualità del lavoro, non tutto fila per il verso giusto. Secondo un'indagine del Cnel pubblicata nel 2001, il 34,5% ha un lavoro manuale non qualificato; il 10,1% ha un impiego di basso livello; il 4,7% ne ha uno di medio livello; il 13,5% è un piccolo imprenditore, e il 5,4% è un professionista. L'ingresso (21) .... mondo del lavoro, poi, è stato difficile: per il 61,9% il primo lavoro è stato (22) .... nero.

Secondo uno studio effettuato dalla Caritas e dalla Banca Antonveneta, i risparmi mandati (23) .... patria dagli stranieri hanno raggiunto nel 2000 1138 miliardi di vecchie lire. In testa alla lista i filippini: 199,9 milioni di Euro mandati complessivamente (24) .... patria nel 2000. Il dato si spiega col fatto che sono molte le donne che lavorano in Italia come colf e che hanno (25) .... patria marito e figli, (26) .... cui mandano i risparmi. La cifra bassa delle rimesse di albanesi, rumeni, polacchi e tunisini, si spiega invece con la tendenza (27) .... stabilizzarsi in Italia e (28) .... essere raggiunti dalla famiglia o (29) .... formarsene una qui.

(da http://www.mobbingonline.it)

Ripasso

1 Completa questo articolo coniugando i verbi tra parentesi nella forma passiva.

La formazione? Pagata!

Le Regioni organizzano corsi che preparano e aiutano a trovare lavoro. E assieme allo studio offrono stage retribuiti e rimborsi spese.

La richiesta in tutti i campi di personale sempre più qualificato sottolinea l'importanza dei corsi di formazione. Oltre a offrire una specializzazione garantiscono anche una sorta di piccolo stipendio, che (corrispondere) **(1)** .... *come rimborso spese o come retribuzione per gli stage previsti. I corsi più qualificati in genere* (organizzare) **(2)** .... *dagli enti locali, regioni in testa. Vediamo a titolo d'esempio le proposte del Veneto, del Lazio e della Lombardia.*

• Estetiste con diploma

"Il corso per estetiste (*riservare*) **(3)** .... a donne maggiorenni residenti in Veneto" dice Sergio Travisato del settore formazione lavoro della regione. "Le 20 studentesse seguiranno 300 ore di lezione." (*Prevedere*) **(4)** .... *stage* retribuiti (3 euro l'ora) e un rimborso spese di 250 euro.

• Esperti di turismo e di economia

Il corso Ifts, post-diploma, ha un indirizzo turistico, agricolo e commerciale. Il test d'ingresso (*fissare*) **(5)** .... per l'inizio di dicembre e i 15 allievi ammessi dovranno seguire 800 ore di lezione alternando prove scritte e orali a *stage* retribuiti in aziende.

• Donne che fanno impresa

La Regione Lazio offre un corso per diventare imprenditrici. "Le candidate devono avere un diploma di scuola media superiore e la voglia di creare un'impresa" spiega Luigino Cicero, responsabile dell'area formazione professionale del Lazio. A novembre, con un test d'ingresso (*scegliere*) **(6)** .... 15 persone. Nelle 350 ore di lezione (*illustrare*) **(7)** .... i piani di *marketing* e la gestione della finanza aziendale. Il rimborso spese è di 200 euro.

• Tecnici della moda

Il test d'ingresso (*riservare*) **(8)** .... a 16 ragazzi e ragazze lombardi con un diploma di scuola media superiore. In 800 ore di *marketing* impareranno nozioni di moda e *management* di gestione. (*Prevedere*) **(9)** .... *stage* nelle aziende e un rimborso spese di 250 euro.

• Scenografi professionisti

(*Organizzare*) **(10)** .... dall'Ente Ires Cogi e inizierà a metà settembre il corso per 16 scenografi. In 600 ore si scopriranno tutti i segreti della scenografia sia televisiva che teatrale. Non mancheranno lezioni di inglese, informatica, *stage* e studi televisivi. (*Rilasciare*) **(11)** .... un diploma per esercitare la professione.

ANTONELLA GIULI

(da «Donna moderna», 6 novembre 2002)

Test

1 Completa questo annuncio di lavoro coniugando correttamente i verbi.

Comtel
500 unità per telefono

Comtel, operatore telefonico per servizi di telefonia fissa in Puglia, Calabria, Basilicata, Abruzzo e Molise, cerca

– 500 venditori che (*promuovere*)

(1) .... e (*vendere*) (2) ....

nelle aziende i servizi d'abbonamento, Adsl, gestione e-mail e il nuovo Vms;

– che (*essere*) (3) .... residenti nelle cinque regioni in cui opera con servizio di abbonamento Comtel;

– che (*maturare*) (4) .... un'esperienza di almeno un anno nella vendita di servizi tecnologici e telefonici;

– che (*avere*) (5) .... il diploma di scuola media superiore, età fra i 20 e i 35 anni, conoscenza del PC e di Internet.

Contratto procacciatori d'affari. Provvigioni previste di 1500 euro al mese.

Curriculum a Ufficio Risorse umane Comtel, Via Virgilio, 8 72022 Latiano (Brindisi), fax 0831-9903218, E-mail sviluporisorse@comtel.it

→ **/5 punti**

2 Trasforma in questo testo le forme personali in neretto in costruzioni impersonali con il *si* impersonale/passivante.

Esperienze professionali: disposizione e redazione delle esperienze di lavoro svolte

È sempre consigliabile specificare l'anno in cui **avete conseguito** un titolo di studio, in cui **avete partecipato** a un corso o *stage* e il periodo in cui si è svolta ogni esperienza lavorativa.

In particolare per ciò che riguarda le esperienze professionali, **potete** disporle in ordine cronologico dalla più recente alla più distante nel tempo. Per ogni esperienza lavorativa effettuata **dovrete** indicare il periodo, il nome dell'azienda, il settore di attività della stessa, la mansione svolta al suo interno ed eventuali obiettivi aziendali fissati e raggiunti. L'eventuale motivo delle proprie dimissioni e le richieste economiche non vanno riportate, meglio parlarne a voce.

È importante non fornire informazioni riservate sull'azienda per la quale **avete lavorato**.

Tante più esperienze professionali **accumulate**, tanto più quelle stagionali e saltuarie (importanti invece per chi non ha altre esperienze da citare) **potete** eliminarle. Ricordarsi di citare eventuali *stage* o periodi di praticantato presso studi privati. Indicare anche la disponibilità a viaggi e trasferimenti in Italia o all'estero, il tipo di patente posseduta e il possesso o meno di auto propria.

→ **/7 punti**

3 Elimina le ripetizioni con il pronome appropriato.

1. Per forza ha una bronchite cronica, fumava tre pacchetti di sigarette al giorno perché era stressato al lavoro. Ha davvero abusato del fumo.

2. Sono contenta che abbia preso una settimana di riposo dal lavoro, aveva un gran bisogno di riposarsi!

3. Hai preso tu i floppy? Mancano parecchi floppy, ieri la scatola era ancora piena!

4. Se impari bene le lingue, potrai trarre dei grossi vantaggi dall'apprendimento delle lingue per la tua futura professione.

Costruisci una frase per ciascun verbo idiomatico.

1. valerne la pena

....

....

2. non poterne più

....

....

→ **/6 punti**

4 Completa questi frammenti di testi scegliendo tra i pronomi relativi *chi, quanti, che, cui*.

– Molti considerano il giornalismo come se non fosse un "lavoro vero" perché ci si ritrova a fare ciò che piace. Cosa ne pensa?

• Ma, insomma... a vedere i miei colleghi del Gr che si alzano alle quattro del mattino, proprio non direi! Bisogna considerare che anche il giornalismo è un lavoro fatto in buona parte da routine. Indubbiamente (1) .... vuole fare il giornalista e riesce a farlo si ritiene fortunato: è un lavoro che arricchisce umanamente, soprattutto se hai modo di parlare di un argomento a (2) .... sei interessato.

~·~

– L'esame di iscrizione all'albo è uno spauracchio per molti.

• L'esame è una bella prova, professionale e personale. Non è questa cosa così tremenda, ma bisogna studiare. Giustamente la professione è molto attenta agli aspetti (3) .... riguardano il nostro lavoro e lo spettro è amplissimo. Ci sono cose che non puoi non sapere, nel momento in (4) .... trasmetti cultura. Di fatto (5) .... arriva all'esame già abituato a scrivere ce la fa senza problemi.

~·~

– Tra il tipo di studi concluso e la condizione di occupato esiste un'elevata correlazione e la percentuale di (6) .... svolgono un'attività lavorativa aumenta quanto più spiccato è il taglio professionalizzante degli studi conclusi. In effetti, la più alta percentuale di giovani che lavorano si registra proprio tra (7) .... hanno conseguito un diploma professionale (75,7%), seguiti dai giovani provenienti dagli istituti tecnici (67,3%), mentre la percentuale più bassa si registra tra i liceali con il 28,6% di occupati.

→ **/7 punti**

5 Completa scegliendo tra gli aggettivi indefiniti *qualsiasi/qualunque, qualche, ogni*.

1. Quando si è giovani è opportuno accettare .... opportunità di lavoro e di aggiornamento perché il mercato premia chi ha acquisito molta esperienza e sa autoformarsi.

2. La Consulting ricerca personale giovane ma che abbia già maturato .... anno di lavoro in analoga posizione.

3. Se ritornassi indietro rifarei tutto ciò che ho fatto perché .... esperienza che ho vissuto mi ha arricchito culturalmente e dal punto di vista relazionale.

4. .... professione tu scelga di esercitare dovrai imparare a trovare un equilibrio tra la sfera lavorativa e quella privata, familiare. Altrimenti sarai stressato e insoddisfatto.

→ **/4 punti**

6 Completa questa offerta di lavoro con i nomi che derivano dagli aggettivi tra parentesi, scegliendo tra i suffissi *-anza, -ezza, -ità, -zione*.

Cerchi lavoro?
Opportunità part-time/full-time

Requisiti:
– (costante)

....

– (determinato)

....

– (flessibile)

....

– (riservato)

....

Previo colloquio:
tel. Sig. Fringuelli, 347 123468

→ **/4 punti**

7 Completa i testi scegliendo tra le seguenti parole:

> licenziamento   grafici   trattamento economico   lavoro temporaneo
> profili   ambosessi   Responsabile selezione del personale

Gruppo IPAS S.p.A., concessionaria in esclusiva di spazi pubblicitari su impianti di arredo urbano e cartellonistica e affissioni, ricerca AGENTI per la regione Campania (NA, CE, SA).

Si offrono: ottimo (1) .... , rimborso spese nel periodo di prova, elevati guadagni.

La ricerca è rivolta ad (2) ....

Per colloquio inviare CV al fax: 081-34789120, via e-mail: publispazio@publispazio.it

⌒ • ⌒

– Dottor Rolando, che tipi di curricula vi arrivano soprattutto?

• I (3) .... tecnici più inseriti sono quelli di programmatori, di esperti di sistemi operativi, Htmellisti, (4) .... e *web designer*. E poi quelli relativi alla gestione di *database* e di consulenti.

⌒ • ⌒

I contratti proposti dalle agenzie di (5) .... della cintura torinese spesso non superano le due settimane. E la media nazionale è di 45 giorni. Le aziende possono usare questo tipo di lavoro solo per fronteggiare i picchi di produzione, per sostituire personale in ferie o in maternità, o se hanno bisogno di qualifiche non previste.

⌒ • ⌒

Se conoscete il vostro referente intesterete la lettera *ad personam*, se non ne conoscete il nome e cognome, un banale "C.a. (6) ...." e un "Egregio Signore/Gentile Signora" vi leveranno d'impaccio piuttosto elegantemente.

⌒ • ⌒

L'articolo 18 dello Statuto dei diritti dei lavoratori rappresenta un cardine delle tutele nei luoghi di lavoro, ovvero sancisce che il (7) .... possa avvenire solo per "giusta causa".

→	/7 punti
→**punteggio totale**	**/40 punti**

Sintesi grammaticale

Frasi relative con il congiuntivo

Normalmente nelle frasi relative viene usato l'indicativo; si usa il congiuntivo per dare alla frase un **significato di eventualità:**

> Cerco una persona che *sia* disposta a viaggiare. (se c'è; è eventuale)
>
> *vs:* Cerco una persona che *è* disposta a viaggiare. (è reale, oggettiva).

Uso | L'uso del congiuntivo nelle frasi relative è frequente:

▶ quando l'antecedente della relativa è un superlativo relativo
> È *il libro più bello* che io *abbia* mai *letto.*

▶ quando l'antecedente della relativa è un indefinito (negativo)
> Non c'era *nessuno* che *parlasse* l'italiano.

▶ con espressioni con valore restrittivo come *unico, solo, ultimo*
> Mio fratello è l'*unica* persona che *rispetti* le mie idee.

Congiuntivo passato (cfr. Tavole grammaticali, pp. 475-483)

(Per il congiuntivo presente cfr. Unità 2, p. 64).

Forma | Il congiuntivo passato si forma con il congiuntivo presente dell'ausiliare *avere/essere* + il participio passato del verbo principale.

Penso che...

io	abbia		io	sia
tu	abbia		tu	sia
lui/lei/Lei	abbia	parlato, venduto, capito	lui/lei/Lei	sia	partito/a
noi	abbiamo		noi	siamo
voi	abbiate		voi	siate	partiti/e
loro	abbiano		loro	siano

essere sia stato/a, sia stato/a, sia stato/a, siamo stati/e, siate stati/e, siano stati/e

avere abbia avuto, abbia avuto, abbia avuto, abbiamo avuto, abbiate avuto, abbiano avuto

Concordanza | Non credo che...

> Ada *vada* a lavorare oggi perché non sta bene. (**ora** = contemporaneità)

Non credo che...

> Ada *sia andata* a lavorare ieri perché non stava bene. (**prima** = anteriorità)

Si impersonale/passivante

Uso   Il pronome *si* viene usato nelle costruzioni impersonali quando l'agente è indefinito (cfr. *one* inglese, *man* tedesco, *on* francese):

> *Si* (= uno) sta bene qui.

Si usa spesso per esprimere costumi di uso comune, ordini, regole, verità generali:

> *Si* devono pagare le tasse.

Forma   Il pronome impersonale *si* deve sempre essere espresso dopo ogni forma verbale, non può essere sottinteso:

> Quando *si* sta bene, *si* è allegri e *si* è socievoli.

Accordo   *Si* vuole l'accordo di numero tra il verbo e l'oggetto diretto:

> *Si mangia* <u>una</u> mela.   *Si mangiano* <u>due</u> mele.

Questa costruzione con oggetto diretto è simile per significato alla costruzione passiva (*Una mela viene mangiata*) e perciò il *si* impersonale con i verbi transitivi è chiamato *si* passivante.

Ausiliare   Nei tempi composti si usa sempre l'ausiliare **essere**:

> Che cosa avete fatto ieri sera?   *Abbiamo visto* un film.
> *Si è visto* un film.

Si impersonale + verbo riflessivo   Se il *si* impersonale è seguito da un verbo riflessivo si usa *ci si* e non **si si*.

> *ci si* pente, *ci si* lava, *ci si* compra qualcosa

Pronomi diretti/indiretti + si impersonale

> Maria si compra la penna.   Maria *se la* compra.
> *Si* (= uno) compra la penna/il libro.   *La/lo si* compra.
> *Si* (= uno) scrive a Giulio/Luisa.   *Gli/le si* scrive.

Particella pronominale *ne*

Uso   *Ne* è un pronome atono, invariabile (ha una sola forma per i due generi e i due numeri).

1. Valore partitivo   Indica una quantità precisata (con i numerali) o imprecisata (con gli indefiniti *molto, poco, troppo, tanto, nessuno, alcuno, qualcuno*):

> Quante gonne invernali hai? *Ne* ho solo *tre.*
> Ho comprato molti fichi, *ne* vuoi?

In italiano in presenza di numerali e indefiniti, se non c'è l'oggetto diretto, il *ne* è obbligatorio. Non posso dire **Prendo due. *Ho molti.* Devo dire:

> *Ne* prendo due.
> *Ne* ho molti.

Se il *ne* partitivo è accompagnato da un aggettivo qualificativo, questo va preceduto dalla preposizione **di**:

> Ci sono dei quadri interessanti alla mostra? Sì, ce *ne* sono *di* interessanti.

2. In sostituzione dei complementi *di* + gruppo nominale	▸ complemento di specificazione = di lui, lei, loro, questi... Mauro è partito, *ne* sento molto la mancanza. (= di lui)
	▸ complemento di argomento = di lui, lei, loro, questi..., con alcuni verbi come *parlare, discutere, trattare, dire* Ha già trattato il Marketing internazionale? *Ne* ha parlato un po' ieri. (= del Marketing internazionale)
	▸ può dipendere da verbi riflessivi che richiedono la preposizione *di* (*ricordarsi di, accorgersi di, dimenticarsi di, innamorarsi di, interessarsi di, lamentarsi di, occuparsi di, pentirsi di, preoccuparsi di, rendersi conto di, vantarsi di*) Ti ricordi della Signora Dotti? Certo che *me ne* ricordo! (= di lei)
3. In sostituzione dei complementi *da* + gruppo nominale	▸ complemento di provenienza (moto da luogo) È entrato nel bar e *ne* è uscito subito. (= dal bar)
	▸ può dipendere da verbi che richiedono la preposizione *da* (*ottenere da, ricavare da, trarre da, risultare da*). Hai avuto il colloquio con Gino? Sì, ma non *ne* ho ottenuto niente. (= da lui)

Normalmente, *ne* **non** ha il valore di complemento di agente:

La mostra è stata allestita dallo stilista Armani. (*Ne* è stata allestita).

4. Particella fissa in perifrasi verbali idiomatiche	*valerne la pena* (meritare), *non poterne più* (non riuscire più a sopportare), *combinarne di tutti i colori* (fare dei grossi guai), *farne di cotte e di crude* (fare azioni strane), *farne a meno* (fare senza qualcosa/qualcuno); e in verbi con un particolare aspetto intensivo (*venirsene, starsene, partirsene, rimanersene*) Ce *ne* andiamo a spasso. (invece del semplice *Andiamo* a spasso)

Accordo con il participio passato

Ne partitivo	Se la quantità è indicata da un indefinito o un numerale, il participio concorda in genere e numero con il nome sostituito dalla particella *ne*: Quante fragole hai mangiato? **Ne** ho mangiate molte/poche/tre. **Ne** ho mangiata una.
	Se la quantità è indicata da un nome (*etto, chilo, pacco, cesto, tazza, sacco*) il participio concorda con tale nome: Quante fragole hai mangiato? **Ne** ho mangiato un cesto. Quanto tè hai bevuto? **Ne** ho bevuta una tazza.
Ne con i verbi riflessivi apparenti	Se c'è il partitivo *ne*, il participio si accorda con il nome che il pronome sostituisce, non con il soggetto: Marta si è comperata due maglie. Marta se **ne** è comperate due.

Nei casi 2 e 3 visti sopra, relativi alle funzioni, il *ne* non vuole l'accordo con il participio passato:

> Ha parlato della nuova moda? Sì, **ne** ha parlato.
> È uscito subito dalla stanza. **Ne** è uscito subito.

Attenzione a non confondere la particella *ne* con :

né ... né = congiunzione correlativa (cfr. Unità 1, p. 34):

> D'inverno non mi metto né gonne né vestiti, ma solo pantaloni.

Aggettivi indefiniti (Qualsiasi/qualunque)

Gli indefiniti indicano cose o esseri animati non determinati, non definiti in senso quantitativo (o qualitativo).

Aggettivi			
Maschile singolare	**Femminile singolare**	**Maschile plurale**	**Femminile plurale**
qualsiasi	qualsiasi	–	–
qualunque	qualunque	–	–

Qualsiasi/qualunque hanno lo stesso significato; con persone o cose significano "è indifferente quale, non importa quale" + verbo al congiuntivo nello stile formale (nel parlato colloquiale si trova spesso anche l'indicativo):

> *Qualsiasi/qualunque* lavoro tu *scelga*, accertati che sia possibile fare il *part-time*.
> Assumono *qualsiasi/qualunque* candidato *sia* disponibile a partire fra una settimana per l'Indonesia.

Qualsiasi/qualunque posposti prendono una sfumatura spregiativa: "anonimo, di poco conto, che non vale molto":

> Alla fine ho poi accettato un lavoro *qualsiasi* pur di potermi trasferire a Parigi.

Formazione di parola (cfr. Tavole grammaticali, pp. 484-490)

Nomi d'agente

I suffissi più usati per formare i nomi d'agente, cioè chi compie l'azione, chi fa una certa professione sono:

Dalla base verbale

▶ **-tore e varianti**

importare	→ importa**tore**
radire	→ tradi**tore**
invadere	→ inva**sore**

la forma per il femminile è **-trice** (importatrice)

▶ **-ante/-ente**

| cantare | → cant**ante** |
| studiare | → stud**ente** |

	► **-ino** (meno frequente)	
	spazzare	→ spazz**ino**
	anche da base nominale:	
	posta	→ post**ino**
Dalla base nominale	► **-ista** (usato di solito per professioni nuove)	
	chitarra	→ chitar**rista**
	stage (base straniera)	→ stag**ista**
	► **-aio** (usato per mestieri)	
	forno	→ forn**aio**
	► **-ario**	
	biblioteca	→ bibliotec**ario**
	► **-iere**	
	banca	→ banch**iere**

Nomi deaggettivali

I suffissi più usati per indicare i nomi astratti che derivano da aggettivi e che indicano la qualità designata dall'aggettivo sono:

- ► **-ezza**
  - riservato   → riservat**ezza**
- ► **-ità/-età/-tà**
  - flessibile   → flessibil**ità**
  - serio   → seri**età**
  - buono   → bon**tà**
- ► **-anza/-enza**
  - costante   → cost**anza**
  - prudente   → prud**enza**
- ► **-ìa**
  - allegro   → allegr**ìa**
- ► **-izia**
  - avaro   → avar**izia**
- ► **-asmo/-ismo**
  - entusiasta   → entusi**asmo**
  - fatale   → fatal**ismo**
- ► **-aggine**
  - cocciuto   → cocciut**aggine**

Prefissi intensivi

Servono a esprimere il grado comparativo, superlativo di una parola-base:

- ► **arci-, extra-, super-, stra-, ultra-** (grado superiore di una gerarchia)
  - **arci**ricco, **extra**fino, **super**rifinito, **stra**viziato, **ultra**rapido
- ► **iper-**: "al più alto grado" (a volte indica eccesso)
  - **iper**critico, **iper**sensibile
- ► **ipo-, sotto-, sub-** (inferiorità)
  - **ipo**calorico, **sotto**sviluppo, **sub**normale

Preposizioni

A | Il suo significato principale è quello di direzione.

▶ moto a luogo
  Vado *a* Roma.

▶ stato in luogo
  Abito *a* Genova.   Lavoro *all'*università di Roma.

Serve anche per esprimere:

▶ complemento di termine
  Hanno dato *a* Marco l'aumento di stipendio.

▶ modo
  Lavoro *a* tempo pieno.

▶ quantità
  In autostrada si può andare *a* 130 all'ora.

▶ tempo
  Finisco il turno *a* mezzanotte.

▶ età
  Agnelli è morto *a* 81 anni.

Per i verbi che reggono la preposizione verbale *a*, cfr. Unità 2, p. 66.

In | Il suo significato principale è quello di "collocazione" nello spazio e nel tempo.

▶ stato in luogo
  Sto *in* ufficio fino alle 3.   Abito *in* Via Garibaldi.
  Ho un appuntamento *in* piazza.   Vivo *in* Sardegna.

▶ moto a luogo
  Vado *in* Sicilia.

Serve anche per esprimere:

▶ tempo determinato
  Sono nato *nel* mese di Febbraio.

▶ tempo continuato
  Finirò il lavoro *in* poche ore.

▶ materia
  Ho dei mobili *in* noce.

▶ limitazione
  È dottore *in* Lettere.   È bravo *in* Francese.

▶ modo
  Sta *in* ansia.
  Era ancora *in* pigiama.
  Ho mangiato riso *in* bianco.

▶ mezzo
  Viaggia sempre *in* treno.

▶ *in* + infinito ha la funzione del gerundio
  Nel venire da te ho fatto un incidente. (=venendo)

Coesione testuale

Pronomi relativi doppi

Si chiamano doppi quei pronomi che riuniscono in sé un pronome dimostrativo e uno relativo (che non richiede quindi un termine a cui riferirsi).

Chi   "colui che, la persona/le persone che": si riferisce solo a esseri animati (persone di genere maschile e femminile), a gruppi nominali generici; vuole il verbo al singolare:

Chi rompe paga.
Sarò riconoscente con *chi* mi aiuta.

**Quanti/
quante**   "quelli che, le persone che": si riferiscono a esseri animati; sono usati soprattutto nella lingua formale (scritta), mentre nel parlato si usano: *quelli/e che*; vogliono il verbo al plurale:

Invidio *quanti* riescono sempre a mantenersi calmi.
("quelli che", genere indeterminato o maschile)
Invidio *quante* lavorano e non sono stressate.
("quelle che, le donne che", genere femminile; non è molto frequente).

Quanto   "ciò che, la cosa/le cose che": invariabile, ha valore neutro. È usato soprattutto nella lingua formale (scritta), mentre nel parlato si usano *ciò che, quello che, le cose che*:

Devi credere a *quanto* ti ho detto.
Faccio *quanto* mi piace.

Ci stiamo giocando l'ambiente

Unità tematica	– problemi ambientali
	– iniziative di tutela ambientale
	– dove è meglio vivere
Funzioni e compiti	– fare un test ecologico
	– dare istruzioni, consigli, regole; vietare
	– capire il grado di formalità di un testo
	– scrivere una lettera di protesta
	– scrivere una lettera per persuadere
Testualità	– alcuni segnali discorsivi (*Eh beh, dicevo*)
	– connettivo elencativo (*da una parte ... dall'altra*)
	– connettivi conclusivi (*dunque, pertanto*)
Lessico	– aggettivi da verbi in -*bile* (*energie rinnovabili*)
	– sfera semantica dell'"ecologia"
	– metafore con *terra, aria, acqua* (*darsi delle arie*)
	– verbi idiomatici con *ci* (*non ci casco!*)
	– *alla fine, infine, finalmente*
Grammatica	– particella pronominale *ci* (*ci tengo*)
	– imperativo (*tu, Lei, voi* / con pronomi / negativo)
	– posizione di alcuni avverbi (*anche*)
	– frasi scisse (*È di riciclaggio che si sta parlando*)
	– plurale di nomi e aggettivi in -*co*/-*go*, -*ca*/-*ga*
	– preposizione: *su* (*un appartamento sui 70-80 mq*)
Strategie	– lessico: raccogliere parole con mappa concettuale
	– lettura intensiva ed esplorativa
	– lessico: • usare sinonimi e perifrasi
	• usare aggettivi derivati e nominalizzazioni (V → N)
	– scrivere: individuare lo scopo per cui si scrive un testo
Ripasso	– congiuntivo presente e passato, indicativo, condizionale

Entrare nel tema

Discutete in classe.

▶ Fate parte di qualche associazione ambientalista? Avete mai partecipato a qualche iniziativa di tutela dell'ambiente? Confrontatevi.

▶ **La pagella dell'ambiente**
Che criteri usereste per definire la qualità della vita del luogo (città, paese) in cui si vive?
Eccone alcuni:
– l'inquinamento acustico   – la densità della popolazione
– il trasporto pubblico   – il verde urbano

▶ **La "raccolta differenziata" delle parole**
Dividetevi in piccoli gruppi. Ogni gruppo dovrà cercare di richiamare alla memoria le parole utili per poter parlare di uno dei temi indicati sotto. Poi con l'aiuto dell'insegnante mettete in comune il lavoro di raccolta lessicale che avete fatto e che vi servirà per comprendere i testi presenti nell'unità e per svolgere i compiti richiesti.

TRAFFICO
targhe alterne

TERRA
deforestazione

RIFIUTI
riciclaggio

ACQUA
siccità

ARIA
smog, effetto serra

CONSUMO ENERGETICO
pannelli solari

1 | Leggere

Lettura intensiva ed esplorativa

A Lavorate in coppia. Prima di leggere l'articolo che segue – *Per chi sogna la campagna* – provate a raccogliere idee su:

Abitare in città

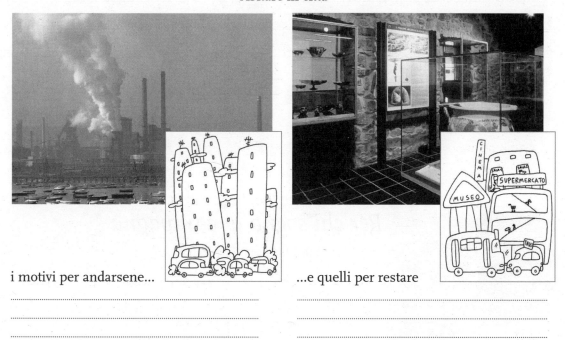

i motivi per andarsene...

....

....

....

...e quelli per restare

....

....

....

B Prova a localizzare le città di cui si parla nel testo che leggerai. Dove si trovano, nel Nord, nel Centro o nel Sud dell'Italia? E in quale regione?

1.	Roma	Centro	Lazio
2.	Napoli	Sud	Campania
3.	Milano		
4.	Palermo		
5.	Torino		
6.	Firenze		
7.	Belluno		
8.	Pistoia		
9.	La Spezia		
10.	Siena		
11.	Caltanissetta		
12.	Verbania		
13.	Sondrio		
14.	Campobasso		
15.	Pisa		

C Leggi il testo e annota nella tabella i motivi principali per cui gli italiani tendono a voler fuggire dalle città. Mettili in ordine di importanza e aggiungi per ogni motivo la percentuale.

Motivi principali della fuga dalle città	%
1.	
2.	
3.	
4.	

Vivere meglio: fuga dalle città
Per chi sogna la campagna
di Maurizio Tortorella

Per raccontare il fenomeno, oggi servirebbero l'ironia e la poesia di Giorgio Gaber. Ricordate? Era la fine degli anni Sessanta, l'Italia viveva l'era dell'urbanizzazione selvaggia, e lui cantava sornione :
10 "Vieni, vieni in città/Che stai a fare in campagna?/Se tu vuoi avere una vita/devi venire in città". Gaber, allora, descriveva così quella rincorsa collettiva a valori palesemente fasulli: "Com'è bella la città/com'è grande la città/com'è viva la
15 città/com'è allegra la città:/piena di strade/e di negozi/e di vetrine piene di luce/con tanta gente che lavora/con tanta gente che produce".
Sono serviti un po' più di trent'anni, agli italiani, per capire e per fare marcia indietro. Traffico, smog e stress
20 hanno decretato la fuga dalle grandi città. In un solo anno Roma, Napoli, Milano, Palermo, Torino e Firenze hanno perduto qualcosa come 130 mila abitanti.
E la tendenza è destinata ad accelerare: secondo un sondaggio condotto da Datamedia per «Panorama», su
25 mille abitanti di metropoli, 36 cittadini su cento vorrebbero andare a vivere in campagna. Quelli che lo desiderano "molto", e quindi ci stanno pensando seriamente, sono il 17 per cento.
Secondo Datamedia, fra 100 che scapperebbero volentieri dalla città, 65 lo farebbero per l'inquinamento atmosferico, che li avvelena e sempre più spesso li co-
30 stringe a spegnere il motore dell'auto; 53 perché non sopportano lo stress; 49 perché ne hanno abbastanza del rumore, 37 perché vorrebbero tornare a vedere il verde. Un motivo in più è di certo quello del costo delle 35 abitazioni: per l'Associazione nazionale dei costruttori edili, 8 italiani su 100 sono "molto insoddisfatti" della casa e della zona in cui vivono perché vogliono più spazio e quartieri più vivibili. Ma oggi un appartamento in una zona centrale di Milano costa oltre 5 mila euro al 40 metro quadrato, mentre a pochi chilometri, nell'hinterland, i prezzi sono più bassi del 20-30 per cento.
I figli sono una spinta in più a lasciare il centro. Secondo *Legambiente*, oggi, nessuna città italiana può dirsi a misura di bimbo. E nella graduatoria, appena 45 stilata , della ricerca *Ecosistema bambino 2002*, i comuni che riescono a superare la soglia degli 80 punti su cento sono solamente sei e tutti piccoli: Belluno, Pistoia, La Spezia, Siena, Caltanissetta, Verbania. La Spezia sfiora i 100 mila abitanti, gli altri sono al di sotto 50 dei 70 mila.
Chi fugge, però, sembra preferire i piccolissimi centri. La scelta di vita, la svolta esistenziale, è nel paesino. Secondo una recente ricerca congiunta Confcommercio-Legambiente, 500 comuni sotto i 2 mila 55 abitanti hanno un livello di vita invidiabile: un reddito medio superiore del 20 per cento alla media nazionale; 10 esercizi pubblici ogni mille abitanti, contro la media generale di 4,3; il doppio degli sportelli bancari; un *appeal* turistico superiore di 60 quattro volte al resto d'Italia.
I 42 mila che negli ultimi 12 mesi hanno lasciato Ro-

D Nell'articolo vengono elencati altri motivi, seppur minori, che spingono gli italiani a lasciare le città. Quali? Corrispondono a quelli a cui avevi pensato prima di leggere il testo?

1. .... 4. ....

2. .... 5. ....

3. .... 6. ....

E Rispondi.

1. Quali sono, in ordine di importanza, le ragioni che spingono gli italiani a preferire la città?

....

2. La fuga dalle città incrementa un certo fenomeno. Quale?

....

3. Da quale anno il numero di abitanti che lascia le città è maggiore di quello di chi ci va ad abitare?

....

ma sono approdati a Pomezia, dove in un anno gli abitanti sono aumentati di 9 volte e mezzo, ad Ardea (di 8 volte e mezzo), a Ladispoli e a Guidonia (di sette volte), a Fiumicino (di 3,5 volte), a Cerveteri (raddoppiati). Altrettanto accade nelle cinture urbane di tutte le grandi città, alimentando il pendolarismo: a Milano, ogni giorno, dalle cittadine della periferia entrano 800 mila automobili.

L'inquinamento, così, cresce. Ma intanto il *business* comunque non è sfuggito alle grandi immobiliari: dalla Lombardia alla Toscana, meglio se intorno alle città, è tutto un pullulare di ristrutturazioni di vecchi centri rurali abbandonati, di interi borghi un tempo dimenticati che vengono restituiti alla vita. E ai nuovi abitanti, in fuga dallo smog che ogni mattina, paradossalmente, contribuiscono a provocare sulla strada per il lavoro.

L'Eurispes aveva segnalato l'esodo dalle metropoli nell'ultimo rapporto 2001: nel 1991 il saldo per le grandi città italiane era stato negativo per la prima volta dal 1951, con 47 mila "disurbanizzati". E l'abbandono era continuato fino al 1997: in un solo anno gli abitanti pentiti delle metropoli che avevano scelto la via della campagna erano stati 6 su cento. Anche Gian Maria Fara, che dell'Eurispes è presidente, è uno di loro: "Dal 1992 abito a Capena, nel verde, a 28 chilometri da Roma, dove vado a lavorare. Ogni giorno ci impiego 35 minuti, ma ogni venerdì è come se andassi in vacanza: sono tranquillo, raso l'erba, poto le rose. E qui conosco tutti: ho dato un taglio alla solitudine di massa che avvelenava la mia vita romana. Non tornerei mai". Fara accenna anche al macellaio, un "amico" che ogni giorno gli dà il taglio giusto di carne. Tra i vantaggi della campagna c'è anche quello: la socializzazione e la qualità del cibo. I sapori ritrovati. È parte del grande tema della salute, che nelle metropoli è avvelenata soprattutto dall'aria e dallo stress. Dice Massimo Pagani, direttore del Centro di terapia neurovegetativa dell'Ospedale Sacco di Milano: "La città è diventata la moderna miniera di zolfo. Quanto allo stress, scatena meccanismi primordiali di lotta, di fuga, di aggressività. I suoi sintomi sono emicrania, disturbi visivi, ipertensione, tachicardia, crampi, perdita di capelli".

Molti, però, più che dalla paura dei veleni respirati, vengono spinti al largo dai grandi centri dalla criminalità diffusa. Un cittadino napoletano, per esempio, sa in anticipo che la statistica gli è sfavorevole: nel 2001, nel comune partenopeo, sono state denunciate 251 rapine ogni 100 mila abitanti. A Milano e a Roma le cose sono andate un po' meglio, con una media di 102 a testa. Ma in testa alla classifica ci sono piccole cittadine come Sondrio, Belluno, Campobasso: tutte con una media inferiore a 10 rapine ogni 100 mila abitanti.

Quello che invece spinge o costringe 30 italiani su cento a restare nei grandi centri urbani, ovviamente, è il lavoro, mentre 16 dichiarano di preferire comunque l'abbondanza di servizi e di svaghi, e 13 hanno paura dell'isolamento. Certo, la facilità di accesso alla cultura e al divertimento ha un suo peso: la vita non è fatta solamente di aria pura e di pane saporito. Per questo, la scelta offerta dai 41 cinematografi di Milano e dai suoi 36 teatri ha facilmente il sopravvento sui 4 cinema di Pisa e sul suo unico teatro. Ma è soprattutto il lavoro a dettare legge, nella scelta della residenza: la possibilità di un'occupazione più facile porta, come sempre, verso le grandi città. Oggi, però, i fuggiaschi hanno un'arma in più: il telelavoro sta sovvertendo i valori in campo. Secondo i dati dell'Unione Europea, oggi in Italia sono più di 800 mila le persone che lavorano da casa, il 3,6 per cento dei dipendenti. La Sit (Società italiana telelavoro), però, contesta i dati: gli occupati da casa sarebbero più di un milione. Non importa quanti siano: in gran parte, comunque, risiederebbero fuori dai grandi centri urbani.

(da «Panorama», 31 gennaio 2002)

F   Formate ora delle squadre di 5-6 persone. Rileggete alcune parti del testo e svolgete in 10 minuti i due esercizi che seguono. Vince la squadra che totalizza più risposte esatte.

1. Indica se le frasi seguenti sono vere (V) o false (F).   V   F

a. Più di un terzo dei cittadini vorrebbe andare a vivere in campagna.   ☐   ☐

b. Secondo una ricerca 80 comuni su 100 sono a misura di bambino.   ☐   ☐

c. Chi fugge dalla città tende a preferire come alternativa il paesino.   ☐   ☐

d. La fuga dalle città ha fatto nascere il *business* delle ristrutturazioni delle case in campagna.   ☐   ☐

e. Il fenomeno dell'abbandono delle città è cominciato nel 1951.   ☐   ☐

f. La metropoli con il primato della criminalità è Roma.   ☐   ☐

2. A caccia di numeri. A che cosa si riferiscono questi numeri presenti nel testo?

a. 130 000   ....

b. 17%   ....

c. 70 000   ....

d. 42 000   ....

e. 800 000   ....

f. 41   ....

g. + di 800 000   ....

h. 3,6%   ....

2 Lessico

A   Collega le parole evidenziate nell'articolo di pp. 188-189 con i loro sinonimi.

☐ 1. sornione	a. paesi intorno alle grandi città
☐ 2. stilata	b. divertimenti
☐ 3. sfiora	c. fuga
☐ 4. svolta	d. primitivi
☐ 5. reddito	e. raggiunge quasi
☐ 6. cinture urbane	f. guadagno complessivo
☐ 7. pullulare	g. cambiamento
☐ 8. esodo	h. stesa, realizzata
☐ 9. primordiali	i. ipocrita
☐ 10. svaghi	l. essere presente in grande quantità

B Che cosa significano le espressioni in corsivo, tratte dall'articolo? Trova per ognuna un sinonimo o una perifrasi.

   1. (righe 44-45) Nessuna città italiana può dirsi *a misura di* bimbo. ....

   2. (righe 125-126) Ma è soprattutto il lavoro a *dettare legge*. ....

C Spiega le metafore tratte dal testo che hai letto.

   1. (righe 101-102) La città è diventata *la moderna miniera di zolfo*.

   2. (righe 18-19) Sono serviti un po' più di trent'anni, agli italiani, per capire e *fare marcia indietro*.

D Trova un aggettivo che sostituisca le parole sottolineate sotto.

   1. il traffico <u>della città/cittadino</u> ....

   2. la vita <u>della/in campagna</u> ....

E Rispondi alle domande.

   1. Che cosa significa il suffisso *-bile* con cui sono formati i due aggettivi sotto?
     (riga 39) "quartieri più *vivibili*"
     (riga 56) "livello di vita *invidiabile*"

> Suffisso per derivare **aggettivi** da **verbi**: *-bile*
> ▶ **p. 223**

   2. Perché *vivibile* ha come vocale tematica *-i* e *invidiabile -a*?

Trasforma la parte di testo sottolineata in un aggettivo derivato con *-bile* e fai i cambiamenti necessari.

ESEMPIO

▶ Nelle grandi città italiane l'aria <u>non si può respirare</u>: ogni anno sono 3472 i morti causati solo dalle polveri sottili come il Pm10.
Nelle grandi città italiane l'aria è *irrespirabile*.

   1. Il progetto di costruzione di una piattaforma ecologica <u>può essere realizzato</u> se l'amministrazione comunale è d'accordo.

   2. I segni del degrado ambientale <u>possono essere visti</u> da tutti: discariche vicino a zone residenziali, urbanizzazione selvaggia a scapito del verde pubblico e inquinamento acustico in aumento.

   3. L'indicazione di divieto su quel cartello <u>non può essere letta</u> perché il carattere è troppo piccolo.

   4. Il linguaggio di questa rivista specializzata <u>non si comprende</u>.

   5. Il rumore del traffico che si sente girando per la città <u>non si può sopportare</u>.

   6. Sono ormai molti i rifiuti <u>che possono essere riciclati</u>.

   7. Hanno sospeso l'erogazione dell'acqua perché da analisi hanno riscontrato che non <u>si poteva bere</u>.

   8. Occorre trattare con cautela queste sostanze perché <u>possono prendere fuoco</u>.

   9. Non possiamo continuare a sfruttare le risorse della terra in questo modo. Ricordiamoci peraltro che gli altri pianeti <u>non possono essere abitati</u>.

3 Esplorare la grammatica

Particella pronominale *ci*

A Analizza questi enunciati tratti dall'articolo di pp. 188-189 e da altri testi sul tema dell'ambiente e della sua tutela. Per ciascuna particella pronominale *ci* sottolineata, indica che cosa riprende nel testo e che valore ha, scegliendo tra quelli elencati.

a. (righe 24-28) ... su mille abitanti di metropoli, 36 cittadini su cento vorrebbero andare a vivere in campagna. Quelli che lo desiderano "molto", e quindi <u>ci</u> stanno pensando seriamente, sono il 17 per cento.

b. (righe 87-91) "Dal 1992 abito a Capena, nel verde, a 28 chilometri da Roma, dove vado a lavorare. Ogni giorno <u>ci</u> impiego 35 minuti, ma ogni venerdì è come se andassi in vacanza: sono tranquillo, raso l'erba, poto le rose".

c. (righe 95-97) Tra i vantaggi della campagna <u>c'</u>è anche quello: la socializzazione e la qualità del cibo.

d. (righe 113-115) Ma in testa alla classifica <u>ci</u> sono piccole cittadine come Sondrio, Belluno, Campobasso: tutte con una media inferiore a 10 rapine ogni 100 mila abitanti.

e. "Gentile Signora, Egregio Signore
Quanto <u>ci</u> mette a bere un caffè o un aperitivo? Un minuto? In un minuto vengono distrutti 400 000 mq di foreste tropicali.

f. Che cosa significa il *vi* presente in questo enunciato?
"Le confezioni delle lattine vengono tenute assieme da anelli in plastica praticamente indistruttibili.
Quando questi imballaggi arrivano in mare (per inciviltà dei turisti) diventano delle trappole invisibili per uccelli e animali marini che <u>vi</u> rimangono impigliati."

> **La particella *ci***
> ▶ **locativo**
> Un tempo abitavo a Firenze, ora *ci* torno solo per le mostre e gli avvenimenti culturali.
> ▶ ***esserci* esistenziale, presentativo**
> In Italia *ci* sono 55 auto ogni 100 abitanti. (= esistono)
> ▶ **complementi "a + gruppo nominale"**
> Possiamo tutti contribuire alla riduzione dei gas ad effetto serra, ma la gente comune non *ci* crede.
> ▶ **verbi idiomatici**
> Per fare 5 chilometri *ci* vogliono 40 minuti nelle ore di punta!
> ▶ p. 218

▶E 1, 2, 3, 4 **B** Elimina le ripetizioni che ci sono in queste frasi sostituendole con la particella *ci*.

1. Per finanziare questa nuova campagna per fermare la distruzione della foresta africana *Greenpeace* ha urgentemente bisogno del tuo aiuto. Utilizza il modulo di pagamento accluso per inviare il tuo contributo. Contiamo sul tuo aiuto.

2. Anche in Italia sono molti gli animali in via di estinzione: 42 specie di pesci, 28 di anfibi, 34 rettili, 170 uccelli nidificanti, 69 mammiferi. Ma pensate a questo?! Stiamo distruggendo il nostro pianeta.

3. Sono consapevole dell'inquinamento provocato dall'uso dell'auto. Penso all'inquinamento anche con preoccupazione, ma poi per una questione di fretta non prendo mai i mezzi pubblici.

4. Saresti disponibile a ridurre l'uso degli elettrodomestici superflui per arrestare i cambiamenti climatici? Sì, certo, potrei rinunciare all'uso degli elettrodomestici, anche se all'inizio sono sicura che farei molta fatica.

5. Ti fa piacere passeggiare in mezzo a parchi e boschi puliti? Se tieni davvero alla loro pulizia, partecipa anche tu all'iniziativa "Puliamo il nostro verde" organizzata nella giornata mondiale di salvaguardia dell'ambiente che si svolgerà domenica 25 settembre.

4 Ascoltare

CD1 Ascolterete un pezzo della trasmissione *RAI 3 Scienza* (del 28 gennaio 2003), che parla delle fonti di energia alternativa.

A Lavorate in gruppo. Prima di ascoltare, provate a mettere in comune le vostre conoscenze sui seguenti punti:

– L'Italia produce energia nucleare (Referendum del 1987 sulle centrali nucleari)? E i vostri Paesi?
– Avete visto sui tetti degli edifici italiani dei pannelli solari? E delle centrali eoliche?
– Nei vostri Paesi quanto si usano le fonti di energia alternativa?
– Che cosa sono i gas serra?
– Commentate il gioco di parole presente in questo titolo: "Siamo il Paese del sole. Ma sull'energia solare il governo resta tiepido".

B Ascolta un frammento della trasmissione *RAI 3 Scienza* e indica se le seguenti affermazioni sono vere (V) o false (F).

	V	F
1. Oggi la nostra sola priorità è continuare a procurarci energia per soddisfare i nostri bisogni energetici.	☐	☐
2. Oggi, oltre a pensare a produrre energia, dobbiamo anche pensare a ridurre i danni ambientali che derivano dall'uso dei combustibili.	☐	☐
3. Se anche i Paesi in via di sviluppo consumeranno sempre più energia come noi, le fonti energetiche si esauriranno.	☐	☐
4. L'Italia soddisfa l'80% dei suoi bisogni energetici e per il restante 20% dipende dall'estero.	☐	☐
5. Dipendiamo quasi totalmente da altri Paesi per l'approvvigionamento di energia.	☐	☐
6. Occorre anche considerare il fatto che l'Italia compra energia da Paesi che hanno una situazione politica incerta come Libia, Algeria, Cina, Russia.	☐	☐

C Rispondi alle domande.

1. Che cos'è l'ENEA?
2. Qual è il tema del seminario a cui si fa cenno?
3. Che cosa provoca i cambiamenti climatici?
4. In che modo possiamo ridurre la nostra dipendenza dall'estero?
5. Che caratteristiche hanno le energie rinnovabili?
   a. ....   b. ....
6. Quali sono?
   a. ....   b. ....   c. ....

D Completa questo testo in base alle informazioni che ascolti.

Dal (1) .... al (2) .... il contributo delle energie alternative è (3) .... del

(4) .... In particolare c'è stato un boom dell'energia (5) .... con un incremento del (6) .... e dello sfruttamento dei (7) .... con una crescita del

(8) ....

5 | Test ecologico

A Lavorate in coppia. Fate il test per scoprire la vostra impronta ecologica, cioè quanto sfrutta-te il pianeta. Leggete a turno le domande e tenete il punteggio del vostro compagno. Scopri-rete allora con questo test se il vostro stile di vita è eco-compatibile.

Ogni attività che svolgiamo, in qualunque momento della giornata, sfrutta beni e "servizi" of-ferti dalla natura. L'impronta ecologica si misura in ettari necessari a rifornirci delle materie prime e dell'energia, più quelle richieste per smaltire i rifiuti.

Ogni italiano consuma per tre:
lo rivela la nostra impronta

Si chiama proprio così, impronta ecologica. E misura quante risorse na-turali vengono impiegate per produrre quello che mangiamo, acquistiamo, consumiamo.

Per conoscere la propria impronta ecologica basta riempire il questionario e sommare i punti. **Per interpretare il risultato occorre un riferimento: la media mondiale richiesta dagli scienziati è di 1,7.** Ottenere un punteggio inferiore a 4 è indice di comportamento eco-sostenibile, ma si può migliorare.

CASA

1. Quante persone vivono con te?
a) 1	30
b) 2	25
c) 3	20
d) 4	15
e) 5 o di più	10

2. In che modo è riscaldata la casa?
a) gas naturale	30
b) elettricità	40
c) olio combustibile	50
d) energia rinnovabile (solare, eolica)	0

3. Quanti punti di acqua (bagno, cucina, lavanderia, balcone) ci sono?
a) meno di 3	5
b) 3 - 5	10
c) 6 - 8	15
d) 8 - 10	20
e) più di 10	25

4. Che tipo di casa abiti?
a) appartamento/condominio	20
b) villetta	40

ALIMENTAZIONE

1. Quante volte alla settimana mangi carne o pesce?
a) 0	0
b) 1 - 3	10
c) 4 - 6	20
d) 7 - 10	35
e) più di 10	50

2. Quanti pasti cucini personalmente (compresi quelli portati a scuola/lavoro)?
a) meno di 10	25
b) 10 - 14	20

c) 14 18	15
d) più di 18	10

3. Quando acquisti alimenti, preferisci prodotti locali?
a) sì	5
b) no	10
c) qualche volta	15
d) raramente	20
e) non lo so	25

ACQUISTI

1. Quanti acquisti importanti (stereo, televisore, computer, automobile, mobili, elettrodomestici) hai fatto nel corso degli ultimi 12 mesi?
a) 0	0
b) 1 - 3	15
c) 4 - 6	30
d) più di 6	45

2. Hai acquistato articoli a risparmio energetico negli ultimi 12 mesi?
a) sì	0
b) no	25

TRASPORTI

1. Se hai un mezzo, qual è?
a) bicicletta	15
b) utilitaria	35
c) vettura intermedia	60
d) berlina	75
e) macchina sportiva, monovolume o familiare	100
f) van, utility vehicle o fuoristrada	130

2. Come vai a scuola/lavoro?
a) in automobile	50
b) con i mezzi pubblici	25
c) con uno scuolabus	20
d) a piedi	0
e) in bicicletta o pattini a rotelle	0

3. Dove hai passato le vacanze nel corso dell'ultimo anno?
a) niente vacanze	0
b) nella mia regione	10
c) in Italia	30
d) in Europa	40
e) in un altro continente	70

4. Quante volte utilizzi l'automobile per il fine settimana?
a) 0	0
b) 1 - 3	10
c) 4 - 6	20
d) 7 - 9	30
e) più di 9	40

RIFIUTI

1. Fai la riduzione dei rifiuti (per esempio preferisci imballaggi ridotti, rifiuti l'invio di posta pubblicitaria, preferisci contenitori riutilizzabili)?
a) sempre	0
b) qualche volta	10
c) raramente	15
d) mai	20

2. Quanti sacchi della spazzatura produci ogni settimana?
a) 0	0
b) 1/2 sacco	5
c) 1 sacco	10
d) 2	20
e) più di 2	30

3. Ricicli i giornali, le bottiglie di vetro e quelle di plastica?
a) sempre	5
b) qualche volta	10
c) raramente	15
d) mai	20

4. Prepari il compost con i rifiuti della frutta e della verdura?
a) sempre	5
b) qualche volta	10
c) raramente	15
d) mai	20

RISULTATO: IMPRONTA ECOLOGICA

Meno di 150 punti: inferiore a 4 ettari
150-350: tra 4 e 6 ettari (la maggior parte degli italiani)
350-550: tra 6 e 7,7 ettari
550-750: tra 7,7 e 10 ettari

fonte: The Recycling Council of Ontario, Canada

(da «Il Venerdì di Repubblica», 30 maggio 2003)

6 Lessico

A Trova dei sinonimi delle seguenti parole.

1. protezione dell'ambiente ....

2. sostanze tossiche ....

3. inquinare l'ambiente ....

4. rifiuti ....

5. che si occupa dell'ambiente ....

B Associa ogni termine alla corretta definizione.

☐ 1. luogo naturale o artificiale all'interno del quale vengono depositati i rifiuti

☐ 2. che riguarda la caccia

☐ 3. separazione dei diversi tipi di rifiuti

☐ 4. mancanza d'acqua per un lungo periodo

☐ 5. taglio delle foreste da parte di grandi compagnie del legname

☐ 6. forno dove si bruciano i rifiuti

☐ 7. recupero dai rifiuti delle materie prime e dell'energia

☐ 8. scomparsa di alcune specie di animali e piante

☐ 9. energia prodotta dal vento

☐ 10. combustibile per i mezzi di trasporto

a. carburante

b. venatorio

c. raccolta differenziata

d. inceneritore

e. eolica

f. discarica

g. siccità

h. deforestazione

i. riciclaggio

l. estinzione

C Deriva dai verbi sottolineati i rispettivi nomi (e fai i dovuti cambiamenti alla frase).

ESEMPIO

▶ Ho partecipato alla campagna per <u>salvare le</u> balene.
Ho partecipato alla campagna per *la salvaguardia delle* balene.

1. Hanno organizzato una marcia per <u>protestare</u> contro la caccia.

   ....

2. Ognuno deve evitare di <u>sprecare</u> le risorse.

   ....

3. <u>Consumare</u> prodotti biologici ed ecologici serve a salvaguardare le risorse del pianeta.

   ....

4. Occorre una legge che penalizzi i prodotti <u>imballati</u> in modo superfluo.

   ....

5. Nelle grandi città con molto traffico le macchine <u>emettono</u> molti scarichi dannosi alla salute.

   ....

6. Le associazioni ambientaliste promuovono delle campagne per <u>difendere</u> la nostra salute.

   ....

D Lavorate in gruppo. Formate delle squadre di 4 persone e a gara completate questo testo scegliendo tra le parole elencate sotto. Il gioco si ferma non appena una squadra dichiara di aver
terminato.

> esaurite sopravvivenza abusivamente agricole inquinamento venatoria
> specie combustione coltivazioni cemento estinzione tossici polmoni
> patrimonio piogge acide contaminano tutelare devastano rifiuti

In tutto il mondo la natura è in pericolo

Più di 1.000 (1) .... di animali e 25 000 di piante, tra quelle che conosciamo, sono minacciate di (2) .... Con esse scompare un (3) ....
unico di varietà genetica, una fonte inesplorata di beni che potrebbe dare al-
l'umanità nuovi alimenti, fibre, farmaci, materiali per l'industria.

Un quinto di tutte le terre emerse si sta trasformando in deserto a causa di
pratiche (4) .... e di pascolo irrazionali. La capacità della Terra di soddisfare le esigenze dell'umanità sta pericolosamente diminuendo.

Stiamo distruggendo le Foreste Tropicali, i (5) .... verdi del mondo, al
ritmo impressionante di 52 campi di calcio ogni minuto, per produrre legname e per far posto a
(6) .... e pascoli destinati a diventare in breve tempo un deserto improduttivo.

Le più importanti zone di pesca del mondo sono state praticamente (7) .... da una pesca eccessiva e irrazionale.

Le (8) .... causate dalla (9) .... incontrollata di petrolio e carbone stanno distruggendo
laghi e foreste.

Anche in Italia il panorama è allarmante

L'(10) .... di aria e acqua ha raggiunto livelli insostenibili. Atrazina, molinate, bentazone (11)
.... l'acqua che esce dai nostri rubinetti.

Due terzi delle nostre coste sono coperti di (12) .... : molto spesso (13) .... Strade, cave,
insediamenti industriali, spesso inutili, (14) .... l'ambiente naturale.

L'attività (15) .... di 1 500 000 cacciatori che spesso raggiunge il limite del vandalismo mette
a repentaglio la (16) .... di molte specie di uccelli e mammiferi.

Ogni giorno nel nostro Paese vengono abbandonate abusivamente 186 000 tonnellate di (17)
.... , molti dei quali (18) .... e nocivi.

Ma cosa viene fatto per (19) .... il nostro patrimonio naturale? La risposta è poco o niente. Eppure, nonostante tutto, intorno a noi c'è un mondo che chiede di vivere.

E Conoscete il significato di queste metafore con gli elementi *terra*, *aria* e *acqua*? Costruite una
frase che renda chiaro il significato di ciascuna metafora. Poi, a piccoli gruppi, provate a trovarne delle altre e condividetele con il resto della classe.

1. stare con i piedi per terra   ....
2. essere/sentirsi un pesce fuor d'acqua   ....
3. darsi delle arie   ....

7 **Leggere**

Esplorare la grammatica

A Lavorate a piccoli gruppi. Esaminate questi testi realizzati per sostenere o promuovere iniziative a carattere ecologico e di educazione civica. A chi si rivolgono e su quale problema vogliono sensibilizzare l'opinione pubblica?

B Concentratevi sulla lingua usata in questi testi e svolgete le attività richieste.

1. Sottolineate negli slogan le parti in cui si invita, si esorta il lettore ad agire per tutelare l'ambiente. Che modo (indicativo, condizionale, imperativo, congiuntivo) viene usato per convincere in modo incisivo chi legge?

2. Completate la tabella di p. 198. Cercate e scrivete in corrispondenza delle persone verbali le forme di imperativo presenti nei testi (in tutto 8) e riflettete sulla posizione dei pronomi. Poi provate a trasformare gli imperativi nelle forme di cortesia, *Lei* e *Loro*. La posizione del pronome cambia?

3. Nel caso di verbi riflessivi (*ricordarsi*), com'è l'imperativo informale e formale?

4. Provate anche a trasformare gli imperativi sia formali che informali nella forma negativa. Dove va il pronome?

Imperativo informale		Imperativo formale (Lei / Loro)	
(tu)	(noi)	(Lei)	(Loro)
provaci		*ci provi*	*ci provino*

▶E 5, 6 **C** Metti all'imperativo (tu, Lei, voi) i verbi in maiuscolo e trasforma le parti sottolineate in pronomi.

1. EVITARE i CFC (clorofluorocarburi).
   (tu) ....   (Lei) ....   (voi) ....

2. LEGGERE questi consigli per salvare la fascia d'ozono.
   (tu) ....   (Lei) ....   (voi) ....

3. FIRMARE e FARE FIRMARE il testo contro la costruzione della discarica.
   (tu) ....   (Lei) ....   (voi) ....

4. MANTENERE *Greenpeace* in azione con il tuo contributo annuale!
   (tu) ....   (Lei) ....   (voi) ....

5. NON LASCIARE scorrere l'acqua mentre lavi i piatti o ti lavi i denti.
   (tu) ....   (Lei) ....   (voi) ....

6. FARE la doccia, così consumi meno acqua che facendo il bagno.
   (tu) ....   (Lei) ....   (voi) ....

8 Reimpiego

Dare consigli, esortare

A Lavorate in coppia. Immaginate di dover dare dei consigli pratici alle persone indicate sotto per convincerle a comportarsi in modo eco-compatibile.

1. A un amico: per fare degli acquisti ragionati ed eco-sostenibili.
   ESEMPIO
   ▶ Acquista solo i prodotti che ti servono veramente. Evita il più possibile i prodotti "usa e getta".

2. Ai cittadini presenti a una conferenza pubblica: per produrre meno rifiuti e fare una corretta raccolta differenziata.
   ....
   ....

3. Al sindaco in una lettera scritta: per rendere vivibile la tua città (per es. contro lo smog e il rumore).
   ....
   ....

9 Ascoltare

> 13 **"Per favore non toccate le tartarughe!"**

Ascolterete una registrazione, adattata dal programma *Inviato speciale* (Rai 1), che parla delle tartarughe di Lampedusa

CD1

A Lavorate in coppia. Prima dell'ascolto, consultatevi e rispondete alle domande.

1. Sapete dove si trova l'isola di Lampedusa?

   ....

2. Secondo voi, che rischi corrono le tartarughe che vengono sulla spiaggia a depositare le uova e quali problemi possono incontrare?

   ....

3. Che cosa si potrebbe fare per sensibilizzare l'opinione pubblica sulla protezione di questi animali?

   ....

4. Parlando di tartarughe, nell'ascolto vengono usate queste parole: *covata, schiusa, predazione.* Provate a fare ipotesi sul loro significato partendo dal verbo da cui derivano.

B Dopo un primo ascolto cerca di capire le informazioni principali rispondendo alle seguenti domande:

1. Chi si occupa sull'isola di Lampedusa delle tartarughe e da quanto tempo?

Chi?	Tempo
a.	....
b.	....

2. Chi sono i maggiori predatori delle tartarughe? (almeno tre)

   a. .... b. .... c. ....

Daniela Freggi

3. Come definisce la sua esperienza di vita a Lampedusa?

   ....

4. Che cosa propone di fare per proteggere le tartarughe?

   a. ....

   b. ....

5. Perché vuole la liberazione pubblica delle tartarughe?

   a. ....

   b. ....

C Ascolta una seconda volta per cercare di cogliere informazioni più dettagliate. Associa le informazioni delle 2 colonne. Una delle associazioni che risultano non è corretta. Quale?

☐ 1.   Tipo di tartaruga che nasce a Lampedusa   a. attivista di *Legambiente*

☐ 2.   Longevità: anni   b. 150

☐ 3.   Esemplari nati ad agosto   c. Spiaggia dei Conigli

☐ 4.   Riserva naturale di *Legambiente*   d. Caretta Caretta

☐ 5.   Daniela Freggi   e. 123

10 Coesione testuale

A Leggi questi frammenti tratti dall'ascolto dell'attività 9 e associa a ogni connettivo/segnale discorsivo la sua funzione, scegliendo tra quelle elencate sotto.

a. aprire il discorso e trarre conclusioni

b. rafforzare, confermare ciò che si è detto

c. spiegare, precisare

d. elencare e contrapporre argomenti

e. riprendere il filo del discorso e proseguire

☐ 1.   Eh... però, <u>dicevo</u>, qui ho trovato un affetto, una sensibilità, soprattutto nei giovani...

☐ 2.   Avendo ancora il carapace morbido, <u>cioè</u>, questo guscio protettivo ancora morbido, vengono predati da qualsiasi abitante del mare.

☐ 3.   <u>Dunque</u> una serie di problemi che Daniela Freggi, in contrapposizione con *Legambiente*, pensa di risolvere intervenendo su quelle che sono le leggi di natura.

☐ 4.   E invece a crescerli per un anno portandoli fino a un chilo, un chilo e mezzo <u>eh beh</u> garantirebbe loro, sicuramente, maggiori possibilità di successo.

☐ 5.   È sicuramente un punto di vista poco scientifico e molto umano, però... eh... <u>da una parte</u> il fatto che io reputi che le tartarughe sono di tutti, non solo dei biologi o di chi se ne occupi, <u>dall'altra</u> il fatto che la tartaruga è comunque assurta a simbolo di Lampedusa, l'attrattiva un po' di Lampedusa...

B Che cosa significa l'espressione sottolineata?

Vivere tutto l'anno a Lampedusa è un'esperienza che arricchisce, è un'esperienza magica, è un'esperienza dolorosa, faticosa, ti stacchi da tutto quello che è il tuo mondo, ti stacchi dagli affetti, ti stacchi <u>tra virgolette</u> dalla cultura, dalla civiltà.

....

....

C Oltre a *dunque* (che hai incontrato nell'attività 10A), conosci altri connettivi che servono a trarre conclusioni e conseguenze? Prova a completare questa griglia con l'aiuto dell'insegnante.

Connettivi conclusivi	
INFORMALI	**FORMALI**
quindi	
perciò	per cui, per questo
....	..........................., ...
	dunque
	....

D Completa questi enunciati scegliendo tra i seguenti connettivi conclusivi (in alcuni casi sono possibili più risposte):

> quindi   allora   per cui   dunque   così   perciò

1. Quando questi imballaggi arrivano in mare diventano delle trappole invisibili per uccelli e animali marini. Prima di gettare gli anelli nella pattumiera è .... consigliabile tagliarli uno per uno con le forbici.

2. Leggete le domande al vostro compagno e tenete il suo punteggio. Scoprirete .... con questo test se il vostro stile di vita è eco-compatibile.

3. Ricordo che la partecipazione a *Biciscuola* dev'essere richiesta dalle scuole, ... i ragazzi interessati a parteciparvi dovranno dirlo per tempo ai loro insegnanti.

4. Il sughero si ricava da una quercia che impiega 30 anni per diventare adulta e la corteccia staccata per produrre i tappi delle bottiglie ha bisogno di 12 anni per riformarsi. E ...., perché sprecare un bene così prezioso?

5. Fate la doccia assieme, ... consumerete meno acqua che facendo il bagno.

6. Le polveri sottili, microparticelle prodotte dagli scarichi delle auto, causano oltre 250 mila vittime ogni anno: .... il nostro comportamento irresponsabile si ritorce ancora su di noi.

7. Partecipare ad *Arcobalena* è semplice: basta versare 5 euro per l'iscrizione e .... dare un'occhiata alla lista delle città in cui si svolgerà la marcia.

8. Ci serve l'appoggio di quanti non accettano di sopportare passivamente la continua aggressione contro la propria salute e contro la natura. .... Le auguro che questa mia lettera sia per Lei l'occasione d'intervenire con efficacia in difesa dell'ambiente naturale, diventando Socio del WWF.

9. Vogliamo creare un piccolo "esercito" di cittadini armato di carta da lettere, fax o telefono, che si renda protagonista di iniziative di pressione nei confronti di supermercati, industrie, partiti politici, membri del Parlamento. Potremo .... sollecitare provvedimenti legislativi e scelte di mercato in difesa dei cetacei.

11 Esplorare la grammatica

Posizione degli avverbi

►E 7   A Lavorate in coppia. Leggete queste frasi tratte dai testi presenti in quest'unità e riflettete sulla posizione degli avverbi evidenziati in corsivo. Provate anche a fare degli spostamenti per vedere se la posizione dell'avverbio può cambiare il significato della frase.

1. Gaber, allora, descriveva così quella rincorsa collettiva a valori *palesemente* fasulli.
2. Quelli che lo desiderano "molto", e quindi ci stanno pensando *seriamente*, sono il 17 per cento.
3. E ai nuovi abitanti, in fuga dallo smog che ogni mattina, *paradossalmente*, contribuiscono a provocare sulla strada per il lavoro.
4. È parte del grande tema della salute, che nelle metropoli è avvelenata *soprattutto* dall'aria e dallo stress.
5. Quello che invece spinge o costringe 30 italiani su cento a restare nei grandi centri urbani, *ovviamente*, è il lavoro.
6. Certo, la facilità di accesso alla cultura e al divertimento ha un suo peso: la vita non è fatta *solamente* di aria pura e di pane saporito.
7. Quanti pasti cucini *personalmente* (compresi quelli portati a scuola/lavoro)?

B L'avverbio *anche* precede la parola che mette in rilievo. Prova a fare degli spostamenti e vedrai che la frase cambia di significato.

1. Partecipa *anche* tu con ACE all'operazione Estate Pulita.
2. *Anche* quest'anno ACE sostiene l'operazione Estate Pulita di *Legambiente*.
3. È un regolamento d'uso – ha spiegato il presidente del *Boscoincittà* Sergio Pellizzoni – non si occupa di manutenzione del verde. Si rivolge ai cittadini nella speranza che cresca la loro cultura civica ma *anche* la conoscenza specifica dell'argomento.
4. Gli italiani ricevono circa 500 milioni di lettere pubblicitarie all'anno, spesso cestinate senza *neanche* essere aperte.

C Metti l'avverbio *anche* nella posizione richiesta dal significato della frase specificato tra parentesi.

1. Le ditte che producono sostanze tossiche devono pagare per i danni ambientali causati. (oltre che per altri abusi)
2. Le ditte che producono sostanze tossiche devono pagare per i danni ambientali causati. (oltre i singoli cittadini)
3. Marco ha partecipato ad *Arcobalena*. (oltre che alla campagna di raccolta delle firme)
4. Marco ha partecipato ad *Arcobalena*. (oltre ad altri miei amici)
5. Abbiamo visto le tartarughe e le scimmie. (entrambe)
6. Abbiamo visto le tartarughe che depositavano le uova. (oltre ad altri animali)
7. Abbiamo visto le tartarughe che depositavano le uova. (oltre ad aver fatto altre cose)
8. L'Italia dovrà ridurre del 6,5% la quota delle emissioni dei gas serra. (non solo l'Italia)
9. Tra le emergenze di cui si dovrà occupare la nuova giunta cittadina c'è il problema dello smaltimento dei rifiuti solidi urbani. (oltre a quello dell'abusivismo edilizio)

12 Parlare

A **Discutere per risolvere un problema e monologo argomenta-tivo.** Formate dei gruppi di 4-5 persone. Immaginate di far parte di una lista civica che si vuole presentare alle prossime elezioni amministrative (per il governo della città in cui vive-te). Vi riunite per discutere il vostro programma e in modo particolare il punto: "Come si possono rendere più vivibili i centri urbani?"

Metri quadrati di verde per ogni abitante	
Stoccolma	100
Berlino	32.3
Praga	31.4
Copenaghen	29.8
Glasgow	28.7
Amsterdam	20
Zurigo	20
Vienna	15.3
Parigi	13
Leningrado	3.9
Milano	3.2
Atene	0.9

Ecco alcuni suggerimenti:
– introdurre una tassa d'ingresso in città
– taxi collettivi
– costruire più parcheggi
– usare mezzi pubblici con carburanti meno inquinanti (bus elettrici, a idrogeno)

Dopo aver discusso, preparate un breve discorso da tenere in un'assemblea pubblica in cui avrete la possibilità di informare i cittadini su cosa farebbe la vostra lista civica relativamen-te a questo tema.
Se volete potete anche realizzare un volantino di propaganda elettorale.

B **Discutere per risolvere un problema. Progetto: insegniamo il rispetto dell'ambiente.** Forma-te 3 gruppi. Fate parte di un'associazione ambientalista che deve decidere il programma di iniziative per l'anno seguente, per sensibilizzare alla tutela dell'ambiente tre categorie di cit-tadini: i bambini, gli adolescenti e gli adulti. Ciascun gruppo si occuperà di una fascia d'età e alla fine dovrà presentare agli altri gruppi di lavoro le proposte emerse e ottenerne, dopo una discussione, l'approvazione.

Se volete potete anche preparare un opusco-lo informativo pensando al titolo, ai contenu-ti, alla veste grafica e alle illustrazioni adatte per raggiungere l'obiettivo.
Ecco alcuni titoli di iniziative di sensibilizza-zione ecologica:

DIVENTA CAMPIONE DI POSA PLASTICA.

ALL'ARIA APERTA
Mostre e gite organizzate domani
per la giornata europea dei parchi

NATURA PER I PICCOLI NEL CUORE
DELLA CITTÀ
Ludoteca ambientale
del WWF in una villa romana

LA RACCOLTA DIFFERENZIATA
DELLA CARTA AIUTA L'AMBIENTE

PER OGNI NEONATO
CRESCERÀ UN ALBERO

C   Gioco di ruolo

"LA DISCARICA SUL NOSTRO TERRITORIO?!?"
"Per 'chiudere' con le discariche c'è bisogno dell'aiuto di tutti"

Immaginate di dover partecipare a un'assemblea pubblica per discutere del progetto che prevede la costruzione, a breve termine, di una discarica non lontano da dove
abitate. Scegliete uno dei ruoli elencati;
avete 10 minuti di tempo per raccogliere le
idee e calarvi nella parte. Poi dovrete parlare a ruota libera senza leggere testi scritti.

RUOLI
1. Assessore all'ecologia
2. Progettista della discarica
3. Rappresentante di *Legambiente*
4. Direttore dell'Azienda di nettezza urbana
5. Proprietari di case non lontane dalla zona in cui dovrebbe sorgere la discarica
   (più persone)
6. Rappresentante del Comitato di cittadini che sono contrari al progetto
7. Cittadini favorevoli al progetto (più persone)
8. Conduttore del dibattito
9. Abitanti di un paese in cui già esiste una discarica da 5 anni

13 Navigando

A Quali sono i parchi nazionali italiani?
Cercate prima quali sono i parchi naturali nazionali in Italia
consultando il sito che è il portale dei parchi italiani:
www.parks.it. Poi proseguite il lavoro in piccoli gruppi. Ciascun gruppo dovrà occuparsi di un parco e presentare al resto della classe una piccola ricerca su di esso, fornendo informazioni quali dove si trova, quando è nato, quanto è grande,
la flora e la fauna, le possibilità turistiche, qualche itinerario.

B Le campagne delle associazioni ambientaliste
Entra nel sito di alcune associazioni ambientaliste come per
esempio www.legambiente.it o www.greenpeace.it,
www.wwf.it ed esplora le iniziative e le campagne ambientaliste di cui si stanno occupando. Se invece c'è un particolare tema d'ecologia che ti interessa approfondire (o che interessa
alla classe) per svolgere un compito di produzione orale o
scritta, cerca delle informazioni relative a quel problema.

C **Per non dimenticare i crimini contro il pianeta**

Lavorate a piccoli gruppi visitando i siti delle associazioni ambientaliste indicati nell'attività precedente. Se preferite invece procedete con il motore di ricerca che usate di solito, inserendo delle parole-chiave (es. *"naufragio Erika"*). Lo scopo dell'esplorazione è di trovare informazioni (data e luogo, società coinvolta, danni, conseguenze legali, ecc.) relative alla lista di catastrofi ecologiche elencate sotto, per non dimenticare i colpi che stiamo inferendo al nostro Pianeta Terra. Presentate poi a turno i risultati della vostra ricerca.

– Naufragio dell'Erika
– Petroliera Exxon Valdez
– Deforestazione in Papua Nuova Guinea
– Nube tossica a Bhopal
– Esplosione nucleare a Chernobyl
– Diossina a Seveso

14 Scrivere

A Leggi una prima volta questa lettera alla redazione di un giornale e decidi se si tratta di:

☐ a. una lettera di scuse
☐ b. una lettera di protesta
☐ c. una lettera di ringraziamento
☐ d. una lettera di richiesta di informazioni

Capolinea. Se il bus non spegne il motore

Spettabile Redazione,
In questi giorni si parla molto di inquinamento. Ho notato che molti degli autisti di autobus che sostano al capolinea sono i primi a non rispettare le richieste di limitazione degli scarichi, in quanto sostano tenendo il motore acceso anche per lungo tempo; forse per scaldare un po' l'ambiente? O, essendo autisti di mezzi pubblici, hanno privilegi rispetto a noi cittadini invitati a fare più attenzione agli sprechi?
Da anni mi trovo a convivere non solo con queste emissioni degli scarichi, ma anche con il rumore continuo da essi causato (d'estate la situazione peggiora).
Io e la mia famiglia usiamo spesso i mezzi pubblici e capiamo il loro lavoro, perciò vogliamo ringraziare i pochi autisti che prestano un po' più attenzione di altri che invece fingono che non sia un loro problema. Nonostante i nostri ripetuti appelli all'ATB e ad altri enti, non abbiamo mai ricevuto alcuna risposta e il problema non ha avuto alcun riscontro. Forse non interessa a nessuno?
Se ognuno di noi cominciasse a rispettare le regole e chi di dovere a farle rispettare, si potrebbe almeno dire di avere un punto di partenza.

Gianluigi Cortinovis (Seriate)

(da *Lettere*, «L'Eco di Bergamo», 2 febbraio 2002)

B **Rileggi la lettera con l'intento di analizzarne i contenuti e la forma. Svolgi i seguenti compiti.**

1.   Sottolinea le parti di questa lettera in cui viene esposto il problema e di' con che tono, con quali sentimenti se ne parla.
     Quali sono invece le parti in cui si capisce che si tratta di una lettera di lamentela? Di che cosa esattamente si lamenta il lettore del giornale?

2.   Nella lettera chi scrive fa un uso particolare delle domande. Quale? A che cosa servono?

3.   Secondo te la lettera è scritta con uno stile:

     ☐ abbastanza formale   ☐ molto formale e burocratico   ☐ informale e colloquiale

4.   Sapresti trovare alcune espressioni linguistiche che segnalano la formalità e per ognuna di esse trovare un corrispettivo più colloquiale? Ti aiutiamo: si tratta di un connettivo, di due costruzioni negative e dell'uso di un modo implicito.

     ....

     ....

5.   La formalità è anche data dal fatto che nell'esposizione del problema viene usato un lessico attinente all'argomento di cui si parla, l'inquinamento. Riporta qui sotto le parole "tecniche" usate per scrivere di un problema ambientale.

     ....

C **Ora tocca a te scrivere una lettera di protesta per un problema legato al rispetto dell'ambiente e alla qualità della vita. Puoi scegliere tra le proposte elencate. Se il tema non è già stato trattato in classe, discutine con un compagno per raccogliere le idee.**

a.   Lettera alle autorità competenti (sindaco, direttore della società che gestisce l'aeroporto, assessore all'ambiente e alla salute) per protestare contro il rumore, l'inquinamento e il pericolo causato dal sorvolo degli aerei che volano a bassissima quota sul quartiere in cui vivi, situato nei pressi di un aeroporto esistente da 5 anni ma in continua espansione.

b.   Lettera al sindaco, all'assessore all'ecologia e alla salute per lamentarti e chiedere che non venga attuato il progetto di costruzione di una discarica poco lontano dalla zona residenziale in cui abiti.

c.   Lettera al sindaco e all'assessore all'ecologia per lamentarti del fatto che nella città in cui vivi ci sono poche zone verdi e nessuna pista ciclabile.

Puoi servirti dello schema e delle espressioni utili per lamentarsi che trovi di seguito:

LETTERA FORMALE
Scrivere una lettera di protesta

▶ **Contenuti**
- Esporre in dettaglio il problema.
- Segnalare eventuali responsabilità di ciò che è accaduto.
- Richiedere spiegazioni, scuse, pagamento di danni, minacce di azioni legali a seconda della situazione.

▶ **Forma**
- Registro formale (allocutivi Le/Vi, connettivi formali).
- Lessico specialistico appropriato all'argomento.
- Tono educato, civile (anche se si esprimono sentimenti di rabbia, delusione).

▶ **Alcune espressioni per lamentarsi**
- Sono spiacente di doverLe/Vi segnalare che ...
- Mi trovo costretto/a a...
- Mi permetta di dirLe che ...
- Non Le/Vi sto a descrivere la situazione in cui mi sono trovato/a...
- Mi rendo conto di non poter descrivere dettagliatamente tutti i disagi...
- La responsabilità dell'accaduto è Vostra...
- Alle mie ripetute richieste di spiegazioni...
- Nonostante i nostri ripetuti appelli...
- Non Le pare che...
- Mi appello a...
- Siete quindi pregati di porre rimedio a ...
- Attendo le vostre spiegazioni e le vostre scuse, altrimenti sarò costretto/a a...

(Per le formule di apertura e di chiusura che si usano nelle lettere formali puoi riferirti all'attività 15 dell'Unità 5.)

D Leggi la lettera formale alla pagina seguente e rispondi alle domande.

1. Qual è lo scopo principale della lettera?

2. Di quale iniziativa ambientale si parla?

3. Quali di questi aggettivi sceglieresti per definire il tono in cui è scritta la lettera? Giustifica la tua scelta.

   ☐ allarmista   ☐ fiducioso   ☐ gentile
   ☐ pessimista   ☐ catastrofico   ☐ aggressivo
   ☐ realista   ☐ convincente   ☐ diretto

4. Chi scrive, che dati oggettivi usa per convincere il lettore?

5. Quale altra strategia di convincimento utilizza?

6. Chi scrive usa delle forme linguistiche dirette, come per es. l'imperativo, per convincere il lettore? O quali altre forme?

FONDO MONDIALE PER LA NATURA
Via Salaria, 290 - 00199 ROMA - WWF ITALIA

Gentile Signora, Egregio Signore

Quanto ci mette a bere un caffè o un aperitivo? Un minuto? In un minuto vengono distrutti 400 000 mq di Foreste Tropicali e ogni ora perdiamo per sempre almeno 5 specie di esseri viventi, tra piante e animali.

C'è una grande sproporzione fra il ritmo con cui si sta distruggendo l'ambiente naturale e il tempo necessario all'opinione pubblica per prenderne coscienza.

Però io Le scrivo perché sono un ottimista e sono convinto che possiamo bloccare questo fenomeno minaccioso se interveniamo subito con decisione. Altrimenti come potrei essere Direttore Generale del WWF?

Quando Piero Angela mi ha espresso il desiderio di scrivere l'appello in favore delle Foreste Tropicali che trova allegato a questa mia lettera, ho pensato che potesse essere un'ottima occasione per darLe modo di intervenire direttamente contro il progressivo deterioramento dell'ambiente e della "qualità" della nostra stessa vita.

E ho voluto inviarLe fin d'ora l'adesivo di sostenitore della Campagna Foreste Tropicali perché ho fiducia nella Sua volontà di agire oggi per un futuro migliore.

Ci sono molte cose che posso suggerirLe di fare e molte altre possiamo farle assieme come associazione; ma ci occorrono i mezzi e non solo finanziari.

Quello che più ci serve infatti è l'appoggio di quanti non accettano di sopportare passivamente la continua aggressione contro la propria salute e contro la natura che oggi nutre i nostri figli e che domani sarà il loro futuro.

Così Le auguro che questa mia lettera sia per Lei l'occasione, forse cercata da tempo, d'intervenire con efficacia in difesa dell'ambiente naturale. L'occasione giusta, voglio dire, per diventare Socio del WWF.

La Sua adesione darà un aiuto essenziale alla nostra azione e per Lei sarà stata l'occasione buona per non subire passivamente un'assurda aggressione alla Sua salute, a quella della Sua famiglia e al nostro comune futuro.

Grazie

Valerio Neri (Direttore Generale)

E   **Immagina di essere il direttore di** *Greenpeace*. **Stai organizzando una raccolta di fondi per sostenere una campagna contro l'uso degli Organismi Geneticamente Modificati (OGM).**

Scrivi una lettera in cui inviti con tono convincente i lettori a fare una donazione, ad acquistare una guida per il consumatore e a partecipare alle vostre iniziative di tutela ambientale e della salute dei cittadini. Sii efficace e diretto.

Sei quello che mangi. Sai quello che mangi?

Sostieni la campagna contro gli organismi geneticamente modificati

GREENPEACE
www.greenpeace.it

Esercizi

1 Elimina le ripetizioni che ci sono in queste frasi sostituendole con la particella *ci/vi.*

1. Ricordo che la partecipazione a *Biciscuola* dev'essere richiesta dalle scuole, per cui i ragazzi interessati a partecipare alla manifestazione dovranno dirlo per tempo ai loro insegnanti.

2. Sei andato da Paola? Certo, sono andato da Paola e ho parlato a Paola.

3. Siete andati anche a vedere Bhopal? Sì siamo passati di là e abbiamo visto molte persone per strada che soffrono ancora di gravi conseguenze provocate dalla nube tossica che nel 1984 fece 20 000 morti.

4. Marco acquista molti nuovi abiti investendo negli abiti buona parte del suo stipendio.

5. Hai paura della morte? Sì, ma non penso alla morte più di tanto.

6. L'assessore all'ambiente continua a fare promesse ma gli ecologisti non credono più alle promesse / a loro.

2 Completa queste frasi scegliendo tra i verbi idiomatici dati sotto, che devi poi coniugare.

> arrivarci   starci (2)   contarci   avercelo
> cascarci   esserci (2)

1. Mi hanno raccontato che stava arrivando un uragano e io ....

2. Mio fratello mi ha chiesto se (io) .... a mettere i pannelli solari alla casa in campagna che stiamo ristrutturando. Gli ho detto di sì.

3. Allora avete capito bene quali sono le regole del gioco? .... (noi)? Possiamo cominciare?

4. (Voi) .... a fare uno scherzo a Davide? Dai, che ci divertiamo!

5. Guarda che .... , non deludermi,

partecipa anche tu all'iniziativa di pulizia del parco del nostro quartiere.

6. Dovete dirlo ai vostri genitori che è importante per tutti fare la raccolta differenziata dei rifiuti perché da soli non (loro) ....

7. Ieri sera ho letto il libro di istruzioni e finalmente .... , ho capito come funziona lo scanner!

8. Anche tu hai comprato la videocamera digitale? Sì, ... dal Natale scorso.

3 Rispondi alle domande usando le particelle *ci* o *ne* (cfr. Unità 5, p. 179), in alcuni casi combinate con altri pronomi.

ESEMPIO

▶ Quanti studenti hanno partecipato alla manifestazione di *Legambiente*?
  Ne sono venuti circa una decina.

1. Ogni quanto giochi a pallone?

2. Quante magliette ha portato in vacanza?

3. Hai bevuto tutti i succhi di frutta che c'erano in frigo?

4. Hai dovuto leggere molti libri per la tesi di dottorato?

5. Vai a pattinare stasera?

6. Sei già andato a trovare Silvana?

7. Ma, Marco, credi ancora alle sue promesse?

8. Perché ti preoccupi così tanto di tua suocera?

9. Ti sei accorto che hai messo la maglia al rovescio?

10. Che cosa apprezzavi dei tuoi studenti?

11. Perché vi siete innamorati dei miei cani?

12. Da quando Sandrina si interessa di ecologia?

13. Puoi mangiare della carne?

14. Ti prendi cura tu dei miei fiori mentre sono via?

15. Ti sei reso conto che hai sbagliato tutto?

16. Da quanto tempo vivi in Argentina?

17. Ma devi proprio rinunciare a quel viaggio?

18. Pensi ancora tanto al tuo ex?

19. E tu ti vanteresti di avere costruito una casa abusivamente?

4 Completa queste frasi scegliendo tra *ci* e *ne* (a volte il pronome richiesto è combinato, come *me ne, ci si*).

1. Le Cinque Terre mi sono piaciute molto, ... tornerò senz'altro.

2. Sono contenta che siano andati in vacanza in montagna, ... avevano un gran bisogno!

3. .... state anche voi a fare il regalo a Sofia che si laurea?

4. Ho provato in tutti modi a smettere di fumare, ma è più forte di me, non posso far .... a meno.

5. Il film era noiosissimo, così .... sono uscita prima.

6. Per forza si è ammalato, beveva un paio di litri di vino al giorno, ... ha davvero abusato.

7. Hai mangiato tu i cioccolatini? .... mancano parecchi, ieri la scatola era piena!

8. Mi parli un po' della tua esperienza nel campo di concentramento? Non .... ho voglia, mi intristisco troppo.

9. Non ci credi che verremo a trovarti? .... dubito perché me l'avevate promesso anche due anni fa.

10. Non ti vergogni di esser finito sui giornali? Non .... vergogno affatto perché quei soldi mi spettavano.

11. Mi hanno detto che .... hai ricavata una somma consistente.

12. Se impari bene, potrai trar .... dei grossi vantaggi per la tua futura professione.

13. Sonia ascolta l'oroscopo tutti i giorni e .... crede davvero.

14. È inutile che insisti, non .... cavi un ragno dal buco. Tuo figlio vuole solo contraddirti.

15. È già partito tuo zio? Sì, ... è andato ieri.

16. Lo sai cosa penso della politica ambientalista americana! È inutile continuare a discuter ....

17. Partecipi anche tu alla conferenza sui cambiamenti climatici? Sì, ... terrei proprio!

18. C'è un posto anche per me sulla tua macchina? Sì, sì, ... stai, non ti preoccupare!

19. Quest'anno .... siamo andati poco perché non ha nevicato.

20. Rachel è stata fin troppo gentile con noi, non .... dobbiamo approfittare!

5 Trasforma questi divieti usando la forma imperativa negativa:

ESEMPIO

▶ È vietato raccogliere funghi!
 → (tu)   *Non raccogliere* funghi
 → (Lei) *Non raccolga* funghi!
 → (voi) *Non raccogliete* funghi!

1. Non si devono mettere i rifiuti organici nel sacco grigio che è per la frazione secca.
 (tu) ....
 (Lei) ....
 (voi) ....

2. Divieto di raccolta di fiori alpini.
 (tu) ....
 (Lei) ....
 (voi) ....

3. Divieto di caccia.
 (tu) ....
 (Lei) ....
 (voi) ....

4. Divieto di balneazione.
 (tu) ....
 (Lei) ....
 (voi) ....

5. È proibito produrre prodotti contenenti clorofluorocarburi perché sono gas mangia-ozono.
 (tu) ....
 (Lei) ....
 (voi) ....

6. Nel mese di agosto è severamente proibito usare l'acqua per bagnare orti, giardini o lavare la macchina prima delle ore 22.00.
 (tu) ....
 (Lei) ....
 (voi) ....

7. È severamente proibito abbandonare rifiuti

urbani pericolosi come le batterie, le pile, le lampade al neon.

(tu) ....

(Lei) ....

(voi) ....

8. Non si possono gettare nella campana della carta carte sporche o plastificate.

(tu) ....

(Lei) ....

(voi) ....

9. Sarebbe meglio non comprare la verdura e la frutta confezionate in vaschette di polistirolo.

(tu) ....

(Lei) ....

(voi) ....

10. A semaforo rosso, spegnere il motore.

(tu) ....

(Lei) ....

(voi) ....

6 **Metti all'imperativo nelle tre persone (tu, Lei, voi) i verbi in maiuscolo e trasforma le parti sottolineate (quando ci sono) in pronomi:**

ESEMPIO

▶ USARE negli uffici pubblici <u>carta riciclata</u>.

→ (tu) *usala* → (Lei) *la usi* → (voi) *usatela*

1. IMPEGNARSI a non acquistare prodotti contenenti gas mangia-ozono.

(tu) ....

(Lei) ....

(voi) ....

2. USARE <u>lavatrici e lavastoviglie</u> solo a pieno carico.

(tu) ....

(Lei) ....

(voi) ....

3. SPEGNERE <u>le luci</u> non necessarie.

(tu) ....

(Lei) ....

(voi) ....

4. UTILIZZARE <u>le nuove lampade a fluorescenza</u> che consumano meno energia.

(tu) ....

(Lei) ....

(voi) ....

5. NON COPRIRE <u>i caloriferi</u> con mobili o tende.

(tu) ....

(Lei) ....

(voi) ....

6. SCEGLIERE <u>un'auto</u> che consuma poco e che inquina poco.

(tu) ....

(Lei) ....

(voi) ....

7 **Metti gli avverbi nella posizione corretta facendo attenzione al significato della frase.**

1. Ogni giorno nel nostro paese vengono abbandonate 186 000 tonnellate di rifiuti. (*abusivamente*)

2. *Arcobalena* è una marcia di protesta organizzata da *Greenpeace* in difesa delle balene che si svolge in cinquanta città italiane. (*contemporaneamente*)

3. Sofia compra prodotti biologici. (*solo*)

4. Quale mezzo di trasporto usate in città? (*abitualmente*)

5. Non uso prodotti "usa e getta". (*generalmente*)

6. Ha parlato di questo argomento. Non ce l'aspettavamo proprio. (*stranamente*)

7. Le più importanti zone di pesca del mondo sono state esaurite da una pesca eccessiva e irrazionale. (*praticamente*)

8. Ha parlato di questo argomento. Non mi è parso chiaro. (*stranamente*)

9. La capacità della terra di soddisfare le esigenze dell'umanità sta diminuendo. (*pericolosamente*)

10. Non aveva parlato di questo. (*affatto*)

11. Per avere ulteriori informazioni e ricevere il materiale didattico, chiamate il numero verde 1678-11096. (*gratuitamente*)

12. Mi ha detto per telefono di partire perché era successo qualcosa di grave a mio fratello. (*immediatamente*)

13. Soltanto con il tuo aiuto *Greenpeace* potrà ostacolare la distruzione della foresta africana

e l'estinzione del gorilla, dello scimpanzé e dell'elefante. Per questo motivo abbiamo bisogno che ogni sostenitore diventi un "Custode delle grandi foreste" e sostenga questa nostra importante campagna internazionale. (*urgentemente*)

14. Il vetro andrà conferito nelle apposite campane collocate in vari punti del quartiere. (*esclusivamente*)

8 **Completa le frasi con *finalmente, alla fine, infine*:**

1. La scuola in cui va Giorgio ha .... introdotto un programma di educazione ambientale.

2. Non sapevamo dove andare e .... abbiamo deciso di restare a casa.

3. Nelle città europee c'è l'allarme polveri sottili, microparticelle prodotte dagli scarichi delle auto, che causano oltre 250 mila vittime ogni anno. .... dunque il nostro comportamento irresponsabile si ritorce ancora su di noi.

4. Il parlamento italiano ha .... approvato la legge di messa al bando dei gas mangia-ozono.

5. Prima è arrivato lo sposo, poi la sposa accompagnata dal padre, e .... gli altri ospiti.

6. I sei gas a effetto serra sono: l'anidride carbonica, il metano, il protossido di azoto, il perfluorocarburo, l'idrofluorocarburo e .... l'esafloruro di zolfo.

9 **Leggi queste coppie di frasi che hanno un diverso ordine delle parole e rifletti sulla differenza nella strutturazione dell'informazione. Poi trasforma le frasi.**

1.a. È in questi piccoli centri che stanno calando le denunce.

1.b. In questi piccoli centri stanno calando le denunce.

2.a. Ma è soprattutto il lavoro a dettare legge.

2.b. Soprattutto il lavoro detta legge.

Le frasi a. sono delle frasi scisse (cioè divise), ovvero degli ordini marcati che servono a enfatizzare, a mettere in rilievo l'informazione nuova. Si tratta di una struttura formata dal verbo *essere* + un elemento della frase focalizzato + la frase relativa.

> **ESEMPIO**

▶ (ordine non marcato) Si stava parlando *di energie rinnovabili*.
  (ordine marcato) *Era* di energie rinnovabili *che* si stava parlando.

1. L'assessore all'ambiente vuole introdurre bus urbani elettrici *per ridurre le emissioni di gas velenosi nell'aria*.

2. Siamo finiti a vivere in questa zona rumorosa della città *per colpa di Luisa*.

3. Vorrei parlare *di cambiamenti climatici*.

4. *I nostri amministratori* hanno dato esempio di disonestà.

5. *Il WWF* ha curato un libro che elenca 50 semplici accorgimenti da mettere in pratica tutti i giorni per salvare l'ambiente.

6. *Soprattutto sulle coste meridionali* sono stati costruiti molti edifici abusivi.

7. A scuola va insegnato il *rispetto dell'ambiente*, e non altre materie strane!

8. La direttrice dell'OMS in un intervento al vertice dell'ONU sullo sviluppo sostenibile ha lanciato *questo inquietante allarme*.

10 Lavorate in gruppo. Formate gruppi di 3-4 persone. Leggete questi titoli di giornale e fate delle ipotesi su come si forma il plurale di nomi e aggettivi che finiscono in *-co/-go* e in *-ca/-ga*. Poi mettete in comune le vostre ipotesi e volgete al plurale le parole tra parentesi che trovate nelle frasi sotto. Controllate le vostre risposte con il resto della classe.

Festa nel verde per la "giornata europea dei parchi"	**Allarme siccità: i cambiamenti climatici sono sotto gli occhi di tutti**
Vacanze ecologiche tra valli e luoghi incontaminati	*Clima ammalato: convegno di meteorologi sul Lago di Como*

Discariche abusive in mano alla mafia

1. Il WWF organizza a Villa Ada e a Villa Reale a Roma, tutti i sabati pomeriggio dalle 15 alle 18, le (*ludoteca*) .... ambientali, un luogo in cui i bambini dai 4 ai 15 anni potranno conoscere la natura giocando e consumare cibi rigorosamente (*biologico*) ....

2. Gli interventi (*tecnologico*) .... che sono stati fatti per migliorare la qualità dei carburanti e per abbattere gli (*scarico*) .... attraverso i catalizzatori non sono ancora soddisfacenti.

3. Quali sono gli effetti (*drammatico*) .... per la salute dovuti all'inquinamento acustico e atmosferico?

4. Se si vive in città durante le vacanze si ha bisogno di (*lunga*) .... passeggiate nei (*bosco*) .... , di ascoltare i rumori della natura per purificarsi dai tormenti (*acustico*) .... e (*atmosferico*) .... del traffico urbano.

5. "La casa brucia e noi stiamo a guardare", ha tuonato il Presidente francese, invitando i (*collega*) .... a fare in modo che il XXI secolo "non venga ricordato dalle generazioni future come quello del crimine contro l'umanità".

6. Il compito principale è portare un maggior numero di persone a usare i mezzi (*pubblico*) .... e non l'auto.

7. Nell'accordo sull'energia è stata inclusa tra le fonti di energia rinnovabile anche quella prodotta dalle centrali (*idroelettrica*) .... , un'inclusione che ha provocato l'irritazione degli ambientalisti secondo i quali la costruzione di (*diga*) .... ha un enorme impatto ambientale.

8. Nel mondo muoiono milioni di bambini per malattie correlate alla mancanza di adeguati servizi (*igienico*) ....

9. È nato recentemente un consiglio permanente di ministri africani responsabili per le risorse (*idrica*) .... Poiché l'acqua è un bene comune, patrimonio dell'umanità e diritto umano, è stata fissata la scadenza del 2015 per risolvere i problemi (*idrico*) ....

10. Ci sono dei cambiamenti (*climatico*) .... in atto che non possono essere negati: la temperatura è cresciuta tra 0,2 e 0,6 gradi e il livello del mare è salito tra i 10 e i 20 centimetri nel ventesimo secolo.

11. A casa nostra usiamo solo prodotti (*ecologico*) .... e non (*sintetico*) ....

11 Completa queste frasi con la preposizione *su*, semplice o articolata. Poi associa, in ciascuna frase, la preposizione alla sua funzione, scegliendo tra quelle elencate sotto.

Alcune funzioni della preposizione *su*

a. **Stato in luogo:** un bicchiere *sul* tavolo, una barca *sul* mare, un neo *sulla* guancia

b. **Moto a luogo:** vieni *sul* terrazzo, rimetti il bicchiere *sul* tavolo

c. **Argomento:** abbiamo discusso *sui* problemi ambientali, un documentario *sui* disastri ambientali

d. **Approssimazione:** una donna *sui* quarant'anni, una casa *sui* 300 000 euro, vediamoci *sul* tardi

e. **Significato distributivo:** 30 bambini *su* 100 non dispongono di acqua potabile.

---

1. ☐ Ciò che invece spinge 30 italiani .... cento a restare nei grandi centri urbani è il lavoro.
2. ☐ Ho letto .... giornale gli accordi raggiunti al Summit .... sviluppo sostenibile che si è appena concluso a Johannesburg.
3. ☐ I pendolari che vivono fuori città incrementano il traffico .... strada per il lavoro.
4. ☐ Attualmente la raccolta differenziata copre, ... totale dei rifiuti, il 21%.
5. ☐ Ora concentratevi .... lingua usata in questi testi.
6. ☐ Secondo un sondaggio di Datamedia per «Panorama» .... mille abitanti di metropoli, 36 cittadini .... cento vorrebbero andare a vivere in campagna.
7. ☐ Puoi salire .... nostra macchina, abbiamo ancora un posto libero.
8. ☐ Quegli alberi avranno .... cent'anni.
9. ☐ Consumiamo .... 50 litri di acqua al giorno.
10. ☐ Gli abitanti che vivono .... coste della Spagna in cui è affondata la petroliera sono disperati.

Ripasso

1 Completa questa intervista coniugando i verbi tra parentesi all'indicativo, al congiuntivo (presente, passato) e al condizionale.

Pro e contro. Il blocco non serve

Contro lo smog cittadino sono davvero utili i blocchi del traffico?
Io credo che se si (*volere*) (1) .... ridurre lo smog in modo strutturale, la risposta (*essere*) (2) .... no. Sebbene da ministro (*puntare*) (3) .... molto sui week-end senza auto, penso che (*bisognare*) (4) .... bloccare tutte le vetture, tutti i giorni. I blocchi vanno bene per l'emergenza, sebbene (*essere*) (5) .... utili per far comprendere all'opinione pubblica che la situazione è grave.

Quanta parte degli esodi dalle grandi città è dovuta a motivi ambientali?
Mah, sono abbastanza convinto che l'inquinamento (*incidere*) (6) .... poco, anche se la mia esperienza personale di "fuggiasco" dal centro di Roma (*risalire*) (7) .... a dieci anni fa e (*andare*) (8) .... in questo senso. Credo che oggi, a spingere verso la provincia, (*essere*) (9) .... soprattutto il minore costo delle abitazioni.

Che cosa pensa della proposta del sindaco di Milano di una tassa d'ingresso per le auto dei pendolari?
Penso che (*essere*) (10) .... una proposta del tutto priva di senso. È un'idea sbagliata e inapplicabile. E poi la tassa d'ingresso secondo me non (*risolvere*) (11) .... il problema. Più sensata mi pare invece (*essere*) (12) .... l'istituzione di parcheggi cittadini a fascia di prezzo crescente: più vicino (*essere*) (13) .... il parcheggio al centro, più cara (*essere*) (14) .... la sosta.

Contro l'inquinamento nelle grandi città quali sono le sue risposte concrete?
Penso che (*dovere, noi*) (15) .... cambiare mentalità. Credo che gli obiettivi (*essere*) (16) .... : nel breve tempo la drastica riduzione del traffico, anche con i blocchi; nel medio termine credo (*occorrere*) (17) .... incrementare i mezzi pubblici, il "*car pooling*", i carburanti meno inquinanti, le auto elettriche. Nel lungo termine mi auguro (*investire*, passivo) (18) .... molte risorse nelle energie alternative.

(adattato da «Panorama», 31 gennaio 2002)

Test

1 Completa queste frasi con la particella *ci* o *ne* (se ci sono due spazi devi usare la particella combinata con un altro pronome).

1. Vieni anche tu all'inaugurazione della nuova oasi gestita dal WWF?
Credo di no, perché non .... tengo particolarmente.

2. Ti ricordi della proposta di far passare la nuova circonvallazione proprio vicino alla scuola?
Certo che .... ricordo! Come è andata avanti la questione?

3. Ti va di venire alla marcia promossa da *Greenpeace* contro la coltivazione di mais transgenico?
.... penso.

4. Ti sei già fatto fare alcuni preventivi sul costo dei pannelli solari?
No, non ho avuto tempo, penso di occupar........................ .... la settimana prossima.

5. Passo a prenderti domani alle otto.
.... conto perché sono senza macchina.

6. Quante ore .... metti per arrivare al lavoro?

→ **/6 punti**

2 Costruisci delle frasi con l'imperativo formale o informale e i pronomi, come nell'esempio.

ESEMPIO

▶ (comprare, tu) cose solo utili.
Comprale solo se sono utili!

Io spendo intelligente

1. (*comprare*, tu) prodotti semplici.
   ....

2. (*evitare*, Lei) i prodotti pubblicizzati perché costano di più.
   ....

3. (*usare*, Lei) merci con pochi imballaggi.
   ....

4. (*non cambiare*, Lei) i beni spesso.
   ....

5. (*acquistare*, tu) prodotti della tua regione.
   ....

6. (*mangiare*, tu) alimenti freschi e biologici.
   ....

7. (*non investire*, tu) i risparmi in banche che finanziano il commercio delle armi.
   ....

→ **/7 punti**

3 Metti gli avverbi tra parentesi nella posizione corretta.

1. Ogni anno lo spot "Più consumi meno vivi" con cui viene pubblicizzata la giornata mondiale del non acquisto viene rifiutato da tutti i canali televisivi e trova spazio a pagamento solo sulla Cnn. (*sistematicamente*)

2. La multinazionale australiana estrae oro con il cianuro che è tossico. (*altamente*)

3. Nel 2005 la nostra società ha raggiunto il 43,2% di raccolta differenziata, separando circa 25,2 milioni di kg di materiali su un totale di 58,4 milioni di kg di rifiuti prodotti. Questo risultato è stato ottenuto grazie alla vostra collaborazione. (*anche*)

4. F. Pierri, che è *mobility manager* della Provincia di Milano, coordina aziende e comuni che hanno aderito all'iniziativa di organizzare la mobilità dei loro dipendenti con trasporti di tipo alternativo. (*spontaneamente*)

5. Oggi, oltre a pensare a produrre energia, dobbiamo pensare a ridurre i danni ambientali che derivano dall'uso dei combustibili. (*anche*)

6. Negli Stati Uniti costruiranno un milione di tetti fotovoltaici entro il 2010. In Germania 100 000. In Italia le tecnologie per catturare l'energia che viene dal cielo e non inquina sono state tenute al guinzaglio. (*solo*)

→ **/6 punti**

4 Metti in rilievo l'elemento sottolineato, costruendo una frase scissa.

1. Ho iscritto <u>Marco</u> a un campo ecologico estivo.

   ....

   ....

   ....

2. Vorrei usare <u>la bici</u> per andare al lavoro.

   ....

   ....

   ....

3. <u>L'amministrazione</u> vuole introdurre i bus elettrici.

   ....

   ....

   ....

→   /3 punti

5 Volgi al plurale le parole tra parentesi presenti in questo frammento di "Test ecologico".

Siete consumatori (*ecologico*) *ecologici* ?

1. Acquistate prodotti naturali o (*biologico*)

   .... ?

   ☐ mai
   ☐ saltuariamente
   ☐ spesso

2. Quali dei seguenti prodotti (*domestico*) ....
   usate abitualmente in confezione "usa e getta"?

   ☐ piatti
   ☐ stoviglie
   ☐ tovaglioli
   ☐ recipienti
   ☐ fazzoletti
   ☐ indumenti (slip, ciabatte ecc.)
   ☐ stracci (es. Scottex)

3. Quali rifiuti separate?

   ☐ vetro
   ☐ carta
   ☐ lattine
   ☐ (*farmaco*) ....
   ☐ pile
   ☐ legno

4. Nella vostra abitazione quali meccanismi usate per risparmiare energia elettrica?

   ☐ illuminazione minima
   ☐ lampade a basso consumo
   ☐ riscaldamento a metano
   ☐ pannelli solari
   ☐ accensione programmata dello scaldabagno
   ☐ miscelatore acqua fredda/calda
   ☐ uso ragionato degli (*elettrodomestico*)

   ....

5. Quale mezzo di trasporto usate abitualmente in città?

   ☐ automobile
   ☐ motocicletta/ciclomotore/bici
   ☐ mezzi (*pubblico*) ....

6. Quale mezzo di trasporto preferite per i (*lungo*) .... spostamenti?

   ☐ automobile
   ☐ aereo
   ☐ treno

   (adattato da «L'Espresso», 23 giugno 1991)

→   /6 punti

6 Completa queste parafrasi con l'aggettivo derivato appropriato.

1. energie che si possono rinnovare

   ....

2. prodotto che si può riciclare

   ....

3. sostanza che non si può vedere

   ....

4. sostanza che può prendere fuoco

   ....

5. acqua che può essere bevuta

   ....

→   /5 punti

7 Completa questo elenco di consigli scegliendo tra le parole che trovi sotto.

energia   imballaggi   salvaguardare   difendersi   discariche   sprechi   spazzatura

Piccoli rimedi per vivere meglio

Meno (1) .... , acquisti selezionati e attenzione nei piccoli gesti. Il WWF ha appena curato un libro che elenca cinquanta semplici accorgimenti da mettere in pratica tutti i giorni e che da soli possono (2) .... l'ambiente. Vediamone alcuni.

Tagliare la plastica delle lattine

Le confezioni delle lattine vengono tenute assieme da anelli in plastica praticamente indistruttibili. Quando questi (3) .... arrivano in mare (per inciviltà dei turisti o a causa delle (4) .... abusive) diventano delle trappole invisibili per uccelli e animali marini che vi rimangono impigliati. Prima di gettare gli anelli nella (5) .... è quindi consigliabile tagliarli uno per uno con le forbici.

(6) .... dalla posta inutile

Gli italiani ricevono circa 500 milioni di lettere pubblicitarie all'anno, spesso cestinate senza neanche essere aperte. Negli Stati Uniti è stato calcolato che con la carta sprecata così, si potrebbe produrre (7) .... per riscaldare 250 mila abitazioni.

Chi vuole far eliminare il proprio nominativo dagli elenchi può comunicarlo all'Anved, l'associazione delle ditte di vendita per corrispondenza (via Melchiorre Gioia 70, Milano, tel. 02/6884525).

→ /7 punti

→punteggio totale /40 punti

Sintesi grammaticale

Particella pronominale *ci*

Uso	
Complemento di luogo, locativo	Sei andato *là / a Roma / in Italia / da Luca / al cinema / a nuotare?* Sì, *ci* sono andato. Nel registro formale (scritto) viene usato il pronome locativo *vi*.
Con il verbo *essere* (*esserci =* esistere, trovarsi)	Alla manifestazione *c'erano* molti studenti. / *C'era* il Ministro dell'Ambiente. Chi *c'era* alla festa? Che cosa *c'è* sul tavolo? Nella stanza *ci sono* due poltrone.
In sostituzione dei complementi *a* + gruppo nominale	Si usa con *pensare a, credere a, giocare a, rinunciare a, partecipare a, tenere a...* Pensi ancora alla tua fidanzata? Sì *ci* penso spesso (= alla mia fidanzata).

Particella fissa in perifrasi verbali idiomatiche	▶ *volerci/metterci =* occorre
	    Da qui a casa mia *ci vogliono* dieci minuti a piedi.
	▶ *arrivarci =* capire
	    Diglielo che dovrebbe portare un regalo perché da sola non *ci arriva.*
	▶ *cascarci =* credere ingenuamente
	    Ci sei cascato! Ma era solo uno scherzo.
	▶ *contarci =* fare affidamento
	    Promettimi che telefonerai a mamma. *Ci conto!*
	▶ *starci =* essere d'accordo
	    Ci state a fare una sorpresa a Gianni?
	▶ *esserci =* capire
	    Ci sono! Ho capito finalmente come funziona.
	▶ *avercelo/la/li/le =* possedere
	    Hai la macchina? Sì, *ce l'ho.*
	▶ *vederci, sentirci*
	    Non *ci vedo/ci sento* più molto bene.

Forma		
ci + verbo riflessivo	(trovarsi) Mi trovo bene a Milano. Ti trovi bene a Milano. (lui/lei) Si trova bene a Milano. Ci troviamo bene a Milano. Vi trovate bene a Milano. (loro) Si trovano bene a Milano.	**Mi ci** trovo bene. **Ti ci** trovi bene. **Ci si** trova bene. Ø **Vi ci** trovate bene. **Ci si** trovano bene.
ci + *si* impersonale	(cfr. Unità 5, p. 179)	

Imperativo

Forma

	Protestare	Difendere	Sentire	Finire
(tu)	protest-**a**	difend-**i**[1]	sent-**i**[1]	fin-**isc-i**[1]
(Lei)	protest-**i**[2]	difend-**a**[2]	sent-**a**[2]	fin-**isc-a**[2]
(noi)	protest-**iamo**[1]	difend-**iamo**[1]	sent-**iamo**[1]	fin-**iamo**[1]
(voi)	protest-**ate**[1]	difend-**ete**[1]	sent-**ite**[1]	fin-**ite**[1]
(Loro)	protest-**ino**[2]	difend-**ano**[2]	sent-**ano**[2]	fin-**isc-ano**[2]

Verbi irregolari

essere	sii, sia, siamo, siate, siano
avere	abbi, abbia, abbiamo, abbiate, abbiano
andare	vai/va', vada, andiamo, andate, vadano
dare	dài/da', dia, diamo, date, diano
dire	di', dica, diciamo, dite, dicano
fare	fai/fa', faccia, facciamo, fate, facciano
rimanere	rimani, rimanga, rimaniamo, rimanete, rimangano
stare	stai/sta', stia, stiamo, state, stiano
sapere	sappi, sappia, sappiamo, sappiate, sappiano
salire	sali, salga, saliamo, salite, salgano
scegliere	scegli, scelga, scegliamo, scegliete, scelgano
tenere	tieni, tenga, teniamo, tenete, tengano
venire	vieni, venga, veniamo, venite, vengano
uscire	esci, esca, usciamo, uscite, escano

Imperativo negativo

L'imperativo **negativo** della II persona singolare (tu) si costruisce con *non* + verbo all'infinito:

> Non scappare! Non correre! Non partire!

Tutte le altre persone hanno la negazione regolare:

> Non scappi! Non scappate! Non scappiamo!

Imperativo con i verbi riflessivi

alzarsi	alza**ti**, **si** alzi, alziamo**ci**, alzate**vi**, **si** alzino

---

[1] Corrispondono alle forme dell'indicativo presente.
[2] Corrispondono alle forme del congiuntivo presente.

| Posizione dei pronomi con l'imperativo | I pronomi atoni **seguono** l'imperativo e con esso formano una sola parola; per le forme di cortesia (*Lei, Loro*) i pronomi **precedono** l'imperativo: |

Ugo, prendi la palla!	→	prendi**la**!
Ragazzi, prendete i soldi!	→	prendete**li**!
Prendiamo un caffè!	→	prendiamo**lo**!
Signora, prenda la borsa!	→	**la** prenda!
Signori, prendano un aperitivo!	→	**lo** prendano!

Regala**melo**! Regalate**melo**! **Me lo** regali! **Me lo** regalino!

Prendi**ne**! Prendete**ne**! Prendiamo**ne**! **Ne** prenda! **Ne** prendano!

Le forme monosillabiche (con una sola sillaba) se sono seguite da pronomi richiedono il raddoppiamento della prima consonante del pronome (eccetto *gli*):

Va' al cinema!	→	Va**cci**!
Sta' vicino a me!	→	Sta**mmi** vicino!
Sta**gli** vicino!		
Di' a Luisa la verità!	→	Di**lle** la verità!
Di**gli** la verità!		
Fa' a me un piacere!	→	Fa**mmelo**!
Fa**glielo**!		
Da' del gelato a tutti!	→	Da**nne** a tutti!

Uso

L'imperativo è un modo tipicamente conativo, serve cioè ad agire sull'interlocutore, a spingerlo a fare qualcosa. È usato infatti per rivolgere **direttamente** ad altri un comando, un divieto, un invito, un'esortazione, una preghiera, un consiglio:

Vieni subito qui, Carlo!

Non *fumi* per favore qua dentro, non vede che è vietato!

Va' da lui, coraggio!

Ascoltami, ti prego.

Consumi di meno, se vuole risparmiare.

Avverbi

Forma

Tra gli avverbi, quelli di **modo** (*Come? In che modo?*) si possono derivare regolarmente, aggiungendo al singolare femminile dell'aggettivo il suffisso -*mente*:

certamente, abusivamente, rapidamente, lentamente, tristemente

Se l'aggettivo finisce in -*le*, -*re* la *e* cade:

facilmente, particolarmente

Posizione

▶ Se modifica un aggettivo o un altro avverbio lo **precede**

È *piuttosto* bravo.

Si può fare *molto* semplicemente.

▶ Se modifica il verbo di solito lo **segue** immediatamente

Ha cominciato *tardi*.

Ha rifiutato *tristemente* la proposta.

▶ Se si vuole dare enfasi va alla fine o all'inizio della proposizione

Ha rifiutato la proposta *tristemente*.

▶ Per alcuni avverbi di giudizio, come quelli relativi il "dire" (*veramente, francamente*) la posizione in inizio di frase è normale

Francamente non mi sembra un buon affare.

▶ Avverbi che normalmente stanno tra l'ausiliare e il participio: *già, ancora, più, mai, sempre, affatto*

Non l'ho *ancora* visto.

Non ho *affatto* promesso questo.

▶ Avverbi che precedono la parola che modificano: *anche, neanche, solo, solamente, soltanto*

Ho *anche* visto Leo. (oltre ad aver fatto altre cose)

Ho visto *anche* Leo. (oltre ad altre persone)

▶ A volte la posizione dell'avverbio può cambiare il significato della frase

Mi ha ordinato *subito* di venire.

Mi ha ordinato di venire *subito*. (*subito* si riferisce al verbo che lo precede immediatamente)

Frasi scisse

Uso | Si tratta di un **ordine marcato** delle parole che serve a mettere in rilievo l'**informazione nuova**, spesso con valore contrastivo.

Forma | La frase scissa è una costruzione formata dal verbo *essere* + un elemento della frase focalizzato + una frase relativa, come nell'esempio:

Ho regalato un motorino elettrico a Viola. (ordine basico, non marcato; tutta l'informazione è nuova)

È a Viola *che ho regalato* un motorino elettrico. (frase scissa; si presuppone che abbia regalato qualcosa e si mette in rilievo il destinatario del regalo)

È un motorino elettrico *che* ho regalato a Viola. (frase scissa; si presuppone che abbia fatto un regalo a qualcuno e si mette in rilievo il regalo)

La proposizione subordinata può essere:

▶ **esplicita** (*è* X *che* + verbo di modo finito)

È Marco che ha la casa con i pannelli solari.

▶ **implicita** (*è* X *a* + verbo all'infinito)

È Marco ad avere la casa con i pannelli solari.

(solo se l'elemento da focalizzare ha nella corrispondente frase non marcata la funzione di soggetto: *Marco ha la casa con i pannelli solari*).

Plurale dei nomi/aggettivi (-*co*/-*go*, -*ca*/-*ga*)

I nomi femminili in **-ca**/**-ga** al plurale sono sempre in **-che**/**-ghe**:

banche, amiche, droghe, larghe, poche

I nomi e gli aggettivi maschili terminanti in **-co** formano il plurale in **-ci** o in **-chi**; è difficile dare delle indicazioni utili perché ci sono molte oscillazioni; in linea generale possiamo dire:

▶ il plurale è in **-chi** per le parole con accento tonico sulla penultima sillaba

fuochi, parchi, boschi, elenchi, pochi, stanchi, bianchi

Eccezioni: amici, greci, porci

▶ il plurale è in **-ci** per le parole con accento tonico sulla terzultima sillaba
medici, manici, stomaci/stomachi, artistici, chimici, classici, simpatici, tipici,
austriaci
Eccezioni: incarichi

I nomi e gli aggettivi in **-go** al plurale sono sempre in **-ghi**:
alberghi, cataloghi, laghi, luoghi, impieghi, dialoghi, chirurghi (è possibile anche *chirurgi*)

I nomi in **-ologo** che indicano professsioni, al plurale sono sempre **-ologi**:
archeologi, cardiologi, ginecologi, psicologi, astrologi

Preposizioni

Su | Il suo significato principale è quello di direzione.

▶ stato in luogo
un bicchiere *sul* tavolo, una barca *sul* mare, un neo *sulla* guancia
▶ moto a luogo
vieni *sul* terrazzo, rimetti il bicchiere *sul* tavolo
▶ vicinanza
una casa *sul* lago
▶ "verso"
La mia camera dà *sulla* strada.
▶ "contro"
la pioggia batte *sul* vetro
▶ sfera su cui si esercita dominio e autorità
Ha potere *su* tutti i suoi dipendenti.

Serve anche ad esprimere:

▶ argomento
abbiamo discusso *sui* problemi ambientali, un documentario *sui* disastri ambientali
▶ approssimazione
(età): una donna *sui* quarant'anni
(prezzo): una casa *sui* 300 000 euro
(quantità): un tavolo *sui* tre metri
(tempo, "verso le", "intorno alle"): vediamoci *sul* tardi
▶ significato distributivo
30 bambini *su* 100 non dispongono di acqua potabile.

Formazione di parola (cfr. Tavole grammaticali, pp. 484-490)

Aggettivi deverbali

▶ **-bile** è un suffisso che serve a derivare dalla base verbale l'aggettivo:

  VERBO   AGGETTIVO

  leggere → leggibile

Le varianti sono **-a-bile** con i verbi della I coniugazione (*mangiabile*) e **-i-bile** con i verbi della II e III coniugazione (*comprensibile, restituibile*).

Il significato degli aggettivi in *-bile* è "che si può":

  L'acqua è *bevibile*. = si può bere

  Il rifugio è *accessibile*. = si può accedere

Con i verbi transitivi ha un significato passivo:

  Questa malattia è *curabile*. = può essere curata

Gli aggettivi in *-bile* costituiscono la base per la trasformazione nominale (*comprensibile* → *comprensibilità*) e la trasformazione negativa (*comprensibile* → **in**comprensibile).

Coesione testuale (cfr. Tavole grammaticali, pp. 491-497)

Connettivi

Conclusivi

Introducono una proposizione che completa e conclude la precedente (A *quindi* B);
servono a trarre conclusioni e conseguenze:

> Ho visto la sua macchina parcheggiata, *quindi* è tornata dalle vacanze.
> Cartesio diceva: "Penso, *dunque*, sono".
> L'hai rotta, *di conseguenza* devi pagarla.

INFORMALI	FORMALI
quindi	
così "in questo modo"	
perciò	*per cui, per questo*
allora	*pertanto, di conseguenza*
	dunque
	ebbene
	sicché, cosicché, talché (letterarie)

▶ *allora, dunque*: sono anche segnali di apertura del discorso (per *allora*, cfr. Unità 2,
p. 68).

Elencare e contrapporre argomenti

da una parte ...
dall'altra...;
da un lato ...
dall'altro...

> *Da una parte* ci sono le ragioni economiche, di sviluppo del territorio e di aumento
> dell'occupazione, *dall'altra* quelle ambientali e di tutela della salute dei cittadini.

Segnali discorsivi del parlato

(cfr. Tavole grammaticali, pp. 498-500)

Riprendere il filo del discorso

Beh

È un'interiezione con diversi significati (cfr. altre interiezioni Unità 12, pp. 473-474):

▶ se pronunciata allungata viene usata di solito per rispondere a domande
imbarazzanti, difficili

> Come mai non ha fatto controllare i fumi della sua automobile?
> *Beh...* avevo in mente di farlo, ma poi ho avuto molto da fare e me ne sono dimenticato.

▶ può servire a sottolineare che si è convinti di ciò che si sta affermando

> E *beh*! Ci vuole un bel coraggio per rischiare la vita in azioni dimostrative come fan-
> no gli attivisti di *Greenpeace*!

Si possono usare: *dicevo, stavo dicendo, per ricollegarmi a..., come ho detto poco fa...*

> Certo, hai ragione... però, *come dicevo*, qui ho trovato la solidarietà della gente.

La situazione inguistica in Italia oggi

■ **Unità tematica**	– la lingua italiana, sue varietà e dialetti, origine delle espressioni idiomatiche
■ **Funzioni e compiti**	– riassumere una lezione accademica
	– riconoscere varietà dell'italiano
	– usare il dizionario (per le espressioni idiomatiche)
	– capire giochi di parole (la lingua della pubblicità)
	– enfatizzare l'informazione con ordini marcati
	– riconoscere l'origine dei prestiti (es. *yogurt* dal turco)
	– scrivere giocando con le parole
■ **Testualità**	– segnali discorsivi (*mi spiego, per così dire*)
	– connettivi per elencare dati (*in secondo luogo*)
	– connettivi eccettuativi (*a meno che, salvo che*)
■ **Lessico**	– espressioni idiomatiche (*sudare sette camicie*)
	– sfera semantica della "lingua" (*sintassi, prestito*)
	– espressioni del gergo giovanile (*sclerare*)
	– composti e giustapposti (*segnalibro, donna poliziotto*)
	– suffissi e prefissi colti (*-logo, -fono, -logia, -filo, tele-, auto-*)
■ **Grammatica**	– accordo con il participio passato
	– concordanza tempi (rapporto di anteriorità)
	– costruzioni con ordine marcato:
	• dislocazione di frase (*Che la pubblicità sia una fucina di neologismi, è noto.*)
	• dislocazione a sinistra (*Il vocabolario, glielo regalo io.*)
	– plurale dei nomi femminili in *-cia, -gia* (*camicie*)
■ **Strategie**	– lessico: riflettere sui meccanismi di arricchimento del lessico
■ **Ripasso**	– imperfetto o passato prossimo

Entrare nel tema

▶ Leggi i testi che seguono e fai delle ipotesi su:
  – che testi sono
  – che funzione hanno
  – chi li ha prodotti e in quale situazione
  – la loro appartenenza all'italiano parlato o a quello scritto

I.   **ORTOPANTOMOGRAFIA**
      Presenza di avulsioni dentarie multiple.
      Riassorbimento dell'osso alveolare in corrispondenza
      del IV inferiore destro che appare rivestito.
      Discreto riassorbimento delle creste interdentarie.

2.
  • Caldo, no?
  – C'hai ragione, è proprio un forno!
  • Il riscaldamento non va.
  – Ci fosse una volta che trovo un treno
    col riscaldamento che va. Beh, apri il
    finestrino che si crepa!*

3.
```
Claudia
tvtb e nn
voglio
xderti! By
sai tu ki
```

4.
Cedo dunque la parola al nostro chiarissimo Rettore che ci onora con la sua presenza e che è intervenuto per porgerVi un cordiale benvenuto.

▶ Come puoi definire il tipo, "la varietà" di italiano usata nei testi sopra? Prova a scegliere dall'elenco sotto.

  [lingua scritta degli sms]   [italiano parlato colloquiale]   [italiano popolare]

  [italiano burocratico]   [italiano formale aulico]

  [italiano gergale]   [lingua specialistica della medicina]

▶ Secondo te, di che cosa tratta un articolo con il seguente titolo?

Piovono fiumi, gatti, catinelle o pipì?

fare fiasco

▶ Come si chiamano espressioni del genere *fare fiasco* o
  piovere a catinelle, presenti in tutte le lingue?

Fare fiasco
Significato. Avere un insuccesso, in qualunque campo.
Origine. L'artista bolognese Domenico Biancolelli, celebre arlecchino del Seicento, non otteneva applausi per un monologo fatto con un fiasco in mano. Allora buttò il fiasco, accusandolo dell'insuccesso.

---

* (Dardano/Trifone, *La nuova grammatica della lingua italiana*, Zanichelli, Bologna 1997)

1 Ascoltare

Per riassumere

›14 **"Lo schema ha come obiettivo di spiegare come si componga l'italiano..."**

CD1 Questo pezzo è tratto da una lezione di sociolinguistica per studenti stranieri.

A Prima di ascoltare, commentate con l'insegnante la definizione di queste parole chiave utili per poter comprendere l'ascolto:

- *l'asse/gli assi*   le linee dello schema che trovate sotto
- *orizzontale*   (l'asse) che va da destra a sinistra ⟷
- *verticale*   (l'asse) che va dall'alto in basso ↕
- *diamesico*   *dia* in greco significa "attraverso", *mesico* il mezzo scritto o orale
- *diastratico*   attraverso lo strato, la classe sociale del parlante
- *diafasico*   attraverso la situazione
- *colto*   istruito

B Il pezzo di lezione che ascolterai (tenuto dalla prof.ssa Piera Molinelli dell'Università di Bergamo) è piuttosto difficile e tecnico, per cui dovrai risentirlo più volte. Per poterlo seguire meglio, qui sotto trovi lo schema che la prof.ssa Molinelli sta commentando.

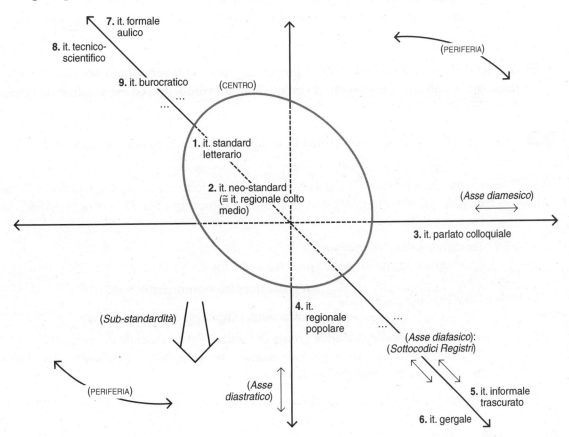

(G. Berruto, *Sociolinguistica dell'italiano contemporaneo*, Nis, Roma 1987, p. 21)

Ascoltalo una prima volta e scegli la risposta giusta.

1. **Questo schema rappresenta:**
   - ☐ a. l'intero repertorio linguistico italiano
   - ☐ b. solo le varietà dell'italiano contemporaneo
   - ☐ c. le varietà dell'italiano e i suoi dialetti

2. **Gli assi di questo schema rappresentano:**
   - ☐ a. tre dimensioni di variazione della lingua
   - ☐ b. quattro dimensioni di variazione linguistica
   - ☐ c. tre dimensioni, più la variazione geografica che è presupposta

3. **Il quadrante in alto a sinistra rappresenta:**
   - ☐ a. la dimensione colta, formale e scritta della lingua
   - ☐ b. la dimensione informale e orale della lingua
   - ☐ c. la dimensione media del contesto familiare

4. **L'italiano standard letterario è:**
   - ☐ a. l'italiano delle grammatiche che si basa sulla letteratura contemporanea
   - ☐ b. l'italiano in cui si riconoscono tutti i parlanti colti
   - ☐ c. spostato verso la dimensione scritta, colta e formale; non è nel centro

5. **L'italiano neo-standard è:**
   - ☐ a. l'italiano che sta esattamente nel centro dello schema
   - ☐ b. l'italiano parlato da parlanti colti in situazioni formali
   - ☐ c. l'italiano con tratti regionali, parlato da parlanti colti in situazioni di media formalità

C **Ascolta il pezzo una seconda volta e prendi appunti che ti serviranno per scrivere un breve riassunto. Confronta i tuoi appunti con quelli di un compagno ed eventualmente integrali.**

D **Ascoltalo un'ultima volta e confronta i tuoi appunti con lo schema che trovi sotto.**

1. La situazione linguistica presente in Italia è molto variegata (varietà dell'italiano, dialetti, parlate straniere); MA lo schema rappresenta SOLO le varietà dell'italiano contemporaneo.

2. Tre dimensioni di variazione:
   – variazione legata al mezzo (parlato – scritto)

   – variazione situazionale ⟨ registri (formali – informali)
   　　　　　　　　　　　　　 sottocodici (linguaggi tecnici e gerghi)

   – variazione sociale-culturale (grado di cultura e strato sociale del parlante)
   Lo schema NON rappresenta la variazione geografica che è data per presupposta (provenienza regionale del parlante).

3. Nel centro ci sono due varietà (italiano standard letterario, italiano neo-standard).

2 Leggere

Riconoscere varietà dell'italiano

A Lavorate in piccoli gruppi. Leggete questi 4 frammenti di testo. Associate a ogni testo una delle varietà elencate sotto (e presenti nello schema di p. 227). Sottolineate inoltre alcuni tratti linguistici che giustificano la vostra scelta. Poi confrontatevi con la classe e l'insegnante.

☐ 1. italiano burocratico
☐ 2. italiano parlato colloquiale
☐ 3. italiano standard letterario
☐ 4. italiano popolare

a.

> Io stupivo, ma egli continuò imperterrito nella sua filippica, aggiungendo che, solo nel crudo inverno, quando tutti i davanzali delle finestre sono ingombri di neve, faceva grazia ai passeri d'accostarsi alle provviste, altrimenti erano banditi per sempre dal suo regno.

(Berruto, *Sociolinguistica dell'italiano contemporaneo* cit., p. 189)

b.

> Premesso che riveste la qualifica di "emigrato" il cittadino italiano che, risultando iscritto nei registri anagrafici del comune italiano di residenza, sia espatriato in uno stato estero per svolgervi un lavoro subordinato, per l'accensione del conto in valuta estera il medesimo deve attenersi alle modalità riportate di seguito.

(Berruto, *Sociolinguistica dell'italiano contemporaneo* cit., p. 165)

c.

> A: …Allora, niente: eravamo in tre in macchina, e M. dice: va beh, senti, tu vai avanti, che sai la strada, noi ti seguiamo, e dietro viene l'altro, no. Non doveva essere molto lontano… Solo che questa qui – un'emerita deficiente, che tra l'altro noi non vediamo mai […] cioè praticamente ha superato in curva un autobus
>
> B: mh…
>
> A: ha passato il semaforo col rosso, o comunque quando c'era verde e giallo e subito è scattato il rosso, andando via come una pazza. Noi che
>
> B: mh…
>
> A: eravamo dietro, non abbiamo potuto superare l'autobus, perché proprio in quel punto c'era la fermata, per cui il traffico era fermo; e in più il semaforo è diventato rosso.
>
> B: mh…
>
> A: Il tempo di aspettare che il semaforo diventasse verde, non abbiam più visto quella là. Allora siamo andati avanti un pezzetto, per vedere se magari ci aspettava oltre…

(giovani parlanti lombarde colte, da Berruto, *Sociolinguistica dell'italiano contemporaneo* cit., p. 191)

d.

> Sento con dispiacere che litalia va male che ce poco lavoro e quando si trova si quadagna poco, mentre che sui giornali fano vedere e vogliono fare credere alla stranieri che in italia si vive bene e che e che tutti i suoi 44 milioni di abitanti sono pronti di agiutarlo con oro argento e altri metali e dare il suo sangue per la patria, almeno spero che voialtri non ci sarete nel meso a questa gente.

(30 gennaio 1936, profugo politico del Polesine fuggito in Francia, da «La Repubblica», 27 maggio 1994)

3 Leggere

Lettura intensiva

A Lavorate in gruppo. Prima di leggere questo articolo provate a fare qualche esempio di frase fatta o modo di dire in italiano. Che significato ha? Ha un corrispettivo nella vostra lingua? Vi siete mai chiesti quale sia l'origine di queste espressioni idiomatiche?

B Fate ipotesi sul significato del titolo dell'articolo *Per modo di dire*. Che gioco di parole nasconde questo titolo? Fai una lettura intensiva per comprendere l'argomento del testo.

Per modo di dire

Le frasi fatte sono il sale del linguaggio:
ogni lingua ha le sue. Come nascono? Per caso.

MICHELE SCOZZAI – Si possono *sudare sette camicie* senza mai indossarne una o *cadere dalle nuvole* mentre si beve un caffè. Si può *fare una maratona* e non muoversi da casa o *fare il portoghese* e parlare l'italiano. Si può *mettere la mano sul fuoco* e non scottarsi, *dormire tra due guanciali* e non usare il cuscino, *ingoiare un rospo* e non avere il   5
mal di pancia... I modi di dire sono, letteralmente, migliaia, e parliamo solo di quelli che esistono nella nostra lingua.

Strizzate d'occhio

Abusati (a scuola si insegna a evitare le "frasi fatte"), a volte storpiati (c'è chi ha *il pallone di Achille* invece del "tallone di Achille"), tra-   10
mandati per secoli, i modi di dire sono non solo efficaci " strizzate d'occhio ", ma anche uno spaccato di storia e cultura, da cui spesso hanno origine. Il linguista Giuseppe Pittano (1921-95), che in un libro ne ha raccolti e spiegati più di 1400 (*Frase fatta capo ha*, Zanichelli) li ha definiti "paragoni accorciati", perché sono una maniera semplice e preconfezionata per descrivere situazioni, atteg-   15
giamenti o stati d'animo: *andare a letto con le galline*, *fare un quarantotto* (ovvero provocare un caos come fecero in Europa i moti rivoluzionari del 1848) sono solo alcuni esempi che, anche senza accorgercene, usiamo di continuo.

Le sei categorie

Ma quali sono le caratteristiche dei modi di dire (o tecnicamente "espressioni idio-   20
matiche")? Innanzitutto il significato della frase completa quasi mai corrisponde alla somma dei significati delle singole parole. Che cosa vuol dire? Che *affogare in un bicchier d'acqua*, cioè perdersi per un nonnulla , è solo una metafora, a meno che la vittima non sia un insetto. In secondo luogo, le espressioni idiomatiche, a differenza dei proverbi, sono anche prive di una morale e, nella maggior parte dei casi, non sono fra-   25

→

si complete. Il linguista ha suddiviso le espressioni idiomatiche in 6 gruppi, a seconda che siano tratte dalla Bibbia, dall'arte e dalla letteratura, dal latino, dalla vita quotidiana, dalla storia, da favole e leggende o da altre lingue, mentre una settima categoria, più recente, riguarda le locuzioni che nascono dal linguaggio giovanile.

Gran parte di questi detti ha origini chiare, sebbene non sempre sia possibile identificare una data di nascita precisa (perdutasi nelle tradizioni orali). 30

Favole e leggende

Le favole, da sempre, sono una **fucìna** di modi di dire. *Fare la parte del leone*, per esempio, è l'essenza di un racconto del latino Fedro, dove un leone fa il prepotente con una vacca, una capra e una pecora. In altri casi, lo spunto viene da episodi realmente accaduti: *Paganini non ripete* è la frase con cui il celebre musicista rispose a re Carlo Felice che, una sera del 1825, gli **chiese il bis**. 35

Da Antico e Nuovo Testamento vengono espressioni come *lavarsene le mani*; al lavoro contadino, invece, appartiene *contare le pecore* 40 (un'attività talmente noiosa da addormentare).

Una volta i modi di dire, frequenti nel parlato, nascevano per lo più negli **strati** bassi della popolazione, magari in contesti rurali e dialettali, per poi diffondersi sul resto del territorio. Oggi è più frequente che siano giornali, TV e spettacoli comici a lanciare nuove 45 espressioni idiomatiche: basta pensare all'*essere fuori come un balcone* o allo slogan *è scoppiata la pace*, scritto sul disegno che, anni fa, un bambino aveva inviato alla redazione di un telegiornale.

Creati dalla pubblicità

Un'altra fucìna di espressioni idiomatiche è la pubblicità. Dice 50 Marco Livi, docente di comunicazione pubblicitaria all'Università di Urbino: "L'uso dei modi di dire in pubblicità risale agli anni '60 e ha dei **picchi** negli anni '70 e '80. L'effetto creativo è dato dalla sostituzione di una o più parole nel testo originario: per esempio *Totip, felici e vincenti*, variazione di 'felici e contenti'. Il gioco, se 55 **azzeccato**, risulta molto efficace". Per Stefano Bartezzaghi, enigmista e saggista, i modi di dire tendono, sempre più spesso, ad essere intere battute, magari tratte da film e canzoni. I comici Angelo Pisani e Marco Silvestri, in arte "Pali e dispari", hanno da poco mandato in libreria un dizionario del linguaggio giovanile: *Italia-* 60 *no-cistaidentro, cistaidentro-italiano*, una raccolta di espressioni in uso fra le nuove generazioni, "per agevolare la comunicazione tra genitori e figli". Ci sono *mandare in bellura* (stare bene insieme), oppure *essere una pompa idraulica* (consumare le energie a qualcuno). D'altra parte che i cabarettisti, come i giovani, siano una fonte 65 di modi di dire, non è una novità.

(adattato da «Focus», maggio 2003)

C Rispondi alle domande.

1. Nel primo paragrafo il giornalista dà una serie di esempi con i quali vuole evidenziare una tipica caratteristica dei modi di dire. Quale? Questo concetto viene ripreso anche in un'altra parte del testo, da che riga a che riga?

....

2. Nel secondo paragrafo le frasi fatte vengono definite in due modi. Quali e perché?

....

3. Come è cambiata, nel corso dei secoli, la fonte delle espressioni idiomatiche?

....

4. Perché, in questo testo che parla di modi di dire, viene citato un nuovo dizionario di espressioni del linguaggio giovanile?

....

D Completa questa griglia con esempi di modi di dire citati nel testo.

	Espressioni idiomatiche
1. d'origine storica	*fare un quarantotto*
2. dalla Bibbia	
3. dal mito	
4. dal mondo dell'arte	
5. dalla vita reale	

4 Lessico

A Collega le parole evidenziate nell'articolo di pp. 230-231 con i loro sinonimi.

☐ 1. storpiati   a. laboratorio di idee e progetti
☐ 2. strizzate d'occhio   b. punte più alte
☐ 3. spaccato   c. indovinato, ben riuscito
☐ 4. un nonnulla   d. deformati, pronunciati con errori
☐ 5. fucìna   e. cenni d'intesa con mimica facciale
☐ 6. chiese il bis   f. rappresentazione di un pezzo di realtà
☐ 7. strati   g. chiese di eseguire ancora una canzone o un pezzo musicale
☐ 8. picchi   h. una cosa piccola, stupida
☐ 9. azzeccato   i. ceti, classi sociali

B Gioco di squadra: cercare il significato delle espressioni idiomatiche sul dizionario.

Formate 2 o 3 squadre. Vince il gruppo che in 20 minuti riesce a trovare su un dizionario monolingue il significato corretto dei modi di dire elencati a p. 233. Per ognuno di essi, dovete inoltre costruire una frase che ne evidenzi con chiarezza il significato.
La difficoltà maggiore sta anzitutto nel saper decidere quale, delle parole contenute nell'espressione idiomatica, cercare sul dizionario: per esempio per *dormire tra due guanciali* è meglio cercare la parola *guanciale*, che è più significativa e avrà sul vocabolario una voce meno lunga del verbo *dormire*.

dormire tra due guanciali → "non avere motivo di preoccuparsi per un affare o un problema"

▶ Per l'investimento che ti hanno consigliato, secondo me *puoi dormire tra due guanciali* perché si tratta di un pacchetto di obbligazioni e azioni molto bilanciato, con un'ottima performance da parecchio tempo.

Modi di dire	Significato	Frase
1. sudare sette camicie		
2. cadere dalle nuvole		
3. fare una maratona		
4. fare il portoghese		
5. ingoiare un rospo		
6. il tallone di Achille		
7. andare a letto con le galline		
8. fare la parte del leone		
9. Paganini non ripete		
10. lavarsene le mani		
11. contare le pecore		

C Per parlare di una lingua, delle sue varietà e delle sue caratteristiche occorre conoscere alcune parole specialistiche, poco usate nella lingua comune. Associa a ciascuna parola della lista la sua definizione.

☐ 1. neologismo

☐ 2. prestito

☐ 3. sintassi

☐ 4. fonetica/fonologia

☐ 5. regionalismi

☐ 6. arcaismi

☐ 7. etimologia

☐ 8. registro formale/informale

☐ 9. latino volgare

☐ 10. bilinguismo

☐ 11. morfologia

a. situazione in cui i parlanti usano alternativamente due lingue diverse

b. varietà della lingua con diversi gradi di formalità che dipendono dalla situazione

c. parola entrata da poco nella lingua per esigenze tecniche o di costume

d. vocaboli antichi non più presenti nella lingua d'oggi

e. parola straniera entrata nella lingua

f. latino parlato, popolare

g. scienza che studia i suoni di una lingua

h. parole che variano da regione a regione (*cocomero, anguria, melone*)

i. la struttura delle frasi, l'ordine delle parole

l. scienza che ricostruisce l'origine delle parole

m. la forma delle parole, le desinenze (es. prefissi e suffissi)

D Per ogni definizione trova il termine preciso.

1. chi parla una sola lingua ....

2. chi parla due lingue ....

3. l'ambiente in cui si parlano più lingue ....

4. l'esperto di dialetti ....

5. la disciplina che si occupa di dialetti ....

6. chi parla dialetto ....

5 Capire i giochi di parole

A LA LINGUA DELLA PUBBLICITÀ

Com'è noto la pubblicità ricorre a un uso creativo della lingua. Lavorate in gruppi di 3 persone. Analizzate il rapporto lingua-immagine di queste due pubblicità e fate ipotesi su quale sia il prodotto pubblicizzato. La soluzione è a p. 501. Spiegate il gioco di parole e l'effetto comico che sortisce.

Quale delle due pubblicità usa la tecnica di cui si parla nell'articolo di pp. 230-231 (righe 53-55)?

6 Lessico

Parole del gergo giovanile

IL LINGUAGGIO DEI GIOVANI

Ecco come una ragazza di 16 anni commenta il linguaggio usato dai giovani.

"Noi giovani tendiamo alla semplificazione, all'abbreviazione e alla personalizzazione del linguaggio parlato, seguiamo dei canoni che modelliamo in base alle nostre esigenze, le nostre conversazioni sono ricche di parolacce e di termini inventati che ci chiudono in un mondo tutto nostro, nel quale gli altri non possono entrare perché non ci comprendono. In questo senso, per comunicare con gli adulti dobbiamo tornare a un linguaggio più comprensibile e molto spesso più educato, soprattutto con chi non conosciamo; a ogni territorio e a ogni età corrispondono, poi, le varie sfumature nel parlare, persino all'interno di un stesso gruppo ci sono persone che non usano gli stessi termini degli altri. Noi adeguiamo il linguaggio nei rapporti con gli adulti ma molto spesso, comunque sempre più frequentemente, gli adulti si adeguano a noi cercando di imparare i nostri vocaboli, che sono molto diversi dai loro."

(da http://www.ipensieri.com/linguaggio.htm#4)

A Cosa pensate di questo commento sul linguaggio giovanile? Com'è la situazione tra i giovani nel vostro Paese?

B Dividete ora la classe in 2 o 3 squadre. Leggete queste frasi prodotte da ragazzi giovani e cercate di dedurre dal contesto il significato delle parole sottolineate, che appartengono al gergo giovanile. Per ogni espressione potete tentare due risposte. Vinca il migliore!

1. Ero in piazza alle 12 e lei mi <u>ha tirato un gran bidone</u>. ....

2. Modera la velocità, stai <u>andando a manetta</u>! ....

3. Come sei <u>malmostoso</u>! Non ti si può dire niente! ....

4. Se stasera andiamo in disco <u>mi metto in tiro</u>. ....

5. • <u>Ci si becca</u> all'uscita.

    – Ok, a dopo!

6. Guarda che <u>ciospa</u>! ....

7. • Ti sei divertito?

    – <u>Di brutto</u>! ....

8. Certo che quello lì è proprio <u>un fighetto</u>! ....

9. <u>È sclerato</u> dopo il primo mese di <u>naja</u>. ....

7 Esplorare la grammatica

Accordo con il participio passato

A Lavorate in coppia. Cercate nel testo di pp. 230-231 tutte le forme di participio passato (17 casi) ed elencatele sotto una di queste colonne. Fate poi delle ipotesi su quando si deve accordare il participio passato e con che cosa (con il soggetto, con l'oggetto diretto).

Accordo con il participio passato		
verbi con ausiliare *essere*	**verbi con ausiliare *avere***	**participi con funzione di aggettivi (con ellissi di *essere*)**
siano tratte (le espressioni, riga 27)	*ne ha raccolti e spiegati* (di modi di dire, riga 13)	*abusati* (i modi di dire, riga 9)

►E 3   **B** Trasforma il passato remoto, usato in questa sintesi storica, nel passato prossimo, facendo attenzione ad accordare correttamente il participio passato (anche nei casi in cui è già presente).

La situazione linguistica italiana
Una sintesi storica

Secondo il calcolo di De Mauro, nel 1861 il numero di quelli che sapevano servirsi dell'italiano non poteva superare di molto i 600 000 (400 000 toscani, 70 000 romani, e circa 160 000 nel resto dell'Italia), cioè il 2,5% della popolazione.

Ma la situazione gradualmente si **modificò** (1) .... La percentuale di analfabeti **calò** (2) .... dal 75% nel 1861 a quasi il 50% all'inizio del secolo, al 40% nel 1911, al 20,9% nel 1931, al 12,9% nel 1951, all'8,4% nel 1961. De Mauro indica che nel 1951 il 18,5% degli italiani usava solo la lingua italiana, e il 13% usava solo un dialetto, ma anche se quelli che erano in grado di usare l'italiano erano l'87%, la percentuale di quelli che usavano normalmente il loro dialetto nella maggior parte delle situazioni era ancora del 63,5%.

A parte l'istruzione, molti altri fattori **contribuirono** (3) .... a diffondere l'alfabetismo e l'uso dell'italiano. Fra questi bisogna ricordare la massiva emigrazione che fra il 1871 e il 1951 **coinvolse** (4) .... ancora 21 milioni di persone, di cui 14 milioni **finirono** (5) .... col rientrare in Italia. Uno degli effetti dell'emigrazione **fu** (6) .... che da un lato **ridusse** (7) .... il numero degli analfabeti in patria, e dall'altro **rese** (8) .... coscienti sia quelli che **erano rimast** (9) .... a casa sia quelli che tornavano con idee più avanzate, dell'importanza dell'istruzione e del possesso della lingua nazionale come strumento per migliorare le proprie condizioni. Altri fattori **furono** (10) .... l'industrializzazione e, **collegat** (11) .... ad essa, l'urbanizzazione e il conseguente abbandono progressivo delle campagne e dell'agricoltura a favore del lavoro nelle

→

industrie, in città, e le migrazioni interne, con lo spostamento di grandi masse dal Mezzogiorno al Settentrione, e in particolare verso la Lombardia, il Piemonte e la Liguria, dopo la Seconda guerra mondiale. Questi fenomeni ebbero (12) .... ovviamente delle conseguenze sulla situazione linguistica oltre che culturale, ma non è facile definirle con precisione. La tendenza generale di questi avvenimenti fu (13) .... indubbiamente quella di indebolire i dialetti e di rafforzare l'uso dell'italiano. [...]

Altri fattori importanti di una progressiva unificazione linguistica furono (14) .... la burocrazia, che impose (15) .... dal centro a tutto il Paese una mescolanza uniforme di espressioni pomposamente letterarie e di tecnicismi amministrativi, con un pizzico di regionalismi, e l'esercito, che riunì (16) .... in-

sieme giovani provenienti da zone lontane fra loro, mandandoli in regioni lontane da quelle d'origine. [...]

I mezzi di comunicazione di massa hanno naturalmente avut (17) .... una parte importante nell'unificazione linguistica: dai giornali (che ovviamente, dato lo scarso numero di lettori, non hanno potut (18) .... esercitare grande influenza sulla lingua parlata), alla radio, e poi la televisione, la cui comparsa, è ormai riconosciut (19) .... , avrebbe impress (20) .... un'accelerazione decisiva alla diffusione dell'italiano in tutto il paese, e al declino dei dialetti. C'è un altro contesto in cui alla gente che usava il dialetto si è presentat (21) .... un'occasione di contatto con l'italiano: la messa, che dopo il Concilio vaticano II (1962-65) viene ora celebrat (22) .... in italiano invece che in latino.

(A.L. Lepschy, G. Lepschy, *La lingua italiana. Storia Varietà dell'uso Grammatica*, Bompiani, Milano 1986)

8 Ascoltare

›15 **"Quando noi parliamo di dialetti..."**

Ascolterai una lezione a studenti stranieri sul tema dei dialetti d'Italia tenuta dal Prof. Pierluigi Cuzzolin (Università di Bergamo).

CD1

Dialetti

A Prova a elencare gli argomenti di cui si parlerà.

B Parlando di dialetti il Prof. Cuzzolin struttura il suo intervento attorno a 3 argomenti principali (che in alcuni casi sono anche rimarcati dall'uso di segnali discorsivi, come per esempio *punto* per indicare la fine della trattazione di un argomento). Fai un primo ascolto e scegli i tre temi principali tra quelli elencati sotto.

☐ 1. diverse accezioni della parola "dialetto"
☐ 2. dialetti terziari
☐ 3. la divisione geografica
☐ 4. da quali parlanti e in quali contesti viene usato
☐ 5. il sardo
☐ 6. il veneziano usato dai professori universitari
☐ 7. le regioni in cui è più usato
☐ 8. il dialetto bergamasco

C Fai un altro ascolto (o altri) e svolgi le attività che seguono. Spiega i due significati della parola "dialetto" con i relativi esempi.

Dialetti primari	Esempi

Varietà locali	Esempi

D In quali aree geografiche si suddividono i dialetti d'Italia?

....

....

A che area geografica, tra quelle individuate sopra, appartengono questi dialetti?

sardo ....   toscano ....   lombardo ....
siciliano ....   emiliano ....   ligure ....

E Indica se le seguenti informazioni sono vere (V) o false (F).

	V	F
1. Le varietà del dialetto bergamasco si differenziano dal dialetto parlato a Bergamo città nella pronuncia e nel lessico.	☐	☐
2. Il dialetto è in regresso in tutte le aree.	☐	☐
3. Il dialetto più in pericolo di estinzione è il ligure.	☐	☐
4. Il sardo non è un dialetto.	☐	☐
5. La Sicilia è la regione in cui il dialetto è più usato.	☐	☐
6. Nella Sicilia e nel Veneto, anche se in misura minore rispetto a un tempo, il dialetto è ancora molto usato.	☐	☐
7. Il dialetto è parlato solo dagli strati più bassi della popolazione.	☐	☐
8. Il dialetto è parlato nelle situazioni non formali.	☐	☐

F Annota i contesti in cui il dialetto è più/meno usato.

più usato	meno usato

9 Coesione testuale

A Riascolta con attenzione la lezione sui dialetti dell'attività precedente e completa la griglia.

Segnali discorsivi per	
– riformulare/correggere	....
– indicare che ha finito di parlare di un argomento	....
– introdurre un nuovo argomento del tema di cui sta parlando (cfr. Unità 3, p. 108)	....

B Riprendi il testo di pp. 230-231, vai al paragrafo *Le sei categorie* e trova due connettivi usati per elencare una serie di dati:

Connettivi per elencare dati	
1.	2. ....

C Completa questo testo scegliendo tra i connettivi e le "espressioni per elencare" che trovi qui di seguito:

> primo (in primo luogo, innanzitutto, anzitutto)   secondo (in secondo luogo)
> poi (inoltre)   infine (in ultimo)   eccetera (e via discorrendo)

Dove si parla il dialetto

I dialettofoni sono più numerosi nel Triveneto, in Sicilia, Calabria, Lucania e in Valle d'Aosta, mentre sono da considerarsi pari a zero a Roma e in Toscana, per la ragione che il dialetto vi coincide all'incirca con l'italiano regionale. Le ragioni della disparità di dialettofonia tra Nord e Sud sono molteplici. (1) .... la disparità di industrializzazione e di fenomeni sociali indotti (migrazione, scolarità più alta, inurbamento, (2) ....). (3) .... nel processo di spostamento dal dialetto alla lingua può intervenire la dimensione del centro abitato: da un'indagine dell'Istat risulta che quasi il 50% degli abitanti di comuni con meno di 2000 residenti parla "esclusivamen-te" dialetto in casa. (4) .... altri fattori importanti di variabilità nel grado di competenza dialettale sono l'età, il grado di istruzione e (5) .... la classe sociale.

(Inchiesta Doxa 1982, e dati di Coveri 1984)

D Trova nel testo di pp. 230-231, nel paragrafo *Le sei categorie*, due connettivi che indicano un'eccezione, una limitazione rispetto a quanto viene affermato nella frase principale e osserva con che modo verbale vengono usati.

Connettivi eccettuativi, limitativi

....

.... + (modo) ....

....

E Completa le frasi con la circostanza che limita quanto detto nella frase principale, scegliendo tra i seguenti connettivi (sono possibili più soluzioni):

> a meno che non   tranne che   eccetto che   salvo che   fuorché   a parte che

ESEMPIO

▶ Verrò con la mia macchina .... (non essere ancora pronta dal meccanico)
Verrò con la mia macchina *salvo che/a meno che* non sia ancora pronta dal meccanico.

1. Se vivrà in Italia, in tre mesi potrà cavarsela in italiano .... (frequentare solo stranieri).

2. Riuscirò a collegare da solo lo scanner .... (le istruzioni non essere scritte in modo troppo tecnico).

3. Non riesco a darle un appuntamento fino al mese prossimo .... (qualcuno disdire all'ultimo momento).

4. Vorrei frequentare un corso di italiano .... (costare troppo).

5. Non mancherò alla conferenza .... (capitare qualche imprevisto sul lavoro).

6. Keith si è trovato bene nella famiglia che l'ha ospitato .... (parlare spesso in dialetto).

7. Verremo a trovarti per Natale in treno .... (esserci scioperi).

8. Non penso di uscire stasera .... (riuscire a ritornare prima dal lavoro).

9. Parteciperà alla gara .... (il medico sconsigliare).

10. Avrei intenzione di comprare un vocabolario .... (mio padre regalare uno).

10 Esplorare la grammatica

Costruzioni con ordine marcato

In italiano l'ordine basico – cioè non marcato – dei costituenti nella frase è
Soggetto + Verbo + Oggetto (SVO):

ESEMPIO

▶ *Marc studia l'italiano.*

e l'ordine normale delle proposizioni nel periodo è **Frase principale + Frase secondaria:**

ESEMPIO

▶ *Marc studia l'italiano perché andrà a vivere in Italia.*

È tuttavia possibile, e molto frequente nel parlato, usare costruzioni con ordine marcato per particolari esigenze comunicative.

A Leggi questi due enunciati con ordini marcati, tratti dal testo di pp. 230-231, e rispondi.

1. (righe 65-66) D'altra parte che i cabarettisti, come i giovani, siano una fonte di modi di dire, non è una novità.

a. Che particolare ordine sintattico ha?
b. Secondo te è caratteristico dei registri formali o informali?
c. Perché viene usato il congiuntivo nella frase secondaria?

2. (righe 42-46) Una volta i modi di dire, frequenti nel parlato, nascevano per lo più negli strati bassi della popolazione. Oggi è più frequente che siano giornali, TV e spettacoli comici a lanciare nuove espressioni idiomatiche.

a. Che differenza c'è tra questa frase, chiamata scissa (cfr. Unità 6, p. 221), e la corrispondente con ordine normale?
Oggi è più frequente che giornali, TV e spettacoli comici lancino nuove espressioni idiomatiche.
b. Che informazione viene messa in rilievo nella frase scissa e perché?

B Trasforma la frase con un ordine normale in un costrutto marcato come nell'esempio, anticipando la frase secondaria (dislocazione di frase) e facendo attenzione a usare il congiuntivo:

ESEMPIO

▶ È vero che Lucia ha imparato da piccola contemporaneamente tre lingue.
Che Lucia *abbia imparato* da piccola contemporaneamente tre lingue, è vero.

1. Non è chiaro perché alcuni neologismi resistono alle mode mentre altri spariscono.
2. È risaputo che il dialetto sardo è incomprensibile.
3. Pochi sanno che il 13% delle parole del lessico italiano è di origine francese.
4. È chiaro che non deve essere facile per uno straniero percepire le differenze di accento dovute alla provenienza geografica del parlante.
5. È risaputo che il linguaggio giovanile suona all'orecchio degli adulti come scurrile e incomprensibile.
6. È noto che i dialetti italiani sono i tardi continuatori del latino volgare, cioè del latino parlato.

C Analizza ora questi titoli (tratti da riviste e giornali) che contengono un ordine marcato dei costituenti, chiamato *dislocazione a sinistra*: "dislocare" significa spostare, a sinistra, un elemento diverso dal soggetto. Rispondi alle domande.

Ma insomma, l'inglese i bambini delle elementari lo studieranno o no?

In Sardegna il dialetto lo insegneranno a scuola.

La parola alla gente bisogna darla subito.

1. Come sarebbero questi titoli se fossero costruiti con un ordine normale?
2. Che elemento si aggiunge nella frase con la dislocazione a sinistra rispetto alla frase con l'ordine normale?
3. Che funzione ha la dislocazione a sinistra nella strutturazione dell'informazione?

11 Lessico

Come si arricchisce il lessico di una lingua?

A E secondo voi? Provate a dare delle risposte alla domanda del titolo.

Le parole si uniscono: i composti

B In italiano si formano molte parole composte, che designano oggetti di utilità quotidiana, con il Verbo + il Nome, come il *tagliacarte*, il *segnalibro*.

> "La creazione di parole composte è uno dei mezzi principali di cui l'italiano moderno si serve per accrescere dall'interno il proprio lessico; un tempo, invece, tale primato apparteneva alla suffissazione."
>
> (Dardano/Trifone, *La nuova grammatica della lingua italiana* cit., p. 545)

> **Composto**
> VERBO + NOME
> **taglia – carte → il tagliacarte**
> ([l'attrezzo] che taglia le carte)
>
> ▶ **p. 259**

Scrivi come si chiamano questi oggetti, che sono tutti composti del tipo Verbo + Nome. Metti anche a ogni parola composta l'articolo e volgila al plurale.

1.
il parafulmine
i parafulmini

2.

3.

4.

5.

6.

7.

8.

9.

10.

11.

12.

13.

14.

15.

C Per formare parole nuove nell'italiano contemporaneo è molto usata anche la giustapposizione di Nome + Nome:

Infatti il disastro è qui: nelle aberrazioni tante volte denunciate da «L'Espresso», del <u>partito-azienda</u>, del <u>governo-azienda</u>, dello <u>stato-azienda</u>. Berlusconi è un padroncino che ha saputo diventare un padronissimo.

(da «L'Espresso», 29 luglio 1994)

> **Giustapposto**
> NOME + NOME
> **il partito-azienda**
> (partito che è come un'azienda)
> ▶ **p. 258**

Unisci le parole delle due colonne e forma dei composti logici; metti anche l'articolo, poi volgi al plurale.

ESEMPIO

▶ la donna poliziotto; le donne poliziotto

1. vacanza	a. letto	....	....
2. donna	b. chiave	....	....
3. parola	c. pilota	....	....
4. uomo	d. tipo	....	....
5. trattativa	e. scimmia	....	....
6. stato	f. lumaca	....	....
7. guerra	g. poliziotto	....	....
8. studente	h. cuscinetto	....	....
9. vagone	i. modello	....	....
10. ragazza	l. lampo	....	....
11. indagine	m. premio	....	....

Le parole viaggiano tra le lingue: i prestiti

D Un altro meccanismo di arricchimento del lessico è il **prestito**: la nostra lingua "cattura" ogni anno parole che provengono da lingue straniere. Ci sono **prestiti di necessità**, come *airbag* e **prestiti di lusso**, come *leader* "capo", *flirt* "breve relazione amorosa", che hanno un fine stilistico e di promozione sociale, nel senso che evocano una civiltà considerata prestigiosa. Ma a volte questi prestiti fanno comodo anche per la loro brevità. Domandiamoci, per esempio, quale potrebbe essere l'equivalente italiano di *sit-in*: "raduno di dimostranti che, stando seduti per terra, occupano un luogo pubblico"?

Da quali campi provengono le parole che l'italiano ha esportato nelle altre lingue? Elenca gli italianismi usati nella tua lingua materna. Poi confrontali con quelli trovati dai tuoi compagni.

ESEMPIO

▸ Dalla cucina: lasagne, spaghetti, salami, mozzarella, espresso, cappuccino

E Gioco a squadre. Formate alcune squadre di 4-5 persone. Vince il gruppo che in 15 minuti riesce a stabilire la lingua di provenienza di queste parole straniere entrate nella lingua italiana. Ogni squadra ha la possibilità di consultare su un dizionario monolingue, messo a disposizione della classe, al massimo tre parole. (+ 1 punto per ogni risposta esatta, − 1 punto per ogni risposta sbagliata). Vinca il migliore!

	inglese	francese	tedesco	spagnolo	russo	polacco	nederlandese	cinese	giapponese	turco	arabo	ebraico	hindi
1. aficionado													
2. banderilla													
3. bricolage													
4. chance													
5. eden													
6. ginseng													
7. hascisc													
8. hinterland													
9. hooligan													
10 kajal													
11. kalashnikov													
12. karaoke													
13. kermesse													
14. kit													
15. mazurca													
16. origami													
17. pilaf													
18. wafer													
19. wok													
20. yogurt													

12 Esplorare la grammatica

Plurale dei nomi in *-cia/-gia*

A Leggi questi modi di dire e cerca di dedurre, con l'aiuto dell'insegnante, la regola di formazione del plurale dei nomi femminili in *-cia*, *-gia*.

1. *Le bugie hanno le gambe corte!* (chi dice bugie, non va lontano, viene scoperto)
2. *È stata un'impresa che ci ha fatto sudare sette camicie.* (fare molta fatica)
3. *Ne riparleremo a bocce ferme.* (quando la situazione sarà chiara e definitiva)

B Trasforma al plurale le parole sottolineate, facendo attenzione a fare tutti i cambiamenti necessari.

1. In questa città c'era una farmacia. (parecchie)
2. L'allergia da polline e polveri è aumentata.
3. Nel viaggio di ritorno ha perso una valigia. (due)
4. La spiaggia di Rimini è rinomata tra i giovanissimi.
5. In Italia hanno costituito una nuova provincia. (nove)
6. Nel partito c'è una frangia estremista. (diverse)
7. Posso assaggiare una ciliegia? (un paio di)
8. In Italia si usa più di una pronuncia. (molte)

13 Parlare

A **Scambio di informazioni: la situazione linguistica nel vostro Paese.** Lavorate in coppia e parlate a turno delle lingue che si parlano nel vostro Paese: lingue ufficiali, dialetti, lingue delle minoranze, ecc. In quali situazioni si usano i diversi codici linguistici?

B **Conversazione: quale pronuncia?** Mettetevi in piccoli gruppi e scambiatevi le idee su quale pronuncia si debba insegnare agli stranieri. Poi confrontatevi con l'intera classe.
- L'italiano parlato in Toscana perché... • L'italiano del Nord perché...
- Non importa quale pronuncia in quanto...
- L'italiano parlato alla televisione... Ma qual è l'italiano parlato alla televisione?

C **Discutere i pro e i contro. Insegniamo il dialetto a scuola?** Formate due schieramenti, uno a favore e uno contro l'insegnamento del dialetto a scuola. Formate quindi delle coppie con una persona pro e una contro. Immaginate di essere genitori: siete stati interpellati dalla scuola sulla questione e dovrete votare a favore o contro un referendum che propone l'insegnamento del dialetto nella scuola. Discutete tra di voi cercando, con buone motivazioni, di convincere l'altro a votare "sì" o "no". Poi eleggete un moderatore del dibattito, riunitevi in assemblea plenaria e chiedete la parola per sostenere le vostre idee.

Liguria	
Passu de s'tu caruggiu tantu növu:	Passo per questo vicolo tanto nuovo:
Ra lün-na a mesa nöcce a nun lüxiva.	la luna a mezzanotte non splendeva,
U 'n j' era nè ra lün-na, nè lu sule,	non c'era né la luna né il sole,
J' occhi dra bella ch'i mnava' s'sprendure.	c'erano gli occhi della bella a far splendore.

Sicilia	
Calu di sta vanedda lentu lentu,	Scendo da questo vicolo lento lento,
Pri vidiri cu' m'ama 'nta stu cantu;	per vedere chi m'ama in questo luogo.
Arrivu unn'era lu mè caru 'ntentu,	Arrivo dov'era il mio caro amore,
L'occhiu mi calu e moru di lu chiantu.	l'occhio mi si abbassa, muoio per il pianto.
Idda rispusi: "Ora statti cuntentu,	Ella rispose: "Ora sta contento,
Picciottu, cchiu nun fari tantu chiantu".	ragazzo, più non fare tanto pianto".

(da P.P. Pasolini, *Canzoniere italiano*, Garzanti, Milano 1972)

14 Scrivere

Scrittura creativa

A **Giocare con le parole straniere.** Lavorate in gruppo. Scrivete un breve testo che, senza perdere di senso, contenga il maggior numero possibile di parole straniere. Dovete anche pensare a un titolo. Vi diamo un esempio di racconto scritto da uno studente straniero. Il testo più originale sarà premiato.

> "Tornate nell'antica America, quella dei *cowboys*, dei paesaggi selvaggi, delle notti sotto la luna e le stelle" prometteva un'inserzione di una rivista di viaggi. Avevamo sempre sognato, io e la mia ragazza, di fare un *weekend* nel selvaggio *west* americano. Ma per colpa del *jetlag* abbiamo passato la serata a guardare un *western* in TV, mangiando *wafer* e *würstel*, bevendo *whisky*, esposti a una lampada da 200 *watt*. Insomma un vero *weekend* sentimentale...

B **Giocare con le espressioni idiomatiche.** Formate dei gruppi di 3/4 persone e costruite un breve racconto reale o fantastico in cui usate il maggior numero possibile di espressioni idiomatiche, creando dei giochi di parole. Potete usare i modi di dire che avete incontrato nell'attività 4B o altri che conoscete o ricavate da un dizionario. Possono essere modi di dire diversi o espressioni basate tutte sulla stessa parola, come nell'esempio sotto.

> ### Il ragazzo senza testa
>
> Abitava nel mio paese un ragazzo molto strano. Amava *andare* in giro *a testa alta*, tanto che sembrava che *camminasse con la testa tra le nuvole*. Non parlava con nessuno e non ascoltava nessuno, neanche sua madre che cercava di dargli dei buoni consigli: "Crapone" – si chiamava il ragazzo – "*levatelo dalla testa*, non sei né il più bello né il più bravo, devi farti degli amici, trovarti un lavoro e una ragazza". Ma un bel giorno Crapone *perse la testa* per...

> ▸ *andare a testa alta* "esprimere orgoglio, sicurezza"
> ▸ *camminare con la testa tra le nuvole* "non essere consapevoli delle proprie azioni"
> ▸ *levatelo dalla testa* "pensa diversamente perché non è così"
> ▸ *perdere la testa* "innamorarsi perdutamente di qualcuno"

15 Navigando

Le minoranze linguistiche in Italia

A Formate dei gruppi di 4 persone e fate una ricerca su Internet sulle minoranze linguistiche in Italia, ovvero sulle lingue diverse dall'italiano parlate in alcune zone del Paese, come l'albanese, parlato da 80 000 persone. Potete usare il vostro motore di ricerca preferito e digitare come parola chiave una di queste lingue: **albanese, catalano, croato, francese, franco-provenzale, tedesco, greco, ladino, sloveno, friulano.**
Preparate poi una sintesi delle informazioni che avete raccolto da presentare alla classe:
– quali sono, quanti sono i parlanti, dove si parlano, ragioni storiche della loro presenza;
– leggi che tutelano le minoranze.

Esercizi

1 Lavorate in coppia e poi confrontatevi con la classe. Leggete le frasi e completate, come nell'esempio, lo schema della concordanza dei tempi che trovate sotto. Quali tempi sono possibili quando tra il verbo della frase secondaria e quello della frase principale c'è un rapporto di anteriorità, cioè di passato?

1. **So** che è <u>andato</u> al cinema ieri sera.

2. **Sappiamo** che Sara, quando era in vacanza al mare, <u>andava</u> in discoteca tutte le sere.

3. **So** che i Romani <u>furono</u> dei grandi guerrieri.

4. **So** che prima di lavorare con Luchetti <u>aveva scritto</u> una sceneggiatura per Soldini.

5. Paola mi **dice** sempre che <u>sarebbe venuta</u> volentieri con noi al mare l'estate scorsa ma che non le hanno dato le ferie in giugno.

6. **Ieri ho finalmente risposto** a una lettera che <u>avevo ricevuto</u> una settimana prima.

7. Mi **scrisse** che non aveva potuto venire perché <u>aveva avuto</u> un incidente.

8. **Sapevo** che da giovane <u>aveva fatto</u> il regista.

9. **Me l'aveva già detto** che <u>era andato</u> in Australia per tre mesi.

10. **Lo arrestarono** appena lo <u>ebbero riconosciuto</u>.

2 Dopo aver completato lo schema dell'esercizio precedente, completa questo testo facendo attenzione al rapporto di anteriorità della frase secondaria rispetto alla principale. Scegli tra il passato prossimo, l'imperfetto e il trapassato prossimo.

L'ERA DEI COMPUTER

A leggere i giornali, due sono i problemi che assillano il nostro tempo: l'invadenza dei computers, e la preoccupante avanzata del Terzo Mondo. È vero e io lo so.

Il mio viaggio dei giorni scorsi (*essere*) (1) .... breve: un giorno a Stoccolma e tre a Londra. A Stoccolma (*avanzarmi*) (2) .... il tempo per comperare un salmone affumicato, enorme, a prezzo stracciato. (*Avvolgere*, passivo) (3) .... accuratamente in plastica, ma (*dirmi*, loro) (4) .... che se (*essere*) (5) .... in viaggio avrei fatto bene a tenerlo al freddo. Facile a dirsi.

Fortunatamente a Londra il mio editore mi (*prenotare*) (6) .... un albergo di lusso, fornito di frigobar. Arrivato all'albergo, (*avere l'impressione*) (7) .... di essere in una legazione di Pechino durante la rivolta dei boxers. Famiglie accampate nell'atrio, viaggiatori avvolti in coperte che (*dormire*) (8) .... sui loro bagagli... Mi informo dagli impiegati. Mi dicono che proprio il giorno prima quel grande albergo (*installare*) (9) .... un sistema computerizzato il quale, per difetto di rodaggio, (*entrare in panne*) (10) .... due ore prima. Non si (*potere*) (11) .... sapere quale camera fosse libera e quale occupata. (*Occorrere*) (12) .... attendere.

Verso sera il computer è stato riparato e (*riuscire*) (13) .... a entrare nella mia camera. Preoccupato per il mio salmone, (*estrarlo*) (14) .... dalla valigia e (*cercare*) (15) .... il frigobar. Di solito i frigobar degli alberghi normali contengono due birre, due minerali, alcune bottigliette mignon, qualche succo di frutta e due pacchetti di noccioline. Quello del mio albergo, grandissimo, (*contenere*) (16) .... cinquanta bottigliette. Non (*esserci*) (17) .... posto per il salmone.

(*Aprire*) (18) .... due capaci cassetti e vi (*mettere*) (19) .... tutto il contenuto del frigobar, poi (*sistemare*) (20) .... il salmone al fresco, e (*disinteressarsene*) (21) .... Quando (*rientrare*) (22) .... il giorno dopo alle quattro, il salmone (*stare*) (23) .... sul tavolo, e il frigobar era stato nuovamente riempito sino all'orlo con prodotti pregiati. (*Aprire*) (24) .... i cassetti e (*vedere*) (25) .... che tutto il materiale nascostovi il giorno prima (*essere*) (26) .... ancora là. (*Telefonare*) (27) .... in portineria e (*dire*) (28) .... di avvertire il personale ai piani che se (*trovare*) (29) .... il frigo vuoto non (*essere*) (30) .... perché avessi consumato tutto, ma (*essere*) (31) .... per via del salmone. Mi (*rispondere*) (32) .... che (*occorrere*) (33) .... fornire l'informazione al computer centrale, anche perché la maggior parte del personale non (*parlare*) (34) .... inglese e non (*potere*) (35) .... ricevere ordini a voce, ma solo istruzioni in Basic. (*Aprire*) (36) .... altri due cassetti e vi (*trasferire*) (37) .... il nuovo contenuto del frigobar, in cui (*allogare*) (38) .... il mio salmone. Il giorno dopo alle quattro il salmone (*essere*) (39) .... sul tavolo e già (*emanare*) (40) .... un odore sospetto.

Il frigobar (*essere*) (41) .... brulicante di bottiglie e bottigliette. (*Telefonare*) (42) .... in portineria e mi (*dire*) (43) .... che (*esserci*) (44) .... un nuovo incidente al computer.

La mattina seguente (*andare*) (45) .... a firmare il conto. (*Essere*) (46) .... astronomico. (*Risultare*) (47) .... che (*consumare*) (48) .... in due giorni e mezzo alcuni ettolitri di Veuve Clicquot, dieci litri di whisky diversi, compresi alcuni malti rarissimi, otto litri di Gin, venticinque litri tra Terrier ed Evian, più alcune bottiglie di San Pellegrino, tanti succhi di frutta quanti ne sarebbero bastati a mantenere in vita tutti i bambini assistiti dall'Unicef, tante mandorle, noci e noccioline da far vomitare un addetto all'autopsia dei personaggi della «Grande Bouffe». (*Cercare*) (49) .... di spiegare, ma

l'impiegato mi (*assicurare*) (50) .... che il computer (*dire*) (51) .... così. (*Chiedere*) (52) .... un avvocato e mi (*portare*) (53) .... un mango.
Il mio editore ora è furioso e mi crede un parassita. Il salmone è immangiabile. I miei figli mi (*dire*) (54) .... che dovrei bere un po' meno.

(adattato da U. Eco, *Il secondo diario minimo*, Bompiani, Milano 1992)

---

3 **Completa queste frasi mettendo l'accordo al participio passato quando necessario.**

1. Il Regno d'Italia è nat..... in una situazione linguistica nettamente divaricat..... : da una parte l'italiano, lingua della scrittura, della letteratura, la lingua appres..... a scuola dalle classi più elevat..... ; dall'altra il dialetto, lingua della conversazione.

2. In molti film italiani viene usat..... il romanesco, che è un dialetto facilmente comprensibile.

3. Nella prima metà del Novecento si è diffus..... l'alfabetizzazione, che ha innalzat..... il livello medio della scolarizzazione.

4. Avevo comprat..... un nuovo dizionario sul quale sono riportat..... parecchi neologismi del gergo giovanile, ma non mi ricordo più a chi l'ho prestat..... .

5. Poi sono arrivat..... il fascismo e le due guerre mondiali che hanno rafforzat..... l'identità nazionale e hanno portat..... all'espansione di una lingua nazionale, la cui necessità si era fatt..... sempre più prepotente.

6. La scelta fra i due codici non è più stabilit..... da convenzioni sociali ma è lasciat..... al parlante, che decide in base alla situazione.

7. Ieri sera siamo stat..... a una conferenza sui linguaggi specialistici, in cui abbiamo conosciut..... l'autrice del testo sull'uso degli anglismi nel linguaggio dell'economia.

8. Tra le località che ho visitat..... per la mia ricerca, ne ho trovat..... una in Valle d'Aosta di soli 15 abitanti.

9. Le comunità la cui lingua è minoritaria vanno tutelat..... .

10. All'esame di linguistica il professore chiede anche i regionalismi, così me li sono dovut..... studiare tutti a memoria.

11. Da quando Rita si è trasferit..... in Toscana non fa altro che cercare di parlare in dialetto perché se ne è innamorat..... .

4 Nel parlato colloquiale (ma anche nello scritto) sono frequenti costruzioni con un ordine marcato delle parole, chiamate dislocazioni a sinistra. In questi costrutti viene portato a tema, messo in prima posizione (e poi ripreso con un pronome atono) l'elemento che rappresenta il centro di interesse del parlante:

ESEMPIO

▶ La Zanichelli ha fatto un primo passo su questa strada. (ordine normale)
Un primo passo su questa strada *lo* ha fatto la Zanichelli. (ordine marcato: dislocazione a sinistra)

Enfatizza le parti sottolineate, costruendo delle frasi con un ordine marcato delle parole (dislocazioni a sinistra o frasi scisse, cfr. Unità 6, p. 221).

• Dislocazioni a sinistra
ESEMPIO

▶ Non si è parlato di linguaggio giovanile.
Di linguaggio giovanile non se ne è parlato.

• Frasi scisse
ESEMPIO

▶ A scuola va insegnato l'italiano, non il dialetto.
È l'italiano che va insegnato a scuola, non il dialetto.

1. Si stava parlando di espressioni idiomatiche.
2. Gianna vorrebbe un dizionario monolingue, non uno bilingue.
3. Ho imparato l'italiano da piccolo parlando con i miei nonni.
4. Siamo finiti qui per colpa di Luisa.
5. Oggi vorrei parlare di italiano popolare e non di parlato colloquiale, che ho già trattato la volta precedente.
6. I nostri amministratori hanno dato prova di disonestà.
7. Secondo parecchi linguisti gli stranieri dovrebbero imparare la pronucia nel settentrione d'Italia, non in Toscana.
8. A proposito di Emanuela, le ho spedito ieri una lettera.
9. Il rapporto con l'interlocutore determina la scelta del registro.
10. Andiamo in università domani.
11. Beve due litri di birra al giorno!
12. Non conosciamo l'origine di alcuni modi di dire.

5 Completa queste frasi formando delle parole con uno di questi suffissi e prefissi colti (di origine greca o latina).

> -logia "lo studio"   -logo "studioso"
> -fono "parlante"   -filo "amante"
> auto- "se stesso/automobile"
> tele- "a distanza/televisione"

1. Tutte le ex-colonie della Francia in Africa sono ancora (*francese*) ....
2. Per conoscere l'origine delle parole bisogna studiare l' (*etimo*) ....
3. Saveria è indecisa se iscriversi a (*psiche*) .... o a (*società*) ....
4. Cercasi venditore settore abbigliamento (*munito di un'automobile propria*) .... tel. 335678321.
5. Nel mondo gli (*spagnolo*) .... sono parecchi milioni.
6. Sara sta frequentando una volta alla settimana un corso di (*astro*) ....

7. Se vuoi seriamente perdere qualche chilo devi farti prescrivere una dieta da un (*dieta*) ....
8. Sono in aumento le persone che praticano il (*lavoro a distanza*) ....
9. Per l'allergia ti posso dare il numero di telefono del mio (*allergia*) ....
10. Il linguista che studia le parole è un (*lessico*) ....
11. Luca segue tutti i festival del cinema, è un vero (*cinema*) ....
12. Soltanto i (*abbonati alla televisione*) .... potranno partecipare al concorso indetto dalla RAI.
13. Nel centro linguistico potrete trovare parecchio materiale per l' (*apprendimento autonomo*) .... dell'italiano e dell'inglese.
14. Carlo ha centinaia di libri rari, è un famoso (*biblio*) ....

6 Completa il seguente testo con le preposizioni (semplici o articolate) mancanti, scegliendo tra *di* e *a*.

Che pronuncia deve adottare uno straniero?

Uno straniero che impari l'italiano di solito chiede: che varietà di italiano devo adottare, e in particolare che tipo di pronuncia? Qual è la pronuncia che si può considerare standard (in un certo senso "la migliore") e usare come modello, (1) .... stesso modo in cui la RP* si può usare come modello nell'inglese britannico?

La risposta (2) .... quest'ultima domanda è che un corrispondente italiano (3) .... RP inglese non esiste. La pronuncia delle persone colte, in Italia, non è uniforme, ma varia secondo le zone: in ogni regione è più simile (4) .... pronuncia delle persone incolte della stessa regione che (5) .... pronuncia delle persone colte di altre regioni. La situazione normale, generalmente accettata, in Italia, è che la gente conservi il suo accento locale; il che non sorprende nel contesto (6) .... storia italiana. La lingua italiana non è per questo meno efficace come mezzo di comunicazione (le pronunce diverse non ostacolano seriamente la comprensione), e tale varietà riflette le diverse culture e tradizioni locali che l'Italia unita ha assorbito ma non eliminato.

(7) .... prima domanda – che pronuncia deve adottare uno straniero? – si possono dare risposte diverse, (8) .... seconda delle circostanze. Nel capitolo V noi offriamo una soluzione che trascura le opposizioni fonologiche trattate in maniera varia (9) .... seconda della zona, e perciò non appartenenti (10) .... un modello nazionale, e scegliamo, quando una scelta si impone, un modello italiano settentrionale, che è venuto acquistando più prestigio (11) .... altre varietà. Questo sistema fonologico facilita il compito (12) .... studente straniero, poiché è rappresentato

più fedelmente che non il modello tradizionale nella scrittura normale.

Va aggiunto che questi punti sono controversi e che altri propongono soluzioni molto diverse. In particolare c'è una posizione di solito adotata da manuali e dizionari (che possiamo qualificare, in maniera sommaria ma non impropria, come purista), secondo la quale esiste solo una pronuncia corretta (13) .... italiano, cioè quella fiorentina colta, che dovrebbe essere appresa tanto dagli stranieri quanto dagli italiani.

(da A.L. Lepschy, G. Lepschy, *La lingua italiana. Storia Varietà dell'uso Grammatica* cit., pp. 12-13)

*RP= *received pronunciation*, "pronuncia ricevuta, accettata" usata tipicamente nelle scuole private e dalla radio nazionale, la BBC, che oggi accetta, più che in passato, accenti regionali.

Ripasso

1 Sai da dove deriva la parola "ciao"? Leggi questo testo e lo scoprirai. Completa questo testo coniugando i verbi tra parentesi al passato prossimo o all'imperfetto.

Ciao

"Padron mio colendissimo..." (*usare*) (1) .... scrivere una volta; e si (*terminare*) (2) .... con "schiavo suo umilissimo". Questa (*essere*) (3) .... una normale forma di cortesia usata anche tra persone di pari rango. Nel linguaggio parlato si (*usare*) (4) .... "schiavo suo" o semplicemente "schiavo" in luogo di "stia bene, arrivederla". Poi la lingua veneziana, mangiandosi la 'v', (*fare*) (5) .... dello *schiavo* uno s'*ciao*, e alla fine cadendo la 's', (*rimanere*) (6) .... *ciao*. La parola *schiavo* non viene dal latino; per i latini lo schiavo (*chiamarsi*) (7) .... *servus*. Non era affatto maltrattato ma considerato quasi un membro della famiglia; in genere si (*impiegare*) (8) .... come servi i prigionieri di guerra e il padrone combattente non (*potere*) (9) .... non riflettere

che, se fosse stato sconfitto, la sorte di "servus" sarebbe toccata a lui. Quando nel tardo impero le legioni di Roma (*dovere*) (10) .... spesso guerreggiare in Illiria o Dalmazia contro popoli slavi, si (*imparare*) (11) .... ad apprezzare i prigionieri slavi come servi fedeli, forti, pazienti e silenziosi. (*Diventare*) (12) .... quindi i più ricercati nelle famiglie patrizie, e il nome *slavus* o *sclavus* (*prendere*) (13) .... poi il significato di "servus". A riprova dell'identità tra *slavus* e *sclavus* sta a Venezia la riva degli Schiavoni, così chiamata dai Dalmati che qui (*solere*) (14) .... riunirsi cercando lavoro. Mentre lo *sclavus* (*entrare*) (15) .... in Italia pronto a trasformarsi in *ciao*, il *servus* (*varcare*) (16) .... le Alpi per entrare nella lingua tedesca, dove tuttora si trova.

Test

1 Completa questo testo con le desinenze del participio passato.

Come è composto il lessico italiano

Da un punto di vista storico possiamo dire che il lessico della nostra lingua è format **(1)** ..... da tre componenti fondamentali:

– *il fondo latino* ereditario, cioè tutte le parole di tradizione popolare e ininterrott **(2)** ..... che ci provengono dal latino volgare; si tratta della componente più numerosa e importante del nostro lessico; le parole più frequenti della nostra lingua, quelle che costituiscono il cosiddetto lessico fondamentale, appartengono a tale componente;

– *i prestiti*, cioè le parole tratt **(3)** ..... da altre lingue (dalle lingue germaniche, dall'arabo, dal francese, dallo spagnolo, dall'inglese, ecc.); un tipo particolare di prestito è quello ripreso per via colt **(4)** ..... dalle lingue classiche (latino e greco), cioè latinismi e grecismi;

– *le neoformazioni* o neologismi veri e propri, cioè le parole format **(5)** ..... si nella nostra lingua da parole di base già esistenti mediante il meccanismo della formazione delle parole (suffissazione, prefissazione, composizione).

(C. Marello, *Le parole dell'italiano*, Zanichelli, Bologna 1996)

→   **/5 punti**

2 Completa questo testo facendo attenzione al rapporto di anteriorità tra la frase principale e la secondaria. Scegli tra il passato prossimo, l'imperfetto e il trapassato prossimo.

(*Il racconto narra un episodio successo al mare tra padre e figlio. Il padre, andando sott'acqua, perde il suo orologio e il figlio lo ritrova.*)

– Era là, su quello scoglio là! – io gridai, ancora ansimante. Ero fuori di me, avrei voluto saltare e ballare, ma fieramente mi contenni per non mostrare che (*dare*) **(1)** .... troppa

importanza alla mia impresa. Mio padre guardò verso lo scoglio corrugando i sopraccigli, soprapensiero:

– Ah, disse lui dopo un poco – ora me ne ricordo. Lo (*togliere*) **(2)** .... mentre (*cercare*, noi) **(3)** .... i frutti di mare, per prendere delle patelle attaccate in mezzo alle punte dello scoglio. Poi tu mi (*chiamare*) **(4)** .... per mostrarmi un riccio di mare che (*prendere*) **(5)** .... , e me l'hai fatto dimenticare.

– Perduto! – soggiunse quindi, alzando le spalle, in tono sarcastico, – lo sapevo, io, che non si può perdere. Ha una chiusura sicurissima, di garanzia –. E con attenzione compiaciuta, (*riagganciarsi*) **(6)** .... al polso il suo orologio.

Dunque, la mia azione (*perdere*) **(7)** .... quasi ogni splendore. La delusione, montando come la febbre, mi fece tremare i muscoli del viso, e bruciare gli occhi. Sfilai rabbiosamente dal collo la maschera, che non era servita a nulla, e rabbiosamente la resi a mio padre.

(adattato da E. Morante, *L'isola di Arturo*, Einaudi, Torino 1957)

→   **/7 punti**

3 Costruisci un ordine marcato iniziando con la proposizione secondaria.

1. È evidente che l'incidenza degli anglismi nella stampa è raddoppiata negli ultimi trent'anni.

2. È sotto gli occhi di tutti che l'uso di *gli* al posto di *loro* è largamente usato e accettato nel parlato colloquiale.

3. Gli studenti stranieri che vivono a Padova sanno che il dialetto veneto è ancora molto parlato dai giovani.

→   **/3 punti**

4 Enfatizza le parti sottolineate, costruendo delle frasi con un ordine marcato delle parole (dislocazioni a sinistra o frasi scisse).

1. Non ho mai imparato il dialetto perché i miei genitori non lo usavano in famiglia.
2. Non abbiamo ancora studiato la fonologia dell'italiano in classe.
3. Il gergo dei malviventi e degli emarginati ha una fondamentale funzione di lingua segreta, ma non quello giovanile.

→   /3 punti

5 Completa le parole con le desinenze del plurale.

1. Quest'estate sono partita per le vacanze con solo due valig.... .
2. Qual è la regione italiana che ha più provinc....?
3. Secondo me le spiagg.... più belle d'Italia si trovano in Sardegna.

→   /3 punti

6 Completa le frasi scegliendo tra i connettivi seguenti.

salvo che   in ultimo   a meno che
innanzitutto   se non che

1. .... va premesso che non ci occuperemo dei dialetti, ma solo delle varietà dell'italiano contemporaneo.
2. Non posso uscire stasera .... mio marito non rientri presto dal lavoro.
3. E dopo questa disamina di tratti caratteristici dell'italiano dell'uso medio, usati da persone di ogni ceto e di ogni livello di istruzione, vorrei .... fornire qualche dato su quali siano già entrati nelle grammatiche didattiche.
4. Saremmo andati volentieri al concerto di Pino Daniele .... i biglietti erano già tutti esauriti.
5. L'albergo in cui eravamo alloggiati era perfetto, ... era un po' distante dal centro.

→   /5 punti

7 Completa questi microdialoghi scegliendo tra queste espressioni idiomatiche.

fare la parte del leone
cadere dalle nuvole   sudare sette camicie

1. • Ti vedo più rilassato dall'ultima volta che ci siamo visti! Hai finito la tesi?
   – Sì, finalmente! Ma ho dovuto .... per consegnarla in tempo!
2. • Mio fratello Gianni è sempre stato un egoista, fin da piccolo voleva tutto per sé e anche in occasione della morte di mio padre è riuscito a .... nella spartizione dei beni.
   – Incredibile!
3. • Allora ci dai una mano a fare il trasloco?
   – Ma, come, non sapevo neanche che cercaste casa...
   • Dai, dai, non .... che te l'avevo detto!

→   /3 punti

8 Come si chiamano?

1. la scienza che studia i dialetti ....
2. un parlante di francese ....
3. una persona che ha studiato da sé ....

→   /3 punti

9 Forma tre giustapposti logici, unendo le parole delle due colonne; metti anche l'articolo e volgi al plurale. Attenzione: ci sono due parole in più.

progetto   poliziotto
impiegato   pilota
seduta   modello
cavallo   fiume

1. ....   2. ....   3. ....

→   /6 punti

10 Scrivi la parola composta sotto a ogni oggetto. Metti anche l'articolo e poi volgila al plurale.

....

....

....

....

→   /6 punti

11 A quali varietà dell'italiano contemporaneo appartengono questi testi? Scegli tra quelle indicate sotto. Scrivi almeno un tratto linguistico per ciascuna varietà che giustifichi la tua scelta.

italiano neo-standard, italiano tecnico-scientifico, italiano parlato colloquiale

1. La porta FIR (fast infrared) permette di eseguire trasferimenti di dati senza filo con altri computer e periferiche a raggi infrarossi come le stampanti. La porta a infrarossi trasferisce dati alla velocità di quattro megabit al secondo (Mbps) alla distanza di un metro.

....

....

....

2. Qualcuno dice già: che bell'affare questa Mille Miglia. Può darsi. Se qualcuno volesse sfruttarla a dovere secondo i canoni moderni, questa carovana potrebbe diventare ricca come Fort Knox. Ma Brescia e i bresciani sono un'altra cosa. La Mille Miglia è radicata in ogni casa, è una dote per l'intera città, un biglietto da visita che vale in ogni angolo del mondo. Difficile pensare che i bresciani se la facciano scippare dai mega managers delle sponsorizzazioni.

(Berruto, *Sociolinguistica dell'italiano contemporaneo* cit., p. 190)

....

....

....

3. • Pronto Cinzia...
• Sì, me l'hanno detto solo adesso. Che volevi?
• Come quando torno, ma se sono appena arrivato! Ma perché mi devi aspettare sveglia?
• Ma vai a dormire, vai. Non mi dare orari stasera. Dai...
• Ma paura di che cosa? Quali rumori, quali cacchi di rumori?
• Ma i ladri non fanno rumore, non esiste un ladro al mondo che fa rumore.

....

....

....

→   /6 punti

→**punteggio totale**   /50 punti

Sintesi grammaticale

Accordo con il participio passato

Verbi con ausiliare *essere*

▶ accordo con il SOGGETTO

Carlo è arriva**to**.

Carla è arriva**ta**.

I **bambini** sono arriva**ti**.

Le **bambine** sono arriva**te**.

Carlo e Carla sono arriva**ti**.

▶ con verbi riflessivi (pronominali) accordo o con il SOGGETTO o con l'OGGETTO DIRETTO

Carlo si è mangia**to** una mela.

Carlo si è mangia**ta** una **mela**.

▶ con verbi riflessivi (pronominali) accordo con i PRONOMI OGGETTO DIRETTO

Carlo se **l**'è mangia**ta**. (una mela)

Carlo se **li** è mangia**ti**. (i biscotti)

▶ con verbi riflessivi (pronominali), l'accordo con il *NE* PARTITIVO è facoltativo, ma preferito

Carla se **ne** è mangia**ti** molti. (di gelati)

Carla se **ne** è mangia**ta** molti.

Verbi con ausiliare *avere*

▶ non c'è accordo con il SOGGETTO (desinenza invariabile *-o*)

Carla ha dormi**to**.

Carlo ha scrit**to**.

Noi abbiamo dormi**to**.

▶ l'accordo con l'OGGETTO DIRETTO è possibile, ma meno comune

Carla ha scrit**to** una lettera. / (Carla ha scrit**ta** una **lettera**.)

La lettera che Carla ha scrit**to** era lunga. / (La **lettera** che Carla ha scrit**ta** era lunga.)

▶ accordo con i PRONOMI OGGETTO DIRETTO

Carla **l**'ha scrit**ta**. (una lettera)

Scrit**tala**, se ne andò.

Carla **vi** ha vis**te**. (Paola e Maria)

▶ l'accordo con il *NE* PARTITIVO è facoltativo, ma preferito

Carla **ne** ha bevu**ta** una. (di **birra**) / (Carla **ne** ha bevu**to** una.)

Carla **ne** ha bevu**ta** una **tazza**. (di tè) / Carla **ne** ha bevu**to** una tazza.

▶ non c'è accordo se il *ne* non è partitivo (cfr. Unità 5, p. 179)

Ne abbiamo parla**to**. (dei modi di dire)

Concordanza verbale

Rapporto di anteriorità

La concordanza dei tempi riguarda la scelta dei tempi a seconda che il rapporto temporale tra il verbo della frase principale e quello della frase secondaria sia di posteriorità (dopo), di contemporaneità (ora) o di anteriorità (prima). Il seguente schema riassume i tempi che si possono usare quando tra il verbo della principale (al presente e passato) e il verbo della secondaria ci sia un rapporto di anteriorità, cioè di passato.

CONCORDANZA
RAPPORTO DI ANTERIORITÀ

FRASE PRINCIPALE	FRASE SECONDARIA ANTERIORITÀ

presente
passato legato al presente
(passato prossimo)

→ passato prossimo

→ imperfetto

→ passato remoto

→ trapassato prossimo
(azione precedente a un punto di riferimento nel passato)

→ condizionale passato
(azione non realizzata nel passato)

passato non legato al presente
(passato prossimo, passato remoto, imperfetto, trapassato prossimo)

→ trapassato prossimo
trapassato remoto

1. **So** che è andato al cinema ieri sera.

2. **Sappiamo** che Sara, quando era in vacanza al mare, andava in discoteca tutte le sere.

3. **So** che i Romani furono dei grandi guerrieri.

4. **So** che prima di lavorare con Luchetti aveva scritto una sceneggiatura per Soldini.

5. Paola mi **dice** sempre che sarebbe venuta volentieri con noi al mare l'estate scorsa ma che non le hanno dato le ferie in giugno.

6. Ieri **ho** finalmente **risposto** a una lettera che avevo ricevuto una settimana prima.

7. Mi **scrisse** che non aveva potuto venire perché aveva avuto un incidente.

8. **Sapevo** che da giovane aveva fatto il regista.

9. Me l'**aveva** già **detto** che era andato in Australia per tre mesi.

10. Lo **arrestarono** appena lo ebbero riconosciuto.

Ordini marcati

Nozioni di tema-rema, dato-nuovo

In una frase si possono normalmente distinguere due parti: una prima parte che indica l'argomento di cui si parla, chiamata **TEMA**, e una seconda che indica ciò che si dice su quell'argomento, chiamata **REMA**. Il tema di solito coincide con l'informazione **DATA** e il rema con quella **NUOVA**.

Nell'italiano, che ha un ordine basico **Soggetto + Verbo + Oggetto**, normalmente il soggetto è tema e dato e il verbo è rema e nuovo:

Kuniko	ha dimenticato l'italiano. **(ordine normale)**
tema / dato	rema / nuovo
soggetto	verbo

Dislocazione a sinistra

Se si vuole sottolineare enfaticamente un elemento diverso dal soggetto si può ricorrere a un ordine marcato, la dislocazione a sinistra (DS):

L'italiano	Kuniko l'ha dimenticato. **(ordine marcato)**
tema	rema
oggetto diretto	

Di parole straniere ne ha tante questo testo.

Si tratta di un costrutto espressivo, caratteristico del parlato e dei registri meno formali, utile per poter sottolineare qual è il tema della frase. La DS viene usata soprattutto con l'oggetto diretto, che viene anticipato e ripreso con un pronome atono.

Ma la DS può riguardare anche altri complementi indiretti:

A Paolo (gli) regalerò un dizionario di sinonimi.

Del suo lavoro non (ne) parla volentieri.

A Perugia (ci) vado spesso.

Si noti nei tre esempi sopra che nella dislocazione di complementi indiretti la ripresa pronominale è facoltativa ed è appropriata solo nei contesti colloquiali.

Dislocazione di frase

Le frasi oggettive di norma seguono la principale:

Tutti possiamo constatare che gli anglismi sono in aumento. **(ordine normale)**

(frase principale)   (frase secondaria oggettiva)

Le frasi oggettive possono essere dislocate a sinistra al pari dei complementi. In questo caso occorre inserire il pronome atono *lo*. Si tratta di un costrutto caratteristico dello scritto formale:

Che gli anglismi <u>siano</u> in aumento nella prosa giornalistica, tutti *lo* possiamo constatare. **(ordine marcato)**

Si noti che è preferibile mettere il verbo della secondaria al **congiuntivo** per segnalare a chi ascolta che la frase con cui si inizia il discorso è una secondaria e non una interrogativa o esclamativa, come il *che* potrebbe far pensare. Questo uso del congiuntivo ha una funzione pragmatica.

Anche nel caso delle interrogative indirette l'anticipazione viene compensata dall'inserimento del pronome *lo*:

Se ho fatto bene a comportarmi così me *lo* chiedo continuamente.

Plurale dei nomi femminili in *-cia/-gia*

▶ Se la /i/ è tonica (accentata) si conserva nel plurale
     bugìa – bugìe, farmacìa – farmacìe
▶ Se la /i/ non è accentata si usano di solito le seguenti convenzioni ortografiche
     – se le consonanti [c] e [g] sono precedute da vocale, si mantiene la [i]
       camicia – camicie
     – se le consonanti [c] e [g] sono precedute da consonante, non si mette la [i]
       spiaggia – spiagge

Ci sono tuttavia molte oscillazioni nell'uso grafico di scrittori contemporanei che tendono, nella moderna ortografia, a eliminare le *i* ortografiche (es. *valige*).

Formazione di parola (cfr. Tavole grammaticali, pp. 484-490)

Suffissi colti

In italiano si possono formare parole nuove con l'aggiunta di suffissi colti di origine greca o latina:

▶ **-logo** "studioso"   dialettologo, astrologo, dietologo (plurale *-logi*, cfr. Unità 6, pp. 221-222)

▶ **-logia** "la scienza, lo studio"   dialettologia, astrologia, dietologia
▶ **-fono** "suono, parlante"   anglofono "parlante d'inglese", francofono, ispanofono, italofono

▶ **-filo** "amante, cultore, appassionato di"   cinefilo "appassionato di cinema", bibliofilo

Prefissi colti

Si possono derivare parole nuove anche con prefissi colti di origine greca o latina:

▶ **auto-** "se stesso, da sé"   autodidatta, autocontrollo, autoabbronzante
     "automobile"   autoraduno, autostrada, autoscuola
▶ **tele-** "a distanza"   telecomando, telecomunicazione, telelavoro
     "televisione"   teleabbonato, telesceneggiato, teledipendente, telegiornale

Giustapposti (Nome + Nome)

Nell'italiano contemporaneo si usano molto coppie di elementi giustapposti nell'ordine Testa + Modificatore:

     treno merci (treno per le merci),
     discorso fiume (discorso che continua come un fiume)
     stato cuscinetto (stato che fa da cuscinetto tra altri stati)

Si trovano spesso come modificatori parole come:

base   idea base, portata base

chiave   parola chiave, concetto chiave, idea chiave

fiume   romanzo fiume, discorso fiume

tipo   famiglia tipo, casa tipo, vacanza tipo

modello   impiegato modello, studente modello, marito modello

Al plurale varia solo il primo elemento:

divano letto / divani letto

Queste parole a volte si trovano scritte con un trattino, a volte senza:

famiglia-tipo / famiglia tipo

Composti (Verbo + Nome)

L'ordine dei due elementi è Testa + Modificatore; è un composto molto produttivo nell'italiano:

il portamonete (il portaombrelli, il portalettere, il portafortuna), l'apriscatola,
il salvagente, il paracadute, l'accendisigari, il tritaverdure.

Questi composti normalmente fanno il plurale in:

▶ **-i**: se maschili, e se il nome è maschile o femminile in *-o* o in *-e*

il grattacielo	i grattacieli
l'asciugamano	gli asciugamani
il cacciavite	i cacciaviti

▶ **invariabile**: se il nome è femminile in *-a*

| il cavalcavia | i cavalcavia |
| il passamontagna | i passamontagna |

▶ **invariabile**: se il nome è già al plurale

il cavatappi	i cavatappi
il tagliacarte	i tagliacarte
il paraurti	i paraurti

Coesione testuale (cfr. Tavole grammaticali, pp. 491-497)

Connettivi

Elencativi

Sono connettivi che servono a elencare dati, osservazioni, argomenti:

▶ *primo, in primo luogo, innanzitutto, anzitutto*
▶ *secondo, in secondo luogo*
▶ *poi, inoltre*
▶ *infine, in ultimo, eccetera*
▶ *e via discorrendo, possiamo aggiungere, va aggiunto che, si aggiunga che*
> La casa non mi soddisfa *anzitutto* per il soggiorno, *in secondo luogo* per il giardino che è piccolo e *in ultimo* perché è dislocata su tre piani.

Eccettuativi

Indicano un'eccezione, una circostanza che limita il significato della principale:

▶ *tranne che, eccetto che, salvo che* possono essere usati con l'indicativo (o il condizionale) o il congiuntivo
> Eravamo contenti, *tranne che* Marco non <u>era/sarebbe stato/fosse</u> con noi.
> Dovrebbe arrivare alle dieci, *salvo che* <u>abbia perso</u> l'aereo. (ipotesi)
▶ *fuorché, a meno che (non)* con il congiuntivo
> Verrò a trovarti in Italia *a meno che* non <u>succeda</u> qualcosa di grave alla nonna.
▶ *se non che, sennonché* (hanno valore avversativo), *a parte che* vengono usati per lo più con l'indicativo
> Siamo stati molto bene nella sua famiglia, *a parte che* <u>parlavano</u> spesso in dialetto.
> Sarei rimasta in Italia ancora un mese, *se non che* mia madre <u>si è ammalata</u>.

Nella forma implicita *tranne che, eccetto che, salvo che, fuorché, a meno di* prendono l'infinito:
> Ero disposta a tutto *fuorché* <u>chiederle</u> scusa.
> Rifarei tutto quello che ho fatto nella mia vita *tranne che* vivere lontano dalla mia famiglia per tutti quegli anni.

A meno che, tranne che, eccetto che, salvo che, fuorché possono essere rafforzati dal *non*:
> Marta dovrebbe arrivare *salvo che non* l'abbiano trattenuta sul lavoro.

Segnali discorsivi del parlato
(cfr. Tavole grammaticali, pp. 498-500)

Riformulare

Indicatori di parafrasi	*Cioè, diciamo, diciamo così, per così dire, come dire, voglio dire, mi spiego, in altre parole* In alcune situazioni il dialetto può essere usato con la funzione di *incode, voglio dire*, come parlata che accomuna un gruppo ristretto di persone.
Indicatori di correzione	*Diciamo, anzi, o meglio, cioè, no, voglio dire* I dialetti sono parlati dagli strati più bassi, *diciamo*, meno alti della popolazione.

Il piacere della lettura

■ **Unità tematica**	– pagine di letteratura italiana contemporanea
■ **Funzioni e compiti**	– motivare una scelta, un gusto
	– recitare una parte: esprimere emozioni
	– esprimere fatti/desideri non realizzati
	– esprimere giudizi e sintetizzare pareri altrui
	– raccontare e commentare un libro
	– scrivere una recensione
	– esprimere paure e speranze
	– fare ipotesi fantastiche (*Che cosa succederebbe se non conoscessimo il fuoco?*)
■ **Testualità**	– segnali discorsivi di richiesta di attenzione, accordo (*ascolti, no?*)
	– segnali discorsivi di conferma di accordo/conferma (*certo, vero*)
	– connettivi modali (*come se, quasi*)
	– connettivi con congiuntivo (*prima che, a condizione che, sebbene*)
■ **Lessico**	– colloquialismi (*schiappa*)
	– verbi denominali e deaggettivali (*gareggiare, falsificare*)
	– sfera semantica del "rapimento" e verbi (*scippare, derubare, rapire*)
	– sfera semantica del "libro"
■ **Grammatica**	– congiuntivo imperfetto
	– usi del condizionale passato
	– concordanza tempi (rapporto di posteriorità)
	– preposizioni: *per, tra, a*
■ **Strategie**	– lettura ricreativa
	– lessico: riconoscere i colloquialismi e trovare sinonimi
	– leggere per ricostruire l'unità del testo
	– leggere per focalizzarsi sul linguaggio
	– lessico: dare definizioni, parafrasi
■ **Ripasso**	– pronomi diretti, indiretti, combinati, *ci, ne*

↗ Entrare nel tema

► Che cosa ti piace leggere? Hai mai letto qualche libro di autori italiani?
► Sai chi sono questi autori contemporanei italiani?

► Lavorate in piccoli gruppi e cercate di completare la tabella che trovate sotto. Elencate il maggior numero di autori italiani che conoscete e alcune loro opere. Poi confrontatevi con il resto della classe.

LETTERATURA ITALIANA	
CONTEMPORANEA	**MODERNA E CLASSICA**
Alessandro Baricco → *Novecento*	Italo Calvino → *Il barone rampante*
Andrea De Carlo → *Treno di panna*	Primo Levi → *La tregua*
Stefano Benni → *Baol*	Alessandro Manzoni → *I promessi sposi*

1 Leggere

Per piacere personale

A Leggerai alcune pagine di un romanzo di un autore contemporaneo italiano, Niccolò Ammaniti*. Il romanzo, del 2001, dal quale è stato tratto anche l'omonimo film di Gabriele Salvatores, s'intitola *Io non ho paura*. Prova a fare previsioni sul contenuto del libro partendo dal titolo: chi non ha paura e di che cosa? Cos'è secondo te il "segreto pauroso" cui si accenna in questa breve presentazione del libro?

> L'estate più calda del secolo. Quattro case sperdute nel grano. I grandi sono tappati in casa. Sei bambini, sulle loro biciclette, si avventurano nella campagna rovente e abbandonata. In mezzo a quel mare di spighe c'è un segreto pauroso che cambierà per sempre la vita di uno di loro.

---

* Niccolò Ammaniti è nato a Roma nel 1966. Ha esordito con il romanzo *Branchie*. Nel 1996 ha pubblicato la raccolta di racconti *Fango*, nel 1998 il romanzo *L'ultimo Capodanno* e nel 1999 *Ti prendo e ti porto via*.

B Leggi, per il puro piacere della lettura, queste pagine iniziali del romanzo *Io non ho paura* di Niccolò Ammaniti e cerca di "entrare" nell'atmosfera del romanzo.

Per fare il film da questa storia struggente ho messo la macchina da presa negli occhi di un bambino. È il suo sguardo che ci ha guidato nel film.

Gabriele Salvatores

Quella maledetta estate del 1978 è rimasta famosa come una delle più calde del secolo. Il calore entrava nelle pietre, sbriciolava la terra, bruciava le piante e uccideva le bestie, infuocava le case. Quando prendevi i pomodori nell'orto erano senza succo, e le zucchine piccole e dure. Il sole ti levava il respiro, la forza, la voglia di giocare, tutto. E la notte si schiattava uguale.

Ad Acqua Traverse gli adulti non uscivano di casa prima delle sei di sera. Si tappavano dentro, con le persiane chiuse. Solo noi ci avventuravamo nella campagna rovente e abbandonata.

Mia sorella Maria aveva cinque anni e mi seguiva con l'ostinazione di un bastardino tirato fuori da un canile.

"Voglio fare quello che fai tu", diceva sempre. Mamma le dava ragione.

"Sei o non sei il fratello maggiore?" E non c'erano santi, mi toccava portarmela dietro. Nessuno si era fermato ad aiutarla. Normale, era una gara.

"Dritti, su per la collina. Niente curve. È vietato stare uno dietro l'altro. È vietato fermarsi. Chi arriva ultimo paga penitenza". Aveva deciso il Teschio e mi aveva concesso: "Va bene, tua sorella non gareggia. È troppo piccola".

"Non sono troppo piccola!" aveva protestato Maria. "Voglio fare anch'io la gara!" E poi era caduta.

Peccato, ero terzo.

Primo era Antonio. Come sempre.

Antonio Natale, detto Teschio. Perché lo chiamavano il Teschio non me lo ricordo. Forse perché una volta si era appiccicato sul braccio un teschio, una di quelle decalcomanie che si compravano dal tabaccaio e si attaccavano con l'acqua. Il Teschio era il più grande della banda. Dodici anni. Ed era il capo. Gli piaceva comandare e se non obbedivi diventava cattivo. Non era una cima, ma era grosso, forte e coraggioso. E si arrampicava su per quella collina come una dannata ruspa.

Secondo era Salvatore.

Salvatore Scardaccione aveva nove anni, la mia stessa età. Eravamo in classe insieme. Era il mio migliore amico. Salvatore era più alto di me. Era un ragazzino solitario. A volte veniva con noi ma spesso se ne stava per i fatti suoi. Era più sveglio del Teschio, gli sarebbe stato facilissimo spodestarlo, ma non gli interessava diventare capo. Il padre, l'avvocato Emilio Scardaccione, era una persona importante a Roma. E aveva un sacco di soldi in Svizzera. Questo si diceva.

Poi c'ero io, Michele. Michele Amitrano. E anche quella volta ero terzo, stavo salendo bene, ma per colpa di mia sorella adesso ero fermo.

Stavo decidendo se tornare indietro o lasciarla là, quando mi sono ritrovato quarto. Dall'altra parte del crinale quella schiappa di Remo Marzano mi aveva superato. E se non mi rimettevo subito ad arrampicarmi mi sorpassava pure Barbara Mura.

Sarebbe stato orribile. Sorpassato da una femmina. Cicciona.

(N. Ammaniti, *Io non ho paura*, Einaudi, Torino 2001)

C Rispondi.

1. Secondo te in quale parte dell'Italia è ambientato il romanzo? Da che cosa lo deduci?

....

2. Chi è la voce narrante?

....

3. Chi sono i protagonisti?

....

4. Ti sono piaciute le prime pagine di questo romanzo? Motiva la tua risposta.

....

5. Hai voglia di scoprire come prosegue? Se sì, vai all'attività 3 di p. 265 e BUONA LETTURA!

....

2 Lessico

A Colloquialismi. Nelle pagine di *Io non ho paura* che hai appena letto ci sono alcune parole che appartengono al parlato colloquiale, ovvero a una varietà informale dell'italiano. Trovale tra quelle elencate sotto e cerca per ogni parola un sinonimo più formale. Puoi usare il dizionario se ne hai bisogno.

1. (riga 8) si schiattava ....
2. (riga 10) si tappavano ....
3. (riga 19) mi toccava ....
4. (riga 34) si era appicciato ....

5. (riga 50) spodestarlo ....
6. (riga 53) un sacco di ....
7. (riga 59) crinale ....
8. (riga 59) schiappa ....

B Leggi queste frasi tratte dal testo di p. 263 e sottolinea i verbi che derivano da un nome.

(righe 11-12) Solo noi ci avventuravamo nella campagna rovente e abbandonata.

(righe 25-26) Va bene, tua sorella non gareggia. È troppo piccola.

Verbi che derivano da nomi	
NOME	VERBO
▶ gara	gar-*eggiare*
▶ avventura	avventurarsi (suffisso zero)
	▶ **p. 298**

Completa le frasi seguenti. Deriva dai nomi (e dagli aggettivi) tra parentesi i rispettivi verbi, scegliendo tra i seguenti suffissi:

-eggiare   -ificare   -izzare   (suffisso zero)

ESEMPIO

▶ Hanno (canale) canalizzato da poco le acque che scendono a valle.

1. Se desidera davvero guarire deve (intenso) .... le sedute terapeutiche.

2. Il fenomeno corruzione è ben (esempio) .... nel libro di Mancuso.

3. Gli italiani negli ultimi dieci anni si sono molto (*americani*) .... nel modo di vivere.

4. I partiti italiani continuano a (*lotto*) .... la gestione delle imprese pubbliche.

5. Al mare si (*folle*) .... tutte le sere in discoteca fino alle ore piccole.

6. Carlo continua a (*filosofia*) .... sulla vita ma non fa nulla per cambiarla concretamente.

7. Per favore, (*grattugia*) .... tu le carote!

8. Bisognerebbe (*impermeabile*) .... almeno questa parete della stanza altrimenti penetra troppa umidità.

9. Ieri mattina si è alzato mentre stava (*alba*) ....

10. In tutti i suoi libri Stefano Benni (*ironia*) .... sui miti occidentali.

11. Dovete (*numero*) .... il testo ogni cinque righe.

12. Nel suo ultimo rapporto, l'Istat ha (*quantità*) .... il numero di lettori dei vari generi letterari.

13. Lo stato confinante ha (*arma*) .... una delle due fazioni in guerra.

14. L'autore non svela neanche alla fine del libro chi ha (*assassino*) .... il commissario.

---

3 Leggere

Ricostruire l'unità del testo

A In queste pagine del romanzo *Io non ho paura* potrai conoscere il "segreto pauroso" che il protagonista, Michele, scopre durante un'avventura di gioco in mezzo alla campagna.

Un giorno, dopo aver a lungo pedalato, i sei bambini raggiungono una valletta e all'interno di un boschetto trovano una casa diroccata. E qui Michele scopre...

Se vuoi saperlo, ricostruisci il testo di p. 266 che per la paura... si è scomposto! Confronta poi con un compagno la tua ricostruzione.

Sono rimasto a guardarlo per non so quanto tempo. C'era anche un secchio. E un pentolino. Forse dormiva.

Ho preso un sasso piccolo e gliel'ho tirato. L'ho colpito sulla coscia. Non si è mosso. Era morto. Mortissimo. Un brivido mi ha morso la nuca. Ho preso un altro sasso e l'ho colpito sul collo. Ho avuto l'impressione che si muovesse. Un leggero movimento del braccio.

Mi sono seduto, ho chiuso gli occhi, ho poggiato la fronte su una mano, ho respirato. Avevo la tentazione di scappare, di correre dagli altri. Ma non potevo. Dovevo prima guardare un'altra volta.

Mi sono avvicinato e **ho sporto** la testa.

Era la gamba di un bambino. E un gomito spuntava dagli stracci.

In fondo a quel buco c'era un bambino.

Era steso su un fianco. Aveva la testa nascosta tra le gambe.

Non si muoveva.

Era morto.

Ho fatto un salto indietro e per poco non **sono inciampato** .

Una gamba?

Ho preso fiato e mi sono affacciato un istante.

Era una gamba.

Ho sentito le orecchie bollenti, la testa e le braccia che mi pesavano.

Stavo per svenire.

Ero cascato sopra un buco.

Era buio. Ma più spostavo la lastra e più rischiarava. Le pareti erano fatte di terra, scavate a colpi di vanga. Le radici della quercia erano state tagliate.

Sono riuscito a spingerla ancora un po'. Il buco era largo un paio di metri e profondo due metri, due metri e mezzo.

Era vuoto.

No, c'era qualcosa.

Un mucchio di stracci **appallottolati** ?

No…

Un animale? Un cane? No…

Cos'era?

Era senza peli…

Bianco…

Una gamba…

Una gamba!

– Dove stai? Dove stai? Dove sei finito, *recchione**?

Gli altri! Il Teschio mi stava chiamando.

Ho afferrato la lastra e l'ho tirata fino a tappare il buco. Poi **ho sparpagliato** le foglie e la terra e ci ho rimesso su il materasso.

– Dove stai Michele?

Sono andato via, ma prima mi sono girato un paio di volte a controllare che ogni cosa fosse al posto suo.

B **Rispondi e poi confrontati con l'intera classe.**

1. Come narra l'autore la scena della scoperta?
2. Che emozioni prova Michele? Sottolinea le parti del testo in cui vengono descritte.

---

* *recchione*: in dialetto meridionale letteralmente sta per "orecchione" e significa omosessuale detto scherzosamente come insulto.

4 Lessico

A Collega i disegni ai verbi sottolineati nelle frasi sotto, prese dal testo di p. 266.

1. Un mucchio di stracci <u>appallottolati</u>?
2. Ho fatto un salto indietro e per poco non <u>sono inciampato</u>.
3. Mi sono avvicinato e <u>ho sporto</u> la testa.
4. Poi <u>ho sparpagliato</u> le foglie e la terra e ci ho rimesso su il materasso.

5 Scrivere e recitare una parte

Il giorno dopo Michele, che ha deciso di non raccontare a nessuno il suo segreto, vince la paura e ritorna da solo nella casa abbandonata. Scende nel buco e cerca di stabilire un contatto con il bambino.

A Lavorate in coppia. Cercate di calarvi nei panni dei due bambini protagonisti del romanzo. Scrivete assieme il dialogo del loro primo incontro cercando di sottolineare la drammaticità e la carica emozionale dell'evento. Prima di incominciare vi può essere utile discutere delle emozioni che provereste. Poi recitate in coppia il dialogo che avete scritto: uno di voi interpreterà la parte di Michele e l'altro di Filippo, il bambino nel buco. Alcune coppie, se se la sentono, possono esibirsi in una recitazione davanti alla classe.

ESEMPIO

▶ Michele   Ciao... ciao... ciao sono quello di ieri. Sono sceso, ti ricordi?
             Mi senti? Stai male? Sei vivo? Come? Non ho capito...
▶ Filippo   Acqua...

6 Leggere

Analizzare il linguaggio

A A questo punto della storia sarai curioso di sapere chi è il bambino che Michele ha trovato nel buco e chi ce l'ha messo. Come fa Michele a scoprirlo? Fai delle ipotesi assieme ai compagni di classe.

> Una notte Michele si sveglia perché ha bisogno di fare la pipì e sente che nella sala da pranzo di casa sua si sono riunite diverse persone, amici di suo padre. Esce di nascosto per andare in bagno e scopre...

B Ora leggi queste pagine prestando attenzione al linguaggio usato dai personaggi.

Cominciavo a rilassarmi, quando tutti insieme hanno urlato – Ecco! Ecco! – Zitti! – State zitti! Ho allungato il collo oltre il divano e per poco non mi è preso un colpo.

Dietro il giornalista c'era la foto del bambino. Il 5 bambino nel buco.

Era biondo. Tutto pulito, tutto pettinato, tutto bello, con una camicia a quadretti, sorrideva e tra le mani stringeva la locomotiva di un trenino elettrico. 10

Il giornalista ha proseguito. – Continuano senza sosta le ricerche del piccolo Filippo Carducci, il figlio dell'industriale lombardo Giovanni Carducci rapito due mesi fa a Pavia. I carabinieri e gli inquirenti stanno seguendo una nuova pista 15 che porterebbe...

Non ho sentito più niente.

Urlavano. Papà e il vecchio si sono alzati in piedi.

Il bambino si chiamava Filippo. Filippo Carducci. 20

– Trasmettiamo ora un appello della signora Luisa Carducci ai rapitori registrato questa mattina.

– E ora che cazzo vuole questa bastarda? – ha detto papà. 25

– Puttana! Brutta puttana! – ha ringhiato dietro Felice.

Il padre gli ha dato uno schiaffo. – Statti zitto! Si è unita la madre di Barbara. – Cretino!

– (...) E basta! – ha strillato il vecchio. – Voglio 30 sentire!

È apparsa una signora. Elegante. Bionda. Non era né giovane né vecchia, ma era bella. Stava seduta su una grande poltrona di cuoio in una stanza piena di libri. Aveva gli occhi lucidi. Si 35 stringeva le mani come se le dovessero scappare. Ha tirato su con il naso e ha detto guardandoci negli occhi: – Sono la madre di Filippo Carducci. Mi rivolgo ai sequestratori di mio figlio. Vi imploro, non fategli male. È un bambino 40 buono, educato e molto timido. Vi imploro di trattarlo bene. Sono sicura che conoscete l'amore e la comprensione. Anche se non avete figli sono certa che potete immaginare cosa voglia dire quando te li portano via. Il riscatto che avete 45 chiesto è molto alto, ma io e mio marito siamo disposti a darvi tutto quello che possediamo pur di riavere Filippo con noi. Avete minacciato di tagliargli un orecchio. Vi prego, vi supplico di non farlo... 50

C Rispondi. Come caratterizza l'autore l'ambiente sociale dei due bambini?

MICHELE	FILIPPO

D In questo frammento del romanzo che hai letto sono presenti diversi generi testuali. Rileggilo e fai corrispondere le righe del testo ai generi testuali indicati sotto:

1. dialoghi di registro colloquiale   dalla riga ...... alla riga ......

2. notiziario televisivo   ....

3. appello ai sequestratori del bambino   ....

7 Lessico

A Trova nel testo di p. 268 tutte le parole legate alla sfera semantica del "rapimento":

B Completa queste frasi scegliendo tra i verbi di significato simile elencati sotto. I verbi vanno coniugati.

> rapire/sequestrare   saccheggiare   rubare   scippare
> razziare   svaligiare   derubare   rapinare

1. Ieri sono entrati i ladri in casa di mio fratello e gli .... i soldi e tutti i gioielli.

2. I malviventi a viso coperto gli hanno puntato la pistola e lo .... del portafogli e della borsa che conteneva il computer.

3. Sono entrati in banca di notte, ... la cassaforte e sono riusciti a fuggire prima che arrivasse la polizia.

4. Con la caduta del regime bande di affamati e di malviventi hanno cominciato a .... negozi, depositi alimentari e musei in tutta la città.

5. Un turista .... da un ragazzino in Vespa che gli ha strappato la catena d'oro dal collo e l'ha fatto cadere a terra.

6. Ieri notte, bande armate .... bestiame e grano.

7. Nel libro *Io non ho paura* si racconta la storia di un bambino di Pavia che .... dagli abitanti di un piccolo paese del Sud Italia.

8. .... un milione di euro come funzionario di dogana.

C Trova nel testo di p. 268 un sinonimo delle parole qui sottolineate:

(righe 1-2) Cominciavo a rilassarmi, quando tutti insieme <u>hanno urlato</u> – Ecco! Ecco! – Zitti! –
State zitti!   → .... (riga ....)

(riga 40) Vi <u>imploro</u>, non fategli male.   → .... (riga ....)

8 Esplorare la grammatica

Congiuntivo

A Leggi queste frasi tratte dai brani che hai letto e sottolinea i congiuntivi. Poi rispondi alle domande.

1. Ho avuto l'impressione che si muovesse.
2. Sono andato via, ma prima mi sono girato un paio di volte a controllare che ogni cosa fosse al suo posto.
3. Si stringeva le mani come se le dovessero scappare.

a. Che congiuntivi sono: presente, passato, imperfetto, trapassato?
b. Com'è il tempo del verbo della frase principale?
c. Perché viene usato il modo congiuntivo?

B Leggi questo enunciato tratto dal libro *Io non ho paura*. Sottolinea un caso di mancato uso del congiuntivo e spiegalo.

"Mentre pedalavo verso Acqua Traverse, pensavo alla pentola che avevo trovato nella cascina. Mi sembrava strano che era uguale alla nostra."

▶E 7, 8, 9, 10, 11, 12 **C** Completa queste frasi tratte dal romanzo *Io non ho paura*. Scegli tra i verbi elencati sotto e coniugali al congiuntivo imperfetto.

> offrire   accorgersene   potere   baluginare (accendersi e spegnersi)   esserci
> calare   ricominciare   essere (2)

1. Il tempo scorreva lento. A fine estate non vedevamo l'ora che .... la scuola.

2. Mi preoccupavo per la penitenza. Ero stanco morto. Speravo che il Teschio, per una volta, me la .... abbonare o spostare a un altro giorno.

3. C'era qualcosa di sporco, di... non lo so. Di brutto, ecco: e mi dava fastidio che .... mia sorella lì.

4. Mi tremavano le gambe ma speravo che nessuno ....

5. Vai tu Michele, che sei più grande. Non fare tante discussioni, – lo ha detto come se .... una cosa da niente, senza importanza.

6. Ho guardato verso la collina. E, per un istante, ho avuto l'impressione che una lucina .... sulla cima.

7. Mentre pedalavo verso Acqua Traverse, pensavo alla pentola che avevo trovato nella casci-na. Mi sembrava strano che era uguale alla nostra. Non lo so, forse perché Maria aveva scelto quella tra tante. Come se .... speciale, più bella, con quelle mele rosse.

8. – Non posso. Mi fa venire il male alla testa, – ha detto mia sorella come se le .... del veleno.

9. Ce ne stavamo sotto la pergola a giocare a sputo nell'oceano e ad aspettare che il sole .... un po' per farci una partita di calcio.

9 | Ascoltare

›1 **"Allora, l'hai poi letto *Io non ho paura*..."**

Vuoi sapere come finisce il libro *Io non ho paura*?
Ascolta la conversazione tra due amiche che com-mentano il romanzo di Niccolò Ammaniti. Elena è
CD2 l'amica che ha consigliato il libro a Gianna.

A Prendi nota e rispondi alle domande.

1. Le due amiche concordano sul giudizio d'insieme del ro-manzo. Come lo definiscono?

....

2. Che cosa ha apprezzato Elena del libro in particolar modo? ....

....

3. Che cosa ha colpito Gianna? ....

....

4. Come descrivono le due amiche il rapporto tra i due bambini? ....

....

5. Come sono ritratte nel libro le figure degli adulti e quelle dei bambini? ....

....

6. Quali descrizioni Elena definisce come "impressionanti"? ....

....

7. Elena racconta una scena che per lei è "drammatica". Quale? ....

....

8. Hai scoperto come finisce il romanzo? Scrivilo e poi raccontalo. ....

....

....

9. Come valutano le due amiche il libro dal punto di vista linguistico?
   Gianna ....
   Elena ....

10 Parlare

A Dopo avere letto diverse pagine del libro *Io non ho paura* e aver ascoltato un commento di due lettrici non puoi perdere una grande occasione: intervistare l'autore del libro.

Lavora con un compagno. Immaginate di partecipare al Festival della letteratura di Mantova al quale sarà presente l'autore, Niccolò Ammaniti. Uno di voi sarà un giornalista che farà l'intervista e l'altro studente interpreterà il ruolo dell'autore. Avete 15 minuti di tempo per prepararvi.
Ecco qualche idea:
• Da dove prende l'ispirazione per le storie che scrive?
• Qual è il libro che ha scritto che le piace di più?
• Quale sarà il suo prossimo libro?

11 Esplorare la grammatica

Condizionale passato

A Leggi gli esempi tratti dal libro *Io non ho paura* e rifletti sul perché viene usato il condizionale passato. Prova anche a fare un confronto con la tua lingua materna. Che cosa si usa in questi casi?

CONDIZIONALE PASSATO	
FATTI O DESIDERI CHE NON SI SONO REALIZZATI NEL PASSATO / IPOTESI IRREALE (NEL PERIODO IPOTETICO)	FUTURO NEL PASSATO
• Mi sarebbe piaciuto trasformarmi in un pipistrello e volare sopra la casa. • A un certo punto ho cominciato ad assopirmi, a ragionare più lentamente, mi sono fatto forza e mi sono detto che se mi addormentavo sarei morto.	• Mi sono infilato gli occhiali in tasca. Senza, Maria non ci vedeva, aveva gli occhi storti e il medico aveva detto che si sarebbe dovuta operare prima di diventare grande.

►E 1, 2, 3, 4, 5, 6

B Classifica le frasi che seguono in base all'uso del condizionale passato.

ESEMPIO

► C'era ancora un po' di luce ma entro mezz'ora <u>sarebbe calata</u> la notte. Questa cosa non mi piaceva tanto. (futuro nel passato)

1. Era più sveglio del Teschio, gli sarebbe stato facilissimo spodestarlo, ma non gli interessava diventare capo.

2. "Sono inciampata. Mi sono fatta male al piede e... gli occhiali si sono rotti!" Le avrei mollato uno schiaffone. Era la terza volta che rompeva gli occhiali da quando era finita la scuola.

3. Per penitenza il Teschio l'aveva obbligata a slacciarsi la camicia e a mostrarci il seno. Aveva un po' di tette, uno sputo, niente a che vedere con quelle che le sarebbero venute entro un paio di anni.

4. Ho pensato a mia sorella. Ho detto che era troppo piccola per gareggiare e che non era valido, avrebbe perso.

5. Si è messo a sghignazzare aspettandosi che anche noi avremmo fatto lo stesso, ma non è stato così.

6. Se lo dicevo, il Teschio, come sempre, si prendeva tutto il merito della scoperta. Avrebbe raccontato a tutti che lo aveva trovato lui perché era stato lui a decidere di salire sopra alla collina.

7. Papà non ripartiva. Era tornato per restare. Aveva detto a mamma che non voleva vedere l'autostrada per un po' e si sarebbe occupato di noi.

8. Ho nascosto la bicicletta come avrebbe fatto Tiger con il suo cavallo, mi sono infilato nel grano e sono avanzato a quattro zampe.

9. Ma se lo avevano nascosto lì ci doveva essere una ragione. Papà mi avrebbe spiegato tutto.

10. Mi sono arrampicato al mio solito posto, a cavalcioni di un grosso ramo che si biforcava, e ho deciso che a casa non sarei più tornato.

12 Reimpiego

Esprimere fatti/desideri non realizzati

A Immagina di essere Michele, il protagonista del romanzo *Io non ho paura*, e prova a immaginare come ti saresti comportato al suo posto, come avresti reagito di fronte a un evento tanto eccezionale e pauroso.

B Lavorate a coppie. Lo studente A riceverà una carta con un profilo della vita di un personaggio (che cosa ha fatto e i suoi sogni irrealizzati). Lo studente B lo intervisterà sulla sua vita e i suoi rimpianti. Poi scambiatevi i ruoli all'interno della coppia, usando le carte della coppia vicina.
(Per l'insegnante: le carte, che si trovano in *Appendice*, vanno fotocopiate e poi tagliate).

C E adesso tocca a voi parlare dei vostri desideri irrealizzati. Lavorate in gruppi di 3 persone e raccontatevi che cosa avete fatto nella vostra vita che non avreste voluto fare e al contrario che cosa non avete fatto che avreste voluto fare. Pensate al rapporto con i genitori, al percorso scolastico, alla vita privata, al lavoro, agli hobby...

ESEMPIO

► Mi sarebbe molto piaciuto imparare a suonare uno strumento musicale, per esempio il sassofono, e invece non l'ho fatto perché non ho ricevuto una ben che minima educazione musicale né in famiglia né a scuola. Ora, che ho famiglia e poco tempo per me, penso che sia troppo tardi perché mi costerebbe troppa fatica.

13 Lessico

Sfera semantica del "libro"

A Collega ciascuna definizione al "genere" a cui si riferisce, cercando le parole nel crucipuzzle.

E	X	P	S	A	T	I	R	A	M	O	T	L
N	L	F	O	T	O	R	O	M	A	N	Z	O
C	T	U	Z	S	T	A	M	Y	N	N	S	U
I	R	M	A	N	I	C	A	Y	U	B	A	M
C	H	E	B	E	P	C	N	W	A	I	G	O
L	R	T	B	R	V	O	Z	R	L	O	G	R
O	T	T	F	O	E	N	O	F	I	G	I	I
P	K	O	I	E	R	T	R	S	S	R	S	S
E	G	I	A	L	L	O	O	A	T	A	T	T
D	C	H	B	R	U	O	S	U	I	F	I	I
I	V	Q	A	M	G	T	A	I	C	I	C	C
A	N	A	R	R	A	T	I	V	A	A	A	I
F	A	N	T	A	S	C	I	E	N	Z	A	A

↓
→

1. Ricostruzione letteraria della vita di un personaggio storico

2. Opera di argomento poliziesco, con trama avventurosa e finale imprevisto

3. Storia romanzesca raccontata attraverso immagini fotografiche e brevi didascalie

4. Racconto illustrato con personaggi le cui parole sono racchiuse in una nuvoletta stilizzata

5. Trattazione ordinata, sistematica e il più possibile esauriente di cognizioni delle scienze e delle arti o di determinati campi limitati

6. Narrazione di vicende fantastiche ambientate nel cosmo

7. Narrazione di un argomento particolare o episodico

8. Storia d'amore, d'evasione, di sogni amorosi

9. Trattazione informativa e divulgativa di un dato argomento

10. Racconto fantastico destinato ai bambini

11. Esposizione critica frutto dello studio e dell'approfondimento di un tema culturale delimitato

12. Testi che narrano vicende reali o fantastiche, in forma di romanzo, racconto, novella

13. Testi spiritosi che suscitano il riso

14. Romanzi, racconti dell'orrore che suscitano nel lettore paura, disgusto

15. Testi che ironizzano in modo pacato o pungente sui costumi umani e sociali

B Tocca ora a te trovare una definizione, una parafrasi per le parole elencate sotto, che appartengono alla sfera semantica del "libro":

▶ trama   la trama è l'intreccio, la storia che viene narrata nel libro

1. ristampa   ....

2. editore   ....

3. tascabile   ....

4. best-seller   ....

5. ex-libris   ....

6. incunabolo   ....

7. copertina   ....

8. prefazione   ....

9. indice   ....

10. recensione   ....

14 Ascoltare

›2   **"Secondo lei questo tipo di pubblicazioni nuocciono alla vendita in libreria..."**

CD2

I GRANDI ROMANZI ITALIANI. LE NOSTRE PASSIONI.

VI PRESENTIAMO GLI ITALIANI CHE HANNO LASCIATO IL SEGNO NELLA NOSTRA LETTERATURA.

CORRIERE DELLA SERA

A Prima di fare l'ascolto, discutete con la classe.

- Quali sono nei vostri paesi i mezzi di diffusione della cultura del libro (i canali di distribuzione e le iniziative)?
- Che cosa pensate dell'iniziativa di due tra i più diffusi quotidiani italiani, «La Repubblica» e «Il Corriere della Sera», di vendere assieme ai giornali celebri capolavori della letteratura del Novecento?

B Ascolta ora due pareri sul tema della vendita dei libri associati ai giornali (da *Tra le righe*, Radio 24, 5 maggio 2003). Sentirai le interviste a una scrittrice italiana e a un libraio. Completa.

Nome della scrittrice ....

Titolo del suo libro venduto in edicola ....

Premio vinto dal libro ....

C Prendi nota e riassumi l'opinione dei due intervistati.

SONO FAVOREVOLI O CONTRARI ALLA VENDITA DEI LIBRI IN EDICOLA?	
LA SCRITTRICE	IL LIBRAIO

D Fai un secondo ascolto e decidi se le seguenti affermazioni sono vere (V) o false (F).

Neri Marcoré, presentatore della trasmissione TV «Per un pugno di libri».

		V	F
1.	La TV non aiuta per niente a vendere i libri.	☐	☐
2.	La vendita dei libri in edicola non è utile ai grandi lettori.	☐	☐
3.	La vendita dei libri in edicola ha fatto registrare un calo del mercato dei tascabili.	☐	☐
4.	Poca gente compra i libri nelle bancarelle.	☐	☐
5.	Con questa iniziativa si sono venduti, come al solito, più libri al Nord.	☐	☐
6.	Sono meno di un milione i lettori nuovi che hanno comprato i libri con i giornali.	☐	☐
7.	I quotidiani hanno fatto molta promozione non solo al libro che era in vendita, ma all'intera produzione letteraria dell'autore.	☐	☐
8.	Non sempre hanno messo in vendita con il quotidiano il libro migliore dell'autore.	☐	☐

15 Coesione testuale

A Leggi (o riascolta) questo pezzo di conversazione tratto dall'attività 14 e rifletti sui segnali discorsivi che tipicamente vengono usati nel parlato dal parlante per chiedere conferma di attenzione e dall'interlocutore per indicare che sta seguendo il discorso. Associa ai segnali discorsivi sottolineati nel testo della conversazione una delle seguenti funzioni:

RICHIESTA DI ATTENZIONE	....
RICHIESTA DI ACCORDO / CONFERMA	....
ACCORDO / CONFERMA	....

INTERVISTATORE	Ma lei non pensa che quei cinquecentomila, un milione di lettori in più possano diventare un domani anche potenziali acquirenti di libri in libreria?
LIBRAIO	Ascolti, Edgar, io le ho detto che non avevo preconcetti, no, però questa operazione se fosse stata condotta in un modo, appunto dicevo, con una certa sensibilità culturale... Per esempio, **bene**, sono stati distribuiti determinati titoli, no, ma mai che un giornale come «Repubblica» o «Il Corriere della Sera» insieme a *Cent'anni di solitudine*, che ha scelto di distribuire e quindi è andato a mezzo milione di persone, avesse fatto... Lei ha visto con quale attenzione e quanto spazio su questi quotidiani viene promozionata la cosa
INTERVISTATORE	Certo
LIBRAIO	un riquadro in cui
INTERVISTATORE	si parli anche degli altri libri
LIBRAIO	Dico, García Márquez non ha scritto soltanto *Cent'anni di solitudine*, ma ha scritto degli splendidi libri, come *L'amore ai tempi del colera*, *Cronaca di una morte annunciata*... Non c'è stato un minimo di accenno a dire: **bene**, noi vi facciamo leggere *Cent'anni di solitudine* che, tra l'altro, forse, potrebbe essere anche il libro non migliore, ma ci sono tutta una serie di altri libri che, se vi è piaciuto *Cent'anni di solitudine*, andateli a comperare in libreria [...]

B Con che funzione viene usata la parola *bene* che trovi in neretto due volte nella conversazione? Come puoi parafrasarla? Consultati con un compagno e poi con la classe.

C Scegli tra le cinque possibilità messe tra parentesi due segnali discorsivi con la stessa funzione, che potrebbero sostituire quello usato nella conversazione.

1. <u>Ascolti</u> (☐ a. senta ☐ b. allora ☐ c. appunto ☐ d. scusi ☐ e. dunque) Edgar, io, le ho detto che non avevo preconcetti, <u>no?</u> (☐ a. ecco ☐ b. insomma ☐ c. vero? ☐ d. giusto? ☐ e. diciamo)

2. – Lei ha visto con quale attenzione e quanto spazio su questi quotidiani viene promozionata la cosa
   • <u>Certo</u>. (☐ a. ho capito ☐ b. lo credo ☐ c. sì ☐ d. vero ☐ e. proprio).

D Analizza questo pezzo preso dalle pagine del romanzo *Io non ho paura* che hai letto a p. 268. Con che funzione viene usato il connettivo sottolineato e con quale modo (e tempo) si usa?

(righe 32-37) "È apparsa una signora. Elegante. Bionda. Non era né giovane né vecchia, ma era bella. Stava seduta su una grande poltrona di cuoio in una stanza piena di libri. Aveva gli occhi lucidi. Si stringeva le mani <u>come se</u> le dovessero scappare."

CONNETTIVO che indica ....

COME SE + ...

Completa queste frasi tratte dal romanzo *Io non ho paura* coniugando correttamente i verbi tra parentesi. Sottolinea in ogni frase il connettivo modale.

> **ESEMPI**
> ▶ Si comportava <u>come se</u> fosse un bambino piccolo. (ipotesi irreale, congiuntivo)
> ▶ Si comportava <u>come</u> non aveva mai fatto prima. (reale, indicativo)

1. Ogni tanto faceva no con la testa. Poi sbuffava come se (*stare litigando*) .... con qualcuno.

2. Avevo due figli. Uno è vivo ma è come se (*essere*) .... morto. L'altro è morto ma è come se (*essere*) .... vivo.

3. Salvatore mi piaceva. Mi piaceva come (*rimanere*) .... sempre tranquillo e non (*offendersi*) .... ogni cinque minuti.

4. Salvatore arrivava appena sopra il volante e lo stringeva come se (*volere*) .... spezzarlo.

5. La voce di papà. Parlava piano, quasi il dottore gli (*stare dicendo*) .... che ero in fin di vita.

6. Questa volta mia madre si arrabbiò come non la (*vedere, mai*) .... prima.

7. I gatti quando catturano le lucertole ci giocano. La inseguono calmi, si siedono e la colpiscono e ci si divertono fino a quando la lucertola non muore, e quando è morta la toccano appena, come se gli (*fare*) .... schifo.

8. Da dietro alla collina sono apparsi due elicotteri. Si sono abbassati su di noi e noi abbiamo cominciato a sbracciarci e a urlare, si sono affiancati, hanno girato nello stesso mo-

mento, come se (*volerci*) .... far vedere quanto erano bravi e poi hanno pla-

nato sui campi.

9. Felice si è immobilizzato come se (*giocare*) .... a un due tre stella.

10. Lo abbracciavo come (*essere*) .... un fantoccio.

11. Mi accarezzava come non lo (*fare, mai*) ....

16 Parlare

A **Intervista: gusti in fatto di libri.** Lavorate in coppia. Avete 10 minuti di tempo per raccogliere le idee e rispondere alle domande. Poi intervistatevi a turno.

- Che cosa stai leggendo?
- Quali sono state le tue prime letture?
- Qual è il libro più divertente che hai letto? E quello più triste? E il più difficile?
- Un libro che ti ha fatto paura?
- Dimmi un personaggio con cui ti sei identificato. E un personaggio che hai odiato?
- Quale libro dovrebbe avere un seguito?
- Un classico che non hai letto e che ti piacerebbe/sarebbe piaciuto leggere?
- Le più belle poesie d'amore?
- Un libro che ti ha cambiato la vita?
- Che libro/i ti porteresti su un'isola deserta?

B **Raccontare e commentare un libro.** Hai qualche minuto di tempo per pensare a un libro che ti è particolarmente piaciuto e che consiglieresti a un amico. Mettiti in coppia con un compagno e a turno raccontate e commentate il libro.

C **Discutere per risolvere un problema. Coltivare il piacere di leggere.** Dividetevi in 3 gruppi. Immaginate di essere il comitato culturale della biblioteca del vostro quartiere. Un gruppo si occuperà dei gusti dei bambini, un altro di quelli degli adolescenti e l'ultimo di quelli degli adulti. Ciascun gruppo deve formulare una serie di proposte e di iniziative concrete da tenersi in biblioteca per incentivare il piacere della lettura nella fascia d'età stabilita. In un secondo momento, un portavoce eletto da ciascun gruppo dovrà esporre alla classe le proposte emerse all'interno del comitato di lavoro.

17 Scrivere

Una recensione

La recensione è un tipo di testo che ha lo scopo di informare e incuriosire il lettore e insieme di valutare criticamente un libro appena uscito.

TESTO ESPOSITIVO-INTERPRETATIVO

Recensione (schema)

INTRODUZIONE
• Che genere di testo è? Racconto, romanzo...
• Chi è l'autore? Quando è stato scritto il testo?
• In quali circostanze storiche?
• In quale quadro culturale si può collocare?

TRAMA, CONTENUTI
• Di che cosa tratta in generale?
• Quali sono i contenuti principali? (Vicenda, ambiente, personaggi, protagonista)

STILE
• Che caratteristiche formali ha? Che ritmo ha, che andamento? Che varietà di lingua vengono usate nelle parti dialogiche e narrative?

INTERTESTUALITÀ
• Puoi metterlo in relazione con altri testi dello stesso autore o di altri?

VALUTAZIONE
• Il testo è in rapporto con particolari problemi della realtà e con la situazione storica?
• Come lo valuti? (sia nella forma che nei contenuti)

A Leggi questa recensione del libro *Io non ho paura* e analizza la struttura del testo in base allo schema che trovi sopra.

IL LIBRO DELLA SETTIMANA

Io non ho paura
Niccolò Ammaniti

*"E tutto si è fermato.
Una fata aveva addormentato Acqua Traverse. I giorni seguivano uno
dopo l'altro, bollenti, uguali e senza fine."*

Finalmente una storia originale, diversa, nuova. Un nuovo romanzo per un autore già ben conosciuto dal pubblico dei lettori italiani: il suo precedente lavoro, *Ti prendo e ti porto via*, ha raccolto molti consensi, anche da parte di critici illustri (in questi giorni ancora Sergio Pent su «La Stampa» lo ha definito "uno dei romanzi più completi e ben strutturati delle ultime stagioni"). Qui Ammaniti si confronta con una storia difficile, vista attraverso gli occhi di un bambino. Siamo nella campagna italiana del Sud, in un piccolissimo

5

→

paese collocato in un'area geografica indefinita, Acqua Traverse, frazione di
Lucignano, composto da una manciata di case (proprio "quattro case in tutto", se si esclude un grande casale dell'Ottocento), senza una piazza, senza al-   10
tre strade se non lo stradone centrale. Quattro case tra i campi di grano. È il
1978, è estate e fa molto caldo. I ragazzini sono a casa: la scuola è chiusa per
le vacanze estive. È una piccola banda di bambini quella che scorrazza nelle
campagne di Acqua Traverse, retta dai difficili equilibri di forza tra i più grandi e i più piccoli. Sono bambini e bambine (queste in minoranza) di età mol-   15
to varia: dai 5 ai 12 anni. Michele è uno di questi ed è la voce narrante che ci
racconta questa storia lontana, del tempo in cui aveva nove anni (una storia
della fine degli anni Settanta con tanti elementi che la connotano). Un padre
camionista che vuole cambiare vita, una madre casalinga molto bella e corteggiata, una sorellina, Maria, la più piccola del gruppo, che Michele deve   20
quasi sempre trascinarsi appresso. Tra i tanti giochi organizzati insieme, anche le lunghe pedalate nella campagna, alla ricerca di emozioni, come giovani esploratori in terra d'Africa. Una di queste "escursioni" porta Michele al-
l'interno di una casa abbandonata e diroccata che la "banda" non aveva mai
visto, lontana dal paese, dietro una collina. All'interno di questo edificio peri-   25
colante avverrà l'incontro con un personaggio determinante della storia, un
coetaneo che... Non è possibile svelare di più di una trama incalzante, in alcuni momenti quasi travolgente. Ammaniti ha descritto un momento non
lontano, ma quasi senza tempo, con la capacità di farci rivivere colori, luci e
sensazioni comuni: quelli dell'infanzia, delle estati con gli amici, dei giochi   30
in compagnia, dei litigi, dei rapporti con i genitori. La normalità vista con gli
occhi di un bambino. Ma all'interno di questo quadro ha saputo inserire l'eccezionalità, l'evento. Michele vive alcune (poche) giornate che lo trasformano, che ne fanno quasi un adulto, rendendolo autonomo, dandogli la forza e
il coraggio di decidere, svincolandolo traumaticamente dal legame affettivo   35
(basato sulla fiducia e sul rispetto oltre che sull'amore) con i genitori. Michele al termine della storia "non ha più paura" di affrontare il pericolo. Ha uno
scopo, quello di difendere un amico. È diventato per lui un "angelo custode"
e deve impersonificare questa figura sino in fondo, portando a termine il suo
compito. Se gli adulti hanno sbagliato (nel goffo tentativo di realizzare il so-   40
gno comune di raggiungere il benessere e trasferirsi al Nord) innescando un
dramma che potrebbe finire in tragedia, lui potrà forse rimediare. E lo farà,
in un finale probabilmente un po' troppo "cinematografico", ma di sicuro impatto emotivo. Difficile dire di più di una vicenda che non può essere raccontata per non compromettere il piacere della lettura, che è anche piacere del ri-   45
cordo di un'infanzia e di un'ingenuità perdute per sempre.

Di Giulia Mozzato

(da http://www.cafeletterario.it/196/cafelib.htm)

B Sottolinea le parti del testo in cui il recensore valuta il libro. Poi sintetizza con parole tue come lo valuta.

_____

_____

_____

_____

C Ora tocca a te scrivere una recensione di un libro che hai letto e che ti ha particolarmente colpito.

D Racconto "I COLORI RACCONTANO"
Immagina di partecipare a un concorso letterario promosso dall'Ente Fiera del libro di Torino il cui titolo è "I colori raccontano". Scrivi un racconto reale o immaginario (di 200 parole) che evochi questo tema. Il racconto più bello verrà premiato e letto alla classe.

E Finire un racconto letterario
Leggi la prima parte di un racconto tratto da *Il borghese stregato e altri racconti* di Dino Buzzati e commentalo con un compagno. Poi immagina di proseguire il racconto e di scriverne la conclusione. In guida potrai leggere la fine del racconto di Buzzati.

Il borghese stregato

Giuseppe Gaspari, commerciante in cereali, di 44 anni, arrivò un giorno d'estate al paese di montagna: dove sua moglie e le bambine erano in villeggiatura. Appena giunto, dopo colazione, quasi tutti gli altri essendo andati a dormire, egli uscì da solo a fare una passeggiata.

Incamminatosi per una rapida mulattiera che saliva alla montagna, si guardava intorno a osservare il paesaggio. Ma, nonostante il sole, provava un senso di delusione. Aveva sperato che il posto fosse una romantica valle con boschi di pini e di larici, recinta da grandi pareti. Era invece una valle di prealpi, chiusa da cime tozze, a panettone, che parevano desolate e torve. Un posto da cacciatori, pensò il Gaspari, rimpiangendo di non esser potuto mai vivere, neppure per pochi giorni, in una di quelle valli, immagini di felicità umana, sovrastate da fantastiche rupi, dove candidi alberghi a forma di castello stanno alla soglia di foreste antiche, cariche di leggende. E con amarezza considerava come tutta la sua vita fosse stata così: niente in fondo gli era mancato ma ogni cosa sempre infe-

riore al desiderio, una via di mezzo che spegneva il bisogno, mai gli aveva dato piena gioia.

Intanto era salito un buon tratto e, voltatosi indietro, stupì di vedere il paese, l'albergo, il campo da tennis, già così piccoli e lontani. Stava per riprendere il cammino quando, di là di un basso costone, udì alcune voci.

Per curiosità lasciò allora la mulattiera e, facendosi strada tra i cespugli, raggiunse la schiena della ripa. Là dietro, sottratto agli sguardi di chi seguiva la via normale, si apriva un selvatico valloncello, dai fianchi di terra rossa, ripidi e crollanti. Qua e là un macigno che affiorava, un cespuglietto, i resti secchi di un albero. Una cinquantina di metri più in alto il canalone piegava a sinistra, addentrandosi nel fianco della montagna. Un posto da vipere, rovente di sole, stranamente misterioso.

A quella vista egli ebbe una gioia; e non sapeva neanche lui il perché. Il valloncello non presentava speciale bellezza. Tuttavia gli aveva ridestato una quantità di sentimenti fortissimi, quali da molti anni non provava; come se quelle ripe crollanti, quella abbandonata fossa che si perdeva chissà verso quali segreti,

le piccole frane bisbiglianti giù dalle arse prode, egli le riconoscesse. Tanti anni fa le aveva intraviste, e quante volte, e che ore stupende erano state; propriamente così erano le magiche terre dei sogni e delle avventure, vagheggiate nel tempo in cui tutto si poteva sperare.

Ma proprio sotto, dietro a un'ingenua siepe di paletti e di rovi, cinque ragazzetti stavano confabulando. Seminudi e con strani berretti, fasce, cinture, a simulare vesti esotiche o piratesche. Uno aveva un fucile a molla, di quelli che lanciano un bastoncino, ed era il più grande, sui quattordici anni. Gli altri erano armati di archetti fatti con rami di nocciuolo: da frecce servivano piccoli uncini di legno ricavati dalla biforcazione di ramoscelli.

«Senti» diceva il più grande, che portava alla fronte tre penne. «Non me ne importa niente... a Sisto io non ci penso, a Sisto penserai tu e Gino, in due ce la farete, spero. Basta che facciamo piano, vedrai che li prendiamo di sorpresa».

Il Gaspari, ascoltando i loro discorsi, capì che giocavano ai selvaggi o alla guerra: i nemici erano più avanti, asserragliati in un ipotetico fortilizio, e Sisto era il loro capo, il più in gamba e temibile.

18 Navigando

A Ti interessa *chattare* con uno scrittore contemporaneo italiano? Ecco i siti di tre autori contemporanei molto amati dagli italiani:

www.andreadecarlo.net
www.susannatamaro.it
www.abcity.it (di Alessandro Baricco)

B Lavorate in piccoli gruppi. Ecco alcuni siti dedicati ai libri: **www.kwlibri.kataweb.it**, **www.alice.it**, **www.cafeletterario.it**. Esplorateli e, dividendovi i compiti tra gruppi, fate una ricerca su:

• i più importanti premi letterari italiani (es. il premio Strega, il premio Campiello)
• i festival letterari e le fiere del libro in Italia
• i premi Nobel per la Letteratura assegnati ad autori italiani

Giosué Carducci

Grazia Deledda

Luigi Pirandello

Eugenio Montale

Salvatore Quasimodo

Dario Fo

C Gli italiani, popolo di lettori?
Lavorate in gruppi. Entrate nel sito dell'Istat (**www.istat.it**, sezione "Società" e sotto-sezione "Istruzione e cultura") e cercate dei dati sui comportamenti degli italiani nei confronti della lettura (chi legge, quanto legge, cosa legge, in quali regioni si legge di più, in quali fasce d'età ecc.). Cercate anche nei siti segnalati sopra una classifica dei libri più venduti nelle librerie italiane nell'ultima settimana. Poi fate una relazione di sintesi alla classe.

Esercizi

1 Completa queste frasi scegliendo tra il condizionale presente e quello passato.

1. E lei (*studiare*) .... per questo esame due mesi? Ma chi vuole prendere in giro!?!

2. Te la (*prestare*) .... volentieri ma serviva a Giulio.

3. Una cortesia, (*dire*) .... al dottore che sono arrivata?

4. La (*comprare*) .... , ma ho i soldi contati in questo periodo.

5. E tu (*pretendere*) .... di uscire anche stasera? Non se ne parla neanche!

6. Sapeva che (*perdere*) .... ma ha tentato lo stesso.

7. E questi (*essere*) .... i nuovi calzoni che hai comprato ieri? Ma se sono stinti!!

8. Io credo che chi beve abbia dei rapporti problematici in famiglia. Che ne pensa? Io non (*generalizzare*) .... in questo modo.

9. Venite all'assemblea? Veramente io (*dovere*) .... finire prima questo lavoro.

10. (*Volere, io*) .... intraprendere la carriera di attrice, ma questo mestiere allora non era ben visto.

11. Ti ho giurato che (*tornare*) .... e come vedi sono qui.

12. Avevo una voglia tremenda di piangere, ma mi sono giurato che se una sola lacrima mi fosse uscita dagli occhi, (*prendere*) .... la pistola e (*spararmi*) ....

13. Invito anche Carla perché so che (*rivedere*) .... con piacere quel film.

2 Trasforma questi progetti futuri nel discorso indiretto iniziando con la frase indicata tra parentesi. Attenzione che oltre ai verbi devi cambiare anche i pronomi e le parole sottolineate.

1. (Felice ha promesso a Filippo che *sarebbe andato a trovarlo il giorno dopo*...) "Verrò a trovarti <u>domani</u>. Ti porterò una bottiglia d'acqua fresca, del sapone per lavarti e dei vestiti puliti. Poi cercherò di farti uscire da <u>questo</u> buco. Ma tu mi dovrai aiutare. Ti caricherò sulla mia bicicletta e assieme andremo dai carabinieri, così potrai riabbracciare la tua mamma."

2. (Ieri Paolo al telefono ha detto a Franca che...) "Partirò <u>domattina</u>. Cercherò di alzarmi presto, farò colazione per strada e poi fino a Firenze non farò più soste. Sarò a casa verso le prime ore del pomeriggio, se tutto va bene."

3. (Felice ha sentito il padre che parlava con la madre e diceva che...) "Quando prenderemo i soldi del sequestro ce ne andremo da <u>questo</u> postaccio. Ci trasferiremo subito al Nord, a Milano, ci compreremo una casa con giardino, avremo tante stanze così i bambini potranno dormire nella loro cameretta e tu potrai finalmente comprarti la pelliccia e io una nuova macchina. Sarà una nuova vita e presto dimenticheremo <u>questa</u> terribile storia."

4. (Questo è un tema che hai scritto quando eri bambino. Dicevi che...) "Da grande diventerò famoso. Farò il disegnatore di fumetti. Disegnerò dei personaggi che il pubblico amerà moltissimo perché saranno pieni di umanità e di difetti. Ma avranno dei poteri straordinari e salveranno il mondo dai signori della guerra. Poi mi sposerò con una principessa indiana e faremo almeno quattro bambini. Sarò ricco ma soprattutto felice."

3 Il condizionale passato si usa anche per esprimere un'azione irrealizzabile nel futuro reale quando il soggetto sa già nel presente che non potrà fare qualcosa perché esiste un impedimento. Completa queste frasi trovando una "disponibilità impedita" adatta:

ESEMPIO

▶ .... , ma devo consegnare la traduzione entro oggi.
Sarei venuta anch'io alla mostra, ma devo consegnare la traduzione entro oggi.

1. .... , ma proprio oggi serve a me.
2. .... , ma devo aiutare mia figlia a fare i compiti.
3. .... , ma sono al verde.
4. .... , ma non conosco l'inglese.
5. .... , ma hanno rimandato la partenza.
6. .... , ma so che hai già un impegno.
7. .... , ma non hanno la mia taglia.
8. .... , ma non lo sopporto proprio.
9. .... , ma non è riuscito a vederlo.
10. .... , ma non mi piacciono i romanzi gialli.

4 Il condizionale passato si usa negli articoli di cronaca giornalistica per esprimere delle notizie non confermate. Leggi queste brevi cronache e completale facendo ipotesi su che cosa sia successo. Poi confrontati con un compagno.

1)
> CATANIA, EPISODIO DI INTOLLERANZA RAZZIALE
> *"Occupi troppo spazio, scendi dall'autobus..."*
> CATANIA – Un episodio di intolleranza razziale è stato denunciato ieri a Catania. Protagonista dell'episodio un venditore ambulante di colore, costretto a scendere da un autobus di linea in seguito all'intervento di alcuni vigili urbani. Secondo i vigili urbani alcuni passeggeri si sarebbero lamentati del fatto che il venditore ostruisse il passaggio con la sua mercanzia e lo avrebbero invitato a scendere.

Secondo il racconto di una ragazza invece

....

....

....

....

2)
> BIMBA ITALIANA MUORE SUL TRAGHETTO PER LA SARDEGNA
> *Trovata nel gabinetto in fin di vita*
> CAGLIARI – Una bambina di 7 anni, in vacanza con la famiglia in Sardegna, è morta venerdì mattina all'ospedale di Cagliari, in seguito a un incidente avvenuto sul traghetto. Ancora non sono note le cause.

Secondo i genitori ....

....

....

Secondo i medici ....

....

....

3)
> "HO BUTTATO IN MARE I MIEI FIGLI. ERANO GIÀ MORTI DA DUE GIORNI"
> LAMPEDUSA – Trentasei somali partiti due mesi fa da Mogadiscio hanno pagato 1200 dollari a testa per arrivare in Italia. Undici le persone morte o disperse.

Secondo lo scafista ....

....

....

Secondo un superstite ....

....

....

Secondo il padre ....

....

....

5 Lavorate in coppia e poi confrontatevi con la classe. Leggete le frasi e completate, come nell'esempio, lo schema della concordanza dei tempi che trovate sotto. Quali tempi/modi sono possibili quando tra il verbo della frase secondaria e quello della frase principale c'è un rapporto di posteriorità, cioè di futuro?

1. **So** che Mauro arriverà domani.
2. Mi **hanno** appena **detto** che Silvio partirà domani.
3. **Sappiamo** che Sara arriva stasera.
4. **So** che tra una settimana (quando io arriverò in Canada) lui sarà già partito per l'Italia e quindi non ci incontreremo.
5. **So** che Carlo verrebbe volentieri a trovarci.
6. Paola mi ha telefonato poco fa e mi **ha detto** che sarebbe venuta volentieri al cinema ma sta male.
7. **La settimana scorsa** Saverio **mi ha detto** che sarebbe venuto volentieri a trovarci ma non ha potuto.

CONCORDANZA

RAPPORTO DI POSTERIORITÀ

PASSATO — PRESENTE — FUTURO

| FRASE PRINCIPALE | FRASE SECONDARIA POSTERIORITÀ |

futuro (reale)

....

....

....

presente
passato legato al presente
(passato prossimo)

(azione realizzabile)

(azione non realizzabile)

passato non legato al presente
(passato prossimo, passato remoto, imperfetto, trapassato prossimo)

(futuro nel passato – non si sa se l'azione si è realizzata)

---

6 Dopo aver completato lo schema dell'esercizio precedente, completa queste frasi facendo attenzione al rapporto di posteriorità della frase secondaria rispetto alla principale. Scegli tra il futuro (semplice, composto) e il condizionale (presente, passato).

1. Sono sicuro che domani Sergio (*riuscire*) .... a passare l'esame di guida.
2. Marco ripeteva spesso che (*andare*) .... a vivere da solo.
3. Invito anche Sabina perché so che (*rivedere*) .... con piacere quella commedia.
4. Ti ho raccontato che l'estate scorsa (*noleggiare*) .... volentieri un camper ma erano già tutti prenotati.
5. Dopo che (*finire*) .... di leggere questo libro te lo presterò.
6. Eravamo certi che Giorgio (*aspettarci*) .... alla stazione.
7. So che domani sera i signori Rossi vanno a teatro. Quasi quasi (*andarci*) .... anch'io.
8. Non credevamo neppure noi che Paola (*laurearsi*) .... in soli quattro anni.
9. Penso che stasera per andare in discoteca (*indossare, io*) .... il vestito nero.
10. Quando (*finire*) .... il corso, parlerai molto bene l'italiano.
11. Mi ha chiamata adesso e mi ha detto che (*arrivare*) .... domani alle nove all'aeroporto.
12. Pensa che domani a quest'ora (*essere operato già, tu*) ....

7 Trasforma queste frasi come nell'esempio cominciando con il verbo tra parentesi.

▸ La balena di Pinocchio mi mangiava. (Avevo paura che...)
Avevo paura che la balena di Pinocchio mi mangiasse.

LE PAURE DEI BAMBINI

1. L'artiglio affilato di un mostro mi affondava nel collo. (Temevo che...)

2. Nel buio arrivavano le streghe e mi portavano via. (Avevo paura che...)

3. Mia madre mi abbandonava dalla nonna e non tornava più a riprendermi. (Avevo il terrore che...)

4. Il mio miglior amico mi tradiva e preferiva giocare con altri bambini. (Avevo paura che...)

LE SPERANZE

5. I cani del vicino non mi annusavano e cominciavano ad abbaiare. (Speravo che...)

6. I miei genitori vivevano più a lungo possibile. (Avevo la speranza che...)

7. La scuola finiva in fretta così potevamo andare nella casa in campagna dei miei cugini. (Non vedevo l'ora che...)

8. Mio fratello troverà un lavoro appena laureato e uscirà di casa. (Pregavo perché...)

Ora lavorate in coppia e raccontatevi le paure e le speranze che avevate quando eravate piccoli.

8 Riformula la frase come nell'esempio per attenuare l'affermazione. Scegli tra il congiuntivo presente e l'imperfetto.

▸ Piera non capiva niente. Ma no, *non è che non capisse niente*, era solo distratta.

1. Tua madre vuole dare ordini a tutti. Ma no, ..., ha solo un carattere molto forte.

2. Secondo me quel libro ha un finale incoerente. Ma no, ... , ha solo una conclusione a sorpresa.

3. Quel libro era una vera schifezza. Ma no, ... , era scontato e poco avvincente.

4. Il personale dell'albergo non era affatto professionale. Ma no .... , avevano solo troppo da fare.

5. Tua sorella è veramente antipatica. Ma no, ... , è aggressiva per timidezza.

6. La nuova insegnante è troppo severa. Ma no, ... , è nuova e vuole farsi rispettare.

7. Il professore di matematica dell'anno scorso spiegava male. Ma no, ... , spiegava solo troppo in fretta.

9 Completa queste battute, facendo dei commenti come nell'esempio.

▸ Hai visto che hanno rimodernato la mensa?! Io invece pensavo che ne costruissero una nuova.

1. Lo sai che domani c'è sciopero? Io pensavo che ....

2. Lo sai che hanno aperto una nuova discoteca vicino allo stadio? Io invece immaginavo che ....

3. Hai visto che hanno messo un nuovo tipo di macchinette per la timbratura del cartellino? Io veramente speravo che ....

4. Lo sapevi che domenica scorsa tutti i negozi erano già aperti per le vacanze di Natale? Santina credeva che ....

5. Hai notato che Simonetta e Paolo escono sempre assieme? Maria temeva che ....

6. Hai visto che Antonietta si è rifatta il naso? Credevo che ....

7. Hai sentito che Jovanotti terrà un concerto anche a Savona? Veramente credevo che ....

10 Formula delle domande appropriate come nell'esempio.
Ipotesi fantastiche: che cosa succederebbe se...

ESEMPIO

▶ **Risposta:** Dovremmo mangiare tutti i cibi crudi.
Domanda: Che cosa succederebbe se non conoscessimo il fuoco?

1. La gente si annoierebbe, cadrebbe nell'ozio e nei vizi.
2. La gente dovrebbe mangiare solo prodotti freschi.
3. Non potremmo andare in bicicletta.
4. La gente sfortunata o che sta male si suiciderebbe.
5. Sarei contento perché ho sempre desiderato poter sapere che cosa si prova ad essere una donna.
6. La gente impazzirebbe perché potrebbe comprare tutto ciò che desidera.

11 Coniuga correttamente i verbi tra parentesi al congiuntivo, richiesto dalla presenza dei connettivi nelle frasi. Scegli tra il congiuntivo presente, passato e imperfetto.

1. Dovevi avvisarli, **prima che** .... (*partire*).
2. Spero di farcela a uscire dal lavoro **prima che** i negozi .... (*chiudere*).
3. Darei le dimissioni immediatamente **quando** ne .... (*riconoscere*) la necessità.
4. **Se** .... (*vincere*) alla lotteria farei un viaggio di sei mesi nell'America latina.
5. Ti presto il libro di matematica **a condizione che** tu me lo .... (*restituire*) entro un mese.
6. **Sebbene** .... (*smettere*) di piovere preferisco portare la bambina a scuola in macchina.
7. Per non incorrere in una sanzione, la domanda va spedita una settimana **prima che** .... (*scadere*) i termini della consegna.

8. Le compreremo il computer **a patto che** .... (*restare*) promossa.
9. L'ha cacciata fuori casa insultandola **quasi** .... (*volere*) dimostrare la sua autorità.
10. **Nonostante** .... (*piovere*) molto la terra è ancora molto arida.
11. Non mi ha rivolto la parola **come se** .... (*essere, noi*) due estranee.
12. **Prima che** la legge .... (*cambiare*) era possibile usufruire del servizio gratuitamente.

12 Completa questo testo tratto da *La lunga vita di Marianna Ucrìa* di Dacia Maraini, coniugando i verbi al congiuntivo presente, passato, imperfetto e al condizionale passato.

Stracci di pensieri galleggiavano nella sua testa stanca [...].
Il gruppetto di fratelli come li aveva dipinti quel giorno di maggio in cui era svenuta nel cortile della "casena": le braccia di Agata mangiate dalle zanzare, le scarpe a punta di Geraldo, le stesse che le erano state messe ai piedi dentro la bara con l'augurio che (*fare*) (1) .... delle lunghe camminate fra le colline popolate di angeli. La risata maliziosa di sua sorella Fiammetta che con l'età è diventata un po "stramma"; da una parte si fustiga e porta il cilicio, dall'altra non fa che impicciarsi degli affari di letto di tutta la parentela. [...] E Giuseppina, ancora inquieta e insoddisfatta, la sola che (*leggere*) (2) .... dei libri e (*avere*) (3) .... voglia di ridere, la sola che non le (*rimproverare*) (4) .... le sue stravaganze e la (*accompagnare*) (5) .... al porto alla partenza, nonostante i divieti del marito. [...]
Ed ecco che nella camera da letto dove Marianna aveva dato alla luce tutti e cinque i suoi figli sotto gli sguardi annoiati delle chimere, era entrato Saro con le gambe slanciate e il sorriso dolce. Sul letto dei parti e degli aborti si erano abbracciati, mentre Peppinedda girava per casa inquieta, tenendo nella pancia un figlio di dieci mesi che non si decideva a nascere. Tanto che la levatrice aveva dovuto forzare

l'uscita e si era messa a saltarle addosso quasi (*essere*) (6) .... un materasso pieno di paglia. E quando sembrava che (*dovere*) (7) .... morire dissanguata, finalmente era venuto fuori un bambino enorme con gli stessi colori di Sarino, nero bianco e rosa, il cordone ombelicale girato tre volte attorno al collo.

Era anche per Peppinedda che aveva deciso di partire. Per quelle occhiate di resa e di complicità donnesca che le regalava, quasi a dirle che acconsentiva a spartire il marito con lei in cambio della casa, degli abiti, del cibo abbondante, e alla totale cecità di fronte ai suoi furti per le sorelle.

Era diventata un'intesa familiare, un "accomodo" a tre a cui Saro si rifugiava diviso tra apprensione e felicità. Felicità che (*precedere*) (8) .... di poco la sazietà. Ma forse no, forse si sbagliava: fra un'amante madre e una moglie bambina lui (*continuare*) (9) .... per sempre, con tenerezza e dedizione. (*Trasformarsi*) (10) .... come già stava facendo in un calco di se stesso: un soddisfatto giovanotto sul punto di perdere il candore e l'allegria, per una giusta combinazione di paterna condiscendenza e intelligente amministrazione del futuro familiare.

Li aveva colmati d'oro prima di andarsene. Non per generosità probabilmente ma per farsi perdonare l'abbandono e per farsi amare anche da lontano, ancora per un poco.

(Rizzoli, Milano 1994, pp. 250-251)

13 Completa questo articolo scegliendo tra le preposizioni *per*, *tra*, *a* (semplice o articolata).

Queste librerie sono uno spettacolo

Attori che recitano (1) .... pile di libri, musica dal vivo che rieccheggia (2) .... gli scaffali, bar e salotti (3) .... stare comodi mentre si sceglie un nuovo romanzo. Dimenticatevi il vecchio, classico negozio. Oggi in libreria si va anche (4) .... divertirsi, vedere spettacoli e scoprire la tecnologia più sorprendente. Nel nuovo Mondadori Multicenter di Torino (Via Monte di Pietà 2) entri (5) .... scegliere un libro e ti ritrovi non solo (6) .... centinaia di titoli, ma anche (7) .... telefoni cellulari e videogame, prodotti di elettronica e dvd. Nei 1.600 metri quadri del negozio trovi anche servizi del tutto innovativi: puoi sviluppare le tue fotografie digitali o navigare in Internet con un collegamento (8) .... altissima velocità. Sorprese anche (9) .... Feltrinelli di piazza Piemonte 2, a Milano. La libreria ospita spesso scrittori, cantanti e artisti. E l'ampio spazio (10) .... piano terra, con l'angolo bar, si trasforma in un palcoscenico (11) .... concerti dal vivo: il 18 giugno tocca (12) .... Elio e le Storie Tese.

Se ami il teatro e la lettura a Bassano del Grappa c'è un'altra libreria speciale. Si trova nel settecentesco Palazzo Roberti (via Jacopo da Ponte, 34): la sala centrale si affaccia su un giardino, i libri, suddivisi (13) .... temi, si trovano in diverse stanze, (14) .... quali si alternano comodi saloni di lettura. Dal 19 al 21 giugno qui si terrà la rassegna "Libri da ascoltare": alcune compagnie dell'avanguardia teatrale metteranno in scena *pièce* ispirate (15) .... testi letterari di autori come Niccolò Ammaniti e Jack Kerouac.

(16) .... passare una serata (17) .... i volumi, invece, c'è Camera a Sud, nel centro di Brindisi (largo Otranto), dove puoi intrattenerti fino a notte fonda. Dopo aver scelto un libro, ti accomodi in salotto (18) .... leggerlo, magari degustando un buon vino pugliese.

(da «Donna Moderna», 4 giugno 2003)

Ripasso

1 Completa questo dialogo tra il bambino Michele e suo padre, tratto da *Io non ho paura*, mettendo i pronomi (diretti, indiretti, combinati, *ci*, *ne*).

— Papà, mi dici una cosa?

Ha gettato la sigaretta dalla finestra. — Che c'è?

— Perché (1) .... avete messo nel buco? Non (2) .... ho capito proprio bene.

— Ha afferrato la maniglia, ho creduto che non mi volesse rispondere, poi ha detto: — Non (3) ....
.... volevi andare da Acqua Traverse?

— Sì.

— Presto (4) .... andremo in città.

— Dove andremo?

— Al Nord. Sei contento?

Ho fatto sì con la testa.

È tornato da me e (5) .... ha guardato negli occhi. L'alito (6) .... sapeva di vino.

— Michele, ora (7) .... parlo come a un uomo. Ascolta (8) .... bene. Se torni lì (9) .... uccidono.
(10) .... hanno giurato. Non (11) .... devi tornare più se non vuoi che (12) .... sparano e se vuoi
che (13) .... andiamo in città. E non (14) .... devi parlare mai. Hai capito?

— Capito.

(15) .... ha baciato la testa. — Ora dormi e non (16) .... pensare. Vuoi bene a tuo padre?

— Sì.

— (17) .... vuoi aiutare?

— Sì.

— Allora dimentica tutto.

— Va bene.

— Dormi ora — . Ha baciato Maria che neanche
(18) .... è accorta ed è uscito dalla
stanza chiudendo piano la porta.

Test

1 Completa questo testo tratto da *L'isola del giorno prima* di Umberto Eco (Bompiani 1994) coniugando i verbi al tempo, modo e persona corretti. Scegli tra il condizionale presente e passato, il congiuntivo passato e imperfetto. È la storia di un naufrago che, dopo aver vagato a lungo per l'oceano, viene scaraventato dalle onde su di una nave deserta, la *Daphne*, abbandonata dall'equipaggio.

Umberto Eco
L'isola del giorno prima
romanzo Bompiani

In ogni caso che la *Daphne* (*essere*) (1) .... un flauto era un vantaggio, Roberto poteva muoversi con una certa conoscenza della disposizione dei luoghi. Per esempio, (*dovere*) (2) .... esserci al centro della coperta la grande scialuppa capace di contenere l'equipaggio al completo: e che non (*esserci*) (3) .... lasciava credere che l'equipaggio (*essere*) (4) .... altrove. Ma questo non tranquillizzava Roberto: un equipaggio non lascia mai la nave incustodita e in balia del mare, anche se ancorata con le vele raccolte in una baia tranquilla.

Quella sera aveva puntato subito oltre il quartiere di poppa, aveva aperto la porta del castello con ritegno, come se (*dovere*) (5) .... chiedere permesso a qualcuno... Accanto alla barra del timone, la bussola gli disse che il canale tra le due terre si stendeva da Sud a Nord. Poi si era ritrovato in quello che oggi (*chiamare, noi*) (6) .... il quadrato, una sala a forma di L, e un'altra porta lo aveva immesso nella camera del capitano, con il suo ampio finestrone sopra il timone e gli accessi laterali alla galleria. Sull'*Amarilli* la camera di comando non faceva tutt'uno con quella in cui il capitano dormiva, mentre qui pareva che si fosse cercato di fare spazio per far posto a qualcos'altro. E infatti a destra era stato ricavato un altro ambiente, quasi più ampio di quello del capitano, con una cuccetta modesta al fondo, ma disposto come un luogo di lavoro. Il tavolo era ingombro di mappe. Sembrava quello il posto di lavoro di uno studioso: con le carte stavano variamente disposti dei cannocchiali, un bel notturlabio in rame che emanava bagliori fulvi come se (*essere*) (7) .... una sorgente in sé di luce. [...]

Era nella camera di comando: uscendo sulla galleria si poteva vedere l'isola – scriveva Roberto – fissar con occhi di lonza il suo silenzio. Insomma, l'isola era là, come prima.

Doveva essere arrivato sulla nave quasi nudo: ritengo che per prima cosa, bruttato com'era dalla salsedine marina, (*lavarsi*) (8) .... in cucina, senza chiedersi se quell'acqua (*essere*) (9) .... l'unica a bordo e poi (*trovare*) (10) .... in un cofano un bell'abito del capitano, quello da conservarsi per lo sbarco finale. [...] Solo a quel punto un onest'uomo, propriamente abbigliato, – e non un naufrago emaciato – può prendere ufficialmente possesso di una nave abbandonata, e non avvertire più come violazione, bensì come diritto il gesto che Roberto fece: cercò sul tavolo e scoprì, aperto e come lasciato interrotto, accanto alla penna d'oca e al calamaio, il libro di bordo. Dal primo foglio apprese il nome della nave, ma per il resto era una sequenza incomprensibile... Tuttavia l'ultima linea recava la data di qualche settimana prima, e dopo poche parole incomprensibili campeggiava sottolineata un'espressione in latino: *pestis, quae dicitur bubonica*.

Ecco una traccia, un annuncio di spiegazione. A bordo della nave era scoppiata un'epidemia. Questa notizia non inquietò Roberto: la sua peste l'aveva avuta tredici anni prima, e tutti sanno che chi ha avuto il morbo, ha acquisito una sorta di grazia, come se quella serpe non (*osare*) (11) .... introdursi per la seconda volta nei lombi di chi l'aveva domata una prima.

D'altra parte quell'accenno non spiegava gran che, e lasciava spazio per altre inquietudini. Sia pure, erano morti tutti. Ma allora si (*dovere*) (12) .... trovare, sparsi scompostamente sul ponte, i cadaveri degli ultimi, ammesso che questi avessero dato pietosa sepoltura in mare ai primi.

→ /12 punti

2 Trasforma questi discorsi diretti al passato iniziando con la frase principale indicata sotto.

1. "È necessario che abbiate molta pazienza con vostro figlio e che cerchiate di capire i suoi problemi, senza pretendere che cambi da un momento all'altro."
   Lo psicologo ci aveva detto che era necessario che ....
   ....
   ....

2. "Farò attenzione alle compagnie, rientrerò presto la sera e non berrò troppa birra."
   Mio figlio Marco, prima di partire per l'Olanda, mi aveva promesso che ....
   ....
   ....

3. "Prenderò le ferie in luglio e verrò in Olanda con voi."
   Speravo tanto che Gino ....
   ....

→   /8 punti (1 punto per ogni verbo)

3 Completa questa classifica dei libri più venduti della settimana scegliendo tra le preposizioni (semplici o articolate): *a, tra/fra, per.*

CLASSIFICHE: I PIÙ VENDUTI
LA LEGGE DI MELISSA, L'ADOLESCENTE

Che il futuro dei best-seller appartenga (1) .... adolescenti? Si direbbe di sì, se si tien conto del perdurante dominio in vetta della minorenne Melissa con i suoi *Cento colpi di spazzola*, piccante diario-romanzo condito con ogni tipo di esperienza sessuale. (2) .... compensazione la insegue un grande vecchio del giallo, Andrea Camilleri, con *La presa di Macallé*, mentre dall'estero irrompe la Allende, che con il suo *Il regno del drago d'oro* promette fin d'ora di imporre (3) .... tutti la sua legge. (4) .... gli autori di lungo corso, apprezzabili la Mazzantini, Coelho e

naturalmente Totti, il campione giallorosso che con le sue barzellette è in classifica (5) .... i primi dieci da molti mesi. Bene anche (6) .... Carlo Lucarelli che si piazza (7) .... quarto posto assoluto e (8) .... primo nella saggistica con il suo *Il lato sinistro del cuore.*

→   /8 punti

4 Completa le frasi coniugando i verbi al modo (indicativo o congiuntivo) richiesto dal connettivo.

1. Non posso uscire stasera a meno che mia moglie non (*annullare*) .... l'impegno che aveva già preso con le sue amiche.

2. Nonostante l'incidente, proseguì la sua corsa come se nessuno (*potere*) .... fermarlo.

3. Anche se (*esserci*) .... una fitta nebbia non ha voluto mancare alla presentazione del nuovo libro di Baricco.

4. Sebbene non gli (*piacere*) .... andare al cinema non si è perso il film che Salvatores ha tratto dall'ultimo libro del suo autore preferito.

5. Le avevo chiesto di rientrare prima che (*fare*) .... buio.

6. Quando la mia amica (*vivere*) .... in questo quartiere andavamo sempre in biblioteca a consultare libri per preparare gli esami.

7. La convocheranno per un colloquio quando lo (*ritenere, loro*) .... opportuno.

8. Esco con voi a patto che non (*prendere, si impersonale*) .... la macchina.

→   /8 punti

5 Deriva i verbi dalla parola base data tra parentesi aggiungendo dei suffissi.

1. Non mi piace questo autore perché (*ironia*) .... troppo sui vizi degli italiani.

2. Le due fazioni continuano a (*guerra*) .... da quando le forze internazionali di pace hanno smesso di controllare i territori.

3. È difficile (*quantità*) .... il tempo necessario per scrivere un romanzo.

4. Prima di scrivere un finale che mi convincesse per il mio ultimo libro (*cestino, io*) .... una ventina di fogli.

5. Secondo noi il governo non ha fatto bene a (*privato*) .... alcuni enti che fornivano servizi pubblici qualificati.

→ /5 punti

6 Completa questo testo scegliendo tra le parole legate alla sfera del "libro" elencate sotto:

> trama   il giallo   comico   i generi   le recensioni   i premi
> tascabile   la narrativa   best-seller

BILANCIO DELLE LETTURE DELLE FERIE

UN'ESTATE TRA ECONOMICI E BEST-SELLER

Un giro per le librerie del centro ha confermato il *trend* positivo dello svago cultural-riflessivo: vento in poppa anche in estate, per la lettura. Ecco cosa dicono alcuni librai.

Danilo Campesi della libreria Internazionale: "Chi già legge di suo prima della partenza acquista più libri."

(1) .... più gettonati?

"Durante il periodo vacanziero (2) .... e (3) .... la fanno da padroni; sempre richiesto, ma con moderazione, il saggio". Indice invece decisamente negativo alla voce libro d'arte. Nel borsino delle preferenze di quest'estate le quotazioni alte sono per (4) .... Strega e Campiello. Due (5) .... come *Non ti muovere* di Margaret Mazzantini e *L'uomo che curava con i fiori* di Federico Audisio di Somma, ma anche Stefano Benni e Camilleri si difendono bene.

In estate – conferma Silvana Zamblin alla libreria Rizzoli – la narrativa è il genere che va per la maggiore. I clienti leggono (6) .... sui giornali, vengono in libreria e chiedono il testo di cui hanno sentito parlare. Diverso il costume dei lettori forti ai quali il parere altrui poco importa perché si fidano soprattutto dei propri gusti letterari. Sul versante opposto si collocano i clienti estivi che chiedono quali sono i libri più venduti, danno un'occhiata alla (7) .... , s'informano sulle ultime uscite e poi scelgono.

In estate – osserva Elena Sanguitta della libreria Feltrinelli – arrivano in libreria anche persone che di solito non leggono: i più si orientano verso un libro leggero, preferibilmente (8) .... perché il costo è limitato e non si rovina. E nel clima vacanziero vince la simpatica Luciana Littizzetto con il suo *Sola come un gambo di sedano*, confermando il *trend* positivo per il genere (9) .... che fa ridere e non impegna troppo sotto l'ombrellone.

→ /9 punti

→puntaggio totale /50 punti

Sintesi grammaticale

Condizionale passato (CP)

Forma

io	avrei		sarei	
tu	avresti		saresti	partito/a
lui/lei/Lei	avrebbe	comprato	sarebbe	
noi	avremmo	venduto	saremmo	
voi	avreste	finito	sareste	partiti/e
loro	avrebbero		sarebbero	

Il condizionale passato (o composto) si forma con l'ausiliare *essere/avere* al condizionale presente e il participio passato del verbo principale.

Uso

1. Fatti/desideri che non si sono potuti realizzare nel passato

Sarei venuta volentieri con voi, ma avevo la febbre alta.

Con questo valore il CP viene usato nel periodo ipotetico della irrealtà (cfr. Unità 12, p. 470):

Se non avessi avuto la febbre, *sarei venuta* volentieri con voi.

2. Disponibilità impedita

Si intende l'impossibilità, già conosciuta nel momento in cui si parla, di compiere atti che dovrebbero realizzarsi nel futuro reale (a volte può trattarsi di un pretesto):

So che domani andate al lago. Ci *sarei venuto* anch'io, ma devo pulire la casa.

In questi casi, nel parlato colloquiale, si usa spesso l'imperfetto:

Domani ci *venivo* anch'io se non dovevo pulire la casa.

3. Futuro nel passato

Si intende l'intenzione nel passato, cioè un'azione posteriore rispetto a un punto collocato nel passato; in questi casi resta indeterminato se il fatto si sia o non si sia realizzato:

Carlo dice che verrà.　　　Nel passato: Carlo disse che *sarebbe venuto*.
Sapevo che Rina *sarebbe tornata* presto a trovarci.

Nell'italiano parlato colloquiale è comune l'uso dell'imperfetto:

Sapevo che Rina *veniva* presto a trovarci.

Si usa con espressioni che richiedono sia l'indicativo (come negli esempi visti) sia il congiuntivo:

Pensavo che Rina *sarebbe venuta* presto a trovarci. (in questi casi è possibile anche usare il congiuntivo imperfetto: *Pensavo* che Rina *venisse* presto a trovarci.)

4. Notizie non confermate

Si tratta di un uso tipico dello stile giornalistico; viene chiamato anche "condizionale di distanziamento" perché esprime la prudenza, il dubbio di chi riferisce voci non sicure:

Secondo la polizia, i rapinatori *sarebbero entrati* dalla finestra.

Come si è visto dagli esempi, il CP si usa sia in frasi principali (casi 1, 2, 4) sia in frasi secondarie (caso 3); sia in dipendenza da verbi di certezza che di opinione.

Concordanza verbale

Rapporto di posteriorità

La concordanza dei tempi e dei modi riguarda la scelta dei tempi a seconda che il rapporto temporale tra il verbo della frase principale e quello della frase secondaria sia di posteriorità (dopo), di contemporaneità (ora) o di anteriorità (prima). Il seguente schema riassume i tempi/modi che si possono usare quando tra il verbo della principale (al presente (futuro) o passato) e il verbo della secondaria ci sia un rapporto di posteriorità, cioè di futuro.

CONCORDANZA

RAPPORTO DI POSTERIORITÀ

PASSATO   PRESENTE   FUTURO

FRASE PRINCIPALE	FRASE SECONDARIA **POSTERIORITÀ**
presente (futuro) **passato legato al presente** (passato prossimo)	futuro (reale) presente futuro composto condizionale presente (azione realizzabile) condizionale passato (azione non realizzabile)
passato non legato al presente (passato prossimo, passato remoto, imperfetto, trapassato prossimo)	condizionale passato (futuro nel passato – non si sa se l'azione si è realizzata)

1. **So** che Paolo partirà domani. (presente – futuro reale)

2. **Saprò** più tardi se Olga verrà domani a cena da noi. (futuro – futuro reale)

3. Carla mi **ha** appena **detto** che suo marito arriverà domani. (passato legato al presente – futuro reale)

4. **Sappiamo** che Sergio si esibisce stasera. (presente – presente)

5. **Saprò** tra poco se Sergio si esibisce stasera. (futuro – presente)

6. **So** che tra una settimana (quando io arriverò in Colombia) mio fratello sarà già partito per l'Italia e quindi non ci incontreremo. (presente – futuro composto)

7. Ti **presterò** il libro dopo che avrò finito di leggerlo. (futuro – futuro composto)

8. **So** che Carla verrebbe volentieri in biblioteca. (presente – condizionale presente, azione realizzabile)

9. Mi **ha** appena **detto** che verrebbe volentieri con noi al mare. (passato legato al presente – condizionale presente, azione realizzabile)

10. Paola mi **ha detto** poco fa al telefono che <u>sarebbe venuta</u> volentieri al cinema ma non è riuscita a finire un lavoro e quindi deve fermarsi ancora in ufficio. (passato legato al presente – condizionale passato, azione che si sa già nel presente che non è realizzabile per un qualche impedimento)

11. **Giovedì scorso** Sandro **mi ha detto** che <u>sarebbe venuto</u> a trovarci ma non si è fatto vivo. Avrà dovuto lavorare fino a tardi. (passato – condizionale passato, futuro nel passato [salvo specificazioni come in questo esempio, non si sa se l'azione si è o non si è realizzata])

Congiuntivo imperfetto (cfr. Tavole grammaticali, pp. 475-483)

Nell'Unità 2 avete già visto le forme del congiuntivo presente e nell'Unità 5 del congiuntivo passato.

Forma

Ugo pensava che...

	Parl-are	Vend-ere	Part-ire/Cap-ire
io	parl-**a-ssi**	vend-**e-ssi**	part-**i-ssi**/cap-**i-ssi**
tu	parl-**a-ssi**	vend-**e-ssi**	part-**i-ssi**
lui/lei/Lei	parl-**a-sse**	vend-**e-sse**	part-**i-sse**
noi	parl-**a-ssimo**	vend-**e-ssimo**	part-**i-ssimo**
voi	parl-**a-ste**	vend-**e-ste**	part-**i-ste**
loro	parl-**a-ssero**	vend-**e-ssero**	part-**i-ssero**

Verbi irregolari

essere fossi, fossi, fosse, fossimo, foste, fossero
avere avessi, avessi, avesse, avessimo, aveste, avessero
dare dessi, dessi, desse, dessimo, deste, dessero
stare stessi, stessi, stesse, stessimo, steste, stessero
fare, **dire**, **bere**, **tradurre** formano questo tempo regolarmente dalle radici **fac-**, **dic-**, **bev-**, **traduc-** (es. facessi, facessi, facesse, facessimo, faceste, facessero).

Concordanza

Verbo della frase principale al passato (passato prossimo, passato remoto, imperfetto, trapassato prossimo):

CREDEVO CHE ADA

sarebbe andata
(andasse/andava) ——— 1. DOPO = posteriorità

andasse
(stesse andando) — in Italia. 2. ALLORA = contemporaneità

fosse andata
(andasse) 3. PRIMA = anteriorità

▶ **Posteriorità**

1. Credevo che *sarebbe andata* in Italia il mese prossimo. (cfr. in questa unità il condizionale passato con il valore di futuro nel passato)

2. Come potevo immaginare che *andassi* tu a prendere la bambina!
   Pensavo che non *si sposava*, e invece... (registro colloquiale)

▶ **Contemporaneità**

1. Non mi rispondeva e ho pensato che *fosse* sordo.
2. Non ti ho disturbato perché pensavo che *stessi studiando*.

▶ **Anteriorità**

1. Non ti ho aspettato perché pensavo che *fossi* già *uscito*.
2. Non sapevo che da bambino *andassi* in quella scuola. (aspetto abituale: il congiuntivo imperfetto ha usi paralleli all'imperfetto indicativo)
3. Credo che l'anno scorso *siano andati* in Italia. (normalmente si usa il congiuntivo passato)
4. Credo che *andassero* in Italia ogni anno. (aspetto abituale)
5. Credo che *andasse* al cinema quando l'ho incontrato. (aspetto durativo)

Il congiuntivo imperfetto si può usare con valore abituale e durativo (cioè con usi paralleli all'imperfetto indicativo) anche quando nella frase principale c'è un verbo al presente.

PER SCHEMATIZZARE:

Frase principale	Frase secondaria
presente/futuro	congiuntivo presente o passato

Frase principale	Frase secondaria
passato	congiuntivo imperfetto o trapassato

Uso

Vi ricordiamo che il congiuntivo in generale è il modo della soggettività, della volontà, dell'incertezza, della possibilità.

È importante inoltre ricordare che con il congiuntivo il soggetto della frase secondaria normalmente è diverso da quello della frase principale:

▶ soggetti diversi → congiuntivo

Sandro (1° soggetto) sperava che suo figlio (2° soggetto) *trovasse* lavoro.

▶ stessi soggetti → *di* + infinito

Sandro (1° soggetto) sperava (1° soggetto = Sandro) *di trovare* lavoro.

Esprimere una speranza

Speravo che Cesare *imparasse* a leggere in inglese.
Si è sempre augurata che *ci laureassimo*.

Altre espressioni di questo tipo sono: *avere la speranza, non vedere l'ora, pregare.*

Esprimere una paura

Non aveva paura che lo *scoprissero*.

Altre espressioni di questo tipo sono: *temere, avere (il) timore, avere il terrore.*

Esprimere un'ipotesi fantastica

(nel periodo ipotetico della irrealtà):
Se non *conoscessimo* il fuoco, dovremmo mangiare tutti i cibi crudi!

Attenuare la forza di un'affermazione

Si usa in unione alla costruzione marcata *non è che non*:
Mia madre non mi ha mai amata! – Non è che tua madre non ti *volesse* bene, non ha mai avuto tempo di dimostrartelo.

Formazione di parola (cfr. Tavole grammaticali, pp. 484-490)

Verbi denominali e deaggettivali

Per derivare verbi da nomi e aggettivi si possono usare i seguenti suffissi (cfr. anche i derivati con prefissi, Unità 7, p. 258):

▶ **-izzare** (significato fattitivo, molto diffuso nei linguaggi settoriali)

privato → *privatizzare* "rendere privato"; *impermeabilizzare, metallizzare, lottizzare*

▶ **-ificare** (significato fattitivo)

nido → *nidificare* "fare il nido"; *marmificare, dolcificare, chiarificare*

▶ **-eggiare** (meno frequente degli altri due)

albeggiare, schiaffeggiare, verdeggiare, folleggiare (con significato eventivo)

È frequente anche l'uso del **suffisso zero**, cioè della sola desinenza verbale:

arma → *armare* "dare armi a qualcuno"; *scopare* "usare la scopa"; *azionare, criticare, numerare, vangare*

Coesione testuale

Connettivi con il congiuntivo (cfr. Tavole grammaticali, pp. 491-497)

Temporali

Prima che

Si usa con il congiuntivo presente e imperfetto (cfr. Unità 1, p. 34)

Voglio essere a casa *prima che faccia* buio.

È arrivata *prima che chiudesse* il negozio.

Altri connettivi

Possono prendere il congiuntivo anche *quando* e *finché (non)* se si riferiscono ad azioni collocate nel futuro e se c'è un valore ipotetico:

Quando ne *riconoscessi* la necessità, lo aiuterei.

(= se ne riconoscessi)

Non uscirete *finché non diciate/direte/avrete detto* dove volete andare.

(= se non direte)

Concessivi

Indicano il mancato verificarsi dell'effetto che dovrebbe scaturire da una causa:

Pioveva → non sono uscito; *Benché* piovesse sono uscito.

Sono concessivi: *nonostante, benché, sebbene, malgrado, per quanto* (Formale), *quantunque* (F).

Anche se + indicativo

Non richiede il congiuntivo:

Anche se pioveva sono uscito

Comunque	Ha diversi usi (cfr. Unità 2, p. 67); richiede il congiuntivo quando ha significato concessivo: *Comunque* andassero le cose, io dovevo partire.

Condizionali/ ipotetici

Introducono una condizione, una restrizione, un limite al realizzarsi dell'azione espressa dal verbo della frase principale: *a condizione che, a patto che, sempre che, qualora* (F), *ammesso che* (F), *posto che* (F), *concesso che* (F), *purché* (F):

> Gli ho prestato il libro *a condizione che* me lo restituisse senza sottolineature.

se, caso mai, nell'eventualità che, nell'ipotesi che, laddove (*ove*) (F):

> *Se* finisse presto verrebbe a prenderti.

Eccettuativi

Introducono un'eccezione (cfr. Unità 7, p. 260): *salvo che, a meno che, fuorché*:

> Veniva a trovarmi ogni pomeriggio *a meno che* dovesse aiutare Francesco a fare compiti impegnativi.

Modali

(cfr. sotto) *come se, quasi*:

> Quando vedeva Mauro, si comportava *come se* avesse paura di lui.

Finali

(cfr. Unità 9, p. 337) Indicano lo scopo, il fine per cui si compie l'azione nella frase principale: *perché, affinché, così che, in modo che, allo scopo che*:

> L'ho aiutato *perché* potesse passare l'esame.

Connettivi modali

Espressione di un fatto certo	Indicano il "modo" in cui si svolge un'azione (come?) *Come, nel modo che* + indicativo: Si è comportato *nel modo che riteneva* più opportuno. Si è comportato *come non l'avevo mai visto* prima. **Ma**: Si è comportato *come fosse* arrabbiato. (ipotesi con il congiuntivo)
Espressione di un fatto ipotetico, irreale	*Come se, quasi* + congiuntivo: Si è comportato *come se ci conoscesse* per la prima volta. Si è comportato *quasi non ci avesse mai incontrati* prima.

Nella forma implicita si usa il gerundio:

> È scappato *correndo*. (È scappato come se stesse *correndo*)

Segnali discorsivi del parlato

(cfr. Tavole grammaticali, pp. 498-500)

Nel parlato è tipico che il parlante usi dei segnali per chiedere l'attenzione, l'accordo/la conferma all'interlocutore di ciò che sta dicendo e che l'interlocutore a sua volta indichi che sta seguendo e che è d'accordo.

	PARLANTE	INTERLOCUTORE
Richiesta di attenzione	senti/a, senti un po', ascolta/i, guarda/i, vedi/a, dimmi, di', dica, di' un po'	
Conferma di attenzione		sì, sìii, mmh, davvero?
Conferma di ricezione e acquisizione di conoscenza		sì, certo, vero, ho capito, chiaro, lo so bene, lo credo, ah, aah, oh, ma pensa, noo!, non mi dire, non me lo dire
Richiesta di accordo e/o conferma	no?, vero?, giusto?, non è vero?, ti/Le pare?, non è così?, dico male?, eh?, neh?	

- *Guardi*, Lentini, l'impressione che gli italiani leggano poco è confermata dai dati Istat.
- *Sì certo*, ma secondo l'ultima indagine Istat si è registrato un aumento di lettori pari a 6 punti percentuali.

- Le statistiche dicono che il 60% dei lettori medio forti è fatto dalle donne. *Giusto?*
- *Sì, vero*, nelle loro mani sta la felicità di un autore. In fondo il romanzo è nato avendo come destinatario elettivo la donna. Niente di nuovo dunque. La storia continua.

Il cinema italiano, un cinema da tener d'occhio

■ **Unità tematica**	– il cinema italiano contemporaneo
■ **Funzioni e compiti**	– riferire il discorso altrui
	– presentare una relazione con dati statistici
	– riconoscere il punto di vista di chi scrive
	– esprimere giudizi
	– raccontare/scrivere la trama di un film
	– scrivere una recensione
	– esprimere desideri
■ **Testualità**	– segnali discorsivi
	• focalizzatori (*appunto, proprio*)
	• meccanismi di modulazione (*se vuoi, così*)
	• demarcativi (*avevo fatto cenno all'inizio*)
	– connettivi finali (*perché, affinché, per*)
■ **Lessico**	– sfera semantica del "cinema"
	– verbi deaggettivali e denominali con prefissi (*abbottonare, intristirsi*)
	– aggettivi da verbi (*affascinante, esplosivo*)
	– per presentare dati statistici
■ **Grammatica**	– discorso diretto → indiretto
	– uso dell'articolo determinativo e indeterminativo
	– congiuntivo trapassato
	– concordanza dei tempi al congiuntivo
	– congiuntivo in dipendenza dal condizionale (*Vorrei che non fosse mai partito*)
	– nomi ambigeneri in *-ista* (*il/la regista*)
	– preposizioni rette da verbi (*avvantaggiarsi di, imporsi a*)
■ **Strategie**	– lettura orientativa e lettura esplorativa
■ **Ripasso**	– connettivi e modi (*benché, pur, a meno che, per*)
	– formazione di parola (aggettivi, nomi deverbali e deaggettivali)

Entrare nel tema

▶ Mettetevi in piccoli gruppi e cercate di richiamare alla memoria film italiani che avete visto in passato o di recente. Fatene una lista indicando il titolo e il regista e poi confrontatevi con il resto della classe.

FILM ITALIANI CHE HO VISTO	
REGISTA	TITOLO DEL FILM
Federico Fellini	*La dolce vita, La strada*
Gabriele Salvatores	*Mediterraneo, Io non ho paura*

▶ Riconoscete nel fotomontaggio di pag. 302 alcuni attori (registi) del grande cinema italiano? Potete aiutarvi con la lista di nomi che trovate sotto.

- ☐ a. Alberto Sordi
- ☐ b. Marcello Mastroianni
- ☐ c. Totò
- ☐ d. Sergio Castellitto
- ☐ e. Massimo Troisi
- ☐ f. Enrico Lo Verso
- ☐ g. Monica Vitti

- ☐ h. Diego Abatantuono
- ☐ i. Sofia Loren
- ☐ l. Roberto Benigni
- ☐ m. Nanni Moretti
- ☐ n. Carlo Verdone
- ☐ o. Ugo Tognazzi
- ☐ p. Vittorio Gassman

1 Ascoltare

›3 **"Il cinema contemporaneo italiano"**

Ascolta una lezione introduttiva sul cinema italiano contemporaneo tenuta a studenti stranieri da Stefano Ghislotti, professore di Storia del cinema all'Università di Bergamo.

CD2

A **Prendi appunti per completare la tabella.**

 Fellini, La Dolce Vita	**Anni '50-'60** Fase felice del cinema italiano Numero biglietti venduti Nomi di registi
	Anni '70-'80 Crisi del cinema italiano Numero biglietti venduti
	Dalla metà degli anni '90 Rinascita del cinema italiano

B Quale tra i seguenti registi viene considerato una figura importante, un punto di riferimento dell'attuale cinema italiano?

☐ 1. Bernardo Bertolucci
☐ 2. Roberto Benigni
☐ 3. Nanni Moretti
☐ 4. Giuseppe Tornatore
☐ 5. Marco Risi

C Ecco una lista di registi che si sono affermati negli anni '90. Associa il nome del regista al (ai) film che ha fatto e alle sue caratteristiche.

Roberto Benigni

Paolo Virzì

REGISTA	FILM	CARATTERISTICHE
☐ ☐ 1. Giuseppe Tornatore	a. *Il muro di gomma*	g. con un film sull'immigrazione albanese
☐ ☐ 2. Gabriele Salvatores	b. *Il ladro di bambini, Lamerica*	h. successo da parte di tutta la critica
☐ ☐ 3. Marco Risi	c. *La vita è bella*	i. attenzione al neorealismo con film di impegno sociale
☐ ☐ 4. Gianni Amelio	d. *Ferie d'agosto, Ovosodo*	l. film visto in tutto il mondo come i film di successo degli anni '60
☐ ☐ 5. Roberto Benigni	e. *Io non ho paura*	m. film simili alla commedia dialettale ma con ambientazione toscana e romana
☐ ☐ 6. Paolo Virzì	f. /	n. Oscar come miglior film straniero tra gli anni '89-'90

2 Leggere

Lettura orientativa e lettura esplorativa

A Fai una prima lettura orientativa e rapida per scegliere tra questi tre titoli quello adatto all'articolo (tratto da «Panorama», 3 aprile 2003). Giustifica la tua scelta.

☐ 1. Il Leone ruggisce ancora
☐ 2. Ma come siamo tornati di moda!
☐ 3. Venezia salvata dai bambini!

Nuovo Cinema Italia

Italians do it better, gli italiani lo fanno meglio. Un tempo valeva solo per il sesso latino d'esportazione e per la moda *made in Italy*. Adesso, con la giusta prudenza, lo slogan s'adatta anche al cinema di casa nostra. Il disgelo, che coinvolge pubblico e critica, è sotto gli occhi di tutti. Dall'inizio dell'anno di grazia 2003 i film italiani, uno dopo l'altro, hanno fatto il miracolo: bene *Maledetto il giorno che ti ho incontrato* di Carlo Verdone, *Prendimi l'anima* di Roberto Faenza, *Il cuore altrove* di Pupi Avati, boom per *Ricordati di me* di Gabriele Muccino e *La finestra di fronte* di Ferzan Ozpetek, elogi altissimi per *Io non ho paura* di Gabriele Salvatores.

Chi pratica il bel mondo dello *show* nostrano ne sa qualcosa: gara per i biglietti delle anteprime, dibattiti affollati, interesse rinato. E anche se crescono le preoccupazioni per la scomparsa prematura dei finanziamenti di Rai che annaspa e *pay tv* travolte dall'incertezza, al momento si può ragionevolmente dire che il cinema italiano è tornato di moda, fa tendenza e status. Cosa è successo? Si è ritrovato, pare, l'anello mancante tra la vecchia commedia italiana popolare, amara, ben scritta e ben diretta, e l'estremismo d'autore che ha dato grandi solitari frutti, ma avvilito il senso del mercato. Gli sceneggiatori *new generation* scrivono belle storie che ci stanno vicine, finanziate da produttori che non conoscono più solo i codicilli delle leggi sul finanziamento pubblico, interpretate da una generazione di attori in sintonia con le storie piantate a piedi saldi nell'Italia moderna e conflittuale.

Effetto specchio riuscito, il pubblico comincia a riconoscersi dopo un lungo abbandono. E c'è qualche speranza per l'esportazione: acquistato subito per tutto il mondo dalla Miramax il film di Gabriele Salvatores e riscoperto a furor di critica e pubblico in Francia il bellissimo *Respiro* di Emanuele Crialese, che ritorna in sala anche da noi. Sull'onda dell'ottimismo, la Medusa ha liberato dal sequestro Cecchi Gori anche il bel film di Paolo Virzì *My name is Tanino*, commedia vagabonda (un ragazzo alla scoperta di sé dalla Sicilia all'America) che sembrava perduta.

Il futuro, almeno sulla carta, è brillante, nel menu dei prossimi mesi troviamo tra gli altri Olmi, Bertolucci, Martone, Amelio, Dario Argento (che torna con *Il cartaio*, thriller orrorifico tra e-mail e *chat room*) e la conferma di alcune tendenze.

Per esempio che, dopo *Io non ho paura*, il cinema italiano è salvato dai ragazzini: quei bambini isolani che in *Respiro*, da soli, proteggono la diversità della madre (Valeria Golino) o il ragazzino malato e turbato che sarà protagonista dell'attesissimo film di Gianni Amelio *Le chiavi di casa*, tratto dal romanzo di Giuseppe Pontiggia e interpretato da Kim Rossi Stuart. Per non dire dell'adolescente protagonista del film di Daniele Luchetti *Dillo con parole mie*, una cicciottella vitale in vacanza nell'isola greca di Ios.

E se i bambini ci guardano, lo sguardo più duro sarà quello di Efisio, bambino testimone di un delitto e vittima dell'omertà barbaricina nel film-sorpresa *La destinazione* diretto da un vero brigadiere dei carabinieri, Piero Sanna. Dietro e davanti la macchina da presa, gente comune, vite e famiglie di poco sfarzo, eroiche nella loro resistenza giorno per giorno, afflitte da problemi di inadeguatezza sentimentale e dalla vita agra. Ci provano i Vanzina con un film serio e corale, *Il pranzo della domenica*. Anche Stefano Incerti con *La vita come viene* racconta disillusioni e amori sbagliati. In tempo di guerra e di crisi Fiat rispuntano nei film gli operai, soggetti finora a perdere. Disoccupazione, fabbriche chiuse, vite divelte da riciclare in *Il posto dell'anima* di Riccardo Milani, con Silvio Orlando e Michele Placido, e in *Liberi* di Gianmaria Tavarelli che coniuga il disagio sociale al male di vivere giovanile.

Una linea di racconto radicata nel quotidiano, cui trasgrediscono solo autori come Bertolucci, Martone, Olmi. In *The Dreamers* l'autore di *Ultimo tango* torna a Parigi, sullo sfondo del Maggio francese, per filmare da vicino il triangolo erotico dei suoi cinefili ragazzi. Trasgressione spudorata ed esplicita, almeno quanto lo sarà l'incrocio tra sesso, dominazione e gelosia interpretato senza freni da Fanny Ardant e Michele Placido nel film di Mario Martone *L'odore del sangue* tratto dal romanzo postumo di Goffredo Parise. Solo apparentemente più saggio l'anziano Ermanno Olmi, che affronta la coproduzione con l'America per *Cantando dietro i paraventi*, dove ricostruisce in kolossal l'affascinante mondo della pirateria nel Mar della Cina, protagonista la corsara Vedova Ching.

Follie d'autore che rincuorano.

Corrado Fortuna in
My name is Tanino

Valeria Golino in Respiro

B Fai una seconda lettura globale, senza soffermarti sui dettagli, e rispondi alle domande.

1. A che cosa è dovuto il rinato interesse per i film italiani? ....
    ....

2. Quali sono le due tendenze che caratterizzano la nuova produzione italiana?
    a. ....   b. ....

3. Di chi sono e quali sono i film "contro tendenza" e di che cosa parlano?
    ....
    ....

C Fai una terza lettura per cercare alcune informazioni precise. Non dovrai rileggere l'intero testo ma andare alla ricerca dei dettagli richiesti. Trova:

1. il regista e il titolo di un film che grazie alla popolarità riscossa in Francia è stato ripresentato anche in Italia: ....

2. il nome di un regista italiano che fa film dell'orrore: ....

3. il regista e il titolo di un film realizzato da un vero carabiniere: ....
    ....

4. un film che ha come protagonista la classe operaia: ....

5. due film tratti da romanzi italiani: ....

6. il nome di un attore italiano presente in due diversi film: ....

3 Lessico

A Collega le parole tratte dall'articolo di p. 305 con i loro sinonimi.

NOMI

(riga 11)	☐ 1. elogi	a. clausole, poscritti
(riga 26)	☐ 2. codicilli	b. lusso
(riga 61)	☐ 3. sfarzo	c. complimenti, lodi

VERBI

(riga 17)	☐ 4. annaspa	d. tormentate
(riga 23)	☐ 5. ha avvilito	e. ha svalutato
(riga 62)	☐ 6. afflitte	f. si affatica

AGGETTIVI

(riga 44)	☐ 7. thriller *orrorifico*	g. strappate, sradicate
(riga 63)	☐ 8. vita *agra*	h. che fa paura
(riga 69)	☐ 9. vite *divelte*	i. svergognata, indecente
(riga 78)	☐ 10. trasgressione *spudorata*	l. dura

B Trova per ciascuna perifrasi il termine preciso. Sono tutte parole che appartengono alla sfera semantica del "cinema".

1. film breve
2. intreccio della storia del film
3. chi recita in un film
4. chi finanzia i film
5. chi scrive la storia del film
6. chi distribuisce i film
7. chi dirige la realizzazione di un film
8. chi ha la passione dei film
9. tradurre il parlato di un film in una lingua diversa dall'originale
10. operazione di concatenare le scene girate di un film
11. spettacolo riservato a pochi invitati prima dell'uscita del film
12. musica di sottofondo del film
13. mettere sul bordo dello schermo la traduzione del parlato degli attori nella lingua dello spettatore
14. filmare le scene di un film
15. ciascuna delle vicende che si succedono nel corso del film
16. strumento per riprendere le immagini cinematografiche

C Trova gli aggettivi che definiscono "il genere dei film":

`ESEMPIO`

▶ Un film movimentato in cui succedono molti fatti: film *d'azione/d'avventura*

1. Un film che racconta una storia d'amore ....
2. Un film che racconta una guerra ....
3. Un film dedicato ai problemi politici e sociali ....
4. Un film con molte scene di sesso ....
5. Un film che fa ridere ....
6. Un film con avvenimenti tragici ....
7. Un film sull'attività di agenti segreti ....
8. Un film di avventura sull'operato della polizia ....
9. Un film con scene che fanno paura ....

D   Analizza i verbi sottolineati in queste frasi tratte dall'articolo di p. 305. Da quale base derivano e come sono formati?

1. (righe 13-15) Chi pratica il bel mondo dello *show* nostrano ne sa qualcosa: gara per i biglietti delle anteprime, dibattiti <u>affollati</u>, interesse rinato.

2. (righe 20-24) Si è ritrovato, pare, l'anello mancante tra la vecchia commedia italiana popolare, amara, ben scritta e ben diretta, e l'estremismo d'autore che ha dato grandi solitari frutti, ma <u>ha avvilito</u> il senso del mercato.

3. (riga 88) Follie d'autore che <u>rincuorano</u>.

Verbi deaggettivali e Verbi denominali	
Aggettivo	Verbo
vile	avvilire
	Prefisso Suffisso
Nome	Verbo
	Prefisso Suffisso

▶ **p. 335**

E   Completa le frasi con i verbi che derivano dagli aggettivi e dai nomi tra parentesi:

ESEMPIO

▶ Le foto del nostro matrimonio (diventare *gialle*) <u>sono ingiallite</u> .

1. Non abbiamo avuto tempo di (analizzare in modo *profondo*) .... i significati del film *My name is Tanino* che abbiamo visto a scuola.

2. A parlare di sesso (io diventare *rosso*) ....

3. La critica cattolica nei confronti della cinematografia contemporanea (diventare *rigida*) .... negli ultimi anni.

4. Abbiamo visto un cortometraggio sui bambini malati di Aids che ci (rendere *tristi*) ....

5. (Chiudi con i *bottoni*) .... il cappotto che fa un freddo cane!

6. L'aereo in arrivo da Montreal è appena (*terra*) ....

7. La cosa più noiosa di un trasloco è (mettere nelle *scatole*) .... gli oggetti fragili.

8. Non mi piacciono i film dell'orrore perché hanno delle scene che mi (fare *paura*) ....

9. Non toccare il mastice che abbiamo messo ai vetri perché deve (diventare *duro*) ....

10. Per favore, puoi (mettere la *vite*) .... il manico della pentola che si è staccato?

11. Nella sagra di Alba si possono (sentire il *sapore*) .... decine di piatti cucinati con il tartufo.

12. Per (rendere più *saporito*) .... questo arrosto potresti aggiungerci delle spezie, tipo alloro o timo.

13. Mi piaceva molto (fare le *carezze*) .... il mio gatto.

F Cerca nei due commenti gli aggettivi che derivano da verbi con i suffissi *-ante/-ente* (3 casi) e *-ivo* (1 caso). Con i verbi di quale coniugazione si usa *-ante* e con quali *-ente*?

AGGETTIVI DEVERBALI IN *-ANTE, -ENTE, -IVO*		
	VERBO	AGGETTIVO
(I coniugazione)	....	....
	....	....
(II coniugazione)	....	....
(II/III coniugazione)	....	....

◄ ► ✕ ↻ ⌂ ✎ 🖨

Io non ho paura
(Sandro di Vercelli)

Non ho mai visto un film così bello: devo fare i complimenti a Salvatores, al grande Abatantuono ma soprattutto ai piccoli attori protagonisti. Il mondo malvagio visto con gli occhi dei più piccoli... semplicemente geniale e istruttivo. Una bella lezione per noi adulti. Voto 5/5

◄ ► ✕ ↻ ⌂ ✎ 🖨

Io non ho paura
(Daniele di Verona)

Appassionante, commovente e incantevole. Ha un solo difetto per me: l'inflazione delle riprese alla "mulino bianco". Tutto il resto fa parte di una storia toccante e stupenda, un bellissimo film tratto da un gran libro. Voto 5/5

13 **G** Completa ora queste frasi con gli aggettivi mancanti derivandoli dai verbi che trovi sotto (CB "cambiamento della parola base" significa che devi cambiare leggermente la base verbale).

> divertire   vincere   brillare   offendere (CB)   invadere
> istruire (CB)   commuovere (CB)   incoraggiare

1. Il futuro è .... , nel menù dei prossimi mesi troviamo tra gli altri Bertolucci, Olmi e Martone.

2. E se il pubblico nel mondo sceglie i film americani è perché sono confezionati in modo .... e, perché no, ...

3. Il finale del film è così .... che ho versato anche due lacrimucce!

4. Tra i giovani registi è uno dei più .... del panorama cinematografico italiano.

5. Il mercato americano è .... , basti pensare che più del 70% dei film che gli italiani vanno a vedere è targato USA.

6. Nel film ci sono parecchie scene .... del comune senso del pudore e della morale cattolica.

7. Il fatto di aver adottato una prospettiva nuova rende il film decisamente ....

4 Esplorare la grammatica

Discorso indiretto

►E 5, 6,
7

A Scambiate con la classe tutte le informazioni che conoscete su Roberto Benigni.
Poi lavorate in coppia. Leggerete un frammento di un'intervista fatta da Enzo Biagi, noto giornalista italiano, a Roberto Benigni. Ognuno di voi legge una sola parte dell'intervista, e la trasforma per iscritto nel discorso indiretto per riferirla poi all'altro compagno. Controllate infine la versione nel discorso indiretto con l'intera classe. Osservate in particolare come cambiano i tempi verbali e i pronomi.

Trasformate alla terza persona singolare e usate come verbi principali dichiarativi: *ha chiesto/domandato, ha detto, ha affermato, ha risposto...*

Indovina chi è Pinocchio

PARTE A

Ultima domanda. Chi è Benigni?
"Io, se lei mi dice che Benigni è un buffone, un burattino, un comico, un clown, mi fa un complimento. Io vorrei tanto che mi chiamasse così, e più si ride di me e più vengo trattato male, e non masochisticamente, ma poeticamente, credo che sia il nostro destino. Da lì veniamo, dal dolore nascono i comici, non per essere troppo poetici".

PARTE B

Io credo che sia così. Credo che se un uomo asciuga una lacrima fa una grandissima cosa. Ma se un uomo regala un sorriso ne fa una ancora più grande.
"Non c'è niente di più vero. Aggiungo solo che, ricordo che la mia più grande emozione da piccolo è stata quella, quando ho visto qualcuno sorridere su una cosa che avevo accennato. E allora mi è rimasto impresso quel sorriso, avrei voluto ripetere per tutta la vita quel momento".

(da «L'Espresso», 17 ottobre 2002)

Biagi ha domandato ....

....

....

....

....

Benigni ha risposto che ....

....

....

....

....

Biagi ha ribattuto che ....

....

....

....

....

Benigni ha risposto che ....

....

....

....

....

5 Parlare

Presentare una relazione

A Immagina di dover presentare una relazione sull'andamento del "Mercato cinematografico italiano" a un'importante "Giornata di studio professionale" alla quale partecipano produttori, distributori ed esercenti cinematografici. Osserva e commenta con un paio di compagni i dati riportati nelle tabelle sotto; prendi nota dei risultati principali che emergono dalla lettura dei dati; infine preparati da solo a presentare una relazione alla classe parlando a braccio. "Parlare a braccio" significa avere sotto gli occhi i punti sintetici di cui si vuole parlare, ma esprimersi liberamente, senza leggere.

Se vuoi ripassare il lessico utile per parlare di statistiche cfr. p. 39.
E ancora, per presentare dati statistici...

- L'andamento del mercato è positivo ...
- L'andamento è in controtendenza rispetto al trend ...
- Gli incassi sono aumentati del 7% ...
- Gli schermi/gli spettatori sono diminuiti del ...
- Tra i primi 10 film più visti in Italia troviamo 3 film ...
- La classifica è dominata dai film americani ...
- Dalla tabella emerge chiaramente che più/meno del 78 per cento dei film ...
- I dati mostrano che ...
- Se guardiamo il grafico numero 2 notiamo che ...
- È interessante notare come ...

Ma che film vedono gli italiani? Entriamo nel dettaglio!

IL MERCATO CINEMATOGRAFICO ITALIANO

(adattato da www.mediasalles.it)

Tabella 1: schermi

Italia				
1989	1999	2000	2001	2002
2373	2839	2948	3112	3299

Tabella 2: presenze al cinema in Italia (x 1000)

Italia			
1999	2000	2001	2002
98772	97819	105538	108346

Tabella 3: quote di mercato in Italia

Italia					
	1994	1999	2000	2001	2002
film americani in Italia	65,0%	53,6%	69,5%	59,9%	64,3%
film nazionali	22,0%	24,0%	17,5%	19,3%	22,1%
film europei (film nazionali non compresi)	11,0%	21,4%	11,5%	17,1%	12,9%

Tabella 4: film nazionali più visti in Italia negli anni 2002 e 2001

Titolo originale	Data	Paese d'origine	Negli altri paesi				
			I	F	D	E	UK
Pinocchio	2002	I, F, D	4545841				
La leggenda di Al, John e Jack	2002	I	3092388				
Natale sul Nilo	2002	I, E, UK	3088387				
Un viaggio chiamato amore	2002	I	763631				
Febbre da cavallo – La Mandrakata	2002	I	734573				
Caso mai	2002	I	541263				
Il nostro matrimonio è in crisi	2002	I	483847				
Da zero a dieci	2002	I	477838				
Il più bel giorno della mia vita	2002	I, UK	474807				
Merry Christmas	2001	I, E	2535768				
L'ultimo bacio	2001	I	2338102	215557	48402		
Le fate ignoranti	2001	I, F	1381290	33784	27455	71287	
Il principe e il pirata	2001	I	1177353				
La stanza del figlio	2001	I, F	1153619	812760	155465	145716	60123
Vajont	2001	I, F	564878	72128			
Santa Maradona	2001	I	512019				
Non ho sonno	2001	I	454360	29049			

6 Ascoltare

›4 **"Che film italiano ti senti di consigliare a un pubblico di stranieri?"**

CD2

A Mettete in comune con la classe tutto ciò che sapete sugli "anni di piombo". A quale periodo storico si riferiscono e a quali eventi? E ancora, che cos'è la "Sindrome di Peter Pan"?

B Lavorate in coppia. Ascolterete come due italiani, Alessandro e Roberta, hanno risposto alla domanda "Che film italiano ti senti di consigliare a un pubblico di spettatori stranieri?"

Lo studente A ascolta il consiglio di Alessandro, annota le informazioni indicate nella tabella sotto per riferirle allo studente B; lo studente B ascolta invece il suggerimento di Roberta, prende nota e lo riferisce allo studente A. Usate, possibilmente, il discorso indiretto (Alessandro ha detto che lo ha molto colpito perché...). Alla fine, se lo desiderate, potete riascoltare entrambi i consigli per verificare se il vostro compagno vi ha riferito le informazioni in modo corretto e preciso.

Studente A	
Titolo	
Regista	
Trama	
Attori	
Perché gli è piaciuto	
Che cosa non l'ha convinto	

Studente B	
Titolo	
Regista	
Anno	
Trama	
Personaggi	
Perché le è piaciuto	
Tematiche trattate	

7 Coesione testuale

A Prova a completare questi frammenti di parlato tratti dall'ascolto dell'attività 6 scegliendo tra i segnali discorsivi elencati sotto. Poi riascolta il pezzo per verificare le tue risposte e prova a spiegare con parole tue la funzione di ciascun elemento che hai inserito.

> proprio (2)   appunto   persino   torno a ripeterti   almeno dal mio punto di vista
> secondo me   a me personalmente   come ti dicevo prima

Dal commento di Alessandro

Ma, guarda, io mi sentirei di consigliare *Buongiorno, notte*, l'ultimo film di Bellocchio, che mi ha molto colpito **(1)** .... perché ha trattato un problema di un evento della nostra storia che noi non siamo abituati a fare a scuola, almeno la mia generazione. E si tratta **(2)** .... di questo caso di Aldo Moro.

E credo potrebbe essere recepito, **(3)** .... come vicino anche da degli stranieri.

Un film italiano di un regista, che ha già fatto degli altri film, Bellocchio, ma che è in grado, **(4)** .... , in questo caso, di parlare anche a un pubblico più ampio, rispetto a solo quello italiano.

Poi, per quanto riguarda come è stata svolta la storia, **(5)** .... , ma qui entriamo in un discorso personale, lascia un po' perplesso.

È vero che Bellocchio ha avuto il grande merito di inquadrare la storia dalla prospettiva dei terroristi, e da una prospettiva quindi anche un po' più privata, però **(6)** .... questo mi sembra anche il limite del film.

(7) .... questo mi sembra un po' il punto debole.

Di fatto, oltre che essere comunque un film recitato molto bene, è un film che ha il merito, **(8)** .... di prendere in considerazione un punto di vista assolutamente nuovo all'interno del cinema italiano, su casi come questo, cioè il punto di vista dei terroristi.

E credo quindi che **(9)** .... per il pubblico italiano sia abbastanza destabilizzante.

Buongiorno, notte

| ripeto ancora | a mio avviso | avevo fatto cenno all'inizio |
| a cui facevo cenno prima | così(2) | se vuoi | se non (mi) sbaglio |

Dal commento di Roberta

Guarda, ti posso parlare di un film recente, del 2001, (1) ....

Allora io mi sono sentita, (2) ....presa in causa in questa storia e mi sono sentita molto vicina ai personaggi perché i personaggi protagonisti sono due trentenni.

Allora io vedo due tematiche importanti in questo film, tutte e due che mi hanno, (3) ....fatto sentire molto partecipe.

Ma per chi conosce, ehm, (4) ....le problematiche sociali della nostra generazione, si sa che i trentenni del duemila sono molto apolitici.

Sono delle persone che hanno dei miti e degli ideali, (5) ....piccoli di realizzazione personale.

E appunto proprio durante il matrimonio (6)

.... incontra così casualmente una diciottenne.

(7) ....a due grandi tematiche, la seconda tematica, oltre alla sindrome di Peter Pan, è sicuramente il rapporto di coppia e l'amore.

Sono tutte persone con caratteri e situazioni diverse di vita, ma che riflettono bene, (8) ...., le problematiche dei miei coetanei.

L'ultimo bacio

B **Leggi questi due appelli che riguardano il mondo del cinema e rifletti sul significato dei connettivi sottolineati. A che cosa servono? Con quale modo (indicativo, congiuntivo, condizionale) vanno usati? Ne conosci degli altri che hanno la stessa funzione?**

1. Da Berneschi un appello <u>perché</u> il governo **incentivi** una forte produzione italiana che migliori i dati attuali, nel contempo la necessità che si distribuisca in modo uniforme sui tre quadrimestri la percentuale di incassi e spettatori, che è pari al 20% nel periodo da maggio ad agosto, contro il 40% degli altri due periodi.

2. Qualche imbarazzo da parte degli americani presenti come Robert Altman, qualche appello patetico, ma insieme concreto come quello del regista della Nuova Guinea Mohamed Camara <u>che</u> **aiutino** il suo e gli altri paesi africani a dotarsi delle strutture indispensabili, di quel minimo di laboratori per poter fare cinema.

▶E 10   **C**   Analizza i connettivi sottolineati e decidi se hanno significato finale (FIN.), causale (CAU.) o concessivo (CON.).

	FIN.	CAU.	CON.
1. Ho portato la relazione all'insegnante <u>perché</u> me la corregga.	☐	☐	☐
2. Mi scriveva una volta al mese <u>affinché</u> gli spedissi dei soldi.	☐	☐	☐
3. Ho pagato la rata <u>perché</u> oggi scade il termine di consegna.	☐	☐	☐
4. <u>Benché</u> il mercato sia dominato da film americani, nella classifica dei primi trenta troviamo 5 film italiani.	☐	☐	☐
5. Te l'ho detto <u>perché</u> tu lo sappia.	☐	☐	☐
6. Faranno qualsiasi cosa <u>al fine di</u> riuscire ad aggiudicarsi il premio.	☐	☐	☐
7. <u>Nonostante</u> le molte offerte, non ho trovato nulla di mio gradimento.	☐	☐	☐
8. Ho fatto finta di sentirmi male <u>per</u> conoscerlo.	☐	☐	☐
9. <u>Poiché</u> andare al cinema con l'intera famiglia è costoso, preferiamo noleggiare una videocassetta.	☐	☐	☐

D   Completa queste frasi con i connettivi finali coniugando il verbo al congiuntivo presente, imperfetto, all'indicativo o all'infinito.

ESEMPIO

▶ Il regista ha dichiarato di aver scelto il tema della sindrome di Peter Pan perché il film (*piacere*) _piacesse_ ai giovani adulti.

1. Il mese scorso ho scritto una lettera di protesta all'amministratore affinché (*fare mettere*) .... un cartello di divieto di sosta nel cortile del condominio.

2. Ho bisogno di parlarti perché tu (*potere*) .... comprendere meglio le ragioni della mia decisione.

3. Passerà le vacanze da noi per (*farsi perdonare*) .... la sua lunga assenza da casa.

4. Mi ha portato altri due libri da (*leggere*) .... per l'esame di Sociologia.

5. Telefonami stasera, che ne (*parlare, noi*) .... un po'.

6. Gli ho comprato il telefonino perché (*chiamarmi*) .... in caso di necessità.

7. L'associazione promuoveva manifestazioni perché l'arte australiana (*venire diffusa*) .... nel continente europeo.

8 Leggere

Capire il punto di vista di chi scrive

A   Dopo aver ascoltato nell'attività 6 il commento di Alessandro sul film *Buongiorno, notte* di Bellocchio, leggi queste recensioni sullo stesso film. Completa la griglia di p. 317, cercando di capire per ogni recensione:

• il punto di vista del recensore
• che cosa valuta (l'interpretazione, la coerenza dei personaggi)
• come lo valuta (entusiasticamente, positivamente, negativamente)

Autore: Lietta Tornabuoni – **Testata:** «La Stampa»

(...) La cronaca del caso Moro è appena accennata. La politica politicante, neppure sfiorata. Il rapporto tra carcerieri e carcerato non è un rapporto tra persone ma tra emblemi di diverse politiche di cambiamento o di conservazione, emblemi astratti, rigidi, schematici o agiografici (Moro, spesso accompagnato da musiche sublimi, è rappresentato quasi come il santo che non era). La ragazza carceriera ha pochi spazi drammatici. Bellocchio è così bravo che non farà mai nulla di brutto: *Buongiorno, notte* è interessante e ha momenti belli; anche se non dice, né dà molto, il senso di morte che dominò quel periodo è fortissimo.

Autore: Alberto Crespi – **Testata:** «L'Unità»

(...) Capolavoro (...) *Buongiorno, notte* è una riflessione alta su valori che vanno al di là della politica. È un'opera labirintica, spesso di difficile decifrazione, che lascia la voglia di rivederla più volte. Gli attori, soprattutto Herlitzka e la Sansa, sono stupendi. Bellocchio sta attraversando una fase di grazia (...).

(da http://www.capital.it/trovacinema)

Recensione	Punto di vista del recensore	Cosa valuta	Come lo valuta
Lietta Tornabuoni (*La Stampa*)			
Alberto Crespi (*L'Unità*)			

9 Esplorare la grammatica

Articolo determinativo o indeterminativo

A Leggi questo frammento di intervista al regista Bellocchio. Rifletti sull'uso dell'articolo determinativo e indeterminativo.

Applausi e commozione per Buongiorno, notte

• Qual è stato il punto di partenza nella lavorazione?

– Mi sembrava interessante, dapprima, vedere tutta questa tragedia dall'esterno, capire come l'hanno vissuta i parenti, gli amici, gli orfani. Poco alla volta, però, ho pensato che nello spazio normale di un appartamento si può vivere questa vicenda attraverso i vari personaggi. Innanzitutto i carcerieri: mi è piaciuto raccontare la loro vita quotidiana. Poi è nato il bisogno di entrare nella cella, osare di analizzare il prigioniero, farne un ritratto. Ne esce un uomo di buon senso molto più dei suoi sequestratori.

(da www.capital.it/trovacinema)

Spiega perché vengono usati gli articoli sottolineati nel testo di p. 317 aiutandoti con le categorie della tabella.

ARTICOLO DETERMINATIVO	ARTICOLO INDETERMINATIVO
1) elemento NOTO nell'universo di discorso	1) elemento NUOVO nell'universo di discorso
2) elemento già MENZIONATO	2) elemento NON MENZIONATO
3) elemento che rappresenta una CATEGORIA, una CLASSE	3) elemento che rappresenta un MEMBRO di una classe

▶E 11   **B** Ora completa questa presentazione di un film con gli articoli determinativi o indeterminativi.

DRAMMATICO   *Il posto dell'anima*

Regia: Riccardo Milani
Cast: Silvio Orlando, Michele Placido, Claudio Santamaria, Paola Cortellesi
Sceneggiatura: Domenico Starnone e Riccardo Milani

Anche se (1) .... lavoro in fabbrica è cambiato e (2) .... padroni, intesi come persone fisiche, sono stati sostituiti dalle multinazionali, (3) .... classe operaia esiste ancora. E per dimostrarlo ecco (4) .... film centrato sulle vicende di (5) .... assortito gruppo di operai che lavorano in (6) .... stabilimento per (7) .... costruzione di pneumatici, a Vasto, in Abruzzo. (8) .... fabbrica, di cui è proprietaria appunto (9) .... multinazionale con sede in America, viene chiusa e (10) .... operai licenziati. Ma loro non si arrendono, reagiscono, si organizzano: occupano (11) .... stabilimento e (12) .... caso lievita velocemente, richiamando prima (13) .... interesse delle TV locali, poi dei TG regionali, fino a trasformarsi in (14) .... problema di risonanza nazionale. In primo piano (15) .... film, caratterizzato da (16) .... tono di commedia amara, segue (17) .... disavventure di tre operai, simbolo di altrettante generazioni: c'è Salvatore (Michele Placido), forte di (18) .... lungo impegno politico e sindacale, ma nello stesso tempo prigioniero del lavoro. Antonio (Silvio Orlando) è stato costretto a trasferirsi a Vasto per lavoro, ma sogna di tornare (19) .... giorno nel suo paese. Mario (Claudio Santamaria), vent'anni, è (20) .... meno sindacalizzato e quando (21) .... fabbrica chiude...

(da «Il Venerdì cinema», aprile 2003)

10 Parlare

A **Scambio di informazioni. Da non perdere!** Lavorate in coppia. Raccontatevi un film che vi è molto piaciuto e che consigliereste al vostro compagno di non perdere. Motivate la vostra scelta. Potete parlare dei temi trattati, dell'ambientazione, della psicologia dei personaggi, della sceneggiatura, delle tecniche di ripresa, della colonna sonora, dell'interpretazione degli attori...

B **Conversazione per realizzare un progetto. Facciamo un film.** Formate dei gruppi per Paese di provenienza. Dovete realizzare un film che racconti la vita del vostro Paese nell'epoca attuale, che metta a fuoco qualche fenomeno, tendenza, personaggio, problema sociale o generazionale caratteristico del vostro Paese, oggi. Pensate alla trama, ai personaggi e all'ambientazione. Poi ciascun gruppo lo racconterà alla classe. Potete anche formare una giuria e votare il film migliore.

11 Scrivere

A **Recensione.** Immagina di dover scrivere per una rivista del tuo Paese una breve recensione di un film italiano. Sai che si tratta di un genere espositivo-interpretativo il cui scopo è quello di informare, incuriosire il lettore e valutare criticamente l'opera (cfr. lo schema della recensione, Unità 8, p. 280).

B **Iniziare una storia e finirne un'altra.** Dividetevi in gruppi di 3 o 4 persone. Ciascun gruppo deve scrivere l'inizio della trama di un film che ha per soggetto "L'Italia vista dagli stranieri" e dargli un titolo. Poi consegnerà questa prima parte del film a un altro gruppo che la leggerà e avrà il compito di completarla. La storia più bella sarà premiata.

12 Navigando

A **Andar per cinema italiano.** Formate delle squadre di 4-5 persone e giocate a una caccia all'informazione *on line*. In questo tipo di attività il lavoro d'équipe e la suddivisione dei compiti sono cruciali. Avete a disposizione 30 minuti per rispondere alle domande riguardanti il cinema italiano; vince la squadra che riesce a "cacciare" più informazioni corrette. Vi segnaliamo alcuni siti sul cinema: **www.cinecitta.it**; **www.kwcinema.kataweb.it**; **www.film.it**; **www.ciakmania.it**; **www.anica.it**; **www.cinemastudio.com**.

1. Negli anni '80 e '90 l'Italia ha vinto tre Oscar per il miglior film straniero. Con quali film e di chi?
2. L'*Accademy* ha assegnato al nostro cinema tre Oscar alla carriera. A chi?
3. Con quale film Nanni Moretti ha vinto la Palma d'oro al festival di Cannes?
4. Qual è il Festival del cinema italiano in cui viene dato come premio il *Leone d'oro*?
5. Con quale film inizia l'esperienza del Neorealismo italiano?
6. Come si chiamano i tre personaggi del famoso trio comico milanese, autori e registi di film recenti di grande successo?
7. Qual è il nome d'arte di Antonio de Curtis, grande interprete comico degli anni '50-'60?

B **Confronto tra i top ten.** Andate in uno dei siti indicati sopra e cercate la classifica dei film più visti nell'anno in Italia e nei vostri Paesi. Confrontate e commentate le classifiche, per esempio il genere, l'origine dei film.

Esercizi

1 Completa le frasi sotto scegliendo tra il congiuntivo imperfetto e il trapassato.

1. Ah, non ci sei poi andato al cinema. Ero convinto che lo (*vedere*) .... l'ultimo film di Paolo Virzì, *Caterina va in città*. Non perdertelo se ti piace il genere commedia amara!

2. Il film ha una trama così imprevedibile che mentre lo guardavo mi era difficile credere che l'assassino (*essere*) .... proprio il marito della protagonista.

3. Tutta la *troupe* era contenta che (*decidere, noi*) .... di fermarci il più breve tempo possibile nel deserto per le riprese.

4. Subito dopo aver ricevuto la telefonata, benché (*nevicare*) .... e (*avere, lei*) .... la polmonite, è uscita di corsa per andare a soccorrere la figlia che era in pericolo.

5. Salvatores ha confessato che quello era stato il film più toccante che (*realizzare, mai*) ....

6. Lavorare con Visconti era difficile perché pretendeva sempre che (*dare*) .... il meglio di noi.

7. Negli anni cinquanta qualsiasi film che (*venire proiettato*) .... nelle sale dell'oratorio era stato accorciato delle scene che potevano offendere il comune senso del pudore e della morale cattolica.

8. Se il regista (*curare*) .... maggiormente la ricostruzione storica, sarebbe stato un film perfetto.

2 Completa questi due schemi che riassumono la concordanza dei tempi al congiuntivo, scegliendo tra i verbi coniugati ai tempi/modi verbali elencati qui di seguito.

> parta (2)   partisse (4)   partirà   sarebbe partita   stesse partendo   stia partendo
> sia partita   fosse partita (2)

Frase principale al presente (futuro)   Frase secondaria

Viola *pensa* che Ilaria   (1) ....   per il mare
(2) ....
(3) ....
(4) ....
(5) ....
(6) ....
(7) ....

{ fra una settimana.   (DOPO)

{ oggi.   (ORA)

→ ieri.
→ tutti i fine settimana. (PRIMA)
→ quando l'ha chiamata di pomeriggio.

Frase principale al passato   Frase secondaria

Viola *pensava* che Ilaria (*ha pensato, pensò, aveva pensato*)   (8) ....   per il mare
(9) ....
(10) ....
(11) ....
(12) ....
(13) ....

{ la settimana seguente. (DOPO)

{ quel giorno.   (ALLORA)

→ il mese prima.
→ tutti i fine settimana. (PRIMA)

3 Completa queste frasi e decidi per ciascuna se il rapporto temporale tra il verbo della principale e quello della secondaria è di contemporaneità (ora – ora, allora – allora) di posteriorità (ora – dopo, allora – dopo) o di anteriorità (ora – prima, allora – prima).

ESEMPIO

▶ Mi pare che ieri sera Lucio (*esagerare*) .... nel bere e nel fumare.
  Mi pare che ieri sera Lucio *abbia esagerato* nel bere e nel fumare. (anteriorità)

1. Spero che oggi (*arrivare*) .... la lettera che aspetto da tanti giorni. (.....................)

2. I suoi genitori pretendevano che Laura non (*uscire*) .... da sola di sera. (.....................)

3. Dubito che Marta (*capire*) .... bene ciò che le hai detto. (.....................)

4. In vacanza Marta continuava a mangiare come una forsennata sebbene (*essere*) .... già su di peso. (.....................)

5. Non penso che Marco (*finire*) .... la traduzione entro oggi. (.....................)

6. Non immaginavo che gli ospiti (*fermarsi*) .... fino a quell'ora. (.....................)

7. Credevo che Giulio ti (*dire, già*) .... tutto. (.....................)

8. Mi pare di ricordare che l'anno scorso Viola (*andare*) .... in piscina tutti i giorni. (.....................)

9. Mi sembra che Luisa (*laurearsi*) .... nel 1987. (.....................)

10. • Hanno giocato a tennis ieri sera?
    – Ma, credo che quando sono passati da me (*giocare, già*) .... (.....................)

4 Completa questo testo coniugando i verbi al congiuntivo e al condizionale passato (1 caso).

Clelia gli aveva scritto da un paese della Riviera, dicendo che ci era andata in automobile con certe amiche conosciute in montagna e di cui sarebbe stata ospite, senza dirgli né il nome di queste amiche, né il preciso indirizzo. Questo evidentemente per paura ch'egli la (*raggiungere*) (1) .... e le (*scrivere*) (2) ....

Ella non voleva che le sue amiche (*sapere*) (3) .... della sua situazione irregolare. Aveva un vero terrore patologico per questo, e Adolfo conosceva e rispettava questo sentimento. Ma lei non si era fatta più viva da diversi giorni e Adolfo era irritato per questa noncuranza, e anche sospettoso di chi sa quale situazione in barba a lui. Non riusciva ad impedire alla propria fantasia di vedere Clelia in una villa al mare, in mezzo ad una cerchia di corteggiatori. Immaginava che le amiche (*avere*) (4) .... dei fratelli giovani e galanti (forse dei guardiamarina in vacanza estiva), e certo dei conoscenti che andavano a trovarle e coi quali ballavano allegramente in cucina per prepararsi il pranzo, prendere l'aperitivo nella sala di soggiorno... Così gli era cresciuto un contenuto furore. Voleva fare una sorpresa a Clelia. Piombarle in casa. Coglierla sul fatto. Ma se la situazione (*essere*) (5) .... innocente? Pensava anche che era una vigliaccheria esporla ad una brutta figura, in ogni caso. Ma d'altronde, se lei voleva evitare questo, (*dovere*) (6) .... avere un po' più di riguardo per lui, scrivergli, dirgli tutto, che diamine! Se voleva avere una certa libertà bisognava pure che lo (*tranquillizzare*) (7) ....

Nelle prime ore del pomeriggio, deciso a piombare nel paesetto e cogliere Clelia sul fatto, a costo di guastarle la villeggiatura esponendola ad una brutta figura presso le amiche, girava di cattivo umore per Milano in automobile cercando, per distrarsi, un diversivo galante. Tra le persone in attesa ad una fermata di tram vide una bella ragazza sola. Rallentò, si fermò poco lontano e si volse a guardare. Cauto, perché gli pareva che in questi casi tutti (*indovinare*) (8) .... le sue intenzioni. Dal gruppo si mosse correndo un uomo che gli fece cenno di aspettarlo. Adolfo pensò che (*essere*) (9) .... con la ragazza e (*volere*) (10) .... dirgliene quattro, ma poi riconobbe un conoscente, un certo Battiselli.

(da A. Campanile, *Manuale di conversazione*)

5 Leggi questa intervista a Gianni Amelio. Poi trasforma le risposte dell'intervista al regista italiano nel discorso indiretto usando la terza persona. Usa come verbi principali dichiarativi: *ha detto, ha affermato, ha risposto...*

Mi sono lasciato andare alle emozioni

— Qual è, Amelio, il segreto di tanto successo di una storia dove non c'è sesso né violenza, né attori di grande nome?

"Me lo sono chiesto anch'io. E forse la risposta è che stavolta ho fatto un film più diretto. Invece di usare la macchina da presa come diaframma tra me e il pubblico, mi sono lasciato andare alle emozioni. Un paio di volte durante le riprese mi sono sorpreso a commuovermi. E mi sono un po' preoccupato, temendo di non avere quel distacco necessario dall'opera. Invece, forse era giusto così".

— *Il Ladro* è una storia con bambini. Una prova che i piccoli aiutano un film?

"I bambini sono sempre un'arma a doppio taglio. È molto difficile girare con loro: la falsità si vede subito".

— L'Oscar a Salvatores, i premi dello scorso Berlino, il premio al suo film. Segni di rinascita per il cinema italiano. Lei si sente parte di questa nuova generazione?

"Di quella di Salvatores non direi. Sono fuori età. I trentenni hanno un'altra storia. I miei compagni di strada sono altri. Anche se facciamo film diversissimi, sento piuttosto come un punto di riferimento costante un regista come Nanni Moretti. Il suo modo di vivere il cinema ha spazzato via la cialtroneria da questo mestiere".

— Si sente molto emozionato, ora?

"No, le emozioni le spendo tutte sul set. Dopo no, il gioco è fatto. Ora mi sento invece molto felice, è stato uno splendido regalo".

— Lo dedica a qualcuno questo premio?

"Sì, a una persona, ma è un segreto. Lo sappiamo solo noi due".

Giuseppina Manin
(da «Il Corriere della sera», 19 maggio 1992)

6 Trasforma queste affermazioni all'imperativo nel discorso indiretto:

ESEMPIO

▶ Carlo ha detto: "Alzati che è tardi!"
Carlo ha detto *di alzarmi* che era tardi.
Carlo ha detto *che mi alzassi* che era tardi.

1. Sandra gli ha gridato: "Esci da qui e non farti mai più vedere!"
2. Anna ha detto: "Apri subito quel pacco!"
3. Il signor Cottugno la minacciò: "Stia attenta che la denuncio!"
4. Marta suggerisce al cliente: "Compri quella macchina!"
5. Antonio dice a Luciano: "Lasciamola tranquilla che stanotte non ha dormito".
6. Ada le ha consigliato: "Non perda quel film!"
7. Mia madre mi diceva sempre per insegnarmi a nuotare: "Dai, batti i piedi, prova a nuotare, vai tranquilla!"
8. Mio padre invece mi diceva: "Sali sulle mie spalle che ti faccio fare una bella nuotata!"
9. I suoi genitori gli hanno detto: "Torna a casa prima di mezzanotte"
10. Ha chiesto al professore di storia: "Mi interroghi per primo!"

7 Trasforma questi periodi ipotetici nel discorso indiretto.

ESEMPIO

▶ Mauro disse: "Tornerò fra un mese se mi danno le ferie".
Mauro disse che sarebbe tornato tra un mese se gli avessero dato le ferie.

1. Hanno dichiarato sotto giuramento: "Se ci proteggerete confesseremo i nomi dei complici che hanno collaborato al sequestro".
2. Mara ha risposto: "Se dipendesse solo da me l'avrei già fatto".
3. Mario ha affermato: "Se non avessi i figli mi sarei già separato".
4. Daniele ha dichiarato: "Se non mi aumentate lo stipendio me ne vado".
5. Carla ha detto: "Se non mi fossi slogata la spalla sarei venuta".
6. Gianna ha risposto: "Se farò in tempo, li andrò a prendere io i bambini".
7. I miei genitori mi avevano promesso: "Se prenderai la sufficienza in latino potrai andare al cinema domenica".
8. L'attrice Anna Golino ha confessato: "Se qualcuno me lo chiedesse interpreterei volentieri il ruolo della cattiva, della perfida che fa soffrire gli uomini".

8 Leggi questi enunciati e rispondi.

a. Vorrei che mia figlia *lavorasse* come costumista nel mondo dello spettacolo!

b. Vorrei che mia figlia non *fosse* mai *entrata* nel mondo dello spettacolo!

1. A che modo è il verbo della frase principale?

2. Che cosa indicano i due congiuntivi?

☐ un fatto desiderato nel presente che è sentito dal parlante come realizzabile o irrealizzabile

☐ un fatto desiderato nel passato che non si è realizzato

Completa ora queste frasi, che dipendono da un verbo al condizionale, scegliendo tra il congiuntivo imperfetto e quello trapassato.

1. Vorrei che Silvana mi (*chiedere*)
.... almeno scusa e invece non si è più fatta viva.

2. Sarebbe bello se (*fare*) ....
bel tempo sabato prossimo.

3. Basterebbe che Lisa (*andare*)
.... due volte alla settimana in piscina per sentirsi in forma. Proviamo a convincerla!

4. Sarebbe stato meglio che tu non (*partire*)
.... così non ti saresti messo nei guai.

5. Sarebbe ora che tu (*imparare*)
.... a guidare la macchina!

6. Paolo vorrebbe che suo figlio (*lavorare*)
.... nella ditta con lui, non appena si sarà laureato.

7. Vorrei che Carlo non (*conoscere, mai*)
.... Rita perché la trovo una ragazza falsa.

8. Vorremmo che vi (*comprare*)
.... una casa vicino a noi così ora potremmo darvi una mano con la piccola Sandra.

9. Sarebbe stato preferibile che voi (*arrivare*)
.... un po' prima.

9 Esprimere desideri. Mettetevi in coppia e a turno esprimete dei desideri e delle speranze relative al presente e al passato, che riguardano:

– voi stessi

– una persona della famiglia a voi cara

– un amico

– i problemi della società contemporanea

ESEMPI

▶ Vorrei fare un viaggio in Sudamerica.

▶ Sarebbe ora che mio figlio si laureasse, trovasse lavoro e si rendesse indipendente.

▶ Vorrei che la mia amica Stefania avesse finito la scuola di recitazione. Aveva così tanto talento!

10 Completa queste frasi scegliendo tra i connettivi elencati sotto. Oltre al significato ti può aiutare anche il modo in cui è coniugato il verbo (indicativo, congiuntivo, infinito o gerundio).

TEMPORALI	finché, dopo che, prima che
FINALI	perché, affinché, per
CAUSALI	perché, siccome
CONCESSIVI	benché, anche se, pur
MODALI	come se
ECCETTUATIVI	a meno che

1. Non mi stancherò di parlargli .... avrò voce.

2. Non ti ho chiamato .... potessi stare tranquillo prima dell'esame.

3. Uscirò .... avrò pulito la casa.

4. Non ti ho telefonato .... non avevo notizie importanti da darti.

5. È meglio avvisare i suoi genitori ....
sia troppo tardi.

6. È meglio che ci comportiamo .... non sapessimo niente di ciò che le è successo.

7. Scrissi una lettera anonima a Marta ....
scoprisse la verità sul conto di suo marito.

8. Hanno consultato un esperto ....
investire al meglio il patrimonio ereditato.

9. .... avendo saltato il pranzo non sono riuscita ad arrivare in orario.

10. La invitai alla festa .... non mi fosse simpatica.

11. .... non avevamo soldi, l'anno scorso non abbiamo fatto le ferie.

12. Ti aspettiamo .... tu non voglia raggiungerci con la tua macchina.

13. Continua a fumare .... ha mal di gola.

11 Completa questa presentazione/recensione di un film con gli articoli determinativi o indeterminativi.

COMMEDIA

CATERINA VA IN CITTÀ

Regia: Paolo Virzì
Cast: Sergio Castellitto, Margherita Buy, Alice Teghil
Sceneggiatura: Francesco Bruni e Paolo Virzì

Da Montalto di Castro, Caterina, 13 anni, approda nella capitale. Alla morte della nonna, (1) .... famiglia ha ereditato (2) .... appartamento a Roma e papà, professore di lettere con velleità e ambizioni autoriali, ha deciso di trasferirsi nella capitale. (3) ....

capofamiglia è eccitato; (4) .... madre, casalinga, spaesata; Caterina si dibatte fra sentimenti opposti: entusiasmo e autentico terrore. Iscrittasi a (5) .... scuola del centro, (6) .... ragazza dapprima fa amicizia con (7) .... compagna di sinistra, saputella e tenebrosa; poi viene cooptata nell'orbita della figlia di (8) .... politico di destra. Un po' come accadeva in (9) .... precedente film di Virzì, *Ferie d'agosto*, (10) .... modelli ideologici ed esistenziali con cui (11) .... protagonista si confronta sono diametralmente opposti. Nonostante tutta (12) .... vicenda sia vista e raccontata attraverso (13) .... occhi di (14) .... adolescente, immaginata come (15) .... specie di Cappuccetto Rosso che si addentra in (16) .... foresta pericolosa, (17) .... città del potere, *Caterina va in città* non rinuncia al consueto tono ironico del regista toscano particolarmente adatto a raccontare (18) .... realtà un po' patetica dei giorni nostri. (19) .... allusioni alla cronaca politica si annunciano numerose, compresa (20) .... breve apparizione di Silvio Berlusconi, interpretato da (21) .... attore vagamente somigliante, che si intravede attorniato da (22) .... stuolo di portaborse e guardie del corpo.

(da «Il Venerdì cinema», ottobre 2003)

12 Inserisci gli articoli e le desinenze mancanti.

Nomi ambigeneri in -a	
SINGOLARE	PLURALE
il	i regi**sti**
reg-**ista**	
la	le regi**ste**

1. Nel film compaiono due terrorist....... dell'IRA, una impiegata di banca, l'altra madre altruist....... e ottimist....... .

2. .... protagonist....... del film erano tutte donne.

3. Il film ritrae l'atmosfera degli "anni di piombo" in cui .... brigatist....... sparavano alle gambe di politici, docent....... universitari, magistrati.

4. Nel film *Il portaborse* il professor Sandulli rappresenta ...... antagonist...... del politico corrotto Botero.

5. Enzo Biagi viene considerato ...... miglior giornalist...... della stampa italiana.

6. L'orchestra era composta da tre famose violinist...... , ... pianist...... cieca, due chitarrist...... spagnoli e due voci solist...... .

7. Alcuni giovani cineast...... italiani sono ancora poco conosciuti.

8. ...... regist...... Lina Wertmüller ha ritirato per protesta il suo film dalle sale cinematografiche.

13 Trasforma i verbi in corsivo in aggettivi.

ESEMPIO

▶ Un film con immagini che *aggrediscono*
Un film con immagini *aggressive*

1. Un film che *compete* sul mercato

2. Una concorrenza che *eccede*

3. Una sceneggiatura che *persuade*

4. Una programmazione che *continua*

5. Un pubblico che *ignora*

6. Il mercato che *produce*

7. Un premio che *incoraggia*

8. Cifre che *impressionano*

9. Un pubblico che *seleziona*

10. Una scena che *offende*

11. Un dato che *inquieta*

12. Un'abitudine che *nuoce*

14 Completa la conclusione di un articolo tratto dalla *Storia del cinema mondiale* (vol. 3/2, Einaudi) con le preposizioni richieste dai verbi sottolineati nel testo.

In definitiva il panorama che tra fine del millennio e inizio del terzo il cinema italiano mette sotto gli occhi, si avvantaggia di nuovo, come era stato in passato, (1) .... un bene prezioso: la varietà. I fenomeni di massa – da Villaggio ad Abatantuono, da Pieraccioni ad Aldo, Giovanni e Giacomo passando (2) .... Verdone e Benigni, e tutte le grandi famiglie dei Vanzina, dei Risi, dei De Sica, dei Tognazzi e dei Gassman – s'affiancano (3) .... fenomeni soprattutto critici: da Martone a Ciprì e Maresco, a Soldini, Moretti, Amelio. Complementari tra loro e integrati (4) .... una vasta fascia intermedia che comprende Salvatores, Tornatore, Archibugi, Mazzacurati, Luchetti, D'Alatri, Pozzessere, Calopresti, Virzì, Piccioni, Zaccaro, che ha cari la confezione, la comunicazione, lo spettacolo non separati (5) .... rispettivo sentire.

Qual è dunque il maggior problema che oggi ha davanti a sé il nostro cinema? Ciò che manca ed è ancora (6) .... costruire – ricostruire – è l'identità, la riconoscibilità generale.

Qualcuno direbbe "l'immagine". Quella che consente (7) .... percepire il *profumo* del cinema inglese, francese o spagnolo; quella che ha imposto (8) .... mondo la rivoluzione di De Sica e di Fellini, che in *Ladri di biciclette* o in *Roma città aperta*, in *La dolce vita* o *L'avventura*, in *Salvatore Giuliano* e nel *Gattopardo*, come in *Divorzio all'italiana*, *La grande guerra* o *Il sorpasso* ha fissato, agli occhi del mondo, un sentimento, un modo d'essere e di vivere inequivocabilmente italiani e come tali indimenticabili.

(da Paolo D'Agostini, *Il cinema italiano da Moretti ad oggi*)

Ripasso

1 Completa questi due testi con le parole derivate. Aggiungi alla parola di base (messa tra parentesi) i suffissi appropriati per derivare aggettivi (A), nomi da aggettivi (N) e nomi da verbi (Nv).

RECENSIONE
Il cuore altrove

di Pupi Avati con Neri Marcorè, Vanessa Incontrada

È un Avati in stato di grazia e per grazia intendiamo (*gentile* > N) (1) .... del tocco, (*tenero* > N) (2) .... verso i personaggi, (*capace* > N) (3) .... di condurre l'azione con stile lieve e (*sapere* > A) (4) .... insieme, come ai tempi di *Una gita scolastica*. Il protagonista è un uomo incapace di uniformarsi al coro, quindi un 'male amato'. Avati lo mette al centro di una storia d'(*iniziare* > Nv) (5) .... diversa dalle altre, che non termina né con l'ingresso all'età adulta né con la (*perdere* > Nv) (6) .... dell'(*innocente* > N) (7) .... Per ciò che racconta il film ha un retrospessore (*malinconia* >A) (8) .... perfino amaro, anche se non c'è mai vera (*triste* > N) (9) .... Anzi, fa ridere spesso: il (*gemellare* >Nv) (10) .... tra malinconia e (*comico* > N) (11) .... funziona a dovere; come nel cinema (*popolo* > A) (12) .... di buona memoria, ma con il tocco dell'autore in più.

(adattato da «Il Venerdì cinema», ottobre 2003)

FELLINI, L'AMERICA LO RICORDA COSÌ

Per la morte di Federico Fellini, il 31 ottobre 1993, venne allestita una camera (*ardere* > A) (1) .... nel teatro di posa di Cinecittà, dove il grande maestro aveva dato forma ai suoi sogni.
Oggi per celebrare i dieci anni dalla sua (*scomparire* > Nv) (2) .... New York, dopo Roma, Rimini (la sua città (*dove è nato* > A) (3) ....), Cannes e tante altre città che gli

hanno reso omaggio in questi mesi, lo ricorda al Guggenheim con una mostra (*gigante* > A) (4) .... , come solo gli americani, con i loro (*potere* > A) (5) .... mezzi, possono fare. Di tutto di più in questa mostra: dalle prime caricature di attori famosi, ma anche di gente di strada, che il giovanissimo Fellini consegnava all'(*entrare* > Nv) (6) .... dei cinema per pagarsi il biglietto, ai manifesti, le fotografie, i provini, gli spot d'autore. Poi tutti i suoi film, le (*intervistare* > Nv) (7) .... rare e i documentari prodotti per le (*celebrare* > Nv) (8) .... di quest'anno. E ancora, il primo novembre le luci del teatro Peter Lewis di New York si spegneranno con la (*proiettare* > Nv) (9) .... di *Luci del varietà* per riaccendersi il 14 gennaio 2004 alla fine de *La voce della luna*, l'ultimo film del grande regista. Tutto il materiale passerà poi a Parigi.
Il talento di Federico Fellini, ricordiamolo, è stato riconosciuto dai membri dell'*Accademy* hollywoodiana per ben cinque volte, quattro con l'Oscar come miglior film straniero con *La strada* nel 1956, *Le notti di Cabiria* nel '57, *Otto e mezzo* nel '63 e infine *Amarcord* nel '74. Tutti film (*da non dimenticare* > A) (10) .... molto amati dagli americani, per i quali Fellini resta sinonimo di cinema italiano, di cinema (*Europa* > A) (11) .... , di cinema d'autore contrapposto al grande business (*cinematografia* > A) (12) .... hollywoodiano. Il quinto premio, forse il più (*prestigio* >A) (13) .... , è l'Oscar alla carriera che Fellini ha ricevuto nel 1993, l'anno in cui è mancato. Non dimentichiamo che questo (*riconoscere* > Nv) (14) .... dell'America nei confronti di Fellini era arrivato dopo alcune stagioni di fausti successi del nostro cinema presso il pubblico di oltre Atlantico (con i due Oscar andati a (*distante* > A) (15) .... di due anni l'uno dall'altro a *Nuovo Cinema Paradiso* di Giuseppe Tornatore e *Mediterraneo* di Gabriele Salvatores).

(da «Il Venerdì cinema», ottobre 2003)

Test

1 Completa queste frasi scegliendo tra il congiuntivo presente, passato, imperfetto e trapassato. Scrivi per ciascuna se il rapporto temporale tra il verbo della principale e quello della secondaria è di contemporaneità, posteriorità o anteriorità.

1. È possibile che non (*sentire mai, voi*) .... parlare del grande Totò? (...)
2. Dicono che il capo (*essere*) .... una persona molto cordiale ma lunatica. (...)
3. Io e papà pensiamo che (*trattarsi*) .... di un'opportunità molto importante per la tua carriera, che non dovresti perdere. (...)
4. Mi ricordo bene che Ornella fu molto orgogliosa del fatto che le (*affidare*) .... un incarico così prestigioso. Fu l'unico riconoscimento che ricevette sul lavoro. (...)
5. Ci farebbe un immenso piacere che tua figlia (*riuscire*) .... a ottenere quella borsa post-laurea. Secondo noi se la merita! (...)
6. Sara critica ancora oggi il fatto che ai tempi dell'università (*frequentare, io*) .... un gruppo politico che credeva nella lotta armata. (...)
7. Vorrei che non (*comportarti*) .... così egoisticamente in quel frangente. Lo so che è andata così, ma non riesco a mettermi il cuore in pace. (...)
8. È inutile che ti (*parlare*) .... visto che non mi ascolti! (...)

→ /8 punti

2 Trasforma questa intervista a Bellocchio (solo la sua risposta) nel discorso indiretto. Fai tutti i cambiamenti necessari e usa come verbi principali dichiarativi: *ha detto, ha affermato, ha risposto...*

Applausi e commozione per Buongiorno, notte

Perché ha scelto una chiave così particolare e diversa rispetto agli altri film sul caso Moro?
"Senza nessuna ipocrisia, credo che il mio sia un film diverso da quello di Ferrara, che ricostruiva l'accaduto in modo abbastanza classico e cercava dei responsabili della vicenda. Io ho cercato una strada più intimistica. Per arrivare a questa immagine l'approccio è stato graduale. Oltretutto mi è stato chiesto di fare questo film, non l'ho scelto io. Di fronte a questa possibilità ho cominciato a chiedermi come affrontarla." (da www.capital.it/trovacinema)

....

....

....

....

→ /11 punti (1 p. per i verbi; 0,5 p. per gli altri elementi)

3 Completa questa recensione di un film con gli articoli determinativi o indeterminativi.

MY NAME IS TANINO
Di Paolo Virzì, con Corrado Fortuna

Gli Usa per (1) .... Tanino di Paolo Virzì sono il paese dei balocchi nel quale si avventura

(2) .... moderno Pinocchio. Tanino va dove lo porta il cuore, che in questo caso è un tutt'uno con

(3) .... telecamera da restituire a (4) .... ragazza americana conosciuta su (5) .... spiaggia

siciliana. Metafora di un Candide del nostro tempo, *My name is Tanino* è (6) .... divertente favola

suggerita dal profumo di una Sicilia scomparsa, dall'impatto con (7) .... comunità italiana

d'America. (8) .... risultato è (9) .... racconto tra il paradossale e il rocambolesco, intriso di

un'ironia sottile e grottesca.

→   /9 punti

4 Completa le frasi con i verbi che derivano dagli aggettivi e dai nomi tra parentesi.

1. Nel periodo natalizio gli italiani (*folla*) .... le sale cinematografiche.
2. Carla ha già (*pasta*) .... la pizza per stasera perché deve lievitare un paio d'ore almeno.
3. Ho voluto molto bene a mia nonna perché mi (*coraggio*) .... sempre a fare ciò in cui credevo.
4. Mia sorella (*latte*) .... il suo primo figlio fino a due anni. Che esagerata!
5. C'è una scena toccante nel film in cui il carceriere, in un momento di sconforto, (*carezza*) .... il bambino con tenerezza.

→   /5 punti

5 Completa queste frasi con gli aggettivi in *-ante/-ente, -ivo*.

Bravi gli attori adulti tra i quali spicca un Diego Abatantuono (*sorprendere*) (1) .... *Io non ho paura* di Salvatores è il film più (*emozionare*) (2) .... e (*commuovere*) (3) .... della stagione cinematografica 2002-2003.
Ammirevoli i due giovanissimi attori (*debuttare*) (4) .... per come hanno saputo impossessarsi dei personaggi del libro, facendoli propri. Il cinema italiano comincia o meglio torna ad essere (*competere*) (5) .... sul mercato mondiale e non solo su quello interno.

→   /5 punti

6 Completa questo testo scegliendo tra le seguenti parole, che appartengono alla sfera del cinema.

> pellicole spettatori botteghino classifica commedia esilarante incasso

ITALIANI I FILM PIÙ VISTI

Il cinema italiano sbanca il (1) .... e con *Natale sul Nilo, Pinocchio, La leggenda di Al, John & Jack* batte le grandi saghe internazionali come *Harry Potter e la camera dei segreti* e *Il signore degli anelli* e soprattutto segna un record storico che non ha precedenti negli ultimi 20 anni: tre film italiani ai primi posti del box office per un (2) .... totale di 76 754 608 euro.

È all'insegna della (3) .... , genere principe della cinematografia italiana, la rivincita del cinema italiano nell'ultima stagione, secondo la (4) .... Cinetel analizzata dalla rivista Ciak. Film tra il comico e il demenziale come le (5) .... di Boldi e de Sica o dell'(6) .... trio di Aldo, Giovanni e Giacomo, oppure favole come il *Pinocchio* di Benigni, che hanno richiamato, soprattutto in prossimità delle feste natalizie, milioni di spettatori.

Anche in termini assoluti il cinema italiano dimostra vitalità, guadagnando nel giro di un anno oltre dieci punti in percentuale, passando da una quota di mercato del 17% al 27, 2% e raddoppiando il numero dei propri (7) ....

Italia batte USA, commedia vince su saghe e colóssal, potrebbero essere gli slogan dell'annata.

(adattato da www.cremonaonline.it/agenda)

→   /7 punti

7 Completa queste frasi scegliendo tra i connettivi/segnali discorsivi seguenti.

> affinché   allo scopo di   se vuoi   appunto   perché

1. Vorremmo fissare una riunione .... rinegoziare gli accordi stipulati cinque anni fa.
2. Mio marito mi ha regalato una macchina .... quella che avevo non era più sicura.
3. – È divertente *Caterina va in città*?
   • Sì, ma è .... la tipica commedia amara con un finale ironico ma per niente ameno.
4. Mio marito mi ha regalato una macchina .... impari a guidare.
5. La storia finisce, ... come dicevo prima, con un *happy end* poco coerente con il vissuto dei personaggi messi in scena. Insomma, una vera strizzatina d'occhio allo spettatore!

→   /5 punti

→**punteggio totale**   /50 punti

Sintesi grammaticale

Discorso diretto e discorso indiretto

Uso

Si usa il **discorso diretto** (DD) quando si riferisce fedelmente, parola per parola, come in una registrazione, che cosa è stato detto da un'altra persona:

> Ieri mi hai detto: "Passo a prenderti quando esco dal lavoro."
>
> Mi ferma e mi chiede: "Può indicarmi il cinema *Astra*?"

Si usa il **discorso indiretto** (DI) quando si riferisce "indirettamente" il discorso pronunciato, con una frase secondaria con funzione completiva, dipendente da un verbo dichiarativo:

> Ieri mi ha detto che passava a prendermi quando usciva dal lavoro.
>
> Mi ferma e mi chiede se posso indicargli il cinema *Astra*.

Non sempre si può rendere nel discorso indiretto l'espressività del discorso diretto:

> "Senti un po'" disse Carlo "hai premura?"

"Senti un po'" è una formula tipica del parlato che non può essere tradotta nel discorso indiretto (*Carlo gli disse di sentirlo un po'* ha un altro significato).

Nel caso visto sopra o in quello di un enunciato con più proposizioni, oltre agli adeguamenti sintattici si richiede allora di riassumere e interpretare:

> Vedendolo tutto intento ai suoi giochi gli disse: "Non ti pare che sia ora di metterti a studiare? Hai gli esami, ricordi?"
>
> Vedendolo tutto intento ai suoi giochi, <u>tra lo stizzito e l'ironico</u>, <u>gli ricordò</u> che aveva gli esami e che <u>doveva</u> mettersi a studiare. (da G.B. Moretti, *L'italiano come seconda lingua*, Guerra, Perugia 1992, p. 535)

Il discorso indiretto libero

Nello stile narrativo parlato e scritto il narratore può usare il **discorso indiretto libero**, che è uno stile intermedio tra diretto e indiretto in cui si inseriscono nel racconto pezzi del discorso reale:

> Si ostinava a dire che il viaggio le avrebbe fatto certo più male. <u>Oh buon dio</u> se non sapeva più neppure come fossero fatte le strade! Non avrebbe saputo muoversi un passo. <u>Per carità, per carità, la lasciassero in pace</u>! (da G.B. Moretti, *L'italiano come seconda lingua* cit., pp. 538-539)

Forma

Trasformazione delle persone dei verbi

Dice: "**Sono** furbo".	Dice che **è** furbo.
Dice: "**Sei** furbo".	Dice che **sono** furbo.
Dice: "Carlo **è** furbo".	Dice che Carlo **è** furbo.
Dice: "**Siamo** furbi".	Dice che **sono** furbi.
Dice: "**Siete** furbi".	Dice che **siamo** furbi.
Dice: "**Sono** furbi".	Dice che **sono** furbi.

Trasformazione di aggettivi e pronomi

Dice: "**Questa** borsa è **mia**".	Dice che **quella** borsa è **sua**.
Dice: "**Questa** borsa è **tua**".	Dice che **quella** borsa è **mia**.
Dice: "**Questa** borsa è **sua**".	Dice che **quella** borsa è **sua**.
Dice: "**Questa** borsa è **nostra**".	Dice che **quella** borsa è **loro**.
Dice: "**Questa** borsa è **vostra**".	Dice che **quella** borsa è **nostra**.
Dice: "**Questa** borsa è **loro**".	Dice che **quella** borsa è **loro**.

Trasformazione dei tempi verbali	Se nella frase principale c'è **un verbo dichiarativo al presente o al futuro** i tempi non cambiano:

Dice: "**Vado** a casa di mio zio".   Dice che **va** a casa di suo zio.
Dice: "**Andrò** a casa di mio zio".   Dice che **andrà** a casa di suo zio.
Dice: "**Sono andato** a casa di mio zio".   Dice che **è andato** a casa di suo zio.
Dice: "**Andavo** sempre a casa di mio zio".   Dice che **andava** sempre a casa di suo zio.
Dice: "**Andrei** a casa di mio zio".   Dice che **andrebbe** a casa di suo zio.
Dice: "Credo che **siano belli**".   Dice che crede che **siano belli**.
Dice: "Penso che **abbiano fatto** bene".   Dice che pensa che **abbiano fatto** bene.

Solo l'imperativo cambia in: *di* + infinito/cong. presente

Dice: "**Spegni** la TV!"   Dice **di spegnere** / che **spenga** la TV.

Se nella frase principale c'è **un verbo dichiarativo al passato** (passato prossimo, imperfetto, passato remoto, trapassato prossimo) i tempi cambiano nel seguente modo:

presente indicativo/congiuntivo	→imperfetto ind./cong.
imperfetto indicativo/congiuntivo	→imperfetto ind./cong.
passato (prossimo) indicativo/congiuntivo	
passato remoto	} trapassato ind./cong.
trapassato indicativo/congiuntivo	
futuro semplice/anteriore	
condizionale presente/passato	} condizionale passato
imperativo	→*di* + infinito; cong. imperfetto
gerundio	→gerundio
participio passato	→participio passato
infinito	→infinito
periodo ipotetico (I, II, III tipo)	→cong. trapassato + cond. passato

DISCORSO DIRETTO	DISCORSO INDIRETTO
Ha detto/disse:	Ha detto che/disse che...
"**Sto** bene".	**stava** bene.
"Credo che Ugo **stia** bene".	credeva che Ugo **stesse** bene.
"**Stavo** bene".	**stava** bene.
"Credo che Ugo **stesse** bene".	credeva che Ugo **stesse** bene.
"**Sono stato** bene".	**era stato** bene.
"**Stetti** bene".	**era stato** bene.
"**Ero stato** bene".	**era stato** bene.
"Credo che Ugo ci **sia stato**".	credeva che Ugo ci **fosse stato**.
"Credevo che Ugo ci **fosse stato**".	credeva che Ugo ci **fosse stato**.
"**Verrò**".	**sarebbe venuto**.
"**Verrò** quando **avrò finito**".	**sarebbe venuto** quando **avrebbe finito/avesse finito**.
"**Verrei** volentieri".	**sarebbe venuto** volentieri.
"**Sarei venuto** volentieri".	**sarebbe venuto** volentieri.
"**Chiama** subito!".	**di chiamare** subito.
	che **chiamassi** subito.
"**Venendo** da te ho visto Ugo".	**venendo** da me ha visto Ugo.
"**Finito** il film, sono uscito".	**finito** il film era uscito.

"**Bere** troppo fa male".   **bere** troppo faceva/fa male.
"Se **fumi ti ammali**".
"Se **fumassi** ti **ammaleresti**".   se **avessi fumato** mi **sarei ammalato.**
"Se **avessi fumato** ti **saresti ammalato**".

Le interrogative cambiano spesso il verbo dall'indicativo al congiuntivo (cfr. Unità 10, p. 375):

Gli domandai: "Dove **vai**?"   Gli domandai dove **andasse/andava.**

Forma implicita	In molti dei casi visti sopra si può usare la forma implicita (cfr. Unità 11, p. 425-428; dipende dall'identità del soggetto della frase principale e della oggettiva e dalla semantica del verbo):

Marta prega Lino: "**Aiutami!**"   Marta prega Lino **di aiutarla**

ma:

Marta dice a Lino: "Io **me ne vado**".   Marta dice a Lino **che lei se ne va.**

(Marta dice a Lino di andarsene. [è Lino che deve andarsene])

Trasformazione di avverbi di tempo e di luogo	Cambiano solo se nella frase principale c'è un verbo al passato:

Dice: "Arrivo **domani**".   Dice che arriva **domani.**
Disse: "Vengo **domani**".   Disse che sarebbe venuto **il giorno dopo.**

qui	→	lì
qua	→	là
ora	→	allora
oggi	→	quel giorno
ieri	→	il giorno prima/precedente
domani	→	il giorno dopo/seguente/successivo; l'indomani
l'anno scorso	→	l'anno precedente/prima
prossimo	→	seguente/dopo/successivo
un anno fa	→	un anno prima
fra un mese	→	dopo/entro un mese
venire	→	andare

Congiuntivo trapassato (cfr. Tavole grammaticali, pp. 475-483)

Nell'Unità 2 avete già visto le forme del congiuntivo presente, nell'Unità 5 del congiuntivo passato e nell'Unità 8 del congiuntivo imperfetto.

Forma | Il congiuntivo trapassato si forma con il congiuntivo imperfetto dell'ausiliare *avere/essere* e il participio passato del verbo principale.

Ada pensava che...

io	avessi		fossi	
tu	avessi		fossi	partito/a
lui/lei/Lei	avesse	parlato	fosse	
noi	avessimo	venduto	fossimo	
voi	aveste	capito	foste	partiti/e
loro	avessero		fossero	

Concordanza al congiuntivo

(cfr. Tavole grammaticali, pp. 475-483)

Frase principale al presente (futuro)   **Frase secondaria**

Viola *pensa* che Ilaria

parta
(partirà)

parta
stia partendo

per il mare

sia partita
partisse
fosse già partita

{ fra una settimana.   (DOPO)

{ oggi.   (ORA)

→ ieri.
→ tutti i fine settimana. (PRIMA)
→ quando l'ha chiamata di pomeriggio.

▶ **Posteriorità (DOPO)**

1. Credo che l'anno prossimo *vadano* in Italia.
2. Credo che *andranno* quando potranno.
3. Credo che *avrà* già *finito* gli esami quando ci andrà.

▶ **Contemporaneità (ORA)**

1. Credo che *parta* oggi.
2. Credo che *stia uscendo* proprio ora.

▶ **Anteriorità (PRIMA)**

1. Credo che l'anno scorso *siano andati* in Italia.
2. Credo che *andassero* in Italia ogni anno. (aspetto abituale)
3. Credo che *andasse* al cinema quando l'ho incontrato.
   (aspetto durativo; il cong. imperfetto ha usi paralleli all'imperfetto indicativo).
4. – Quest'anno è andato in Italia solo per una settimana.
   • Sì, ma credo che l'anno precedente ci *fosse andato* per due mesi.
   (il cong. trapassato ha usi paralleli al trapassato indicativo; fatti anteriori in relazione a un'altra indicazione temporale nella frase).

Frase principale al passato   **Frase secondaria**

Viola *pensava* che Ilaria
(*ha pensato, pensò, aveva pensato*)

sarebbe partita
partisse

partisse
stesse partendo

per il mare

fosse partita
partisse

{ la settimana seguente. (DOPO)

{ quel giorno.   (ALLORA)

→ il mese prima.
→ tutti i fine settimana. (PRIMA)

▶ Posteriorità (DOPO)

1. Credevo che *sarebbe andata* in Italia il mese prossimo
(cfr. futuro nel passato, Unità 8, p. 294)

2. Come potevo immaginare che *andassi* tu a prendere la bambina!

3. Pensavo che non *si sposava*, e invece... (registro colloquiale)

▶ Contemporaneità (ALLORA)

1. Non mi rispondeva e ho pensato che *fosse* sordo.

2. Non ti ho disturbato perché pensavo che *stessi studiando*.

▶ Anteriorità (PRIMA)

1. Non ti ho aspettato perché pensavo che *fossi* già *uscito*.

2. Non sapevo che da bambino *andassi* in quella scuola.
(aspetto abituale; il cong. imperfetto ha usi paralleli all'imperfetto indicativo)

Per schematizzare:

Frase principale	Frase secondaria
presente/futuro	congiuntivo presente o passato
Frase principale	**Frase secondaria**
passato	congiuntivo imperfetto o trapassato

Congiuntivo in dipendenza dal condizionale

Se il verbo della frase principale è al condizionale, sia semplice che composto (*vorrei che, sarebbe ora che, sarebbe bastato che*) nella frase secondaria si deve usare:

Congiuntivo imperfetto

▶ per esprimere fatti voluti o desiderati <u>nel presente</u> dal parlante, ma che o sono decisamente irrealizzabili o così appaiono al suo personale giudizio

Mi piacerebbe che mio figlio *ritornasse* ad avere 10 anni.

Vorrei che *smettessi* di bere.

Congiuntivo trapassato

▶ per esprimere fatti voluti o desiderati <u>nel passato</u> dal parlante, ma che non si sono realizzati

Vorrei che non *si fosse sposata* e invece...

Uso dell'articolo determinativo o indeterminativo

Gli articoli sono degli "specificatori" che precedono un nome, come gli aggettivi dimostrativi e altri aggettivi che indicano quantità:

il protagonista, *i* protagonisti, *questo* protagonista, *questi* protagonisti, *quel* protagonista, *quei* protagonisti

un protagonista, *dei* protagonisti, *alcuni* protagonisti, *ogni* protagonista

L'articolo determinativo indica qualcosa di **noto** (già presente nell'universo di discorso di chi parla/ascolta; già menzionato in precedenza):

Ecco di nuovo *il* gatto! (quello che avevamo già visto nei giorni scorsi)

L'articolo indeterminativo indica qualcosa di **nuovo** (non ancora nominato nel discorso):

Ho comprato *un* libro e *un* disco. Quale vuoi? Prendo *il* libro.

L'articolo determinativo si usa con nomi che indicano **una categoria, una classe**.

L'articolo indeterminativo si usa per indicare **un membro di una classe**:

> *La* tromba è uno strumento a fiato.
> *Una* bella tromba costa molto.
> Passami *una* penna. (una qualsiasi)
> Passami *la* penna rossa che c'è sulla mia scrivania. (descritta in modo che può riferirsi solo a quella)

L'articolo determinativo si usa anche:

▸ per indicare l'appartenenza di qualcosa, come parti del corpo, abbigliamento
> Ha *il* naso a patata.
> Voglio tagliare *i* capelli.
> (si noti che in inglese in questi casi si usa il possessivo)

▸ per i nomi astratti, usati in senso generale
> Voglio che tu mi dica sempre *la* verità.

▸ con i nomi preceduti dall'aggettivo *tutto/a/i/e* (cfr. Unità 4)
> *Tutti i* film, *tutta la* serata, *tutto il* lavoro

▸ con i nomi preceduti da un superlativo relativo
> È *il* film *più commovente* che abbia mai visto.

▸ con i nomi propri (cfr. Unità 10 e Unità 11):
> *il* Monte Rosa, *il* Po, *l'*Irlanda, *la* Medusa

Fanno eccezione i nomi di città e di persona che di solito non hanno l'articolo (Giulio, Roma); lo prendono quando sono seguiti da una specificazione (*il* Giulio che conosco, *la* Roma della *Dolce vita*).

Formazione di parola (cfr. Tavole grammaticali, pp. 484-490)

Verbi deaggettivali e denominali

È possibile derivare verbi da aggettivi e nomi usando un prefisso + la desinenza dell'infinito *-are, -ire* (cfr. anche con i suffissi, Unità 8, p. 298):

> Quando ero piccola aiutavo sempre mio nonno ad *imbottigliare* il vino. (= "mettere nelle *bottiglie*")
> Vogliono *allargare* il soggiorno. (= "far diventare *largo*")
> Lì la strada *si allarga* molto. (= "diventa *larga*").

I verbi deaggettivali hanno di solito un significato fattitivo:

> Il rosso ti *abbellisce*. ("fa che tu diventi *bella*");

ma anche:

> Il bambino di Emanuela *si sta abbellendo* ogni giorno di più. (= "diventa *bello*").

I prefissi più frequenti sono:

▸ **a-** (+ raddoppiamento della consonante iniziale):
> abbreviare, accorciare (da *corto*, con base modificata), alleggerire, approfondire; affettare, atterrare, appuntire

▸ **in-** e varianti (*imp-, imb-, irr-, ill-, inn-*):
> intristir(si), inscatolare; impallidire, imbottigliare; irrigidirsi, irretire; innamorarsi.

Meno usati sono:

▶ **s- privativo**
   sbiancare, sfoltire, sbucciare

▶ **r(i)-/r(a)**
   rincasare, rimpatriare, rattristare, rallentare

Da una stessa parola-base (nome) possono derivare due verbi con diverso significato:
   Nella nostra cucina potete *assaporare* piatti dal gusto delicato. ("sentire il sapore")
   Questo riso è un po' insipido, *insaporiscilo* con altro brodo. ("rendere più saporito")

Ci sono parecchie coppie di verbi denominali con significato contrario:
   abbottonare – sbottonare; incoraggiare – scoraggiare; assetare – dissetare; incolpare – discolpare

Aggettivi deverbali

Per derivare aggettivi da verbi si usano i seguenti suffissi:

▶ **-ivo** (con i verbi della seconda e terza coniugazione)
   La morale cattolica *punisce* la libertà sessuale.
   La morale cattolica è *punitiva* nei confronti della libertà sessuale.
   corrodere   →   *corrosivo*
   persuadere   →   *persuasivo*

Si noti che in tutti i casi si ha il cambiamento del verbo di base: *punire > punitivo* (la derivazione è invece regolare se si ritiene che la base sia il participio passato del verbo, *punit-ivo*); *aggredire > aggressivo* (la derivazione è invece regolare se si ritiene che la base sia il nome deverbale, *aggressione > aggress-ivo*).

▶ **-ante/-ente**
   – con i verbi della prima coniugazione di solito si usa *-ante*)
      Il film che abbiamo visto racconta una storia che *emoziona*.
      Il film che abbiamo visto racconta una storia *emozionante*.

      incoraggiare > incoraggiante, affascinare > affascinante
      (ma *diffidare > diffidente*)

   – con i verbi della seconda coniugazione si usa *-ente*
      commuovere > commovente, vincere > vincente
   (si noti il cambiamento della parola di base, es. *commuovere > commov-ente*)

Spesso questi aggettivi diventano nomi: *il militante, il dipendente.*

Coesione testuale (cfr. Tavole grammaticali, pp. 491-497)

Connettivi finali

I connettivi finali esprimono il fine, lo scopo, l'intenzione che si vuole conseguire con l'azione della principale:

> Consegno il tema all'insegnante *perché* me lo corregga.

Di solito la proposizione finale è posposta alla principale, la anticipo se voglio sottolinearne il contenuto:

> Luca faceva rumore proprio *perché Saverio si svegliasse.* > *Proprio perché Saverio si svegliasse,* Luca faceva rumore.

Sono connettivi finali:

perché, affinché (formale), *che*;

a che, acché, a far sì che, acciocché (meno frequenti, tipici della varietà formale burocratica, libresca)

Che è caratteristico del parlato e può essere interpretato a volte come consecutivo o causale:

> Vieni, *che* ti stringo. (che = "così")
> Vieni *che* ti possa stringere. (con *potere* prevale il significato finale)
> Chiamami, *che* ti devo parlare. (che = "perché")

Con congiuntivo	Richiedono il **congiuntivo presente** (in dipendenza da un presente o futuro) o **imperfetto** (in dipendenza da un passato): Scrivo a mio padre *affinché* mi spedisca un po' di soldi. Mi darò da fare *a che* tutto riesca per il meglio. L'ho invitato *perché* mi facesse un po' di compagnia.
Con indicativo	Con *che* si usa l'indicativo: Seguimi che ti *faccio* vedere dov'è il cinema.
La costruzione implicita	Si usa quando i soggetti della principale e della secondaria sono uguali, e richiede **l'infinito presente** introdotto da *per, al fine di, allo scopo di, in modo di, nell'intento di* (nei registri formali); *a, di, da* (selezionabili a seconda del verbo): Siamo andati a casa di Marco *per/a prendere* un disco. Hanno fatto ogni cosa *al fine di riuscire*. Con alcuni verbi si usa la costruzione implicita anche se i soggetti della principale e della secondaria sono diversi: Ti prego *di scusar*mi. Le ho dato il libro *da leggere*. (= affinché lei lo legga; in dipendenza da verbi come *dare, portare, offrire, lasciare*)

Segnali discorsivi del parlato
(cfr. Tavole grammaticali, pp. 498-500)

Demarcativi

Per riprendere un punto menzionato precedentemente: *come ti dicevo prima, a cui facevo cenno all'inizio, avevo fatto cenno all'inizio a.*

Focalizzatori

Sottolineano un punto focale del discorso: *proprio, appunto*

> È *proprio* questa sua capacità di dar voce ai bambini che mi ha colpito.
>
> Il compito di qualsiasi artista è di avere uno sguardo particolare. *Io non ho paura* è *appunto* il racconto di un bambino e del suo modo di guardare le cose e le persone.
> (cfr. Unità 4, p. 142)

Meccanismi di modulazione

▶ per **aumentare** la forza di ciò che si dice

davvero, proprio, torno a ripeterti, ripeto ancora, sai, ma sai

▶ per **diminuire** la forza di ciò che si dice

praticamente, in un certo senso, in qualche modo, diciamo (cfr. Unità 4, p. 142), *per così dire* (cfr. Unità 7, p. 260), *così, se vuoi, almeno dal mio punto di vista, secondo me, per conto mio, a mio avviso, se non sbaglio*

> Ma per chi conosce, ehm, *così,* le problematiche sociali della nostra generazione, si sa che i trentenni del duemila sono molto apolitici.

Bell'Italia

■ **Unità tematica**	– città, itinerari, opere d'arte d'Italia, impressioni di viaggio (dal *Grand Tour*)
■ **Funzioni e compiti**	– descrivere luoghi, percorsi turistici
	– dare informazioni turistiche
	– capire e raccontare le vicende storiche di una città
	– capire la descrizione di opere d'arte
	– scrivere il ritratto di una città italiana
	– scrivere un itinerario turistico
■ **Testualità**	– connettivi consecutivi (*tanto che, cosicché*)
	– secondarie implicite (causali, temporali, consecutive)
■ **Lessico**	– sinonimi dell'aggettivo *bello*
	– parole indicanti conformazioni del territorio (*baia, costa*)
	– nomi deverbali in *-ìo* (*scintillio*)
	– aggettivi etnici (*pugliese*)
	– parole per descrivere opere d'arte e monumenti (*abside, mosaico*)
	– aggettivi in *-esco, -ale, -ista, -ico* (*settecentesco, medievale, futurista, romantico*)
■ **Grammatica**	– *si* impersonale/passivante (accordo con il participio passato)
	– posizione degli aggettivi (un signore *affascinante*, un *affascinante* signore)
	– passato remoto
	– uso dell'articolo con i nomi di geografia (*il Tevere, Roma, la Milano rinascimentale*)
	– congiuntivo nelle interrogative indirette
	– aggettivi di colore invariabili (*rosa*, i prati *verde bottiglia*)
	– plurale dei nomi in *-io* (*zii, studi*)
	– omissione degli articoli
	– preposizioni locative
■ **Strategie**	– lettura ricreativa
	– lessico: trovare sinonimi
	– scrivere: autocorreggersi
■ **Ripasso**	– specificatori (articolo determinativo/indeterminativo, indefiniti)

Entrare nel tema

▶ IL TERRITORIO ITALIANO. Lavorate a piccoli gruppi. Richiamate alla memoria tutte le vostre conoscenze riguardo alla geografia fisica del territorio italiano. Vince il gruppo che in 15 minuti riesce a raccogliere più informazioni su:
  – quante e quali sono le regioni italiane
  – qual è il capoluogo di provincia di ciascuna regione
  – come si chiamano le catene montuose più importanti
  – come si chiamano i mari d'Italia
  – come si chiamano i fiumi e i laghi più importanti

▶ TESORI D'ITALIA. Lavorate a piccoli gruppi. Guardate queste foto: ne riconoscete i "tesori"? Poi verificate con tutta la classe.

▶ ITINERARI NOTI IN ITALIA. Mettetevi a piccoli gruppi e cercate di richiamare alla memoria gli itinerari turistici che avete fatto in Italia; potete descriverne il percorso, il paesaggio, i monumenti e i luoghi culturali e artistici visitati, le impressioni ricevute sugli abitanti, i particolari che vi hanno colpito e così via.

▶ Nei testi di questa unità incontrerete le città e gli itinerari sotto elencati. Sapete localizzarli?
  – Venezia, Catania, Torino, Suzzara (MN), Faenza (RA), Verona, Milano, Roma, Ravenna, Ferrara, Crespi d'Adda (BG), Caserta;
  – la penisola salentina, il Gargano e il Tavoliere, la Maddalena, il lago d'Iseo, i monti Sibillini, la costiera amalfitana, il delta del Po, le isole Eolie, la valle Camonica, la valle di Noto, Castel del Monte.

1 Leggere

Per piacere personale

A Leggi questa descrizione di una città italiana, tratta da un resoconto di viaggi, e rispondi alle domande che trovi sotto.

Venezia! Si scende nel grande atrio della stazione, si esce all'aperto e ci si trova davanti ad un'ampia scalinata, che porta fino all'acqua, dove aspettano le gondole, come da noi le vetture di piazza. Al grido di – gondola! gondola! – si fanno avanti i numerosi gondolieri. Si sceglie una di quelle imbarcazioni, nere e slanciate , ci si siede sul suo morbido sedile e ci si inoltra leggeri, piacevolmente cullati, nello sconosciuto mondo dei canali.   5

Narratori e poeti hanno scritto innumerevoli libri a proposito di questo strano piccolo mondo sull'acqua; io mi accontento di riferire alcune esperienze ed impressioni. Venezia ha operato su di me un incantesimo più potente di ogni altra città italiana e io credo, nelle tre brevi settimane del mio soggiorno colà , di esse   10
re penetrato nei suoi misteri, per quanto possibile.

L' ubicazione del mio appartamento, collegato alle piazze più importanti della città unicamente da uno stretto vicolo con molti giri viziosi , mi costringeva a fare molto uso della gondola, e a questi tragitti io devo una serie di impressioni intime e poetiche. Già il mezzo di trasporto, la gondola nera, leggera, slanciata, e il modo   15
in cui si muove, lieve, senza rumore alcuno, ha qualcosa di strano, una bellezza da

sogno, ed è parte integrante della città dell' ozio ,
dell'amore, della musica. Chi a Venezia cerca i luoghi d'arte, apprezzerà in modo particolare il fatto
che, mentre solitamente, all'uscita da una chiesa, da   20
un palazzo, da un museo, la vita della strada richiama prepotentemente la nostra attenzione allontanandoci dagli occhi e dal cuore le dolci impressioni
provate, qui invece, durante il tragitto da un tal luogo a un altro o verso casa, nel silenzio dell'acqua, ci   25
si può imprimere in mente l'accaduto e assaporarlo ancora.

(da *Dall'Italia e Racconti italiani*, Newton Compton, Milano 1991)

1. Che titolo daresti a questo ritratto di Venezia?
2. Che cosa descrive il viaggiatore di Venezia?
3. Che impressioni esprime su Venezia?
4. Da che prospettiva la guarda?

Vuoi sapere chi ha scritto queste impressioni su Venezia?
È lo scrittore tedesco Hermann Hesse (1877-1962).

2 Lessico

A Collega le parole tratte dal brano su Venezia con i loro sinonimi.

☐ 1. atrio   a. fissare
☐ 2. slanciate   b. contorti e confusi
☐ 3. ci si inoltra   c. inoperosità
☐ 4. colà   d. lunghe e sottili
☐ 5. ubicazione   e. ingresso
☐ 6. viziosi   f. là
☐ 7. ozio   g. si entra
☐ 8. imprimere   h. posizione

▶E 8   **B** Lavorate in piccoli gruppi. Mettete in comune tutti i sinonimi dell'aggettivo *bello* che conoscete.

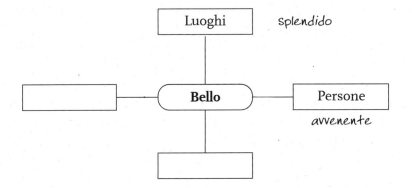

Poi sostituite in queste frasi l'aggettivo *bello* con un sinonimo più appropriato.

1. Ero seduta in Piazza Vecchia quando fui abbordata da un uomo (*bello*) .... ed elegante che mi chiese se ero straniera e se era la prima volta che visitavo Bergamo.

2. È stata una (*bella*) .... serata, molto romantica e ricca di emozioni.

3. Viola ha davvero un (*bel*) .... sorriso e degli occhi (*bellissimi*) ....

4. Dall'alto della torre che domina il golfo si può ammirare un (*bel*) .... panorama.

5. Hanno rinnovato l'arredamento del soggiorno mettendo un (*bel*) .... divano in stile *country* con dei (*bei*) .... cuscini colorati che riprendono i motivi delle tende.

6. Circondano la piazza (*bellissimi*) .... palazzi rinascimentali e la Biblioteca Nazionale con la (*bella*) .... facciata rococò.

7. Marco guadagna un (*bello*) .... stipendio.

8. Abbiamo fatto un (*bel*) .... bagno nel Lago Maggiore.

9. Ha sposato una donna (*bella*) .... , elegante d'aspetto e affabile di modi.

3 Esplorare la grammatica

_si_ impersonale/passivante

A Rileggi il testo di p. 341 e rifletti sulle forme di _si_ impersonale/passivante (7 casi).

– Perché viene usata la forma impersonale? Che soggetto sostituisce?
– Quando si usa il pronome doppio come nell'esempio:

(righe 1-2) e _ci si_ trova davanti ad un'ampia scalinata.

B Pensa ora all'uso del _si_ impersonale con un tempo composto (come il passato prossimo). Che ausiliare si usa e come funziona l'accordo del participio passato? Prova ad analizzare questi esempi e a fare delle verifiche trasformando al passato alcuni casi che hai raccolto sopra.

_Si_ impersonale con un tempo composto: ausiliare e accordo del participio passato

VERBI TRANSITIVI
Si trovano numerose gondole che aspettano i turisti.

....

....

VERBI INTRANSITIVI
Si scende dalla gondola e si punta verso Piazza San Marco.

....

....

C Leggi questo itinerario turistico in una zona della Puglia chiamata Salento. Completa il testo con il _si_ impersonale, coniugando i verbi tra parentesi. Poi trasforma il testo al passato.

PENISOLA SALENTINA

LECCE – OTRANTO – LEUCA – GALLIPOLI – TARANTO

È un giro prevalentemente costiero della penisola Salentina, di notevole interesse paesistico, dove si esaltano aspetti e colori della vegetazione, delle rocce e del mare limpidissimo, sul quale si affacciano numerosi, piccoli centri balneari; verso l'interno si alternano bassi vigneti, oliveti e tratti di biancastre pietre carsiche. Da Lecce (_portarsi_) (1) .... alla marina di S. Cataldo, da cui (_seguire_) (2) .... la strada litoranea a tratti orlata da pinete, affacciata al canale d'Otranto, al di là del quale a volte (_scorgere_) (3) .... i monti dell'Albania. La costa rocciosa e frastagliata si fa particolarmente pittoresca nei pressi di Otranto, di S. Cesarea e di Castro; dominando sempre dall'alto la distesa azzurra (_raggiungere_) (4) .... la punta estrema della penisola al capo di S. Maria di Leuca. Fatta una breve puntata nell'interno, (_ritornare_) (5) .... al mare per seguire la costa occidentale, piatta e monotona, finché appare il promontorio su cui biancheggia la vecchia Gallipoli. L'interesse si solleva nel tratto di costa che precede le spiagge di S. Maria al Bagno e di S. Caterina, dopodiché (_puntare_) (6) .... all'interno verso Nardò. Per veloci pianeggianti strade nella piatta campagna (_raggiungere_) (7) .... Galàtone e Galatina; (_puntare_) (8) .... poi su Copertino e (_ritornare_) (9) .... al mare di Porto Cesàreo.

(da _Nuova guida rapida. Italia meridionale e Sicilia_, TCI, Milano 1976)

4 **Reimpiego**

Dare informazioni turistiche

A Lavorate in coppia. Date dei consigli a qualcuno che voglia visitare le città di Catania e Torino.

> **ESEMPI**
>
> ▶ Ci si deve comprare un abito visitando la Fiera che si tiene tutti i giorni in Piazza Carlo Alberto.
> ▶ Si compri un abito. / Ci si può comprare un abito. / Si consiglia di comprarsi un abito.

Ecco cinque cose da non perdere se si visitano Catania e Torino

Dolce vita a Catania

- Comprarsi un abito da 1 € alla Fera'o luni (Piazza Carlo Alberto, tutti i giorni).
- Una gita in barca per vedere la città dal mare (tel. 09538531, ore 11-13, 18-20).
- Una brioche a tarda notte (Scardaci, Via Etna, 58).
- Una passeggiata nell'ex-quartiere a luci rosse (Via delle Finanze).
- Un bagno a San Giovanni Licuti, piccola spiaggia di sabbia lavica nel cuore della città.

Una mole di cultura (Torino)

- La contrada dei Guardinfanti (Via Mercanti, Via San Tommaso).
- Un bagno turco solo per donne (all'interno del centro culturale Alma Mater).
- Una visita al Museo nazionale del cinema, all'interno della Mole Antonelliana.
- Shopping da Peyrano Pfatisch, in corso Vittorio Emanuele: specialità al cioccolato.
- Una visita con un esperto d'arte alla nuova Pinacoteca Giovanni e Marella Agnelli, "Lo Scrigno", sul tetto della ex-fabbrica FIAT del Lingotto.

B Lavorate in coppia. Immaginate di essere in un ufficio di informazioni turistiche. A turno date informazioni al vostro compagno, che avrà il ruolo del turista, su tutto ciò che si può visitare (di artistico e naturistico) e comprare nella vostra città.

> **ESEMPI**
>
> ▶ Se si visita Bergamo, si consiglia la Chiesa di S. Maria Maggiore in cui si trovano affreschi...
> ▶ Se si è amanti della bicicletta si possono percorrere gli argini del fiume Adda...
> ▶ A Biella si comprano dei buoni dolci chiamati "torcetti"...

5 Ascoltare

"GRAND TOUR: il sud dei grandi viaggiatori"

CD2

29° cammino: da Melfi al Gargano

(da *Itinerari scelti da Alberigo Giostra*, Rai3, 7 ottobre 1993)

A Prima di ascoltare un itinerario percorso da un viaggiatore straniero, leggi questo breve testo per avere informazioni su che cos'era il *Grand Tour*.

Il Grand Tour

Firenze, Roma, Venezia erano le mete preferite dai ragazzi di buona famiglia tedeschi, francesi e soprattutto inglesi che dal '400 all'800 partivano per il Grand Tour, viaggio attraverso i centri culturali dell'Europa. «All'inizio era un viaggio di formazione, con tappe in accademie e università, che durava anni. Tutti passavano per l'Italia, meta obbligata durante il Rinascimento per il suo primato culturale» spiega Negri Zamagni. Poi, dal '600-'700, il Grand Tour

Porta Capuana a Napoli in un dipinto dell'Ottocento.

diventò più "turistico": si ammiravano l'arte, le città, le rovine archeologiche, i paesaggi inconsueti. L'Italia era sempre in cima alle preferenze: ad aristocratici e ricchi borghesi si affiancarono anche artisti e scrittori. Passavano per Venezia, Firenze, Roma, Pompei, in viaggi che duravano mesi (fino al 1830-40 si andava da Londra a Roma in 3-4 settimane). «Visitavano le collezioni dei dipinti, spesso compravano e portavano a casa quadri e reperti» spiega Patrizia Battimani. E gli italiani? Accoglievano i turisti con locande e stazioni di posta, ciceroni nelle città, valletti per chi non viaggiava con la servitù, venditori di opere d'arte e di copie...

(da «Focus», settembre 2003)

B Ascolta più volte questo itinerario e completa la griglia sottostante. In quale regione d'Italia si trova il Gargano?

località raggiunta	
percorso per arrivarci	
panorama che si godeva dalla località	
sensazione provata	

6 Lessico

A Ecco il testo dell'itinerario che hai ascoltato nell'attività 5.

GRAND TOUR: *il sud dei grandi viaggiatori*
29° cammino: da Melfi al Gargano

A sud si scorgeva Minervino, sullo sperone di un'altura che dava sulla parte marittima delle province di Basilicata e Capitanata; ed era lì che eravamo diretti. Percorremmo praterie verdi e ondulate che discendevano al piano e prima del tramonto arrivammo ai piedi della collina sulla quale sorgeva la città. Minervino offriva una bella
veduta in direzione nord al di sopra della piana di canne fino alla baia e alla monta-   5
gna del Gargano. Da quella distanza si coglieva la visione di un'altra pianura di immense proporzioni e insieme di una bellezza delicata per i numerosi tratti chiari e luminosi che la intramezzavano, tanto da farla rassomigliare a un'ampia distesa di mare piuttosto che di terra. Il paese di grandi proporzioni era pulito e attivissimo: parecchie strade erano fiancheggiate da terrazze. Il luogo risultava completamente diverso   10
nel suo aspetto e in quello dei suoi abitanti dai paesi abruzzesi o calabresi. La sensazione di quiete o per meglio dire di inerzia che si avvertiva in questi ultimi era in appariscente contrasto con le comunità di Apulia dove tutto era brulichio e animazione:
strade ben asfaltate, case di bell'aspetto, file di muli che trasportavano carichi, ogni particolare dava subito l'idea del progresso dell'attività commerciale.   15

HENRY SWINBURNE

Collega le parole evidenziate nel testo con i loro sinonimi.

☐ 1. scorgeva   a. si ergeva, si innalzava
☐ 2. sperone   b. si introducevano
☐ 3. sorgeva   c. avevano ai lati
☐ 4. baia   d. inattività, pigrizia
☐ 5. intramezzavano   e. piccola insenatura
☐ 6. erano fiancheggiate f. intravedeva
☐ 7. inerzia   g. sporgenza

▶E 10 **B** Cerca nel testo sopra un nome derivato da un verbo che indica un'azione (un rumore) intensa e ripetuta. Con che suffisso è composto il nome e dove cade l'accento di parola?

Verbo	Nome di azione	Suffisso nominale
		(azione ripetuta, intensiva, di solito di rumori)

Lavorate a piccoli gruppi, usando il dizionario se non conoscete il significato delle parole. Chi/che cosa fa questi rumori? Costruite delle frasi.

ESEMPIO

▶ il miagolio → Dalla mia finestra si sentiva forte il *miagolio* dei gatti in calore.

1. lo scricchiolio ....
2. il ronzio ....
3. il mormorio ....

4. il brontolio ....
5. il cigolio ....
6. il pigolio ....

C LA CONFORMAZIONE DEL TERRITORIO

Associa le parole ai disegni che illustrano alcune possibili conformazioni del territorio.

golfo   costa   pianura   scogliera   baia   ~~altipiano~~   promontorio   valle

....

....   *altipiano*   ....

D AGGETTIVI (E NOMI) GEOGRAFICI

Nel testo di p. 346 hai trovato:

NOME	AGGETTIVO	
Calabria → calabr	} -ese	(suffisso per aggettivi (e nomi) etnici = di geografia)
Abruzzo → abruzz		▶ p. 380

(righe 10-11) Il luogo risultava completamente diverso nel suo aspetto e in quello dei suoi abitanti dai paesi *abruzzesi* o *calabresi*.

Deriva dal nome delle regioni italiane l'aggettivo etnico. Fai una lista dei suffissi utilizzati.

ESEMPI

▶ I laghi della Lombardia   I laghi lombardi   (suffisso zero)
▶ I castelli del Piemonte   I castelli piemont-esi   -ese
▶ Il mare della Sicilia   Il mare sicili-ano   -ano
▶ I Sassi della Basilicata   I Sassi lucani   (cambia la base)

1. Le montagne della Valle d'Aosta
2. Le valli del Trentino
3. Le lagune del Veneto
4. Gli altipiani del Friuli
5. Le coste della Liguria
6. Le terme dell'Emilia
7. Le spiagge della Romagna
8. Le necropoli della Toscana
9. I porti delle Marche
10. Le colline dell'Umbria
11. I nuraghi della Sardegna
12. I paesi del Lazio
13. I fiumi del Molise
14. La pianura della Puglia
15. I golfi della Campania

LISTA DEI SUFFISSI PER DERIVARE AGGETTIVI ETNICI:

-ese, -ano, ...

7 Coesione testuale

A **Leggi questo pezzo tratto dall'itinerario di p. 346 e di' che valore ha la frase secondaria implicita sottolineata, scegliendo tra** *causale, concessiva, finale, consecutiva.*

(righe 6-9) Da quella distanza si coglieva la visione di un'altra pianura di immense proporzioni e insieme di una bellezza delicata per i numerosi tratti chiari e luminosi che la intramezzavano, <u>tanto da farla rassomigliare a un'ampia distesa di mare</u> piuttosto che di terra.

La SECONDARIA IMPLICITA ha valore ....

Trasforma la frase sottolineata, che è nella forma implicita, in una secondaria esplicita.

....

B **Trasforma queste secondarie causali in secondarie consecutive, come nell'esempio:**

ESEMPIO

► Luisa si è stancata molto *perché* ha lavorato tanto. (causale)
Luisa ha lavorato *così* tanto *che* si è stancata molto. (consecutiva)

1. Tutti lo invidiavano perché era bravo a dipingere ogni genere di soggetto.
2. Mi sono bagnato fradicio perché pioveva a dirotto.
3. Il portiere non ha potuto parare la palla perché il calciatore ha colpito la palla con forza.
4. Non prende mai parte alle discussioni perché è molto timida.
5. Andò a letto perché aveva tanto sonno.
6. Va spesso a trovare la figlia, perché ha molta nostalgia di lei.
7. Vivrei volentieri a Bologna perché è una città molto bella e accogliente.
8. Sveglio tutto il palazzo perché canto a squarciagola.

8 Esplorare la gramma~~tica~~

A Lavorate in coppia. Riprendete alcune f~~rasi~~
gli aggettivi. Analizzate gli aggettivi che
funzione che hanno a seconda della posi~~zione~~
trovate sotto e completate la tabella.

1. (righe 1-2) che dava sulla parte <u>marittima</u>
2. (righe 2-3) percorremmo praterie <u>verdi</u> e o~~ndulate~~
3. (righe 4-5) Minervino offriva una <u>bella</u> vedu~~ta~~
4. (righe 6-8) si coglieva la visione di un'altra p~~arte~~
   una bellezza <u>delicata</u> per i <u>numerosi</u> tratti chia~~ri~~

POSIZIONE DEGLI AGGETTIVI QU~~ALIFICATIVI~~	
Funzione "**restrittiva**" (necessaria, limitativa,distintiva)	Funzione ~~"accessoria"~~ (accessor~~ia~~
In posizione	In posizion~~e~~

B Completa questo testo mettendo gli aggettivi tra parentesi nella posizione conveniente; devi anche accordarli con il nome.

EMILIA ROMAGNA FATTA PER INCONTRARSI
Percorsi alternativi in una riviera piena di eventi
Erbe e ceramiche nell'entroterra medievale.

Le hanno dedicato parte della loro arte (*grande*) (1) .... *grandi* .... maestri .... / .... come Chagall, Matisse e Picasso. **Faenza** universalmente conosciuta come "Faiances" per via della sua (*meraviglioso*) (2) .... produzione .... di ceramiche, racchiude nel museo dedicato a queste (*artistico*) (3) .... bellezze .... opere dei (*grande*) (4) .... maestri .... che vollero donarle un pezzo della loro creatività. Ma la città, (*culturale*) (5) .... gioiello .... della Romagna, si fa apprezzare anche per la cucina, un'esplosione di erbe, piadine e (*eccellente, primo*) (6) .... piatti .... Si fa ammirare per la (*caratteristico*) (7) .... piazza del Popolo .... , per il palazzo Manfredi del XVI secolo (che è poi la sede del municipio), per il palazzo del Podestà datato 1400, per la (*delizioso*) (8) .... loggia .... degli Orefici con palazzi del XII e XVI secolo e per la Torre dell'Orologio con la (*attiguo*) (9) .... cattedrale .... del XV secolo. Nel (*superiore*) (10) .... loggiato .... di palazzo Manfredi si svolge ogni anno, d'estate, una mostra mercato delle 45 (*ceramico, faentino*) (11) .... botteghe .... Dove mangiare a Faenza? Imperdibili le delizie dell'Osteria del Mercato o le specialità del ristorante *Al Palio*. Un (*utile*) (12) .... numero .... a Faenza è lo 0546/25231.

→

...da che collega la (*romagnolo*) (13)............................. città
...nze, si incontra **Brisighella**, la patria delle (*medievale*)
...te .... , sovrastata da tre pinnacoli dove si trovano la
...a Madonna di Monticino, la torre dell'Orologio. Al centro della cittadella sta
...sopraelevata e coperta. A fine giugno tutto il paese si trasforma, per ospitare le (*me-*
...............................feste .... che uniscono cultura, gastronomia (deli-
...olio extravergine "Brisighella") e spettacolo. La cucina, in particolare, vi lascerà un (*gradito*)
...) .... ricordo .... : il "(*gran*) (17)............................. cuciniere
............................." per i (*medievale*) (18)............................. menù .... è Tarci-
sio Raccagni, che nel suo ristorante *Gigiolé* sperimenta da almeno (*dieci*) (19)............................. anni .... (*antico*) (20)............................. ricette .... recuperate da
manoscritti dell'epoca riuniti nel volume "La mia (*medievale*) (21)............................. cucina
............................." . Se invece vi interessa la storia di Brisighella, sappiate che, come buona parte dei (*collinare*) (22)............................. centri .... , fu oggetto di battaglie e scontri
per il possesso e forse, per questo, il suo esercito divenne particolarmente abile in battaglia. I "Bri-
sighelli" sono ricordati come (*proverbiali*) (23)............................. soldati ....
Informazioni su Brisighella allo 0546/81166.

(da «La Repubblica», 28 luglio 1993)

9 Ascoltare

›6 **"Dal periodo romano passiamo al periodo medievale..."**

Ascolta più volte le informazioni date da una guida turistica sulle vicende storico-politiche della città di Verona e svolgi le seguenti attività.

CD2

A Scegli la risposta giusta.

1. ☐ a. Venezia è il capoluogo della regione Veneto.
   ☐ b. Verona è la città più grande del Veneto.
   ☐ c. Venezia è la città più grande del Veneto.

2. L'origine di Verona risale all'epoca:
   ☐ a. romana.
   ☐ b. pre-romana.
   ☐ c. medievale.

3. Il suo nome avrebbe origine:
   ☐ a. da un nome proprio etrusco.
   ☐ b. dal nome di una famiglia nobile latina.
   ☐ c. da una frase in dialetto veneto.

4. I primi insediamenti si ebbero:
   ☐ a. sul mare.
   ☐ b. sul fiume Adige.
   ☐ c. sul colle di S. Pietro.

B Rispondi alle domande.

1. Perché Roma riconosce l'importanza geografica di Verona?

....

2. Che cosa avvia Pipino di importante per il commercio?

....

3. Perché nascono le Leghe come quella Veronese e quella Lombarda?

....

4. Perché viene citato Dante?

....

C Verona nella sua storia ha visto diversi dominatori. Dai un ordine cronologico (mettendo i numeri) alle dinastie elencate sotto:

☐ gli Austriaci   ☐ la Repubblica di Venezia
☐ i Visconti   ☐ gli Scaligeri
☐ gli Austriaci   ☐ il Regno di Napoleone
☐ i discendenti di Carlo Magno

D Annota a che fatti storici corrispondono queste date/periodi:

1. dal 49 a.C.   ....
2. dal 1262 al 1387   ....
3. dal 1405 al 1797   ....
4. 1805   ....
5. 1814   ....
6. 1866   ....

10 Esplorare la grammatica

Passato remoto

A Riascolta le informazioni della guida (dell'attività 9) e fai attenzione ai tempi che usa per narrare le vicende storiche della città di Verona. Poi completa questi pezzi tratti dall'ascolto con i verbi mancanti. A che tempo sono coniugati e perché non viene usato il passato prossimo?

1. Per quanto riguarda la storia della città di Verona, si sa che i primi insediamenti umani .... quasi certamente sul colle di San Pietro, collina che a tutt'oggi fa parte del centro storico di Verona e che poi .... gradatamente sulla piana sottostante al di là del fiume Adige.

2. Verona, per quanto riguarda ancora il periodo romano, ... alleata di Roma a partire dal 49 a.C. e Roma .... alla città di Verona la cittadinanza.

3. [...] il figlio Pipino, personaggio che .... di Verona il suo luogo di residenza e che .... a sviluppare la città dal punto di vista commerciale.

4. Verona capeggia la Lega Veronese che .... quella Lombarda e che
.... i cittadini di Verona impegnati appunto contro il Barbarossa.
5. Ricordiamo anche che questo è il periodo in cui .... Dante.
6. Verona .... da Venezia prima all'Austria e poi nel 1805 .... al
regno italico di Napoleone.

B Dividi ora tutte le forme di passato remoto che hai completato nell'attività precedente in verbi regolari e verbi irregolari, scrivendo anche l'infinito di ogni verbo.

PASSATO REMOTO	
verbi regolari	**verbi irregolari**
spostarono (*spostare*)	ebbero (*avere*)

C Analizza ora le forme del passato remoto dei due verbi sotto, uno regolare e l'altro irregolare, e sottolinea nelle forme regolari le desinenze, mentre in quelle irregolari indica in che cosa consiste l'irregolarità e in quali persone si trova.

Credere
io credei (credetti)
tu credesti
lui/lei/Lei credé (credette)
noi credemmo
voi credeste
loro crederono (credettero)

Prendere
io presi
tu prendesti
lui/lei/Lei prese
noi prendemmo
voi prendeste
loro presero

►E 4, 5   **D** Trasforma ora questo brano che rievoca le vicende storiche di Verona dal presente storico al passato remoto.

Verona <u>si sviluppa</u> gradatamente durante il periodo medievale; <u>fa</u> parte della Lega Veronese, <u>capeggia</u> la Lega Veronese che <u>precede</u> quella Lombarda, che <u>vede</u> i cittadini di Verona impegnati appunto contro il Barbarossa nelle lotte per l'indipendenza dei territori, e <u>cambia</u> completamente dominazione a partire dalla seconda metà del XIII secolo. Siamo qui nel 1262 quando <u>inizia</u> uno dei periodi di maggior floridezza politica, economica ed artistica, periodo che <u>continuerà</u> per tutto il XIV secolo fino al 1387. Questo periodo di incredibile ricchezza è <u>dovuto</u> alla presenza nella città di Verona della signoria scaligera della quale <u>facevano</u> parte personaggi di rilievo come Can Grande I e Can Signorio di Verona. Alla caduta degli Scaligeri Verona <u>viene</u> dominata per una ventina d'anni dalla famiglia dei Visconti di Milano ai quali <u>succede</u> la Repubblica di Venezia. La dominazione della Serenissima <u>dura</u> nel territorio veronese dal 1405 fino alla fine del XVIII secolo. Il 1797 <u>vede</u> infatti la caduta dell'impero veneziano.

11 Reimpiego

Raccontare le vicende storiche della propria città

A Prima di fare quest'attività in classe dovete raccogliere informazioni sulle vicende storiche della vostra città o del vostro paese d'origine. Poi lavorate in coppia. Fate al vostro compagno un resoconto dei principali avvenimenti storico-politici del luogo sul quale avete raccolto notizie storiche. Usate il passato remoto.

> Ecco alcuni verbi utili:
> *sorge, è dominata, succede* (Alla dominazione veneziana *succede* quella austriaca), *cade, dura, prospera, è costruito*

12 Lessico

Descrivere opere d'arte

A Leggi la descrizione della chiesa di S. Ambrogio a Milano tratta da una guida turistica; associa ogni parola evidenziata nel testo a una delle definizioni che trovi a p. 354.

ESEMPIO

▶ f. mensa sulla quale il sacerdote celebra le funzioni religiose   *altare*

S. AMBROGIO - La basilica è l'edificio sacro più augusto della Milano medievale, e insieme il prototipo delle chiese romanico-lombarde. La fondazione risale a S. Ambrogio, ma il suo aspetto attuale è dovuto per l' **abside** al IX e per il resto all'XI-XII secolo.

La chiesa è preceduta da un raccolto atrio rettangolare a portici, del 1150 circa. In fondo si leva la maestosa facciata a capanna, formata da due **loggiati** sovrapposti, di cui il superiore è a cinque arcate. La fiancheggiano due campanili.

L'interno è a tre **navate** divise da pilastri, coperte da ampie volte a crociera. Nella navata centrale è il **pulpito** composto di frammenti dell'XI secolo. Al centro del **presbiterio** l' **altare** maggiore (visibile a pagamento tranne il sabato e la domenica, ore 10-12 e 15-17; rivolgersi in fondo alla chiesa), che ha un magnifico rivestimento in lamine d'oro e d'argento, lavorate a cesello. Nell'abside, magnifico **coro** ligneo intagliato, di forme gotiche, del 1469; nel catino grandeggia un mosaico con il Redentore fra i Ss. Gervasio e Protasio, del sec. XII. Sotto il presbiterio è la **cripta** , ove dentro un'urna moderna sono i corpi dei Ss. Gervasio, Protasio e Ambrogio.

(adattato da *Guida rapida, Italia Settentrionale*, I, TCI, Milano)

a edificio aperto su più lati con pilastri o colonne ....

b divisioni longitudinali di una chiesa, limitate generalmente da file di colonne o di pilastri ....

c costruzione costituita da una parete semicircolare o poligonale coperta da una calotta semisferica (catino); nelle chiese cristiane si trova in fondo alla navata centrale e contiene l'altare e il coro ....

d tribuna in marmo, pietra o legno, sorretta da colonne e spesso artisticamente decorata dalla quale il predicatore predica ....

e nelle basiliche cristiane la parte in fondo alla navata centrale, da cui è separata mediante un parapetto marmoreo di transenne; vi si trovano l'altare maggiore e le sedie per il clero; vi si accede di solito per mezzo di alcuni gradini ....

f mensa sulla quale il sacerdote celebra le funzioni religiose ....*altare*........

g vano sotterraneo a volta nelle chiese per sepoltura o per custodire reliquie ....

h luogo della chiesa riservato ai cantori situato nell'abside, per lo più dietro l'altare maggiore; generalmente arredato lungo le pareti da file di sedili ....

B Completa queste frasi scegliendo tra le parole elencate sotto, che appartengono alla sfera semantica dell'arte.

> in primo piano   sullo sfondo   affreschi   acquerelli   tela   collezioni
> mosaici   ritratto   capolavori   committente   catalogo   nature morte

1. **L'agenda di Sgarbi**
   Varese. Villa Menafoglio. "Napoli mirabile. Cento vedute dal '600 all''800 della Fondazione Maurizio e Isabella Misio". Fino al 15 dicembre, ... Electa Napoli. La mostra presentata dal FAI ospita oli, ... e disegni di vedute napoletane, provenienti da una delle più belle .... private.

2. Caravaggio lavorava direttamente sulla .... senza bisogno di un disegno preliminare.

3. Fu proprio il papa Borghese il .... della *Madonna dei Palafrenieri* in occasione del nuovo assetto interno di San Pietro.

4. La cappella degli Scrovegni di Padova è tutta ricoperta di .... realizzati da Giotto e dai suoi allievi.

5. Il palazzo di Teodorico a Ravenna racchiude magnifici .... in cui sono rappresentate le storie della vita di Cristo.

6. Giorgio Morandi, pittore e incisore bolognese del Novecento, è noto soprattutto per le .... in cui raffigura bottiglie e caraffe.

7. Negli anni della prima guerra mondiale Modigliani continua a dedicarsi prevalentemente al ...., usando stilemi che diventeranno ricorrenti come il volto e il collo allungato, l'asimmetria degli occhi spesso privi di pupille.

8. Tra i .... dell'arte metafisica di De Chirico il quadro più famoso è *Le vergini inquietanti* in cui sono rappresentate .... strane figure inanimate, mentre ...., accanto a una fabbrica con alte ciminiere, campeggia un castello di mastice rosso, evidente riferimento al castello di Ferrara.

Modigliani,
Lunia Czechowska, *1919*

De Chirico,
Le vergini inquietanti

C Deriva gli aggettivi dalla parola sottolineata, scegliendo tra i seguenti suffissi derivativi: *-esco, -ista, -ale, -ico*.

ESEMPIO

▶ Caravaggio è un pittore <u>del Cinquecento</u>.
Caravaggio è un pittore *cinquecentesco*.

1. I paesaggi sullo sfondo sono <u>di Raffaello</u>.

2. In molti quadri del Novecento si trova una prospettiva <u>del Quattrocento</u>.

3. Nel centro della città si erge un affascinante castello <u>del Rinascimento</u>.

4. La nuova concezione <u>dell'arte</u> di Leonardo ha un effetto dirompente soprattutto nella ritrattistica, campo in cui il grande genio del Cinquecento introduce una vera e propria rivoluzione figurativa.

5. Nella mostra che è dedicata all'arte italiana del Novecento ci sono alcuni pittori <u>del gruppo del Novecento</u>, come Sironi e Morandi, alcuni importanti dipinti della pittura metafisica di De Chirico, le opere <u>del Futurismo</u> di Balla e Boccioni e un nucleo di scultura <u>del Neo-umanismo</u> di Giacomo Manzù e Marino Marini.

6. Tra i pittori <u>dell'Impressionismo</u> adoro Monet, in particolare mi piacciono le sue marine.

7. L'arte <u>del Trecento</u> trova la sua massima espressione in Giotto.

8. Nel periodo <u>del Medioevo</u> molte città del Nord lottano contro i dominatori stranieri.

9. Nella mostra genovese, aperta a Palazzo <u>dei Duchi</u> fino al 12 gennaio, il nucleo di opere <u>di pittura</u> e grafiche di Morandi occupa un'intera sezione.

13 Leggere

Esplorare la grammatica

A Leggi questi itinerari turistici e rifletti sull'uso degli articoli con i nomi geografici. Sottolinea nei testi la presenza/assenza degli articoli con i nomi che indicano città, regioni, fiumi, montagne, e sulla base degli esempi che trovi completa la tabella che segue.

USO DEGLI ARTICOLI CON I NOMI GEOGRAFICI		
	Con articolo	Senza articolo
città, paesi	• una Roma diversa	• alla scoperta di Roma • collegata con Santa Teresa di Gallura
stati, regioni		
fiumi, laghi, mari		
isole		
monti		

Il piacere di scoprire l'Italia

Alla scoperta di Roma con 1 euro

Da qualche giorno anche il Tevere, come la Senna e il Tamigi, è solcato da battelli. E così, spendendo 1 euro e in soli 45 minuti, è possibile godersi una Roma diversa, quella che si specchia nelle acque del fiume. I tre battelli di linea, tutti i giorni dalle 7.30 alle 20, salpano dal Ponte Duca D'Aosta.

L'arcipelago della Maddalena

Caprera fa parte dell'arcipelago della Maddalena, all'estremità nordorientale della Sardegna. Collegata all'isola madre da un ponte, è stata dichiarata riserva naturale. Si può raggiungere la Maddalena grazie ai traghetti che partono ogni giorno dal porto di Palau. La Maddalena è collegata anche con Santa Teresa di Gallura.

Laghi

Oltre ai numerosissimi laghi d'alta quota di cui è costellata la bergamasca, ci sono due laghi, uno dei quali condiviso con la provincia di Brescia: il lago d'Iseo e il lago d'Endine.
Il lago d'Iseo è situato allo sbocco della valle Camonica. Al centro del lago si trova Montisola che è la più grande isola lacustre europea affiancata dalle due isolette di Loreto e San Paolo. Un servizio di navigazione giornaliero offre la possibilità di gite organizzate.

Marche e Umbria: natura intatta e fatata

A cavallo tra le Marche e l'Umbria, avvolti da un'atmosfera carica di mistero e alimentata da antiche leggende, si trovano i monti Sibillini. Diventati Parco Nazionale nel 1993, sono monti aspri e selvaggi, ma regalano anche scorci da fiaba, soprattutto lungo il versante collinare, che scende verso l'Adriatico.

B   Completa ora questo articolo facendo attenzione a mettere oppure omettere gli articoli con i nomi geografici. Quando ci sono delle preposizioni dovrai scegliere tra quelle semplici o articolate.

ITALIA. Patrimoni dell'umanità

Un patrimonio. Fatto di intere città, come (1) .... Venezia, (2) .... Roma o (3) .... Firenze, ma anche di pitture rupestri, monumenti e bellezze naturali, da (4) .... Parco del Cilento a (5) .... isole Eolie, da (6) .... Costiera amalfitana al Delta di (7) .... Po. C'è persino un villaggio operaio di fine Ottocento, (8) .... Crespi d'Adda. I tesori italiani inclusi nella lista dei "patrimoni dell'umanità" stilata dall'Unesco sono tanti. Nel 2002 erano 35, poi si è aggiunto un altro gioiello: il barocco di (9) .... Valle di (10) .... Noto.

Ma come si diventa patrimonio dell'umanità? Dopo il vaglio accurato di un comitato che fornisce tanto di motivazione ufficiale. Scorrendone qualcuna si capiscono meglio i criteri adottati. Nel caso del villaggio di (11) .... Crespi d'Adda, in provincia di (12) .... Bergamo, per esempio si legge: "Riflette la filosofia di industriali illuminati e rispettosi dei loro dipendenti". Le pitture rupestri di (13) .... Valle Camonica, sempre in (14) .... Lombardia, sono definite "la più grande collezione di dipinti preistorici mai scoperta". Mentre (15) .... Eolie meritano di essere incluse nella lista dell'Unesco perché rappresentano un laboratorio di vulcanologia a cielo aperto: "Le isole negli ultimi cento anni hanno aiutato i geologi a comprendere i meccanismi delle eruzioni vulcaniche". Insomma più che il capolavoro artistico, all'Unesco interessano opere e luoghi che hanno avuto un ruolo importante nella storia dell'umanità e nell'evoluzione della Terra. In (16) .... Italia di opere e di luoghi rispondenti a questo identikit ce ne sono più di 36, ma d'ora in poi i tesori della penisola verranno inseriti con parsimonia nella lista dei patrimoni, perché c'è troppo squilibrio tra il Nord e il Sud del mondo. La metà dei patrimoni sono solo in (17) .... Europa, mentre (18) .... Africa ne ha solo cinquanta. "Per questo abbiamo deciso di sperimentare un nuovo meccanismo – dice il presidente dell'Unesco – dal 2002 iscriviamo nella lista al massimo trenta nuovi siti all'anno, e non più di uno per nazione". Una grossa novità rispetto al passato, quando ogni anno si poteva fare incetta di riconoscimenti Unesco.

Crespi d'Adda (Bg)

(adattato da «Il Venerdì di Repubblica», 15 novembre 2002)

14 Parlare

A   **Scambio di informazioni (monologo): il cicerone di turno.**

Ognuno scriva su un foglietto di carta una città o un luogo che conosce molto bene e sul quale potrebbe dare dei consigli di carattere turistico. Piegate i fogli e metteteli tutti assieme. Formate dei gruppi di 4/5 persone. Pescate un foglietto a caso e fatevi dare consigli e informazioni dal cicerone di turno. Quando avete esaurito le informazioni e le domande su un luogo, pescate un altro foglietto e andate avanti.

B Conversazione: "Lo stato dell'arte"

Discutete con la classe su come è conservato il patrimonio artistico italiano. Eleggete un conduttore che avrà il compito di guidare la discussione e coordinare gli interventi. Avete qualche minuto di tempo per annotare le vostre idee. Ecco alcuni possibili punti di discussione:

- qualità dei musei italiani
- stato di conservazione dei monumenti a cielo aperto (fontane, statue, ecc.)
- atti vandalici
- restauro delle opere d'arte
- l'offerta delle mostre d'arte
- iniziative nelle singole città per sviluppare l'amore, il rispetto e la conoscenza del proprio patrimonio artistico

Una sala della Biennale di Venezia, 1997.

15 Navigando

Il sito del Ministero per i Beni culturali e ambientali è: www.beniculturali.it.

A Per conoscere e amare l'arte

Lavorate a piccoli gruppi. Entrate nel sito del FAI, il Fondo per l'Ambiente Italiano, che dal 1975 lavora per salvare, restaurare e aprire al pubblico
luoghi d'arte e di natura tra i più belli d'Italia (www.fondoambiente.it).
Scoprite e fate una relazione sintetica sugli eventi culturali (mostre, incontri, viaggi, settore scuola) che organizza il FAI per diffondere il proprio
messaggio di educazione all'armonia, alla bellezza e alla consapevolezza
del nostro patrimonio ambientale.

B I siti italiani patrimonio dell'umanità

Lavorate a piccoli gruppi. Entrate nel sito della Commissione nazionale dell'Unesco e
scoprite quali sono i siti italiani ritenuti patrimonio mondiale (www.unesco.it). Sce-
glietene uno e fate una ricerca su Internet, da presentare alla classe, sulle sue vicende
storiche e sul suo valore artistico/naturale.

C La Biennale di Venezia

Se vi interessa conoscere la realtà artistica contemporanea andate a visitare il sito del-
l'Esposizione Internazionale d'Arte della Biennale di Venezia. (www.labiennale.org).
Esplorate il programma e i padiglioni espositivi e raccogliete informazioni e curiosità
allo scopo di scrivere un articolo di presentazione delle proposte artistiche della Biennale per un giornale della vostra città.

16 Scrivere

Molti dei testi che hai incontrato nelle attività di questa unità appartengono al genere descrittivo. Sono testi descrittivi di luoghi per esempio i dépliant, i cataloghi e le guide turistiche, gli itinerari turistici su riviste, i brani letterari, una lettera/cartolina in cui si descrive un luogo visitato durante una gita o in un viaggio.

TESTO DESCRITTIVO

Nei testi descrittivi è dominante la **nozione di spazio** da esplorare e la **relazione tra oggetti e persone** collocate nello spazio.

1. *Descrivere la collocazione spaziale*

Nel descrivere la collocazione spaziale presta attenzione all'uso di: **preposizioni** e **locuzioni preposizionali**, **avverbi**, **verbi spaziali** e **aggettivi etnici**.

> Affittammo una vettura che doveva prima portarci <u>a</u> Lucera e poi <u>da</u> lì <u>condurci al</u> golfo di Manfredonia. Lucera <u>dista</u> da Foggia due ore soltanto; un'ottima strada vi <u>conduce</u> alla più vasta pianura <u>pugliese</u> che poi sale poco a poco verso una serie di colline.

Alcuni verbi spaziali

(di direzione/collocazione/movimento): *addentrarsi, affacciarsi, arrampicarsi, confinare con, distare x chilometri da, dirigersi, elevarsi, erigere* (participio *eretto*), *estendersi, imboccare* (*la strada*), *intravedere, percorrere,* (*la strada*) *porta a* (= *conduce a*), *proseguire, protendersi, scorgere* (participio *scorto*), *situarsi, trovarsi.*
Attenzione che negli itinerari turistici devi usare il *si* impersonale/passivante.

2. *Attribuire caratteri e qualità*

Nel descrivere caratteri e qualità, presta attenzione ai **nomi** che indicano la conformazione del territorio, e a quelli che indicano monumenti e opere d'arte.
Attenzione all'uso degli articoli (e di altri specificatori) e all'**accordo** tra lo specificatore, il nome e l'aggettivo.
Per descrivere un luogo, un itinerario, un'opera d'arte è centrale anche sapere usare bene gli **aggettivi**, che devono essere specifici, non ripetuti ma variati e nella giusta posizione (descrittivi, prima del nome, o restrittivi, dopo il nome).

> Incontrammo solo poche ville e masserie sulla nostra strada, situate in un paesaggio <u>verdeggiante</u> privo di vita il cui orizzonte abbraccia in lontananza <u>stupende</u> <u>montagne</u>, mentre sulla sinistra sorge su <u>incantevoli</u> <u>altipiani</u> la città <u>bizantina</u> di Troia.

3. *Descrivere da diversi punti di vista*

Si può descrivere un luogo partendo da diversi punti di osservazione: dall'alto o dal basso, da vicino o da lontano, ecc.

4. *Descrivere cambiando il fine e il destinatario*

Si possono fare diversi tipi di descrizione a seconda degli obiettivi che si vogliono raggiungere. Hanno un ruolo decisivo lo scopo e il destinatario (un conto è descrivere la tua città d'origine a un tuo amico italiano che vuole visitarla, un conto è descriverla per costruire un testo narrativo in cui esprimere le tue impressioni). La descrizione può essere soggettiva (dal di dentro) o oggettiva (distaccata, dal di fuori).

A   Il ritratto di una città italiana

Immagina di partecipare a un concorso organizzato dall'Istituto italiano di cultura della tua città, che premierà il ritratto più bello e originale di una città italiana. Il titolo del ritratto è "Impressioni dall'Italia: l'incanto di una città". Procedi come indicato:

- pensa intensamente alla città d'Italia che più ti ha incantato e scrivila in alto su un foglio;
- poi annota almeno 4 parole di cose viste/vissute che te la ricordano e altri 4 nomi o aggettivi per descrivere le impressioni collegate alle cose viste (Venezia, gondola, leggerezza; Matera, magica);
- infine attorno a questi elementi costruisci una descrizione, un ritratto, della città;
- cerca di evidenziare anche la prospettiva da cui la descrivi: si può descrivere un luogo partendo da diversi punti di osservazione, dall'alto di un albero per esempio o dal basso, da vicino o da lontano, da un'auto in corsa o da una bicicletta, ecc;
- ricordati che devi scrivere una descrizione coinvolgente, soggettiva e "dal di dentro".

B   Un itinerario turistico curioso

Immagina di scrivere un itinerario turistico nel tuo paese d'origine per una rivista di viaggi italiana che ha una rubrica, dedicata ai lettori, che s'intitola "Itinerari turistici curiosi".

Puoi scrivere un itinerario con una serie di tappe e luoghi da visitare dando indicazioni quali monumenti, alberghi, ristoranti, spuntini, fuori orario, la notte, shopping d'autore, come muoversi; oppure un itinerario a tema come *Le vie del vino*, *I mercatini*.

Cerca di incuriosire il lettore.

C   Correzione a gara

Correggi gli errori d'uso delle preposizioni presenti in queste frasi tratte da testi descrittivi prodotti da studenti stranieri. Vince chi corregge più errori.

(+1 punto per chi trova l'errore, + 2 punti per chi trova e dà la correzione giusta dell'errore)

1. Malaga è situata nella costa.
2. Ci si può rilassare alle belle spiagge.
3. Alla città incantevole di W. si può visitare il duomo.
4. Ci si può arrampicare alla sommità della scogliera.
5. È un'isola circondata di un mare immenso.
6. I bungalow sono in forma di fungo.
7. Il paesaggio assomiglia un mosaico.
8. Il villaggio è circondato per un bosco di sempreverdi.
9. Siamo lontani dello stile di vita londinese.
10. È carino per visitare in primavera.
11. Ci sono tante passeggiate a fare.
12. È molto frequentato a causa della sua storia ricca.
13. Se siete tanto fortunati avere qualche giorno libero e disponete di una bicicletta, questo è il vostro tour.

Esercizi

1 Sei un agente turistico che dà consigli a turisti stranieri su possibili itinerari a seconda delle esigenze e dei gusti personali. Trasforma secondo il modello.

ESEMPIO

► Se sei amante della bicicletta, vai sul Delta del Po.
 Se si è amanti della bicicletta si vada sul Delta del Po.

1. Se siete amanti del barocco, visitate Lecce.
2. Se è goloso di piatti nostrani, si fermi e giri il Mantovano.
3. Se siete disposti a camminare per qualche ora, prendete il sentiero numero 12.
4. Se sei desideroso di vivere a contatto con la natura, fai una vacanza in Abruzzo.
5. Se è avventuroso e allenato, si arrampichi sulle Dolomiti.
6. Se sei romantico e ami le visite dei castelli, non perdere la Valle d'Aosta.
7. Se siete ricchi, noleggiate una barca e fate il giro dell'arcipelago.
8. Se è raffinato, non si perda le ville del Palladio.

2 Completa il testo con il *si* impersonale, il *si* riflessivo, coniugando i verbi in modo conveniente.

TRE PASSI NELL'ANTICO

Il mercatino antiquario di Suzzara offre curiosità e cimeli a cavallo del secolo

Il mercatino dell'antiquariato "Cose d'altri tempi" (*tenersi*) (1) .... a Suzzara, 22 Km. da Mantova, l'ultima domenica del mese per tutto l'anno, escluso luglio. Se (*partire*) (2) .... in auto, (*potere percorrere*) (3) .... l'autostrada Modena-Brennero, uscire a Pegognaga e proseguire fino a Suzzara. Suzzara (*potere raggiungere*) (4) .... anche in treno o con gli autobus che partono da Mantova o da Reggio Emilia.

Pochi chilometri dividono Suzzara da Gonzaga.

Qui (*potere ammirare*) (5) .... la chiesa di S. Benedetto, costruita intorno al 1082, e il rinascimentale convento di Santa Maria.

Altri itinerari interessanti (*potere programmare*) (6) .... in direzione di Monteggiana, impreziosita dalla Ghirardina, una bella villa del Quattrocento attribuita a Luca Fancelli, oppure verso Pegognaga, dove (*stagliarsi*) (7) .... fra le case rurali la Villa Angeli, costruita alla fine del XVI secolo, e la romanica Chiesa di San Lorenzo. Se (*volere pianificare*) (8) .... una gita lungo gli argini del Po, (*dovere munirsi*) (9) .... di una bicicletta che è il mezzo migliore per cogliere le mille sfumature del paesaggio.

(da «AD/In viaggio», 146)

3 Trasforma questo itinerario turistico al passato prossimo.

GARGANO E TAVOLIERE

Da Foggia per ampia strada si punta attraverso il Tavoliere verso Manfredonia. Si inizia poi il giro del promontorio montuoso per una bella strada panoramica. Superata la Testa del Gargano orlata di scogliere, appare Vieste, annidata tra bianchi scogli a picco sul mare. Segue un tratto di costa solitaria; la strada si interna fra gli ulivi e i pini, finché appare Peschici. Si scende, si attraversa la stupenda pineta di S. Menaio e in piano si raggiunge Rodi Garganico, con le sue bianche case sopra un promontorio. Si taglia in diagonale la penisola entrando nel folto della Foresta Umbra e si raggiunge Monte Sant'Angelo con le sue tipiche casette scaglionate sul monte. Si toccano poi S. Giovanni Rotondo e Rignano Garganico, affacciato sull'immensa distesa del Tavoliere.

(adattato da *Nuova guida rapida. Italia meridionale Sicilia*, TCI, Milano 1976)

4 I profili biografici di personaggi storici vengono narrati al passato remoto. Completa questa biografia di un noto pittore del Cinquecento-Seicento italiano, coniugando i verbi tra parentesi al passato remoto.

Caravaggio (1573-1610)

Michelangelo Merisi, detto il Caravaggio, (*nascere*) (1) .... a Caravaggio, vicino a Bergamo. In età giovanile, dal 1584 al 1588, (*essere*) (2) .... apprendista presso Simone Peterzano, un artista tardomanierista bergamasco dal quale (*assorbire*) (3) .... la tradizione di Savoldo, Moretto e Lotto.

Dal punto di vista del carattere Caravaggio era un violento e un anarchico e per tutta la vita (*trovarsi*) (4) .... coinvolto in risse, sempre in urto con le autorità; talvolta (*finire*) (5) .... anche in prigione. Anche la sua arte, potente e originale, era violenta e irriverente.

Trasferitosi a Roma intorno al 1592-93 (*farsi*) (6) .... ben presto fama di realista convinto che dipingeva solo ciò che vedeva. La visione di Caravaggio era realistica ed egli prendeva a modello persone di umile origine. Lavorava direttamente sulla tela senza bisogno di un disegno preliminare, con colori forti, vivi, molto differenti dalle tinte manieriste. All'inizio della sua carriera (*dipingere*) (7) .... nature morte. Il suo *Cesto di frutta* (Milano, Pinacoteca Ambrosiana) (*venire dipinto*) (8) .... probabilmente per il cardinale Del Monte.

Dal 1596 Caravaggio (*entrare*) (9) .... al seguito della famiglia del cardinale e (*dipingere*) (10) .... per lui e per altre grandi famiglie romane una serie di figure a mezzo busto di ragazzi che suonano il liuto, con caraffe piene di vino o di fiori, oppure che offrono cesti di frutta. Tra questi ricordiamo in particolare *Autoritratto*

come giovane Bacco (o *Bacchino malato*) (Galleria Borghese, Roma). Anche se appartengono alla pittura di genere, queste non sono opere realistiche.

Dal 1598 Caravaggio (*cominciare*) (11) .... a dipingere pale d'altare. Le commissioni più importanti nell'ultimo periodo del suo soggiorno romano (*essere*) (12) .... delle scene della *Vita di S. Matteo* (Roma, Cappella Contarelli), dipinte tra il 1599 e il 1602, *La Crocifissione di S. Pietro* (1601, Roma, Cappella Cerasi), *La Deposizione nel sepolcro*, *La morte della Vergine*.

In queste opere Caravaggio (*creare*) (13) .... uno stile religioso assolutamente originale: in esse si legge un coinvolgimento drammatico, diretto dell'osservatore e un senso di profonda compassione per le sofferenze dell'animo umano, aspetti entrambi nuovi in pittura. Per dare risalto a questi umani sentimenti, Caravaggio (*abbandonare*) (14) .... la luce uniforme dei suoi primi dipinti per collocare le figure in una semioscurità illuminata da un violento raggio di luce.

Nel 1606 Caravaggio (*uccidere*) (15) .... un uomo durante una lite e (*dovere*) (16) .... scappare da Roma. Rifugiatosi a Napoli vi (*rimanere*) (17) .... per quasi un anno. Nel 1607-1608 il Caravaggio (*essere*) (18) .... a Malta. A causa di contrasti con le autorità di Malta, (*fuggire*) (19) .... in Sicilia e poi a Napoli; (*morire*) (20) .... di febbre mentre stava tornando a Roma nel 1610.

(adattato da *Conoscere e capire l'arte, Dizionario degli artisti*, Curcio)

5 Completa questo resoconto di viaggio coniugando i verbi al passato remoto o all'imperfetto.

C'è anche una notte di luna, una di quelle notti veneziane cantate da tante melodie, a cui non posso ripensare senza commuovermi. Una chiara sera di maggio avevo vagato per ore sulla Piazzetta; mi ero poi seduto a riposare ai piedi della statua di San Teodoro, osservando il permanere dell'azzurro nel cielo stellato e il gioco di luci e ombre sullo specchio dell'acqua. Dietro le isole (*alzarsi*) (1) ...., ancora invisibile, la luna, mettendo in forte risalto la linea dei tetti della Giudecca. Tutto il mondo insulare (*stagliarsi*) (2) .... contro il cielo con una bellezza irreale, non plastica. [...]

Poi, vicinissima al campanile di San Giorgio, (*alzarsi*) (3) .... la luna, grande e brillante. I suoi candidi raggi (*balzare*) (4) .... sulla torre campanaria e sul tetto della chiesa. La laguna (*rivestirsi*) (5) .... di una luce tremula e tenue, le poche onde suscitate dalle imbarcazioni (*lampeggiare*) (6) ...., con bruschi bagliori. (*Saltare, io*) (7) .... nella gondola più vicina e (*gridare*) (8) .... al gondoliere, che (*giungere*) (9) .... a passo di corsa, di condurmi al Canal Grande. Al di là della Salute, nella laguna tra le Zattere e la Giudecca, (*galleggiare*) (10) .... un'imbarcazione sulla quale (*farsi*) (11) .... musica, ancora udibile, seppur assai attutita. Da uno dei palazzi del Canale c'erano tre finestre illuminate, da cui (*provenire*) (12) .... il canto di una bella voce di donna. (*Fare, io*) (13) .... fermare la gondola e (*abbandonarmi*) (14) .... per un po' al piacere di quel canto che sembrava affratellato a notte e chiaror lunare. (*Tornare, io*) (15) .... poi alla piazzetta e (*indicare*) (16) .... come meta successiva San Giovanni e Paolo. La gondola (*scivolare*) (17) .... nel muto canale addormentato, passando sotto al Ponte dei Sospiri; nel silenzio di tomba di vicoli e canali notturni (*risuonare*) (18) .... le grida del gondoliere, che ad ogni curva (*invitare*) (19) .... le gondole che giungessero in senso contrario ad evitare la sua, grida quasi cantate, e, per uno straniero, difficili da capire.

(adattato da *Dall'Italia e Racconti italiani* cit.)

6 Leggi queste frasi tratte da memorie di viaggi in Italia e spiega perché viene usato il congiuntivo.

1. "Non riesco a spiegare con precisione che cosa mi renda così caro e prezioso quel mattutino viaggio in barca: me ne ricordo come di un piacere inestimabile." (Hermann Hesse)

2. "Forse saprete che si discute molto se la torre, o il campanile, sia stata costruita così, inclinata, o se sprofondò da una parte a causa di un difetto delle fondamenta. Quanto a me mi schiero dalla parte di chi sostiene la prima tesi." (James Fenimore Cooper)

Trasforma ora queste frasi interrogative nella forma indiretta, come nell'esempio.

`ESEMPIO`

▶ Che cosa significa il termine "abside"? (*non sapere proprio*)
Non so proprio che cosa *signifchi* il termine "abside".

1. Perché i viaggiatori stranieri trovavano affascinante la Liguria? (*non sapere*)

2. Perché i vari ministri dei beni culturali non hanno mai ordinato l'abbattimento degli edifici che deturpano la Valle dei Templi di Agrigento? (*non capire*)

3. Perché molti turisti italiani hanno un comportamento vandalico nei confronti del patrimonio naturale e culturale del loro paese? (*chiedermi*)

4. Quanti sono gli italiani che conoscono bene il Sud d'Italia? (*non sapere*)

5. Vi siete fermati a visitare i Sassi di Matera? (*domandarmi*)

6. Perché gli italiani frequentano poco i musei? (*chiedermi*)

7. Questa Madonna è di Giotto o di Raffaello? (*non ricordarmi*)

8. Quando c'è stato il terremoto che ha distrutto la Valle di Noto? (*non mi ricordo*)

9. Questo castello è medievale o rinascimentale? (*non sono certo*)

7 Completa questo testo mettendo gli aggettivi tra parentesi nella posizione corretta, prima o dopo il nome. Devi anche accordarli al nome.

Spaccanapoli: il decumano inferiore

L'itinerario attraversa (*gran*) (1) .... parte .... del (*storico*) (2) .... centro .... collegando due delle (*principale*) (3) .... chiese .... (Monteoliveto e l'Annunziata), lungo un percorso segnato in gran parte dal (*viario*) (4) .... asse .... formato dal (*inferiore*) (5) .... decumano .... della (*antica*) (6) .... città .... e dal suo prolungamento verso occidente, detto 'Spaccanapoli', perché dall'alto della Certosa e del Castel S. Elmo sembrava dividere – ancora fino ai primi anni del '900 – la città in due (*pressoché uguale*) (7) .... parti ....

È un (*ininterrotto*) (8) .... sequenza .... di piazze, chiese, guglie e palazzi tra i più importanti, tanto preziosa da sembrare quasi esaurire le (*turistico*) (9) .... potenzialità .... della città.

Al variare delle architetture e delle opere d'arte, s'accompagna quello del (*sociale*) (10) .... ambiente .... che muta lentamente da Monteolivo a Forcella, nei cui vicoli sembra quasi aleggiare un (*diversa*) (11) .... aria .... dal resto della città, attraversando Piazza del Gesù (che segna, con il capolinea dell'autobus 140, quasi le 'colonne d'Ercole' oltre le quali è il (*antico*) (12) .... nucleo .... del (*storico*) (13) .... centro sconosciuto anche a molti napoletani di (*altro*) (14) .... quartieri ....), e piazza S. Domenico, prossima alle (*universitario*) (15) .... sedi e centro della (*studentesco*) (16) .... vita ....

Varie sono pure le (*commerciale*) (17) .... attività .... che a Napoli, come nel Medioevo, spesso continuano a concentrarsi in (*preciso*) (18) .... zone .... : a S. Biagio dei Librai non si vendono più libri ma, probabilmente per la vicinanza con l' (*antico*) (19) .... Monte di Pietà .... , (*vecchio*) (20) .... gioielli .... , mentre in via S. Gregorio Armeno è tutto un susseguirsi di (*artigiana*) (21) .... botteghe .... di presepi e (*finto*) (22) .... fiori ....

(da *Napoli*, TCI, Milano 1994)

8 Metti l'aggettivo *bello* davanti alle parole seguenti (cfr. Unità 1, p. 29).

ESEMPIO

► gli archi   i *begli* archi

1. le cattedrali   ....
2. una basilica   ....
3. le scogliere   ....
4. i promontori   ....
5. quegli scogli   ....
6. l'edificio   ....
7. le mura   ....

8. quegli altipiani   ....
9. un castello   ....
10. una baia   ....
11. le coste   ....
12. uno scoglio   ....
13. il convento   ....
14. un anfiteatro   ....

9 ° Trasforma al plurale questi sintagmi nominali, facendo attenzione ai nomi e agli aggettivi invariabili (cfr. Unità 3, p. 107).

ESEMPI

▶ la superficie quadrata > le superficie quadrate
▶ lo sfondo verde bottiglia > gli sfondi verde bottiglia

1. il colore blu ....
2. la serie geometrica ....
3. la maglia marrone ....
4. un numero dispari ....
5. la tela viola ....
6. la città rinascimentale ....
7. la poltrona giallo oro ....
8. il caffè storico ....
9. il cappotto rosso scuro ....
10. la crisi esistenziale ....
11. la parete verde bottiglia ....
12. il pigiama rosa ....
13. l'abito rosa pastello ....
14. la borsa viola chiaro ....

10 Osserva il plurale dei nomi in *-io* e trasforma al plurale i sintagmi che trovi sotto.

PLURALE DEI NOMI IN *-IO*	
SINGOLARE	PLURALE
-ì (tonica, accentata)	-ii
brulichìo	brulichii
-i (atona, non accentata)	-i
promontorio	promontori
paesaggio	paesaggi

1. l'addio nostalgico ....
2. il principio immorale ....
3. lo studio archeologico ....
4. lo zio simpatico ....
5. l'itinerario cicloturistico ....
6. il dominio medievale ....
7. il desiderio tipico ....
8. lo scintillio stellare ....
9. il ghiacciaio perenne ....
10. l'omicidio spaventoso ....
11. lo scorcio panoramico ....

12. l'edificio ricostruito ....
13. il paesaggio pittoresco ....
14. l'esempio architettonico ....
15. il pendio verdeggiante ....
16. un brontolio fastidioso ....

11 Completa questo testo mettendo od omettendo gli articoli. Quando trovi una preposizione devi decidere se è semplice o articolata.

A caccia di tesori
Real Caserta

I primi tre mesi dell'anno (1) .... Carlo di Borbone e (2) .... regina (3) .... sua moglie Maria Amalia li passavano a (4) .... Caserta, (5) .... reggia a 35 chilometri da (6) .... Napoli, costruita da (7) .... Luigi Vanvitelli. Con l'arrivo di (8) .... Settimana Santa "(9) .... bruttissima coppia di (10) .... sposi", come scrisse (11) .... poeta inglese Thomas Gray nella prima metà di (12) .... Settecento, faceva (13) .... bagagli e si trasferiva a (14) .... Napoli. Dopo (15) .... Pasqua di nuovo in movimento: (16) .... Procida, (17) .... Bovino, (18) .... Venafro. E (19) .... Caserta. Per incredibile che possa sembrare, tanto movimento, e quasi altrettante regge di (20) .... rara bellezza, era dettato da (21) .... calendario di (22) .... caccia. (23) .... cinghiali, (24) .... fagiani, (25) .... pernici furono

(26) .... causa involontaria della costruzione di (27) .... patrimonio artistico che rese (28) .... regno di (29) .... Napoli celebre in (30) .... Europa. Vanvitelli, Zuccaro e decine e decine di (31) .... grandi furono beneficiati da (32) .... passione per (33) .... caccia che (34) .... ipocondriaco Carlo aveva fortissima e che (35) .... suoi successori mantennero intatta.

Era (36) .... 1772 quando (37) .... Luigi Vanvitelli dette inizio a (38) .... fabbrica di Caserta, "(39) .... reggia più grande (1200 stanze) di (40) .... regno più piccolo", come fu definita all'epoca da (41) .... invidiosi reali di (42) .... Austria e di (43) .... Inghilterra.

Oggi Caserta ha battuto (44) .... nuovo piccolo record: è stata nominata "(45) .... museo dell'anno" da (46) .... commissione internazionale. (47) .... luogo di straordinario fascino, la reggia spunta a (48) .... fine di un viale circondato da (49) .... pessimi edifici probabilmente di (50) .... capitale camorrista. Nel tour di (51) .... reggia colpisce (52) .... bagno in (53) .... stile barocco per il quale furono chiamati (54) .... decoratori eccelsi per (55) .... festoni di (56) .... fiori e (57) .... frutta, per (58) .... angeli in (59) .... legno, per (60) .... vasca di (61) .... marmo scolpito e di (62) .... rame dorato. Affascinanti anche (63) .... due biblioteche, ordinate da (64) .... Maria Carolina, riempite di (65) .... testi rari, inviati da (66) .... Austria alla figlia imperatrice. Spicca (67) .... mobile a (68) .... piramide, creato per (69) .... libri in (70) .... consultazione, così elegante in cui si nota (71) .... Dizionario Italiano-Napoletano che (72) .... regina compulsava per migliorare (73) .... suo già buon napoletano. (74) .... re in (75) .... realtà trovava (76) .... letture di (77) .... moglie (78) .... intralcio a (79) .... loro rapporti, "non è mai possibile parlarle perché legge sempre".

(adattato da «Il Venerdì di Repubblica», 26 aprile 1996)

12 Trasforma le frasi dipendenti nella forma implicita e di' che valore hanno, scegliendo tra:

> temporale (infinito)   causale (*per* + infinito)   consecutivo (*da* + infinito)

ESEMPIO

▶ È stato male perché aveva bevuto troppo.
È stato male *per aver bevuto* troppo. (causale)

1. Le telefonerò dopo che sarò arrivata.
2. Ho letto tanto che mi facevano male gli occhi.
3. Luigi è così distratto che si è dimenticato le chiavi.
4. Sono soddisfatta perché gliel'ho finalmente detto.
5. La bambina era così stanca che non riusciva a prendere sonno.
6. Ho detto loro di avvisarmi prima che arrivino.
7. L'hanno premiato perché era arrivato primo.
8. Uscirò dopo che avrò finito questo lavoro.
9. È stato ucciso da un sicario perché aveva confessato chi erano i complici.
10. Il treno ha avuto un tale ritardo che ho perso ben due coincidenze.

13 Completa questi due testi con le preposizioni di luogo, semplici o articolate, scegliendo tra *in, a, per, da, su, fino a, attraverso, verso, lungo.*

Quando viaggiare era un'arte

I caratteri ricorrenti di quello che alla fine del XVII secolo viene definito *Grand Tour* devono molto al predominio della cultura baconiana e della filosofia sperimentale. Il viaggio è inteso come esplorazione e ricerca. Nel XVIII secolo, epoca in cui il fenomeno raggiunge il suo culmine e acquista connotati di vera e propria consuetudine didattica, l'età in cui si pensava che i *grandtourists* dovessero intraprendere il viaggio oscillava tra i sedici e i ventidue anni e dall'impresa ci si attendeva il coronamento di una buona educazione.

Il turista che voglia recarsi (1) .... Italia, prima della partenza deve studiare bene le carte e disporre il viaggio in modo da trovarsi negli ultimi giorni del carnevale (2) .... Venezia, la settimana santa (3) .... Roma e l'ottava del Santissimo Sacramento (4) .... Bologna. Non deve farsi sorprendere (5) .... Roma dal periodo della canicola, attraversare l'intero paese e vederne quante più zone possibili e non fare due volte lo stesso percorso.

La realtà di infiniti viaggi, specie britannici, evidenzia la tendenza a una notevole ripetitività dei percorsi. Per il viaggiatore che scendeva (6) .... Italia (7) .... Sempione, (8) .... Gottardo o (9) .... Moncenisio, il tratto padano comprendente le città di Milano e di Torino veniva percorso con relativa celerità, pur annoverando soste, talora piene di curiosità, (10) .... Parma, (11) .... Piacenza e (12) .... Bologna. Di maggior seduzione appare Genova sia per il viaggiatore settecentesco che per quello romantico. Giunto (13) .... Firenze, vuoi (14) .... Bologna, vuoi (15) .... incantata sosta (16) .... Lucca, il turista prosegue (17) .... Roma (18) .... la via Francigena che passa (19) .... Siena, Viterbo; oppure s'immette (20) .... valle dell'Arno (21) .... Arezzo per proseguire (22) .... via che lo conduce (23) .... Oligno e (24) .... Terni. Il viaggio (25) .... Italia si rivela assai più schematico di quanto si possa supporre.

(adattato da www.ines.org/Public/limes/g/quando_viaggiare_era/view)

Ripasso

1 **Completa il testo con gli specificatori: gli articoli determinativi o indeterminativi e gli indefiniti. Metti anche le desinenze mancanti agli aggettivi.**

IL COLORE: COME PUÒ INFLUENZARCI
Si dice: "Sono verde di rabbia", "Vedo rosa". Oppure: "Mi sento di umore nero". E ancora: rosso come (1) .... amore, giallo come (2) .... gelosia. Sembrano frasi fatte, espressioni comuni,

e invece rivelano (3) .... legami che esistono tra stato d'animo e colori, tra il nostro umore e (4) .... blu, (5) .... marrone, (6) .... beige, (7) .... bianchi che ci circondano. E poi c'è chi veste esclusivamente di nero, e chi porta camicetta, gonna e guanti solo di sfumat (8) .... tinte pastell (9) ....

"Tra (10) .... nostra psiche e (11) .... colori esiste (12) .... rapporto strettissim (13) .... e important (14) .... , tutti abbiamo provato piacere o disagio nei confronti di (indefinito) (15) .... tinte. Questo accade perché proiettiamo sui colori (16) .... nostre speranze, (17) .... nostre delusioni o (18) .... nostre angosce".

Insomma, (19) .... colore ci influenza anche emotivamente. E non è tutto: condiziona anche le nostr (20) .... reazioni fisic (21) .... Lo hanno dimostrat (22) .... (indefinito) (23) .... esperimenti fatti in (24) .... istituto di ricerca norveges (25) .... : (26) .... persone ospitat (27) .... in (28) .... stanza blu chiesero che venisse alzata (29) .... temperatura del locale; le (indefinito) (30) .... persone sistemat (31) .... in (32) .... stanza dipint (33) .... di rosso e con (34) .... temperatura identic (35) .... alla precedente, non provarono (indefinito) (36) .... sensazione di freddo. (37) .... protagonisti del test non si erano limitat (38) .... a vedere (39) .... colori: li avevano sentiti sulla pelle. (40) .... medico potrebbe spiegarci perché: (41) .... rosso accelera (42) .... respirazione e (43) .... battiti cardiac (44) .... , (45) .... blu abbassa (46) .... pressione. E si potrebbe continuare: l'arancione stimola (47) .... appetito, il giallo aumenta (48) .... produzione di succhi gastric (49) .... e quindi facilita (50) .... digestione.

"Gli effetti straordinar (51) .... che (52) .... colori possono avere sulla nostra psiche e sul nostro fisico li verifichiamo (indefinito) (53) .... giorno, utilizzando per (indefinito) (54) .... malattie (55) .... cromoterapia".

(adattato da A. Assumma, in «Anna», giugno 1991)

Test

1 Trasforma questi consigli di viaggio usando la forma impersonale.

1. A Lucera il turista può ammirare il Duomo angioino, il Castello d'origine sveva, il Museo Civico e l'Anfiteatro.

2. A Peschici addentrati nel vecchio abitato con le case a cupola.

3. Gli amanti del vino proseguono poi per la SS 228, svoltando a sinistra giungono al castello di Roppolo, sede dell'Enoteca regionale della Serra.

→   /4 punti

2 Trasforma queste frasi con il *si* impersonale al passato prossimo.

1. Poi si percorre una strada tortuosa in direzione di Biella sino a giungere nel comune di Cavaglià che deve il suo nome probabilmente alle numerose stazioni di cambio di cavalli.

2. Intorno al 1200 si hanno le prime notizie riguardanti la costruzione di un riccetto per la protezione dei prodotti agricoli, delle uve e delle numerose greggi.

3. È una zona di locande in cui si mangia squisitamente.

→   /3 punti

3 Trasforma il presente storico di questa breve biografia di Leonardo al passato remoto.

Figlio naturale del notaio Pietro D'Antonio e di una certa Caterina, Leonardo **nasce** (1) .... nei pressi di Vinci, il 15 aprile 1452. Nel 1469 il padre, nominato notaio dalla Signoria, **si trasferisce** (2) .... a Firenze con la famiglia e Leonardo, allora diciassettenne, **entra** (3) .... nella bottega di Andrea Verrocchio, assimilando dapprima le conquiste fondamentali del rinascimento fiorentino, opponendosi

tuttavia, in armonia con la propria naturale inclinazione, agli schematismi intellettuali. Nel 1482 **lascia** (4) .... la città toscana alla volta di Milano, mettendo la propria esperienza al servizio degli Sforza. **Vive** (5) .... nel capoluogo milanese per ben 16 anni, anni molto produttivi in cui **lavora** (6) .... come ideatore geniale di congegni meccanici, come architetto e ingegnere ducale. Ma **è** (7) .... soprattutto come pittore che Leonardo **rivela** (8) .... una forza innovatrice tale da sconvolgere i canoni tradizionali della pittura lombarda.

→   /8 punti

4 Completa il seguente brano letterario di tono ironico, coniugando i verbi tra parentesi al passato remoto o all'imperfetto.

LA FAMOSA ULTIMA CENA DEL TOVAGLIA
In quel luogo Alì passava la maggior parte del suo tempo, intento a un lavoro di restauro. Su una parete del teatro era infatti dipinta la famosa *Ultima Cena* del maestro Vanes Pelicorti detto il Tovaglia, pittore di punta del movimento ristorantista, o neotrattorialismo, autore tra l'altro del celebre *Vecchietto che mangia i fagioli* visibile in duemila ristoranti della regione, oltre che dello scandaloso *Nudo di donna con anguria* esposto solo nelle sale da biliardo laiche. Il Tovaglia, noto per la rapidità tecnica e per i prezzi stracciati, fu incaricato dall'allora priore Don Furio di affrescare la sala con l'*Ultima Cena* in cambio di sei cene. (*Dipingere*) (1) .... il capolavoro in tre giorni. Purtroppo non (*sapere*) (2) .... dipingere senza modelli, e a tal scopo gli fu prestato il sagrestano Moreno, il cui viso era spirituale come uno scaldabagno, e il cui gigantesco naso rosso, specialmente dopo una libagione, (*coprire*) (3) .... circa il settanta per cento dei lineamenti, per cui il

pittore doveva ogni volta aspettare che si sgonfiasse. Moreno fece da modello a tutti gli apostoli. Nella versione con barba bianca era San Pietro, in versione giovanile, grazie anche all'aiuto di una foto sulla patente, (*impersonare*) (4) .... San Giovanni, in versione quasi originale, Giuda. Lo spettacolo di dodici Moreni che circondavano Cristo risultò assai audace, ma il Tovaglia (*spiegare*) (5) .... a Don Furio che nulla come quell'affresco (*illustrare*) (6) .... la frase "Fratelli in Cristo".

(S. Benni, *La compagnia dei Celestini*, Feltrinelli, Milano 1992)

→ /6 punti

5 Completa questo testo mettendo od omettendo gli articoli con i nomi geografici. Quando ci sono delle preposizioni devi scegliere se metterle semplici o articolate.

Posizione e conformazione dell'Italia

(1) .... Italia è una penisola racchiusa a Nord da un'imponente catena montuosa e protesa a Sud in (2) .... Mediterraneo; misura circa 1200 chilometri di lunghezza e circa 250 di larghezza nella parte peninsulare; la sua superficie complessiva è di 301 300 kmq.
A nord confina con gli altri Paesi europei: (3) .... Francia a ovest, (4) .... Svizzera e (5) .... Austria a nord, (6) .... Slovenia a est.
Tre lati del paese sono bagnati da (7) .... Mar Mediterraneo (nelle sue diverse porzioni: Ligure, Tirreno, Ionio e Adriatico) nel quale si collocano anche le due isole maggiori, (8) .... Sicilia e (9) .... Sardegna, e le numerose isole minori come (10) .... Tremiti. La lunghezza delle coste è molto elevata: più di 8000 chilometri.

(adattato da *Nuovo Ecogeo I*, Archimede)

→ /5 punti (0,5 p. per ogni articolo corretto)

6 Completa questo itinerario, tratto da *Visita l'Italia in battello*, mettendo gli aggettivi tra parentesi nella giusta posizione, prima o dopo il nome.

La vecchia Milano lungo il Naviglio Grande

La (*vecchia*) (1) .... Milano ...., gli edifici di (*industriale*) (2) .... archeologia ...., le cascine del Parco sud, i lavatoi di Corsico. Sono alcune (*suggestive*) (3) .... immagini .... che ti regala una gita a bordo della Viscontea, il (*elettrico*) (4) .... battello .... a (*solari*) (5) .... pannelli .... che parte dalla Darsena e, navigando lungo il naviglio Grande di Milano, ti porta fino al (*pittoresco*) (6) .... centro .... di Gaggiano. La gita dura quattro ore e costa 18 euro. A questo itinerario puoi unire escursioni guidate al Parco del Ticino o ad Abbiategrasso, dove trovi un bel (*visconteo*) (7) .... castello .... e la chiesa di Santa Maria Nova, ultima opera in Lombardia del Bramante. Per informazioni, tel. 0267020288

(da «Donna Moderna», 4 giugno 2003)

→ /7 punti

7 Completa questi testi scegliendo tra le parole seguenti, che indicano la conformazione del territorio.

fondali   costa   isola   golfo
rocce   baie

La Riserva regionale dello Zingaro (1600 metri circa) si trova sul lato occidentale del (1) .... di Castellamare, tra Scodello e Torre dell'Impiso. È uno dei tratti di (2) .... tra i più belli e solitari dell'(3) ...., lontano dalle maggiori vie di comunicazione, dove (4) .... a picco sul mare si alternano a (5) .... incontaminate di sabbia chiara e dove gli insediamenti turistici sono praticamente assenti. La Riserva è stata riconosciuta ufficialmente nel 1981. La vegetazione, ricca di palme e macchia mediterranea, raccoglie una gran varietà di animali, soprattutto tra gli uccelli rapaci (falco, poiana, gheppio) e i carnivori (volpe, coniglio, riccio, istrice). Anche i (6) .... lungo la costa del parco, suggestivi e pressoché intatti, sono protetti.

(da *Sicilia*, Le guide del gabbiano, Giunti 1997)

→ /6 punti

8 Completa questi testi scegliendo tra le parole seguenti, che servono a descrivere monumenti.

> mosaici   navate   la facciata
>   arcate   torri

Parte della fama di Cefalù è dovuta alla cattedrale, rivale in bellezza con un'altra cattedrale normanna di Monreale. Fondata da Ruggero II nel 1131, essa è posta in modo suggestivo ai piedi della rupe che domina la cittadina. (1) .... preceduta da sagrato barocco sopraelevato recinto da una cancellata, è opera di Giovanni Panettera (1240). Essa è fiancheggiata da due grosse (2) .... che, come la sua parte superiore, sono nel consueto stile arabo-normanno. L'atrio a tre (3) .... è opera

quattrocentesca di Ambrogio da Como. L'interno, che è a tre (4) .... , sorprende per la sua maestosità e per il tratto quasi nordico dato dall'assenza di decorazioni e dall'arditezza delle volte, soprattutto nel transetto destro. Nella navata centrale abbiamo il tipico soffitto in legno dipinto (1263). Sotto la seconda arcata, nella navata destra, notare il fonte battesimale romanico, decorato a rilievo da quattro leoni. Ma la parte più bella della chiesa è il presbiterio, i cui splendidi (5) .... sono esaltati dalla nudità del resto dell'ambiente.

→ /5 punti

9 Completa le frasi con una parola derivata partendo dalla parola di base data tra parentesi.

1. L'architettura della città di Noto è di tipo (*del settecento*) ....

2. Ai templi si arriva da Agrigento per una bella strada (*panorama*) ....

3. Se ci si ferma a Bergamo qualche giorno è possibile seguire un interessante itinerario (*del Lotto*) .... che si snoda attraverso diverse chiese cittadine e della provincia.

4. Questi paesaggi sembrano quadri (*dell'Impressionismo*) .... per la scelta dei colori luminosi e sfumati e per il tratto della pennellata.

5. Biella è la nuova provincia (*del Piemonte*) ....

6. Taormina vista di notte è uno (*scintillare*) .... di luci che si proiettano fino sul mare.

→ /6 punti

→**punteggio totale** /50 punti

Sintesi grammaticale

si impersonale/passivante (cfr. anche Unità 5, p. 179)

Uso

Il pronome *si* viene usato nelle costruzioni impersonali quando l'agente è indefinito (*one* inglese, *man* tedesco, *on* francese):

> *Si* (= uno) sta bene qui.

Si usa spesso per esprimere costumi di uso comune, ordini, regole, verità generali:

> *Si* devono pagare le tasse.

Si usa tipicamente nei testi che descrivono itinerari turistici e che si rivolgono a un generico turista o viaggiatore:

> *Si* prenda la strada che sale verso la collina.

Il pronome impersonale *si* deve sempre essere espresso dopo ogni forma verbale e non può essere sottinteso:

> Quando *si* sta bene, *si* è allegri e *si* è socievoli.

Concordanza
con oggetto diretto

Si vuole la concordanza di numero tra il verbo e l'oggetto diretto:

> *Si mangia* una mela.   *Si mangiano* due mele.

Questa costruzione con oggetto diretto è simile per significato alla costruzione passiva (*Una mela viene mangiata*) e perciò il *si* impersonale con i verbi transitivi è chiamato *si* passivante.

Nei tempi composti si usa sempre l'ausiliare **essere**:

> Che cosa avete fatto ieri sera?   *Abbiamo visto* un film. / *Si è visto* un film.

con il participio passato

Se il verbo è usato **transitivamente**, si accorda il participio in genere e numero con l'oggetto:

> *Si è comprato* un orologio. *Si sono comprati* due orologi.
> *Si è comprata* una penna. *Si sono comprate* due penne.

Se il verbo è usato **intransitivamente** abbiamo due possibilità:

▶ quando il verbo nella costruzione non impersonale ha l'ausiliare *essere*, il participio prende la desinenza maschile plurale

> È sceso.   *Si è scesi*.

▶ quando il verbo nella costruzione non impersonale ha l'ausiliare *avere* il participio prende la desinenza maschile singolare

> Ha mangiato bene.   *Si è mangiato* bene.

Si è + agg. plurale

Nella costruzione con *si* + *essere*, anche gli **aggettivi** usati come predicato prendono la desinenza maschile plurale (*Si è allegri*). Questa desinenza vale anche per parlanti donne (*Si è contenti*) ma se si esplicita un nome femminile la concordanza va al femminile (*Quando si è donne non si è rispettate*).

Si impersonale + verbo riflessivo (ci si e non *si si)

> Uno *si* pente/ *ci si* pente, *ci si* lava, *ci si* compra qualcosa.

▶ Al passato diventa

> *Ci si* è pentiti, *ci si* è lavati, *ci si* è comprati qualcosa.

▶ Se c'è un oggetto diretto, è possibile
– senza accordo

> *Ci si* è comprati una penna.   *Ci si* è comprati due penne.

– con accordo tra participio e oggetto:

Ci si è comprata una penna.   *Ci si è comprate due penne.*

– con accordo anche dell'ausiliare:

Ci si sono comprate due penne.

Pronomi diretti/ indiretti + *si* impersonale	
Maria si compra la penna.	Maria se la compra.
Si (= uno) compra la penna/il libro.	*La/lo si compra.*
Si (= uno) scrive a Giulio/Luisa.	*Gli/le si scrive.*

Passato remoto

Forma

	Amare	Credere	Sentire/Capire
(io)	am-**a**-**i**	cred-**e**-**i** (cred-**etti**)	sent-**i**-**i**
(tu)	am-**a**-**sti**	cred-**e**-**sti**	sent-**i**-**sti**
(lui/lei/Lei)	am-**ò**	cred-**é** (cred-**ette**)	sent-**ì**
(noi)	am-**a**-**mmo**	cred-**e**-**mmo**	sent-**i**-**mmo**
(voi)	am-**a**-**ste**	cred-**e**-**ste**	sent-**i**-**ste**
(loro)	am-**a**-**rono**	cred-**e**-**rono** (cred-**ettero**)	sent-**i**-**rono**

Per i verbi della II coniugazione, le finali **-etti** (I sing.) **-ette** (III sing.) **-ettero** (III plur.) sono usate quanto le finali regolari.

Verbi irregolari

essere   fui, fosti, fu, fummo, foste, furono

avere   ebbi, avesti, ebbe, avemmo, aveste, ebbero

▶ I coniugazione

dare   diedi, desti, diede, demmo, deste, diedero

stare   stetti, stesti, stette, stemmo, steste, stettero

▶ II coniugazione

In molti verbi le forme irregolari sono la I persona singolare e la III singolare e plurale: per queste voci si aggiunge a una radice comune (accentata) le seguenti desinenze: **-i** (I sing.), **-e** (III sing.), **-ero** (III plur.):

dire   io **diss-i**, dicesti, lui/lei **diss-e**, dicemmo, diceste, loro **diss-ero**

bere   **bevv-i**, bevesti, **bevv-e**, bevemmo, beveste, **bevv-ero**

fare   **fec-i**, facesti, **fec-e**, facemmo, faceste, **fec-ero**

sapere   **sepp-i**, sapesti, **sepp-e**, sapemmo, sapeste, **sepp-ero**

scrivere   **scriss-i**, scrivesti, **scriss-e**, scriv-emmo, scriv-este, **scriss-ero**

volere   **voll-i**, volesti, **voll-e**, volemmo, voleste, **voll-ero**

Da qui in poi daremo per ogni verbo la I (sing.) come esempio delle tre persone irregolari e la II (sing.) come esempio delle tre persone regolari.

– verbi in **-(vocale)dere**, **-ndere** (Passato remoto **-si**)

chiedere	**chiesi**, chiedesti
chiudere	**chiusi**, chiudesti
decidere	**decisi**, decidesti
prendere	**presi**, prendesti
rispondere	**risposi**, rispondesti
uccidere	**uccisi**, uccidesti

– verbi in **-igere**, **-imere**, **-eggere** (Passato remoto **-essi**)

dirigere	**diressi**, dirigesti
esprimere	**espressi**, esprimesti
proteggere	**protessi**, proteggesti

– verbi in **-rdere**, **-rgere**, **-rcere**, **-rrere** (Passato remoto **-rsi**)

correre	**corsi**, corresti
emergere	**emersi**, emergesti
perdere	**persi**, perdesti

– verbi in **-ncere**, **-ngere**, **-gnere**, **-nguere** (Passato remoto **-nsi**)

dipingere	**dipinsi**, dipingesti
distinguere	**distinsi**, distinguesti
giungere	**giunsi**, giungesti
piangere	**piansi**, piangesti
spegnere	**spensi**, spegnesti
vincere	**vinsi**, vincesti

– verbi in **-lgere**, **-gliere**, **-lere**, **-lvere** (Passato remoto **-lsi**)

coinvolgere	**coinvolsi**, coinvolgesti
risolvere	**risolsi**, risolvesti
scegliere	**scelsi**, scegliesti
togliere	**tolsi**, togliesti
valere	**valsi**, valesti

– verbi in **-ggere**, **-vere**, **-tere** (Passato remoto **-ssi**)

discutere	**discussi**, discutesti
distruggere	**distrussi**, distruggesti
leggere	**lessi**, leggesti
scrivere	**scrissi**, scrivesti
vivere	**vissi**, vivesti

– verbi in **-uovere**, **-uotere** (Passato remoto **-ossi**)

muovere	**mossi**, muovesti
scuotere	**scossi**, scuotesti

– verbi in **-scere** (Passato remoto **-bbi**)

conoscere	**conobbi**, conoscesti
crescere	**crebbi**, crescesti

– Passato remoto in **-cqui**

piacere	**piacqui**, piacesti
nascere	**nacqui**, nascesti

▶ **III coniugazione**

apparire	**apparvi**, apparisti
venire	**venni**, venisti

Uso

Variazione regionale

Gli usi del passato remoto e del passato prossimo **variano regionalmente**: nel Nord Italia il passato remoto è usato raramente nel parlato, in cui prevale il passato prossimo, mentre nel Sud il passato remoto è usato molto ed è più comune del passato prossimo; in Toscana e nell'Italia centrale il passato remoto e il passato prossimo vengono usati con valori diversi. Le regole d'uso che seguono riflettono la lingua letteraria e l'uso toscano.

Passato remoto o passato prossimo

Il passato remoto, come indica la parola, si riferisce a fatti remoti, **cronologicamente o psicologicamente lontani dal presente, sentiti cioè lontani nella mente di chi parla.** Il passato remoto proietta questi fatti in un mondo lontano; gli stessi fatti, se raccontati al passato prossimo, diventano più vicini, più vivi, ci coinvolgono maggiormente. La scelta tra i due tempi diventa quindi, molte volte, una questione di stile, di scelta personale.

Da giovane *lessi* molto.	(distacco rispetto al presente)
Da giovane *ho letto molto*	(il fatto ha dei collegamenti con il presente,
...e ho la vista indebolita.	con un implicito risultato attuale)

Il passato remoto è il tempo della **narrazione scritta, formale**, della 'memoria storica', della rievocazione distaccata: è usato cioè nei romanzi e nelle novelle, nei testi di storia e di letteratura, nelle favole, nelle leggende, nei profili biografici di personaggi storici; quindi è usato soprattutto alla terza persona singolare e plurale.

Il passato prossimo è invece il tempo della **narrazione orale, o anche scritta, ma informale** (lettere, diari, articoli di giornale...):

Ho scoperto un bel posto al mare.	Colombo *scoprì* l'America.
Davide *è nato* nel 1993.	Caravaggio *nacque* nel 1573.
Ho vissuto a Napoli per 10 anni.	Caravaggio *visse* a Napoli per qualche tempo.

Il pezzo che segue, tratto da un romanzo di Pratolini, illustra il **contrasto tra il passato remoto della narrazione e il passato prossimo della conversazione**:

"Il plotone dei fazzoletti rossi si schierò, fece fuoco, i tre al muro gridarono: "viva", e non si seppe viva cosa, non ebbero il tempo di finire. "Sono cascati come burattini" disse Tosca. Una donna, una sposa accanto a lei si fece il segno della croce; Tosca la guardò, sorrise. "Forse ho detto male?" le chiese e si fece anch'essa il segno della croce".

Passato remoto o imperfetto

Il passato remoto e il passato prossimo esprimono l'aspetto 'perfettivo', cioè fatti puntuali, conclusi, mentre l'imperfetto indica l'aspetto 'imperfettivo', cioè la durata dell'azione:

PUNTUALE-DINAMICO	DURATIVO-STATICO
Leo mi *guardò*.	Leo mi *guardava*.
Leo *si sedette* vicino a me.	Leo *sedeva* vicino a me.
Leo *calzò* delle scarpe nere.	Leo *calzava* delle scarpe nere.
Seppi della bella notizia.	*Sapevo* della bella notizia.

Presente
storico

Per riferire fatti remoti cronologicamente si può usare anche il **presente storico** (tipicamente nei testi di critica letteraria, nei profili biografici); è una scelta stilistica che serve a sottolineare l'importanza storica del fatto narrato o la 'vivezza' del ricordo:

Caravaggio *nasce* nel 1573 non lontano da Bergamo.

Congiuntivo nelle interrogative indirette

(cfr. Tavole grammaticali, pp. 475-483)

Le interrogative indirette sono frasi secondarie (completive) introdotte da verbi ed espressioni come *domandare, chieder(si), dubitare, non sapere, non capire, non sono certo*:

INTERROGATIVA DIRETTA	INTERROGATIVA INDIRETTA
Perché Emilio è partito?	Mi chiedo perché Emilio *sia partito*.
Che cosa significa laico?	Non so che cosa *significhi* laico.
Anna si è offesa?	Non capisco se Anna *si sia offesa*.

L'uso del congiuntivo nelle interrogative indirette **non è obbligatorio**, è una questione di registro, di scelta stilistica: il congiuntivo è preferibile in un registro formale (indica anche maggior incertezza). Non di rado si possono trovare alternati nello stesso periodo il congiuntivo e l'indicativo:

Gli chiedevano quanti *erano* in casa, se *avesse* il padre, se *era* fidanzata.

Posizione dell'aggettivo

Aggettivi che normalmente precedono il nome

- ▶ numerali
- ▶ possessivi
- ▶ indefiniti
- ▶ dimostrativi
- ▶ interrogativi

Vorrei *due* cappuccini.   Sediamoci in *seconda* fila.
Dove sono i *miei* occhiali?
Prendo un *altro* caffè.   Ha *poche* qualità.
Questa giacca è stupenda.
Quali libri volete?

Aggettivi che normalmente seguono il nome

- ▶ di nazionalità
- ▶ di colore (invariabili)
- ▶ participi passati usati come aggettivi con funzione restrittiva

Il popolo *italiano*, i sarti *francesi*
Una maglia *blu/viola/marrone/rosa*

Ecco i pantaloni *stirati*.   Ecco le pere *cotte*.

La regola fondamentale per la posizione degli aggettivi è:

- ▶ **seguono il nome** se hanno **funzione restrittiva (necessaria)**, distintiva, cioè la qualità che esprimono oppone il nome in questione agli altri

Il terremoto ha distrutto le case *vecchie* del paese.

(c'erano sia case nuove che vecchie, e sono state distrutte solo quelle vecchie)

- ▶ **precedono il nome** se hanno **funzione descrittiva (accessoria)**, indicano una valutazione, un'impressione, un giudizio del parlante

Il terremoto ha distrutto le *vecchie* case del paese.

(tutte le case erano vecchie)

▶ Se l'aggettivo è **modificato da un avverbio o da un sintagma preposizionale**, di solito è restrittivo, quindi **segue** il nome

    Ha una cucina *molto pulita*.

    Ammiro le persone *brave in cucina*.

▶ Anche **gli aggettivi alterati**, cioè modificati da un suffisso, tendono a **seguire** il nome

    Una ragazza *stupidina*.

▶ Se ci sono **più aggettivi, quello più restrittivo** va più vicino al nome

    L'industria *tessile italiana*.

Aggettivi con significato diverso a seconda della posizione	*Bello, brutto, piccolo, grande, grosso, buono, cattivo, bravo, diverso, vecchio, santo, semplice, nuovo, leggero*

▶ Hanno **significato proprio, letterale** quando seguono il nome

    È un uomo *grande*.   (alto)

    È un uomo *buono*.   (gentile, generoso)

    È un uomo *povero*.   (senza soldi)

▶ Hanno **significato diverso, metaforico** quando lo precedono

    Era un *grand'*uomo.   (di valore)

    È un *buon* uomo.   (ingenuo)

    È un *pover'*uomo.   (disgraziato)

In alcuni casi la differenza di significato a seconda della posizione è ancora maggiore:

certe notizie	(alcune)	notizie *certe*	(sicure)
diversi giornali	(parecchi)	giornali *diversi*	(differenti)
numerose famiglie	(molte)	famiglie *numerose*	(con molti membri)
è un *semplice* esame	(soltanto un esame)	è un esame *semplice*	(facile)
un *unico* quadro	(solo uno)	un quadro *unico*	(eccezionale)
un *vecchio* amico	(da molto tempo)	un amico *vecchio*	(anziano)

Troncamento con alcuni aggettivi	▶ **bello:** davanti a un nome maschile che comincia per consonante (eccetto *s* impura, *gn, z, ps*) si tronca l'ultima sillaba (cfr. anche Unità 1, p. 29)
	
	    bel vestito, *bel* pantalone ma *bello* stivale, *bello* zaino
	
	▶ **buono:** davanti a un nome maschile che comincia per consonante (eccetto *s* impura, *gn,* z, *ps*) o vocale si tronca l'ultima vocale (cfr. anche Unità 1, p. 29)
	
	    buon maestro, *buon* amico ma buono *zio*, buono *psicologo*
	
	▶ **santo:** davanti a nomi maschili che cominciano in consonante (eccetto *s* impura) si tronca l'ultima sillaba
	
	    San Giovanni, *San* Paolo ma *Santo* Stefano
	
	▶ **grande:** si può troncare davanti a un nome che comincia per consonante; in uso soprattutto nel parlato
	
	    gran lavoro, *gran* signora, *gran* progetti, *gran* case

Aggettivi di colore

Sono invariabili i seguenti aggettivi di colore: *rosa, lilla, blu, viola, marrone, beige*:
>	una maglia *rosa*, dei fazzoletti *rosa*; la sciarpa *viola*; le cravatte *viola*, la camicetta *lilla*, i pantaloni *lilla*; il cappotto *blu*, gli impermeabili *blu*.

Gli aggettivi composti da **aggettivo + aggettivo**, come *verdazzurro, grigioverde* fanno il plurale con la desinenza al secondo componente:
>	colori *verdazzurri, grigioverdi*

Le parole giustapposte per designare colori, come *viola scuro, grigio perla, rosso bandiera, verde bottiglia* se usate come aggettivi sono invariabili:
>	calzini *verde bottiglia*

Per gli altri nomi (aggettivi) invariabili, cfr. Unità 3, p. 107.

Plurale dei nomi (e aggettivi) in -*io*

▶ Se la -**i** è accentata (**tonica**) il plurale è -**ii**

zio	→ zii	pendio	→ pendii
addio	→ addii	mormorio	→ mormorii

▶ Se la -**i** non è accentata (**atona**) il plurale è -**i**:

studio	→ studi	vario	→ vari
esempio	→ esempi		

Per evitare ambiguità con parole scritte nello stesso modo (omografe), a volte nella scrittura si trova -*ii* o î:
>	il principe → i principi il principio → i principi / principii / principî.

La distinzione è solo grafica.

Articoli con nomi propri geografici

Continenti / stati / regioni

Con i nomi di continenti, di Paesi e di regioni si usa l'articolo:
>	l'Europa, l'Africa, l'Italia, il Brasile, la Francia, la Lombardia, le Puglie

Con i nomi di continenti, stati e regioni **con la preposizione** *in* (nei complementi di stato in luogo e moto a luogo) non si usa l'articolo:
>	Mi sono recata *in* Africa.
>	Abito *in* Calabria.
>	Vado *in* Brasile; ma Vado *nel* Veneto.

Se il nome è plurale si mette l'articolo:
>	Vengo *nelle* Filippine.
>	Vivo *negli* Stati Uniti.

Con le altre preposizioni si usa sempre l'articolo:
>	viaggiare per *l'*America, tornare *dal* Canada

Con la preposizione *di* i toponimi non vogliono l'articolo che indica una caratterizzazione nazionale:

> I vini *di* Francia.

lo prendono se c'è una caratterizzazione geografica più neutra:

> I vini *della* Francia.

Città	Con i nomi di città normalmente non si mette l'articolo: > Roma è la capitale d'Italia. sono eccezioni L'*Aquila*, La *Spezia*, Il *Cairo*. Se il nome di città è accompagnato da un aggettivo o qualche determinante si usa l'articolo: > Mi piace *la* Roma *barocca*. Questa è *una* Roma *che mi piace molto*. I nomi di città sono femminili. > La Milano *vecchia*. Milano è *bella*. Con i nomi di **quartieri** c'è oscillazione: *il* Vomero, *i* Parioli, Monteverde, Lambrate. I nomi delle squadre di calcio prendono sempre l'articolo. Se hanno la forma aggettivale sono femminili (*la* Fiorentina) altrimenti sono maschili (*il* Milan, *il* Cagliari; ma *la* Roma, *la* Lazio).
Strade, piazze	L'articolo è facoltativo: > (*La*) Via Gombito sbocca in Piazza Vecchia. Generalmente non si usa l'articolo dopo la preposizione: > passare per Corso Italia > sta in Via Giuseppe Verdi > andiamo in Piazza san Marco Con i nomi di **palazzi** si omette l'articolo se c'è un cognome di famiglia: > Hai visitato Palazzo Pitti? altrimenti con l'articolo: > *il* Palazzo Ducale, *il* Palazzo della Ragione
Isole	Con i nomi di **piccole isole** non si mette l'articolo: > Capri, Lipari ma con alcuni si usa: > l'Elba, *il* Giglio Con le **isole grandi** si mette l'articolo: > *la* Sardegna, *la* Sicilia, ma Cipro, Creta Con i **gruppi di isole** che formano un arcipelago si usa l'articolo: > *le* Eolie, *le* Canarie, *le* Baleari
Monti, fiumi, laghi, mari	Con i nomi che indicano singole montagne o catene si usa l'articolo: > *il* Monte Bianco, *il* Rosa, *le* Alpi Anche con i nomi di fiumi, laghi e mari si usa l'articolo: > *il* Po, *il* Tamigi, *il* lago di Como, *il* Garda, *il* mar Mediterraneo, *lo* Ionio

Omissione dell'articolo

Oltre che con i nomi geografici (cfr. pp. 377-378), l'articolo si omette con i nomi propri di persona (cfr. Unità 11, pp. 424-425)

> È già tornato Carlo?
>
> De Capua insegnava nella sezione B.

e con l'aggettivo possessivo (cfr. Unità 1, p. 30, *mio* padre, *sua* sorella).

L'articolo si omette anche

▶ con **i nomi plurali**

Ci sono *funghi* in questa zona?	(in generale)
Abbiamo *funghi* in casa?	(l'omissione è più comune con l'oggetto e con il soggetto posposto: *Sono rimasti soltanto cornetti alla crema*)
Ci sono *i funghi* in questa zona?	(di cui abbiamo parlato)
Hai trovato *dei funghi* buoni?	(l'articolo partitivo, plurale di *un*, introduce una nozione nuova)

▶ in **frasi negative**, mentre nella corrispondente frase affermativa si userebbe il partitivo

> Non c'erano *quadri* alle pareti. (affermativa: C'erano dei quadri alle pareti)

▶ con **i nomi di massa, non numerabili**

Sono nomi che indicano cose che non possono essere contate (*acqua, zucchero, burro*) e quindi non hanno il plurale:

Ho comprato *vino*.	(invece di acqua)
Ho comprato *il vino*.	(lo compro sempre)

▶ con **il complemento di argomento** (con la preposizione *di*):

> parlare *di politica, di arte*

▶ con complementi che indicano **materia, forma, aspetto** (con le preposizioni *a, in, di*)

> una stoffa *a fiori*, una foto *a colori*
>
> un arazzo *di seta*, un foglio *di carta*, un cesto *di frutta*
>
> un pavimento *in legno*, una foto *in bianco* e *nero*

▶ con complementi che indicano **modo, mezzo** (con le preposizioni *di, a, in, con, senza*)

> *di corsa, di fretta, in silenzio, in pigiama, con calma, con pazienza, con intelligenza, senza sosta, senza cappotto*
>
> *a piedi, a cavallo, in tram, in bicicletta*

▶ con il complemento di **scopo** (con le preposizioni *per, da, di*)

> uno spazzolino *da denti*, carte *da gioco*, la sala *da pranzo*
>
> una carta *di credito*, una scialuppa *di salvataggio*
>
> *per divertimento, per favore*

▶ in alcuni casi con il **complemento di luogo**

> andare *in chiesa* (come istituzione di culto) tornare *a casa*, abitare *in campagna*

▶ in alcuni casi con il **complemento di tempo**

> *a mezzanotte, di lunedì*

▶ nei **predicati nominali**

Ada è *pianista*.	(di professione)
Ada è *una pianista*.	(appartenenza alla categoria)
Ada è *la pianista*.	(quella che aspettavamo)

▶ con i **nomi di lingue**

Scrivo *in tedesco*, studio *russo* all'università   (ma anche: Studio *il russo*)

L'ho sentito parlare *inglese*   (singolo atto linguistico)

L'ho sentito parlare *in inglese*   (sa, conosce la lingua)

▶ con **nomi che formano con il verbo un'espressione fissa**

avere caldo, avere paura, avere mal di testa, cercar casa, prender moglie, far piacere (mi fa *un* piacere, con l'articolo indeterminativo indica il grado superlativo), *sentir compassione*

▶ nei **titoli di libri e capitoli, nelle insegne**

Grammatica italiana, entrata, merceria, arrivi

▶ nel **linguaggio telegrafico e nella pubblicità** per ragioni di brevità

vendo *appartamento* zona centrale

▶ nelle **espressioni proverbiali**

can che abbaia non morde, chi dorme non piglia *pesci*

Formazione di parola (cfr. Tavole grammaticali, pp. 484-490)

Nomi deverbali in *-ìo*

*Brulich-*io: è un nome che deriva da un verbo, *brulicare*, con l'aggiunta del suffisso **-ìo** (tonico) che serve a esprimere un'azione ripetuta, intensiva, di solito di rumori:

cigolare → cigolio   mormorare → mormorio

Aggettivi etnici

I suffissi che servono a derivare aggettivi etnici, cioè aggettivi tratti da nomi di geografia sono molti; i più frequenti sono:

▶ **-ano** e varianti

Africa	→	afric-**ano**
Napoli	→	napol-**etano**
Marche	→	march-**igiano**

▶ **-ino**

Tunisia	→	tunis-**ino**
Parigi	→	parig-**ino**

▶ **-ese**

Francia	→	franc-**ese**
Bologna	→	bologn-**ese**
Piemonte	→	piemont-**ese**

▶ **suffisso zero**

Arabia	→	arabo
Lombardia	→	lombardo

▶ **-ale**

Lazio	→	lazi-**ale**

▶ **-olo**

Romagna	→	romagn-**olo**

Non sono rari i casi in cui si ha un cambiamento totale della parola di base:

Germania → tedesco   Basilicata → lucano

Questi aggettivi possono essere usati con funzione nominale per indicare gli "abitanti di quel determinato luogo":

Ho conosciuto pochi *napoletani*.

Preposizioni locative

Stato in luogo

In	Abito *in* Italia. (stati)	Vivo *in* città.
	Vive *in* Toscana (regioni)	Abito *in* Via Cairoli.
	Sto *in* ufficio.	
A	Abito *a* Roma. (città)	Sono impiegato *all'*Università.
	Resto *a* casa.	
Da	(nomi animati che caratterizzano un luogo)	
	Ti aspetto *dall'*avvocato.	
	Abito *da* mia madre.	
Su	Un sito archeologico *sul* mare.	Il paese si trova *su* un altopiano.
Tra/fra	*Tra* due monti si estende un'ampia vallata.	
Di	Dormo *di* là.	

Moto a luogo

A	Vado *a* Milano. (città)	Siamo andati *al* cinema.
In	Vado *in* Italia. (stati)	Andiamo *in* piscina.
	Vado in vacanza *in* Toscana (regioni).	
Da	(nomi animati che caratterizzano un luogo)	
	Arrivo subito *da* te.	Vado *dal* dentista e *dal* fruttivendolo.
Per	Partirono *per* l'America.	
Su	Andiamo *sul* terrazzo.	
Di	Vado *di* là.	
Verso	Andate *verso* il mare.	

Moto da luogo

Da	Vengo *da* Roma. Vengo *dalla* Francia.
	Si è trasferito *da* Roma a Napoli.
	La strada *da* lì porta a Catania.
Di	Esco *di* casa presto.

Origine, provenienza

Di	Sono *di* Roma.
Da	Francesca *da* Rimini, Leonardo *da* Vinci

Moto per luogo

Per	Passare *per* Milano.	Uscire *per* la porta.
Da	Sono fuggiti *dall'*uscita di sicurezza.	

Di	Passiamo *di* qui.
In	Corro *nei* campi.

Distanza

A	Abita *a* cento metri da casa mia.
Da	Bolzano dista *da* qui 10 chilometri.
Tra	*Tra* un chilometro c'è un autogrill.

Separazione

Da	I Pirenei dividono la Spagna *dalla* Francia.

Coesione testuale (cfr. Tavole grammaticali, pp. 491-497)

Connettivi consecutivi (cfr. anche Unità 1, p. 34)

La secondaria consecutiva esprime una conseguenza di quanto è stato detto nella principale:

> Ha lavorato *così* tanto *che* è stanca morta.

È marcata dalla presenza di un intensificatore nella frase principale: *così, tanto, talmente, tale, simile, siffatto*.

Sono connettivi consecutivi: *così ... che, tanto che, di modo che, al punto che, a tal punto che*; (più formali) *cosicché, sicché, talmente, tal ... che*.

> Era *tale* la mia rabbia *che* me ne andai sbattendo la porta.
> La proposta è *talmente* assurda *che* non merita di essere discussa.
> Sono arrivati in anticipo *cosicché* hanno potuto scegliere i posti a sedere in prima fila.

Normalmente si usa l'**indicativo**; si usa il **congiuntivo** se la conseguenza è solo ipotetica:

> Facciamo una proposta *tanto* sensata *che* nessuno ci *possa* criticare.

e se la dipendente consecutiva ha anche un valore finale:

> Parlava *in modo che* tutti lo *capissero*.

Si usa con il **condizionale** per esprimere un augurio, un desiderio:

> Mi sono *tanto* divertita *che vorrei* tornarci.

La consecutiva **implicita** (preferita, ma non obbligatoria quando i soggetti della secondaria e della principale sono uguali) ha l'**infinito** retto dalle preposizioni *da* e *per*:

> È abbastanza intelligente *per capire* la situazione.
> Era così generosa *da attirare* l'attenzione di tutti. (preferita se si vuole occultare l'agente)
> Il ragazzo era così stanco *da non riuscire* a prender sonno.
> Il ragazzo era così stanco *che non riusciva* a prender sonno. (nella forma esplicita è presente un'espressione di volontà)

Nord e Sud s'incontrano

■ **Unità tematica**	– origini storiche della questione meridionale
	– differenze culturali tra Nord e Sud d'Italia
	– la mafia
■ **Funzioni e compiti**	– prendere appunti e fare una sintesi orale
	– riconoscere le informazioni principali per fare un riassunto scritto
	– assumere punti di vista e saper argomentare
	– ricostruire l'unità di un testo
	– scrivere un articolo di cronaca
	– scrivere una relazione utilizzando dati statistici
■ **Testualità**	– connettivi vari dello scritto (*e così via, ovvero, o meglio*) e del parlato (*come dire, anzi, insomma, appunto, diciamo, comunque*)
	– secondarie implicite: sintesi
■ **Lessico**	– ripasso verbi derivati da nomi e aggettivi (*parteggiare, fucilare*)
	– sfera semantica della "criminalità"
	– unità lessicali superiori (*godere fama di, tenere a freno*)
■ **Grammatica**	– gerundio e participio passato
	– uso dell'articolo con i nomi propri di persona
	– congiuntivo pragmatico (*Che Falcone fosse pericoloso, lo sapevano*)
	– congiuntivo con gli indefiniti (*qualsiasi cosa lui dica*)
	– forme e uso del congiuntivo (ripasso)
	– proposizioni completive con *che* o *di* + infinito (*speravo di vincere / speravo che vincesse lui*)
	– preposizioni rette da verbi (*incaricare di*)
■ **Strategie**	– lessico: • ricostruire il significato di parole nuove
	• raggruppare le parole per sfere semantiche
	– correggere errori grammaticali
■ **Ripasso**	– presenza / assenza articoli
	– passato prossimo, imperfetto, trapassato prossimo, condizionale passato

↗ Entrare nel tema

► Che cosa sapete dell'Italia meridionale (clima, natura, gente, economia, cultura, problemi)? Formate dei piccoli gruppi e mettete in comune le vostre conoscenze costruendo una mappa concettuale; poi confrontate il vostro lavoro con il resto della classe.

cultura

gente

economia

ITALIA MERIDIONALE

problemi

natura

clima

► Dividete la classe in 2 gruppi. Vince il gruppo che per primo riesce a collocare correttamente sulla cartina il nome delle regioni e a ricordare il nome del capoluogo di provincia e di qualche altra città per ogni regione.

ROMA

1 Ascoltare

Ascolterai un pezzo di una conferenza, rivolta a studenti stranieri, in cui il Prof. Oliviero Bergamini (Università di Bergamo) spiega le origini storiche delle differenze tra il Nord e il Sud d'Italia.

CD2

A Prima di ascoltare, cerca sul dizionario il significato di alcune parole importanti per la comprensione della lezione. Parlando di Medioevo Bergamini usa questi termini:

1. latifondo ....

2. feudalesimo ....

3. sudditi ....

Cerimonia dell'investitura: omaggio del vassallo al signore suggellata dal bacio dell'amicizia.

Il latifondo nel Medioevo.

B Rispondi alle domande.

MEDIOEVO

1. Quali sono le differenze tra il Nord e il Sud nel Medioevo?

	Nord	Sud
struttura politica		
economia		

DOMINAZIONI STRANIERE

2. Quale parte dell'Italia è stata caratterizzata per secoli dalle dominazioni straniere?

....

3. Quali sono state?

....

4. Che cosa significa che nel Nord si era **cittadini** mentre nel Sud si era **sudditi**?

....

....

5.

	Nord	Sud
atteggiamento verso il potere		

SETTECENTO

6.

	Nord (Lombardia)	Sud
struttura politica		

7. Quali erano le capitali del Regno Borbonico al Sud?

8. Chi fu Gian Battista Vico e perché viene citato a proposito del tema di cui si parla?

9. Che cosa sta rivalutando oggi la storiografia?

UNITÀ D'ITALIA

10. Quando avvenne?

11. L'unificazione favorì il venir meno delle differenze tra il Nord e il Sud?

Anonimo, Le truppe austriache sfilano davanti al re delle Due Sicilie, Ferdinando IV di Borbone (1815), *incisione a colori.*

A. Licata, I napoletani accolgono Garibaldi, *acquerello.*

2 Leggere

Prendere appunti e fare una sintesi orale

A Lavorate in coppia. Ognuno di voi dovrà leggere 2 paragrafi di un capitolo tratto da un libro di storia. Il capitolo è incentrato sui problemi da risolvere dopo l'Unità d'Italia e in particolar modo sulla "questione meridionale", cioè sulle cause dell'arretratezza del Sud d'Italia.

Durante la lettura prendete appunti che vi serviranno per fare al vostro compagno una sintesi orale dei punti salienti della parte di testo che avete letto.

CAPITOLO 10
Il Nord e il Sud dell'Italia s'incontrano

[...]

3. I PIEMONTESI NEL SUD

Fu appunto il popolo che "soffre", del quale il frate parlava al garibaldino, quello che trovarono i primi funzionari , inviati nelle terre del Sud dal governo italiano. La maggioranza della popolazione era alla fame, le campagne, trascurate dai grandi proprietari, andavano in rovina, le coltivazioni erano scarse, man- 5
cava l'acqua, non c'erano strade, né scuole.

L'arrivo dei Piemontesi, in un primo momento, non fece che peggiorare la situazione. Infatti, i governanti di Torino erano convinti che far l'unità d'Italia volesse dire semplicemente "piemontizzare" l'Italia, cioè governare anche il Sud con le leggi e i funzionari piemontesi. Il regime borbonico godeva fama di essere corrot- 10
to e i nuovi funzionari, partendo da questa convinzione, trattarono spesso i Napoletani e i Siciliani dall'alto al basso, come se fossero degli inferiori, di cui diffidare sempre e da tenere a freno, anche usando la maniera forte.

Furono iniziate opere pubbliche di grande importanza, come un acquedotto, che doveva portare l'acqua dall'Appennino alle Puglie, e quindi migliorare le con- 15
dizioni di vita in quella regione, o come la costruzione di ferrovie: ma queste opere erano affidate per lo più a imprese del Nord, che erano quindi le sole a realizzare dei guadagni.

Ai settentrionali l'ex-regno borbonico non tardò a sembrare un peso morto , che assorbiva denaro a non finire, pur restando sempre improduttivo. 20

4. LE TASSE E LA CADUTA DEI PREZZI DEI PRODOTTI AGRICOLI

Ai tanti motivi di incomprensione tra il Nord e il Sud un altro se ne aggiunse con il pesante aggravarsi delle tasse. Le guerre e la trasformazione del Piemonte in uno stato moderno erano costate care alle finanze piemontesi: ora non c'era altro modo di rifarsi che aumentare le tasse. Ma applicare all'agricol- 25
tura e alle poche industrie meridionali le stesse tasse che poteva sopportare la ricca Lombardia – come fecero i governanti del Regno d'Italia – voleva dire portarle alla rovina. Nei primi anni dopo il 1860 le attività industriali e commerciali a Napoli diminuirono; molte fabbriche meridionali dovettero chiudere. Contemporaneamente si abbassarono moltissimo i prezzi dei prodotti agricoli 30
e quindi la possibilità, per i contadini meridionali, di guadagnare qualcosa dal-

→

la loro vendita. La concorrenza dei prodotti agricoli delle regioni settentrionali non si poteva sostenere se un ettaro di terra in Emilia produceva venti quintali di grano, e in Calabria ne produceva cinque al massimo.

5. Il servizio militare

35

Un altro motivo di esasperazione fu il servizio militare obbligatorio, esteso, sul modello piemontese, a tutta l'Italia. Il nuovo Stato si era costituito quasi a dispetto dei più potenti Stati d'Europa e aveva ancora nemici dappertutto: per questo era necessario un esercito addestrato ed efficiente. Inoltre il servizio militare in comune avrebbe abituato Calabresi, Napoletani, Emiliani, Lombardi, ecc. a 40
sentirsi tutti Italiani, avrebbe contribuito a creare quell'unità di popolo che ancora mancava. Ma anche se erano giusti i motivi per i quali era stato istituito, il servizio militare obbligatorio rese ancora più misere le condizioni di moltissimi italiani: il giovane che andava sotto le armi restava qualche anno lontano da casa, non lavorava, né guadagnava: la sua assenza era un irreparabile danno per la fa- 45
miglia che già stentava a vivere.

Così tutte le novità portate dal Regno d'Italia nel Meridione suscitavano molta ostilità . I "Piemontesi" (come venivano chiamati tutti gli impiegati dello Stato nuovo) sembravano venuti a portar via, per mezzo dell' esattore delle imposte ,
fino all'ultimo centesimo e a sottrarre i giovani al lavoro, tenendoli per molti anni sotto le armi. 50

6. Il brigantaggio

La miseria delle plebi meridionali era secolare, non era certo stata provocata dall'arrivo dei Piemontesi, e già presso di esse esisteva una forma primitiva di protesta contro la società che le opprimeva: il brigantaggio. Chi aveva dei conti 55
da regolare con la giustizia, chi non trovava lavoro, chi non aveva di che pagare il padrone o l' usuraio o l'esattore, si dava alla macchia , diventava brigante. Da covi montani inaccessibili i briganti scendevano, rapinavano, saccheggiavano, ammazzavano, poi di nuovo si rintanavano: la loro vita era una feroce rivolta contro una società spietata. 60

Una guerriglia senza quartiere colpì per anni il Mezzogiorno: il governo italiano giunse a inviare per la repressione 120.000 soldati, la metà dell'esercito regolare. Fu una spietata lotta fratricida, resa più terribile dal fatto che le popolazioni locali parteggiavano apertamente per il brigante: "non era un assassino, un la-

Ex voto siciliano rappresentante un episodio di brigantaggio.

Il brigante Francesco Fasella, detto Tinna, fotografato nel 1863 dopo l'arresto.

dro, ma colui che aveva forza sufficiente per ottenere quella giustizia che la legge   65
non riusciva a dare: diventava il vendicatore dei torti da loro subiti. E chi gli offriva protezione diventava un eroe. A questa implacabile ostilità le truppe d'occupazione opposero un'ostilità altrettanto implacabile: molti uomini venivano fucilati per semplici sospetti, villaggi saccheggiati e incendiati per avere dato rifugio
a dei banditi. Lo spaventoso bilancio di questa guerra civile era, nel 1863, di più di   70
mille ribelli fucilati sommariamente , 2413 uccisi in combattimento, 2768 imprigionati, Anche i Piemontesi, del resto, avevano avuto perdite altissime" (da
Mack Smith).

Che l'autorità dello Stato fosse ristabilita, era necessario: i briganti erano, in-
consciamente, strumento nelle mani dei Borboni, cui non pareva vero di creare   75
delle difficoltà agli usurpatori piemontesi. Ma molti Italiani si domandavano se
non c'erano altri mezzi per far cessare il brigantaggio: rimedi radicali, cioè tali
da eliminare il male fin dalla radice. Il male era lo stato di miseria e di ignoranza delle plebi meridionali. Per ottenere questo scopo era meglio costruire scuo-   80
le, strade e ferrovie, dar lavoro ai disoccupati, bonificare le terre paludose, distribuire ai contadini a piccoli lotti i beni ecclesiastici confiscati, concedere a buone condizioni prestiti per liberarli dagli usurai e dall'incubo delle annate di cattivo raccolto.

(adattato da Silvio Paolucci, *Storia 3*, pp. 118-122)

B   Dopo aver fatto la sintesi orale al tuo compagno, **per verificare la comprensione del testo, indica se le seguenti affermazioni sono vere (V) o false (F) e se ritieni che siano false aggiungi
la versione corretta.**

		V	F
1.	All'unità d'Italia le condizioni di vita della maggioranza della popolazione del Sud d'Italia erano catastrofiche: mancavano cibo, acqua, strade e scuole.	☐	☐
2.	I Piemontesi costruirono nel Sud importanti opere pubbliche migliorando le condizioni di vita della popolazione e facendo decollare l'economia delle imprese commerciali e industriali meridionali, che aumentarono di numero.	☐	☑
3.	I governanti del regno d'Italia furono costretti ad aumentare le tasse per pagare i debiti del neonato stato, ma le applicarono solo al Nord.	☐	☑
4.	I contadini meridionali subirono la concorrenza dei prodotti agricoli delle regioni settentrionali che costavano di meno.	☑	☐
5.	Il servizio militare obbligatorio aggravò le condizioni di vita delle famiglie meridionali.		☐
6.	In sintesi l'unità d'Italia nel Sud aumentò ulteriormente il senso di osti' sfiducia della popolazione meridionale verso i regnanti.		
7.	I briganti erano ritenuti dalla popolazione locale degli eroi che lott le ingiustizie delle leggi piemontesi.		
8.	La soppressione del brigantaggio costò un numero elevatissim sia tra la popolazione civile e i briganti sia tra i soldati dell'es		
9.	L'autore del testo ritiene che non ci fossero altri mezzi per fenomeno del brigantaggio.		

3 Lessico

A Rileggi questa parte del testo di pp. 387-389 e sottolinea le parole che non conosci. Quali di queste strategie ti possono essere utili per ricostruirne il significato?

Il BRIGANTAGGIO

La miseria delle plebi meridionali era secolare, non era certo stata provocata dall'arrivo dei Piemontesi, e già presso di esse esisteva una forma primitiva di protesta contro la società che le opprimeva: il brigantaggio. Chi aveva dei conti da regolare con la giustizia, chi non trovava lavoro, chi non aveva di che pagare il padrone o l'usuraio o l'esattore, si dava alla macchia, diventava brigante. Da covi montani inaccessibili i briganti scendevano, rapinavano, saccheggiavano, ammazzavano, poi di nuovo si rintanavano: la loro vita era una feroce rivolta contro una società spietata.

> **Ricostruire il significato di parole nuove**
> 1. Cerco di capire se è una parola importante per andare avanti, altrimenti la salto e proseguo.
> 2. Leggo con attenzione la parte di testo che precede e segue e faccio appello alle mie conoscenze sull'argomento.
> 3. Cerco di vedere se ci sono delle parti della parola che riconosco per dedurne il significato.

Prova ora ad applicare le strategie appropriate alle parole che hai sottolineato. Poi metti in comune le tue riflessioni con il resto della classe.

	parola nuova	significato	strategia usata
1.			
2.			
3.			
4.			

B Collega le parole evidenziate nel testo di pp. 387-389 con i loro sinonimi.

☐ 1. funzionari
☐ 2. peso morto
☐ 3. ostilità
☐ 4. esattore delle imposte
☐ 5. plebi
☐ 6. usuraio
☐ 7. si dava alla macchia
☐ 8. senza quartiere
☐ 9. torti
☐ 10. implacabile
☐ 11. sommariamente
☐ usurpatori

a. spietato, accanito
b. ingiustizie
c. inimicizia
d. porzioni di terra
e. invasori
f. soggetto privo di iniziativa e volontà
g. chi riscuote le tasse
h. velocemente e senza regolare processo
i. senza sosta, senza tregua
l. dirigenti e impiegati
m. si nascondeva
n. popolo
o. sfruttatore, strozzino

C Riordina queste parole prese dal testo di p. 387-389 formando delle sfere semantiche, cioè dei gruppi di parole legate allo stesso argomento, allo stesso dominio:

> prestiti   esasperazione   tasse   assassino   ministri   ostilità   esattore
> finanze   malfattore   diffidenza   funzionari   bandito   odio   ladro
> usuraio   brigante   ribellione   governanti

ESEMPIO

▶ governanti, ministri, funzionari

D Completa queste frasi prese dal testo di pp. 387-389 con i verbi che devi derivare dalla parola base (nome o aggettivo) data tra parentesi; scegli tra le seguenti regole di formazione di parola che hai già visto nelle precedenti unità:

> **Verbi da nomi e aggettivi**
> SUFFISSI   suffisso zero, -eggiare
> PREFISSI   a-, in-, rin-

1. L'arrivo dei Piemontesi, in un primo momento, non fece che (*peggiore*) .... la situazione.

2. Ai tanti motivi di incomprensione tra il Nord e il Sud un altro se ne aggiunse con il pesante (*grave*, V riflessivo usato come Nome) .... delle tasse.

3. Contemporaneamente (*basso*, V riflessivo) .... moltissimo i prezzi dei prodotti agricoli.

4. Da covi montani inaccessibili i briganti scendevano, rapinavano, (*sacco*) .... ammazzavano, poi di nuovo (*tana*, V riflessivo) .... : la loro vita era una feroce rivolta contro una società spietata.

5. Fu una spietata lotta fratricida, resa più terribile dal fatto che le popolazioni locali (*parte*) .... apertamente per il brigante.

6. Lo spaventoso bilancio di questa guerra civile era, nel 1863, di più di mille ribelli (*fucile*) .... sommariamente, 2413 uccisi in combattimento, 2768 (*prigione*) ....

4 Parlare

A Nord, Sud. Solo in Italia??

Lavorate in piccoli gruppi. Discutete sulle differenze e divisioni tra "Nord" e "Sud" che, probabilmente, ci sono anche nei vostri Paesi. Provate a spiegare l'origine storica di queste differenze, che problemi comportano oggi e come si potrebbero superare.

Napoli: in coda davanti all'ufficio di collocamento.

5 Esplorare la grammatica

Gerundio

A **Rileggi il testo di p. 387-389 e sottolinea i gerundi (4 casi). Per ciascun caso devi:**

– dire che significato ha il gerundio;
– sostituirlo, quando possibile, con una frase secondaria esplicita;
– dire se il soggetto della secondaria introdotta dal gerundio è uguale o diverso dal soggetto della frase principale;
– dire in che posizione compaiono eventuali pronomi.

ESEMPIO

▶ Chi, pur <u>lavorando</u>, non guadagnava abbastanza da sfamarsi, chi aveva delle vendette private da compiere, diventava brigante.
  Chi, <u>anche se lavorava</u>, non guadagnava abbastanza da sfamarsi, chi aveva delle vendette private da compiere, diventava brigante.
  (significato concessivo) (soggetti uguali: chi lavorava-chi guadagnava)

1. (paragrafo 3) ....

2. (paragrafo 3) ....

3. (paragrafo 3) ....

4. (paragrafo 5) ....

B Trasforma quando possibile le frasi secondarie esplicite in frasi implicite con il gerundio e di'
per ognuna che valore ha il gerundio.

▶ *Se torniamo* alle domande, vorrei confermare che certamente il rapporto tra mafia e politica è
un rapporto che va individuato e smascherato.
Tornando alle domande, vorrei confermare che certamente il rapporto tra mafia e politica è un
rapporto che va individuato e smascherato. (significato ipotetico)

LA MAFIA

1. Io non vorrei chiamare mafia qualsiasi attività criminale perché altrimenti sarebbe presente in tutto il mondo. Se si lascia una specificità al termine, la mafia è un fenomeno prevalentemente meridionale che ha delle connessioni con diverse frange di criminalità.

2. Si pensi ai luoghi comuni del tipo "Basta un commissario e una squadra di polizia efficienti e il problema criminalità sarà risolto". Se fosse così sarebbe molto bello, in poco tempo se si avessero a disposizione energici commissari di polizia, si potrebbero rapidamente debellare questi fenomeni.

3. La mafia ha una dimensione multinazionale: ci sono tante "mafie", che si collegano e che in questo modo si spartiscono zone di influenza e settori di attività o si scambiano servizi.

4. È allora giusto che il Paese argini questo fenomeno e che in questo modo ponga una frontiera tra le regioni sane e le regioni "contaminate"?

5. Come dobbiamo interpretare l'atteggiamento del cittadino comune che si rivolge al mafioso piuttosto che all'istituzione statale? In termini di semplice omertà o di una radicale assenza dello Stato? Se si considerano questi fatti, si dovrebbe parlare di una rassegnazione della popolazione al fenomeno, oppure della condivisione di un certo atteggiamento?

6. Dopo la Seconda guerra mondiale si avvia in tutto il paese, e naturalmente anche in Sicilia, la ricostruzione edilizia. La mafia scopre un nuovo affare e in questo modo di intervenire nella speculazione edilizia, ossia nella parte distorta della ricostruzione.

7. La mafia non può non avere un rapporto con la pubblica amministrazione, perché altrimenti non riuscirebbe a far variare i piani regolatori secondo le proprie convenienze, riuscendo a farla franca nonostante violi le regole.

8. Quindi molto accortamente le banche svizzere, anche se hanno una tradizione di segreto bancario molto severa, aprirono i conti e noi trovammo una serie di riscontri e di prove che poi hanno portato alla condanna di queste persone.

9. Non c'è dubbio che la criminalità organizzata tragga i maggiori guadagni, ancora oggi, dal traffico delle sostanze stupefacenti. È tutto da vedere, però, se questo profitto verrebbe a cessare se si liberalizzasse la vendita di droga.

10. C'è sicuramente un problema di razionalizzazione dell'impiego delle forze dell'ordine, anche se si sa che non si potrà mai mettere un poliziotto o un carabiniere accanto a ogni singolo cittadino.

Tommaso Buscetta al processo per mafia.

►E 1, 2, 3 **C** **Correggi gli errori fatti da studenti stranieri nell'uso del gerundio.**

1. Ho ricevuto subito una telefonata da un'altra inglese affermando che aveva sentito che c'era una festa da noi.
2. Ho finito l'esame e tutti i miei amici aspettando per me fuori.
3. Ho 23 anni, sono nubile e studiando per una laurea in geografia e italiano all'Università di Wales, Swansea.
4. Ho 24 anni, sono italiana e nubile. Essendomi laureata recentemente in Economia e Commercio, con una tesi sull'ospitalità. Cerco esperienze di lavoro nel settore alberghiero.
5. Tuttavia parlo correntemente francese e italiano avendoli studiato durante due soggiorni in Francia.
6. In riferimento al Vostro annuncio su «L'Eco di Bergamo» del 24 aprile per un posto di segretaria. Vi prego di dedicarmi un attimo del Vostro tempo per esaminare il mio curriculum.
7. Augurandomi che vorrete dare un esito favorevole alla mia domanda e che vorrete concedermi il favore di un colloquio. Ringraziando per l'attenzione, Vi saluto distintamente.
8. Guardare la TV è la miglior attività rilassante: si dice infatti che la TV sia come la droga consumando tutti i giorni.
9. Nonostante i polacchi abbiano meno tempo libero comparando con gli italiani, penso che leggano un po' di più, sebbene la differenza non sia troppo grande.
10. Sono stato ballando per tre ore.
11. Stavo salendo in macchina quando ho visto sua moglie uscendo dalla banca.

6 Ascoltare

›8 **"Il Sud è semplicisticamente associato all'idea della mafia"**

CD2 Ascolta un parere sulle differenze tra il Sud e il Nord dell'Italia.

A **Completa questa tabella prendendo appunti.**

importanti differenze culturali tra Nord e Sud d'Italia
1. ....
....
2. ....
....
3. ....
....

non ci sono differenze significative
1. ....
....

B **Rispondi.**

1. Che cos'è la cultura familistica e che relazione c'è con il fenomeno della mafia?
2. Che estensione ha il fenomeno mafioso nel Meridione?
3. Grazie a chi e a che cosa la mafia ha subìto negli anni '90 pesanti sconfitte?
4. Chi è Libero Grassi e che cosa rappresenta?
5. Quali altri esempi di cambiamento vengono citati?

7 Coesione testuale

A **Completa questi frammenti presi dall'ascolto (p. 394) scegliendo tra i connettivi e segnali discorsivi tipici del parlato elencati sotto – che hai già incontrato anche in altre unità – . Poi, come verifica, riascolta il brano.**

> come dire   anzi   insomma   appunto   diciamo   comunque   cioè

1. È una società, quella dell'Italia meridionale, ... , considerata in maniera molto generica, nella quale rivela una certa tenuta un'istituzione come la famiglia.
2. Sostanzialmente non ci sono delle differenze significative nella scolarizzazione tra il Sud e il Nord del paese, ... il problema se mai al Sud è il contrario, ... che ci sono molti laureati che non hanno lavoro.
3. Naturalmente, cito quest'ultimo aspetto, il Sud dell'Italia è spesso semplicisticamente associato all'idea della mafia, addirittura l'Italia intera è spesso associata all'idea della mafia, che è un'immagine naturalmente anche amplificata dai media, dal cinema, ... costituisce un po' uno stereotipo dell'italiano e dell'italianità [...].
4. Non bisogna negare che la mafia affonda le radici in una certa cultura italiana, in una certa cultura familistica che privilegia i rapporti di parentela rispetto ai rapporti .... universalistici, con gli estranei [...].
5. D'altro canto bisogna però ricordare assolutamente che questo fenomeno riguarda una parte minima, una parte infima della società italiana e una parte .... infima della società meridionale.
6. E comunque anche nel periodo di maggior fortuna riguardava una parte minima della popolazione, la maggior parte della popolazione del Sud era vittima della mafia. Pensate a quegli imprenditori come Libero Grassi, per esempio, che sono morti per difendere il loro diritto ad avere un'attività economica onesta e .... non pagare il pizzo alla mafia.

8 Lessico

A Completa questo testo scegliendo tra le parole seguenti, che appartengono alla sfera semantica della "criminalità organizzata".

> l'attentato   cosche   processi di mafia   denunciare   uccisione   appalti
> infliggendo   traffico di droga   capi mafia   ergastoli   indagava   massacrati
> auto blindate   scorta   strage   estorsioni   killer   antimafia   pentiti

I DELITTI STORICI

16/12/1987 - Si conclude il maxi-processo con 19 (1) .... e altre pene pesantissime per (2) ...., delitti e stragi inflitte da Antonino Caponnetto, Giovanni Falcone, Paolo Borsellino, e tutti i giudici del pool, le cui accuse avevano dimostrato che Cosa Nostra poteva essere processata e finalmente condannata. Si realizzava una svolta decisiva nei (3) ....

I giudici Falcone e Borsellino.

12/1/1988 – Due killer per Giuseppe Insalaco, democristiano, ex-sindaco di Palermo. L'uomo politico prima di morire aveva fatto in tempo a (4) ...., anche di fronte alla commissione parlamentare antimafia, le pressioni subite da Vito Ciancimino e dal suo gruppo. E lo aveva indicato come il *domus* dei grandi (5) .... al comune di Palermo.

25/9/1988 – Imboscata sulla statale Agrigento – Caltanissetta per il giudice Antonino Saetta e per suo figlio Stefano. Saetta aveva presieduto la corte d'appello per la strage Chinnici, (6) .... l'ergastolo ai (7) .... Michele e Salvatore Greco.

26/9/1988 – Fucilate e colpi di pistola per Mauro Rostagno, leader della comunità Saman per il recupero dei tossicodipendenti. Rostagno, dai microfoni di una televisione locale, faceva ogni sera i nomi dei capi mafia e dei politici corrotti della zona, ma la sua (8) .... non sembra sia stata opera della mafia.

19/6/1989 – Sventato all'Addaura, sul lungomare di Palermo, (9) .... contro la villa in cui il giudice Falcone trascorreva le vacanze: 58 candelotti di dinamite nascosti in una borsa da sub.

21/9/1990 – Alle porte di Agrigento, viene ucciso il giudice Rosario Livatino,

→

che (10) .... sulla mafia di quella provincia. Giovanissimo, diventa un simbolo dei giovani magistrati in prima linea.

29/8/1991 – Ucciso Libero Grassi, il coraggioso imprenditore che si rifiutava di pagare le tangenti alle (11) .... e non perdeva occasione per denunciare il racket delle (12) ....

12/3/1992 – Salvo Lima, uomo politico democristiano, europarlamentare, viene ucciso mentre sta uscendo dalla sua villa, a Mondello. I (13) .... , dopo l'uccisione di Falcone e Borsellino, hanno indicato Lima come referente politico di Cosa nostra.

La strage di Capaci.

23/5/1992 – Strage di Capaci, sull'autostrada che collega l'aeroporto di Punta Raisi a Palermo. Con un telecomando a distanza viene fatto saltare il corteo delle (14) .... Muoiono Giovanni Falcone, sua moglie Francesca Morbillo, i poliziotti Antonio Montanari, Rocco di Cillo e Vito Schifani.

19/7/1999 (15) .... di via D'Amelio, a Palermo sotto l'abitazione della madre del giudice Borsellino. Con un'autobomba Cosa Nostra replica l'Apocalisse di Capaci. Vengono (16) .... il giudice Paolo Borsellino e gli agenti della sua (17) ....

Don Puglisi.

15/9/1993 – Don Pino Puglisi, parroco a Brancaccio, viene ucciso a colpi di pistola da un (18) .... solitario mentre sta rientrando a casa. Sacerdote coerentemente impegnato sul fronte (19) .... , aveva pronunciato numerose omelie contro le cosche del quartiere, e creato un forte movimento dal basso in difesa di valori cristiani e di tolleranza. È il primo durissimo segnale di Cosa Nostra contro la Chiesa cattolica.

(adattato da www.mec-srl.com/lastoriadellamafia/cronologia.htm)

B Trova la parola precisa per:

l'uccisione di molte persone   ....

rubare borse, portafogli per strada   ....

vendere droga   ....

i commercianti *pagano le tangenti* alla mafia   ....

C Lavorerai ora su alcune unità lessicali superiori, cioè gruppi di parole dal significato unitario, prese dai diversi testi presenti in questa unità. Collega queste espressioni con il loro sinonimo, scegliendo tra quelli elencati sotto, e poi completa le frasi.

Unità lessicali superiori	Sinonimi
☐ 1. sta rialzando la testa	a. aveva la reputazione
☐ 2. godeva fama di	b. controllare
☐ 3. andava sotto le armi	c. faceva il servizio militare
☐ 4. farla franca	d. si sta riorganizzando
☐ 5. sulla propria pelle	e. salvarsi
☐ 6. far scorrere sangue	f. desiderano
☐ 7. abbia buttato la spugna	g. uccidere
☐ 8. tenere a freno	h. di persona
☐ 9. hanno messo gli occhi	i. si sia arreso

1. Il regime borbonico _godeva fama di_ essere corrotto e i nuovi funzionari, partendo da questa convinzione, trattarono spesso i Napoletani e i Siciliani dall'alto al basso, come se fossero degli inferiori, di cui diffidare e da .... , anche usando la maniera forte.

2. [...] il giovane che .... restava qualche anno lontano da casa, non lavorava, né guadagnava: la sua assenza era un irreparabile danno per la famiglia.

3. Ma molti Italiani si domandavano se non c'erano altri mezzi per far cessare il brigantaggio. Il male era lo stato di miseria e di ignoranza delle plebi meridionali. Per ottenere questo scopo .... non serviva: era meglio costruire scuole, strade e ferrovie [...].

4. I vescovi calabresi dicono che la mafia .... Esagerano? "Tutt'altro. La 'ndrangheta tratta partite di cocaina da 300 milioni di euro direttamente con i cartelli colombiani".

5. "Le privatizzazioni delle risorse idriche e la costruzione delle nuove centrali elettriche. Una torta da cinquanta miliardi di euro su cui le mafie .... ".

6. Non esiste la bacchetta magica, ma certo mi pare che in certe zone d'Italia lo Stato non solo faccia poco, ma ....

7. "Da allora – segnala l'avvocatessa – la bambina non fu più picchiata anche se veniva evitata dai suoi compagni, ma ha dovuto imparare .... cosa significa essere figlia di un collaboratore di giustizia".

8. La mafia non può non avere un rapporto con la pubblica amministrazione, perché altrimenti non riuscirebbe a far variare i piani regolatori secondo le proprie convenienze, riuscendo a .... pur violando le regole.

9 Leggere

Esplorare la grammatica

A Leggi questo testo e rifletti sull'uso degli articoli con i nomi propri di persona evidenziati nel testo. Completa la tabella sotto.

Uso dell'articolo con i nomi propri di persona	
Omissione dell'articolo	Presenza dell'articolo
Giuseppe Lumia	

Le mani sulle centrali

L'allarme dell'onorevole diessino* Giuseppe Lumia

La mafia ha le mani ovunque e si prepara anche a costruire centrali elettriche. È l'allarme di Giuseppe Lumia, l'onorevole diessino che Cosa Nostra voleva uccidere.

I vescovi calabresi dicono che la mafia sta rialzando la testa. Esagerano?

"Tutt'altro. La 'ndrangheta tratta partite di cocaina da 300 milioni di euro direttamente con i cartelli colombiani e ricicla in proprio. Racket e usura soffocano la Calabria. Il 90% 5 degli esercizi commerciali paga il pizzo. Il restante 10 no, perché fa capo ai boss".

Come sono i rapporti con Cosa Nostra?

"Sui grandi appalti c'è accordo, tanto che alcune imprese dividono il pizzo in due. Pare un modello già pronto per il ponte sullo Stretto. I clan reggini dei De Stefano e dei Morabito, in ottimi rapporti con i messinesi Alfano e con Provenzano, non vedono l'o- 10 ra di intromettersi a tutti i livelli decisionali e di realizzazione".

Vi sono altri campi di alleanza?

"Le privatizzazioni delle risorse idriche e la costruzione delle nuove centrali elettriche. Una torta da cinquanta miliardi di euro su cui le mafie hanno messo gli occhi".

Che succede all'interno di Cosa Nostra? 15

"Gli scenari da studiare sono tre. Il primo riguarda il conflitto tra chi sta fuori e chi è sottoposto al carcere duro: è chiaro che potrebbe esplodere una sanguinosa guerra tra boss. Il secondo tocca la possibile reazione di una parte di Cosa Nostra contro quei settori della politica che, a torto o a ragione, la mafia considera inadempienti. Ma è sul terzo scenario che bisogna indagare e lavorare di più". 20

Ossia?

"Quello più raffinato di un Provenzano che non esclude il ricorso a omicidi eccellenti, sapendo che lo stato potrebbe addossarne la colpa a Giuffré e l'ondata repressiva potrebbe scaricarsi sui boss in carcere".

---

* Appartenente al partito DS (Democratici di sinistra).   (da «L'Espresso», 17 ottobre 2002)

B Completa queste frasi mettendo o omettendo l'articolo.

1. .... Borboni hanno regnato nel Sud fino all'unità d'Italia.

2. La mafia ha spedito un proiettile al procuratore di Marsala, ... Silvio Sciuto, e a un giudice di Sciacca, ... Giuseppe Agate.

3. Posso parlare con .... dottor Marzano? Sono .... ingegner Salino.

4. Buongiorno .... Ragionier Rossi. Come va? È da un po' che non la vedo. Tutto bene?

5. Oggi vado al ricevimento di .... professoressa Valentini.

6. .... Professor Mengozzi, una domanda: domani fa lezione anche se c'è sciopero o no?

7. Ieri sera siamo andati a cena con .... Ferrari, che non vedevamo da parecchio tempo.

8. .... Luciano Violante, allora vicepresidente della Camera, si dichiarò favorevole agli sconti di pena per i collaboratori di giustizia.

9. Ti consiglio di non perderti la mostra di .... Modigliani che c'è a Milano.

10. A scuola abbiamo appena studiato .... Manzoni.

10 Leggere

Riconoscere e riassumere le idee principali

A Leggi 2 opinioni su cosa sia necessario fare per combattere la mafia. Sottolinea in ciascun parere le idee principali e riassumile per iscritto con parole tue. Poi confronta la tua sintesi con quella di un altro compagno. Avete individuato le stesse informazioni principali?

---

1. OPINIONE DI LOMBARDI SATRIANI, ANTROPOLOGO

– **Per combattere attivamente la mafia è necessario partire dal basso, dalla sensibilizzazione della gente, o dall'alto, dalla repressione delle cupole mafiose?**

• Credo che noi dobbiamo fare leggi più adeguate in Parlamento; credo che dobbiamo spingere il governo a potenziare di più le strutture operanti sul territorio. Più giudici, più forze di polizia e così via.   5

Poi è necessario che vi sia una spinta anche dal basso. È necessario fare ambedue le cose: vanno perseguiti i reati e bisogna dare un senso ai cittadini. A Napoli bisogna uscire anche di notte, a Napoli, come a Palermo, come a Bari, come in qualsiasi altra parte. Non bisogna avere paura né degli scippi né di altro, però contemporaneamente ci deve essere un meccanismo della società civile che tolga consenso   10 alla criminalità. Vendere sigarette di contrabbando è un piccolo anello, che però porta a una catena complessiva. Spacciare droga per poter ognuno avere almeno la dose per il proprio consumo, significa partecipare a un'organizzazione complessa, collegata dal fatturato multimilardario, e quindi perpetuare. Occorre anche aumentare il fondo antiusura a cui l'imprenditore, il commerciante può ricorrere, de-   15 nunciando i casi di usura, e poi coinvolgendo al massimo la società civile.

→

Noi dobbiamo ognuno fare la nostra parte. Io spero che incominci ad avere una fase di decremento la mafia. Non sparirà da un momento all'altro, ci vorrà molto tempo, ma ci vorrà molto tempo se tutti noi, ognuno di voi compreso, oltre che me, oltre che tutti, collaboreremo a una società diversa e anche a un Meridione diverso, un Meridione più vivibile. 20

Credo che comunque noi dobbiamo incominciare a discutere sempre di più tra di noi, sia nei luoghi deputati che in altri luoghi. La mafia, cioè la cultura della paura, la cultura dell'intimidazione, si sconfigge anche elevando il senso critico, la consapevolezza critica di ciascuno di noi, la possibilità di dialogo. 25

(da http://www.emsf.rai.it/grillo/trasmissioni.asp?d=53)

2. OPINIONE DI GIUSEPPE AYALA, MAGISTRATO

– **La lotta alla mafia, o meglio alle imprese di malavita, deve partire anche dai singoli cittadini. Che cosa può fare, un singolo cittadino, per dimostrare di voler combattere davvero la mafia?** 5

• Non dobbiamo credere che la mafia sarà sconfitta, un giorno, soltanto con l'opera della magistratura e delle forze della polizia.

La soluzione del problema comporta necessariamente il massimo di efficienza da parte di magistratura e polizia. Guai a indebolirle: sarebbe un disastro. Accanto e insieme a questo occorre una grande scelta politica di fondo e, soprattutto, una grande opera di cultura della legalità per le nuove generazioni. 10

Che cosa può fare il singolo? Vi è la necessità di stabilire che il pilastro fondamentale della democrazia risiede tutto nel rispetto delle regole, ovvero nella legalità. *La legalità conviene.* 15

Gli appalti pubblici, per esempio, se sono gestiti rispettando le regole, senza corruzione e senza cedimenti nei confronti della mafia, costano dieci volte meno. La legalità conviene anche da un punto di vista economico.

L'evasione fiscale non è una forma di illegalità? In Italia è enorme. Questo comporta che quelli che pagano le tasse, ne pagano un pezzo in più per compensare il mancato afflusso da parte di quelli che le tasse non le pagano. Se tutti le pagassimo, tutti pagheremmo meno. 20

La scommessa vera, in un paese democratico che vuole crescere come l'Italia che va in Europa, è quella di formare le giovani generazioni alla *cultura della legalità.* 25

(da http://www.emsf.rai.it/grillo/trasmissioni.asp?d=55)

B Ora, come verifica del lavoro che hai svolto, scegli tra le due sintesi proposte sotto quella che rispecchia meglio le idee espresse in ciascuna opinione.

1. OPINIONE DI LOMBARDI SATRIANI, ANTROPOLOGO

☐ a. Ci vorrà molto tempo per debellare la mafia, ma se ognuno farà la propria parte e se si dialogherà sarà possibile. Il governo deve fare leggi per aumentare il fondo antiusura, per potenziare la polizia e la magistratura che combattono sul territorio la mafia, così il cittadino non avrà più paura della criminalità.

☐ b. Ognuno deve fare qualcosa. Da una parte le istituzioni devono fare leggi adeguate, aumentare le forze dell'ordine e della magistratura e il fondo antiusura. Dall'altra i cittadini devono vincere la paura e togliere consenso alla mafia, non alimentando le sue fonti di guadagno; i commercianti denunciando l'usura. Anche dialogare serve a diventare più coscienti del fenomeno.

2. OPINIONE DI GIUSEPPE AYALA, MAGISTRATO

☐ a. L'efficienza della magistratura e delle forze di polizia, seppur importante, non è sufficiente per sconfiggere la mafia. Le forze politiche devono promuovere la cultura della legalità, per esempio nella gestione degli appalti e nel pagamento delle tasse. Deve passare l'idea, soprattutto tra i giovani, che "la legalità conviene".

☐ b. Se polizia e magistratura saranno massimamente efficienti, il problema si risolverà. Occorre inoltre far capire alle nuove generazioni che lo Stato si deve reggere sulla legalità, che è conveniente dal punto di vista economico perché se tutti paghiamo le tasse, ne paghiamo tutti un po' di meno.

11 Parlare

Assumere punti di vista e saper argomentare

A Che cosa è prioritario per combattere la criminalità (organizzata)?

Dopo aver letto il parere di un magistrato e di un antropologo su che cosa sia necessario fare per combattere la mafia, scrivi una lista dei provvedimenti che tu ritieni più efficaci per fermare la criminalità.

Il carcere di massima sicurezza di Porto Azzurro (Isola d'Elba), dove si applica l'articolo 41 bis.

Giovanni Brusca al momento dell'arresto.

Ecco alcuni spunti:

✔ il carcere duro per i detenuti più pericolosi

✔ un maggior controllo del territorio da parte delle forze dell'ordine

✔ il rafforzamento della struttura investigativa

✔ opportunità di lavoro

✔ promuovere la cultura

✔ promuovere la cultura della legalità

✔ la pena di morte per i mafiosi

✔ un servizio di vigilanza più accurato per i magistrati

✔ un servizio di vigilanza più accurato per i pentiti e le loro famiglie

✔ un numero verde per promuovere la collaborazione dei cittadini

✔ meno violenza sui mezzi di comunicazione (TV, giornali)

✔ altro ....

Poi immaginate di partecipare a un dibattito pubblico sul tema della lotta alla criminalità. Discutete con tutta la classe cercando di difendere il vostro punto di vista e di argomentarlo. Eleggete un moderatore che coordini la discussione.

Se volete ripassare i connettivi utili per argomentare, cfr. Unità 4, p. 142. Ricordatevi di usare il congiuntivo quando usate espressioni che indicano opinioni, necessità, ecc.

12 Coesione testuale

A **Rileggi le 2 opinioni di pp. 400-401 e cerca:**

– nella 1ª opinione
un connettivo per ELENCARE DATI che significa "eccetera"   ....

– nella 2ª opinione
un connettivo che serve a PRECISARE, CORREGGERE   ....
un connettivo di registro formale che serve a SPIEGARE   ....

B **Trasforma queste secondarie esplicite nelle secondarie implicite corrispondenti e classificale. Ricorda che le frasi implicite si costruiscono con il verbo al modo indefinito (infinito, gerundio, participio).**

> **ESEMPIO**

▶ Sono arrivato tardi *perché ho perso* la coincidenza per Ancona.
Sono arrivato tardi *per aver perso* la coincidenza per Ancona. (causale)

1. Si è presa il mal di gola perché ha viaggiato con il finestrino della macchina aperto.

.... (........................)

2. Anche se ha studiato solo un anno parla molto bene l'italiano.

.... (........................)

3. Giovanna è così piena di virtù che è considerata un modello.

.... (........................)

4. Abbiamo già fatto diversi tentativi perché si convincesse
    a lasciare la Sicilia. (noi convinciamo lui)

    .... (..........................)

5. Se lo vedessi non penseresti che è straniero.

    .... (..........................)

6. Dopo che avrai finito i compiti potrai uscire.

    .... (..........................)

7. Mentre passeggiavamo discutevamo delle differenze culturali
    e di stile di vita tra il Nord e il Sud.

    .... (..........................)

8. Se ti applichi puoi riuscire a finire gli esami prima dell'estate.

    .... (..........................)

9. Molti politici anche se avevano legami con la mafia locale
    non sono stati rimossi dai loro incarichi o indagati.

    .... (..........................)

10. Cominciò la sua relazione con la presentazione di una serie di dati.

    .... (..........................)

11. Abbiamo fatto tardi senza che ce ne accorgessimo.

    .... (..........................)

12. Sebbene non sia d'accordo mi adeguo alla volontà della maggioranza.

    .... (..........................)

13 Parlare

A MONOLOGO ESPOSITIVO-ARGOMENTATIVO

Concentratevi sui "problemi che più assillano oggigiorno il vostro Paese di provenienza".
Raccogliete le idee preparando una lista di punti che vi serviranno per fare a turno una breve presentazione alla classe. Dovete parlare a braccio, senza leggere gli eventuali appunti.

B DISCUTERE I PRO E I CONTRO

Non è la ricchezza a far felice una società. Scrivete all'interno della piramide i parametri che secondo voi influenzano più o meno la felicità degli individui e della società, ordinandoli dall'alto al basso per ordine di importanza.

Formate per alzata di mano 2 schieramenti, uno che concorda e l'altro che non concorda con l'affermazione "Non è la ricchezza a fare felice una società". Poi confrontatevi, in un primo momento, in coppia con un compagno che la pensa diversamente da voi e, in un secondo momento, con il gruppo classe, eleggendo un moderatore del dibattito. Prima di cominciare fate una lista dei vostri pro e contro.

Ecco alcuni possibili spunti di riflessione.
– Tanto cibo da soffrire d'obesità, tante automobili da saturare l'aria, tante merci da non avere il tempo di comprarle, cose da fare, vedere, provare. Eppure non siamo felici...
– Non si può essere felici da soli, la felicità risiede nella condivisione.
– L'eccesso di lavoro straordinario ruba tempo libero e dunque felicità.
– La felicità aumenta in condizioni di libertà.

C CONVERSAZIONE

Immagina di trovarti nelle situazioni descritte sotto. Come ti comporteresti? Motiva le tue ragioni. Parlatene prima a coppie e poi con la classe.

a. Hai scoperto che un tuo amico è figlio di un boss mafioso della città in cui vivi.
b. Hai appena aperto un'attività commerciale e degli strani tipi sono venuti a offrirti protezione in cambio del pizzo.
c. Sei il testimone casuale di un sequestro di persona: hai visto in faccia uno dei sequestratori ma anche lui ti ha riconosciuto. Che cosa fai? Vai dalla polizia a dare la tua testimonianza pur sapendo di rischiare la vita, o taci?
d. Sei una maestra e devi fare una lezione a bambini di 10-12 anni sulla "criminalità organizzata". Che cosa dici?

14 Scrivere

A   Riordina le diverse parti di questo articolo di cronaca, cercando di ricostruire l'unità del testo.

☐   BERGAMO - «Papà, voglio l'auto per andare in vacanza. Ho combinato per un paio di giorni al mare, con due amici». Ma il padre gli ha detto di no: «L'auto te la scordi». È bastato quel rifiuto per scatenare il raptus omicida.

☐   Resta da stabilire ora, con le indagini, se Mauro ha colpito i genitori al culmine di un raptus immotivato o se invece li ha feriti per reagire al loro rifiuto a concedere l'auto. Il giovane è attualmente rinchiuso nel carcere di Ravenna sotto l'imputazione di duplice tentato omicidio: verrà quanto prima trasferito a Bergamo.

☐   Poi, negli uffici del commissariato, ha ricostruito quei cinque minuti di follia.
Le otto di ieri mattina, in una viletta nel centro di Ambivere, in via Dante 15: Mauro Cereda, tornato da pochi mesi dal servizio militare e occupato saltuariamente in un'officina di carpenteria, è in cucina. Con lui ci sono il padre Luigi Cereda, 53 anni, impiegato in pensione e la madre, Fulvia Perico, 45 anni, tecnico di laboratorio all'Usl di Gorgonzola. In un'altra stanza della casa, dorme tranquilla la sorellina di Mauro di sette anni. Poi la lite, il ferimento, la fuga.

☐   Ora i coniugi Cereda sono ricoverati agli Ospedali Riuniti di Bergamo: l'uomo appariva, al momento del ricovero, in condizioni meno gravi della moglie, ma poi le sue condizioni sono peggiorate nel pomeriggio e i medici si sono riservati la prognosi. Stessa diagnosi per la moglie. Entrambi sono stati colpiti alla testa con il martello.

☐   Mauro Cereda, 20 anni, non ci ha visto più. È andato nello sgabuzzino di casa, ha recuperato un martello da campeggio, di quelli di plastica dura, usati per piantare i paletti, e ha dato sfogo alla sua rabbia. Prima ha colpito il padre, poi se l'è presa anche con la madre. Poi li ha lasciati a terra, privi di conoscenza; ha preso le valigie ed è partito. Ha raggiunto i due amici e insieme sono partiti per il mare. Destinazione: la riviera romagnola.

☐   A dare l'allarme, dapprima alla Croce Rossa e poi ai carabinieri, è stato lo stesso Luigi Cereda che, per quanto ferito, è riuscito a trascinarsi all'apparecchio telefonico e a raccontare ai soccorritori e investigatori quanto era accaduto.

☐   Ma il sogno della vacanza è durato poco, neanche il tempo di un tuffo: l'auto del giovane è stata intercettata da una pattuglia della polizia a Punta Marina, in provincia di Ravenna, e Mauro Cereda ha capito che le ferie non le avrebbe mai fatte. È sceso dall'auto con le mani alzate, tra lo stupore dei due compagni di viaggio e si è consegnato agli agenti. Ai poliziotti che gli mettevano le manette, ha detto poche parole: «Non so perché l'ho fatto».

B Leggi lo schema che trovi sotto e analizza la struttura dell'articolo di cronaca che hai appena ricomposto.

TESTO NARRATIVO
Articolo di cronaca

1. Unità di sintesi: che cosa è successo, dove, quando, chi è coinvolto
2. Antefatti: ci sono degli antefatti significativi? (da narrare con il trapassato prossimo)
3. Ricostruzione dei fatti (inizio, svolgimento, fine): la narrazione può essere al presente storico per rendere la vivezza del ricordo o con i tempi passati; i collegamenti logici espressi con connettivi temporali come *allora*, *alcuni giorni dopo*, *in seguito*, *dopo*, *mentre*, *quando*, ecc.
4. Moventi: perché è successo? (se si tratta di notizie, ipotesi non confermate va usato il condizionale passato)
5. (Conseguenze / considerazioni che si possono trarre)

C Ora tocca a te scrivere un articolo per la pagina di cronaca di un quotidiano della tua città. Segui la traccia data sopra. Puoi scegliere uno dei seguenti titoli:

Sedicenne organizza estorsione: voleva tre milioni per le vacanze

Banda di quattordicenni terrorizza il quartiere con scippi aggressioni e assalti ai negozi

Un paese siciliano con 6 mila abitanti e 1500 in cerca di lavoro: tragedia di un ragazzo che sembrava "allegro"

D Osserva con attenzione i dati riportati in questa tabella che sintetizza i risultati di uno studio del Cnr[*], realizzato dall'Istituto di ricerca sulla popolazione e le politiche sociali. Il tema è "Gli italiani e l'emigrazione". Confrontati con un compagno.

STRANIERI CHE RISIEDONO NEL NOSTRO PAESE
1.300.000 (3% della popolazione) (media europea 7% della popolazione)

LA NUOVA EMIGRAZIONE
I NUMERI

▶ **700.000** I cittadini del Mezzogiorno che negli ultimi 10 anni si sono trasferiti al Nord o all'estero

▶ **4.000.000** Gli italiani che vivono fuori dai confini nazionali

▶ **59,8%** La percentuale di emigrati provenienti dal Sud sul totale degli italiani all'estero

[*] Cnr = Consiglio Nazionale delle Ricerche

E Utilizza i dati delle tabelle di p. 407 per scrivere una relazione di sintesi sui risultati di questa ricerca che ha come argomento un tema di carattere sociale e culturale, cioè l'emigrazione. Immagina di dover scrivere la relazione per l'insegnante e la classe.

Dovrai strutturare la relazione nei seguenti paragrafi:
– i numeri
– l'emigrazione dal Nord al Sud
– gli Italiani nel mondo

TESTO ESPOSITIVO
Relazione

La relazione è un genere espositivo che ha lo scopo di fornire informazioni su un dato argomento, classificare i dati di una ricerca, rielaborare e sintetizzare conoscenze tratte da fonti diverse.
Normalmente le relazioni sono testi privi di commenti in cui le idee vanno sostenute da dati, esempi e confronti. Tuttavia se vuoi puoi concludere la relazione con alcune valutazioni e considerazioni personali.
La relazione va scritta in un registro formale e con un tono oggettivo.

15 Navigando

A PER SAPERNE DI PIÙ DEL FENOMENO "MAFIA"

Lavorate a piccoli gruppi. Se vi interessa approfondire la conoscenza della mafia italiana potete fare delle ricerche su Internet da presentare alla classe su alcuni dei seguenti aspetti:
– articolo 41 sul carcere duro per i boss malavitosi
– legge sui pentiti
– codice e riti della mafia
– lotta alla mafia (per esempio "la rivolta dei lenzuoli")
– mafia e religiosità popolare
– eco-mafia
– donne e mafia
– cinema e mafia
– letteratura e mafia
Potete usare le parole-chiave "criminalità organizzata / mafia / malavita" con il vostro motore di ricerca preferito o visitare i seguenti siti:
http://www.misteriditalia.com/lamafia (archivio storico-giornalistico)
http://guide.supereva.it/organizzazioni_criminali/mafie_italiane

B ESPLORANDO L'ECONOMIA DEL SUD ABBIAMO SCOPERTO CHE...

Lavorate a piccoli gruppi. Cercate informazioni sullo sviluppo economico del Sud Italia. Dopo una prima ricerca panoramica, scegliete un aspetto che vi interessa approfondire e che presenterete poi alla classe. Procedete con il motore di ricerca che usate di solito, inserendo inizialmente delle parole-chiave come "economia del sud Italia / economia meridionale", oppure visitate i seguenti siti:
www.sudnews.it (agenzia d'informazione del Sud Italia)
www.iniziativameridionale.it

Esercizi

1 Unisci le frasi con un gerundio o una frase relativa.

ESEMPI

▶ 1. a. Ho dato un passaggio a un ragazzo. Andavo al lavoro.
b. Ho dato un passaggio a un ragazzo *andando* al lavoro. (**soggetti uguali**)

▶ 2. a. Manca il mio collega, io non posso prendermi il giorno libero.
b. *Mancando* il mio collega, io non posso prendermi il giorno libero. (**soggetti diversi, ma esplicitati**)

▶ 3. a. Ho dato un passaggio a un ragazzo. Lui andava al lavoro.
b. Ho dato un passaggio a un ragazzo *che* andava al lavoro. (**soggetti diversi**)

1. Mi sono imbattuto in Anna. Lei usciva dalla palestra.
2. Io uscivo di casa. Io ho sentito i vicini. I vicini litigavano.
3. Dovrò venire con i mezzi pubblici. Io non dispongo di una macchina.
4. Si va a ballare. Si conoscono molte persone.
5. I giudici licenziano il testimone. Le sue confessioni risultano contraddittorie.
6. Ho imparato a suonare la batteria. Ho frequentato Marco. Marco suonava in un gruppo.
7. Io ho scoperto che mio figlio legge giornaletti pornografici. Io ho ordinato la sua scrivania.
8. Correvo. Mi sono rotto una gamba. L'ho sbattuta contro il marciapiede.
9. Ho preso la metropolitana. Ho incontrato mia figlia. Lei non era andata a scuola.
10. Io non riesco a finire il lavoro prima delle vacanze estive, lo prenderà in mano la mia collega.
11. Se si parla di mafia, alcuni meridionali negano ancora la sua esistenza.
12. Mi sono rotta il piede. Camminavo in montagna.

2 Completa queste frasi scegliendo tra il gerundio presente o il gerundio passato.

ESEMPI

▶ 1. (*Leggere*) .... questo libro sulla questione meridionale, scopro le ragioni storiche delle differenze tra Nord e Sud d'Italia. *Leggendo* questo libro sulla questione meridionale, scopro le ragioni storiche delle differenze tra Nord e Sud d'Italia. (mentre leggo, scopro)

▶ 2. (*Leggere*) .... questo libro non te lo consiglio perché è troppo tendenzioso. *Avendo letto* questo libro non te lo consiglio perché è troppo tendenzioso. (prima l'ho letto e quindi non te lo consiglio)

1. Giulia ha dovuto ripetere l'esame, non .... (*studiare*) abbastanza.
2. .... (*rompere*) la gamba, non è potuto partire.
3. Carlo, ... (*tornare*) dall'ufficio, puoi passare a prendere il bambino?
4. (*Avere*) .... esperienze negative con quel medico ti suggeriamo di rivolgerti a qualcun altro.
5. Nina parla l'italiano .... (*fare*) ancora molti errori.
6. (*Cenare*) .... abbiamo sentito al telegiornale dell'uccisione di un giudice impegnato contro la mafia.
7. Pur .... (*mangiare*) poco, ingrassa.
8. (*Finire*) .... di stirare posso uscire a fare un giretto in centro con te.
9. Non .... (*essere*, mai) a Napoli, ero molto curiosa di vederla.

3 Sostituisci le frasi secondarie esplicite con un gerundio o un participio passato.

ESEMPI

▶ 1. <u>Appena scesa</u> dall'aereo, ho telefonato a casa per tranquillizzare i miei genitori.
Scesa dall'aereo, ho telefonato a casa per tranquillizzare i miei genitori.

▶ 2. <u>Siccome ha fatto</u> una pessima figura con i suoi vicini di casa, ha mandato loro un mazzo di fiori con un biglietto di scuse.
Avendo fatto una pessima figura con i suoi vicini di casa, ha mandato loro un mazzo di fiori con un biglietto di scuse.

1. Poiché non aveva altre possibilità è andata con lui in auto.

2. A leggere i sondaggi, sembra che gli Italiani abbiano un atteggiamento laico verso le questioni di sesso e la morale.

3. Prima ho accompagnato mio figlio a scuola e poi sono andata in banca.

4. Poiché è stato considerato scandaloso, il fumetto di *Lupo Alberto* non è stato fatto circolare nelle scuole.

5. Siccome credeva che ci fossimo persi si offrì di accompagnarci a casa con la sua macchina.

6. Dopo essersi resi conto della gravità del problema, hanno deciso di intraprendere una campagna informativa.

7. Dopo che il temporale era finito, è uscito l'arcobaleno.

8. Poiché era troppo stanco per continuare a lavorare, è uscito a prendersi un caffè.

9. Mi tengo su di morale con il canto.

10. Siccome ha capito male l'orario, si è perso l'inizio dello spettacolo.

11. Solo se avessi vissuto le sue stesse esperienze avresti potuto capirlo.

12. Dopo che si era tolto il cappello, la salutò con il baciamano.

13. Dopo aver deciso la destinazione, partirono subito.

14. Se cammini a piedi nudi, ti farai certamente male.

15. Dopo che fummo saliti in cima alla torre ci si presentò uno spettacolo splendido.

16. Visto che non si sentivano a loro agio, se ne sono andati molto presto dalla festa.

17. Appena ho messo a dormire i bambini, mi sono stesa sul divano con il mio CD preferito.

4 Trasforma la forma esplicita del verbo in quella implicita, usando il participio passato. Fai attenzione all'accordo.

ESEMPI

▶ 1. Dopo aver preparato la torta, posso infornarla.
    Preparata la torta, posso infornarla.
    (accordo con oggetto diretto)

▶ 2. Dopo essersi pettinata, ha messo il cappello e il cappotto ed è uscita.
    Pettinatasi, ha messo il cappello e il cappotto ed è uscita.
    (accordo con il soggetto se il verbo è riflessivo)

1. Dopo essersi iscritta all'università, non ha dato esami per i primi due anni.

2. Dopo che si era scandalizzata per l'infedeltà del marito, si è saputo che lo tradiva da anni.

3. Dopo aver scritto la lettera, l'ha imbucata, sperando che arrivasse entro due giorni.

4. Poiché si sono indignati per la presenza di un pentito in una trasmissione, hanno scritto una lettera di protesta al direttore della RAI.

5. Dopo aver debellato il brigantaggio, il governo decise di far presidiare il territorio dall'esercito.

6. Dopo aver imposto una tassa sul grano macinato il governo dovette domare violente ribellioni da parte dei contadini.

7. Dopo aver scritto un primo libro sulla mafia ne ha subito pubblicato un secondo.

8. Dopo essersi pentito, è stato subito eliminato dagli uomini d'onore della sua cosca.

9. Poiché si era manifestata con violenza l'aggressività verso il marito, ha deciso di iniziare una terapia psicanalitica.

10. Dopo aver vissuto per anni in Sicilia, dopo l'uccisione del marito ha deciso di trasferirsi.

5 Leggi questa frase e spiega perché viene usato il congiuntivo. Osserva l'ordine delle proposizioni nella frase.

– Che l'autorità dello Stato <u>fosse ristabilita</u>, era necessario: il Regno d'Italia appena costituito non poteva tollerare la ribellione della metà del suo territorio.

Ora trasforma come nell'esempio, mettendo la frase secondaria prima della principale. Fai attenzione a usare il congiuntivo:

ESEMPIO

► La mafia sapeva che Falcone era un giudice pericoloso e meticoloso.
Che Falcone *fosse* un giudice pericoloso e meticoloso, la mafia lo sapeva.

1. Lo sappiamo che Fabio era un Don Giovanni.
2. Sapevo che Carlo aveva avuto molte fidanzate prima di me.
3. È chiaro che non è facile dire di no alla mafia.
4. È noto che Barletta è un importante centro calzaturiero.
5. Pochi sanno che mio fratello è omosessuale.
6. Era chiaro che Luigi aveva avuto un passato poco pulito.
7. Era noto a tutto il paese che il sindaco era colluso con le famiglie mafiose del salernitano.
8. È provato dalla presenza di imputate eccellenti in alcuni processi che anche le donne hanno un ruolo attivo nella gestione mafiosa.
9. È confermato anche da alcuni economisti che i soldi non danno la gioia di vivere.
10. Non è una novità che gli Italiani sono stati e sono ancora un popolo di emigranti.

6 Completa queste frasi che contengono aggettivi e pronomi indefiniti, coniugando i verbi tra parentesi al congiuntivo.

ESEMPIO

► Ho voglia di andare al cinema, perciò <u>qualsiasi film</u> (*scegliere*, voi) .... per me va bene.
Ho voglia di andare al cinema, perciò qualsiasi film *scegliate* per me va bene.

1. Dovunque (*andare*, *si* impersonale) .... si incontrano negozietti di antiquariato.
2. Chiunque (*fare parte*) .... dell'organizzazione mafiosa deve giurare assoluta fedeltà alla famiglia.
3. In vacanza Pinuccia chiacchierava con chiunque (*incontrare*) ....
4. Qualsiasi cosa Giulio ti (*dire*) .... non credergli perché ti ha tradito con altre donne.
5. Chiunque ci (*cercare*) .... non ci ha trovati perché eravamo in montagna.
6. Durante il nostro viaggio nel Sud Italia dovunque (*alloggiare*) .... trovavamo gente disponibile, cordiale e ospitale.
7. Gino scattava fotografie dovunque (*fermarci*) ....
8. Qualsiasi dubbio Lei (*avere*) .... può rivolgersi alla nostra agenzia.
9. Qualunque cosa (*dire*, io) .... o (*fare*) ...., non ti andava mai bene.
10. Chiunque (*venire a sapere*) .... che è stato in carcere, non si fiderà di lui.

7 Coniuga i verbi tra parentesi, scegliendo tra il congiuntivo presente e passato, imperfetto e trapassato e spiega per ogni caso perché è richiesto l'uso di questo modo.

ESEMPIO

► Ho l'impressione che Maria (*stare*) .... di nuovo male: non parla, non mangia, è nervosa.
Ho l'impressione che Maria *stia* di nuovo male: non parla, non mangia, è nervosa. (un'opinione)

1. Ho paura che gli (*succedere*) .... qualcosa perché doveva arrivare alle 10 e adesso è già mezzogiorno. (..............)
2. È giusto che anche le famiglie dei pentiti (*essere*) .... protette. (..............)
3. Pensavo che (*partire*, già) .... e invece li ho trovati a casa. (..............)

4. Mia madre non permetteva che noi (*portare*) .... a casa i nostri amici. (........................)

5. Gli amici sospettano che Lia (*ricadere*) .... nell'eroina.

6. Mi aspettavo che mi (*scrivere, voi*) .... almeno una cartolina. (........................)

7. I suoi genitori vogliono che (*studiare, lei*) .... arte. (........................)

8. Mi chiedo perché la Chiesa non (*mobilitarsi*) .... contro la mafia. (........................)

9. Totò Riina è il boss più spietato che (*esistere, mai*) .... (........................)

10. Sebbene (*avere*) .... potere e ricchezze non sembra essere felice. (........................)

11. Bisogna che (*imbiancare*) .... la casa con la bella stagione. (........................)

12. Che in certe società mediterranee (*venire premiata*) .... l'astuzia del comportamento individuale, è noto. (........................)

13. Non ho nessun dubbio che molti giovani, che non frequentano la scuola, (*finire*) .... per alimentare il mercato del crimine. (........................)

14. Che non (*dovere*) .... essere facile dire di no alla mafia, è chiaro. (........................)

15. È inammissibile che la (*picchiare, loro*) .... a scuola perché era la figlia di un pentito. (........................)

8 Completa queste frasi principali con una secondaria completiva con il *che* o con *di* + infinito. Fai attenzione al soggetto della frase principale e a quello della secondaria: normalmente se sono uguali devi usare la costruzione con l'infinito (ma alcuni verbi ammettono anche la costruzione con il *che*), se sono diversi la costruzione con il *che*.

1. Sono contento (*trovare, tu*) .... un lavoro che ti gratifica più del precedente.

2. Sandra era contenta (*trovare, Sandra*) .... un lavoro che le lasciasse più tempo per la famiglia.

3. Preferiva (*muoversi, lui*) .... sempre con la scorta.

4. Avendo ricevuto minacce, preferiva (*essere scortata, anche la sua famiglia*) ....

5. Speravamo (*farcela, noi*) .... a prendere la coincidenza per Verona.

6. Sperava (*vincere, loro*) .... l'appalto per la costruzione della metropolitana.

7. Il sistema politico deve rendersi conto (*non poter, il sistema politico*) .... abbassare la guardia nella lotta contro la criminalità organizzata.

8. È talmente distratta che non si è neanche resa conto (*rubarle, loro*) .... il portafoglio.

9. Anche all'ultimo processo ha affermato (*essere innocente, lui*) ....

10. Mi ha promesso (*impegnarsi, lui*) .... nel suo prossimo esame.

11. Non avrei mai immaginato (*poterci ingannare, lui*) .... in questo modo.

12. Non avrei mai immaginato (*incontrare, io*) .... così tante difficoltà nella pronuncia.

13. Contavo (*incontrarti, io*) .... alla riunione e invece non ti ho vista.

14. Contavo (*darci, loro*) .... una mano a fare il trasloco ma in quel periodo saranno già in vacanza, quindi non possono.

15. Ha negato (*rubare, lui*) .... la Fiat Panda per l'attentato al giudice Brancati.

16. Marta ha negato (*aiutarla, voi*) .... a trovare lavoro.

17. Permetto ai bambini (*guardare, loro*) .... la televisione un'ora al giorno.

18. Il medico mi aveva raccomandato (*non prendere, io*) .... il sole.

19. Luca dice (*arrivare, lui*) .... tre giorni fa.

20. Non erano sicuri (*passare, loro*) .... da Roma.

9 Completa i testi con i congiuntivi, quando sono necessari. Nel caso di frasi implicite devi aggiungere la preposizione. I testi sono tratti da un forum su Internet sul tema "Cosa distingue il Nord dal Sud d'Italia".

Solitario

(Risposta a Zaquini)

Parliamo di Nord e di Sud?

Esistono veramente delle differenze? Quali sono di preciso?

Secondo me, nel Nord (*esistere*) (1) .... maggiore cooperazione sociale. Al Sud la cooperazione è limitata al livello familiare.

Forse è vero, ma c'è più calore umano.

A Nord esiste maggiore senso civile. A Sud meno.

Verissimo, ma il senso civile presuppone una "vita civile" che al Sud stiamo ancora combattendo per raggiungere.

A Nord si pensa che il lavoro (*servire*) (2) .... per cambiare la vita. A Sud si è più pessimisti.

È vero, al Sud il lavoro serve a sopravvivere, quelli che vogliono "(*cambiare*) (3) .... la vita" vanno al Nord.

A Nord si tende a dissimulare i sentimenti. A Sud si tende a teatralizzarli.

È vero, e speriamo (*non cambiare*) (4) ....

A Nord si è in genere umanamente meno calorosi A Sud lo si è di più. A Sud spesso la gente è più simpatica e fantasiosa.

Archangel

Non credo che quelli del Sud non (*avere*) (5) .... voglia di lavorare, sarebbe un comportamento assurdo perché lavorare è l'unico modo per campare. Oltre tutto basta vedere come si danno da fare quando sono all'estero. Anche nel Sud lavorano, non è però una novità che la maggior parte (*lavorare*) (6) .... in nero, e la causa è che lo Stato, per un falso pietismo per le condizioni economiche del Sud, (*chiudere*) (7) .... un occhio su questo fenomeno e così fa incancrenire la piaga.

Caro Zaquini,

il tuo esame della situazione mi sembra molto aderente alla realtà e, in linea di massima, sono d'accordo anche sulle probabili cause. È indubbio che (*esserci*) (8) .... delle differenze e, se rimangono solo caratteriali, ben vengano! Immagina la monotonia di un paese dove la (*pensare*) (9) .... tutti allo stesso modo!

Solitario

Zaquini

totalmente d'accordo.

La criminalità (*essere*) (10) .... il vero problema, veramente grave dell'Italia, io ritengo. Esiste ovunque in Italia (ma anche nel mondo...). In Italia la cosa è talmente sbilanciata che causa divisione nel paese. "Compito dello stato"? Direi compito di tutti, tra cui lo stato. Nessuno potrà fare niente senza una forte partecipazione e sostegno popolare. Non diamo per favore l'impressione di essere "attendisti", o di volersi "piangere addosso" in attesa che "lo stato (*risolvere*) (11) .... i problemi per noi". Sei d'accordo? Per quanto riguarda il razzismo è importante che anche al Sud si (*capire*) (12) .... come (da Nord) si (*potere*) (13) .... vedere le cose. Guarda che, se esiste ed è sempre immotivato e grave, il razzismo (*avere*) (14) .... comunque le sue ragioni di essere. Non è "creato" dalla Lega o simili.

Razzismo

Giustamente tu, in qualità di settentrionale, tenti di giustificarlo, o almeno di spiegarne le cause. Scusami ma non (*potere*) (15) .... assolutamente essere d'accordo! È solamente STUPIDITÀ. E ti prego (*lasciarmi*) (16) .... in questa convinzione, altrimenti non

Umberto Bossi, segretario della Lega Nord.

riuscirei mai a capire come mai, io e tantissimi come me, che da una vita lavoriamo 18 ore al giorno, che abbiamo più volte rischiato la pelle per opporci alla criminalità, (*dovere*) (17) .... essere accomunati ad altri, che magari non lo fanno, solo perché siamo nati e viviamo nello stesso posto! Solo ammettendo un'enorme stupidità si (*potere*) (18) .... capire frasi come "i napoletani solo a sentir parlare di lavoro sudano..." oppure "i meridionali sono mafiosi..." Se (*essere, io*) (19) .... altrettanto stupido dovrei dire: – I settentrionali sono stupidi! – E invece dico: – I razzisti (del Nord o del Sud) sono stupidi! Solitario

Archangel

Sì, credo anch'io che quando l'illegalità è così diffusa, non (*restare*) (20) .... altro che l'intervento in forze dello Stato. Con giudici onesti e decisi (e con la pazienza di generazioni) si può arrivare a cambiare una cultura della disonestà, che chiaramente non è il risultato di una tara congenita ma di particolari circostanze storiche. Non esiste la bacchetta magica, ma certo mi pare che in certe zone d'Italia lo Stato non solo (*fare*) (21) .... poco, ma (*buttare*) (22) .... la spugna. E questo è gravissimo, perché il mantenimento dell'ordine sociale è il compito primario dello Stato.

10 Completa questo testo con le preposizioni rette dai verbi.

Lo rivela il legale del padre, il collaboratore Salvatore Candara

"È FIGLIA DI PENTITO" LA PICCHIANO A SCUOLA
A cinque anni aggredita dalle compagne

PALERMO – "È stata picchiata a scuola (1) .... suoi compagni di classe soltanto perché figlia di un pentito. Quando è accaduto, due anni fa, aveva appena cinque anni e (2) .... picchiarla sono state le compagne della scuola materna che frequentava".

L'incredibile episodio è stato denunciato (3) .... avvocatessa Gheti Valenti, difensore del pentito Salvatore Candara, un piccolo delinquente che fu incaricato (4) .... rubare la Fiat 126 che la mafia usò (5) .... uccidere il giudice Paolo Borsellino e gli uomini della sua scorta, nella strage di via D'Amelio del 1992.

La piccola, ha rivelato l'avvocatessa Valenti, tornava a casa e non riusciva neanche (6) .... parlare. Soltanto dopo un po' di tempo sono riusciti (7) .... sbloccarla. La vicenda fu segnalata (8) .... insegnante (9) .... direttrice della scuola. "Da allora – segnala l'avvocatessa – la bambina non fu più picchiata anche se veniva continuamente evitata (10) .... suoi compagni.

Candura seppe dalla figlia, durante uno dei rarissimi incontri che riusciva (11) .... avere, che era stata picchiata e rimase di sasso quando lei gli disse: "Io sono la figlia di un pentito". Intendeva dire – ha spiegato l'avvocatessa Valenti – che preferiva non avere un padre piuttosto che averlo pentito".

Della vicenda si occupò anche il tribunale dei minori che affidò la piccola (12) .... madre a condizione che accettasse il programma di protezione e andasse quindi via da Palermo. Una decisione che però non fu rispettata (13) .... donna che volle rimanere in città continuando (14) .... tentare (15) .... convincere il marito (16) .... fare marcia indietro.

Soltanto dopo molto tempo, dopo quello che era accaduto (17) .... figlia, la moglie di Salvatore Candura accettò il programma di protezione. Adesso la famiglia è felice e vive in una città del Nord d'Italia. La coppia ha avuto un'altra bambina.

(Adattato da «La Repubblica», 26 aprile 1996)

Ripasso

1 Completa questo testo sull'economia nel Sud Italia mettendo gli articoli se necessario. Quando c'è una preposizione devi decidere se metterla semplice o articolata.

Dossier sui distretti industriali del Sud Italia

L'immagine monolitica e stereotipata di (1) .... Sud Italia povero e pigro si interrompe bruscamente in corrispondenza di alcune zone di (2) .... Abruzzo, di (3) .... Campania, di (4) .... Puglia, di (5) .... Sicilia e di (6) .... Basilicata, in cui si intravedono (7) .... realtà produttive particolarmente dinamiche e vivaci.

→

Non possiamo dire, indubbiamente, di imbatterci in questi luoghi in (8) .... distretti industriali veri e propri, così come sono conosciuti in (9) .... Nord-Est d'Italia; si tratta, piuttosto, di (10) .... sistemi locali caratterizzati dalla combinazione complessa di diversi tipi di imprese: ad una molteplicità di piccole e medie aziende si affiancano (11) .... imprese di grandi dimensioni che catalizzano (12) .... sforzi produttivi dell'intera zona.

I sistemi locali di (13) .... Sud Italia segnalati dalla recente letteratura economica sono specializzati nella produzione di (14) .... beni per la persona o per la casa e nell'*industria alimentare*. Una recentissima ricerca di G. Viesti riferisce della presenza di 25 sistemi locali in (15) .... Italia meridionale: 6 sono localizzati in (16) .... Abruzzo, 7 in (17) .... Puglia, 8 in (18) .... Campania e uno ciascuno in (19) .... Molise, Basilicata, Sicilia.

Ben 11 producono (20) .... capi di abbigliamento, anche se con specializzazioni molto differenti; si va dalla maglieria di (21) .... Barletta, alla calzetteria del Sud del Salento, alla corsetteria di (22) .... Lavello. A (23) .... San Leucio operano (24) .... floride imprese che tessono (25) .... seta; nella zona di (26) .... Napoli e Teramo vengono segnalati 5 sistemi locali in cui si producono calzature e 2 sistemi locali specializzati nel settore della pelletteria. La zona di (27) .... Solofra è invece segnalata per (28) .... concia delle pelli; (29) .... Teramo viene annoverato per la produzione di mobili; alla zona di (30) .... Matera, infine, viene riconosciuto un primato indiscutibile nella produzione di salotti.

(31) .... risultati della ricerca di Viesti si integrano con le indagini condotte qualche anno fa da L. Bàculo sulle imprese di (32) .... Capodimonte, che realizzano (33) .... pregiatissime porcellane, e su quelle di (34) .... Cava dei Tirreni, specializzate, invece, nella produzione di piastrelle.

Il successo delle produzioni dei sistemi locali del Mezzogiorno su (35) .... mercati internazionali alimenta (36) .... aspettative per uno sviluppo finalmente autopropulsivo di (37) .... Sud Italia.

L'ultimo comunicato Istat sull'interscambio commerciale delle regioni del nostro Paese rileva, per l'anno 2000, una crescita di (38) .... esportazioni meridionali pari al 27,3.

All'aumento dell'indice di penetrazione su (39) .... mercati esteri si aggiunge, per (40) .... regioni del Mezzogiorno, un fenomeno nuovo: un timido ma incoraggiante processo di internazionalizzazione produttiva.

(adattato da http://www.re-set.it/documenti/0/400/480/489/rapporto.html)

2 Completa questo intervento a un forum coniugando i verbi al passato remoto o all'imperfetto, al trapassato prossimo (1 caso) e al condizionale passato (1 caso).

Ti faccio solo un esempio che ho vissuto in prima persona, per darti un'idea di come si vive a Napoli.

Avevo un'attività commerciale, messa su con esigui capitali e grandi sacrifici, che dava lavoro a diciassette persone (tutte in regola...).

Per portarla avanti dovevo fare i salti mortali, perché i miei concorrenti, oltre a evadere le tasse, si aiutavano con incendi fasulli e anche peggio (c'era chi (*comprare*) (1) .... a dilazione, (*vendere*) (2) .... per contanti sotto costo, e (*finanziare*) (3) .... il traffico di droga).

Ma noi combattevamo... Anche se, a fine anno, (*rendersi conto*) (4) .... che, pagate tutte le spese, non mi (*rimanere*) (5) .... niente.

Ci (*lasciare*) (6) .... tranquilli per due anni poi, quando ritennero che l'azienda (*rinforzarsi*) (7) .... abbastanza, (*cominciare*) (8) .... i tentativi di estorsione.

Inutile dire che, al primo tentativo, (*recarmi*) (9) .... immediatamente a sporgere denuncia...

La stessa sera, (*dare fuoco*) (10) .... alle porte del negozio e, la mattina dopo, mi telefonarono per dirmi che (*volere*) (11) .... solo avvertirmi e che, se avessi ancora contattato la polizia, la punizione (*essere*) (12) .... più dura.

Naturalmente li (*ignorare*) (13) .... e così una sera, mentre (*rincasare*) (14) .... in macchina, fui fatto segno di alcuni colpi di arma da fuoco.

Allora (*prendere*) (15) .... il porto d'armi e (*cominciare*) (16) .... ad andare in giro armato...

Intanto la polizia faceva del suo meglio, ne (*prendere*, loro) (17) .... anche uno, ma (*dovere*) (18) .... rilasciarlo.

E intanto (*cominciare*) (19) .... le rapine...

(*Mettere*, io) (20) .... una serie di telecamere in negozio e (*registrare*, noi) (21) .... una rapina. La polizia li prese, (*essere*) (22) .... tutti incensurati.

Dopo un breve periodo (*ricevere*) (23) .... la visita di un mio importante cliente.

Mi chiedeva di perdonare questi poveri ragazzi e, al mio rifiuto, (*perdere*) (24) .... il cliente e tutti quelli del suo "giro".

Su queste cose potrei scrivere un libro.

Ti basti sapere che hanno vinto loro. L'attività non ce l'ho più e ora faccio l'agente di commercio in un'altra città.

(da http://www.letterealdirettore.it/forum/testo/topic/1496-1.html)

Test

1 **Sostituisci le secondarie esplicite sottolineate con delle frasi implicite con il gerundio (semplice o composto) o il participio passato.**

1. Quale imprenditore serio aprirebbe una fabbrica al Sud <u>se deve pagare</u>, oltre alle tasse, anche il pizzo alla mafia?

2. Ma io continuavo a combattere <u>anche se mi rendevo conto</u> che, a fine anno, <u>dopo aver pagato</u> tutte le spese, non mi rimaneva niente.

3. Mi fa piacere sapere che <u>anche se vedi</u> la cosa "dal Sud" condividi.

4. Il padre, <u>dopo aver appreso</u> la notizia dalla località segreta dove si trovava, tentava di convincere la moglie a seguirlo, a portare via la bambina da Palermo.

5. Negli anni sessanta-settanta la mafia controlla il settore degli appalti pubblici, dell'edilizia privata e del sistema degli enti locali <u>e in questo modo ne trae</u> profitti enormi che verranno investiti negli anni settanta-ottanta nel traffico della droga e delle armi.

6. <u>Siccome mi sono battuto</u> di persona contro il *racket* delle estorsioni e dell'usura, posso affermare che occorre molto coraggio e fiducia nelle istituzioni.

7. <u>Dato che ho già letto</u> questo libro non te lo consiglio proprio.

8. <u>Se farà</u> un mese di mare vedrà che la sua asma migliorerà sensibilmente.

9. <u>Una volta che abbiamo chiarito</u> le condizioni, possiamo firmare il contratto.

→   /10 **punti**

2 **Completa queste frasi con l'articolo o la preposizione articolata, quando lo ritieni necessario.**

1. Tra le imputate del processo alla mafia delle Madonie c'erano quattro appartenenti alla famiglia mafiosa .... Andaloro e Giuseppina

Salvo, definita dai giornali "la regina" per il suo ruolo di spicco.

2. .... Avvocato Pesenti, La vogliono al telefono, è il direttore della BNL.

3. Ho incontrato .... signora De Capua sulle scale e mi ha detto che suo marito è all'ospedale.

4. Abbiamo letto alcune pagine interessanti del libro di .... Sciascia *Gli zii di Sicilia*.

→   /4 **punti**

3 **Completa queste frasi che contengono degli aggettivi e pronomi indefiniti coniugando i verbi all'indicativo o al congiuntivo.**

1. La mafia non bada all'appartenenza politica degli uomini che amministrano il territorio, corrompe chiunque (*potere*) .... favorire i suoi interessi economici.

2. Qualsiasi voto (*prendere*) .... agli esami, lo accettava pur di finire presto l'università.

3. Ciascun cittadino (*dovere*) .... collaborare con le forze dell'ordine se si vuole togliere consenso alla criminalità organizzata.

4. Marco conosceva gente interessante dovunque (*andare*) ....

5. Marina è inaffidabile: qualunque promessa vi (*fare*) .... non le credo.

→   /5 **punti**

4 **Metti la frase secondaria prima della principale.**

1. Sapevo che Dario aveva avuto tre figli dal matrimonio precedente.

2. È chiaro che ci vuole coraggio a non pagare il pizzo alla mafia.

3. Non è così noto che nel meridione ci sono degli importanti distretti industriali.

4. È un luogo comune che le donne meridionali abbiano un ruolo subalterno e passivo.

5. È un dato di fatto che la mafia affonda le sue radici nella cultura meridionale.

→ /5 punti

---

5 **Trasforma queste secondarie esplicite nelle secondarie implicite corrispondenti.**

1. Mi sono scottata perché sono rimasta al sole per troppe ore.

2. Sebbene abbia qualche chilo di troppo è ancora atletico.

3. Eri così concentrato che non mi hai neanche sentita entrare.

4. Legge sempre il giornale mentre va al lavoro in treno.

5. Dopo che avrò preparato la cena potrò finalmente rilassarmi un po'.

6. Anche se non è mai stato all'estero, parla molto bene il giapponese.

7. L'ho chiamata perché volevo ricordarle il suo appuntamento di domani.

8. Era così disperata che si è messa a piangere davanti a tutti.

→ /8 punti

---

6 **Completa queste frasi reggenti con una secondaria completiva con il *che* o con (*di*)+ infinito.**

1. Desideravo tanto (*diventare*, io) .... nonna e invece mia figlia non vuole avere bambini.

2. Il medico ha proibito a Sara (*alzarsi*, lei) .... dal letto.

3. Gradirei (*chiamarmi*, tu) .... quando sei arrivata all'aeroporto.

4. Si lamenta sempre (*sentirsi stanco*, lui) ....

5. Mi hanno promesso (*passare*, loro) .... a salutarmi entro oggi.

6. Tuo padre vuole solo (*avvertirlo*, tu) .... se non rientri la notte.

7. Anche in questa occasione ha negato (*avere torto*, lui) ....

8. Si era dimenticata (*aveva*, sua figlia) .... oggi l'esame di guida.

9. Quando ero piccola ero sempre molto triste (*non poter avere*, io) .... un cane tutto mio.

10. Sono contenti (*andare*, loro) .... ad abitare a Cagliari.

→ /10 punti

---

7 **Completa questo testo scegliendo tra le parole elencate:**

> profitto   le forze di polizia   estorsione
> attentati   edilizie   il pizzo
> imprenditore   intimidatorio

Abbiamo parlato di smercio di droga e di attività economiche legate alle imprese
(1) .... **. Le attività mafiose si svolgono anche in altri campi. Si parla tanto di "ecomafia". Queste organizzazioni come svolgono le loro attività in questi altri campi?**

L'ecomafia è la novità. Questo è un settore che gli ambientalisti hanno messo in evidenza. *Legambiente*, in particolare, ha fatto degli studi molto interessanti. Mi sembra che si sia scoperto veramente qualche cosa, che solo fino a poco tempo fa era abbastanza sconosciuto e si apre un nuovo grande tema alla risposta repressiva. Un'altra attività di cui non avevamo parlato è quella dell'**(2)** .... che è l'attività classica, anche perché è lo strumento attraverso il quale si garantisce il controllo del territorio, che è la base fondamentale del potere **(3)** .... della mafia. Il ricavato dell'estorsione, dal punto di vista economico, è notevolissimo. Nell'estorsione c'è un ricavato molto importante anche in termini di potere, perché l'imposizione del pizzo, in maniera capillare, dà una prevalenza all'organizzazione mafiosa, di presenza sul territorio, a discapito della presenza istituzionale. Se noi riuscissimo, attraverso (4) .... , ad avere un controllo del territorio, (5) .... non lo pagherebbe nessuno. La minaccia di (6) .... rimarrebbe tale se il controllo del territorio fosse perfettamente in mano alle istituzioni. Invece il pizzo è diventato

una sorta di polizza d'assicurazione che il povero (7) .... paga nei confronti del carnefice, affinché il carnefice non diventi tale. Questa possibilità che il carnefice diventi tale è legata al fatto che il controllo del territorio rimane ancora oggi il presupposto fondamentale della struttura di potere, che è una delle componenti essenziali dell'organizzazione criminale.
Quindi nell'estorsione non solo è importante l'aspetto del (8) .... che l'organizzazione consegue, ma è importante l'aspetto del potere che questo garantisce all'organizzazione: sono due cose che si saldano sempre.
(da http://www.emsf.rai.it/grillo/trasmissioni.asp?d=55)

→   /8 punti

→**punteggio totale**   /50 punti

Sintesi grammaticale

Modi non finiti: il gerundio

Forma

	I coniug.	II coniug.	III coniug.
gerundio presente	am-**a**-ndo	prend-**e**-ndo	part-**e**-ndo
gerundio passato	**avendo amato**	**avendo preso**	**essendo partito**

Il gerundio (il participio e l'infinito) vengono chiamati modi non finiti perché non hanno desinenze diversificate per persona.

Il gerundio passato si forma con l'ausiliare *essere/avere* al gerundio presente + il participio passato del verbo principale; è raro e limitato alla lingua scritta.

Uso

Il gerundio presente indica un momento **contemporaneo** a quello della frase principale, momento che può essere nel presente, passato o futuro; il gerundio passato indica un momento **anteriore** (che avviene prima) a quello della principale:

Leggendo imparo / ho imparato / imparerò molte parole nuove.

(mentre leggo / ho letto / leggerò, imparo / ho imparato / imparerò)

Avendo già letto questo libro, non te lo consiglio.

(prima l'ho letto, adesso non te lo consiglio)

Soggetti uguali

Di solito **il soggetto** del gerundio è **uguale** a quello della frase principale, mentre se i soggetti sono diversi è più comune trovare una frase secondaria esplicita:

Ho incontrato Mario, *andando* al lavoro. (io ho incontrato – io sono andato)

Ho incontrato Mario che andava al lavoro. (io ho incontrato – lui andava)

Si può usare il gerundio con **soggetti diversi** se:

▶ il soggetto diverso viene specificato

Mancando il mio collega, non posso prendermi il giorno libero.

▶ il soggetto è generico

Questa pianta cresce molto, *bagnandola* ogni giorno. (se *si* bagna)

Parlando molto, viene mal di gola. (se *si* parla)

▶ il verbo è impersonale

Avendo nevicato, non siamo potuti andare a scuola.

▶ il gerundio si riferisce a un complemento oggetto o a un complemento indiretto

Quando tornerò *la* troverò *piangendo*.

("che lei piange"); è preferibile evitare questa struttura ricorrendo al participio presente o a soluzioni alternative (La troverò piangente / che piange / in lacrime).

Il gerundio può essere usato con questi significati:

▶ temporale

Uscendo, ho incontrato Lucio. (= mentre uscivo)

▶ modale

I bambini imparano *giocando*. (= con il gioco)

▶ causale

Essendo stanca, non viene. (= siccome è stanca...)

▶ concessivo

Pur essendo stanca, viene a trovarci. (= benché sia stanca)

▶ ipotetico

Potendo scegliere, andrei a Cuba. (= se potessi scegliere)

Stare + gerundio indica imperfettività, l'azione nel suo svolgersi:

> *Sta dormendo. Stava sognando. Starà studiando.*

Andare/venire + gerundio indica un'azione ripetuta o protratta:

> *Va dicendo* in giro che si è laureata.
>
> Negli ultimi cinque anni *è venuto pubblicando* diversi libri.

Posizione dei pronomi

I **pronomi atoni** si mettono **dopo** il gerundio formando con esso una sola parola:

> *Parlandole* al telefono, non ho capito come stia veramente.
>
> *Avendola vista* per poco tempo, non so giudicare come stia.

Modi non finiti: il participio passato

Forma

I coniug.	II coniug.	III coniug.
parl-**ato**	cred-**uto**	sent-**ito**
lav-**ato**-si	sed-**uto**-si	divert-**ito**-si

Uso

Il participio passato può essere usato:

► come aggettivo

> La porta è *chiusa*, il candidato *eletto*

con i verbi transitivi ha valore passivo

> Non mi piace il risotto *riscaldato*. (*che è stato riscaldato*)

► come nome

> Dov'è l'*uscita*?

► può sostituire frasi secondarie; tale uso è più frequente nella lingua scritta che in quella parlata:

> Dopo che ha messo a letto i figli, la madre è uscita.
>
> *Messi* a letto i figli, la madre è uscita. (significato temporale)

> Ti risponderò appena avrò finito il corso.
>
> *Finito* il corso, ti risponderò. (significato temporale)

> Poiché si era stancata durante il giorno, non uscì la sera.
>
> *Stancatasi* durante il giorno, non uscì la sera. (significato causale)

Quando il **soggetto del participio** coincide con il soggetto della frase principale resta sottinteso; se invece è diverso da quello della frase principale, il soggetto del participio deve essere espresso:

> *Levatosi* il cappello, le ha fatto il baciamano. (lui si è levato – lui ha fatto)
>
> *Usciti* i figli, Marta si è riposata un po'. (i figli sono usciti – lei si è riposata)

Accordo

Se il participio passato è accompagnato da **un complemento oggetto diretto**, si accorda in genere e numero con esso:

> Dopo che avremo preparato la cena, potremo parlare.
>
> *Preparata* la cena, potremo parlare.

Se il verbo del participio è riflessivo si accorda in genere, numero con **il soggetto**:

> *Denudatosi*, è stato portato via dai carabinieri. (lui si è denudato)
>
> *Denudatasi*, è stata portata via dai carabinieri. (lei si è denudata)

Posizione dei pronomi

I **pronomi atoni** si mettono **dopo** il participio formando con esso una sola parola:

> *Sgridatala*, l'ha mandata subito a letto.
>
> *Speditomelo*, non si è più fatto sentire.

Modi non finiti: l'infinito

Forma

	I coniug.	II coniug.	III coniug.
infinito semplice	mangi-**are**	cred-**ere**	sent-**ire** / divert-**irsi**
infinito composto	**aver** mangi-**ato**	**aver** cred-**uto**	**aver** sent-**ito** / **essersi** divert-**ito/a/i/e**

L'**infinito composto** è formato dall'ausiliare opportuno all'infinito, seguito dal participio passato del verbo principale.

Uso

L'infinito composto si usa quando l'azione espressa dal verbo della frase secondaria è anteriore rispetto a quella della principale:

Mi scriveranno *dopo essere arrivati*. ("arrivare" viene prima di "scrivere")

Soggetti uguali

Di solito l'infinito si può usare in proposizioni secondarie quando **il soggetto della principale e della secondaria coincidono**:

Pensate *di essere* in ritardo? (voi pensate + voi siete in ritardo)

Sapete *di essere/che siete* in ritardo?

(l'infinito non è obbligatorio quando la frase secondaria – oggettiva, introdotta dalla congiunzione *che* – ha l'indicativo, mentre quando ha il congiuntivo, come nel primo esempio, lo è).

Si usa anche quando **i soggetti sono diversi**:

▶ con verbi di "comando" o "richiesta" come *concedere, ordinare, proibire, chiedere* (di solito accompagnati dal complemento oggetto indiretto a cui sono rivolti il comando e la richiesta):

Vi chiedo *di restituire* i libri. (io vi chiedo + voi restituite)

Il nostro sistema fiscale concede *di non pagare* le tasse. (il sistema fiscale concede + le persone non pagano)

▶ con verbi di percezione come *vedere, sentire* seguiti da un complemento oggetto diretto che coincide con il soggetto della frase secondaria:

Ho sentito i miei vicini di casa *urlare*. (io ho sentito – i miei vicini urlano)

L'infinito può avere diversi **significati**:

Ti telefonano *prima di partire*?	(temporale)
Ha perso l'aereo *per aver incontrato* un incidente nel tragitto per l'aeroporto.	(causale, perché ha incontrato...)
Sono qui *per parlare* con te.	(finale, al fine di parlare)
È così distratto *da dimenticarsi* il portafoglio.	(consecutiva)
Mi sembra troppo furbo *per aver detto* delle cose simili.	(consecutiva)
Mi annoierei *a stare* qui.	(ipotetico, se stessi qui)
Non entrava mai in casa *senza bussare* alla porta.	(esclusiva)

Posizione dei pronomi

I pronomi atoni si pospongono all'infinito che perde la vocale finale *-e* del verbo; con essi forma una sola parola:

Intendo dar**gliene** un paio. (*dare*)

Congiuntivo (cfr. Tavole grammaticali, pp. 475-483)

Uso Il congiuntivo è il modo che si usa in frasi **dipendenti** come segnale di significati genericamente **soggettivi** che di volta in volta vengono specificati mediante i predicati della frase principale (*spero, credo, temo, è possibile*). In generale possiamo dire che il congiuntivo è il modo della soggettività, della volontà, dell'incertezza, della possibilità. Con il congiuntivo **il soggetto della frase dipendente normalmente è diverso da quello della frase reggente**:

▶ soggetti diversi = congiuntivo
      Sandro (1° soggetto) spera che suo figlio (2° soggetto) *trovi* lavoro.

▶ stessi soggetti = *di* + infinito
      Sandro (1° soggetto) spera (1° soggetto = Sandro) *di trovare* lavoro.

Funzione pragmatica Nei testi di questa Unità abbiamo visto che:

▶ a volte il congiuntivo ha una **funzione pragmatica**, serve cioè a segnalare l'anticipazione della frase secondaria (completiva) rispetto alla frase principale; è un segnale, per chi ascolta, che la frase con cui si inizia il discorso è una secondaria e non una interrogativa o esclamativa come il *che* potrebbe far pensare:
      – frase principale + frase secondaria (ordine normale)
        La mafia sapeva che Falcone era pericoloso.
      – frase secondaria + frase principale (ordine marcato)
        Che Falcone *fosse* pericoloso, la mafia lo sapeva.
      (con *sapere e dire* si noti la ripresa con il pronome *lo*).
        Che non *sia* facile dire di no alla mafia, è chiaro.

Con indefiniti ▶ il congiuntivo si usa con i seguenti **aggettivi e pronomi indefiniti**:
      Qualsiasi film *si vada* a vedere, non ci vengo.
      Parlava con **chiunque** *incontrasse*.
      Qualunque *sia* il prezzo, lo compro.
      Non sarebbe stato contento **dovunque** *fossimo andati*.

Uso dell'articolo con i nomi di persona

Con i **nomi propri di persona** di solito l'articolo si omette:
      È già tornato *Sandro*?
      De Rossi insegnava a Perugia.
▶ nelle forme appellative
      Ciao, Carlo!
      Buongiorno *signora Mutti*.
      Prende un caffè, *dottor Bruni*?
Si usa l'articolo:
▶ quando il nome è determinato da un aggettivo, da una frase relativa restrittiva:
      Sono innamorata *del Sandro* avventuroso, espansivo, mentre non mi piace *il Sandro* che si arrabbia per niente, che è sgarbato.

▶ se si intende la famiglia:

Ho incontrato *i Rossi*. (la famiglia Rossi)

▶ con questi titoli si usa l'articolo, ma non nelle forme appellative:

Ho incontrato *il dottor Bruni*, *l'ingegner Sardi*, e *la signora Mutti*.

▶ nel registro familiare, soprattutto in alcune regioni del Nord:

Ho visto *la Anna*.

Con i cognomi di uomini illustri del passato spesso si usa l'articolo; tradizionalmente se si parlava di una donna l'articolo era obbligatorio, oggi non più; con personaggi moderni famosi di solito l'articolo non compare:

Abbiamo studiato *il Manzoni / Manzoni*.

Mi piace molto *la Morante / Morante*.

A Milano c'è una mostra di *Picasso*.

(Per l'uso dell'articolo con i **nomi di parentela** cfr. Unità 1, p. 30)

Secondarie implicite (sintesi)

Forma   Si chiamano implicite le secondarie che hanno il verbo al **modo indefinito**, cioè nella forma non finita, quindi all'**infinito**, al **gerundio** e al **participio**, mentre le secondarie esplicite hanno il verbo all'indicativo, congiuntivo e condizionale:

Lasciala *parlare*.

Anche *volendo* non posso proprio.

Rimasta sola, continuò a guardare la televisione.

secondaria esplicita	secondaria implicita
Penso che gli parlerò.	Penso di parlargli.
(verbo all'indicativo, congiuntivo, condizionale)	(verbo all'infinito, gerundio, participio)

Una secondaria esplicita risulta sempre più chiara, dal punto di vista grammaticale e semantico, della secondaria implicita corrispondente che non ha la marca della persona e del tempo.

Nella maggior parte dei casi per poter avere una secondaria implicita occorre che **il soggetto della principale e il soggetto della secondaria siano uguali**.

	Secondaria esplicita	Secondaria implicita
Soggetti uguali	(io) Penso che (io) gli racconterò tutto.	Penso di raccontargli tutto.
Soggetti diversi	(io) Penso che (tu) gli racconterai tutto.	(non è possibile la trasformazione nella secondaria implicita perché i soggetti sono diversi)

▶ **Identità di soggetti**

– Nelle secondarie <u>finali</u> se c'è identità di soggetti si può usare <u>solo</u> la forma implicita:

Ho studiato molto per superare l'esame. (soggetti uguali, sec. implicita)

Ho studiato molto perché tu possa essere soddisfatta di me. (soggetti diversi, sec. esplicita)

– Con le <u>causali</u>, le <u>concessive</u> e <u>alcuni tipi di completive</u> invece si può avere la forma esplicita anche con lo stesso soggetto:

Sono arrivato in ritardo perché ho perso la coincidenza. / Sono arrivato in ritardo per aver perso la coincidenza. (causale)

È caduto nonostante camminasse lentamente. / È caduto pur camminando lentamente. (concessiva)

Penso che partirò domani. / Penso di partire domani. (completiva)

Secondaria implicita causale	▶ *per* + infinito: Mi sono presa il raffreddore *per essere stata* in mezzo alla corrente. (....perché ero stata in mezzo alla corrente) ▶ *a/per il fatto di* + infinito: Hai ragione *ad essere* amareggiata per il suo comportamento. È contento *per il fatto di aver vinto* al lotto. ▶ gerundio: *Facendo* freddo si mise sciarpa e guanti. *Avendo vinto* il primo premio sono felice. ▶ participio passato: *Offeso* per la sua risposta, non le rivolsi più la parola.
Secondaria implicita finale (obbligatoria con soggetti uguali)	▶ *per* + infinito: Sono venute apposta *per parlarti*. ▶ *al fine di/ allo scopo di/ in modo di* + infinito Ho insistito *al fine di convincerlo. Allo scopo di tentare* una mediazione ha convocato le parti.
Secondaria implicita consecutiva (preferita ma non obbligatoria con soggetti uguali)	▶ *per* + infinito: È abbastanza intelligente *per comprendere* la situazione in cui ci siamo trovati. ▶ *da* + infinito: Era così affascinante *da attirare* l'attenzione di tutti.
Secondaria implicita concessiva	▶ *Pur/pure/anche* + gerundio: *Pur avendo* ragione ho preferito non insistere. *Anche andando* a 160 non riusciremo ad arrivare in tempo per l'inizio della partita.

▶ *Per* + infinito:

    Per essere così magra, ha una bella forza. *Per aver studiato* solo tre mesi se la cava bene con l'italiano.

▶ *Nemmeno a/neppure a/neanche a* + infinito (il verbo della frase reggente deve essere nella forma negativa):

    Non si trova un posto sul traghetto per la Sardegna *nemmeno a pagarlo* oro!

▶ *A costo di* + infinito:

    Andremo fino in fondo *a costo di* rimetterci del tempo e dei soldi.

Secondaria implicita condizionale	▶ gerundio
	
	    Applicandoti potresti ottenere risultati migliori.
	
	▶ participio passato
	
	    Lavata e stirata sarà perfetta per la serata.
	
	▶ *a* + infinito:
	
	    A guardarlo non si direbbe che sia malato.

Secondaria implicita temporale	**Contemporaneità**
	▶ gerundio (solo se i soggetti sono uguali)
	
	    Camminando, discutevamo.
	
	▶ *in* + infinito:
	
	    Nell'aprire ho sentito dei rumori e ho capito che c'era qualcuno in casa.
	
	Posteriorità
	▶ *dopo* + infinito composto (solo se i soggetti sono uguali)
	
	    Dopo aver finito i compiti potrai guardare la tv.
	
	▶ participio passato
	
	    Superata questa difficoltà tutto andrà per il meglio.
	
	Anteriorità
	▶ *prima di / fino a* + infinito:
	
	    Prima di partire voglio pulire la casa.
	
	    Mangiò *fino a star* male.

Completive con *che / di* + infinito	Sono completive quelle secondarie che svolgono rispetto alla frase principale la funzione di:
	
	▶ complemento diretto (oggetto)
	
	    Ti dico che è vero.
	
	▶ soggetto
	
	    Conviene che io vada.
	
	▶ complemento indiretto (obliquo)
	
	    Dubito di riuscire a venire.

Di solito se il soggetto della principale e quello della secondaria sono **diversi** si usa il *che* (con l'indicativo, il congiuntivo, il condizionale):

(io) Desidero che mia figlia sia felice.

Di solito se il soggetto della principale e quello della secondaria sono **uguali** si usa (*di*) + infinito:

(io) Desidero *essere* felice.
(io) Dichiaro *di aver già versato* la caparra.

Con alcuni predicati è possibile usare la secondaria con il *che* anche con soggetti uguali:

Afferma di essere innocente /che è innocente.

Con i predicati *comandare, concedere, impedire, ordinare, permettere, proibire, temere, vietare* si può avere la secondaria implicita anche se i soggetti non sono uguali:

Ordinò ai soldati di cessare il fuoco. (lui ordina – i soldati cessano)
Permetto ai bambini di guardare la televisione. (io permetto – i bambini guardano)

Anche i verbi di percezione come *vedere, ascoltare, guardare, sentire* hanno l'oggettiva implicita con l'infinito, anche se i soggetti sono diversi:

Sento cantare gli uccelli. (io sento – gli uccelli cantano)

ma si può anche dire:

Sento che gli uccelli cantano. (oggettiva esplicita)
Sento gli uccelli che cantano. (frase relativa)

Alcuni predicati che, con soggetti uguali, reggono **l'infinito** sono *desiderare, detestare, gradire, intendere, preferire, sembrare, volere*:

Detesto dovermi ripetere.
Gradisce rimanere.
Intendete fermarvi?
Preferisco rimandare.

Alcuni predicati che, con soggetti uguali, reggono ***di* + infinito** sono *contare, dichiarare, confidare, immaginare, meravigliarsi, rallegrarsi, ricordarsi, sperare*:

Conto di vederti presto.
Confido di finire entro domani.
Immaginavo di dover ripetere l'esame.
Si ricorda sempre di farmi gli auguri di Natale.

Alcuni predicati che, con soggetti uguali, reggono **sia *di* + infinito sia il *che*** sono *accorgersi, affermare, annunciare, comunicare, confessare, credere, dimenticarsi, dire, pentirsi, dubitare, giurare, ipotizzare, lamentarsi, negare, pensare, promettere, raccontare, riferire, ritenere, sapere, sospettare, sostenere, supporre*:

Non mi sono accorta di essermi ferita / che mi sono ferita.
Afferma di essere innocente /che è innocente.
Mi sono dimenticata di telefonarti / che ti dovevo telefonare.
Mi pento di non essere uscita / che non sono uscita.
Dubito di venire / che verrò.
Promise di impegnarsi / che si sarebbe impegnato.
Giovanna sa di essere brava / che è brava.

Canzone d'autore italiana

■ **Unità tematica**	– i cantautori italiani
■ **Funzioni e compiti**	– ristabilire i capoversi di un testo e riassumerlo
	– analizzare la lingua di una canzone
	– esprimere ipotesi
	– prendere appunti per scrivere un articolo-intervista
	– esprimere desideri e auguri, disgusto, dubbio
	– scrivere una canzone
	– scrivere un breve saggio
■ **Testualità**	– connettivi/segnali discorsivi del parlato (*appunto, diciamo, comunque, anzi, cioè*)
	– connettivi vari dello scritto formale (*anzi, nel senso che, sia pure*)
	– connettivi ipotetici e condizionali (*a patto che*)
	– connettivi e modi (ripasso)
	– connettivi e grado di formalità (ripasso)
■ **Lessico**	– analisi di parole derivate (ripasso)
	– trovare sinonimi o perifrasi
	– riconoscere e capire metafore e similitudini nelle canzoni
	– sfera semantica della "musica"
	– nomi di strumenti musicali (*clavicembalo, clarinetto*)
	– alcune interiezioni (*Oddio! Coraggio!*)
■ **Grammatica**	– periodo ipotetico (*se fossi un fiore sarei una rosa*)
	– congiuntivo indipendente (ottativo: *Magari vincessi!*)
	– nomi maschili in *-a* (*il poeta*)
■ **Strategie**	– riassumere dando titoli sintetici ai paragrafi
■ **Ripasso**	– posizione degli aggettivi
	– gerundio, participio, infinito

I testi delle canzoni presenti nell'unità non si trovano sul CD per problemi di diritti d'autore. Se l'insegnante vuole farle ascoltare deve procurarsele.

Entrare nel tema

▶ Avete mai sentito queste canzoni italiane? Provate a intonarne il ritornello con la classe e l'aiuto dell'insegnante.

> Volare oh oh / cantare oh oh oh oh/ nel blu dipinto di blu / felice di stare lassù
>
> (*Nel blu, dipinto di blu* di Domenico Modugno)

> Sapore di sale / sapore di mare / che hai sulla pelle / che hai sulle labbra / quando esci dall'acqua / e ti vieni a sdraiare / vicino a me, vicino a me
>
> (*Sapore di sale* di Gino Paoli)

> Caro amico ti scrivo
> così mi distraggo un po'
> e siccome sei molto lontano
> più forte ti scriverò.
>
> (*L'anno che verrà* di Lucio Dalla)

> Azzurro il pomeriggio è troppo azzurro e lungo per me / mi accorgo di non avere più risorse senza di te / e allora io quasi quasi prendo il treno e vengo vengo da te / ma il treno dei desideri nei miei pensieri all'incontrario va
>
> (*Azzurro* di Adriano Celentano)

> Che bello è, quando c'è tanta gente / e la musica, la musica ci fa stare bene / è una libidine / è una rivoluzione / quando ci si può parlare, con una canzone / Ciao mamma guarda come mi diverto
>
> (*Ciao mamma* di Jovanotti)

▶ Che manifestazioni canore italiane conoscete? Avete mai visto nel vostro paese un concerto di qualche cantante italiano? Che cantanti italiani conoscete? Sapreste dire chi sono questi?

SANREMO:
VASCO, BAGLIONI, RAMAZZOTTI E ZERO IN LIZZA PER IL PREMIO ALLA CARRIERA

Secondo quanto riportato dall'Agenzia AGI, il premio alla carriera che verrà assegnato durante il prossimo Festival di Sanremo ha quattro candidati: Vasco Rossi, Claudio Baglioni, Eros Ramazzotti e Renato Zero. Sempre secondo l'agenzia, inizialmente sarebbero stati considerati anche Mina e Adriano Celentano, che però non hanno dato la loro disponibilità.

(da www.musicaitaliana.com/news
30 novembre 2003)

1 Leggere

Ristabilire i capoversi e riassumere

A Lavorate in coppia e provate a rispondere alle domande.

1. Chi sono i cantautori?
2. Ce ne sono di famosi nel vostro Paese?
3. Ne conoscete qualcuno di italiano?

B Lavorate in coppia. Uno di voi legge i primi 4 paragrafi e l'altro quelli restanti di questo testo che ripercorre la storia della canzone d'autore italiana in particolare dal punto di vista linguistico. Nel testo sono stati tolti i capoversi. Nel leggere il testo cercate di ristabilirli (indicandoli come nell'esempio con una barra trasversale) e di trovare un titolo sintetico che riassuma il contenuto di ciascun paragrafo che avete individuato. Poi, seguendo i titoli che avete dato a ciascun paragrafo, riassumete le informazioni principali al vostro compagno.

La canzone d'autore

Luigi Tenco.

I. LA SCUOLA GENOVESE

Luigi Tenco, genovese d'adozione, inizia a comporre e a suonare musica negli anni Cinquanta a Milano insieme a Gino Paoli, Endrigo e De André (originari di Genova), tutti esponenti di quella "scuola genovese" nata dal desiderio di rinnovare il repertorio canzonettistico di quegli anni alla maniera degli *chansonnier* d'oltralpe (Brel e Brassens su tutti) attraverso parole, musiche e temi nuovi. Nelle canzoni di Tenco si cercano parole nuove per parlare d'amore e affiorano poi, in alcuni testi, temi che saranno propri della canzone di protesta, censurati dalla RAI nel 1962 per la loro carica anticonformista. Nella storia della canzone italiana i suoi brani segnano uno spartiacque tra il vecchio e il nuovo, accentuato dal gesto clamoroso con cui il cantautore si tolse la vita, nel 1967, all'indomani dell'esclusione dal Festival di Sanremo della sua *Ciao amore ciao*. Ai benpensanti Fabrizio De André si rivolge con quella che alcuni hanno definito "costante ironica"; ironica sarà la rielaborazione del Medioevo (con il testo *Carlo Martello ritorna dalla battaglia di Poitier*), la messa in musica del noto e dissacrante sonetto di Cecco Angiolieri *S'i' fossi foco arderei lo mondo*. Nel corso della sua lunga carriera, De André ha costantemente rielaborato in forma personalissima materiali attinti da diversi poeti, come per esempio Umberto Saba dal quale ha ripreso *Città vecchia* nella canzone omonima. Nei suoi testi si muovono figure d'intensa umanità, come la bimba che impara il "mestiere", o i pensionati all'osteria che cercano "la felicità dentro ad un bicchiere", un mondo di purezza al quale contrappone la meschinità di quello perbene del "vecchio professore" che dilapida mezza pensione con

5

10

15

20

25

[note a margine:] Luigi Tenco, scuola genovese, ?le e temi nuovi, si suicida protesta

→

una prostituta, da lui ufficialmente chiamata "con disprezzo pubblica moglie". "Vittime di questo mondo" sono per il cantante genovese anche coloro che muoiono combattendo una guerra non loro, come Piero della canzone *La guerra di Piero*. Lo schema metrico di questi brani è quello della ballata, lo stesso di *Bocca di Rosa* e di tante altre canzoni, scandito dai ritmi allegri della mazurka, impreziosito da immagini metaforiche e dall'uso frequente del passato remoto, tempo in declino nell'italiano comune e molto raro nei testi musicati, tranne in quelli di Dalla e Battiato. Tra i cantautori genovesi andrà ricordato, *last but not least*, Gino Paoli, quello che più spesso si è occupato d'amore, sebbene mostrasse nei suoi primi concerti atteggiamenti molto anticonvenzionali. I suoi però sono amori particolari, come quello del *Cielo in una stanza* (portato al successo da Mina), condiviso con una prostituta che è capace di regalare emozioni più tenere e sincere delle donne perbene.

2. LA CANZONE POLITICA

Tra la fine degli anni Sessanta e gli inizi degli anni Settanta la frenesia di partecipazione alla vita politica e sociale coinvolse tutti gli ambiti della produzione artistica inclusa la canzone. Pierangelo Bertoli, il cui primo album *Eppur soffia* è del 1977, appartiene alla seconda stagione della canzone impegnata. Importante nei suoi testi, il continuo richiamo all'ideale della libertà, al desiderio di andare al di là del luogo comune e dell'aridità dei pregiudizi, recuperando – come la migliore tradizione della canzone d'autore – tutte quelle figure di reietti e di emarginati capaci più di altri di sincera umanità. Bertoli, dando voce all'operaio che è in lui, canta "per la strada" le sue canzoni fatte di cose, di immagini a volte dure, di parole semplici e colloquiali. Tema trattato in *Eppur soffia* è lo scempio ecologico che proprio in quegli anni emergeva alla coscienza collettiva. Un altro cantautore impegnato di area padana (bolognese) è Lucio Dalla, nei cui testi ci sono quasi sempre una storia narrata al passato remoto, il ricorso a similitudini e metafore inconsuete ("la luna è una palla e il cielo il biliardo", "il mio cuore è rotto come uno specchio") e le incursioni continue del discorso diretto ("sapere invece che domani *ciao come stai* una pacca sulla spalla e via") che culminano in una vera e propria lettera nella canzone *L'anno che verrà* ("Caro amico ti scrivo così mi distraggo un po'...").

3. CANTAUTORI PROFESSORI

Un grande interprete della nuova maniera di scrivere canzoni inaugurata da De André è Francesco Guccini. In tutta la produzione gucciniana è costante una chiara volontà di denuncia politica; basti pensare che *Canzone per Silvia* (1993), dedicata a Silvia Baraldini*, continua a tutt'oggi la linea denun-

---

* Silvia Baraldini è stata condannata nel 1984 a 43 anni di carcere negli Stati Uniti per reati terroristici. Non ha mai ucciso, ma ha sempre rifiutato di collaborare con la giustizia americana. Dal 2000 le è stato concesso di scontare il resto della pena in un carcere italiano.

→

Francesco Guccini.

ciataria degli esordi . Ma Guccini è essenzialmente un giullare d'età moderna, come lui stesso ama definirsi. *La canzone dei dodici mesi* è una vera e propria ripresa da un poeta 65 medievale, quindi anche in lui, come in De André, c'è la raffinata ripresa di un Medioevo tutto intellettuale di donne, taverne e dadi. Guccini usa i propri strumenti culturali, il linguaggio colto e recuperato dal passato, l'ironia per denunciare le debolezze di un mondo al bivio. Inoltre, uno dei tratti che mag- 70 giormente caratterizza la sua opera è la necessità di trovare la rima ad ogni costo, dovuta a suggestioni duecentesche e alle narrazioni dei cantastorie. Roberto Vecchioni rappresenta il secondo aspetto della canzone d'autore "coronata". Se per Guccini la cura linguistica dei testi serve per vestire l'abito del chierico vagante, in Vecchioni i continui riferi- 75 menti culturali e la ricerca costante dell'"antico" diventano in realtà ripiegamento su di sé, dialogo interiore con un io che si specchia nei personaggi rappresentati. I richiami al mondo della scrittura e dell'arte sono incessanti. Anche a voler leggere i soli titoli (*Aiace, Alighieri, Euridice*) ci si accorge che le composizioni di Vecchioni affondano le proprie radici nella letteratura e nel- 80 la poesia di ogni tempo. Il gusto per l'accumulo erudito – per esempio le citazioni si rincorrono a un ritmo frenetico – è soprattutto collegato con la necessità di salvaguardare la memoria, i ricordi e le frasi dei padri.

4. LA SCUOLA ROMANA

La scuola romana, se di scuola vera e propria si può parlare, è incarnata, 85 nell'immaginario canzonettistico, dal Folkstudio, il locale di Trastevere*, palestra di cantautori negli anni Sessanta, luogo di culto dove suonò anche Bob Dylan. Qui nascono professionalmente Francesco De Gregori e Antonello Venditti. Il loro sodalizio artistico si concretizza nel 1972 con un disco inciso assieme, momento culminante di un legame successivamente allentato. 90 Da allora, infatti, i due artisti hanno percorso strade progressivamente diverse. De Gregori ha perseguito l'impegno sociale, attraversando prima l'ermetismo e poi il didascalismo , senza mai passare per la comunicabilità, come lui stesso ha dichiarato. La sua lingua ricca di immagini e metafore forbite si fonda su un continuo doppio gioco tra storia e cronaca, tra uni- 95 versale e particolare ("a giocare con il nero perdi sempre" notiamo l'accostamento tra il gioco degli scacchi e il nero dei fascisti). Venditti, invece, s'è allontanato dall'alveo di una canzone nutrita di elementi stilisticamente e contenutisticamente *folk*, per sfociare nel grande mare della musica commerciale. La sua è una lingua molto più colloquiale e prevedibile, con l'uso anche del 100 romanesco filtrato dall'italiano, in canzoni come *Roma capoccia, Campo dei fiori* e una forte propensione per la ripetizione ("Lilly Lilly Lilly Lilly Lilly Lilly Lilly Lilly Lilly quattro buchi nella pelle").

* Trastevere, noto quartiere di Roma.

→

5. RIVOLUZIONE SESSUALE E RESTAURAZIONE AMOROSA

L'area romana ha visto crescere negli anni Settanta anche due cantanti che   105
senz'altro possono essere definiti uno l'opposto dell'altro, essendo uno il dissacratore buffonesco della canzone d'amore, pronto a burlarsi , anche linguisticamente, dei temi ancora tabuizzati del sesso sfrenato contrapposto al
sentimento; rappresentando l'altro il suo contraltare, con testi improntati alla colloquialità, al romanticismo di riuso, ai toni patetici dell'innamora-   110
mento adolescenziale. I due artisti sono Renato Zero e Claudio Baglioni. Renato Zero divenne, sul finire degli anni Settanta, un vero e proprio fenomeno di costume: scandalizzò i perbenisti e deliziò i suoi ammiratori, i famosi
sorcini, in seguito alla stesura della canzone *I figli della topa*. Le canzoni di Zero risentono di una matrice teatrale e dialogica, determinata da un profondo   115
e sentito rapporto con il pubblico, al quale Zero si presenta come un venditore di poesia, artista di piazza o da circo.

6. AUTORI COSMOPOLITI

Nel panorama italiano della canzone d'autore la produzione musicale di
alcuni interpreti costituisce, per certi versi, una "somma di casi isolati" non   120
riconducibili a nessuna scuola e a nessuna area specifica. L'amore di Paolo
Conte per la musica e per il jazz in particolare è molto precoce. Comincia a
scrivere testi o musiche per noti interpreti della musica leggera italiana, primo fra tutti Adriano Celentano, che nel 1968 porta al successo *Azzurro*. Tutto questo però senza trascurare gli studi e laureandosi in legge. Le sue can-   125
zoni dal '79 prediligono un lessico raro e prezioso, di gusto un po' *retrò* e di
grande potere evocativo di atmosfere e di mondi che contestualizzano la canzone. Spesso ricorre a parole inglesi legate al mondo del jazz e del blues,
francesi e spagnole, sempre irretito dal fascino dell'esotismo. Nel panorama

del cantautorato nazionale Franco Battiato è un pro-   130
tagonista di primo piano ma del tutto atipico, sia
per l'originalità del percorso musicale sia per l'attuale punto di approdo . Le sue origini siciliane
spiegano, almeno in parte, il carattere cosmopolita
della sua ricerca linguistica, musicale e tematica, in   135
cui convergono esperienze culturali diverse tra moderno e antico, Oriente e Occidente. Dalle canzo-
nette intelligenti alle grandi canzoni spirituali, i te-

Franco Battiato.

mi dei suoi testi sono del tutto originali e antitradizionali; il suo interesse
s'incentra su motivi mistici, temi filosofico- esoterici , riflessioni sul presen-   140
te e sul passato millenario. L'amore, nei pochissimi casi in cui è trattato, ri-
fugge da qualsiasi cliché linguistico e contenutistico. Il ricorso alle lingue
straniere, antiche e moderne, è invadente. Si va dal latino ecclesiastico al tedesco, all'inglese, al francese, all'arabo, allo spagnolo, talvolta mescidate assieme senza soluzione di continuità, usate per puro divertimento.   145

7. I GIOVANI

Tra la fine degli anni Ottanta e i primi anni Novanta emerge una nuova generazione di cantautori, accomunati non solo da ragioni anagrafiche ma anche dall'iter artistico, che inizia con la partecipazione al Festival di Sanremo, nella categoria Nuove Proposte. Si tratta in quasi tutti i casi di cantautori "impuri", nel senso che i testi nascono molto spesso dalla collaborazione con altri autori. Alcuni di questi giovani si contrappongono ironicamente ai padri, apostrofati come *santautori*. Cantautore, soprattutto inizialmente, di "quelli che sono allo sbando" e promotore del vitalismo moralistico dei *nuovi eroi*, dei ragazzi di oggi che cercano "una terra promessa", Eros Ramazzotti parla una lingua estremamente semplificata, povera nel lessico e nella sintassi, ricca di tratti tipici del parlato popolare: una lingua insomma che è l'esatto contrario di quella dei *santautori*, non più frutto di rielaborazioni e creazioni personali, ma specchio diretto della realtà giovanile, insieme variegato di linguaggi mediatici, quasi un *patchwork* di modernità e tradizione. Si assiste anche all'ampia incursione del filone erotico. L'atto sessuale e i dettagli anatomici vengono sovente esplicitati riprendendo frasi e figure già codificate dai mass media, ed entrate a far parte del linguaggio corrente. Una trasformazione avvenuta nell'arco di pochi anni se si pensa che solo nel 1972 la censura aveva modificato un verso – tutto sommato pudico – di *Questo piccolo grande amore* di Baglioni, sostituendo "la voglia di essere nudi" con "la voglia di essere soli". Cantautori a pieno titolo sono invece Luca Carboni e Luca Barbarossa. Carboni esordisce nell'ambiente musicale bolognese anche grazie al sostegno di Lucio Dalla e ottiene già con il primo album una grande popolarità, in particolare con la sua canzone *Ci vuole un fisico bestiale*. Il romano Barbarossa ha partecipato più volte al Festival di Sanremo, vincendo l'edizione del 1992 con *Portami a ballare*. Risalta nei suoi testi il legame con Roma, alla quale sono dedicate o riferite alcune canzoni note, come *Roma spogliata* o *Via Margutta*. Non manca un certo gusto per il descrittivismo minimalista, insieme alla tematica amorosa, anch'essa costante.

8. VORREI LA PELLE NERA

In Italia, dopo i tentativi pionieristici (di fine anni Sessanta) di alcuni gruppi, verso la metà del decennio successivo vennero le incursioni nel blues di un *rockman* per eccellenza, Edoardo Bennato. L'apertura definitiva alla musica nera si ebbe alla fine degli anni Settanta, con la ricca scuola napoletana, che ha in Pino Daniele il suo esponente di maggior rilievo, e con la riscoperta del *Rhythm and Blues*, di cui Zucchero Fornaciari è il personaggio più rappresentativo. Gli artisti napoletani hanno trovato e vantato una sorta di parentela coi "neri" e con gli uomini del Sud del mondo, uniti da povertà, sfruttamento, condizioni climatiche svantaggiose, amore-odio verso i luoghi natali. Il "nero" italiano non canta una lingua sola, ma più lingue mescolate insieme. In musicisti partenopei come Pino Daniele si amalgamano essenzialmente tre ingredienti: italiano, inglese e napoletano.

150

155

160

165

170

175

180

185

(adattato da Accademia degli Scrausi, *Versi rock, la lingua della canzone italiana negli anni '80 e '90*, Rizzoli, Milano 1996)

2 **Lessico**

A Collega le parole tratte dall'articolo di pp. 431-435 con i loro sinonimi.

Roberto Vecchioni.

Zucchero.

☐ 1. d'oltralpe   a. legame
☐ 2. affiorano   b. presi, tratti
☐ 3. spartiacque   c. francesi
☐ 4. benpensanti   d. tendenza a poesia oscura, di non facile interpretazione
☐ 5. attinti   e. spirituali
☐ 6. dilapida   f. una differenza netta
☐ 7. frenesia   g. penetrazioni
☐ 8. reietti   h. conformisti, borghesi
☐ 9. scempio   i. chiamati con sdegno
☐ 10. incursioni   j. sperpera, consuma
☐ 11. esordi   k. colto, dotto
☐ 12. giullare   l. tendenza a componimenti moralistici
☐ 13. chierico   m. lamentosi e malinconici
☐ 14. erudito   n. arrivo
☐ 15. sodalizio   o. deridere
☐ 16. ermetismo   p. cantastorie
☐ 17. didascalismo   q. uomo di studi e cultura
☐ 18. forbite   r. inizi
☐ 19. burlarsi   s. esclusi
☐ 20. patetici   t. disastro
☐ 21. approdo   u. eleganti
☐ 22. esoterici   v. emergono
☐ 23. ecclesiastico   w. entusiasmo, smania
☐ 24. mescidate   x. casto
☐ 25. apostrofati   y. religioso
☐ 26. pudico   z. mescolate

B Analizza alcune parole derivate presenti nel testo di pp. 431-435; trova la parola base dalla quale derivano i suffissi o prefissi con cui sono formate; cerca inoltre per ciascuna parola un sinonimo o una perifrasi appropriati.

ESEMPIO

▶ (riga 31) *impreziosito*: Agg. *prezioso* → V con prefisso *in-* + *-ire* → *impreziosire* "rendere prezioso"

1. (riga 11) anticonformista ....
2. (riga 18) dissacrante ....
3. (riga 24) purezza ....
4. (riga 24) meschinità ....
5. (riga 35) anticonvenzionali ....
6. (riga 45) aridità ....
7. (riga 53) inconsuete ....
8. (riga 60) gucciniana ....
9. (righe 62-63) denunciataria ....

□ 10. (riga 72) duecentesche ....

□ 11. (riga 73) cantastorie ....

□ 12. (riga 78) incessanti ....

□ 13. (riga 85) incarnata ....

□ 14. (riga 90) allentato ....

□ 15. (righe 106-107) dissacratore ....

□ 16. (riga 107) buffonesco ....

□ 17. (riga 108) tabuizzati ....

□ 18. (riga 108) sfrenato ....

□ 19. (riga 109) contraltare ....

□ 20. (riga 129) irretito ....

□ 21. (riga 131) atipico ....

□ 22. (riga 140) s'incentra ....

□ 23. (riga 148) accomunati ....

□ 24. (righe 150-151) impuri ....

□ 25. (riga 160) mediatici ....

□ 26. (riga 177) pionieristici ....

□ 27. (riga 181) riscoperta ....

C Come è formato e che cosa significa il neologismo compositivo che trovi in corsivo?

(righe 152-153) Alcuni di questi giovani si contrappongono ironicamente ai padri, apostrofati come *santautori*.

D Spiega con tue parole che cosa significa l'espressione sottolineata:

(righe 174-175) Non manca un certo gusto per il descrittivismo minimalista, insieme alla tematica amorosa, anch'essa costante.

E Sottolinea le espressioni metaforiche che ci sono in queste frasi prese dal testo di pp. 431-435 e di' che legame di significato c'è tra i concetti.

ESEMPIO

▶ Roberto Vecchioni rappresenta il secondo aspetto della canzone d'autore "coronata". (canzone cantata da un autore cinto di corona, cioè insignito di un titolo; cfr. il titolo del paragrafo "Cantautori professori")

1. (righe 74-75) Se per Guccini la cura linguistica dei testi serve per vestire l'abito del chierico vagante [...]

2. (righe 85-89) La scuola romana, se di scuola vera e propria si può parlare, è incarnata, nell'immaginario canzonettistico, dal Folkstudio, il locale di Trastevere, palestra di cantautori negli anni Sessanta, luogo di culto dove suonò anche Bob Dylan. Qui nascono professionalmente Francesco De Gregori e Antonello Venditti.

3. (righe 97-100) Venditti, invece, s'è allontanato dall'alveo di una canzone nutrita di elementi stilisticamente e contenutisticamente *folk*, per sfociare nel grande mare della musica commerciale.

3 Ascoltare

›9 "Cantautori italiani"

CD2

Due giovani studenti parlano di uno dei più noti cantautori italiani, Fabrizio De André.

A Prima di ascoltare il dialogo, leggi la prima strofa di una delle sue più famose canzoni e prova a fare ipotesi su chi sia il personaggio cantato nella ballata.

La chiamavano Bocca di Rosa
metteva l'amore, metteva l'amore
la chiamavano Bocca di Rosa
metteva l'amore sopra ogni cosa.

B Ascolta il dialogo e prendi appunti per completare la griglia.

FABRIZIO DE ANDRÉ	
BIOGRAFIA	
famiglia	....
ambiente di socializzazione	....
carattere	....
TEMATICHE RICORRENTI	....
	....
TEMI TRATTATI NELLE CANZONI CITATE	
Bocca di Rosa	....
Il testamento di Tito	....
Hotel Sopramonte	....
USO DEL DIALETTO	
Zirichiltaggia ("Lucertolaio")	....
Don Raffaé	....
*Creuza de mä**	....

* "Sentiero che sbocca sul mare".

C Decidi se le seguenti affermazioni sono vere (V) o false (F).

	V	F
1. De André usa il dialetto per ricercare le sue radici.	☐	☐
2. Per De André l'uso del dialetto nasce da una lunga ricerca di sonorità differenti del mondo mediterraneo.	☐	☐
3. Col successo conquistato negli anni la sua musica si commercializza.	☐	☐
4. Dopo l'esperienza del rapimento viene meno il suo legame con la terra sarda.	☐	☐
5. La sua attenzione per il mondo degli emarginati nasce come reazione al perbenismo della sua famiglia.	☐	☐
6. Un tema ricorrente nelle sue canzoni è la brama del piacere.	☐	☐

4 | Leggere

Analizzare la lingua di una canzone

A Ascolta e/o leggi questa canzone di Fabrizio De André, *Bocca di Rosa*, e scrivi in sintesi nello spazio a p. 440 la storia che viene cantata.

Bocca di Rosa

La chiamavano Bocca di Rosa
metteva l'amore, metteva l'amore
la chiamavano Bocca di Rosa
metteva l'amore sopra ogni cosa.

Appena scesa alla stazione   5
del paesino di Sant'Ilario
tutti s'accorsero con uno sguardo
che non si trattava d'un missionario.
C'è chi l'amore lo fa per noia
chi se lo sceglie per professione   10
Bocca di Rosa né l'uno né l'altro,
lei lo faceva per passione.

Ma la passione spesso conduce
a soddisfare le proprie voglie
senza indagare se il concupito   15
ha il cuore libero oppure ha moglie.
E fu così che da un giorno all'altro
Bocca di Rosa si tirò addosso
l'ira funesta delle cagnette
a cui aveva sottratto l'osso.   20
Ma le comari di un paesino
non brillano certo in iniziativa
le contromisure fino a quel punto
si limitavano all'invettiva.

Si sa che la gente dà buoni consigli   25
sentendosi come Gesù nel Tempio
si sa che la gente dà buoni consigli
se non può più dare cattivo esempio.

Così una vecchia mai stata moglie
senza mai figli, senza più voglie   30
si prese la briga e di certo il gusto
di dare a tutte il consiglio giusto.
E rivolgendosi alle cornute
le apostrofò con parole argute
"Il furto d'amore sarà punito – disse –   35
dall'ordine costituito".

E quelle andarono dal commissario
e dissero senza parafrasare:
"Quella schifosa ha già troppi clienti
più d'un consorzio alimentare".   40

Ed arrivarono quattro gendarmi
con i pennacchi, con i pennacchi
ed arrivarono quattro gendarmi
con i pennacchi e con le armi.
Il cuore tenero non è una dote   45
di cui sian colmi i carabinieri
ma quella volta a prendere il treno
l'accompagnarono mal volentieri.

Alla stazione c'erano tutti
dal commissario al sagrestano   50
alla stazione c'erano tutti
con gli occhi rossi e il cappello in mano.

A salutare chi per un poco
senza pretese, senza pretese
a salutare chi per un poco   55
portò l'amore nel paese.
C'era un cartello giallo con una scritta nera
diceva: "Addio Bocca di Rosa
con te se ne parte la primavera".

Ma una notizia un po' originale   60
non ha bisogno di alcun giornale
come una freccia dall'arco scocca
vola veloce di bocca in bocca.

E alla stazione successiva
molta più gente di quando partiva   65
chi manda un bacio chi getta un fiore
chi si prenota per due ore.
Persino il parroco che non disprezza
fra un *miserere* e un'estrema unzione
il bene effimero della bellezza   70
la volle accanto in processione.

E con la Vergine in prima fila
e Bocca di Rosa poco lontano
si porta a spasso per il paese
l'amore sacro e l'amor profano.   75

La canzone Bocca di Rosa racconta la storia dell'arrivo nel paesino di Sant'Ilario di...

FABRIZIO DE ANDRÉ
VOL.1

PREGHIERA IN GENNAIO ● MARCIA NUZIALE ● SPIRITUAL
SI CHIAMAVA GESU' ● LA CANZONE DI BARBARA ● VIA DEL CAMPO
LA STAGIONE DEL TUO AMORE ● BOCCA DI ROSA ● LA MORTE
CARLO MARTELLO RITORNA DALLA BATTAGLIA DI POITIERS

B **Riascolta e/o rileggi il testo della canzone più volte per svolgere i compiti che seguono.**

1. Completa la lista dei personaggi che "vivono" nella canzone:

   – Bocca di Rosa ....

   – le comari del paesino ....

   – una vecchia zitella ....

2. Qual è secondo te il personaggio che De André ha descritto nel modo più efficace o originale, insomma che ti ha più colpito? Perché?

   ....

3. Sottolinea tutte le parti della canzone in cui viene descritta Bocca di Rosa.

   ESEMPI

   ▶ (riga 4) metteva l'amore sopra ogni cosa   ▶ (riga 8) non si trattava d'un missionario

4. Trova nel testo le metafore usate da De André per parlare di:

   – mogli tradite, "le cornute" ....

   – tradimento ....

5. Trova nel testo le similitudini usate da De André per descrivere:

   – l'abitudine di dare consigli agli altri ....

   – il tam tam, il passaparola ....

6. Questa canzone è una ballata, cioè una composizione poetica di origine popolare, originariamente legata al canto e alla danza. Se ci sono delle rime, sottolineale.

   ESEMPIO

   ▶ (righe 64-67) E alla stazione success<u>iva</u>   chi manda un bacio chi getta un f<u>iore</u>
   molta più gente di quando part<u>iva</u>   chi si prenota per due <u>ore</u>.

5 Leggere

Esplorare la grammatica

A Leggi il testo della canzone e rispondi alle domande confrontandoti poi con il resto della classe.

1. A chi si rivolge Renato Zero?
2. Che cosa significano le metafore "mercante di stelle" e "mercante di realtà"?
3. Nella canzone vengono citati due luoghi, quali? Sono reali o metaforici?
4. E tu vorresti essere un "mercante di realtà" o "di stelle"?

Se l'insegnante ha la possibilità di procurarsi le canzoni, ascoltale e svolgi le attività che seguono.

Il mercante di stelle
di Renato Zero

Se vuoi credere in me devo dirti che io
sono solo un mercante di stelle,
con le oneste bugie e la finta realtà
di un ragazzo che mai sarà grande.
Sono fatto così è più forte di me   5
perché sono un mercante di stelle,
certe astuzie oramai non aiutano più
e mi perdo così nel disagio che vivi anche tu.
Per questo sono qui
in questo luna park con tutti i sogni tuoi,   10
e non ricordi più però ci sei anche tu
e adesso che lo sai rimani finché vuoi,
perché io non sarò...
Perché non sarò mai...
Mercante di realtà.   15

Questa ingenua allegria ci fa bene però

non è l'unica cosa importante,
certe volte è così e non è colpa tua
se la vita confonde le carte...
Resta quello che sei, non arrenderti mai   20
che nessuno è mercante di stelle,
siamo uguali lo sai ma lo faccio per te
per poi creder anch'io che ogni male guarisca da sé
Tu non restare lì
in quella galleria che non ti vedo più,   25
imbroglialo anche tu quel buio che non ha
la nostra fantasia,
la nostra libertà,
non rimanere più nel vuoto che non ha
perché non sei così...   30

E dirti una bugia non mi spaventa sai!
Ma mi spaventi tu se ti rassegnerai,
con la vigliaccheria di chi non ce la fa
di chi si ferma lì, lasciandosi a metà,
lasciandosi così...   35
Lasciandomi così...
Mercante di realtà...

B Leggi il testo della canzone di Mina, sottolinea le metafore e le similitudini e spiegale. Poi confrontati con il resto della classe.

Non credere
Da *Minantologia* di Mina

No, no, no
non crederle,
non gettare nel vento
in un solo momento
quel che esiste tra noi.   5
No, no, no
ascoltami,
tu per lei sei un giocattolo
il capriccio di un attimo
e per me sei la vita.   10
Se lei ti amasse io,
se lei ti amasse io
saprei soffrire e anche morire
pensando a te.

Ma non ti ama, no   15
lei non ti ama, no
ed io non voglio vederti morire
morire per lei.
No, no, no
non crederle,   20
non gettare nel vento
in un solo momento
quel che esiste tra noi.
Se lei ti amasse io,
se lei ti amasse io   25
saprei soffrire ed anche morire
pensando a te.
Ma non ti ama, no
lei non ti ama, no
lei non ti ama, no   30
ed io non voglio vederti morire
morire per lei.

C Leggi il testo della canzone e rispondi alle domande confrontandoti poi con il resto della classe.

E mi ribello
(Ramazzotti – Cassano – Ramazzotti – Cogliati)

Questa notte senza te non vuole più finire
solo se trovassi un sogno me ne andrei a dormire.
È stato facile
lasciarti perdere
ma non è facile   5
perdere me...
Hai lasciato nelle mie mani
il segno delle tue labbra
ma se adesso stringo i pugni
scappa via come sabbia.   10
Devo combattere
devo resistere
io posso esistere
anche senza di te...
Io   15
io no
in questa rabbia non mi brucerò
dico no

al tuo richiamo io non cederò
E mi chiedo   20
che avrebbe fatto un altro al posto mio
Io lo so
ti avrebbe detto di sì
ma io non sono così...
Io se devo dire basta non aspetto domani   25
anche se magari poi mi mangerei le mani
è il mio carattere
sarò testardo io
ma voglio vivere
a modo mio.   30
Io
io no
le mie parole io non cambierò
non cadrò
se starò attento a quello che farò   35
Io, io no
a queste condizioni non ci sto
Tu vedrai
Io sono quello che sai
e mi ribello se mai...   40

1. Che sentimenti esprime Ramazzotti in questa canzone?
2. A che cosa si riferisce la similitudine "scappa via come sabbia" (riga 10)?
3. A che cosa viene paragonata la rabbia?
4. Qual è l'espressione idiomatica presente nella canzone che significa "pentirsi"?

D Ora esplora la grammatica. Rileggi i testi delle tre canzoni allo scopo di cercare i periodi ipotetici introdotti da *se* (7 casi). Poi classificali in base al contesto in cui si trovano nel testo, in uno dei tre tipi di periodo ipotetico della griglia.

PRIMO TIPO	SECONDO TIPO	TERZO TIPO
PERIODO IPOTETICO DELLA REALTÀ (condizione e conseguenza sentite come reali)	PERIODO IPOTETICO DELLA POSSIBILITÀ (condizione e conseguenza sentite di possibile realizzazione)	PERIODO IPOTETICO DELLA IRREALTÀ (condizione e conseguenza sentite di impossibile realizzazione)
1.	1.	1. *Che avrebbe fatto un altro al posto mio (riga 21)* *(sottinteso: se fosse stato al posto mio)*
2.	2.	2. *Ti avrebbe detto di sì (riga 23)* *(sottinteso: se glielo avessi chiesto)*
3.		
4.		
5.		

E La proposizione secondaria introdotta da *se*, che esprime la condizione, si chiama "protasi", mentre la principale, che esprime la conseguenza, si chiama "apodosi". Concentrati ora, per ciascun caso, sul tempo e il modo verbale della protasi e dell'apodosi. Se può esserti utile, rileggi con attenzione le frasi inserite nella tabella precedente.

ESEMPIO

▶ Se lei ti amasse io saprei soffrire e anche morire pensando a te. (periodo ipotetico della possibilità)

congiuntivo ◀—— ——▶ condizionale
imperfetto   presente

	PROTASI (Condizione)	APODOSI (Conseguenza)
PI della realtà	....	....
PI della possibilità	....	....
PI della irrealtà	....	....

▶E 1, 2, 3 **F** Forma il periodo ipotetico che scaturisce logicamente dalla premessa.

ESEMPIO

▶ Ti svelo un segreto, ma non lo devi raccontare a nessuno.
  Se non lo racconti a nessuno, ti svelo un segreto.

1. Dovevamo dire subito che non eravamo d'accordo per evitare la discussione di stasera.
2. Credimi, non ti ho salutata perché non ti ho vista.
3. Carla non è arrivata puntuale perché ha perso l'autobus.
4. Questi stivali mi sono stretti altrimenti li metterei più spesso.
5. Oggi si trova in queste condizioni perché non ci ha dato ascolto.
6. Mangia di più e non ti sentirai così debole.
7. Sono certo che provando ci riesci.
8. Non si è sposato perché è una persona troppo egoista e irresponsabile.
9. Telefonagli ora che lo trovi sicuramente.
10. Avendo qualche anno di meno farei con te il giro del mondo.

6 Reimpiego

Esprimere ipotesi

A Mettetevi in coppia e per ogni situazione elencata sotto esprimete un paio di ipotesi su ciò che potrebbe succedere se si verificassero tali condizioni.

ESEMPIO

▶ "Nella tua città piove per un anno intero."
  Se a Cagliari piovesse per un anno intero il livello del mare si alzerebbe e...

IPOTESI POSSIBILI (reali)

"L'attuale governo del tuo Paese vieta le libere elezioni."
"Una persona è obbligata a lavorare e a vivere dove è nata."
"I dipendenti dei trasporti pubblici scioperano per un mese."
"Nella tua città manca la corrente elettrica per 24 ore."

IPOTESI POSSIBILI (fantastiche)

"Sei un mercante di felicità."
"Sai leggere nel pensiero delle persone."
"Puoi esprimere tre desideri che si avvereranno."
"Puoi fare un viaggio sulla luna e portare con te solo tre cose qualsiasi dalla terra."
"Puoi invitare alla tua festa di compleanno un personaggio famoso (del mondo dello spettacolo, dell'arte, della politica, dello spirito...)"

IPOTESI IRREALI (su fatti passati)

"Hai interrotto gli studi."
"Non ti sei sposato."
"Hai studiato musica."
"Sei nato in un Paese diverso dal tuo."
"Sei nato in un'altra epoca storica."
"Hai avuto il coraggio di..."

7 Lessico

Sfera semantica della "musica"

A Completa i testi che seguono scegliendo tra le parole appartenenti alla sfera semantica della "musica" che trovi sotto.

> avevano esordito   album   rock demenziale   riproponeva   musicisti   brani
> complesso   rifacimento   voce solista   cantautore   interattivo   fan   testo
> casa discografica   intitola

I marziani della porta accanto

"Siamo i Watussi, siamo i Watussi, tantissimi negri, ogni due incroci laviamo i tuoi vetri...". Son versi di un esilarante (1) .... de *I Watussi* opera degli Ufo Piemontesi, quattro (2) .... lombardi (età media trent'anni) capitati da Stefano De Carli ((3) .... Stefano Bardelli e prodotto da Riki Gianco), che stanno a metà fra (4) .... e revival. (5) .... qualche anno fa con l'album *Buonanotte suonatori*, che (6) .... vecchi classici italiani. Stavolta hanno incluso parecchi (7) .... originali, fra cui *Ciro, E già ti amo* e *Cavallina rock*, dissacratoria riscrittura della poesia del Pascoli. Ma se sono lombardi come mai si chiamano Ufo Piemontesi? Colpa di un sogno di De Carli: atterravano i marziani. Dicevano di essere piemontesi e proponevano di creare un (8) .... L'(9) .... *Stereofobia* è allegro, divertente e imprevedibile.

M.L.F.

(da «TV Sette», 29, 1994)

TOUR – DISCHI

Le cose da salvare: quali siano, il (10) .... Luca Barbarossa (nella foto a fianco) non lo dice. Però è così che (11) .... il suo nuovo disco, con dodici canzoni, firmate anche da James Taylor oppure Mogol/Battisti. E una *Cercautore*, con la sola musica e niente (12) .... alle parole dovranno pensare i (13) .... , spedendole alla (14) .... Il primo esempio insomma di CD (15) ....

(da «Panorama», 16 luglio 1994)

B Nell'italiano contemporaneo vengono usate, anche in campo musicale, parecchie parole inglesi, alcune delle quali hanno un corrispettivo italiano, meno comune. Sapresti trovarlo per le seguenti parole?

1. un *big*, una *star* della musica ....

2. i *fan* di un cantante ....

3. una *band* musicale ....

4. un *cast* d'eccezione ....

C Trova un sinonimo di:

1. esordire ....

2. essere il primo in classifica ....

D Trova per ciascuna perifrasi la parola appropriata:

1. chi suona la tromba, la batteria, il pianoforte

....

2. cantare o suonare in *due*, in *tre*, in *quattro*

....

3. (voce maschile più acuta) lo sono Luciano Pavarotti e Andrea Bocelli

....

4. voce maschile di timbro robusto ....

5. (voce di registro più acuto) lo è Katia Ricciarelli ....

6. entusiastica approvazione da parte del pubblico ....

7. fare ancora un pezzo a concerto già concluso ....

8. fare una *serie* di concerti in diverse città ....

9. inventario di canzoni ....

10. (la produzione) di una sola canzone ....

11. strofa che si ripete più volte in una canzone ....

E Che cosa significano le espressioni idiomatiche presenti nelle due frasi che seguono?

1. Ha concluso il concerto con il suo cavallo di battaglia, *Una vita spericolata*, accolta dal pubblico con applausi entusiastici. ....

....

2. L'opera nel suo nuovo allestimento è stata un fiasco / ha fatto fiasco. ....

F Formate dei piccoli gruppi. Vince il gruppo che riesce a classificare il numero maggiore di strumenti musicali elencati sotto nelle tre categorie della griglia e ad associare i nomi ai numeri che contrassegnano le foto degli strumenti che ci sono sotto.

flauto   violino   batteria   violoncello   tromba   trombone   contrabbasso   timpano
clarinetto   fagotto   piatti   pianoforte a coda   chitarra elettrica   fisarmonica   saxofono
arpa   corno   clavicembalo   gong   mandolino   tamburo   organo   oboe

STRUMENTI		
A FIATO (ARIA) (9)	A CORDE (7)	A PERCUSSIONE (4)
flauto (1),	violino (11),	batteria (21),

8 Ascoltare

Prendere appunti per scrivere un articolo-intervista

›10 "Intervista a Laura Pausini"

Ascolta questa intervista (Rai 2, 5 gennaio 2003) a Laura Pausini, nota cantante italiana degli anni Novanta.

A Prendi appunti delle domande-risposte che ti serviranno per scrivere un articolo in cui riporterai l'intervista alla cantante.

Intervista a Laura Pausini	
Domande	Risposte

B Riascolta l'intervista e completa la scheda artistica della cantante.

La carriera

Laura Pausini inizia la carriera nel (1) .... vincendo (2) ....

Ha prodotto (3) .... album in italiano e (4) .... in (5) ....

Ha venduto (6) .... di album in tutto il mondo e ha ricevuto (7) .... dischi di (8) ....

A quasi (9) .... anni dal suo debutto questo è il primo album in (10) .... ,

From the Inside, anticipato dal (11) .... *Surrender*.

L'album è già uscito a novembre negli Stati Uniti e, dato il successo ottenuto, sarà pubblicato in tutto il mondo.

La cantante ha anche cantato a (12) .... per i (13) ....

C Scrivi ora un articolo per un giornale locale immaginando di aver fatto tu l'intervista a Laura Pausini in occasione di un suo imminente concerto nella tua città. Pensa anche a un titolo.

Potresti iniziare così:

"Grande attesa e tutto esaurito per la cantante italiana Laura Pausini che si esibirà..."

9 Leggere

Esplorare la grammatica

A Jovanotti ha iniziato la sua carriera come disc-jockey incidendo brani disimpegnati indirizzati a un pubblico giovanissimo. Ma, a partire dal 1991, si è sempre più avvicinato a tematiche "politicamente" impegnate proponendo ritmi e sonorità reggae e rap anche al grande pubblico. Ascolta e/o leggi questa canzone di Jovanotti e svolgi i compiti che seguono.

Si va via

Sono un deejay che lavora in diversi locali
frequentati da ragazzi più o meno normali
magari che lavorano durante la settimana
o che abitano magari in qualche zona lontana
da questa discoteca dove al sabato sera   5
è l'unico locale dove c'è un'atmosfera un po' più giusta
arriva un po' di gente
potrebbe trasformarsi in una storia divertente
allora via si va via si va via
qualcuno c'ha la macchina qualcuno l'energia   10
intesa in tanti modi, quello dipende
ognuno può affrontare la notte che scende
nel modo che gli pare gli piace e gli pare
allora è un altro sabato che sta per cominciare
però però però non c'è niente da dire   15
la voglia di far festa e quella di fuggire
da quando il mondo è mondo si possono incontrare
e c'è qualcuno che sceglie di andare a ballare da me
si fa cento chilometri e io che posso fare
quando li vedo qui li faccio ballare   20
li prendo e me li porto dietro fino al sole
e tutto il resto sono parole...

sono un deejay vedo molto io dal'alto di questi piatti
ne ho viste di cose ne ho visti di fatti
ho visto una signora ingioiellata far la figa   25
ho visto un entra ed esci per pipparsi qualche riga
che finisce dentro al naso di un figlio di papà
che si nasconde dentro all'università
ho visto uomini baciarsi tra di loro con affetto
e coppie miste che non vanno più d'accordo neanche a letto   30
ho visto dei politici arrivare con la scorta
li ho visti strafottenti mentre fan la mano morta
alla bionda con la minigonna con un sogno nel cassetto
e ho saputo di quel sogno addormentarsi dentro al letto

ma più di ogni altra cosa ho visto gente regolare   35
che veniva qui a ballare, a rimorchiare
vivendo questo tempo in modo attivo ma anche onesto
ognuno nel suo mondo e son parole tutto il resto
parole che però mi piacerebbe raccontare
in questo sabato che sta per cominciare   40

E allora via si va via si va si va via
in culo a questa notte e pure alla polizia
la strada la conosco e questa macchina di papà
stasera che ho bevuto sembra che vada la metà

e io che da dieci anni torno a casa a quest'ora   45
all'ora che di solito la gente poi lavora
girando le statali dalla uno alla mille
ho visto tante macchine poi far le scintille
con la carrozzeria che grattava il catrame
ho visto le lamiere diventare come lame   50
sull'asfalto ho visto macchine come lattine d'aranciata
accartocciarsi intorno a un albero dopo una sbandata
e allora non c'è sabato che in una provinciale
non c'è lo stronzo che mi sorpassa male
in curva sulla destra mi passa a centottanta   55
diretto verso il buio di questi anni novanta
e io sono un deejay e il lunedì c'ho la nausea
non posso poi non chiedermi qual è la causa,
ma poi me ne dimentico e in fondo son sincero
a quello del sorpasso io dedico un pensiero,   60
pensiero di fratello pensiero un po' tetro
è brutto quando sbagli non poter tornare indietro

ripenso a tutti i miti della gioventù bruciata
al mito dell'eccesso alla vita spericolata
fanculo alla ferrari e pure al maggiolino   65
non valgono il sacrificio neanche di un moscerino
spiacciato sopra al vetro di un sabato da pazzi
niente giudizi però per quei ragazzi
sono figli di questo tempo che ha poco tempo per le morali
sono ragazzi, ragazzi "normali"   70
figli di questo tempo un po' malato nei contenuti
che questo rap sia un monumento ai caduti
di una guerra che fa vittime di diciotto anni
sacrificate al dio dei grandi inganni

comunque tutto questo non fa parte del mio lavoro   75
tutto questo va molto oltre ogni stupido coro
di questi moralizzatori che san sempre ciò che è giusto
che in fondo al lunedì mattina ci provan gusto
tutto questo con gli orari di chiusura dei locali
con la birra e con gli amari c'entra poco   80
lo dico perché ho sempre fatto tardi
e chi ha in mano la risposta sono dei bugiardi
io non ho risposta alcuna ho soltanto la mia rabbia
nel vedere molta gente come me dentro una gabbia
nel vedere che la libertà diventa paradosso   85
e la trovi la mattina spiacciata dentro a un fosso...

1. Rispondi.

   a. Chi è il narratore della storia?

   b. Di che giorno della settimana si parla?

   c. Di che fenomeno giovanile si parla nella canzone?

   d. Rintraccia le righe nel testo in cui si parla di altri due fenomeni:

   "omosessualità" (riga ....); "consumo di cocaina" (riga ....)

   e. Che riflessione fa Jovanotti sulla "libertà dei giovani"?

2. Nel testo della canzone Jovanotti usa parecchie espressioni colloquiali (come per es. riga 57 "e il lunedì *c'ho* la nausea") e alcune parole del gergo giovanile. Trova dalla riga 23 alla riga 44 i sinonimi gergali di:

   a. (riga ....) fare la donna fatale, fascinosa

   b. (riga ....) sniffare coca

   c. (riga ....) corteggiare

3. Quale altra caratteristica del linguaggio giovanile è presente in questa canzone?

B Ora esplora la grammatica. Rileggi la canzone e nelle due ultime strofe trova una frase in cui Jovanotti esprime un augurio. Che modo verbale usa?

Per esprimere un AUGURIO

▶E 8   **C** Ribatti in modo adeguato ai sentimenti espressi nelle frasi, utilizzando l'elemento messo tra parentesi. Si tratta di esprimere desideri, rammarico, auguri, speranza usando il congiuntivo ottativo (desiderativo).

ESEMPIO

▶ • Si è laureato da un anno ed è ancora disoccupato. (*magari*)
   – *Magari trovasse* lavoro! (speranza)

▶ • Ha studiato davvero molto per questo esame. (*che*)
   – *Che possa* superarlo a pieni voti! (augurio)

1. Se il Torino non vince questa partita, sarò di cattivo umore tutta la sera. (*che*)
2. Ieri era il mio compleanno e mia figlia non si è fatta vedere. (*almeno*)
3. È da due anni che sono sposati e non riescono ad avere bambini. (Ø)
4. Sono stati sfrattati ma non hanno i soldi per comprarsi una casa! (*magari*)
5. Non pretendiamo di riavere tutti i soldi che gli abbiamo prestato. (*almeno*)
6. Faranno un viaggio in Africa di 6 mesi! (*che*)
7. Sara vuole ritornare a casa stasera ma c'è molta nebbia e le strade sono ghiacciate! (*se*)
8. Vogliamo cambiare casa! (*magari*)
9. Mi avevi promesso di regalarmi il tuo anello con lo smeraldo! (Ø)
10. Pur avendo torto continua a sostenere la sua innocenza! (*almeno*)

10 Reimpiego

Esprimere speranza, auguri, disgusto, dubbio

A Lavorate in coppia. Pensate a dei desideri di speranza e di augurio che riguardano voi stessi, persone a voi care e la società. Esprimeteli usando le seguenti espressioni seguite dal congiuntivo: *magari, almeno, che.*

> **ESEMPI**
> ▶ *Magari trovassi* una casa con giardino non troppo costosa!
> ▶ *Che tu possa* avere presto il bambino che desideri, figlia mia!
> ▶ *Che cresca* la cultura della pace!

B Inscenate dei dialoghi immaginando di trovarvi nelle seguenti situazioni in cui esprimete disgusto, orrore, meraviglia e dubbio.

1. Avete prestato a un amico casa vostra mentre voi eravate in vacanza. Siete tornati e l'avete trovata in condizioni disastrose. Raccontate la vicenda a una vostra amica, scandalizzati.

2. Siete appena tornati da un viaggio in Australia. Avete fatto e visto cose meravigliose. Raccontate, entusiasti!

3. Avete sentito una lite furibonda tra i vostri vicini di casa. Raccontatela a un amico.

4. Siete all'areoporto pronti per partire. Manca un vostro amico che solitamente è puntuale. Fate supposizioni su che cosa potrebbe essergli successo.

11 Coesione testuale

A Completa questi frammenti di parlato tratti dall'ascolto di p. 438 scegliendo tra i connettivi / segnali discorsivi elencati sotto e già incontrati in altre unità del libro. Prova anche a spiegare con parole tue la funzione di ciascun elemento inserito.

> comunque   diciamo   appunto   anzi   cioè

1. Tutto sommato .... è una canzone abbastanza anomala nel suo repertorio perché molto più frequentemente De André ha cantato di dolore, di sofferenza...

2. Alla fine lui aveva quasi costruito un teorema attorno all'idea che proprio dal dolore e dalla sofferenza si potesse imparare anche a riconoscere l'amore e l'umanità. E lo canta benissimo in una canzone, *Il testamento di Tito*, in cui chiude dicendo .... : "Io nel vedere quest'uomo che muore, madre io provo dolore. Nella pietà che non cede al rancore, madre ho imparato l'amore".

3. ... considerando che ha avuto comunque una crescita sotto il punto di vista professionale, esplodendo come cantautore, quindi arricchendosi in questa crescita come cantante, ha poi mantenuto comunque questi stessi temi o li ha un po' messi via, ... si è più commercializzato, ...

4. – Ma, anche, va beh, della Sardegna gli sarà rimasto comunque un brutto ricordo considerando l'esperienza del rapimento? • No, ... alla Sardegna continuò a rimanere molto legato al punto che scrisse anche una canzone in dialetto sardo.

B Completa questo testo, in cui De André parla della sua ricerca sull'uso del dialetto nelle canzoni, scegliendo tra i connettivi elencati sotto. Si tratta di connettivi che hai già incontrato nelle altre unità e che dovresti essere in grado di classificare (connettivo per precisare, chiarire, connettivo avversativo, ecc.).

allora	anzi	nel senso che	ma (3)	così	per (2)	sia pure	o meglio
	prima che	quando	poi	invece	per così dire		

Quello di un disco cantato nel mio dialetto, (1) .... nella mia lingua fu una voglia, (2) .... primordiale, (3) .... aveva le sue radici in quelle mie e della mia gente. Me la portavo in pancia da anni, forse da quando avevo iniziato a scrivere canzoni e tradurre Brassens, molti dei cui personaggi avrebbero potuto benissimo essere abitanti dei carruggi*. (4) .... non   5
avevo mai trovato l'incoscienza o la fede, o la chiarezza di idee sufficienti a tradurre l'intenzione in fatti.

Più avanti scrissi due musiche per Piero Parodi, un *folksinger* tuttora molto popolare in Liguria, le cui prime canzoni, (5) .... in modo più scanzonato, avevano qualche tema in comune con le mie, e che aveva inciso una versione in   10
genovese di *Bocca di Rosa*.

Avevo letto la storia di Genova di Francesco Donaver e i testi di autori ignoti o vecchi annali trovati alla biblioteca comunale, ascoltando anche i racconti fattimi da gente della Foce. Scoprii (6) .... l'esistenza di personaggi straordinari come Cicala, un marinaio genovese che era stato rapito dai Turchi ed era diventato,   15
col tempo, gran Visir del Sultano, assumendo il nome di Sinàn Capudàn Pascià.

A Genova c'erano studiosi che si davano molto da fare (7) .... portare alla luce reperti e mestieri della tradizione ligure: Edward Neill, un musicologo irlandese che sapeva tutto di Bruckner e Paganini e girava per l'entroterra registrando canti contadini, antichi come il mondo, (8) .... ottenerne dischi   20
preziosi e invendibili.

Ne ricavai la convinzione che molte delle canzoni genovesi in auge fossero per lo più degli ibridi, che con la vera tradizione popolare avevano legami assai blandi. Alcune erano traduzioni di canti piemontesi o lombardi, altre – soprattutto quelle uscite tra gli anni Trenta e gli anni Cinquanta – erano dei valzer, (9)   25
.... ancor più spesso dei tanghi, il che probabilmente garantiva loro un ragguardevole mercato tra i liguri trapiantati in Argentina, che si trovavano mescolate la lingua della loro patria d'origine e la musica della loro terra d'adozione. Un gruppo di autori e d'interpreti come i Riverberi, Natalino Otto, Lauzi, Calabrese diedero vita a un repertorio di canzoni in genovese scritte su ritmi brasiliani, probabilmente sfruttando certe affinità di cadenza e di fonetica tra il nostro   30
dialetto e il portoghese parlato in Brasile.

* I carruggi sono i vicoli stretti delle città liguri.

→

Col tempo mi si rafforzò la convinzione che la via da seguire fosse un'altra, e l'idea decisiva mi nacque dalla scoperta che la lingua genovese ospita al suo interno oltre duemila vocaboli di provenienza araba o turca: un retaggio di antichi traffici mercantili, comune soprattutto alle città di mare dell'area mediterranea. **35**

(10) .... , il genovese è la meno neolatina tra le lingue neolatine, mi dissi. E cominciammo, con Pagani, a costruire delle trame musicali che rispondessero al progetto di un album mediterraneo, con suoni, ritmi, strumenti della tradizione islamica, greca, macedone, occitana. Cominciai a scrivere i testi in un arabo maccheronico, che poi "tradussi" in genovese, (11) .... nella lingua di **40**
una Genova sorella dell'islam.

Cercai anche di esprimermi in modo finalmente popolare: il che non ti è concesso con l'italiano, dove sei schiavo della lingua aulica. In questo senso abbiamo cercato di tornare all'antico, (12) .... l'idioma non divideva (13) **45**
.... avvicinava le classi: nella Repubblica di Genova, (14) ....
la Francia ci regalasse al Piemonte, aristocratici e plebe parlavano genovese. (15)
.... Chiesa e monarchia hanno convinto le classi alte che il dialetto era disdicevole e certe parole scurrili era meglio lasciarle al popolino. A me, (16)
.... , sembrava meglio che la canzone, strumento espressivo così divulgabile, servisse a gettare un ponte tra le classi, fuori dall'amalgama fittizio dato dallo Stato. **50**

(da *Parole in musica. Lingua e poesia della canzone d'autore italiana*, Interlinea, Novara 1996)

12 **Parlare**

A **Intervista: gusti in fatto di musica.** Lavorate in coppia. Uno assume il ruolo del giornalista (parlante A) e pone le domande, l'altro della cantante (parlante B) che risponde.

PARLANTE A
- Il primo concerto a cui è stata?
- Il primo disco comprato?
- L'ultimo?
- Quello che le ha cambiato la vita?
- Quale disco ha regalato di più?
- La canzone che avrebbe voluto scrivere lei?
- Beatles o Rolling Stones?
- La più bella canzone d'amore?
- Quale canzone vorrebbe fosse suonata al suo funerale?
- Un musicista da rivalutare?
- La band con il nome più bello?

PARLANTE B
- I Jethro Tull a Bologna.
- *Ciao Ciao bambina* di Domenico Modugno.
- *Silver Side Up* dei Nickleback.
- *Nevermind* dei Nirvana.
- *Pearls* di Janis Joplin.
- *My way* di Frank Sinatra.
- Beatles.
- *Heaven* di Bryan Adams.
- *My way* nella versione di Sid Vicious dei Sex Pistols (e per favore, proiettate anche il video).
- Luigi Tenco.
- Nirvana.

La cantante che è stata intervistata è Gianna Nannini.

Utilizzando le stesse domande e aggiungendone altre, intervistatevi a turno sui vostri gusti in fatto di musica.

ESEMPIO

▶ • Che musica ami ascoltare in vacanza?
  • Qual è il tuo/la tua cantante preferito/a?
  • Se dovessi partire per un lungo viaggio (di qualche anno, in un luogo iso- lato) che musica porteresti con te?
  • Che disco regaleresti a un amico se dovessi dirgli addio?
  • Che musica faresti ascoltare a un/a ragazzo/a se volessi conquistarlo/la?

Lucio Dalla.

B Il gioco del "se fossi..." "se potessi..."
Mettetevi a piccoli gruppi e con un po' di fantasia rispondete a queste domande.

SE FOSSI...

• Se fossi un animale che animale ti piacerebbe essere e perché?
• Se fossi un paesaggio che paesaggio saresti?
• Se fossi una pianta o un fiore che cosa saresti?
• Se fossi una musica che musica saresti?
• Se fossi il personaggio di un libro o di un film che personaggio saresti?

SE POTESSI...

• Se potessi scegliere il tuo lavoro ideale, che cosa vorresti fare?
• Se potessi fare un viaggio di sei mesi, dove andresti e cosa faresti?
• Se avessi una bacchetta magica, quali cose cambieresti?
• Con chi vorresti trascorrere una giornata, se potessi invitare chiunque?

Jovanotti

C Discussione: lui non si sentiva italiano...

Ascolta e poi leggi questa canzone di Giorgio Gaber, noto cantante (scomparso il 1 gennaio 2003) che dagli anni '50-'60 ha cantato canzoni "parlate" di impegno politico-sociale-esistenziale. In questa canzone, in cui si rivolge al Presidente della Repubblica, dice di non sentirsi italiano per alcuni motivi ma allo stesso tempo di esserne orgoglioso per altri.
Discuti con la classe. Come sono gli italiani secondo Gaber? E secondo voi?

Io non mi sento italiano

Io G.G. sono nato e vivo a Milano,
Io non mi sento italiano
Ma per fortuna o purtroppo lo sono

Mi scusi Presidente
non è per colpa mia
ma questa nostra Patria
non so che cosa sia.
Può darsi che mi sbagli
che sia una bella idea
ma temo che diventi
una brutta poesia.
Mi scusi Presidente
non sento un gran bisogno

dell'inno nazionale
di cui un po' mi vergogno.
In quanto ai calciatori
non voglio giudicare
i nostri non lo sanno
o hanno più pudore.

Io non mi sento italiano
ma per fortuna o purtroppo lo sono.

Mi scusi Presidente
se arrivo all'impudenza
di dire che non sento
alcuna appartenenza.
E tranne Garibaldi
e altri eroi gloriosi
non vedo alcun motivo

→

per essere orgogliosi.
Mi scusi Presidente
Ma ho in mente il fanatismo
delle camicie nere
al tempo del fascismo.
Da cui un bel giorno nacque
questa democrazia
che a farle i complimenti
ci vuole fantasia.

Io non mi sento italiano
ma per fortuna o purtroppo lo sono.

Questo bel Paese
pieno di poesia
ha tante pretese
ma nel mondo occidentale
è la periferia.

Mi scusi Presidente
ma questo nostro Stato
che voi rappresentate
mi sembra un po' sfasciato.
È anche troppo chiaro
agli occhi della gente
che tutto è calcolato
e non funziona niente.
Sarà che gli italiani
per lunga tradizione
son troppo appassionati
di ogni discussione.

Persino in parlamento
c'è un'aria incandescente
si scannano su tutto
e poi non cambia niente.

Io non mi sento italiano
ma per fortuna o purtroppo lo sono.

Mi scusi Presidente
dovete convenire
che i limiti che abbiamo
ce li dobbiamo dire.
Ma a parte il disfattismo
noi siamo quel che siamo

e abbiamo anche un passato
che non dimentichiamo.
Mi scusi Presidente
ma forse noi italiani
per gli altri siamo solo
spaghetti e mandolini.
Allora qui mi incazzo
son fiero e me ne vanto
gli sbatto sulla faccia
cos'è il Rinascimento.

Io non mi sento italiano
ma per fortuna o purtroppo lo sono.

Questo bel Paese
forse è poco saggio
ha le idee confuse
ma se fossi nato in altri luoghi
poteva andarmi peggio.

Mi scusi Presidente
ormai ne ho dette tante
c'è un'altra osservazione
che credo sia importante.
Rispetto agli stranieri
noi ci crediamo meno
ma forse abbiam capito
che il mondo è un teatrino.
Mi scusi Presidente
lo so che non gioite
se il grido "Italia, Italia"
c'è solo alle partite.
Ma un po' per non morire
o forse un po' per celia
abbiam fatto l'Europa
facciamo anche l'Italia.

Io non mi sento italiano
ma per fortuna o purtroppo lo sono.

Io non mi sento italiano
ma per fortuna o purtroppo
per fortuna o purtroppo
per fortuna
per fortuna lo sono.

D **Formate dei gruppi di studenti della stessa nazionalità e, discutendo tra di voi, raccogliete una lista di motivi per cui vi sentite e non vi sentite inglesi, giapponesi, argentini, indiani e così via. Poi condividetela con la classe.**

Cercate di rispondere alle domande.
– Ti senti .... ?   – Ti sei mai vergognato di esserlo?
– Quando ti sei sentito orgoglioso di esserlo?   – Qual è per te il simbolo del tuo Paese?

13 **Scrivere**

A Canzone (genere poetico)

Leggi queste istruzioni possibilmente ascoltando una musica rilassante di sottofondo. Scrivi il testo di una canzone dedicata a una persona che ti è particolarmente cara. Il testo più bello verrà premiato e letto alla classe.

Ecco alcuni possibili spunti:

✔ esprimi i sentimenti che provi nei suoi confronti (amore, rabbia, malinconia)

✔ descrivi questa persona cara associandola per esempio a un colore, un profumo, un paesaggio, una situazione familiare o ad altri particolari ricordi

✔ racconta qualcosa di importante che ha fatto per te

✔ racconta qualcosa di importante che tu hai fatto per lei

✔ descrivi la vostra relazione

✔ usa metafore e similitudini originali

✔ cerca di costruire delle rime

Enrico Ruggeri.

Chiudi gli occhi per qualche minuto e ascoltando la musica lascia scorrere le emozioni che il pensiero di questa persona risveglia dentro di te. Poi prendi carta e penna e liberale...

B Breve saggio (genere argomentativo)

Il potere della musica. Scrivi un breve saggio sul ruolo della musica nella vita dei giovani.

Il saggio è un testo di genere argomentativo, ovvero un testo in cui devi esprimere le tue opinioni su un determinato tema, proponendo una tesi e degli argomenti che la sostengano. Per raccogliere le idee, leggi queste affermazioni tratte da interviste a cantanti italiani che ti possono servire come spunto di riflessione. Poi procedi come per la stesura dell'articolo di giornale che trovi nell'Unità 4, pp. 126-127 (cfr. anche la lista dei connettivi utili per scrivere un testo argomentativo).

> "Noi giocavamo a pallone in strada, loro stanno in casa e hanno questa mega baby-sitter che si chiama computer o *play station*. Quando c'è un concerto, però, escono dal torpore: la musica sarà sempre una grande ancora di salvezza contro l'isolamento e la solitudine." (Enrico Ruggeri)
>
> "Sesso, droga e rock'n'roll? Roba d'altri tempi. Ormai il rock è altro, è uscito dal luogo comune della trasgressione." (Zucchero Fornaciari)
>
> "Non possiamo nasconderci che nei Sessanta-Settanta si diceva che la droga fosse una via di liberazione. Certi personaggi hanno rappresentato un esempio che non si dovrebbe dare." (Claudio Baglioni)
>
> "La musica di protesta è un flauto magico, infonde il coraggio come i tamburini che chiamano le truppe alla battaglia." (99 Posse)
>
> "Il compito di un musicista e di un artista in generale è sgretolare il consenso che esiste nei confronti della follia, per esempio della follia della guerra." (Bisca)

14 Navigando

A   LE TOP TEN ITALIANE

Lavorate in piccoli gruppi. Andate al sito www.musicaitaliana.com e scoprite quali sono le canzoni "nostrane" più ascoltate dagli italiani. Poi accordatevi all'interno del gruppo su un cantante presente nella classifica che vorreste conoscere (o conoscere meglio). Cliccate sul cantante e preparate una relazione su di lui da presentare alla classe, andando a esplorare la sua "biografia", le "interviste", la sua "produzione discografica", e i "siti" a lui dedicati.

B   ANDAR PER MUSICA

Volete scoprire quali concerti e festival musicali ci sono in giro per l'Italia? Visitate i seguenti siti:
www.rockol.it/concerti.asp, http://directory.virgilio.it, www.concerti-online.com (per la musica classica, opere e balletti).
Lo scopo dell'esplorazione su Internet è quello di preparare un itinerario musicale per un gruppo di turisti stranieri che rimarranno in Italia per una settimana. Prima di procedere, dovete definire a che tipologia di turisti rivolgete il vostro "pacchetto" musicale. Poi presentate la vostra proposta e confrontatela con quella degli altri gruppi.
Ecco alcune possibilità:

Fara Rock
Associazione che organizza nel mese di luglio di ogni anno un festival musicale a ingresso gratuito il cui ricavato derivato dai bar viene interamente devoluto in beneficenza. Si svolge a Fara Gera D'Adda, Bergamo. http://www.Fara-Rock.it

Festival di Napoli
La manifestazione di canzoni napoletane simbolo della tradizione canora della città di Napoli e del costume artistico italiano. Il concorso conferma il ruolo di prestigiosa vetrina di vecchi e nuovi talenti. Da quest'anno ci saranno due sezioni: canzoni napoletane e canzoni italiane. http://www.festivaldinapoli.it

Asti Gospel
Un grande festival di musica gospel in Italia. Varie serate con i più grandi artisti della musica nera afroamericana. http://www.gospel.it/astigospel

Umbria jazz
Il più importante appuntamento con il jazz internazionale. www.umbriajazz.com

Castello Reggae
Il sito del festival di musica e cultura afro-giamaicana che si tiene ad Alvito, in provincia di Frosinone, strutturato in tre giorni di incontri, dibattiti e mostre di artisti locali. http://www.castelloreggae.org

Esercizi

1 Completa i seguenti periodi ipotetici coniugando i verbi tra parentesi.

ESEMPIO

▶ Peccato che sia finita, (*prendere*, io) .... un'altra fetta di torta, se ne (*rimanere*) .... un po'.
Peccato che sia finita, avrei preso un'altra fetta di torta, se ne fosse rimasta un po'.

1. Se mio marito (*guadagnare*) .... un buono stipendio, (*smettere*, io) .... di lavorare.

2. Se durante l'anno (*studiare*, tu) .... , ora (*godersi*) .... le vacanze invece di dover prendere ripetizioni.

3. Qualora (*avere bisogno*, Lei) .... di assistenza medica, (*potere*) .... chiamare questo numero.

4. Se i topi (*volare*) .... (*assomigliare*) .... a pipistrelli.

5. Peccato, Vittorio è già partito; se (*venire*, tu) .... ieri sera (*vedere*, ancora) ....

6. Se non (*avere impegni*, io) .... (*venire*) .... con voi sabato prossimo, ma non posso proprio mancare all'appuntamento che ho già preso da un mese.

7. Dipende solo da lui: se (*finire*, lui) .... presto di fare i compiti (*potere uscire*) .... altrimenti no.

8. Se Guido (*sapere*) .... il russo, (*leggere*, già) .... tutti quei libri.

9. Se Marta non (*riuscire*) .... ad avere un bambino lo (*adottare*) ....

10. Se mi (*aumentare*) .... lo stipendio, (*rimanere*) .... a lavorare da loro, altrimenti mi licenzierò.

11. Nell'ipotesi che (*vincere*, io) .... alla lotteria, (*fare restaurare*) .... la vecchia casa di campagna dei miei nonni. Ma è solo un sogno, lo so!

12. Se non (*andare*) .... a dormire così tardi ieri sera, stamattina (*prendere*) .... il treno delle 7.10 e invece ho preso quello delle 9.

13. Se Luciana (*ricordarsi*) .... di prenotare per tempo ora (*mangiare*, noi) .... cose raffinate, in quel localino di Via Solata, invece di dover scegliere sempre gli stessi piatti in mezzo a tanta gente e fumo!

14. Se (*continuare*) .... ad aumentare le macchine, nel giro di pochi anni la circolazione (*bloccarsi*) ....

2 Forma il periodo ipotetico che scaturisce logicamente dalla premessa.

ESEMPIO

▶ Sono disoccupato perché non mi sono laureato in ingegneria.
Se mi fossi laureato in ingegneria non sarei disoccupato.

1. Sara non ha seguito i miei consigli e ora si trova senza lavoro.

....

2. Non avevo il tuo indirizzo, quindi non ti ho potuto scrivere.

....

3. Non è una persona sincera e infatti non mi ha detto niente.

....

4. Gianna non mi ha pagato i danni e allora non è una persona onesta.

....

5. Secondo me il tuo mal di gola dipende dal fatto che fumi troppo.

_____

6. Non si faccia problemi a chiamarmi in caso di necessità.

_____

7. Non ti ho chiamata perché non sapevo che fossi già tornata dalle vacanze.

_____

8. Eva non ha trovato l'uomo ideale e quindi è rimasta zitella.

_____

9. Non hai lasciato tua moglie, quindi non mi vuoi bene come dici.

_____

10. Non ho partecipato alla riunione perché sono stato male.

_____

3 Trasforma, come nell'esempio, queste frasi di registro informale/familiare (in cui viene usato nel periodo ipotetico della irrealtà l'imperfetto al posto del congiuntivo e del condizionale) in un registro più formale.

ESEMPIO

▶ Se chiamavi prima lo trovavi. (colloquiale)
Se avessi chiamato prima lo avresti trovato. (formale)

1. Se c'era farina facevo gli gnocchi.
2. Se sapevo che eri a casa passavo a trovarti.
3. Se non usciva non si ammalava.
4. Se me lo dicevi ne prendevo uno anche per te.
5. Se faceva bello andavamo al mare.
6. Se guidavi più piano non ti succedeva.
7. Se arrivavi mezz'ora fa parlavi con tuo padre al telefono.
8. Se voleva poteva farcela.

4 Oltre al connettivo ipotetico *se*, che è il più comune, ce ne sono altri che indicano una condizione. Trasforma queste frasi usando il connettivo condizionale-restrittivo indicato.

1. Se l'imputato sarà riconosciuto colpevole dovrà ritornare in carcere. (*ipotesi che*)

2. Passo io a prenderti se non mi farai aspettare sotto casa, come tuo solito, una mezz'ora. (*purché*)
3. Se ritardo un po', ti prego di scusarmi fin da ora. (*caso mai*)
4. La crisi potrà essere superata se il governo modificherà la proposta di legge sull'immigrazione. (*nell'ipotesi che*)
5. Te lo presto, se me lo restituisci tra una settimana. (*a condizione che*)
6. Il babbo ha detto che le darà la macchina se la usa con giudizio. (*a patto che*)
7. Se domattina è nuvoloso, non partiremo per la montagna. (*nel caso che*)
8. Ti aiuto a comprare la casa se ne prendi una con il giardino. (*a patto che*)
9. Se lo sciopero non è ancora finito, ti vengo a prendere. (*nell'eventualità che*)
10. Se l'imputato confessa di aver ricevuto tangenti, sconterà metà della pena. (*qualora*)

5 Coniuga i verbi tra parentesi al modo conveniente (indicativo, congiuntivo, infinito o gerundio), facendo attenzione al connettivo sottolineato.

1. È meglio avvisare i suoi genitori <u>prima che</u> (essere) .... troppo tardi.
2. Non mi stancherò di parlargli <u>finché</u> (avere, io) .... voce.
3. Uscirò <u>dopo che</u> (pulire) .... la casa.
4. Passerò a trovare la nonna <u>appena</u> (avere) .... un attimo di tempo.
5. Non ti ho chiamato <u>perché</u> non (avere) .... notizie importanti da darti.
6. Non ti ho chiamato <u>perché</u> (potere) .... stare tranquillo prima dell'esame.
7. <u>Siccome</u> non (avere) .... soldi, non abbiamo fatto le ferie.
8. Hanno consultato un esperto <u>per</u> (investire) .... al meglio il patrimonio ereditato.

9. Per quanto la (*aiutare*, io) .... a studiare, non è riuscita a superare l'esame.

10. Continua a fumare anche se (*avere*) .... la tosse.

11. La invitai alla festa benché non mi (*essere*) .... simpatica.

12. Pur (*saltare*) .... il pranzo non sono riuscita ad arrivare in orario.

13. Nonostante (*nevicare*) .... uscirono a fare una passeggiata.

14. È meglio se lo facciamo senza che lei lo (*sapere*) ....

15. Scrissi una lettera anonima a Marta affinché (*scoprire*) .... la verità sul conto di suo marito.

16. Ti aspettiamo a meno che tu non (*volere*) .... raggiungerci con la tua macchina.

17. La mafia può essere sconfitta a patto che tutti i cittadini (*collaborare*) .... per toglierle consenso.

18. Se (*essere*) .... amanti del rock demenziale non potete perdervi il concerto di Elio e le Storie Tese.

19. Nel caso al bambino (*risalire*) .... la febbre, mi chiami in studio.

20. Se (*potere*) .... cambierei nazionalità.

21. La aiutò ad accudire la madre purché (*smetterla*) .... di lamentarsi.

22. Pur (*frequentare*) .... l'ambiente dello spettacolo, l'ha amata come se (*esistere*) .... solo lei come donna.

23. È stato tanto persuasivo che (*convincerci*) .... a fermarci da lui ancora un paio di giorni.

24. Le sue canzoni sono così piene di ritmo e vivacità da (*coinvolgere*) .... l'intero pubblico presente nella sala.

6 Sostituisci i connettivi sottolineati con un corrispettivo più formale.

1. I primi cantautori, cioè i cantanti che sono anche autori dei testi delle loro canzoni, cominciarono a essere noti al grande pubblico verso la fine degli anni Sessanta.

2. Concordo in linea di massima con la tua idea, ma credo che occorra fare delle distinzioni più sottili.

3. Il ministro ha affermato che il rock danneggia le strutture dell'Arena, quindi stop ai concerti di Sting, Vasco Rossi e Eros Ramazzotti.

4. Il meccanismo della mitizzazione dei cantanti è pericoloso perché conduce i giovani all'emulazione di comportamenti trasgressivi.

5. Hanno introdotto il Karaoke perché tutti potessero partecipare a gare di canto, di improvvisazione poetica e di danza.

6. Se farà più del 30% delle assenze non potrà ricevere i 5 crediti previsti per la frequenza del corso.

7. Non mi piace, anche se ha una bella voce, perché le sue canzoni hanno sempre delle sonorità e dei testi malinconici.

8. I miei genitori mi lasciano venire al concerto di Nek se non si fa troppo tardi.

7 Vuoi ripassare la concordanza all'indicativo e al congiuntivo? Coniuga i verbi tra parentesi scegliendo tra: passato prossimo, imperfetto, trapassato prossimo, condizionale presente e passato, congiuntivo presente, imperfetto e trapassato.

Come reagire ai volti noti

Qualche mese fa mi (*trovare*) (1) .... a passeggiare per New York quando (*vedere*) (2) .... da lontano un tizio che (*conoscere*) (3) .... benissimo, e che stava venendo verso di me. Il guaio (*essere*) (4) .... che non mi (*ricordare*) (5) .... dove l'(*conoscere*) (6) .... e come (*chiamarsi*) (7) .... È una di quelle sensazioni che si provano specie quando in una città straniera si incontra qualcuno conosciuto in patria, o viceversa. Una faccia fuori posto crea confusione. E tuttavia quel viso mi era così familiare che certamente (*dovere*) (8) .... fermarmi, salutare, conversare, magari lui mi (*dire*) (9) .... subito: «Caro Umberto, come stai?» e persino: (*fare*) «(10) .... poi quella cosa che (*dire*) (11) ....?» e io non (*sapere*) (12) .... che pesci pigliare. Fingere di non vederlo? Troppo tardi, lui stava ancora guardando dall'altra parte della strada, ma stava giusto volgendo il suo sguardo nella mia direzione. Tanto (*valere*) (13) .... prendere l'iniziativa, salutare, e poi (*cercare*) (14) .... di ricostruire dalla voce, dalle prime battute.

(*Essere*, noi) (15) .... ormai a due passi, (*stare*) (16) .... per aprirmi a un vasto e radioso sorriso, tendere la mano, quando di colpo lo (*riconoscere*) (17) .... Era Anthony Quinn. Naturalmente non l'(*incontrare*) (18) .... mai in vita mia, né lui me. In un millesimo di secondo (*fare*) (19) .... in tempo a frenare, e gli (*passare*) (20) .... accanto con lo sguardo perduto nel vuoto.

Poi (*riflettere*) (21) .... sull'incidente e (*pensare*) (22) .... che (*essere*) (23) .... normalissimo. Già un'altra volta (*scorgere*) (24) .... Charlton Heston e (*avere*) (25) .... l'impulso di salutarlo. Questi volti popolano la nostra memoria, (*trascorrere*, noi) (26) .... con loro molte ore davanti a uno schermo, ci (*diventare*) (27) .... familiari come quelli dei nostri parenti, e anche di più. Si può essere studiosi delle comunicazioni di massa, discettare sugli effetti di realtà, sulla confusione tra reale e immaginario, e su coloro che in questa confusione cadono definitivamente, ma non si è immuni dalla sindrome. Solo che c'è di peggio.

Ho ricevuto confidenze di persone che per un ragionevole periodo (*esporre*, passivo) (28) .... ai mass media, apparendo con una certa frequenza in televisione. Non dico Pippo Baudo o Maurizio Costanzo, ma anche persone che (*dovere*) (29) .... partecipare professionalmente a qualche dibattito, abbastanza per diventare riconoscibili. Lamentano tutte la stessa sgradevole esperienza. Di solito quando vediamo qualcuno che non conosciamo personalmente, non lo fissiamo in faccia a lungo, non lo indichiamo con il dito ai nostri interlocutori, non parliamo ad alta voce di lui mentre ci può ascoltare. (*essere*) (30) .... comportamenti ineducati, e oltre un certo limite aggressivi. Le stesse persone che non (*indicare*) (31) .... con un dito l'avventore di un bar, solo per osservare con un amico che ha una cravatta alla moda, invece si comportano in modo assai diverso con i volti noti.

Le mie cavie affermano che davanti a un'edicola, dal tabaccaio, mentre salgono sul treno, entrando in un gabinetto al ristorante, si trovano a incrociare altre persone che tra loro dicono ad alta voce: «Vedi, è proprio il Tale». «Ma sei sicuro?» «E come no, è proprio lui». E continuano la loro conversazione amabilmente, mentre il Tale li sente, incuranti del fatto che li (*sentire*) (32) .... , come se lui non (*esistere*) (33) ....

Sono confusi dal fatto che un protagonista dell'immaginario massmediatico (*entrare*) (34) .... di colpo nella vita reale, ma al tempo stesso si comportano di fronte al personaggio reale come se (*appartenere*) (35) .... ancora all'immaginario, come se (*essere*) (36) .... su uno schermo, o in una fotografia su un rotocalco, e loro (*parlare*) (37) .... in sua assenza. È come se io (*afferrare*) (38) .... Anthony Quinn per il bavero, lo (*trascinare*) (39) .... a una cabina telefonica e (*chiamare*) (40) .... un amico per dirgli: «Ma guarda che caso, (*incontrare*) (41) .... Anthony Quinn, sai che sembra vero?» (e poi lo (*buttare*) (42) .... via, andandomene per i fatti miei).

I mass media prima ci (*convincere*) (43) .... che l'immaginario (*essere*) (44) .... reale, e ora ci stanno convincendo che il reale (*essere*) (45) .... immaginario, e tanta più realtà gli schermi televisivi ci mostrano, tanto più cinematografico diventa il mondo di tutti i giorni. Sino a che, come (*volere*) (46) .... alcuni filosofi, penseremo di essere soli al mondo, e che tutto il resto (*essere*) (47) .... il film che Dio o un genio maligno ci proietta davanti agli occhi.

(U. Eco, *Il secondo diario minimo*, Bompiani, Milano 1992)

8 Trasforma queste frasi come nell'esempio, usando l'elemento indicato tra parentesi. Di' per ognuna se il congiuntivo esprime un augurio, un desiderio, un dubbio, uno sconcerto.

ESEMPIO

▶ Speravo che mi telefonasse, ma inutilmente. (*magari*)
Magari mi avesse telefonato! (desiderio)

1. Spero che Filippo torni presto stasera dalla disco. (*almeno*)
2. Mi spiace di non aver studiato abbastanza per questo esame. (*se*)
3. Mi auguro che tu riesca ad arrivare tra i primi tre. (*che*)
4. Prego perché questo bambino abbia salute e serenità. (*voglia il cielo*)
5. Sarebbe stato bello se Carla avesse sposato un uomo ricco! (*magari*)
6. Sarà stata la mamma ad aver spostato il mio portafoglio. (*che*)
7. I pacchi devono essere pronti quando rientro! (*che*)
8. Mi hanno ridotto la casa in uno stato indecente! (*vedere*)
9. I nostri vicini di casa urlavano come pazzi! (*sentire*)
10. Forse è il postino! (*che*)

9 Classifica queste parole che svolgono la funzione di interiezioni – cioè che servono a esprimere uno stato d'animo improvviso – nella griglia sotto e poi completa le frasi con le espressioni che hai ordinato.

| Finiscila! | Santo cielo! | Mi faccia il piacere! | Coraggio! | Meledizione! | Su! | Oddio! |

INTERIEZIONI				
ORDINE	ESORTAZIONE	IMPRECAZIONE	DISACCORDO	SDEGNO, SORPRESA, DOLORE
Basta! Zitto!	Dai! Forza!	Peccato! Accidenti!	Si figuri! Neanche per sogno!	Dio mio! Povero me! Per carità! Per amor del cielo!
....	....	....	....	....
....	....	....	....	....

1. Smettila di fare capricci. Non ne posso più di sentirti strillare! .... !
2. – Lo sapevi che il figlio di Melissa ha avuto un incidente ed è in ospedale in coma?!
   • .... ! Non ci posso credere!
3. – Posso invitarla stasera a cena a casa mia?
   • ...., La smetta di importunarmi, lo sa che sono sposata!
4. – Tocca a me! Ho una paura maledetta perché mi deve fare un'estrazione.
   • ...., Le farà l'anestesia e non sentirà niente!
5. Sono le otto, ..., svegliati o farai tardi!
6. Non trovo più la macchina fotografica. L'avevo appoggiata qui. .... me l'hanno rubata!
7. Di nuovo il terremoto in Molise?! .... che regione sfortunata!

10 Leggi e sottolinea in questo frammento di testo un nome maschile con una desinenza tipicamente femminile.

Nel panorama italiano della canzone d'autore la produzione musicale di alcuni interpreti costituisce, per certi versi, una "somma di casi isolati" non riconducibili a nessuna scuola e a nessuna area specifica.

> **Ne conosci altri?**
> nomi maschili in -*a*

Completa queste frasi con l'articolo e le desinenze corrette.

1. I testi delle canzoni presentate a Sanremo presentano, tra .... tem......... ricorrent........., l'amore.

2. È .... problem......... seri......... : se non riprenderà a mangiare sarà meglio consultare uno psicologo.

3. De André ha rielaborato alcune canzoni d.........

poet.................... ermetic.................... Umberto Saba.

4. In Nuova Zelanda abbiamo visto d......... panoram......... splendid......... .

5. L'unic......... cinem......... con più sale si trova fuori Lucca.

6. Mio figlio da grande vorrebbe fare .... geometr......... .

7. Si è avvalso del più affermat......... musicist......... del momento.

8. Fu .... più saggio monarc......... di tutti i tempi.

9. L'ha ricevuto .... vagli......... che Le ho spedito una settimana fa?

10. Abbiamo trascorso le vacanze di Pasqua su......... Delt......... del Po.

11. Si dice che Saddam Hussein avesse una dozzina di sosi......... .

12. È scappato dallo zoo .... gorill .... appena arrivat......... .

11 Completa questa recensione scegliendo tra le preposizioni *di, a , da, tra, per, con*.

Mina e Adriano Celentano
Attenti a quei due
RECENSIONE DI VITALIANO DELLA PENNA

Non si tratta certo (1) .... famoso telefilm degli anni '70 ma comunque (2) .... qualcosa di dinamico e di avventuroso: Mina, la voce (3) .... voci, Adriano Celentano, il supermolleggiato, si ritrovano in un lavoro "a due" cogliendo (4) .... sorpresa tutti gli appassionati (5) .... musica italiana di ieri e di oggi.

Per quanto l'operazione possa dare adito (6) .... sospetti di "colpaccio" commerciale legato (7) .... nomi degli artisti coinvolti, in realtà ci si trova di fronte a un disco realizzato (8) .... grande scrupolo e (9) .... una produzione (10) .... ottimo livello.

Un'altra parola va spesa riguardo all'atmosfera che si respira nel momento in cui si prende in mano il CD fino alla conclusione dell'ascolto. Si ha la netta sensazione che si tratti (11) .... un incontro tra vecchi amici e che lo stesso incontro abbia fatto scaturire attimo dopo attimo l'una canzone, poi l'altra, le numerose foto (che ritraggono anche Mina con il suo immutato fascino!!!), il fumetto "Molly e Destino Solitario", l'alternarsi di grande professionalità interpretativa e di voglia di divertirsi. Insomma, oltre le dieci canzoni c'è il piacere (12) .... trovarsi in una bella situazione, in una sorta di familiarità che proviene (13) .... conoscenza dei "due" e (14) .... contesto che sono riusciti (15) .... creare e (16) .... trasmettere.

Recupero un po' di oggettività e torno (17) .... indossare l'abito del severo recensore. I dieci brani dell'album presentano caratteristiche difformi (18) .... di essi, pur spaziando nella categoria onnicomprensiva della musica leggera italiana. Sulla scia del singolissimo *Acqua e sale* si pongono anche *Brivido felino* e *Specchi riflessi*. Ironica e inconfondibilmente marchiata Celentano *Io non volevo*. Etno, etno-pugliese per la precisione, *Che t'aggia dì*, quasi uno sketch tra Mina e Adriano. Atmosfere più classiche caratterizzano *Io ho te* e *Sempre, sempre, sempre*; singolari, per suggestioni e composizione *Dolce fuoco dell'amore*, *Messaggio d'amore* e *Dolly*.

Oltre a Celentano, autore di tre brani, si sono cimentati (19) .... "scrittura" gli Audio 2, S. Cenci, P. Audino, G. Fasolino, M. Vaccaro, L. Albertelli, E. Riccardi e l'ormai celeberrimo Massimiliano Pani. Quest'ultimo è anche arrangiatore (20) .... quasi totalità delle canzoni, oltre che tastierista e corista.

Davvero un piacere (21) .... le orecchie "il suono" del disco, le sonorità scelte di volta in volta, la qualità del suonato così come quella delle registrazioni (effettuate presso gli studi GSU di Lugano). L'ottimo livello dei musicisti che hanno scelto è interamente percepibile nel corso dei dieci brani. Non è superfluo ed è peraltro doveroso accennare (22) .... voci di Mina e di Adriano Celentano. La performance di entrambi è stata (23) .... alto livello; l'incontro, anche dal punto di vista strettamente vocale, è stato felice e riuscitissimo.

Non c'è dubbio: il pubblico italiano, e credo anche internazionale, non potrà che accogliere (24) .... entusiasmo questo disco che rappresenta al medesimo tempo la conferma (25) .... una tradizione di lungo corso e l'apertura (26) .... nuove ed inaspettate possibilità.

(da http://www.musicaitaliana.com/cd/mina_67.html)

Ripasso

1 Completa questo testo mettendo gli aggettivi tra parentesi prima o dopo il nome. Ti ricordiamo che normalmente l'aggettivo in posizione pre-nominale ha funzione descrittiva mentre in posizione post-nominale ha funzione restrittiva.

Da ottobre il tour mondiale di Ramazzotti

Debutterà al Palarossini di Ancona il (*prossimo*) (1) .... 11 ottobre .... il (*mondiale*) (2) .... tour .... di Eros Ramazzotti. L'artista, reduce da un (*impegnativo, promozionale*) (3) .... tour .... all'estero (Francia, Olanda, Spagna, Svizzera, Belgio, Austria, Canada, Messico e Sudamerica), si concederà ora un (*meritato*) (4) .... periodo .... di riposo, per poi iniziare a settembre le prove della (*intensa*) (5) .... tournée .... che l'attende.

Solo due, oltre a quella del debutto, le (*previste*) (6) .... date .... in Italia fino alla primavera 2004: 11 e 12 dicembre al Filaforum di Assago di Milano, che tra l'altro si avviano verso il tutto esaurito.

Ramazzotti ha pubblicato lo (*scorso*) (7) .... 30 maggio .... il suo (*nono*) (8) .... album .... (Bmg Ricordi), che in soli due mesi ha fatto registrare un (*considerevole*) (9) .... riscontro .... di vendite: da otto settimane è, infatti, al primo posto nella (*italiana*) (10) .... classifica ...., con 450 mila (*vendute*) (11) .... copie .... Anche i (*esteri*) (12) .... dati .... sono motivo di soddisfazione per l'artista: 1.100 mila copie vendute nel mondo ((*esclusa*) (13) .... Italia ....) gli hanno fatto meritare il disco d'oro in Austria, Belgio, Francia, Germania, Svezia e Messico; e il (*doppio*) (14) .... disco .... di platino in Svizzera. Inoltre, l'album e il singolo *Un'emozione per sempre* sono da un mese ai vertici delle (*maggiori*) (15) .... charts .... europee e sudamericane.

1 agosto 2003

(da http://www.musicaitaliana.com/news/it/2003/03080106.html)

2 Completa questo testo mettendo i verbi tra parentesi ai modi indefiniti, gerundio, participio presente/passato (spesso con funzione di aggettivo) e infinito semplice e composto (con funzione di nome).

La musica ribelle

Sesso, droga e...

Ben lungi dall'(*essere*) (1) .... solo un genere musicale, il rock ha rappresentato, dalla fine degli anni Settanta, un vero e proprio fenomeno di costume. (*Legare*) (2) .... a un doppio filo alla (*nascere*) (3) .... contestazione giovanile, ha portato con sé una nuova cultura di massa, con i suoi miti (la trasgressione, l'eccesso, le aspirazioni libertarie ed egualitarie, il pacifismo) e i suoi riti (i grandi raduni-concerto).

In Italia il fenomeno ha preso piede una decina di anni dopo, (*contrapporsi*) (4) .... alla tradizionale canzonetta sanremese e allo stile (*dominare*) (5) .... dei cantautori. Nella sua *Musica ribelle*, del 1978, Eugenio Finardi inveiva contro "le strofe languide di tutti quei cantanti / con le loro facce da bambini e i cuori (*infrangere*) (6) .... " e, col (*trascinare*) (7) .... entusiasmo del neofita, cantava l'avvento di una nuova era musicale ("È la musica la musica ribelle / che ti vibra nelle ossa / che ti entra nella pelle").

La coiné rock

I testi delle canzoni rielaborano la caotica ideologia del rock, (*tradurla*) (8) .... in elementi che ricorrono con una frequenza quasi ossessiva. Riflesso di questa iteratività tematica è, nel rock italiano degli ultimi quindici anni, una sorta di *coiné* linguistica. Una miscela espressiva (*basare*) (9) .... su certi tratti che, (*combinare*) (10) .... in diversa misura, ricorrono in molte canzoni di questo genere,

→

(*costituirne*) (11) .... la caratteristica distintiva. La formalizzazione dei temi più tipici del rock si è via via adagiata in schemi rigidi, che nel tempo si sono progressivamente spogliati del loro valore ideologico, (*acquistare*) (12) .... un'autonomia sempre maggiore rispetto ai nuclei ispiratori di partenza. Così, (*nascere*) (13) .... come intimamente antitradizionale, il linguaggio del rock si riconosce oggi in una precisa tradizione. La tradizione del rock italiano è rappresentata oggi da quelli che potremmo definire quattro classici: tre cantanti (Vasco Rossi, Ligabue e Gianna Nannini) e un gruppo (i Litfiba).

(*Collegare*) (14) .... a questi quattro punti cardinali si trovano altri quattro filoni, che pur (*condividere*) (15) .... gli aspetti fondamentali della *coiné* rock, ne enfatizzano una particolare componente: il rock politico con un massiccio recupero del linguaggio della politica, il rock demenziale con la sua ricerca di effetti espressivi comici, ironici e (*dissacrare*) (16) .... , il rock di ricerca (*tendere*) (17) .... a esplorare nuovi orizzonti espressivi, il rock sentimentale che si pone in un atteggiamento di maggior continuità con la canzone tradizionale.

[...]

I maschi della Nannini

Proseguiamo la carrellata con il ritornello dei *Maschi*, una canzone di Gianna Nannini.

"I maschi disegnati sul metrò / confondono le linee di Mirò / nelle vetrine dietro ai bistrots / ogni carezza nella notte è quasi amor. I maschi innamorati dentro ai bar ci chiamano dai muri di città / dalle vetrine dietro ai juke-box / ogni carezza della notte è quasi amor".

Costante è lo schema per parallelismi, tanto che le due parti del ritornello si presentano come variazioni con un minimo scarto sullo stesso tema. I versi sono tutti chiusi da parole tronche, in un (*susseguirsi*) (18) .... di rime baciate (*metrò : Mirò*) e quasi rime (le assonanze *bistrots : amor*) (*ottenere*) (19) .... (*servirsi*) (20) .... di francesismi, di anglicismi e anche di un'apocope* clamorosamente (*sbilanciare*) (21) .... in senso (*arcaicizzare*) (22) .... come *amor*.

Il titolo ci introduce alla principale novità (*rappresentare*) (23) .... dai testi di Gianna Nannini: una specie di rivoluzione copernicana che consiste nel (*ribaltare*) (24) .... i ruoli – anche linguistici – della situazione amorosa. L'oggetto del desiderio è l'uomo. Il punto di vista e il linguaggio sono inconfondibilmente e provocatoriamente femminili. Le canzoni della Nannini non sono più reversibili. In questo brano, (*privilegiare*) (25) .... il lato sensuale, la Nannini canta i *maschi* – non gli *uomini* – e con maliziosa ambiguità dà alla parola *maschio* tanto il valore di "genere maschile", quanto quello di "sesso maschile" ("i maschi disegnati sui metrò").

---

*   Caduta di una vocale o sillaba in finale di parola (*amore > amor*).

(adattato da Accademia degli Scrausi, *Versi rock* cit.)

Test

1 **Completa i seguenti periodi ipotetici coniugando i verbi tra parentesi:**

1. Naturalmente, la prima cosa che mi avevano comunicato i medici dopo l'incidente era che, se anche (*sopravvivere*) ...., le sue funzioni non (*essere*) .... più quelle di una volta, poteva restare paralizzata, oppure solo cosciente in parte.

2. Se il mio cuore (*essere*) .... veramente grande, (*pregare*) .... per la sua morte. Alla fine qualcuno le volle più bene di me. Nel tardo pomeriggio del nono giorno, morì.

3. Se (*riscrivere*,io) .... oggi questa canzone, (*essere*, la canzone) .... più felice e ottimista, ma in quel periodo la mia vita era piena di sofferenza.

4. Se (*darmi*, tu) .... delle indicazioni più chiare, (*arrivare*, noi) .... prima.

Forma il periodo ipotetico che scaturisce logicamente dalla premessa.

5. Vuole guarire, osservi una dieta ferrea!
   ....

6. Mi sono trasferito negli Stati Uniti e quindi la casa di famiglia non è più nostra.
   ....

7. Ho fatto l'incidente perché non ho viaggiato in treno.
   ....

8. Cammina piano così non inciampi.
   ....

→ **/16 punti**

2 **Ribatti in modo adeguato ai sentimenti espressi nelle frasi, seguendo l'indicazione data tra parentesi (es. desiderio, *che*)**

1. Quelli del tavolo accanto parlano una lingua strana. (dubbio, *che*)

2. Ho comprato cento biglietti della lotteria. (augurio, *almeno*)
   ....

3. In Sicilia eravamo in un albergo indecente. (disgusto, *vedere*)
   ....

4. Sai che Marco ha finalmente deciso di sposarsi. (speranza, *magari*)
   ....

5. Cristina è stata operata e dovrà fare un mese di convalescenza. (augurio, *che*)
   ....

6. Luca dice di avere seriamente intenzione di seguire la dieta e di fare ginnastica. (augurio, *almeno*)
   ....

→ **/6 punti**

3 **Trasforma queste frasi usando il connettivo condizionale-restrittivo indicato.**

1. Se la minacciano ancora, si rivolga immediatamente alla polizia.
   (*qualora*)............................

2. Se tuo marito dovrà partire, rimanderemo la gita a un'altra volta.
   (*nel caso che*)............................

3. Potete rimanere dai nonni se vi comportate bene.
   (*purché*)............................

4. La perdonerò se mi chiederà scusa.
   (*a patto che*)............................

5. Se non ce la faccio ad andare a prendere i bambini a scuola, ti telefono.
   (*nell'eventualità*)............................

6. Ti presto la mia macchina se vai piano.
   (*a condizione che*)............................

→ **/6 punti**

4 Completa questa biografia del cantautore Claudio Baglioni scegliendo tra le seguenti parole.

> sonorità   palcoscenico   tournée   fans
> concerti   colonna sonora   esordire
> album   brani   intitolato

Baglioni parte per una (1) .... che riscuoterà l'aspettato successo, da questo tour prenderanno corpo altri due (2) .... : *Assieme* e *Ancora Assieme*, che raccolgono 34 greatest hits di Baglioni. Nel 1994 la sua *Acqua nell'Acqua* è l'inno ufficiale dei Campionati del Mondo di Nuoto. Il 1995 un nuovo album torna a emozionare i suoi (3) ...., *Io sono qui*, che il primo giorno di distribuzione vende 300 000 copie. L'anno seguente parte il Tour Rosso, spettacolo che avrà per sfondo i palasport di tutt'Italia, in estate il Tour Giallo, questa volta il (4) .... sarà un camion, ovviamente giallo. Questi tour sono l'ennesima occasione per dar vita a un doppio album dal vivo, *Attori e Spettatori*. Il 1997 è l'anno della televisione, Fabio Fazio lo vuole al suo fianco in un programma per Rai 2, *Anima mia*, una sorta di ricerca nella memoria degli anni '70. Nonostante l'insolita veste, il successo è clamoroso, a tal punto che Claudio coglie con piacere l'occasione per dar vita a un CD scherzoso, (5) .... appunto *Anime in gioco* e contenente (6) .... degli anni '70, nessuna eccezione per le più belle sigle dei cartoni animati dell'epoca. Nel 1998 Baglioni scrive l'inno dei mondiali di Francia, *Da me a te*, e il 24 settembre esce un triplo CD intitolato *A-Live*, che raccoglie i suoi grandi successi, oltre a un inedito: *Arrivederci o addio*. Intanto si moltiplicano i (7) .... negli stadi, la maggior parte dei quali richiedono repliche per l'impossibilità di contenere l'enorme massa di pubblico che accorre da tutt'Italia. Nel 1999 Claudio appare in una veste seduttiva del tutto rinnovata, anche musicalmente propone (8) .... e atmosfere ormai lontane da quelle che gli hanno fatto meritare il marchio di *cantore d'amore*, che appare all'artista un abito ormai troppo stretto. Così realizza *Viaggiatore sulla coda del tempo*, il cui brano principale farà da (9) .... in uno spot per una nota compagnia telefonica e cui seguirà a breve distanza *Il Viaggio Tour* (47 date), che si concluderà il 22 giugno 2000 con oltre 360 000 presenze. Il 13 agosto Claudio torna a sorpresa con un tour acustico nei luoghi d'arte. *Sogno di una notte di note* è un tuffo nei luoghi ricchi di storia e, in quanto tale, non poteva non (10) .... a Pompei. Il tour si conclude il 17 settembre, registrando ancora una volta veri e propri bagni di folla.

→   /10 punti

5 Analizza le parole derivate sottolineate nella seguente intervista alla cantante Giorgia. Scrivi, come nell'esempio, la parola di base da cui deriva e gli affissi di cui è composta.

ESEMPIO

▶ <u>tristezza</u>: aggettivo *triste* → Nome con
                                        suffisso *-ezza*

— Nonostante le tue canzoni propongano uno specchio poco confortante della società attuale, sei riuscita comunque a trovare spesso un lieto fine, come in *Nouveau sourire*...

— Sì, perché questo disco per me è la reazione a un mio atteggiamento di chiusura e <u>tristezza</u> totale precedente al periodo in cui ho cominciato a scriverlo. In quel periodo poi c'era la guerra in Iraq, quindi lo stato d'animo era, come per molte persone, di <u>oppressione</u> (1) .... e di paura. Per questo il disco risente di quella voglia di <u>reazione</u> (2) .... verso le cose che sono chiaramente sbagliate, che sono tutte quelle che limitano la vita delle persone in qualche modo. E poi io cerco sempre di non prendermi tanto sul serio e questo alla fine mi porta a ridere di molte cose.

— Come nei precedenti dischi, anche in questo troviamo nomi di <u>collaboratori</u> (3) .... e musicisti stranieri. Ti piace misurarti con stili e idee poco italiane?

— La <u>verità</u> (4) .... è che ho scelto nuo-

vamente di collaborare con musicisti <u>statunitensi</u>
(5) .... neri perché mi dessero quella
parte di nero che non ho. Soprattutto in questo di-
sco, però, ho cercato di mescolare tutte le <u>sonorità</u>
(6) .... che ho sentito nel tempo e molte
cose le ho arrangiate, prodotte e registrate perso-
nalmente; così ho salvaguardato anche la mia parte
italiana, fatta di Battisti, Mina e De Gregori, cioè
quella musica ascoltata quando ero piccola. Contemporaneamente, però, ho scelto di mescolarla alle conoscenze dei musicisti americani e anche di
quelli italiani, per questo ho scelto gente che viene
dal rock e gente che viene dall'R&B, mi è sembrato
di restituire un po' le cose che ho ascoltato nel tempo. Ho cercato proprio di mescolare suoni anni '70
e anni '80 e più che cercato di farlo, l'ho fatto, è venuto da sé.

(da http://www.musicaitaliana.com/interviste/giorgia.html
Intervista di Paola De Simone)

→ /6 punti

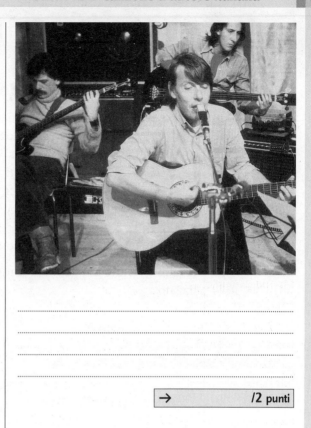

....
....
....
....

→ /2 punti

6 Leggi l'inizio di questa canzone di De André
e spiega le due metafore in grassetto.

La canzone dell'amore perduto
(F. DE ANDRÉ)

Ricordi sbocciavan le viole
con le nostre parole
non ci lasceremo mai
mai e poi mai
Vorrei dirti ora le stesse cose
ma **come fan presto, amore, ad appassir le rose
così per noi.**
**L'amore che strappa i capelli
è perduto oramai**
non resta che qualche svogliata carezza
e un po' di tenerezza.

7 Completa questi microdialoghi con un'interiezione appropriata.

1. – Ho la febbre, non posso venire alla tua festa.
   = ... , ti saresti certamente
   divertita!

2. – L'hanno di nuovo colto a rubare al
   supermercato.
   = ... come andrà a finire quel
   ragazzo!

3. Scendi dall'altalena, ...! Ci sono
   i bambini che aspettano il loro turno. Sbrigati!

4. – Gliela regalo io una rosa, signorina!
   = Ma ....

→ /4 punti

→**punteggio totale** /50 punti

Sintesi grammaticale

Periodo Ipotetico (PI)

Forma   Si dice ipotetico un periodo formato da due frasi: la principale e la secondaria, introdotta da *se*, che indica la condizione, l'ipotesi da cui dipende o potrebbe dipendere la realizzazione o meno di quanto si dice nella frase principale.

Se gli scrivi   *ti risponde.*
fr. secondaria (condizione)   fr. principale (conseguenza)
PROTASI   APODOSI

Tradizionalmente si distinguono tre tipi di PI.

Il tipo della realtà   Il fatto è sentito dal parlante come reale; quasi sicuramente si realizzerà o si è realizzato:

se +   indicativo   { **indicativo**
                                condizionale semplice
                                imperativo

PRESENTE   Se *viene* Ada   { me lo *dici?*
                             la *vedrei* volentieri.
                             fammelo sapere!

FUTURO   Se *verrà* Ada   { me lo *faranno* sapere.
                             la *saluterei* volentieri.
                             fammelo sapere!

PASSATO   Se Ada *è arrivata*   { me lo *diranno*/me lo *dicono.*
                             è *andata* a casa sua.
                             fammelo sapere!/La *vedrei* volentieri.

Il tipo della possibilità   Il fatto è sentito dal parlante come possibile; forse si realizzerà o si è realizzato:

se +   **congiuntivo imperfetto**   **condizionale presente**
PRESENTE   Se oggi *ricevessi il passaporto*   *potrei* prenotare subito il biglietto.
FUTURO   Se domani *piovesse*   *dovremmo* rimandare la gita.

Con connettivi condizionali l'ipotesi per lo più viene resa con il **congiuntivo imperfetto**, anche quando la conseguenza viene espressa con **l'indicativo o l'imperativo**.

     Nell'eventualità che si sentisse male di notte, *può chiamare* questo numero/*chiami* questo numero.

Il tipo della irrealtà   Il fatto è sentito dal parlante come impossibile, irrealizzabile (al presente) o irrealizzato (al passato):

se +   **cong. trapassato**   **cond. presente (fatti al presente)**
se +   **cong. imperfetto**   **cond. passato (fatti al passato)**

– I fatti ipotizzati sono nel PRESENTE (O FUTURO):

Se la terra *avesse* luce propria *sarebbe* una stella.

– I fatti ipotizzati sono nel PASSATO:

Se *avessi vinto* il concorso *avrei ricevuto* una borsa di studio di 500 euro al mese.

Se *uscivo* con quella pioggia *mi bagnavo* tutta.

(imperfetto – imperfetto nel parlato colloquiale [registro familiare])

Tipi misti

• **Cong. trapassato – cond. presente**, la conseguenza perdura nel presente:

Se *avessi studiato potresti goderti* le vacanze.

• **Cong. imperfetto – cond. passato**, l'ipotesi è valida anche al presente:

Se *fosse* una persona generosa ti *avrebbe aiutato*.

• Fatti collocati nel futuro si presentano come irrealizzabili già nel momento in cui si parla ("disponibilità impedita", cfr. Unità 8, p. 294):

So che domani andate al mare. Se non *avessi* impegni *sarei venuto* anch'io con voi.

Uso

La scelta dei modi e dei tempi dipende dal contesto situazionale e linguistico e dal registro (più o meno formale):

Se vieni mi fai molto piacere. (sicurezza nella possibile realizzazione dell'ipotesi)

Se venissi mi faresti molto piacere. (poca fiducia nella possibile realizzazione dell'ipotesi)

Se vinco la lotteria, farei salti di gioia. (registro informale)

Se non ero assicurato ora piangevo. (= *fossi stato assicurato … piangerei*; registro informale)

La protasi può essere **sottintesa**:

Io *al posto tuo* (= *se fossi al...*) ci andrei. (manca il verbo)

Io ci andrei da lui. (*se mi chiamasse, se avessi tempo...*)

La **collocazione della protasi** dipende dal rilievo che si vuole dare al contenuto: può essere posposta, anteposta o interposta all'apodosi:

Carlo ti risponde *se gli scrivi*.

Se gli scrivi, Carlo ti risponde.

Carlo, *se gli scrivi*, ti risponde.

Congiuntivo indipendente (cfr. Tavole grammaticali, pp. 475-483)

Uso

Il congiuntivo, che come si è visto in tutte le precedenti unità si trova di solito in frasi secondarie, può anche essere usato in costrutti indipendenti, con i seguenti valori:

– **permissivo** (si concede, si permette, si ammette qualcosa = equivale all'imperativo di cortesia):

Entri pure!

Dica, dica.

Se li tengano pure, i loro soldi!

– **esortativo** (esprime un ordine indiretto, un divieto):

Che la cena *sia* pronta, quando torno!

- **elativo** (di intensificazione):
  Sapessi quante ne ho passate nella mia vita! (ne ho passate davvero tante)
- **dubitativo:**
  Sento dei passi. *Che sia* mamma?
- **desiderativo** o **ottativo** (esprime un desiderio, un augurio/speranza, un'imprecazione):
  Oh, *fosse* qui mia madre! (desiderio)
  Che la fortuna ti *assista!* (augurio/speranza)
  Gli *scoppiasse* una gomma! (imprecazione)

Come si può notare, nello scritto la particolare intonazione è contrassegnata da un punto esclamativo.

Il significato ottativo

Con il significato OTTATIVO si usa:
- **il congiuntivo presente o imperfetto** per indicare un desiderio che il parlante sente, rispettivamente, realizzabile o irrealizzabile nel **presente**:
  Che vinca l'Inter! (è realizzabile)
  Magari vincessi alla lotteria! (è irrealizzabile)
- **il congiuntivo passato o trapassato** per un desiderio sentito, rispettivamente, realizzabile o irrealizzabile nel **passato**:
  Voglia il cielo che abbia trovato un lavoro!
  Almeno fosse finito l'inverno!

Le frasi con il congiuntivo ottativo di solito hanno un elemento introduttivo, che a seconda dello stato d'animo del parlante, può essere:
- *magari, almeno, se, volesse il cielo che* (di solito con congiuntivo imperfetto o trapassato), *che, voglia il cielo che* (abitualmente con congiuntivo presente o passato).
Possono anche non avere un segnale introduttivo o una interiezione (*oh, ah*):
  Possiate vivere felici!
  Oh, avessi la salute!)

Nomi maschili in -*a*

  il problem**a** – i problem**i**
▶ in -*a* / -*i*
  il poeta / i poeti, il geometra, il panorama, il clima, il tema
▶ in -*a* / -*i*, -*e*
  il suicida / i suicidi, la suicida / le suicide; il pediatra
▶ in -*ista* / -*isti*, -*iste*
  il giornalista / i giornalisti, la giornalista / le giornaliste; il musicista, il barista, il taxista, ecc. (cfr. Unità 9, pp. 324-325)
▶ in -*ca*, -*ga* / -*chi*, -*ghi*
  il monarca / i monarchi, il patriarca, lo stratega (cfr. Unità 6, pp. 221-222)
▶ invariabili
  il vaglia / i vaglia, il boa, il gorilla, il boia (cfr. Unità 3, pp. 107)

Interiezioni

Le interiezioni sono parole o espressioni che servono a esprimere una reazione improvvisa di gioia, dolore, sdegno, sorpresa, paura, ecc.

Sono particolarmente usate nella lingua parlata, in cui assumono significati variabili a seconda della modulazione della voce e del contesto in cui vengono pronunciate. Nello scritto per riprodurre il tono enfatico caratteristico delle interiezioni si ricorre al punto esclamativo.

> *Ohimé!*
>
> *Diamine*, state veramente esagerando!
>
> *Come?!*

Interiezioni proprie | Mutano di significato a seconda del contesto e dell'intonazione.

▶ **Ah!:**

   Ah, che terribile notizia mi hai dato! (dolore)

   • Carla ce l'ha fatta, è stata promossa!

   – *Ah*, bene! (meraviglia, sorpresa, soddisfazione)

▶ **Ahi!:**

   Ahi, che male! (dolore fisico)

▶ **Eh!:**

   Eh, mi creda, è stata dura! (rassegnazione)

   Eh!? Che te ne pare? Bello, vero? (ricercare consenso)

   – Ha telefonato Paul?

   • *Eh?* (è aperta con tono interrogativo) (segnalare che non si è capito ciò che l'interlocutore ha detto)

   • Giulio!

   – *Eh?* (è aperta con tono interrogativo) (disponibilità ad ascoltare)

   Eh, eh, eh! (ridere beffardo)

▶ **Bah!:**

   – La musica d'oggi è fatta così.

   • *Bah!* (disapprovazione)

▶ **Beh!:**

   – A che ora ti sei svegliato?

   • *Beh*, tardino! (per iniziare il discorso perdendo tempo quando si deve rispondere a domande imbarazzanti)

▶ **Boh!:**

   – Come s'intitola l'ultimo album di Giorgia?

   • *Boh!* (dubbio)

▶ **Mah!:**

   – Hai sentito del figlio di Luisa? Vuole arruolarsi nella missione di pace in Iraq.

   • *Mah!* (incertezza, imbarazzo, perplessità)

▶ **Oh!:** (sorpresa, meraviglia, gioia)

   – *Oh!* Che meraviglia questo sole caldino! (*o* chiusa e prolungata)

   – *Oh!* Siamo finalmente arrivati! (*o* aperta e prolungata)(soddisfazione)

▶ **Uff, uffa!:**

   Uffa, quante storie! (noia, fastidio)

| Interiezioni improprie | Sono parole o espressioni usate in senso interiettivo: |

ORDINE	ESORTAZIONE	IMPRECAZIONE	DISACCORDO	SDEGNO, SORPRESA, DOLORE
Basta! Zitto! Finiscila!	Dai! Su! Coraggio! Forza!	Peccato! Accidenti! Maledizione!	Si figuri! Mi faccia il piacere! Neanche per sogno!	Oddio! Dio mio! Santo cielo! Povero me! Per carità! Per amor del cielo! Accidenti!

Coesione testuale (cfr. Tavole grammaticali, pp. 491-497)

Connettivi ipotetici / condizionali-restrittivi

Se

Il connettivo ipotetico o condizionale più comune è *se*. Può essere rafforzato in senso concessivo come in:

Se anche glielo dicessimo che vantaggi avremmo?

Se mai volessi partire, prenderei la nave.

Avrebbero potuto ucciderlo *se solo* avessero voluto.

Altri connettivi

Altri connettivi condizionali-restrittivi, che richiedono sempre il congiuntivo, sono: *casomai, nell'eventualità che, nell'ipotesi che, ove/laddove* (formale scritto), *qualora, ammesso che, concesso che, posto che, purché, a patto che, a condizione che, sempre che...*

Caso mai finissi presto, passo a prenderti.

Passo a prenderti *purché* tu non ti faccia aspettare.

Qualora sia colpevole lo puniranno con tre anni di reclusione. (fatto certo)

Qualora fosse colpevole lo punirebbero con tre anni di reclusione. (fatto non del tutto certo, ipotesi)

Ammesso che abbiate ragione, che cosa ci guadagnate a insistere così tanto?

Gli regalerà la moto *a condizione che* resti promosso.

Con questi connettivi è anche possibile usare l'indicativo futuro al posto del congiuntivo presente:

L'assemblea salterà *nel caso che saranno* presenti meno della metà degli iscritti.

Forma implicita

Nella forma implicita le proposizioni condizionali possono essere espresse con il gerundio, il participio passato e *a* + l'infinito (cfr. Unità 11, p. 427):

Applicandoti, potresti superare l'esame.

Sviluppata meglio, sarebbe un'idea vincente.

A vederlo, non diresti che ha origini aristocratiche.

Tavole grammaticali

Congiuntivo

Forma | Il congiuntivo ha due tempi semplici (**presente** e **imperfetto**) e due tempi composti (**passato** e **trapassato**).

CONGIUNTIVO PRESENTE

Ada crede che...

	Parl-**are**	Vend-**ere**	Part-**ire**	Cap-**ire**
io	parl-**i**	vend-**a**	part-**a**	cap-**isc-a**
tu	parl-**i**	vend-**a**	part-**a**	cap-**isc-a**
lui/lei/Lei	parl-**i**	vend-**a**	part-**a**	cap-**isc-a**
noi	parl-**iamo**	vend-**iamo**	part-**iamo**	cap-**iamo**
voi	parl-**iate**	vend-**iate**	part-**iate**	cap-**iate**
loro	parl-**ino**	vend-**ano**	part-**ino**	cap-**isc-ano**

Dato che all'interno di ogni coniugazione le desinenze delle tre persone singolari sono uguali, per evitare ambiguità spesso si rende necessario esprimere il soggetto:

È necessario che *io/tu/lui vada* subito.

Verbi irregolari

Osservate che molti verbi irregolari hanno come radice quella della I persona singolare del presente indicativo, eccetto per la I (*noi*) e II persona (*voi*) plurale.

essere   sia, sia, sia, siamo, siate, siano
avere   abbia, abbia, abbia, abbiamo, abbiate, abbiano

Infinito	Indicativo presente	Congiuntivo presente
and-are	**vad**-o	**vad**-a, **vad**-a, **vad**-a, and-iamo, and-iate, **vad**-ano

dare	dia, dia, dia, diamo, diate, diano
bere	beva, beva, beva, beviamo, beviate, bevano
dire	dica, dica, dica, diciamo, diciate, dicano
dovere	debba, debba, debba, dobbiamo, dobbiate, debbano
fare	faccia, faccia, faccia, facciamo, facciate, facciano
potere	possa, possa, possa, possiamo, possiate, possano
rimanere	rimanga, rimanga, rimanga, rimaniamo, rimaniate, rimangano
salire	salga, salga, salga, saliamo, saliate, salgano
sapere	sappia, sappia, sappia, sappiamo, sappiate, sappiano
spegnere	spenga, spenga, spenga, spegniamo, spegniate, spengano
stare	stia, stia, stia, stiamo, stiate, stiano
tenere	tenga, tenga, tenga, teniamo, teniate, tengano
uscire	esca, esca, esca, usciamo, usciate, escano
venire	venga, venga, venga, veniamo, veniate, vengano
volere	voglia, voglia, voglia, vogliamo, vogliate, vogliano

CONGIUNTIVO PASSATO

Ada crede che...

io	abbia		sia	
tu	abbia		sia	— partito/a
lui/lei/Lei	abbia	parlato	sia	
noi	abbiamo	venduto	siamo	
voi	abbiate	capito	siate	— partiti/e
loro	abbiano		siano	

Il congiuntivo passato si forma con il congiuntivo presente dell'ausiliare *avere/essere* e il participio passato del verbo principale.

essere sia stato/a, sia stato/a, sia stato/a, siamo stati/e, siate stati/e, siano stati/e

avere abbia avuto, abbia avuto, abbia avuto, abbiamo avuto, abbiate avuto, abbiano avuto

CONGIUNTIVO IMPERFETTO

Ada credeva che...

	Parl-**are**	Vend-**ere**	Part-**ire**
io	parl-**a-ssi**	vend-**e-ssi**	part-**i-ssi**
tu	parl-**a-ssi**	vend-**e-ssi**	part-**i-ssi**
lui/lei/Lei	parl-**a-sse**	vend-**e-sse**	part-**i-sse**
noi	parl-**a-ssimo**	vend-**e-ssimo**	part-**i-ssimo**
voi	parl-**a-ste**	vend-**e-ste**	part-**i-ste**
loro	parl-**a-ssero**	vend-**e-ssero**	part-**i-ssero**

Verbi irregolari

essere fossi, fossi, fosse, fossimo, foste, fossero

avere avessi, avessi, avesse, avessimo, aveste, avessero

dare dessi, dessi, desse, dessimo, deste, dessero

stare stessi, stessi, stesse, stessimo, steste, stessero

fare, dire, bere, tradurre formano questo tempo regolarmente dalle radici **fac-**, **dic-, bev-, traduc-** (facessi, facessi, facesse, facessimo, faceste, facessero).

CONGIUNTIVO TRAPASSATO

Ada credeva che...

io	avessi		fossi	
tu	avessi		fossi	— partito/a
lui/lei/Lei	avesse	parlato	fosse	
noi	avessimo	venduto	fossimo	
voi	aveste	capito	foste	— partiti/e
loro	avessero		fossero	

Il congiuntivo trapassato si forma con il congiuntivo imperfetto dell'ausiliare *avere/essere* e il participio passato del verbo principale.

Concordanza al congiuntivo	Frase principale al presente (futuro)		Frase secondaria	

Viola *pensa* che Ilaria → parta (partirà)

parta stia partendo → per il mare

sia partita partisse fosse già partita

{ fra una settimana   (DOPO)

{ oggi.   (ORA)

→ ieri.
→ tutti i fine settimana.   (PRIMA)
→ quando l'ha chiamata di pomeriggio.

Posteriorità (dopo)
1. Credo che l'anno prossimo *vadano* in Italia.
2. Credo che *andranno* quando potranno.
3. Credo che *avrà* già *finito* gli esami quando ci andrà.

Contemporaneità (ora)
1. Credo che *parta* oggi.
2. Credo che *stia uscendo* proprio ora.

Anteriorità (prima)
1. Credo che l'anno scorso *siano andati* in Italia.
2. Credo che *andassero* in Italia ogni anno. (aspetto abituale)
3. Credo che *andasse* al cinema quando l'ho incontrato.
   (aspetto durativo: il cong. imperfetto ha usi paralleli all'imperfetto indicativo)
4. Quest'anno è andato in Italia solo per una settimana.
   Sì, ma credo che l'anno precedente ci *fosse andato* per due mesi.
   (il cong. trapassato ha usi paralleli al trapassato indicativo; fatti anteriori in relazione a un'altra indicazione temporale nella frase).

Frase principale al passato   Frase secondaria

                   sarebbe partita
                   partisse   {   la settimana seguente. (DOPO)

Viola *pensava*   partisse   per il   {   quel giorno.   (ALLORA)
che Ilaria   stesse partendo   mare
(*ha*
pensato,
pensò, aveva   fosse partita   → il mese prima.
pensato)   partisse   → tutti i fine settimana.(PRIMA)

Posteriorità (dopo)
1. Credevo che *sarebbe andata* in Italia il mese prossimo.
2. Come potevo immaginare che *andassi* tu a prendere la bambina!
3. Pensavo che non *si sposava*, e invece... (registro colloquiale)

Contemporaneità (allora)
1. Non mi rispondeva e ho pensato che *fosse* sordo.
2. Non ti ho disturbato perché pensavo che *stessi studiando*.

Anteriorità (prima)
1. Non ti ho aspettato perché pensavo che *fossi* già *uscito*.
2. Non sapevo che da bambino *andassi* in quella scuola.
   (aspetto abituale: il congiuntivo imperfetto ha usi paralleli all'imperfetto indicativo).

Per schematizzare:

Frase principale	**Frase secondaria**
presente/futuro	congiuntivo presente o passato
Frase principale	**Frase secondaria**
passato	congiuntivo imperfetto o trapassato

Frase principale al
condizionale semplice
e composto   Frase secondaria

                       CONGIUNTIVO IMPERFETTO

vorrei che   → smettessi di bere.   Fatti del PRESENTE
avrei voluto che   → smettessi di bere.   (irrealizzabili)

                       CONGIUNTIVO TRAPASSATO

vorrei che   → avessi smesso di bere.   Fatti del PASSATO
avrei voluto che   → avessi smesso di bere.   (non si sono realizzati)

Fatti o desideri che riguardano il presente

> Mi piacerebbe che mio figlio ritornasse ad avere dieci anni. (desiderio del presente decisamente irrealizzabile)
>
> Vorrei che smettessi di bere. (desiderio del presente che può realizzarsi)
>
> Avrei voluto che smettessi di bere. (desiderio irrealizzabile, continua a bere nel presente)

Fatti o desideri che riguardano il passato

> Vorrei che avessi smesso di bere e invece... (desiderio – ancora presente ora – che non si è realizzato nel passato)
>
> Avrei voluto che avessi smesso di bere e invece... (desiderio che non si è realizzato nel passato)

Uso

Il congiuntivo è il modo che si usa in frasi **secondarie** come segnale di significati genericamente **soggettivi** che di volta in volta vengono specificati mediante i predicati della frase principale (*spero, credo, temo, è possibile...*). In generale possiamo dire che il congiuntivo è il modo della **soggettività**, della **volontà**, dell'**incertezza**, della **possibilità**.

Con il congiuntivo **il soggetto della frase secondaria normalmente è diverso da quello della frase principale**:

• Soggetti diversi → congiuntivo

Sandro (I soggetto) spera che suo figlio (II soggetto) *trovi* lavoro.

• Stessi soggetti → *di* + infinito

Sandro (I soggetto) spera (I soggetto = Sandro) *di trovare* lavoro.

Il congiuntivo si usa quando il predicato della frase principale esprime:

1. un'opinione, un giudizio personale, una reazione affettiva (per es. di gradimento/non-gradimento, di approvazione/disapprovazione, meraviglia, rabbia, sorpresa, ecc.):

> Penso che Silvana *abbia* ragione.
>
> Sono fiero che tu *abbia scelto* di fare il servizio civile.
>
> Mi stupisco che non *siate* già *partiti*.
>
> Non mi piace che Gianna *frequenti* quella gente.

Espressioni di questo tipo sono: *ho idea che, credo che, disapprovo che, mi dispiace che, immagino che, mi pare che, mi sembra che, suppongo che, sono contento/ansioso/ sorpreso/spiacente... che, non sono convinto che, non sono sicuro che...*

2. un'opinione attraverso la costruzione "è + aggettivo" o di tipo impersonale:

> È importante che *spedisca* subito questa lettera.
>
> Non è giusto che lui *viaggi* gratuitamente.
>
> Bisogna che Carlo *riprenda* ad allenarsi. (verbo con soggetto definito "Carlo deve riprendere")
>
> Bisogna riprendere ad allenarsi. (nella forma impersonale "si deve riprendere" si usa l'infinito)
>
> Bastava che mi *scrivesse* una cartolina.

Espressioni di questo tipo sono: *è meglio che, è assurdo che, è logico che, è interessante che, è ora che, è un peccato che, non è chiaro che, non è ovvio che, non importa che, può darsi che, si dice che, occorre che, merita che...*

3. un dubbio, una paura:

Abbiamo paura che *si sia perso*.

Dubito che mi *abbia riconosciuta*.

Temono che non *ce la faccia*.

Non ho nessun dubbio che mi *abbia mentito*.

Ho timore che *si lasci* sottomettere.

Aveva il terrore che la *scoprissero*.

4. un desiderio, una speranza, un'attesa:

Spero che *finiscano* in fretta quel lavoro.

Mi auguro che *si sposino* presto.

Desideriamo che ci *vengano* a trovare.

Carla aspetta che Luigi *rientri* per poter uscire.

5. un comando, una richiesta:

Cesarina vuole che suo marito *lavori* un po' meno.

Gli chiederò che *passi* da noi domani.

Esigeva che *stessimo* zitti.

Ha ordinato che *ci sia* anche la musica al suo matrimonio.

Non pretendo che *facciate* l'impossibile.

Espressioni di questo tipo sono: *consiglio che, lascio che, (non) permetto che, propongo che, raccomando che, vieto che*

6. A volte il congiuntivo ha una **funzione pragmatica**, serve cioè a segnalare l'anticipazione della frase secondaria (completiva) rispetto alla frase principale; è un segnale, per chi ascolta, che la frase con cui si inizia il discorso è una secondaria e non una interrogativa o esclamativa come il *che* potrebbe far pensare.

Frase principale	**Frase secondaria** (ordine normale)
La mafia sapeva	che Falcone era pericoloso.
Frase secondaria	**Frase principale** (ordine marcato)
Che Falcone *fosse* pericoloso,	la mafia <u>lo</u> sapeva.

(con *sapere e dire* si noti la ripresa con il pronome *lo*).

         Che non *sia* facile dire di no alla mafia, è chiaro.

7. Il congiuntivo è obbligatorio dopo **alcune congiunzioni**:

— CONNETTIVI TEMPORALI

• *Prima che*: con congiuntivo presente e imperfetto

         Voglio essere a casa *prima che faccia* buio.

         È arrivata *prima che chiudesse* il negozio.

Altre congiunzioni temporali che possono prendere il congiuntivo sono: *quando* e *finché (non)* se si riferiscono ad azioni collocate nel futuro e se c'è un valore ipotetico:

         Quando ne *riconoscessi* la necessità, lo aiuterei.

         (= se ne riconoscessi)

         Non uscirete *finché non diciate/direte/avrete detto* dove volete andare.

         (= se non direte)

– CONNETTIVI CONCESSIVI

Indicano il mancato verificarsi dell'effetto che dovrebbe scaturire da una causa:

Pioveva → non sono uscito; → *Benché* piovesse sono uscito.

Sono: *nonostante, benché, sebbene, malgrado, per quanto* (F= formale), *quantunque* (F), *anche se, comunque*.

Anche se non richiede il congiuntivo:

Anche se pioveva sono uscito.

Comunque, che ha diversi usi, richiede il congiuntivo quando ha significato concessivo:

Comunque andassero le cose, io dovevo partire.

– CONNETTIVI IPOTETICI

Se finisse presto verrebbe a prenderti.

Sono: *se, caso mai, nell'eventualità che, nell'ipotesi che, laddove (ove)* (F).

– CONNETTIVI CONDIZIONALI

Indicano una condizione, una restrizione, un limite al realizzarsi dell'azione espressa dal verbo della frase principale:

Gli ho prestato il libro *a condizione che* me lo restituisse senza sottolineature.

Sono: *a condizione che, a patto che, sempre che, qualora* (F), *ammesso che* (F), *posto che* (F), *concesso che* (F), *purché* (F).

– CONNETTIVI FINALI

Indicano lo scopo, il fine per cui si compie l'azione nella frase principale:

L'ho aiutato *perché* potesse passare l'esame.

Sono: *perché, affinché, così che, in modo che, allo scopo che*.

– CONNETTIVI ECCETTUATIVI

Indicano un'eccezione:

Veniva a trovarmi ogni pomeriggio *a meno che* dovesse aiutare Francesco a fare compiti impegnativi.

Sono: *salvo che, a meno che, fuorché*.

– CONNETTIVI MODALI

Indicano il "modo" in cui si svolge un'azione (come?):

Quando vedeva Mauro, si comportava *come se* avesse paura di lui. (fatto ipotetico)

Si è comportato *quasi* non ci avesse mai incontrati prima. (fatto irreale)

Sono: *come se, quasi, come, nel modo che*.

Si è comportato *come* fosse arrabbiato. (ipotesi con il congiuntivo)

Si è comportato *come* non l'avevo mai visto prima. (un fatto certo con l'indicativo)

8. Il congiuntivo si usa con i seguenti **aggettivi e pronomi indefiniti**:

Qualsiasi film *si vada* a vedere, non ci vengo.

Parlava con chiunque *incontrasse*.

Qualunque *sia* il prezzo, lo compro.

Non sarebbe stato contento dovunque *fossimo andati*.

9. Congiuntivo con le **frasi relative**

Normalmente nelle frasi relative viene usato l'indicativo; si usa il congiuntivo per dare alla frase **un significato di eventualità**:

> Cerco una persona che *sia* disposta a viaggiare. (se c'è; è eventuale)
>
> Cerco una persona che *è* disposta a viaggiare. (è reale, oggettiva)

L'uso del congiuntivo nelle frasi relative è frequente quando l'antecedente della relativa è:

- un superlativo relativo

> È *il libro più bello che* io *abbia* mai *letto*.

- un indefinito (negativo)

> Non c'era *nessuno che parlasse* l'italiano.

- con espressioni con valore restrittivo come *unico, solo, ultimo*

> Mio fratello è l'*unica* persona che *rispetti* le mie idee.

10. Congiuntivo nelle **interrogative indirette**

L'uso del congiuntivo nelle interrogative indirette non è obbligatorio, è una questione di registro, di scelta stilistica: il congiuntivo è preferibile in un registro formale (indica anche maggior incertezza).

INTERROGATIVA DIRETTA	INTERROGATIVA INDIRETTA
"Perché Emilio è partito?"	Mi chiedo perché Emilio *sia partito*.
"Che cosa significa *laico*?"	Non so che cosa *significhi laico*.
"Anna si è offesa?"	Non capisco se Anna *si sia offesa*.

Altri verbi che introducono le interrogative indirette sono: *domandare, dubitare, non sono certo...*

Non di rado si possono trovare alternati nello stesso periodo il congiuntivo e l'indicativo:

> Gli chiedevano quanti *erano* in casa, se *avesse* il padre, se *era* fidanzato.

11. A volte l'uso del congiuntivo rappresenta soltanto **una scelta stilistica**: il congiuntivo **rende lo stile più formale**.

Tende a essere usato **dopo espressioni negative**:

> Li chiamano pretini *non* perché *siano* giovani e particolarmente miti, ma perché hanno deciso di stare dalla parte degli ultimi, degli indifesi.

e per attenuare la forza di un'affermazione, con la costruzione marcata *non è che non*:

> - Mia madre non mi ha mai amata!
> - Non è che tua madre non ti *volesse* bene, non ha mai avuto tempo di dimostrartelo.

Nel **parlato colloquiale** (registro informale) si tende invece a sostituire il congiuntivo con l'indicativo, senza che cambi il senso dell'enunciato, con espressioni impersonali, verbi di opinione, verbi che esprimono stati d'animo:

> *Che peccato che è* già *partito*.
>
> *Credo che hai* ragione.
>
> *Mi stupisce che* non *si è fatto* vivo.

12. Congiuntivo indipendente

Il congiuntivo, che normalmente si trova in frasi secondarie, può anche essere usato in costrutti indipendenti, con i seguenti valori:

– **permissivo** (si concede, si permette, si ammette qualcosa = equivale all'imperativo di cortesia)

> *Entri pure!*
> *Dica, dica.*
> *Se li tengano pure*, i loro soldi!

– **esortativo** (esprime un ordine indiretto, un divieto)

> *Che* la cena *sia* pronta, quando torno!

– **elativo** (di intensificazione)

> *Sapessi quante ne ho passate* nella mia vita! (ne ho passate davvero tante)

– **dubitativo**

> Sento dei passi. *Che sia* mamma?

– desiderativo o **ottativo** (esprime un desiderio, un augurio, un'imprecazione)

> Oh, *fosse* qui mia madre! (desiderio)
> Che la fortuna *ti assista*! (augurio)
> Gli *scoppiasse* una gomma! (imprecazione)

Nello scritto la particolare intonazione è contrassegnata da un punto esclamativo.

Con il significato **ottativo** si usa:

– il congiuntivo presente o imperfetto per indicare un desiderio che il parlante sente, rispettivamente, realizzabile o irrealizzabile nel **presente**:

> *Che vinca* l'Inter! (è realizzabile)
> *Magari vincessi* alla lotteria! (è fortemente irrealizzabile)

– il congiuntivo passato o trapassato per un desiderio sentito, rispettivamente, realizzabile o irrealizzabile nel **passato**:

> *Voglia il cielo che abbia trovato* un lavoro! (è realizzabile)
> *Almeno fosse finito* l'inverno! (è irrealizzabile)

Le frasi con il congiuntivo ottativo di solito hanno un elemento introduttivo, che a seconda dello stato d'animo del parlante, può essere:

magari, almeno, se, volesse il cielo che (di solito con congiuntivo imperfetto o trapassato), *che, voglia il cielo che* (abitualmente con congiuntivo presente o passato).

Possono anche non avere un segnale introduttivo o avere un'interiezione (*oh, ah*)

> *Possiate* vivere felici!
> *Oh*, avessi la salute!

In sintesi per orientarsi nella scelta del modo appropriato nello scritto e nel parlato formale si può osservare che:

• richiedono il **congiuntivo** i verbi che indicano volontà, desiderio, richiesta, aspettativa, opinione, immaginazione, preghiera, timore (*accettare, aspettare, attendere, augurare, chiedere, credere, desiderare, disporre, domandare, dubitare, esigere, fingere, immaginare, lasciare, negare, ordinare, preferire, pregare, premettere, ritenere, sospettare, sperare, supporre, temere, volere*);

• richiedono l'**indicativo** i verbi di giudizio o di percezione (*affermare, constatare, dichiarare, dimostrare, dire, giurare, intuire, notare, percepire, promettere, ricordare, riflettere, rispondere, scoprire, scrivere, sentire, udire, vedere*).

• un certo numero di verbi richiede il congiuntivo o l'indicativo a seconda del significato:

> Ammetto che *mi sono sbagliato*. (ammettere = "riconoscere")
> Sua madre ammette che lei *si comporti* così. (ammettere = "permette, accetta")

Formazione di parola

ALTERATI (asse della dimensione: piccolo/grande; asse della valutazione: positivo/negativo)			
Categoria della parola base	**Categoria della parola derivata**	**Affissi**	
Diminutivi			
NOME	NOME		Ho comprato una *casetta*. ("piccola, graziosa, insignificante, a me cara")
bacio, asino	bac*ino*, bac*etto*, asin*ello*		
corpo, fiore	corp*icino*, bac*ettino*,		
	fior*ellino*	-*ino*, -*etto*, -*ello*	
AGGETTIVO	AGGETTIVO	-*icino*, -*ettino*, -*ellino*	**Falsi alterati:** *mattino* (non è un piccolo *matto*)
bello, basso, cattivo	bell*ino*, bass*etto*,		
	cattiv*ello*, bass*ettino*		**Base modificata:** *cane* → *cagnolino*
Accrescitivi			
NOME	NOME	-*one*	**Falsi alterati:** *mattone* (non è un grande *matto*)
naso	nas*one*		
AGGETTIVO	AGGETTIVO		
facile	facil*one*		
Vezzeggiativi			
NOME	NOME	-*uccio*	
bocca	bocc*uccia*		
AGGETTIVO	AGGETTIVO		
caro	car*uccio*		
Peggiorativi			
NOME	NOME	-*accio*	
ragazzo	ragazz*accio*		
AGGETTIVO	AGGETTIVO		
povero	pover*accio*		

NOMI D'AZIONE DA VERBI			
Categoria della parola base	**Categoria della parola derivata**	**Affissi**	
VERBO lavorare, punire accendere	NOME lavor*azione*, pun*izione* accen*sione*	**-zione** **-sione** (con verbi della II e III coniugazione)	Ci sono coppie di nomi in *-zione* e *-mento* usate in contesti diversi: *collocamento – collocazione*
accompagnare, censire	accompagn*amento*, cens*imento*	**-mento**	
revocare atterrare telefonare, cadere, dormire	revoca atterr*aggio* telefon*ata*, cad*uta*, dorm*ita*	**suffisso zero** **-aggio** **-ata, -uta, -ita**	*-aggio* è molto usato nei ling. tecnici; *-ata* anche da nomi: *cucchiaio* → *cucchiaiata*, *frusta* → *frustata*
fornire	forn*itura*	**-ura**	La base è il participio passato: *fornire* → *fornito* → *fornitura*
difendere, ridere	dif*esa*, *riso*	**(participio passato irregolare)**	
cigolare	cigol*io*	**-ìo (tonico)**	*-io* per azioni ripetute e intense (di solito rumori): *brontolio*

NOMI D'AGENTE			
Categoria della parola base	Categoria della parola derivata	Affissi	
VERBO importare, tradire, invadere	NOME importatore, traditore, invasore	-tore (-trice), -sore	La forma femminile di -tore è -trice (importatrice)
cantare, studiare spazzare	cantante, studente spazzino	-ante, -ente -ino	Ma anche da base nominale: posta → postino
NOME chitarra, denti	NOME chitarrista, dentista	-ista	-ista è usato per professioni nuove; anche da base straniera: stage → stagista
forno biblioteca banca	fornaio bibliotecario banchiere	-aio -ario -iere	-aio usato per mestieri artigianali

NOMI DI QUALITÀ DA AGGETTIVI			
Categoria della parola base	Categoria della parola derivata	Affissi	
AGGETTIVO riservato flessibile, serio, buono	NOME riservatezza flessibilità, serietà, bontà	-ezza -ità, -età, -tà	Base cambiata: buono → bontà
costante, prudente	costanza, prudenza	-anza, -enza	Alcune parole in -anza derivano dal verbo: abbondare → (abbondante) → abbondanza
allegro avaro entusiasta sentimentale cocciuto	allegria avarizia entusiasmo sentimentalismo cocciutaggine	-ìa -izia -asmo, -ismo -aggine	

VERBI DA NOMI E AGGETTIVI			
Categoria della parola base	**Categoria della parola derivata**	**Affissi**	
NOME/AGGETTIVO ironia, privato	VERBO iron*izzare*, privat*izzare*	**-*izzare*** (significato fattitivo, "rendere")	*-izzare* è molto usato nei linguaggi settoriali
nido, santo	nid*ificare*, sant*ificare*	**-*ificare*** (significato fattitivo, "fare")	
alba, verde	alb*eggiare*, verd*eggiare*	**-*eggiare***	*-eggiare* ha spesso significato eventivo "azione che succede quella volta": *folleggiare*
NOME scopa	VERBO scop*are*	**suffisso zero**	

VERBI CON PREFISSI DA NOMI E AGGETTIVI + DESINENZA VERBALE (*-are, -ere, -ire*)			
Categoria della parola base	**Categoria della parola derivata**	**Affissi**	
NOME/AGGETTIVO bottone, lungo	VERBO *a*bbottonare, *a*llungare	***a-*** (+ raddoppiamento della consonante che segue)	Base modificata: *corto* → *accorciare* Da una stessa base possono derivare verbi dal significato diverso: *assaporare* "sentire il sapore" – *insaporire* "rendere saporito"
bottiglia, giallo	*im*bottigliare, *in*giallire	***in-*** e varianti ***inn-, im-, il-, ir-***	*innamorarsi, impallidire, illuminare, irretire*
patria, lento buccia, bianco	*rim*patriare, *ral*lentare *s*bucciare, *s*biancare	***r(i)-, r(a)-*** ***s-*** (privativo)	Con varianti: *rattristare, rincasare*
NOME arma caffeina	VERBO *dis*armare *de*caffeinare	***dis-*** ***de-***	Ci sono coppie di verbi da nomi con significato contrario: *a*bbottonare – *s*bottonare; *in*colpare – *dis*colpare

AGGETTIVI DA NOMI			
Categoria della parola base	**Categoria della parola derivata**	**Affissi**	
NOME settimana, primavera, popolo	AGGETTIVO settiman*ale*, primaver*ile*, popol*are*	***-ale*, *-ile*, *-are***	un abito per la primavera → un abito *primaverile*
ferrovia costa	ferrovi*ario* cost*iero*	***-ario*** ***-iero***	
panorama dramma calcio	panoram*ico* dramm*atico* calc*istico*	***-ico*** ***-atico*** ***-istico***	Modificazione della base: *analisi* → *analitico* Molti aggettivi in *-istico* derivano da basi in *-ismo*: *giornalismo* → *giornalistico*
dolore	dolor*oso*	***-oso*** "con molto dolore"	
baffo	baff*uto*	***-uto*** "con molti baffi" (per parti del corpo)	
fortuna carta	fortun*ato* cart*aceo*	***-ato*** ***-aceo*** (con nomi di materia)	
Manzoni	manzon*iano*	***-iano*** (con nomi propri)	
Dante, Settecento, polizia	dant*esco*, settecent*esco*, polizi*esco*	***-esco*** (con nomi propri, nomi di secoli)	
Aggettivi etnici NOME DI GEOGRAFIA Africa, Napoli, Marche	AGGETTIVO afric*ano*, napol*etano*, march*igiano*	***-ano*, *-etano*, *-igiano***	Gli aggettivi etnici sono usati anche come Nomi per indicare "gli abitanti": un ragazzo *italiano*; ho incontrato pochi *italiani*. Cambiamento totale della base: Germania → *tedesco*
Tunisia, Parigi Francia, Bologna, Piemonte Arabia, Lombardia Bergamo	tunis*ino*, parig*ino* franc*ese*, bologn*ese*, piemont*ese* arabo, lombardo bergam*asco*	***-ino*** ***-ese*** suffisso zero ***-asco***	

AGGETTIVI DA VERBI			
Categoria della parola base	**Categoria della parola derivata**	**Affissi**	
VERBO informare corrodere, punire	AGGETTIVO informa*tivo* corro*sivo*, puni*tivo*	**-ivo** (soprattutto con verbi della I e III coniugazione)	La derivazione è regolare se si parte dal participio passato: *punire* → *punito* → *punitivo*. Base modificata: *aggredire* → *aggressivo* (regolare se da *aggressione*).
emozionare commuovere	emozion*ante* commov*ente*	**-ante** (con verbi della I coniug.) **-ente** (con verbi della II coniug.)	Ma: *diffidare* → *diffidente*. Base modificata: *commuovere* → *commovente*
mangiare leggere	mangi*abile* legg*ibile*	**-abile** "che si può mangiare" **-ibile**	Gli aggettivi in *-bile* sono la base per altre trasformazioni: *comprendere* → *comprensibile* → comprensi*bilità* / *incomprensibile*
durare, lodare	dur*evole*, lod*evole*	**-evole**	*-evole* ha significato sia attivo che passivo: *lodevole* "che deve essere lodato"

ALCUNI SUFFISSI E PREFISSI D'ORIGINE COLTA (GRECA O LATINA)

-crazia "potere, comandare": *burocrazia*
-ficio "luogo dove si produce": *pastificio*
-filo "amante, cultore, appassionato di": *cinefilo* "appassionato di cinema"
-fono / -fonia / -fonico "suono, parlante": *anglofono* "parlante d'inglese", *stereofonico*
-forme "con la forma": *filiforme*
-grafia / -grafo "scrivere": *calligrafia*, *telegrafo*
-logia "la scienza, lo studio": *dialettologia*
-logo "studioso": *dialettologo*
-patia / -patico "soffrire": *cardiopatico*

auto- "se stesso, da sé": *autodidatta*
auto- "automobile": *autoraduno*
foto- "luce": *fotosintesi*
foto- "fotografia": *fotomodella*
mini- "piccolo": *minigolf*
radio- "a raggi": *radioattivo*
radio- "radio": *radioamatore*
tele- "televisione": *telenovela*
tele- "a distanza": *telecomando*

PREFISSI INTENSIVI

arci-, **extra-**, **super-**, **stra-**, **ultra-** (grado superiore di una gerarchia o grado superlativo di una qualità): *arciricco, extrafino, superrifinito, superallenamento, straviziato, stravincere, ultramoderno*

iper-: "al più alto grado" (a volte indica eccesso): *ipercritico, ipersensibile*

oltre- "al di là (della media)": *oltrepassare, oltremodo*

sovra-, **sopra-**: *sovraumano, soprannumero*

ri- "ripetere più volte": *riscrivere*

bi(s)- "due, due volte": *bilingue, bimensile*

ben-, **eu-** "bene, buono": *benpensante, eufonia*

mezzo-, **semi-**, **emi-** "mezzo, a metà": *mezzobusto, seminfermità, emisfero*

ipo-, **sotto-**, **sub-** (inferiorità): *ipocalorico, sottosviluppo, subnormale*

PREFISSI DI NEGAZIONE

a-: *anormale*

anti- "negazione" "contro": *antinevralgico, antiruggine; antisociale, anticristo*

contro- "opposizione": *controtendenza, contrapporre*

de- (anche con verbi): *denutrito, deforestare, devitalizzare*

dis- (anche con verbi): *disonore, disumano, disubbidire*

in- con varianti **imp-**, **imb-**, **il-**, **ir-**: *inutilità, impotente, illegale, irresponsabile*

mal(e)-: *maltrattare, malvestito, il malcontento*

mis-: *miscredente*

s- (anche con verbi): *sfortuna, sgradevole, scongelare*

senza-: *senzapatria, senzatetto*

non-: *nonconformista, non violenza*

COMPOSTI (verbo + nome)

| "(ciò che) accende i sigari" | → *l'accendisigari* |
| "(ciò che) lava le stoviglie" | → la *lavastoviglie* |

TESTA	+	MODIFICATORE	
apri	-	scatole	→ *apriscatole*
apri	-	bottiglie	→ *apribottiglie*

Plurale:

• in -*i*: il battitappeto – i battitappet*i*, l'asciugamano – gli asciugaman*i*, il cacciavite – i cacciavit*i*

• invariabile: il cavalcavia – *i cavalcavia*, il cavatappi – *i cavatappi*

GIUSTAPPOSTI (nome + nome)

TESTA	+ MODIFICATORE	
treno	*merci*	(treno per le merci)
discorso	*fiume*	(discorso che continua come un fiume)
stato	*cuscinetto*	(stato che fa da cuscinetto tra...)

Modificatori comuni:

base	*idea base*	fiume	*discorso fiume*
chiave	*parola chiave*	tipo	*famiglia tipo*
modello	*studente modello*		

Plurale: la famiglia tipo – *le famiglie tipo*

Connettivi (in proposizioni coordinate)

Tipo di connettivo	Informale	Formale R = raro
COPULATIVI aggiungere (A *e* B)	**e, anche**	**ed, inoltre** *Inoltre* la riforma ha dato origine a una serie di specializzazioni che sono il master...
	non ... neanche Non è venuto a trovarci e *non* ci ha *neanche* dato un colpo di telefono per salutarci.	**nonché, e anche, per di più** È assicurata e assistita la possibilità di cambiare indirizzo all'interno del sistema dei licei, *nonché* di passare dal sistema dei licei al sistema dell'istruzione e della formazione professionale e viceversa. **neppure**
DISGIUNTIVI uno esclude l'altro (A *o* B)	**o** È ancora qui *o* è già andato via? **oppure**	**od, ovvero**
CORRELATIVI mettere in relazione due o più elementi	**e ... e** È passato *e* dal bar del centro *e* da quello in piazza. **non solo ... ma anche** **o ... o** **né ... né** Non voglio andare *né* al mare *né* in montagna. È molto chiuso: *né* parla *né* lascia parlare.	**sia ... sia** È *sia* bello *sia* bravo. **sia ... che** (meno formale di **sia ... sia**) È un *hobby sia* creativo *che* intellettuale.
AVVERSATIVI introdurre un contrasto, un dato inatteso rispetto al primo elemento	**ma** Vivo a Roma, *ma* una volta alla settimana torno a Milano. **però** È tardi, *però* non ho sonno.	**eppure** Capisco le tue ragioni, *eppure* il tuo discorso non mi convince. **tuttavia** Gli ostacoli sono molti, *tuttavia* accetto la sfida.

	comunque Ho parecchie obiezioni, *comunque* decidi tu. *Comunque*, ci penso io. (segnale di chiusura del discorso) (Le opere escluse dal prestito recano *comunque* le seguenti segnature: "Sala 2". ("in ogni caso, in ogni modo")	**ciò nonostante, nonostante ciò**
negare e sostituire l'affermazione del primo elemento: al contrario...	**invece** Non capivo se era veramente felice o se *invece* fingeva solo di esserlo. Avrei voluto appartenere a una famiglia o ricca o povera, *invece* la mia famiglia era borghese.	**al contrario** Nei ritmi quotidiani della vita contemporanea, il pranzo si è ridotto a un panino, *al contrario* la cena è diventata un rito familiare.
	anzi Va bene, *anzi* benissimo. (serve a precisare "o meglio") Non è arrabbiato, *anzi* mi sembra di buon umore. (serve a correggere)	**bensì** Non si trattava di un incontro informale, *bensì* di una riunione ufficiale, alla presenza del capo del personale. **mentre** (media formalità; "opposizione") Sua moglie è al mare a divertirsi *mentre* suo marito è al lavoro fino a tarda sera! A Bologna i giovani tra i 25 e i 34 anni che vivono con i genitori sono il 36%, *mentre* a Caserta sono appena il 27%.
CONCLUSIVI concludere, esprimere una conseguenza (A *quindi* B)	**quindi, così** Ho visto la sua macchina parcheggiata, *quindi* è tornata dalle vacanze. **perciò, allora, per cui** Non mi permetto di giudicare, *per cui* non sono né a favore né contraria.	**per questo** **pertanto, di conseguenza, dunque, ebbene** **(R sicché, cosicché, talché)** Cartesio diceva: "Penso, *dunque*, sono". L'hai rotta, *di conseguenza* devi pagarla.
DICHIARATIVI dare una prova, motivare quanto detto precedentemente	**infatti, difatti,** Si assomigliano molto! *Infatti* sono gemelli.	

Connettivi (in proposizioni subordinate)

Tipo di connettivo	Connettivi con indicativo	Connettivi con congiuntivo	Proposizioni implicite
TEMPORALI	quando (R allorché), da quando (R dacché), mentre, appena che, dopo che, fin tanto che (F)	prima che Voglio essere a casa *prima che faccia* buio. quando (ipotetico) *Quando* ne *riconoscessi* la necessità, lo aiuterei. (= se ne riconoscessi) finché (ipotetico) Non uscirete *finché non diciate/direte/avrete detto* dove volete andare. (= se non direte)	in + INFINITO *Nell'aprire* ho sentito dei rumori e ho capito che c'era qualcuno in casa. dopo + INFINITO COMPOSTO *Dopo aver finito* i compiti potrai guardare la TV. prima di / fino a + INFINITO *Prima di partire* voglio pulire la casa. Mangiò *fino a* star male.
CAUSALI	perché (F poiché, in quanto), (R giacché) Sono interessata alla vostra azienda *in quanto* abito a dieci minuti dalla sede. siccome, visto che, dato che (F considerato che, dal momento che, per il fatto che) Vado a letto *perché* sono stanca. (effetto + causa) *Siccome* sono stanca vado a letto. (causa + effetto)		per + INFINITO Mi sono presa il raffreddore *per essere stata* alla corrente. a / per il fatto di + INFINITO Hai ragione *ad essere* amareggiata per il suo comportamento. È contento *per il fatto di aver vinto* al lotto.
CONCESSIVI mancato verificarsi dell'effetto che dovrebbe scaturire da una causa	anche se *Anche se* pioveva non sono uscito.	sebbene (F), seppure (F), malgrado (F), benché (F), (R ancorché), quantunque(F), nonostante che, per quanto (F) *Benché* piovesse non sono usciti. comunque *Comunque* vadano le cose, devo uscire.	pur / pure / anche + GERUNDIO *Pur avendo* ragione ho preferito non insistere. *Anche avendo* ragione, non ho insistito. (significato ipotetico, eventuale) per + INFINITO *Per aver studiato* solo tre mesi se la cava bene con l'italiano.

			nemmeno a / neppure a /
			neanche a + INFINITO (i
			verbo della frase
			principale deve essere
			nella forma negativa)
			   Non si trova un posto su
			   traghetto per la Sarde-
			   gna *nemmeno a pagarl*
			   oro!
			a costo di + INFINITO
			   Andremo fino in fondo *a*
			   costo di rimetterci del
			   tempo e dei soldi.

CONSECUTIVI
conseguenza,
effetto di quanto
detto nella
principale
	così ... che, (cosicché,
	sicché F), tanto ... che
	(talmente ...che, tale ...
	che F), di modo che,
	al punto che
	   Mio figlio è *così* timido
	   che non parla.
	   Era *tale* la mia rabbia *che*
	   me ne andai sbattendo la
	   porta.
	   La proposta è *talmente*
	   assurda *che* non merita di
	   essere discussa.
		così ... che, (cosicché,
		sicché F), tanto ... che
		(talmente ...che, tale ...
		che F), di modo che,
		al punto che
		   Facciamo una proposta
		   tanto sensata *che* nessu-
		   no ci *possa* criticare. (con-
		   seguenza solo ipotetica)
		   Parlava *in modo che* tutti
		   lo *capissero*. (ha anche va-
		   lore finale)
			per + INFINITO
			   È abbastanza grande *per*
			   comprendere la situazio-
			   ne in cui ci siamo trovati.
			da + INFINITO
			   Era così affascinante *da*
			   attirare l'attenzione di
			   tutti.

FINALI
scopo, fine per
cui si compie
l'azione nella
principale
 	
che (tipico del parlato
colloquiale; può anche
essere interpretato come
consecutivo o causale):
   Vieni, *che* ti stringo. (che
   "così")
   Chiamami, *che* ti devo
   parlare. (che "perché")
		perché, affinché,
		(R acciocché), a che (F), in
		modo che, allo scopo che
		   Consegno il tema all'in-
		   segnante *perché* me lo
		   corregga.
		
		che
		   Vieni *che* ti *possa* stringe-
		   re. (con *potere* prevale il
		   significato finale)
			per, al fine di, allo scopo
			di + INFINITO
			Con identità di soggetti
			della principale e della
			secondaria si può usare
			<u>solo</u> la forma implicita:
			   Ho studiato molto *per* su-
			   perare l'esame. (sogget
			   uguali, sec. implicita)
			   Ho studiato molto per
			   ché tu possa essere sod
			   disfatta di me. (sogget
			   diversi, sec. esplicita)

			a, di, da, al fine di + INFINITO (selezionabili a seconda del verbo)
			Siamo andati a casa di Marco *per/a prendere* un disco.
			Hanno fatto ogni cosa *al fine di riuscire*.
			Mi ha dato un libro *da leggere* (= affinché lo legga; in dipendenza da verbi come *dare, portare, offrire, lasciare*)
CONDIZIONALI o IPOTETICI condizione al realizzarsi dell'azione espressa dal verbo della frase principale	**se** (ipotesi reale) *Se* nevica, metto le catene.	**se** (ipotesi possibile e irreale) *Se* venisse oggi mi farebbe un piacere. *Se* avesse nevicato avremmo messo le catene. **(qualora F)** *Qualora* sia colpevole lo puniranno con tre anni di reclusione. (fatto certo) *Qualora* fosse colpevole lo punirebbero con tre anni di reclusione. (fatto non del tutto certo) **(F laddove, R ove), a patto che, a condizione che, nel caso che, sempre che, caso mai** Ti presto il libro *a condizione che* tu me lo restituisca senza sottolineature. **(nell'ipotesi che, nell'eventualità che, ammesso che, posto che, concesso che F), purché** Con alcuni di questi connettivi è possibile anche usare il **futuro** al posto del congiuntivo: L'assemblea salterà *nel caso che saranno* presenti meno della metà degli iscritti.	**a + INFINITO** *A guardarlo* non si direbbe che sia malato.

| **ECCETTUATIVI** eccezione, circostanza che limita il significato della principale | **tranne che, eccetto che, salvo che** Possono essere usati con l'indicativo o il congiuntivo: Eravamo contenti, *tranne che* Marco non *era / fosse* con noi. **se non che, sennonché (sign. avversativo), a parte che** Sarei rimasta in Italia ancora un mese, *se non che* mia madre *si è ammalata*. | **tranne che, eccetto che, salvo che** Dovrebbe arrivare alle dieci, *salvo che abbia perso* l'aereo. (ipotesi) **fuorché, a meno che (non)** Verrò a trovarti in Italia *a meno che* non *succeda* qualcosa di grave alla nonna. *A meno che, tranne che, eccetto che, salvo che, fuorché* possono essere rafforzati dal *non*: Marta dovrebbe arrivare salvo che *non* l'abbiano trattenuta sul lavoro. **che + congiuntivo (frase principale negativa)** *Non* resta *che torniate* in patria subito. | **tranne che, eccetto che, salvo che, fuorché, a meno di + INFINITO** Ero disposta a tutto *fuorché chiederle* scusa. Rifarei tutto quello che ho fatto nella mia vita *tranne che vivere* lontano dalla mia famiglia per tutti quegli anni. **se non, al di fuori di + INFINITO (frase principale negativa)** *Non* possiamo fare niente *se non incoraggiarlo* a continuare. |
| **MODALI** modo in cui si svolge un'azione | **come, nel modo che** Si è comportato *nel modo che* riteneva più opportuno. (fatto certo) | **come se, quasi** Si è comportato *come se* fosse arrabbiato. (fatto ipotetico, irreale) | |

Connettivi testuali

Tipo di connettivo	Informale	Formale
ELENCARE e contrapporre argomenti	primo, secondo... per prima cosa, per finire, eccetera La casa non mi soddisfa *primo* per il soggiorno, *secondo* per il giardino che è piccolo e *per finire* perché è su tre piani. da una parte ... dall'altra..., da un lato ... dall'altro ...	in primo luogo, in secondo luogo, infine, innanzitutto, anzitutto, in ultimo, e via discorrendo, possiamo aggiungere, va aggiunto che, si aggiunga che
CONCLUDERE, riassumere il senso del discorso	insomma Il matrimonio religioso dà all'unione una dimensione soprannaturale, offre una ricchezza interiore tutta particolare, *insomma* è una scelta di fede. Eh, poi, inoltre, devo dire che qui, purtroppo, qualcuno gioca a stimolare l'aggressività. *Insomma* noi dobbiamo partire dal *background* di questo ragazzo...	
SPIEGARE	cioè (riformulare, ripetere con altre parole, con esempi concreti) Parliamo del fenomeno delle coppie di fatto, *cioè* delle coppie non sposate in chiesa o in comune.	ossia, ovvero ("o") È un novello Goethe, *ossia* viaggia sempre con guida e cartina in mano. in altre parole, detto altrimenti
INTRODURRE, delimitare UN TEMA di cui si sta parlando	per quanto riguarda, per quello che riguarda, per *Per quanto riguarda* gli hobby creativi, ce ne sono di diversi tipi. Ah, *per* il cinema, ci vieni allora?	per quanto concerne, quanto a, relativamente, rispetto a, se si considera, se consideriamo, prendiamo ora in considerazione, in riferimento a

Segnali discorsivi tipici del parlato

Il parlato è ricco di dispositivi espliciti di strutturazione del discorso, i **segnali discorsivi**, che aiutano l'interlocutore a capire meglio, servono a stabilire e mantenere i ruoli sociali e affettivi, oltre a essere degli importanti punti di sosta per la pianificazione che avviene in tempo reale.

Hanno solo <u>significato interazionale</u>. Si possono <u>cumulare</u> (es. *eh, beh, dunque* stavo dicendo che...). Sono <u>polifunzionali</u>, cioè svolgono più di una funzione (es. *va beh*: segnala la fine e l'inizio di un turno, è un riempitivo, serve ad attenuare la forza di ciò che si dice) per cui la loro classificazione è difficile.

Dalla parte del parlante

IL TURNO DI PAROLA aprire, attaccare un discorso	**allora, dunque** *Allora*, cominciamo col dire che..... **ecco, ora** Posso dire una cosa personale? *Ecco*, anch'io una volta sono stata bocciata in quarta ginnasio... **ma, e, sì, pronto** (al telefono)
cambiare argomento	**senti, a proposito**
riprendere il filo del discorso, ricollegarsi a quanto detto prima	**dicevo, come dicevo, stavo dicendo** Certo, hai ragione... però, *come dicevo*, qui ho trovato la solidarietà della gente. **per ricollegarmi a..., come ho detto poco fa..., a cui facevo cenno all'inizio, avevo fatto cenno all'inizio a**
cedere il turno di parola	**no?, cosa ne pensa?**
premessa ad una risposta (interlocutore)	**beh, mah, be'** Come mai non ha fatto controllare i fumi della sua automobile? *Beh..* avevo in mente di farlo, ma poi ho avuto molto da fare e me ne sono dimenticato.
RICHIESTA DI ATTENZIONE	**senti/a, senti un po', ascolta/i, guarda/i, vedi/a** **dimmi, di', dica, di' un po'** Ma *guarda*, ho avuto veramente paura. *Ascolti*, Lentini, l'impressione che gli italiani leggano poco è confermata dai dati Istat.
RICHIESTA DI ACCORDO E/O CONFERMA	**no? vero? giusto? non è vero? ti/Le pare? non è così? dico male? eh? neh?** Le statistiche dicono che il 60% dei lettori medio forti è fatto dalle donne. *Giusto?*

CONTROLLO DELLA RICEZIONE	eh? capisci/e? capito? chiaro? ci siete?
FATISMI (ANCHE DELL'INTERLOCUTORE) espressioni per creare coesione sociale, senso di appartenenza a un gruppo	**caro te, caro mio, mia cara, capo** **sai, come sai, come dice lei**
MECCANISMI DI MODULAZIONE aumentare la forza di ciò che si dice	**E beh, davvero, proprio, sai, ma sai, torno a ripeterti, ripeto ancora** *E beh... ci vuole un bel coraggio per rischiare la vita in azioni dimostrative come fanno gli attivisti di Greenpeace!*
diminuire la forza di ciò che si dice	**praticamente, un po', va beh, insomma, in un certo senso, in qualche modo, diciamo, per così dire, come dire, così, se vuoi, almeno dal mio punto di vista, se non sbaglio, secondo me, per conto mio, a mio avviso** *Ma per chi conosce, ehm, così, le problematiche sociali della nostra generazione, si sa che i trentenni del duemila sono molto apolitici.* *Ora se permettete passerei ai casi, diciamo, più complessi. Questo Cardini è veramente un disastro...* *I dialetti sono parlati dagli strati più bassi, diciamo, meno alti della popolazione.*

Dalla parte dell'interlocutore

INTERRUZIONE	**ma, allora, scusa/i, scusami/mi scusi, un attimo, un momento, insomma**
RICHIESTA DI SPIEGAZIONE	**cioè? eh? ad esempio? come? cosa?**
CONFERMA DI ATTENZIONE	**sì, sìii, mm, davvero?**
CONFERMA DI RICEZIONE E DI ACQUISIZIONE DI CONOSCENZA	**sì, certo, vero, ho capito, chiaro, lo so bene, lo credo** **ah, aah, oh, ma pensa, noo!** **non mi dire, non me lo dire** *– Le statistiche dicono che il 60% dei lettori medio forti è fatto dalle donne. Giusto?* *• Sì vero, nelle loro mani sta la felicità di un autore. In fondo il romanzo è nato avendo come destinatario elettivo la donna. Niente di nuovo dunque. La storia continua.*
ACCORDO	**sì, già, esatto, naturale, certo, proprio così, come no, perfetto, naturalmente, vero, verissimo, ecco** Lei dice? (camuffa disaccordo)

Funzioni metatestuali

DEMARCATIVI apertura chiusura continuativi generico e/o riempitivi	guarda, va be', senti, niente, ascolta niente, va be', allora cioè, va be', sai, allora, guarda, ma sai, sai no, sai cosa cioè, così, va be', poi, allora
FOCALIZZATORI sottolineare un punto focale, centrale del discorso fatto prima	**proprio** È *proprio* questa sua capacità di dar voce ai bambini che mi ha colpito. **appunto** Il compito di qualsiasi artista è di avere uno sguardo particolare. "Io non ho paura" è *appunto* il racconto di un bambino e del suo modo di guardare le cose e le persone. **ecco** *Ecco, ecco* è proprio quello che volevo dire... **ti dico, dico, voglio dire**
RIFORMULARE segnalare una parafrasi	cioè, diciamo, anzi, insomma diciamo così, ti dirò, voglio/volevo dire, come dire, in altre parole, mi spiego In alcune situazioni il dialetto può essere usato con la funzione di *incode, voglio dire*, come parlata che accomuna un gruppo ristretto di persone.
correggere	diciamo, anzi, o meglio, insomma, cioè no, voglio dire I dialetti sono parlati dagli strati più bassi, *diciamo*, meno alti della popolazione.
esemplificare	mettiamo, diciamo, facciamo/prendiamo un esempio, ecco, per/ad esempio *Per fare un esempio concreto* di come ...

Appendice

Il massimo della vita!

Scheda A

- Qual è il tuo programma televisivo preferito?
- Qual era la fiaba più magica che amavi farti raccontare quando eri piccolo/a?
- Qual è l'hobby più creativo che pratichi o ti piacerebbe praticare?
- Quali sono le tre persone più importanti nella tua vita?
- Qual è lo sport più estremo che tu abbia mai praticato o che ti piacerebbe praticare?
- Qual è la vacanza più rilassante che tu abbia mai fatto?
- Qual è il film più esilarante che tu abbia mai visto?
- Qual è lo spettacolo naturale più sensazionale che tu abbia mai visto?
- Qual è la città o località turistica più curiosa che tu abbia mai visitato?
- Qual è il programma più innovativo che hai visto alla televisione italiana?

Scheda B

- Qual è il tuo sito preferito?
- Qual è il libro più coinvolgente che tu abbia mai letto?
- Qual è l'hobby più intellettuale che pratichi o ti piacerebbe praticare?
- Quali sono le tre persone più affascinanti che tu abbia mai incontrato?
- Qual è lo sport più faticoso che tu abbia mai praticato?
- Qual è la vacanza più stressante che tu abbia mai fatto?
- Qual è il film più toccante e drammatico che tu abbia mai visto?
- Qual è lo spettacolo naturale più spirituale che tu abbia mai visto?
- Qual è la cultura più diversa dalla tua che tu abbia mai conosciuto?
- Qual è il monumento più particolare in cui ti sei imbattuto in Italia?

UNITÀ 7 **La lingua della pubblicità**

- "Certe volte mi mangio le parole": il prodotto pubblicizzato è un detersivo per la pulizia dei pavimenti.
- "Chi russa resta solo": viene pubblicizzato uno spray nasale.

UNITÀ 8 Carte: desideri irrealizzati

Michela

> 22 anni, commessa (non le piace, sogno: studiare archeologia), figlio di 2 anni (non ha più tempo per uscire con gli amici, andare a ballare ecc.), marito elettricista (sportivo fanatico che dedica tutto il tempo libero agli sport, un po' tradizionalista, non l'aiuta in casa), vive a Milano (ma è napoletana, rimpiange la sua città).

Sandro

> 31 anni, odontotecnico (vive per il lavoro, è assetato di soldi, ma ha poco tempo libero: gli piace la pesca ma purtroppo la pratica poco), ha la ragazza (stanno spesso a casa da soli, un tempo invece usciva sempre con gli amici a divertirsi), non ha la madre, il padre lavora all'estero (sogno: come il padre partire per l'Africa in cerca di fortuna).

Carolina

> 38 anni, sarta (le piace perché è un lavoro creativo ma guadagna poco, sogno: continuare l'accademia e curare i suoi interessi artistici), non sposata (ha vissuto assieme ad un ragazzo per 10 anni, poi l'ha lasciato per un altro, rimpiange il primo), porta un apparecchio auricolare perché non si è mai curata un'otite che l'ha resa quasi sorda, vive a Bergamo (sogno: una casa vicino al mare), ama molto i bambini.

Mauro

> 41 anni, ragioniere (si sta impegnando molto, ma non riesce a far carriera, sogno: corridore di Formula 1), vive in un paese del Bresciano (sogno: abitare nella mondana Milano), ha avuto poche ragazze (sogno: sposare una Tailandese che aveva conosciuto in vacanza), vive in una cascina con la sua famiglia (sogno: avere un appartamento lussuoso per conto proprio).

Ermenegildo

> 57 anni, sindacalista (soddisfatto ma troppo impegnato e a contatto con la gente, sogno: agricoltore, vivere a contatto con la natura), vive a Treviso in un condominio (sogno: in Toscana in una cascina isolata, tranquilla), scapolo (sogno: sposarsi e avere figli), ha pochissimo tempo libero che dedica alla lettura (sogno: coltivare gli sport che gli piacevano).

Pinuccia

> 59 anni, casalinga (frustrata, sogno: fare l'attrice perché da giovane era molto bella), sposata con un taxista (infelice perché non ha mai ricevuto stimoli dal marito privo di interessi), non ha hobbies, guarda molto la televisione, gioca a carte con le amiche (le piaceva molto andare al cinema, a ballare), ha molti reumatismi (rimpiange di non aver mai fatto sport), vive in una palazzina (sogno: in una villa con giardino e cane), ha una figlia sposata, senza figli, che vive all'estero (sogno: avere l'unica figlia più vicina, e avere nipoti).

Sara

> 43 anni, assistente sociale (è soddisfatta ma un po' stanca di occuparsi di casi di emarginazione, sogno: la ballerina), separata con 3 figli (delusa dagli uomini, l'ultimo l'ha tradita con una ragazza di 21 anni, sogno: vivere per tutta la vita con il suo primo grande amore) , vive a Genova (sogno: abitare in montagna dove ha trascorso l'infanzia), va molto a teatro, all'opera (sogno: imparare a cavalcare), ha viaggiato molto in Europa (sogno: visitare l'Africa).

Luigi

> 38 anni, architetto affermato (pienamente soddisfatto, ha molti soldi, belle macchine, case, donne...), vive a Venezia (sogno: abitare in un attico a Parigi), pratica molti sport: vela, cavallo, tennis ecc. (sogno: alpinismo, ma soffre di vertigini), unico grande rimpianto: trovare la donna della sua vita e fare molti figli.